W9-BWY-317

HUGO VON HOFMANNSTHAL

GESAMMELTE WERKE

IN ZEHN EINZELBÄNDEN

FISCHER TASCHENBUCH VERLAG

HUGO VON HOFMANNSTHAL

ERZÄHLUNGEN
ERFUNDENE GESPRÄCHE UND BRIEFE
REISEN

FISCHER TASCHENBUCH VERLAG

Herausgegeben von Bernd Schoeller
in Beratung mit Rudolf Hirsch

8. Auflage: März 2009

Veröffentlicht im Fischer Taschenbuch Verlag,
einem Unternehmen der S. Fischer Verlag GmbH,
Frankfurt am Main, Oktober 1979
Ungekürzte, neu geordnete,
um einige Texte erweiterte Ausgabe der 15 Bände
H. v. H. Gesammelte Werke in Einzelausgaben,
herausgegeben von Herbert Steiner
S. Fischer Verlag GmbH, Frankfurt am Main

Umschlagentwurf: Jan Buchholz / Reni Hinsch
Satzherstellung: Fotosatz Otto Gutfreund, Darmstadt
Druck und Bindung: CPI – Clausen & Bosse, Leck
Printed in Germany
ISBN 978-3-596-22165-3

ERZÄHLUNGEN
ERFUNDENE GESPRÄCHE UND BRIEFE
REISEN

INHALT DER ZEHN BÄNDE

GEDICHTE
DRAMEN I
1891–1898

DRAMEN II
1892–1905

DRAMEN III
1893–1927

DRAMEN IV
Lustspiele

DRAMEN V
Operndichtungen

DRAMEN VI
Ballette · Pantomimen
Bearbeitungen · Übersetzungen

ERZÄHLUNGEN
ERFUNDENE GESPRÄCHE UND BRIEFE
REISEN

REDEN UND AUFSÄTZE I
1891–1913

REDEN UND AUFSÄTZE II
1914–1924

REDEN UND AUFSÄTZE III
1925–1929
AUFZEICHNUNGEN

INHALT

ERZÄHLUNGEN

DER GEIGER VOM TRAUNSEE (1889) 13
AGE OF INNOCENCE (1891) 19
GERECHTIGKEIT (1893) 30
DAS GLÜCK AM WEG (1893) 33
AMGIAD UND ASSAD (1895) 38
DAS MÄRCHEN DER 672. NACHT (1895) 45
ZU ›DAS MÄRCHEN DER 672. NACHT‹
Erster Entwurf 64
SOLDATENGESCHICHTE (1895/1896) 67
GESCHICHTE DER BEIDEN LIEBESPAARE (1896) 82
DAS DORF IM GEBIRGE (1896) 100
DER GOLDENE APFEL (1897) 104
ZU ›DER GOLDENE APFEL‹
Notizen 119
REITERGESCHICHTE (1898) 121
ERLEBNIS
DES MARSCHALLS VON BASSOMPIERRE (1900) 132
DAS MÄRCHEN VON DER
VERSCHLEIERTEN FRAU (1900) 143
ZU ›DAS MÄRCHEN VON DER VERSCHLEIERTEN FRAU‹
Notizen 152
DIE WEGE UND DIE BEGEGNUNGEN (1907) 157
ERINNERUNG SCHÖNER TAGE (1907) 165
LUCIDOR (1909) 173
DÄMMERUNG
UND NÄCHTLICHES GEWITTER (1911–1913) 187
ZU ›DÄMMERUNG UND NÄCHTLICHES GEWITTER‹
Notizen 191
ANDREAS (1907–1927)
Die wunderbare Freundin 198
Venezianisches Reisetagebuch
des Herrn von N. (1779) 263

Das venezianische Erlebnis des Herrn von N. 265
Die Dame mit dem Hündchen 286
ZU ›ANDREAS‹
Das Leben des Herrn von Ferschengelder 309
Notizen zu der ›Reise des Maltesers nach Persien‹ 310
PRINZ EUGEN DER EDLE RITTER (1915) 320
DIE FRAU OHNE SCHATTEN (1912–1919) 342

PROSAGEDICHTE

DIE ROSE UND DER SCHREIBTISCH (1892) 443
TRAUMTOD (1892) 444
DIE STUNDEN (1893) 445
INTERMEZZO (1894) 447
KÖNIG COPHETUA (1895) 448
KAISER MAXIMILIAN REITET (1895) 449
GESCHÖPF DER FLUT (1899) 450
GESCHÖPFE DER FLAMME (1899) 451
BETRACHTUNG (1899) 452
BEGEGNUNGEN (1916) 453
ERINNERUNG (1924) 454

ERFUNDENE GESPRÄCHE UND BRIEFE

JUNIABEND IM VOLKSGARTEN (1894) 459
EIN BRIEF (1902) 461
DER BRIEF DES LETZTEN CONTARIN (1902) 473
ZU ›DER BRIEF DES LETZTEN CONTARIN‹
Varianten und Notizen 478
ÜBER CHARAKTERE IM ROMAN
UND IM DRAMA (1902) 481
DAS GESPRÄCH ÜBER GEDICHTE (1903) 495
UNTERHALTUNG ÜBER DIE SCHRIFTEN
VON GOTTFRIED KELLER (1906) 510
UNTERHALTUNG ÜBER DEN »TASSO«
VON GOETHE (1906) 519

UNTERHALTUNGEN ÜBER EIN NEUES BUCH (1906) 532
DIE BRIEFE DES ZURÜCKGEKEHRTEN (1907) 544
FURCHT (1907) 572
ESSEX UND SEIN RICHTER (1922/1925) 580
BRIEF AN EINEN GLEICHALTRIGEN (1925) 584

REISEN

SÜDFRANZÖSISCHE EINDRÜCKE (1892) 589
SOMMERREISE (1903) 595
AUGENBLICKE IN GRIECHENLAND
Das Kloster des Heiligen Lukas (1908) 603
Der Wanderer (1909–1912) 609
Die Statuen (1909–1914) 617
GRIECHENLAND (1922) 629
REISE IM NÖRDLICHEN AFRIKA (1925) 641
ZU ›REISE IM NÖRDLICHEN AFRIKA‹
[*Marrakesch*] 655
SIZILIEN UND WIR (1925) 658

BIBLIOGRAPHIE 663

LEBENSDATEN 681

ERZÄHLUNGEN

DER GEIGER VOM TRAUNSEE

(EINE VISION ZUM ST. MAGDALENENTAG)

Montag 22. Juli 1889 Maria Magdalena

Die schwere drückende Glut eines wolkenlosen Julinachmittages lag über Berg und See. Kein Hauch bewegte die weite metallisch blinkende Fläche. Kein Hauch spielte um die Wipfel des mächtigen Waldes, der sich, ein düster schleppender Mantel, von den Schultern des Bergriesen herabzieht bis hart ans Ufer. Hier, an der Grenze von Wald und Flut bilden sich zahllose kleine Buchten, dem landenden Kahne günstig, bieten wechselnde Einschnitte, schattig überhangende Lauben ein wechselnd bewegtes Bild, das Bild friedlicher Ruhe, sorgloser Geborgenheit, doppelt wohltuend nach dem furchtbar großartigen Bilde der wild-abstürzenden Felswand, der schroff aufragenden Klippen an der Stirnseite des Traunstein. Im Schatten einer dieser Buchten, wo sich ein kristallhelles Bächlein den Weg durch schwellende Moospolster an das kiesige Ufer bahnte, hatte ich nach langem Suchen gefunden, was ich suchte, ein Fleckchen Erde, weltvergessen und weltentlegen; belebende Kühle umfing mich, sowie mein Kahn den weißen Sand der kleinen Bucht streifte, und mir war, als hätte sich gleich mir alles hierhergeflüchtet vor der sengenden Glut da draußen was keimt und blüht, was sproßt und gedeiht. Tief sank der Fuß in den schwellenden Moosteppich der selbst die unfruchtbaren Geschiebe des Ufers überwuchert hatte, so daß ihn nur mehr ein schmaler Streifen weißen Sandes vom Wasser trennte. Und dicht wie der Teppich war auch das Blätterdach das sich zur traulichen Laube wölbte, kaum hie und da fiel ein Sonnenstrahl in eine Lücke, vergoldete mit feuchtem Glanz den Stamm.
Wer mag die Magda gewesen sein, die sich ein halbes Jahrhundert vor mir dies Lieblingsplätzchen erlesen; die hier gesessen in der Tracht unsrer Großmütter, den schlanken Hals mit dem vormärzlichen Seidentuch umwunden, den zier-

lichen Fuß in winzige französische Seidenschuhe gepreßt? war sie hierhergekommen mit Claurens Mimili dem empfindsamen Geläute heimkehrender Herde zu lauschen, eine bleiche, geheimnisvolle Liebe im Herzen, hatte sie sich hierhergeflüchtet, um mit Jean Paul in wehmütigem Genuß seliger Beschränktheit zu schwelgen oder um sich dem bestrickenden Zauber romantischer Waldeinsamkeit hinzugeben? vielleicht lebt sie noch, vielleicht gehe ich täglich an ihr vorüber, einer alten korpulenten Beamtenswitwe, die als ehrsame Frau Magdalena beim Schälchen Kaffee mit einem unterdrückten Seufzer der Magda von einst und des lauschigen Plätzchens gedenkt. Während meine Gedanken also müßig umherschlenderten, suchte ich auf dem Brette eifrig nach einer Inschrift, einem Verslein, mit dem ja gefühlvollere Menschenkinder so gern ihrer Begeisterung beim Anblick ewig junger Naturschönheiten Worte verleihen. Umsonst, mühsam hob ich das Brett vollends aus seinem feuchten Lager unzähliges Gewürm aufstörend, da auf der Unterseite Worte, Verse, eine unentschiedene, frauenhafte Schrift: bald weich und liegend, dann wieder starr aufgerichtet, voll u. kräftig. Eine Flechte bedeckte die letzten Zeilen, vorsichtig hob ich sie mit dem Taschenmesser ab: Am St. Magdalenentage 1839. Nik. Lenau. Dieser Name warf wie ein Blitz sein Licht in mein Gedächtnis. Ja das waren die Züge, in die ich mich mit wehmütigen Seligkeiten vertieft hatte, sooft mir mein Schurz 2 Blicke in die reiche handschriftliche Hinterlassenschaft seines Schwagers gewährt hatte. Laut pochte mein Herz vor freudiger Aufregung, einen Augenblick war ich wie geblendet. Dann suchte ich mit freudebebenden Händen meinen Schatz zu entziffern. Aber ach, vergebens, wohl ließ sich Vers, metrische Form und Zeilenzahl des Gedichtes erkennen, wohl ließen sich einige Zeilen zu verständlichen Sätzen mit leichter Mühe ergänzen, aber Sinn des Gedichtes zu erschließen, das mußte ich alle Hoffnung aufgeben. So wie ich, so öd, ohnmächtig qualvoll mußte sich der Bettler fühlen, vor dessen Füßen ein gleißender Schatz in die Tiefe sank? Eine heiße Träne der Enttäuschung und bitteren Hilflosigkeit fiel auf die grauen Zeichen. Es war ein Sonnett; eine Dichtungsart, die Lenau nicht gern gebrauchte, denn er liebte es, was ihm Herz und Sinn durchstürmte, frei entströmen zu lassen wie die ungebundenen Tonfluten seiner Geige, nicht es zu feilen und zusammenzupressen in die enge Schranke der kunstvoll verschlungenen 14 Zeilen. Was sich erkennen ließ, war abgerissen und unzusammenhängend

Du fielst, ein Weib, wie tausend Weiber sanken,
Dein Heiland hörte deines Herzens Stöhnen
Die Reu, wie das Vergehen, ohne Schranken
Mein Wollustmeer ist eine Welt von Tönen
Und Zechgenossen sind mir die Gedanken
Du warst ein Weib wohl dir du konntest weinen
Und heute preisen Heil'ge dich Legenden
Dein Platz ist bei den Makellosen Reinen
Wann wird die Qual wann die Verfolgung enden?

Eine Säule eines verschütteten Palastes, ein abgerissener Akkord, vom Wind verweht. Und doch ein Akkord, der wieder und wieder erklingt im tosenden Kampfgetümmel der Albigenser, im leisen Flüstern der Schilflieder; stets die eine quälende Frage an das Schicksal bald gesteigert zum verzweifelten Aufschrei aus wunder Brust bald gedämpft zur kindlichvertrauenden, demütigen Bitte. Wann wird die Qual, wann die Verfolgung enden. Alle Saiten meiner Seele tönten nach, melodisch begleitet von den rauschenden Blättern, den schlaftrunken plätschernden Wellen. Vor meinem Aug stiegen zwei Bilder auf, die schöne Büßerin im Schmuck des niederwallenden Haares den seligen Glanz überstandener Prüfung im Auge, und der bleiche Mann mit der Rätselfremde im sehnenden Aug und dem halb traurigen halb spöttischen Zug um die vollen Lippen, wie er in Schurz' Arbeitszimmer hing. Über meine Stirn schwebte ein Falter; gedankenlos zerknickte ich eine dunkle Orchis, die im Bereich meiner Finger stand. Gedankenlos lauschte ich den ruhigen Atemzügen der schlafenden Flut. Da mischte sich in das Plaudern und Murmeln der Wellen ein seltsames Klingen, wie ferner Geigenton. Leise und doch vernehmlich klang es aus der Tiefe, als schlängen Nixen ihren Reihen durch die feuchten Bogen und

Hallen der versunkenen Stadt. Fester schloß ich die Augen, denn ich fürchtete zu erwachen und die süßen Klänge zu verscheuchen. Aber sie zogen näher und näher, und immer sehnsüchtiger, lockender erklang die Weise. Endlich schien mir, als drängen sie dicht vor mir aus dem Boden, ich riß die Augen auf, vor mir stand ein ernster, bleicher Mann, in der förmlichen, spießbürgerlichen Tracht unsrer Vorfahren, die großen dunklen Augen fragend vor sich hin gerichtet, um die vollen weichen Lippen ein Lächeln, halb traurig halb spöttisch. Im Arm aber ruhte ihm eine unscheinbare dunkle Geige, auf der er fort und fort spielte, langsam weitergehend, ohne meiner oder des Weges zu achten. Tausend Empfindungen stürmten auf mich ein, aber so sehr mir die Brust vor Erregung bebte und arbeitete, kein Wort entrang sich meiner Kehle, stumm stand ich da, ohne den Blick von dem wundersamen Geiger abwenden zu können. Ohne abzubrechen, war er aus dem lockenden Reigen übergegangen in ein leises inniges Flehen. Da war's mir als hielte gleich mir die ganze Schöpfung den Atem an, dem sehnsuchtvollen Werben zu lauschen. Und wo er ging, da leuchteten die weißen Sternblumen heller, und durch die Bäume ging ein wonniges Beben. Und wie die Töne immer heißer, inniger flehten, da öffnete sich die unentwirrbar grüne Wand, die verschlungenen Äste lösten sich lautlos und vor uns lag ein grüner Waldpfad. Da erklang es wie gestilltes Liebessehnen, goldne Töne schwangen sich auf zu den alten Wipfeln, die rauschend zusammenschlugen. Der unbeschreiblich süße Hauch, der auf den Märchen unserer Kindheit liegt, umschwebte mich wieder, dazwischen scholl das Lied, mit dem mich meine Mutter in den Schlaf gesungen. Dann schmetterten wilde kriegerische Töne durch den horchenden Wald, wie die empörten Wogen eines Gießbaches schwollen die Töne an, klirrend stießen sie aneinander, die Erde erdröhnte vom wütenden Anprall; endlich floß allesbrausender Siegesruf, der Schrei der Verzweiflung, ohnmächtiges Stöhnen in *einen* brausenden Chorgesang zusammen, fessellos und unergründlich wie das tobende Meer. Schaurig hallte es an den Wänden. Alles was in meinem Herzen übrig geblieben von flammender Begeisterung heißem Ringen der Jugend schlug noch einmal lodernd auf. Noch hallten die Schwingungen des wilden chaotischen Tonsturmes von Stamm zu Stamm, als schon wieder neue Lieder aus der Geige quollen, zart, wie wenn im silbernen Mondstrahl Elfenreigen um Moor und Halde schweben. Süßes Vergessen, sorglose Verborgenheit, von Blumenglück und Blumenleid, von langen Wintern, da die Erde schläft und von seligem Erwachen des Frühlings plauderten und flüsterten die Töne. Ich weiß nicht, wie lang wir so dahinschritten durch den dunklen hohen Wald, er unermüdlich spielend, ich horchend mit jeder Faser meines Herzens. Aber als wir heraustraten aus dem Dunkel an den kahlen Felsgrat, da stand die Sonne tief im Westen; schwere bleigraue Wolken waren heraufgezogen und ein rauher Windstoß fegte den felsigen Abhang herab uns entgegen, und der See tief zu unsern Füßen sah tiefblau fast drohend herauf, und hie und dort trug er weiße Schaumkronen. Unser Pfad ward eng und schwindlich und zu beiden Seiten schroffe Abstürze, von phantastischen Klippen und Zacken unterbrochen. Kaum hie und da gewährte die Wurzel einer verkrüppelten Föhre dem Fuß einen sicheren Anhaltspunkt. Er schritt dahin ohne auszugleiten, ohne sein Spiel zu unterbrechen, es schien ihn die Gewalt seiner Töne emporzutragen und zu leiten. Mühvoll, keuchend, mit blutenden Händen jede Zacke, jeden Ast benutzend folgte ich ihm, wie gebannt von der Gewalt dieser Töne. Einmal bei einer Biegung, konnte ich ihm ins Gesicht sehen, es war bleich wie früher, aber die Augen glühten, und der Mund war weit geöffnet. Immer heißer, unstäter scholl sein Spiel. Mich ergriffs ins Herz mit schmerzlicher Gewalt, wie die Klänge flehten und rangen, tobten und weinten. Wie ich schaudernd über den Abgrund hinab blickte, über den der Wind sie mir zuwehte, war mir, als stünde ich vor dem großen Rätselhaften, das ein Menschengemüt bewegt. Da verfinsterte sich die Sonne, sausend flog der Wind um den nächsten Vorsprung, die ersten schweren Regentropfen fielen mir auf die glühende Stirn. Vor mir aber suchten und knirschten, wühlten und wimmerten die Geigentöne und übertäubten das Heulen der Wogen, die tief drunten in ohnmächtiger Wut gegen die unerschütterliche Felswand tobten, bis sie zu weißer Gischt zersprühten. Wilder jagte der Wind daher, der See war eine weiße Fläche, stöhnend hob und senkte sich der Wald. An die Felswand geschmiegt, mit beiden Händen eine Zacke umklammernd, stand ich, mein Blick aber hing an ihm, wie er höher und höher stieg, ohne zu wanken, ohne Atem zu schöpfen. Ich hörte sein Spiel nicht mehr, denn um mich zischte der Wind in den Nadeln, donnerten Blöcke die grundlose Tiefe hinab. Nur dann und wann warf mir der Sturm mit einem Gusse eisigen Regens ein paar losgerissene kreischende Töne zu. Er war schon weit, weit von mir, und mir war, als sähe er sich nach mir um mit dem stummen, hilflosen herzzerreißenden Blick der Verzweiflung. Da fegte der Sturm eine schwarze Wolke über die Schluchten; die Schroffen und Zinken streckten ihre Fangarme nach den gehetzten Wolken aus, sie zu Fetzen zerreißend, ein feuchter erstickender Schleier füllt den Abgrund zu meinen Füßen aus, die Steine, an denen ich hänge, wanken, krachend stürzen sie hinab, noch hänge ich mit beiden Händen an der Wurzel; eine schwache Wurzel einer Zwergfichte; ich fühle, wie sie meinem Gewicht nachgibt, ihre Fasern lösen, und ich stürze.

Als ich erwachte, war ich durchnäßt, und rings um mich trieften die Bäume.

AGE OF INNOCENCE

STATIONEN DER ENTWICKLUNG

Er war von dem Geschlecht, das, siebzehnjährig, im Gymnasium, losgerissene Blätter von »Hedda Gabler« und »Anna Karenina« zwischen den Seiten des Platon und Horaz liegen hatte, und dann, in den neunziger Jahren des 19. Jahrhunderts das Leben lebte, dessen äußere und innere Gebärden das Produkt blaguierender französischer Bücher und manierierter deutscher Schauspieler waren.
Damals war er acht Jahre alt.
Sein Lieblingsbuch, von früher her, war ein englisches Bilderbuch: »The Age of Innocence«. Es handelte von Kindern für Kinder, sagte die Dame, die die Vorrede geschrieben hatte. Er hatte es hauptsächlich bekommen, um darin Englisch lesen zu lernen. Als er so viel Englisch lesen konnte, um die Vorrede zu lesen – die er für die erste Erzählung hielt –, verstand er das nicht; zwar die Worte wohl, aber nicht den Sinn. Denn die Bilder hatte er schon angesehen und es war ihm nie der Gedanke gekommen, daß das Kinder sein sollten, Kinder wie er, diese blonden, mit den Greenaway-Hüten, mit den stilisierten Stumpfnäschen der Unschuld und der wohlerzogenen Drolligkeit der Bewegungen.
Seine Augen waren nicht so rund und lachten nicht so; und seine Bewegungen waren auch anders, heftiger und häßlicher.
Er dachte nicht weiter darüber nach und behandelte sie wie Indianer oder sprechende Tiere, als etwas, dessen Existenz man nicht weiter leugnet, dem man aber wahrscheinlich nicht begegnen wird. Auch ihre Gespräche hatten für ihn nicht das Interesse, wie etwas Lebendiges und Verwandtes, und für die Spiele, die sie auf der gelben Düne oder auf grünem Gras unter blauem Himmel spielten, hatte er gar keinen Sinn. Trotzdem hatte er das Buch sehr gern und seine erste Konzeption der Schönheit war die blonde, zarte, auf der gelben Düne oder auf grünem Gras unter blauem Himmel. Er spielte anders, schon weil er meistens allein war.

Nachmittag, wenn er allein zuhause war, kniete er vor dem Ofen und sah regungslos in das Schwelen und Knistern der Glut und sog den heißen Hauch ein, der um seine Wangen leckte, bis ihm die Augen tränten und die Stirn glühte. Da bog er sich zurück, und schrie manchmal, wie in einer Trunkenheit, und warf sich auf den Teppich, zuckend und sehr glücklich. Oder er lief in die Küche – die war leer – und schlug mit dem Holzmesser auf den Holzklotz in bacchantischer Zerstörungslust und atemlosem Wohlsein. Dann trank er Wasser in langen schlürfenden Zügen.

An Frühlingsabenden aber, wenn er allein war und die Fenster offen, beugte er sich aus dem Fenster weitüber und hing lange, mit gepreßter Brust, die laue Luft im Haar, bis ihm schwindelte und vor dem Stürzen graute. Dann lief er zu seinem Bett und vergrub den Kopf in die Kissen, tiefeinwühlend, und Tücher und Decken in erstickendem Knäuel darüber: vor seinen Augen strömte es dunkelrot, seine Schläfen hämmerten und nachbebende Angst schüttelte ihn.

Aber ihm waren das heimliche Orgien und er liebte die Augenblicke, vor denen ihm graute. – –

Auch mit der Angst im Dunkeln spielte er gern und sich selbst zu quälen machte ihm Vergnügen. Dazu benützte er spitze Nägel, das heiße Wachs und Blei von Kerzen und geschmolzenen Spielsoldaten, das Berühren von Raupen und Tieren, vor denen ihm ekelte, oder auch harte Aufgaben, die er sich stellte, asketische Verzichtleistungen. Dies alles betrieb er anfangs ohne bestimmten Zweck, aus unklar gefühltem Wohlgefallen an der Macht über sich selbst und weil er seine Empfindungen gleichsam auskostete, wie man eine Weinbeere erst ausschlürft und aussaugt und dann mit den Zähnen preßt und zerquetscht, bis dahin, wo ihre Süße herb und bitter wird.

– –

... Später pflegte er diese Martern der heiligen Dreifaltigkeit aufzuopfern, die ihm nichts war als eine Dreizahl, von der er besessen war, der zu Ehren er eine Zeitlang alles Unangenehme und Peinliche dreimal oder dreimal dreimal oder dreimal dreimal dreimal tat, ja sogar Gedanken, die ihm

Angst machten, Erinnerungen, vor denen er sich schämte, dreimal durchzudenken suchte.
Das war auch die Zeit, wo die Augen des Muttergottesbildes drohten oder lächelten und wo er den Ausgang aller Dinge von dem Eintreffen gewisser Ereignisse abhängig machte: zum Beispiel, ob das vierte Haus am Weg dreistöckig sein wird, oder ob ein Regentropfen in die Mitte eines Pflastersteines fallen wird... Diese Zeit dauerte aber nicht lange...

- -

Dann kam ein ängstliches Denken an den Tod, den eigenen und den der Verwandten (... wann Weltuntergang und Jüngstes Gericht sein wird?... ob eine Revolution sein muß, jedesmal, wenn ein neuer Kaiser kommt?)... und ein Ausrechnen von Lebensaltern und Wahrscheinlichkeiten.
Dann kam ein fieberhaftes Verlangen nach Besitz, nach Übersicht, Einteilung, Ordnung: ... wie viele Kasten und Klaviere und Bücher man erben könnte, und geschenkt bekommen, und rauben?... und unter welchen Umständen? und wie ungestraft bleiben und das Erworbene nie wieder hergeben müssen?
Und er fing an, seine kleinen Sachen zu zählen, zu ordnen und in ein Notizbuch einzutragen; und sie noch mehr zu eigen zu haben, beschrieb er sie in dem Notizbuch mit Worten und unbeholfenen Strichen und schrieb die schönsten Stellen aus den schönsten Büchern wörtlich ab. Bald aber ließ er das ängstlich Umklammerte wieder los und nach einer Zeit des Hütens kam wieder eine Zeit des Sammelns.

- -

Damals bekam er die historischen Erzählungen für die reifere Jugend in die Hand. Das antiquarische Detail, die exotischen Namen, die Titel, das Kostüm nahmen ihn sehr ein: er fing an, sich in Kostüm zu sehen und in kostümierten Redensarten zu denken. Er genoß das seltsame Glück, seine Umgebung zu stilisieren und das Gewöhnliche als Schauspiel zu genießen. Das Erwachen kam über ihn und das Erstaunen über sich selbst und das verwunderte Sich-leben-Zusehen. Da wurden die Gerüche lebendig und die Farben leuchtend; die Aufeinanderfolge des Alltäglichen wurde Ereignis und die Umgebung Bild. Und es kam eine süße Hast und Unruhe über ihn, als ob die unmittelbare Zukunft irgend etwas bringen müßte und der kommende Tag irgendeinen großen Sinn haben.

Damals riß er sich einmal auf der Straße beim Spazierengehen von dem Fräulein los und lief durch die Straßen, von einem unbestimmten Bann getrieben, atemlos und wie berauscht. Er schrie vor sich hin, heiser vor sinnloser Aufregung; in das Rasseln und Klirren und Dröhnen der Wagen mengte er seine schrille Stimme und der Schauer lief von seinen Haarwurzeln den Rücken herab, den er immer hatte, wenn er hohe Trompeten hörte oder Glocken, und das Weinen quoll ihm die Kehle herauf; so lief er durch die Straßen.

Dann wurde es halbfinster und er wurde müde und der Rausch verging; er hatte Halsschmerzen und aufgesprungene Lippen und brennende Wimpern. Er hatte sich nicht einmal verlaufen. Kreisend war er dort hingekommen, von wo er sich leicht nach Hause finden konnte. Zu Hause waren sie geängstigt und böse; er hatte den Geschmack von unsäglicher schaler bitterer Enttäuschung auf der Zunge.

Ihr ganzes brutales Nichtverstehen war ihm widerlich und er log. Er log mit dem dumpfen Bestreben, einen Mantel um sich zu machen und irgend etwas Heimliches nicht preiszugeben.

Er log aus Schamhaftigkeit der Nerven.

Ein Vorhang, ein dolchartiges Messer, ein Tuch, sein eigener Körper, die Beweglichkeit seiner Mienen, die Kleider, die man an- und ausziehen kann, Lampenlicht und Halbdunkel und vollständiges Dunkel, das waren ihm die Ereignisse unzähliger Dramen oder eigentlich eines einzigen monatelangen Mysteriums.

Er spielte und sah zu, fühlte die Schauer des Mordes und das Grauen des Opfers, weidete sich an seinen eigenen Qualen, brachte sich selbst Botschaft von sich selbst, weinte aus Rührung über seine eigene Stimme, verriet sich selbst die Geheimnisse seines Innern und erweiterte die Skala seiner Empfindlichkeiten, sein eigenes reiches Reich.

So erlangte er die peinliche Geschicklichkeit, sich selbst als Objekt zu behandeln.
Manchmal verlor er den Faden seines Dramas, und wurde von dem bloßen Beben seiner Stimme durch eine Reihe von Affekten ohne Vorstellungsinhalt willenlos mitgerissen – sinnlose Worte vor sich hinsprechend, die ihn berauschten. – Dieses Vibrieren der Nerven, das er durch bewußte Führung und Wahl der Worte nie zu erreichen vermochte, hatte für ihn den großen Reiz des Unverständlichen und brachte ihm die Hochachtung vor unverständlich gewordenen Dingen und den Kultus der Erinnerung bei.
Mit acht Jahren fand er den größten Reiz an dem Duft halbvergessener Tage und tat manches nur mit dem dumpfen Instinkt, zukünftige hübsche Erinnerungen auszusäen. So gewöhnte er sich resigniert, den Wert und Reiz der Gegenwart erst von der Vergangenheit gewordenen zu erwarten.

– –

Einmal, anfangs Juni, da war eine merkwürdige Nacht. Es war eine sehr heiße Zeit; die Wassergläser waren immer angelaufen und abends atmeten die Steine lauen Qualm aus. An den offenen Fenstern in der Vorstadt saßen abends die Leute im Hemd. Damals hatte die Mama das Fräulein fortgeschickt und er schlief allein. Früh in der Nacht schrak er auf aus einem Traum; das Fenster war offen, der laue Wind spielte mit den Vorhängen; gegenüber, hinter den Rauchfängen, stand der gelbe Vollmond.
Sein Herz pochte, ihm war, als hätte ihn jemand gerufen, er lauschte mit eingehaltenem Atem, man hörte nichts als das nächtige Knistern der Möbel. Er richtete sich im Bette auf; das Alleinsein war ihm Ereignis. In der Ecke stand des Fräuleins großer Ankleidespiegel, leise glitt er vom Bette herunter und stand, atmend, die nackten Füße auf der kühlen Matte. Mit einem Schritte stand er vor dem Spiegel, und genoß den wohlbekannten Schauer des Erschreckens, als ihm seine eigene weiße Gestalt aus dem Halbdunkel entgegensprang. Dann spielte er vor dem Spiegel: das betende Kind (die Ofenfigur im Vorzimmer); der Kaiser Napoleon in Fontainebleau mit finsterer Stirne im Armsessel (der Kupferstich

hängt in Papas Zimmer); dann der Wahnsinnige, den ihm das Fräulein einmal vorgemacht hatte, um ihn zu erschrecken, mit stieren, hervorstehenden Augen, wo man das Weiße unten sieht, und verzerrten Lippen.
Den machte er immer zuletzt und zitterte jedesmal vor seiner eigenen Schöpfung.
Aber schließlich wird auch das Grauen langweilig. Horchend trat er ans Fenster, das ging in den Hof, um den rings in jedem Stockwerk ein offener Gang führte. Gegenüber lag das Mondlicht auf den grauweißen saftlosen Blättern eines verstaubten Efeugitters, das da stand und auf den Regen wartete. Von irgendwoher drangen halbverwehte Geigentöne; er bemühte sich, sich den Menschen vorzustellen, der jetzt Geige spielte. Er mußte alt sein wie der pensionierte Ministerialbeamte vom dritten Stock und zitternde Hände haben und tränende Augenwinkel; das las er aus dem Spiele heraus.
Zum erstenmal bekam die Außenwelt für ihn ein selbständiges Interesse, die anderen Menschen, die gar keine Bekannten sind, und an denen man sonst immer nur vorübergeht. Da schwirrte etwas vor seinen Augen vorbei und fiel unten klatschend auf; dann hörte man Lachen von Menschen, die sich aus den Fenstern beugten. Das mußte bei der Dame mit dem Mops sein, die immer einen gelben Hut aufhatte und immer abends mit ihrem Dienstmädchen spazierenging, und über die die Mama sich beim Hausadministrator beschwert hatte.

– –

Er empfand plötzlich eine Sehnsucht danach, in fremde Zimmer hineinzuschauen und fremde Menschen fühlen zu fühlen.
Die »Anderen« hatten für ihn einen Sinn bekommen...
Er hatte einen neuen Reiz des kontemplativen Lebens entdeckt.

– –

KREUZWEGE

Was man also den Lebensweg nennt, ist kein wirklicher Weg mit Anfang und Ziel, sondern er hat viele Kreuzwege, ja er besteht wohl eigentlich nur aus Kreuzwegen, und jeder Punkt ist der mögliche Ausgangspunkt zu unendlichen Möglichkeiten; und das Schicksal nannten darum die Griechen sehr geistreich »Tyche«, das Zufällig-Zugefallene.
Es geht immerfort die Wahrheit an uns vorbei, die wir vielleicht hätten verstehen können, und die Frau, die wir vielleicht hätten lieben können...

... car j'ignore où tu fuis, tu ne sais où je vais,
ô toi que j'eusse aimée, ô toi qui le savais...

Das ist beinahe traurig, aber es ist für mich wirklich erlebte Erfahrung; es gehört zu meiner Resignationsphilosophie. Nervöse Menschen kann es aber auch zu einem seltsamen Suchen und Sehnen führen, schmerzlich und ohne Zuversicht, aber doch ohne Ende.
Deutlich wie alle Erfahrung hab ich längst gewußt, seit jeher, aber deutlich, lebendig geworden ist es mir erst damals. Damals... aber ich erinnere mich so genau, ich könnte das Ganze in ein Tagebuch bringen: ein nachträgliches Tagebuch. Das wäre wenigstens ein Tagebuch ohne Pathos, mit den graziösen unaufdringlichen Dimensionen des Entrückten und dem kühlen reservierten Ton des nicht mehr Wirklichen. Also gut.
Anfang Jänner 1886.
Ich komme seit einigen Wochen sehr viel zu W. – Heddy ist nämlich wirklich in ihrem Boudoir viel hübscher als überall anders. Sie kann sehr hübsch sitzen und lehnen, mit einer leichten Andeutung des frierenden Kauerns. In ihren Négligés imitiert sie ein bißchen die Anziehtechnik der Sarah Bernhardt, aber nicht sklavisch: viele Spitzen und weiche Falten und die hohen mattgoldenen Empiregürtel, die ich so gern habe. Ihr Gespräch ist eigentlich merkwürdig geradlinig; nur fragt sie viel und manchmal mit so eigenen suchenden Augen.

Einmal sah ich eine Biskuitgruppe an, die auf ihrem Kamin steht, gutes französisches Rokoko, kleine Stumpfnasen in der Manier der Frauen von Watteau und Largillière.
»Wie hübsch das ist«, sag ich.
»Warum?« fragt sie.
Ich war einen Augenblick verlegen; endlich sagte ich: »Warum, weil es Stil hat.« Sie schwieg und wir redeten von etwas anderem.
Nach ein paar Tagen sagte sie plötzlich, ganz ohne Übergang

––––––––––––––––––––––––––––––––––

WIE MEIN VATER...

Wie mein Vater, der alte Herr mit dem traurigen Lächeln und dem eigentümlichen Parfum in den Seidentaschentüchern und den gestickten Westen, starb, war ich noch ein Kind. Dann lebte ich weiter allein, mit einem alten Diener, der zugleich Koch war, in der altmodischen Wohnung, ein seltsam puppenhaftes gespenstisches Dasein. Mein großes, viel zu großes Bett in der Alkove und die Kupferstiche nach Danhauser und Fendi, Eysen und Greuze mit galanten Versen und die großen gelbroten Möbel der Kongreßzeit und der rätselhafte Geruch nach Äpfeln und alten Büchern machte das lichte saalartige Zimmer anders als alle anderen Zimmer auf der Welt. Nur eines war sehr schön: zwischen den weißen Gardinen sah ein heller grüner Garten herein und in Sommernächten schwebten vor der Mondscheibe auf dem schwarzblauen Nachthimmel weißleuchtende Kirschblütenzweige. Hier lebte ich eine altkluge Kindheit in selbstgenügsamer Harmonie. Ein feiner glatter pedantesker Tanz, ein graziöses resigniertes Menuett. Wie ich klein war, hatte ich bei meinem Vater viel Musik gehört; alle Sonntag abends kamen drei Freunde zu ihm, alte Hofbeamte wie er, und spielten Kammermusik. Seit der Zeit aber war keine Musik mehr und ich tupfte nur manchmal ängstlich in der Abenddämmerung auf die Tasten des Klaviers, vor dem ich Furcht hatte.

Aber das langsame Verklingen der Töne war sehr schön. Ich suchte mich oft an die wirkliche Musik zu erinnern, an die von damals: ich sah dann eine metallene Landschaft mit rotglühendem Himmel, oder ein goldenes Meer mit emailblauen Inseln, ein blaues Meer mit phosphorschäumenden Lichtbüscheln und weißem lichtdurchsickertem Nebel oder große weiße Stiegen [...] mit Blättern rostbraun und korallenrot und grün, denn alle Töne hatten für mich eine Farbe, Farben von unsagbarer sehnsüchtiger Schönheit, viel schöner als alle wirklichen Dinge, Farben, die ich gar nicht nennen kann und die ich nirgends wiederfinde.

Dann kam meine Universitätszeit. Ich erlebte nichts und schrieb in ein lichtgelb gebundenes Tagebuch hochmütige und enttäuschte Verse, die ziemlich deutlich eine empfindsame und unruhig fröstelnde Seele ausdrückten mit Sehnsucht nach vielerlei, ohne Zuversicht und mit manierierter Scheu vor den lauten heftigen Worten. Ich glaube nicht, daß jemand diese Verse zu Gesicht gekommen sind. Gleichviel. Es kam im März ein lauer fast schwüler Abend, so einer wo im Wind auf den Wegen der Duft und Atem des ganzen Frühlings ist und über den kahlen Bäumen feuchtwarme Sommerwolken hintreiben. Ich ging lange durch die Gassen; mir fielen gewisse Dinge mit einer Deutlichkeit ein, die mich angenehm beschäftigte. Es waren an sich ganz gleichgültige Dinge, aber sie waren interessant wie ein Traum. Besonders eine bestimmte alte tändelnde Melodie und ein Duft, der Duft eines Vormittags, einmal im Schwarzenberggarten, und der braungrüne Teich mit den Sandsteintritonen und die vielen jungen Mädchen und die warme einschläfernde Luft. Warum das so sehnsüchtig schön schien, so getaucht in die Schönheit, die weinen macht, diese alltäglichen Dinge.
Wie schlafwandelnd war ich in eine alte schlecht erleuchtete Straße der Inneren Stadt gekommen. Aus dem Fenster eines dritten Stocks drang Musik, Harmonien und Singen. Ich blieb stehen. Es war eine Frauenstimme, nicht sehr stark und nicht sehr schön, aber eine von denen, die uns an Dinge erinnern, die heimlich in uns sind. Dann fiel mir ein, daß ich diese

Wohnung kenne. Dort wohnt der Vater eines Schulkameraden, ein ehemaliger Hofsekretär. Samstag abends kommen junge Leute hin zu Kaffee, Gugelhupf und Musikmachen. An die Tochter erinnerte ich mich gar nicht. Obwohl ich die Einladung nie angenommen hatte, fühlte ich doch plötzlich eine Lust hinaufzugehen. – – –

In der halbdunkeln Hausflur stand in einer Nische die Madonna, in hölzerner lächelnder Anmut, ganz umwunden mit Blumen und Flitterkränzen und kleinen buntglimmenden Glaslampen.

Als ich oben eintrat, wunderte sich niemand. Im ersten Zimmer ging der Alte auf und ab und hörte der Musik zu, die aus dem Nebenzimmer in dunkelschwerem Schwellen kam. Auf dem alten Ledersofa lag ein gestickter Polster, ein violetter Pudel auf gelbem Grund. Auf dem Tisch stand ein Einsiedglas mit kandiertem Obst, aus dem der Alte jedesmal beim Vorübergehen mit langen, schmalen, gepflegten Fingern eine Frucht nahm. Er bewillkommnete mich mit unangenehmer Höflichkeit; seine Stimme paßte ganz zu seinen kurzsichtigen, blauen, vorstehenden Augen und dem gelbgrauen hochgelockten Haar.

Die Musik hörte auf, und er rief ins Nebenzimmer: Madeleine. Unhörbar herangetreten stand sie plötzlich in der Tür und reichte mir die Hand. Sie war mittelgroß und zart, hübsch, aber unbedeutend; nur die schmalen fest aufeinandergepreßten Lippen und der matte Perlglanz der Wangen gaben dem Kindergesicht einen eigentümlichen Reiz wie von leisem Leiden. Ihr faniertes großblumiges Kleid hatte noch den hohen Gürtel und den Ausschnitt der Kongreßzeit und um den Hals war ein Stückchen Schleier gewunden.

Im andern Zimmer lehnten am Klavier zwei junge Leute, mein Schulkamerad und ein älterer, den ich auch schon kannte, etwa fünfundzwanzigjährig, häßlich, mit einem nervösen Zucken und wasserhellen unstäten Augen. Ein dritter mit eigentümlich traurigem Blick stand am Fenster. Madeleine nannte seinen Namen: »Hammer«, und ließ mich neben ihm stehen. Dann setzte sie sich ans Klavier und ihr Bruder nahm die Geige. Sie spielten Melodien, etwas, worin kindische verträumte Anmut war zugleich mit wehmütiger Herzlichkeit und verwirrender leichtfertiger Grazie, wie wenn einer ans Abschiednehmen denkt, und zugleich wieder alte vertraute Dinge und wieder lachendes Vergessen. Es werden wohl Tänze von Lanner gewesen sein.

Ich saß mit halbgeschlossenen Augen und hörte zu; einmal war mir, als wäre alles angefüllt mit rosenroten Rosen, ich fühlte den betäubenden Geruch, ja den Geschmack; dann tauchte wieder der Alte auf, tänzelte nach dem Takt, nahm eine kandierte Birne aus einem Topf, der hier am Ofen stand, und tänzelte wieder hinaus; dann kam wieder der Schwarzenberggarten mit dem grünbraunen Teich, aber auf einer Sandsteinbank saßen unter blühenden Kastanien die Madonna vor der Stiege mit lapisblauem Holzmantel und einer roten Glaslampe in der Hand und Madeleine mit dem großblumigen Kleid und dem Stück Schleier um den Hals.

Als ich wieder unten auf der Gasse stand, hatte ich ein unerklärliches, bitter aufquellendes Gefühl wie von Enttäuschung und Entbehrung.

Neben mir ging schweigend der junge Mensch [aus] der Fensterecke.

Und sonderbar, dann kamen wir auf das Problem des Glücks zu sprechen. Von seinem Wesen ging eine tiefe ansteckende Traurigkeit aus.

GERECHTIGKEIT

Ich saß mitten im Garten. Vor mir lief der Kiesweg zwischen zwei blaßgrünen Wiesen aufwärts, bis wo der Hügel abbrach und sich der dunkelgrün gestrichene Lattenzaun scharf in den hellen Frühlingshimmel hineinzeichnete. Wo der Weg aufhörte, hatte der Zaun eine kleine Tür. In der dünnen durchsichtigen Luft schwebten Bienen zwischen den rosenroten über und über blühenden Pfirsichbäumen hin und her. Da knarrte oben das Lattentürchen und zuerst sprang ein Hund in den Garten, ein großes hochbeiniges zierliches Windspiel. Hinter dem Hund trat, das Türchen hinter sich zudrückend, ein Engel ein, ein junger blonder schlanker Engel, einer von den schlanken Pagen Gottes. Er trug Schnabelschuhe, an der Seite hing ihm ein langer Stoßdegen und im Gürtel ein Dolch. Brust und Schultern deckte ein feiner stahlblauer Panzer, auf dem spielte die Sonne, und weiße Blüten fielen auf sein dichtes langes goldblondes Haar. So ging er den Kiesweg herunter, die feine schmächtige Gestalt im enganschließenden smaragdgrünen Wams, die Ärmel von der Schulter bis zum Ellbogen gepufft, von da an eng bis über die Knöchel der hübschen Hände. Er ging langsam, zierlich, die linke Hand spielte mit dem Griff des Dolches; der Hund sprang neben des Herren Weg im Grase her, von Zeit zu Zeit mit Liebe zu ihm aufschauend. Jetzt war er kaum mehr so weit, wie ein fünfjähriges Kind den Ball wirft.
»Wird er mich ansprechen, wenn er herkommt?«
In der Wiese spielte das kleine Kind des Gärtners mit abgefallenen Blüten. Es wackelte jetzt auf den Engel zu und schaute ihm auf die Füße. »Schöne Schuh hast du, sehr schöne!« sagte es. »Ja«, sagte der Engel, »freilich, die sind vom Mantel der Mutter Gottes«.
Jetzt sah ich: die Schuhe waren aus Goldstoff und irgendwelche rote Blumen oder Früchte eingewebt. »Der heilige Apostel Petrus lief einmal der Mutter Gottes nach«, sagte der

Engel zu dem Kind, »weil er ihr etwas zu sagen hatte und sie hörte ihn nicht rufen und blieb nicht stehen. Und da lief er ihr nach und trat ihr in seiner Hast ein Stück vom nachschleppenden Mantel ab. Da wurde der Mantel weggelegt und für uns auf Schuh verschnitten.« »Sehr schön sind die Schuh!« sagte das Kind noch einmal. Dann ging der Engel weiter, den Kiesweg weiter, der ihn an meiner Bank vorbeiführen mußte. Eine unsägliche Gehobenheit kam über mich bei dem Gedanken, daß er auch zu mir reden würde. Denn auf den einfachen Worten, die über seine Lippen sprangen, lag ein Glanz, als dächte er dabei an ganz etwas anderes, dächte verschwiegen und mit unterdrücktem Jubel an paradiesische Glückseligkeiten. Da stand er vor mir. Ich nahm grüßend den Hut ab und erhob mich. Als ich aufsah, erschrak ich über den Ausdruck seines Gesichts. Es war von wundervoller Feinheit und Schönheit der Züge, aber die dunkelblauen Augen blickten finster, fast drohend, und das goldene Haar hatte nichts Lebendiges, sondern gab ein unheimliches metallisches Blinken. Neben ihm stand der Hund, ein Vorderbein zierlich gehoben, und schaute mich auch mit aufmerksamen Augen an.

»Bist du ein Gerechter?« fragte der Engel streng. Der Ton war hochmütig, fast verächtlich. Ich versuchte zu lächeln: »Ich bin nicht schlimm. Ich habe viele Menschen gern. Es gibt so viel hübsche Dinge.« »Bist du gerecht?« fragte der Engel wieder. Es war, als hätte er meine Rede vollkommen überhört; in seinen Worten war ein Schatten von der herrischen Ungeduld, wie wenn man einem Diener einen Befehl wiederholt, weil er nicht gleich verstanden hat. Mit der rechten Hand zog er den Dolch ein klein wenig aus der Scheide. Ich wurde ängstlich; ich versuchte ihn zu begreifen, aber es gelang mir nicht; mein Denken erlosch, unfähig den lebendigen Sinn des Wortes zu erfassen; vor meinem inneren Auge stand eine leere Wand; qualvoll vergeblich suchte ich mich zu besinnen. »Ich habe so wenig vom Leben ergriffen«, brachte ich endlich hervor, »aber manchmal durchweht mich eine starke Liebe und da ist mir nichts fremd. Und sicherlich bin ich dann gerecht: denn mir ist dann, als könnte ich alles begreifen, wie

die Erde rauschende Bäume herauftreibt und wie die Sterne im Raum hängen und kreisen, von allem das tiefste Wesen, und alle Regungen der Menschen...«
Ich stockte unter seinem verächtlichen Blick, ein solches vernichtendes Bewußtsein meiner Unzulänglichkeit überkam mich, daß ich fühlte, wie ich vor Scham errötete. Der Blick sagte deutlich: »Was für ein widerwärtiger hohler Schwätzer!« Nicht eine Spur von Entgegenkommen oder Mitleid lag darin.
Ein hochmütiges Lächeln verzog seine schmalen Lippen. Er wandte sich zum Gehen. »Gerechtigkeit ist alles«, sagte er; »Gerechtigkeit ist das Erste, Gerechtigkeit ist das Letzte. Wer das nicht begreift, wird sterben.« Damit kehrte er mir den Rücken und ging mit elastischen Schritten den Weg nach abwärts; wurde unsichtbar hinter der Geißblattlaube, tauchte dann wieder auf und stieg endlich die Steintreppe hinunter; ruckweise verschwindend, erst die schlanken Beine bis zum Knie, dann die Hüften, endlich die dunkelgepanzerten Schultern, das goldene Haar und das smaragdgrüne Barett. Hinter ihm lief der Hund, zeichnete sich am obersten Stiegenabsatz in zierlich-scharfen Konturen ab und sprang dann mit einem Satz ins Unsichtbare.

DAS GLÜCK AM WEG

Ich saß auf einem verlassenen Fleck des Hinterdecks auf einem dicken, zwischen zwei Pflöcken hin- und her gewundenen Tau und schaute zurück. Rückwärts war in milchigem, opalinem Duft die Riviera versunken, die gelblichen Böschungen, über die der gezerrte Schatten der schwarzen Palmen fällt, und die weißen, flachen Häuser, die in unsäglichem Dickicht rankender Rosen einsinken. Das alles sah ich jetzt scharf und springend, weil es verschwunden war, und glaubte den feinen Duft zu spüren, den doppelten Duft der süßen Rosen und des sandigen, salzigen Strandes. Aber der Wind ging ja landwärts, schwärzlich rieselnd lief er über die glatte, weinfarbene Fläche landwärts. So war es wohl nur Täuschung, daß ich den Duft zu spüren glaubte. Dann sprangen dort, wo golden der breite Sonnenstreifen auf dem Wasser lag, drei Delphine auf und sprudelten sprühendes Gold und spielten gravitätisch und haschten sich heftig rauschend und tauchten plötzlich wieder unter. Leer lag der Fleck und wurde wieder glatt und blinkte. So tanzen vor einem feierlichen Festzug radschlagende Gaukler und Lustigmacher, so liefen betrunkene, bocksfüßige Faune vor dem Wagen des Bakchos einher...

Jetzt hätte es dort aufrauschen müssen, und wie der wühlende Maulwurf weiche Erdwellen aufwerfend den Kopf aus den Schollen hebt, so hätten sich die triefenden Mähnen und rosigen Nüstern der scheckigen Pferde herausheben müssen, und die weißen Hände, Arme und Schultern der Nereiden, ihr flutendes Haar und die zackigen, dröhnenden Hörner der Tritonen. Und in der Hand die rotseidenen Zügel, an denen grüner Seetang hängt und tropfende Algen, müßte er im Muschelwagen stehen, Neptun, kein langweiliger, schwarzbärtiger Gott, wie sie ihn zu Meißen aus Porzellan machen, sondern unheimlich und reizend, wie das Meer selbst, mit reicher Anmut, frauenhaften Zügen und Lippen, rot wie eine giftige rote Blume...

Über das leere, glänzende Meer lief schwärzlich rieselnd der leise Wind. Am Horizont, nicht ganz dort, wo in der kommenden Nacht wie ein schwarzblauer Streif der bergige Wall von Korsika auftauchen sollte, stand ein winziger schwarzer Fleck.
Nach einer Stunde war das Schiff recht nahe gegen unseres gekommen. Es war eine Yacht, die offenbar nach Toulon fuhr. Wir mußten sie fast streifen. Mit guten Augen unterschied man schon recht deutlich die Maste und Rahen, ja sogar die Vergoldung, dort, wo der Name des Schiffes stand. Ich wechselte meinen Platz, trug meinen englischen Roman ins Lesezimmer zurück und holte mein Fernglas. Es war ein sehr gutes Glas. Es brachte mir einen bestimmten runden Fleck des fremden Schiffes ganz nahe, fast unheimlich nahe. Es war, wie wenn man durchs Fenster in ein ebenerdiges Zimmer schaut, worin sich Menschen bewegen, die man nie gesehen hat und wahrscheinlich nie kennen wird; aber einen Augenblick belauscht man sie ganz in der engen dumpfen Stube, und es ist, als ob man ihnen da unsäglich nahe käme.
Den runden Fleck in meinem Glas begrenzte schwarzes Tauwerk, messingeingefaßte Planken, dahinter der tiefblaue Himmel. In der Mitte stand eine Art Feldsessel, auf dem lag, mit geschlossenen Augen, eine blonde, junge Dame. Ich sah alles ganz deutlich: den dunklen Polster, in den sich die Absätze der kleinen lichten Halbschuhe einbohrten, den moosgrünen breiten Gürtel, in dem ein paar halboffener Rosen steckten, rosa Rosen, La France-Rosen...
Ob sie schlief?
Schlafende Menschen haben einen eigentümlichen, naiven, schuldlosen, traumhaften Reiz. Sie sehen nie banal und nie unnatürlich aus.
Sie schlief nicht. Sie schlug die Augen auf und bückte sich um ein heruntergefallenes Buch. Ihr Blick lief über mich, und ich wurde verlegen, daß ich sie so anstarrte, aus solcher Nähe; ich senkte das Glas, und dann erst fiel mir ein, daß sie ja weit war, dem freien Auge nichts als ein lichter Punkt zwischen braunen Planken, und mich unmöglich bemerken könne. Ich richtete also wieder das Glas auf sie und sie sah jetzt wie verträumt

gerade vor sich hin. In dem Augenblick wußte ich zwei Dinge: daß sie sehr schön war, und daß ich sie kannte. Aber woher? Es quoll in mir auf, wie etwas Unbestimmtes, Süßes, Liebes und Vergangenes. Ich versuchte es, schärfer zu denken: ein gewisser kleiner Garten, wo ich als Kind gespielt hatte, mit weißen Kieswegen und Begonienbeeten... aber nein, das war es nicht... damals mußte sie ja auch ein kleines Kind gewesen sein... ein Theater, eine Loge mit einer alten Frau und zwei Mädchenköpfe, wie biegsame lichte Blumenköpfe hinter dem Zaun... ein Wagen, im Prater, an einem Frühlingsmorgen... oder Reiter?... Und der starke Geruch der taufeuchten Lohe und Kastanienblütenduft und ein gewisses helles Lachen... aber das war ja jemand anderes Lachen... ein gewisses Boudoir mit einem kleinen Kamin und einem gewissen hohen Louis-Quinze-Feuerschirm... alles das tauchte auf und zerging augenblicklich und in jedem dieser Bilder erschien schattenhaft diese Gestalt da drüben, die ich kannte und nicht kannte, diese schmächtige lichte Gestalt und die blumenhafte müde Lieblichkeit des kleinen Kopfes und darin die faszinierenden, dunklen, mystischen Augen... Aber in keinem der Bilder blieb sie stehen, sie zerrann immer wieder, und das vergebliche Suchen wurde unerträglich. Ich kannte sie also nicht. Der Gedanke verursachte mir ein unerklärliches Gefühl von Enttäuschung und innerer Leere; es war mir, als hätte ich das Beste an meinem Leben versäumt. Dann fiel mir ein: Ja, ich kannte sie, das heißt, nicht wie man gewöhnlich Menschen kennt, aber gleichviel, ich hatte hundertmal an sie gedacht, hunderte von Malen, Jahre und Jahre hindurch.
Gewisse Musik hatte mir von ihr geredet, ganz deutlich von ihr, am stärksten Schumannsche; gewisse Abendstunden auf grünen Veilchenwiesen, an einem rauschenden kleinen Fluß, darüber der feuchte, rosige Abend lag; gewisse Blumen, Anemonen mit müden Köpfchen... gewisse seltsame Stellen in den Werken der Dichter, wo man aufsieht und den Kopf in die Hand stützt und auf einmal vor dem inneren Aug die goldenen Tore des Lebens aufgerissen scheinen... Alles das hatte von ihr geredet, in all dem war das Phantasma ihres Wesens gelegen, wie in gläubigen Kindergebeten das Phantasma des

Himmels liegt. Und alle meine heimlichen Wünsche hatten sie zum heimlichen Ziel gehabt: in ihrer Gegenwart lag etwas, das allem einen Sinn gab, etwas unsäglich Beruhigendes, Befriedigendes, Krönendes. Solche Dinge *begreift* man nicht: man weiß sie plötzlich.

Ja, ich wußte noch viel mehr; ich wußte, daß ich mit ihr eine besondere Sprache reden würde, besonders im Ton und besonders im Stil: meine Rede wäre leichtsinniger, beflügelter, freier, sie liefe gleichsam nachtwandelnd auf einer schmalen Rampe dahin; aber sie wäre auch eindringlicher, feierlicher, und gewisse seltsame Saitensysteme würden verstärkend mittönen.

Alle diese Dinge dachte ich nicht deutlich, ich schaute sie in einer fliegenden, vagen Bildersprache.

In dem Augenblick war uns das fremde Schiff recht nah; näher würde es wohl kaum kommen.

Ich wußte noch mehr von ihr: ich wußte ihre Bewegungen, die Haltung ihres Kopfes, das Lächeln, das sie haben würde, wenn ich ihr gewisse Dinge sagte. Wenn sie auf der Terrasse säße, in einer kleinen Strandvilla in Antibes (ganz ohne Grund dachte ich gerade Antibes), und ich käme aus dem Garten und bliebe unter ihr stehen, drei Stufen unter ihr (und mir war, als wüßte ich ganz genau, das würde hundertmal geschehen, ja beinahe, als wäre es schon geschehen...), dann würde sie mit einer undefinierbaren reizenden kleinen Pose die Schultern wie frierend in die Höhe ziehen und mich mit ihren mystischen Augen ernst und leise spöttisch von oben herab ansehen...

Es liegt unendlich viel in Bewegungen: sie sind die komplizierte und fein abgetönte Sprache des Körpers für die komplizierte und feine Gefallsucht der Seele, die eine Art Liebesbedürfnis und eine Art Kunsttrieb ist; Koketterie ist ein sehr plumpes Wort dafür. In dieser kleinen Pose lag für mich eine Unendlichkeit von Dingen ausgedrückt: eine ganz bestimmte Art, ernsthaft, zufrieden und in Schönheit glücklich zu sein; ganz bestimmte graziöse, freie, wohltuende Lebensverhältnisse und vor allem mein Glück lag darin ausgedrückt, die Bürgschaft meines tiefen, stillen, fraglosen Glückes. Alle diese Gedanken waren ohne Sentimentalität, mit einer sicheren ruhigen Anmut erfüllt. Dabei sah ich ununterbrochen hinüber. Sie war aufgestanden und sah gerade zu uns her. Und da war mir, als ob sie leise, mit unmerklichem Lächeln den Kopf schüttelte. Gleich darauf bemerkte ich mit einer Art stumpfer Betäubung, daß die Schiffe schon wieder anfingen, sich leise voneinander zu entfernen. Ich empfand das nicht als etwas Selbstverständliches, auch nicht als eine schmerzliche Überraschung, es war einfach, als glitte dort mein Leben selbst weg, alles Sein und alle Erinnerung, und zöge langsam, lautlos gleitend, seine tiefen, langen Wurzeln aus meiner schwindelnden Seele, nichts zurücklassend als unendliche, blöde Leere. Mir war, als fühlte ich fröstelnd, wie durch diese Leere ein Lufthauch lief. Stumpf, gedankenlos aufmerksam sah ich zu, wie sich zwischen sie und mich ein leerer, reinlicher, emailblauer, glänzender Wasserstreifen legte, der immer breiter wurde. In hilfloser Angst sah ich ihr nach, wie sie mit langsamen Schritten schlank und biegsam eine kleine Treppe hinabstieg, wie Ruck auf Ruck in der Luke der grüne Gürtel verschwand, dann die feinen Schultern und dann das dunkelgoldene Haar. Dann war nichts mehr von ihr da, nichts. Für mich war es, als hätte man sie in einen schmalen, kleinen Schacht gelegt und darüber einen schweren Stein und darauf Rasen. Als hätte man sie zu den Toten gelegt, ja gar nichts konnte sie mehr für mich sein. Wie ich so hinstarrte auf das schwindende Schiff, das sich ein wenig gedreht hatte, kehrte sich mir unter Bord etwas Blinkendes zu. Es waren vergoldete Genien, goldene, an das Schiff geschmiedete Geister, die trugen auf einem Schild in blinkenden Buchstaben den Namen des Schiffes: »La Fortune«...

AMGIAD UND ASSAD

Im Augenblick eines Erlebnisses wird man rings um sich her lauter analoge Schicksale gewahr   Browning!!
Schicksalstragödie. Humanisierung des Zufalls.
Ödipus
Amgiad und Assad (Tausendundeine Nacht)
Zwillingsbrüder, der eine vor dem andern verborgen, die sich unter dem Zwang ihrer Entwicklung entgegenstreben

Grundtrieb der Seele, das innere Schicksal operiert in zweierlei Weise
a.) bewußt
b.) (hauptsächlich) instinktiv vorwegnehmend, blind drängend

Amgiad und Assad.

Auf dem Berg. Jeder seiner Schönheit unbewußt, der andere einmal der Schönheit des Schlafenden bewußt.
In dem Garten der Königin Morgane ahnt Amgiad die eigene Schönheit.

Immer sehnen sie sich einander wiederzusehen; wie es sich endlich erfüllt, hat der Wunsch seinen Sinn verloren: sie sind sich der menschlichen Einsamkeit zusehr bewußt geworden.

Auf dem Berg: Assad schläft in einer Spalte, im Halbschlaf mit zuckenden Lippen und gekrümmten Fingern denkt er an Amethysten, an den verlockenden grauen Palast in der Nacht, an Sitzen im Garten und auf eine Geliebte warten: die Sehnsucht und das Gefühl der unbefriedigten Gier und das

plötzliche Erschrecken darüber, daß er sich die Geliebte gar nicht vorstellen kann, wirft ihn beinahe hinunter, denn er sitzt wie in der hohen Hinterwand auf der Flußseite des Palastes über der Regenrinne in der Mauer eingelassene hockende Greifen. In das Erwarten der Geliebten und Murmeln »vita et dulcedo mea« mischt sich doch auch eine Ahnung von der Sterilität dieses Erwartens eine Art Verliebtheit in sich selber, ganymed-narcissoshaft. Etwas ähnliches empfindet er jetzt gegen den schlafenden Bruder.
In der Mulde oben auf dem Berg kommt die Versuchung des Lebens über sie.

Amgiad liebt Bostane nur, weil er sich intensiv mit ihr beschäftigt; das muß ja dazu führen. Er liebt die menschliche Seele in ihr.

Assad ist durch Jahre mit dem Suchen des Bruders ausgefüllt, dabei lebt er das Leben baut, richtet, und wird älter und schwermütiger. Er lernt an der Grauenhaftigkeit des Daseins alles begreifen was ihm vom Leben seines Vaters ins Gedächtnis kommt
Ende. der König ihr Vater wälzt ein furchtbares Kriegsheer gegen das Land der Feueranbeter. einer der Prinzen reitet ihm entgegen: sie erkennen sich nicht sogleich. der Prinz führt den alten König in einen viereckigen Garten, durch dessen Gitterstäbe alle Großen und Hauptleute hereinstarren. Dort redet der Sohn zu dem Vater solche Dinge, daß dieser weint, ein Grab ausschaufelt, seine Krone und seinen Mantel hineinlegt und sich magnitudine vitae oppressus, selbst hineinlegen will, vor seinem Sohn kniet er nieder.
Die Großen und Hauptleute versammeln sich weil sie nicht wissen ob ihr König diesen Fremden mit eigener Hand töten wird oder bewirten

Amgiad und Assad

die Feueranbeter wie die Husaren, die einander alle gleich sehen und wie einen Ton haben

König

auf der Mulde am Berg: im Hintergrund wie Riesenschiffe am Horizont schwankend die Taten Alexanders des Großen. Das Hinunterlaufen Amgiads über Steintreppen mit fliegendem Haar als Kosmophoros

Amgiad und Assad.

die Begegnung mit dem alten König ist in einer verlassenen Königsstadt wo riesige bemalte Götter vor den vergoldeten öden Palästen stehen

Amgiad versteht die Sprache der Feueranbeter nie ganz. Für ihn sehen sie sich alle unheimlich ähnlich und haben ungeheuer stark das gleichnishafte des Daseins

an der Betrachtung des Todes erwacht das Lebensgefühl: Michelet Préface de 1869

J'avais une belle maladie qui assombrissait ma jeunesse, mais bien propre à l'historien. J'aimais la mort. J'avais vécu neuf ans à la porte du père Lachaise, alors ma seule promenade. Je menais une vie que le monde aurait pu dire enterrée, n'ayant de société que celle du passé, et pour amis les peuples ensevelis. Refaisant leur légende, je réveillais en eux mille choses évanouies. Le don que Saint Louis demande et n'obtient pas, je l'eus: »le don des larmes.«

Spinoza Ethik

Es ist möglich, daß in dem Gemach des Prinzen Assad eine wundervolle ornamentale Tapete, das Leben der Tiere des Waldes darstellend, hängt und daß die beiden so lange getrennten Brüder von diesem Kunstwerk reden, statt von vielen anderen Dingen, teils aus allzugroßer Ergriffenheit, teils auch weil sie verlernt haben, im Reden eine Erleichterung des Daseins zu suchen

die Brüder

sie weinen über die Landschaft: riesige Terrassen, Werkleute, Perlen- und Fischhändler, blühende Gärten, Öl und Wein getragen, Kinder, Schiffe, Reiter. im Weinen sehen sie beide ihrer mädchenhaften Mutter sehr ähnlich.

Assad und die Tänzerin

Auf der Höhe des Berges Versuchung des Lebens.
Ost und West! Indien, Sindbad

die Worte, Namen der Länder und Meere wie Lichter herüberglühend

Sirenen: einem Fürsten dienen der traurig und kühn ist, in einem Palast mit kyklopischen Toren wohnt

zuerst gehen sie stumm und schauen in die Landschaft.
dann erst fangen sie wie trunkene zu reden an

Ersteigen des Berges.

Sie fühlen den Tod um sie schweben, schicksalgemäß aus ihres Vaters Zorn hervorgewachsen, was ihnen eine großartige Ahnung des Daseins gibt.

Später haben sie Tage von Verzagtheit und Kleinheit

G⟨öding⟩ 30 V 95.

Prinzen Amgiad u. Assad.

I Der eine: für ihn sind die Wunder des Lebens so durcheinander gewachsen, daß immer eins dem andern den Mund verschließt. Nicht zu bewältigen erscheint es ihm, größer als man begreifen kann. Er hat die Gabe des Lebens. Ruhm, Kraft, Macht, effort bedeuten ihm, aber auch Hingabe, Eingezogenheit

es ist dieser der die vielen Abenteuer hat.

II Der andere: er sieht das Leben fortwährend harmonisch, aber wie hinter einer Glasscheibe, unerreichbar: das »gerade Ich« τυγχάνω ὤν, kann er mit dem Fall der Ereignisse nicht vereinigen. Fortwährend verwirrt ihn daß dieselben Abenteuer in der Vorstellung und in der Realität so gar nicht zusammenzuhängen scheinen, seine Seele ist nicht ganz im Hades befangen, er sieht gleichsam mit einem halben Auge übers Leben hinaus, wie einer der träumt und dem die reale Welt hineinspielt weil er nicht tief genug schläft.

Straße vor der Begegnung der beiden Prinzen mit ihrem Großvater dem Zauberer und Kaiser Timur: die im Leben gefangenen Wesen: viele Hunde, die sich balgen, Kinder; etwas wie die gekreuzigten Löwen in der Salammbô, kranke Tiere (mit ihren besonderen Krankheiten: Dummkoller etc.)

(ob nicht einer der beiden Prinzen stirbt und der andere erst den Bruder begräbt und dann zum Kaiser Timur, seinem Großvater reitet)

lesen: Koran, Shachname, Brehm, orientalische Jagd; Botanik es ist aber ohne alle Lokalfarbe, menschlich

Amgiad und Assad. Bilder ohne feste Gliederung

am Ende sind sie sehr stark und groß weil sie so viele traurige Dinge erduldet haben; so wie mächtige Zauberer gehen sie dann dem Heer des Kaisers von China entgegen, vor dem das flache Land flüchtet.
dem einen Prinzen kommen die Feueranbeter gar nicht wie Menschen vor, sondern gleichnishaft als scheinbar erlebende

wie das Schicksal ihn wieder faßt, dadurch daß er in den Garten der Königin Morgane hinausgeht

das Ersteigen des großen Berges. Vorgefühl des Daseins, warum gehen sie eigentlich da drüber? Schicksal. Wo Du sterben sollst, dahin tragen Dich Deine Füße. Ist das Haus erst fertig, so kommt auch der Tod

G⟨öding⟩ 11/6ten 95.

Der Prinz Amgiad mit der Leiche seines Bruders am Weg zu Timur. Er muß ein größeres Pferd nehmen, um den Leichnam zu tragen. Erlebnisse mit diesem Pferd, seine Krankheit. Brüderlichkeit aller Tiere in einer großen Mulde erkannt. Gespenstisch sieht er in allen Tieren sich selbst. Auch die Unterschiede von klein und groß werden ihm plötzlich sehr nichtig (Die riesige Maulwurfsgrille von Th. Th. Heine) Bruder Sonne! (untergehende Sonne)

Es ist in dem Buch
Der Stolz des Lebens (an der Felswand, oben die Wolken und Sterne, unten das Meer mit den Urtieren)
Die Trunkenheit des Lebens (das Bergabschreiten)
Die Schwere des Lebens   in der Gefangenschaft
Das Trügerische des Lebens   Eintritt in die Stadt
Das *Kernlose* des Lebens (Zusammentreffen der 2 Brüder)
Das Traurige des Lebens (Amgiad überlebend)
Das Große des Lebens (der alte Kaiser demütigt sich).

G⟨öding⟩ 14 VII 95.

Prinzen Amgiad und Assad.

Ihre Religion (persisch vor Zoroaster) verbietet, eines der Elemente (Luft Erde Wasser Feuer) zu verunreinigen. Scham als das gute kat'exochen.
Das in einer Böcklinischen Situation herausbringen. Sommerabend auf der Jagd badend. Die Heiligkeit der Körper, der umwehenden Luft, des umtauschenden Wassers.

Prinzen Amgiad u. Assad: Kerker lehrt die Zeit (sie ist nicht lang noch kurz sondern ὥσπερ δεῖ), auch den Unwert, das allmähliche Ersterben der Phantasie;

leben oder sich ausleben nur im Kampf mit den Widerstrebenden Mächten. So lehrt mich mein Pferd den Wert des Vermögens, der Unabhängigkeit. Sehnsucht, Haß, Demütigung... sind die Einstellungen des seelischen Augapfels zum Erkennen der eigenen Lage im universellen Koordinatensystem und des Verhältnisses zu den andern Geschöpfen. Vorher geht man in Gedanken leichtfertig mit den Wesen um wie mit Marionetten. (scheinhaftes Leben.)

Bauernarbeit. Die einfachste: das Korn von Spreu befreien. Die Masse macht es aus. Der Prinz Amgiad im Gefängnis könnte *arbeiten*, und davon allmählich den Sinn begreifen. Seine Kerkermeister scharf beobachtend, lernt er erst Menschen erkennen.

DAS MÄRCHEN DER 672. NACHT

Ein junger Kaufmannssohn, der sehr schön war und weder Vater noch Mutter hatte, wurde bald nach seinem fünfundzwanzigsten Jahre der Geselligkeit und des gastlichen Lebens überdrüssig. Er versperrte die meisten Zimmer seines Hauses und entließ alle seine Diener und Dienerinnen, bis auf vier, deren Anhänglichkeit und ganzes Wesen ihm lieb war. Da ihm an seinen Freunden nichts gelegen war und auch die Schönheit keiner einzigen Frau ihn so gefangennahm, daß er es sich als wünschenswert oder nur als erträglich vorgestellt hätte, sie immer um sich zu haben, lebte er sich immer mehr in ein ziemlich einsames Leben hinein, welches anscheinend seiner Gemütsart am meisten entsprach. Er war aber keineswegs menschenscheu, vielmehr ging er gerne in den Straßen oder öffentlichen Gärten spazieren und betrachtete die Gesichter der Menschen. Auch vernachlässigte er weder die Pflege seines Körpers und seiner schönen Hände noch den Schmuck seiner Wohnung. Ja, die Schönheit der Teppiche und Gewebe und Seiden, der geschnitzten und getäfelten Wände, der Leuchter und Becken aus Metall, der gläsernen und irdenen Gefäße wurde ihm so bedeutungsvoll, wie er es nie geahnt hatte. Allmählich wurde er sehend dafür, wie alle Formen und Farben der Welt in seinen Geräten lebten. Er erkannte in den Ornamenten, die sich verschlingen, ein verzaubertes Bild der verschlungenen Wunder der Welt. Er fand die Formen der Tiere und die Formen der Blumen und das Übergehen der Blumen in die Tiere; die Delphine, die Löwen und die Tulpen, die Perlen und den Akanthus; er fand den Streit zwischen der Last der Säule und dem Widerstand des festen Grundes und das Streben alles Wassers nach aufwärts und wiederum nach abwärts; er fand die Seligkeit der Bewegung und die Erhabenheit der Ruhe, das Tanzen und das Totsein; er fand die Farben der Blumen und Blätter, die Farben der Felle wilder Tiere und der Gesichter der Völker, die Farbe der

Edelsteine, die Farbe des stürmischen und des ruhig leuchtenden Meeres; ja, er fand den Mond und die Sterne, die mystische Kugel, die mystischen Ringe und an ihnen festgewachsen die Flügel der Seraphim. Er war für lange Zeit trunken von dieser großen, tiefsinnigen Schönheit, die ihm gehörte, und alle seine Tage bewegten sich schöner und minder leer unter diesen Geräten, die nichts Totes und Niedriges mehr waren, sondern ein großes Erbe, das göttliche Werk aller Geschlechter.

Doch er fühlte ebenso die Nichtigkeit aller dieser Dinge wie ihre Schönheit; nie verließ ihn auf lange der Gedanke an den Tod, und oft befiel er ihn unter lachenden und lärmenden Menschen, oft in der Nacht, oft beim Essen.

Aber da keine Krankheit in ihm war, so war der Gedanke nicht grauenhaft, eher hatte er etwas Feierliches und Prunkendes und kam gerade am stärksten, wenn er sich am Denken schöner Gedanken oder an der Schönheit seiner Jugend und Einsamkeit berauschte. Denn oft schöpfte der Kaufmannssohn einen großen Stolz aus dem Spiegel, aus den Versen der Dichter, aus seinem Reichtum und seiner Klugheit, und die finsteren Sprichwörter drückten nicht auf seine Seele. Er sagte: »Wo du sterben sollst, dahin tragen dich deine Füße«, und sah sich schön, wie ein auf der Jagd verirrter König, in einem unbekannten Wald unter seltsamen Bäumen einem fremden wunderbaren Geschick entgegengehen. Er sagte: »Wenn das Haus fertig ist, kommt der Tod«, und sah jenen langsam heraufkommen über die von geflügelten Löwen getragene Brücke des Palastes, des fertigen Hauses, angefüllt mit der wundervollen Beute des Lebens.

Er wähnte, völlig einsam zu leben, aber seine vier Diener umkreisten ihn wie Hunde, und obwohl er wenig mit ihnen redete, fühlte er doch irgendwie, daß sie unausgesetzt daran dachten, ihm gut zu dienen. Auch fing er an, hie und da über sie nachzudenken.

Die Haushälterin war eine alte Frau; ihre verstorbene Tochter war des Kaufmannssohnes Amme gewesen; auch alle ihre anderen Kinder waren gestorben. Sie war sehr still, und die Kühle des Alters ging von ihrem weißen Gesicht und ihren weißen Händen aus. Aber er hatte sie gern, weil sie immer im Hause gewesen war und weil die Erinnerung an die Stimme seiner eigenen Mutter und an seine Kindheit, die er sehnsüchtig liebte, mit ihr herumging.

Sie hatte mit seiner Erlaubnis eine entfernte Verwandte ins Haus genommen, die kaum fünfzehn Jahre alt war, diese war sehr verschlossen. Sie war hart gegen sich und schwer zu verstehen. Einmal warf sie sich in einer dunkeln und jähen Regung ihrer zornigen Seele aus einem Fenster in den Hof, fiel aber mit dem kinderhaften Leib in zufällig aufgeschüttete Gartenerde, so daß ihr nur ein Schlüsselbein brach, weil dort ein Stein in der Erde gesteckt hatte. Als man sie in ihr Bett gelegt hatte, schickte der Kaufmannssohn seinen Arzt zu ihr; am Abend aber kam er selber und wollte sehen, wie es ihr ginge. Sie hielt die Augen geschlossen, und er sah sie zum ersten Male lange ruhig an und war erstaunt über die seltsame und altkluge Anmut ihres Gesichtes. Nur ihre Lippen waren sehr dünn, und darin lag etwas Unschönes und Unheimliches. Plötzlich schlug sie die Augen auf, sah ihn eisig und bös an und drehte sich mit zornig zusammengebissenen Lippen, den Schmerz überwindend, gegen die Wand, so daß sie auf die verwundete Seite zu liegen kam. Im Augenblick verfärbte sich ihr totenblasses Gesicht ins Grünlichweiße, sie wurde ohnmächtig und fiel wie tot in ihre frühere Lage zurück.

Als sie wieder gesund war, redete der Kaufmannssohn sie durch lange Zeit nicht an, wenn sie ihm begegnete. Ein paarmal fragte er die alte Frau, ob das Mädchen ungern in seinem Hause wäre, aber diese verneinte es immer. Den einzigen Diener, den er sich entschlossen hatte, in seinem Hause zu behalten, hatte er kennengelernt, als er einmal bei dem Gesandten, den der König von Persien in dieser Stadt unterhielt, zu Abend speiste. Da bediente ihn dieser und war von einer solchen Zuvorkommenheit und Umsicht und schien gleichzeitig von so großer Eingezogenheit und Bescheidenheit, daß der Kaufmannssohn mehr Gefallen daran fand, ihn zu beobachten, als auf die Reden der übrigen Gäste zu hören. Um so größer war seine Freude, als viele Monate später dieser Diener auf der Straße auf ihn zutrat, ihn mit demselben tiefen

Ernst, wie an jenem Abend, und ohne alle Aufdringlichkeit grüßte und ihm seine Dienste anbot. Sogleich erkannte ihn der Kaufmannssohn an seinem düsteren, maulbeerfarbigen Gesicht und an seiner großen Wohlerzogenheit. Er nahm ihn augenblicklich in seinen Dienst, entließ zwei junge Diener, die er noch bei sich hatte, und ließ sich fortan beim Speisen und sonst nur von diesem ernsten und zurückhaltenden Menschen bedienen. Dieser Mensch machte fast nie von der Erlaubnis Gebrauch, in den Abendstunden das Haus zu verlassen. Er zeigte eine seltene Anhänglichkeit an seinen Herrn, dessen Wünschen er zuvorkam und dessen Neigungen und Abneigungen er schweigend erriet, so daß auch dieser eine immer größere Zuneigung für ihn faßte.
Wenn er sich auch nur von diesem beim Speisen bedienen ließ, so pflegte die Schüsseln mit Obst und süßem Backwerk doch eine Dienerin aufzutragen, ein junges Mädchen, aber doch um zwei oder drei Jahre älter als die Kleine. Dieses junge Mädchen war von jenen, die man von weitem, oder wenn man sie als Tänzerinnen beim Licht der Fackeln auftreten sieht, kaum für sehr schön gelten ließe, weil da die Feinheit der Züge verloren geht; da er sie aber in der Nähe und täglich sah, ergriff ihn die unvergleichliche Schönheit ihrer Augenlider und ihrer Lippen, und die trägen, freudlosen Bewegungen ihres schönen Leibes waren ihm die rätselhafte Sprache einer verschlossenen und wundervollen Welt.
Wenn in der Stadt die Hitze des Sommers sehr groß wurde und längs der Häuser die dumpfe Glut schwebte und in den schwülen, schweren Vollmondnächten der Wind weiße Staubwolken in den leeren Straßen hintrieb, reiste der Kaufmannssohn mit seinen vier Dienern nach einem Landhaus, das er im Gebirg besaß, in einem engen, von dunklen Bergen umgebenen Tal. Dort lagen viele solche Landhäuser der Reichen. Von beiden Seiten fielen Wasserfälle in die Schluchten herunter und gaben Kühle. Der Mond stand fast immer hinter den Bergen, aber große weiße Wolken stiegen hinter den schwarzen Wänden auf, schwebten feierlich über den dunkelleuchtenden Himmel und verschwanden auf der anderen Seite. Hier lebte der Kaufmannssohn sein gewohntes Leben in

einem Haus, dessen hölzerne Wände immer von dem kühlen Duft der Gärten und der vielen Wasserfälle durchstrichen wurden. Am Nachmittag, bis die Sonne hinter den Bergen hinunterfiel, saß er in seinem Garten und las meist in einem Buch, in welchem die Kriege eines sehr großen Königs der Vergangenheit aufgezeichnet waren. Manchmal mußte er mitten in der Beschreibung, wie die Tausende Reiter der feindlichen Könige schreiend ihre Pferde umwenden oder ihre Kriegswagen den steilen Rand eines Flusses hinabgerissen werden, plötzlich innehalten, denn er fühlte, ohne hinzusehen, daß die Augen seiner vier Diener auf ihn geheftet waren. Er wußte, ohne den Kopf zu heben, daß sie ihn ansahen, ohne ein Wort zu reden, jedes aus einem anderen Zimmer. Er kannte sie so gut. Er fühlte sie leben, stärker, eindringlicher, als er sich selbst leben fühlte. Über sich empfand er zuweilen leichte Rührung oder Verwunderung, wegen dieser aber eine rätselhafte Beklemmung. Er fühlte mit der Deutlichkeit eines Alpdrucks, wie die beiden Alten dem Tod entgegenlebten, mit jeder Stunde, mit dem unaufhaltsamen leisen Anderswerden ihrer Züge und ihrer Gebärden, die er so gut kannte; und wie die beiden Mädchen in das öde, gleichsam luftlose Leben hineinlebten. Wie das Grauen und die tödliche Bitterkeit eines furchtbaren, beim Erwachen vergessenen Traumes, lag ihm die Schwere ihres Lebens, von der sie selber nichts wußten, in den Gliedern.
Manchmal mußte er aufstehen und umhergehen, um seiner Angst nicht zu unterliegen. Aber während er auf den grellen Kies vor seinen Füßen schaute und mit aller Anstrengung darauf achtete, wie aus dem kühlen Duft von Gras und Erde der Duft der Nelken in hellen Atemzügen zu ihm aufflog und dazwischen in lauen, übermäßig süßen Wolken der Duft der Heliotrope, fühlte er ihre Augen und konnte an nichts anderes denken. Ohne den Kopf zu heben, wußte er, daß die alte Frau an ihrem Fenster saß, die blutlosen Hände auf dem von der Sonne durchglühten Gesims, das blutlose, maskenhafte Gesicht eine immer grauenhaftere Heimstätte für die hilflosen schwarzen Augen, die nicht absterben konnten. Ohne den Kopf zu heben, fühlte er, wenn der Diener für Minuten von

seinem Fenster zurücktrat und sich an einem Schrank zu schaffen machte; ohne aufzusehen, erwartete er in heimlicher Angst den Augenblick, wo er wiederkommen werde. Während er mit beiden Händen biegsame Äste hinter sich zurückfallen ließ, um sich in der verwachsensten Ecke des Gartens zu verkriechen, und alle Gedanken auf die Schönheit des Himmels drängte, der in kleinen leuchtenden Stücken von feuchtem Türkis von oben durch das dunkle Genetz von Zweigen und Ranken herunterfiel, bemächtigte sich seines Blutes und seines ganzen Denkens nur das, daß er die Augen der zwei Mädchen auf sich gerichtet wußte, die der Größeren träge und traurig, mit einer unbestimmten, ihn quälenden Forderung, die der Kleineren mit einer ungeduldigen, dann wieder höhnischen Aufmerksamkeit, die ihn noch mehr quälte. Und dabei hatte er nie den Gedanken, daß sie ihn unmittelbar ansahen, ihn, der gerade mit gesenktem Kopfe umherging, oder bei einer Nelke niederkniete, um sie mit Bast zu binden, oder sich unter die Zweige beugte; sondern ihm war, sie sahen sein ganzes Leben an, sein tiefstes Wesen, seine geheimnisvolle menschliche Unzulänglichkeit.

Eine furchtbare Beklemmung kam über ihn, eine tödliche Angst vor der Unentrinnbarkeit des Lebens. Furchtbarer, als daß die ihn unausgesetzt beobachteten, war, daß sie ihn zwangen, in einer unfruchtbaren und so ermüdenden Weise an sich selbst zu denken. Und der Garten war viel zu klein, um ihnen zu entrinnen. Wenn er aber ganz nahe von ihnen war, erlosch seine Angst so völlig, daß er das Vergangene beinahe vergaß. Dann vermochte er es, sie gar nicht zu beachten oder ruhig ihren Bewegungen zuzusehen, die ihm so vertraut waren, daß er aus ihnen eine unaufhörliche, gleichsam körperliche Mitempfindung ihres Lebens empfing.

Das kleine Mädchen begegnete ihm nur hie und da auf der Treppe oder im Vorhaus. Die drei anderen aber waren häufig mit ihm in einem Zimmer. Einmal erblickte er die Größere in einem geneigten Spiegel; sie ging durch ein erhöhtes Nebenzimmer: in dem Spiegel aber kam sie ihm aus der Tiefe entgegen. Sie ging langsam und mit Anstrengung, aber ganz aufrecht: sie trug in jedem Arm eine schwere hagere indische

Gottheit aus dunkler Bronze. Die verzierten Füße der Figuren hielt sie in der hohlen Hand, von der Hüfte bis an die Schläfe reichten ihr die dunklen Göttinnen und lehnten mit ihrer toten Schwere an den lebendigen zarten Schultern; die dunklen Köpfe aber mit dem bösen Mund von Schlangen, drei wilden Augen in der Stirn und unheimlichem Schmuck in den kalten, harten Haaren, bewegten sich neben den atmenden Wangen und streiften die schönen Schläfen im Takt der langsamen Schritte. Eigentlich aber schien sie nicht an den Göttinnen schwer und feierlich zu tragen, sondern an der Schönheit ihres eigenen Hauptes mit dem schweren Schmuck aus lebendigem, dunklem Gold, zwei großen gewölbten Schnecken zu beiden Seiten der lichten Stirn, wie eine Königin im Kriege. Er wurde ergriffen von ihrer großen Schönheit, aber gleichzeitig wußte er deutlich, daß es ihm nichts bedeuten würde, sie in seinen Armen zu halten. Er wußte es überhaupt, daß die Schönheit seiner Dienerin ihn mit Sehnsucht, aber nicht mit Verlangen erfüllte, so daß er seine Blicke nicht lange auf ihr ließ, sondern aus dem Zimmer trat, ja auf die Gasse, und mit einer seltsamen Unruhe zwischen den Häusern und Gärten im schmalen Schatten weiterging. Schließlich ging er an das Ufer des Flusses, wo die Gärtner und Blumenhändler wohnten, und suchte lange, obgleich er wußte, daß er vergeblich suchen werde, nach einer Blume, deren Gestalt und Duft, oder nach einem Gewürz, dessen verwehender Hauch ihm für einen Augenblick genau den gleichen süßen Reiz zu ruhigem Besitz geben könnte, welcher in der Schönheit seiner Dienerin lag, die ihn verwirrte und beunruhigte. Und während er ganz vergeblich mit sehnsüchtigen Augen in den dumpfen Glashäusern umherspähte und sich im Freien über die langen Beete beugte, auf denen es schon dunkelte, wiederholte sein Kopf unwillkürlich, ja schließlich gequält und gegen seinen Willen, immer wieder die Verse des Dichters: »In den Stielen der Nelken, die sich wiegten, im Duft des reifen Kornes erregtest du meine Sehnsucht; aber als ich dich fand, warst du es nicht, die ich gesucht hatte, sondern die Schwestern deiner Seele.«

II

In diesen Tagen geschah es, daß ein Brief kam, welcher ihn einigermaßen beunruhigte. Der Brief trug keine Unterschrift. In unklarer Weise beschuldigte der Schreiber den Diener des Kaufmannssohnes, daß er im Hause seines früheren Herrn, des persischen Gesandten, irgendein abscheuliches Verbrechen begangen habe. Der Unbekannte schien einen heftigen Haß gegen den Diener zu hegen und fügte viele Drohungen bei; auch gegen den Kaufmannssohn selbst bediente er sich eines unhöflichen, beinahe drohenden Tones. Aber es war nicht zu erraten, welches Verbrechen angedeutet werde und welchen Zweck überhaupt dieser Brief für den Schreiber, der sich nicht nannte und nichts verlangte, haben könne. Er las den Brief mehrere Male und gestand sich, daß er bei dem Gedanken, seinen Diener auf eine so widerwärtige Weise zu verlieren, eine große Angst empfand. Je mehr er nachdachte, desto erregter wurde er und desto weniger konnte er den Gedanken ertragen, eines dieser Wesen zu verlieren, mit denen er durch die Gewohnheit und andere geheime Mächte völlig zusammengewachsen war.
Er ging auf und ab, die zornige Erregung erhitzte ihn so, daß er seinen Rock und Gürtel abwarf und mit Füßen trat. Es war ihm, als wenn man seinen innersten Besitz beleidigt und bedroht hätte und ihn zwingen wollte, aus sich selber zu fliehen und zu verleugnen, was ihm lieb war. Er hatte Mitleid mit sich selbst und empfand sich, wie immer in solchen Augenblicken, als ein Kind. Er sah schon seine vier Diener aus seinem Hause gerissen, und es kam ihm vor, als zöge sich lautlos der ganze Inhalt seines Lebens aus ihm, alle schmerzhaftsüßen Erinnerungen, alle halbunbewußten Erwartungen, alles Unsagbare, um irgendwo hingeworfen und für nichts geachtet zu werden, wie ein Bündel Algen und Meertang. Er begriff zum erstenmal, was ihn als Knabe immer zum Zorn gereizt hatte, die angstvolle Liebe, mit der sein Vater an dem hing, was er erworben hatte, an den Reichtümern seines gewölbten Warenhauses, den schönen, gefühllosen Kindern seines Suchens und Sorgens, den geheimnisvollen Ausgeburten der

undeutlichen tiefsten Wünsche seines Lebens. Er begriff, daß der große König der Vergangenheit hätte sterben müssen, wenn man ihm seine Länder genommen hätte, die er durchzogen und unterworfen hatte vom Meer im Westen bis zum Meer im Osten, die er zu beherrschen träumte und die doch so unendlich groß waren, daß er keine Macht über sie hatte und keinen Tribut von ihnen empfing als den Gedanken, daß er sie unterworfen hatte und kein anderer als er ihr König war.

Er beschloß, alles zu tun, um diese Sache zur Ruhe zu bringen, die ihn so ängstigte. Ohne dem Diener ein Wort von dem Brief zu sagen, machte er sich auf und fuhr allein nach der Stadt. Dort beschloß er vor allem das Haus aufzusuchen, welches der Gesandte des Königs von Persien bewohnte; denn er hatte die unbestimmte Hoffnung, dort irgendwie einen Anhaltspunkt zu finden.

Als er aber hinkam, war es spät am Nachmittag und niemand mehr zu Hause, weder der Gesandte, noch einer der jungen Leute seiner Begleitung. Nur der Koch und ein alter untergeordneter Schreiber saßen im Torweg im kühlen Halbdunkel. Aber sie waren so häßlich und gaben so kurze, mürrische Antworten, daß er ihnen ungeduldig den Rücken kehrte und sich entschloß, am nächsten Tage zu einer besseren Stunde wiederzukommen.

Da seine eigene Wohnung versperrt war – denn er hatte keinen Diener in der Stadt zurückgelassen –, so mußte er wie ein Fremder daran denken, sich für die Nacht eine Herberge zu suchen. Neugierig, wie ein Fremder, ging er durch die bekannten Straßen und kam endlich an das Ufer eines kleinen Flusses, der zu dieser Jahreszeit fast ausgetrocknet war. Von dort folgte er in Gedanken verloren einer ärmlichen Straße, wo sehr viele öffentliche Dirnen wohnten. Ohne viel auf seinen Weg zu achten, bog er dann rechts ein und kam in eine ganz öde, totenstille Sackgasse, die in einer fast turmhohen, steilen Treppe endigte. Auf der Treppe blieb er stehen und sah zurück auf seinen Weg. Er konnte in die Höfe der kleinen Häuser sehen; hie und da waren rote Vorhänge an den Fenstern und häßliche, verstaubte Blumen; das breite, trockene

Bett des Flusses war von einer tödlichen Traurigkeit. Er stieg weiter und kam oben in ein Viertel, das er sich nicht entsinnen konnte, je gesehen zu haben. Trotzdem kam ihm eine Kreuzung niederer Straßen plötzlich traumhaft bekannt vor. Er ging weiter und kam zu dem Laden eines Juweliers. Es war ein sehr ärmlicher Laden, wie er für diesen Teil der Stadt paßte, und das Schaufenster mit solchen wertlosen Schmucksachen angefüllt, wie man sie bei Pfandleihern und Hehlern zusammenkauft. Der Kaufmannssohn, der sich auf Edelsteine sehr gut verstand, konnte kaum einen halbwegs schönen Stein darunter finden.

Plötzlich fiel sein Blick auf einen altmodischen Schmuck aus dünnem Gold, mit einem Beryll verziert, der ihn irgendwie an die alte Frau erinnerte. Wahrscheinlich hatte er ein ähnliches Stück aus der Zeit, wo sie eine junge Frau gewesen war, einmal bei ihr gesehen. Auch schien ihm der blasse, eher melancholische Stein in einer seltsamen Weise zu ihrem Alter und Aussehen zu passen; und die altmodische Fassung war von der gleichen Traurigkeit. So trat er in den niedrigen Laden, um den Schmuck zu kaufen. Der Juwelier war sehr erfreut, einen so gut gekleideten Kunden eintreten zu sehen, und wollte ihm noch seine wertvolleren Steine zeigen, die er nicht ins Schaufenster legte. Aus Höflichkeit gegen den alten Mann ließ er sich vieles zeigen, hatte aber weder Lust, mehr zu kaufen, noch hätte er bei seinem einsamen Leben eine Verwendung für derartige Geschenke gewußt. Endlich wurde er ungeduldig und gleichzeitig verlegen, denn er wollte loskommen und doch den Alten nicht kränken. Er beschloß, noch eine Kleinigkeit zu kaufen und dann sogleich hinauszugehen. Gedankenlos betrachtete er über die Schulter des Juweliers hinwegsehend einen kleinen silbernen Handspiegel, der halb erblindet war. Da kam ihm aus einem anderen Spiegel im Innern das Bild des Mädchens entgegen mit den dunklen Köpfen der ehernen Göttinnen zu beiden Seiten; flüchtig empfand er, daß sehr viel von ihrem Reiz darin lag, wie die Schultern und der Hals in demütiger kindlicher Grazie die Schönheit des Hauptes trugen, des Hauptes einer jungen Königin. Und flüchtig fand er es hübsch, ein dünnes goldenes Kettchen an diesem Hals zu sehen, vielfach herumgeschlungen, kindlich und doch an einen Panzer gemahnend. Und er verlangte, solche Kettchen zu sehen. Der Alte machte eine Tür auf und bat ihn, in einen zweiten Raum zu treten, ein niedriges Wohnzimmer, wo aber auch in Glasschränken und auf offenen Gestellen eine Menge Schmucksachen ausgelegt waren. Hier fand er bald ein Kettchen, das ihm gefiel, und bat den Juwelier, ihm jetzt den Preis der beiden Schmucksachen zu sagen. Der Alte bat ihn noch, die merkwürdigen, mit Halbedelsteinen besetzten Beschläge einiger altertümlichen Sättel in Augenschein zu nehmen, er aber erwiderte, daß er sich als Sohn eines Kaufmannes nie mit Pferden abgegeben habe, ja nicht einmal zu reiten verstehe und weder an alten noch an neuen Sätteln Gefallen finde, bezahlte mit einem Goldstück und einigen Silbermünzen, was er gekauft hatte, und zeigte einige Ungeduld, den Laden zu verlassen. Während der Alte, ohne mehr ein Wort zu sprechen, ein schönes Seidenpapier hervorsuchte und das Kettchen und den Beryllschmuck, jedes für sich, einwickelte, trat der Kaufmannssohn zufällig an das einzige niedrige vergitterte Fenster und schaute hinaus. Er erblickte einen offenbar zum Nachbarhaus gehörigen, sehr schön gehaltenen Gemüsegarten, dessen Hintergrund durch zwei Glashäuser und eine hohe Mauer gebildet wurde. Er bekam sogleich Lust, diese Glashäuser zu sehen, und fragte den Juwelier, ob er ihm den Weg sagen könne. Der Juwelier händigte ihm seine beiden Päckchen ein und führte ihn durch ein Nebenzimmer in den Hof, der durch eine kleine Gittertür mit dem benachbarten Garten in Verbindung stand. Hier blieb der Juwelier stehen und schlug mit einem eisernen Klöppel an das Gitter. Da es aber im Garten ganz still blieb, sich auch im Nachbarhaus niemand regte, so forderte er den Kaufmannssohn auf, nur ruhig die Treibhäuser zu besichtigen und sich, falls man ihn behelligen würde, auf ihn auszureden, der mit dem Besitzer des Gartens gut bekannt sei. Dann öffnete er ihm mit einem Griff durch die Gitterstäbe. Der Kaufmannssohn ging sogleich längs der Mauer zu dem näheren Glashaus, trat ein und fand eine solche Fülle seltener und merkwürdiger Narzissen und Anemonen und so seltsames, ihm völlig unbekanntes Blattwerk, daß er sich lange nicht sattsehen konnte. Endlich aber schaute er auf und gewahrte, daß die Sonne ganz, ohne daß er es beachtet hatte, hinter den Häusern untergegangen war. Jetzt wollte er nicht länger in einem fremden, unbewachten Garten bleiben, sondern nur von außen einen Blick durch die Scheiben des zweiten Treibhauses werfen und dann fortgehen. Wie er so spähend an den Glaswänden des zweiten langsam vorüberging, erschrak er plötzlich sehr heftig und fuhr zurück. Denn ein Mensch hatte sein Gesicht an den Scheiben und schaute ihn an. Nach einem Augenblick beruhigte er sich und wurde sich bewußt, daß es ein Kind war, ein höchstens vierjähriges, kleines Mädchen, dessen weißes Kleid und blasses Gesicht gegen die Scheiben gedrückt waren. Aber als er jetzt näher hinsah, erschrak er abermals, mit einer unangenehmen Empfindung des Grauens im Nacken und einem leisen Zusammenschnüren in der Kehle und tiefer in der Brust. Denn das Kind, das ihn regungslos und böse ansah, glich in einer unbegreiflichen Weise dem fünfzehnjährigen Mädchen, das er in seinem Hause hatte. Alles war gleich, die lichten Augenbrauen, die feinen bebenden Nasenflügel, die dünnen Lippen; wie die andere zog auch das Kind eine der Schultern etwas in die Höhe. Alles war gleich, nur daß in dem Kind das alles einen Ausdruck gab, der ihm Entsetzen verursachte. Er wußte nicht, wovor er so namenlose Furcht empfand. Er wußte nur, daß er es nicht ertragen werde, sich umzudrehen und zu wissen, daß dieses Gesicht hinter ihm durch die Scheiben starrte.

In seiner Angst ging er sehr schnell auf die Tür des Glashauses zu, um hineinzugehen; die Tür war zu, von außen verriegelt; hastig bückte er sich nach dem Riegel, der sehr tief war, stieß ihn so heftig zurück, daß er sich ein Glied des kleinen Fingers schmerzlich zerrte, und ging, fast laufend, auf das Kind zu. Das Kind ging ihm entgegen, und ohne ein Wort zu reden, stemmte es sich gegen seine Knie und suchte mit seinen schwachen kleinen Händen ihn hinauszudrängen. Er hatte Mühe, es nicht zu treten. Aber seine Angst minderte sich in der Nähe. Er beugte sich über das Gesicht des Kindes, das ganz blaß war und dessen Augen vor Zorn und Haß bebten, während die kleinen Zähne des Unterkiefers sich mit unheimlicher Wut in die Oberlippe drückten. Seine Angst verging für einen Augenblick, als er dem Mädchen die kurzen, feinen Haare streichelte. Aber augenblicklich erinnerte er sich an das Haar des Mädchens in seinem Hause, das er einmal berührt hatte, als sie totenblaß, mit geschlossenen Augen, in ihrem Bette lag, und gleich lief ihm wieder ein Schauer den Rücken hinab, und seine Hände fuhren zurück. Sie hatte es aufgegeben, ihn wegdrängen zu wollen. Sie trat ein paar Schritte zurück und schaute gerade vor sich hin. Fast unerträglich wurde ihm der Anblick des schwachen, in einem weißen Kleidchen steckenden Puppenkörpers und des verachtungsvollen, grauenhaften blassen Kindergesichtes. Er war so erfüllt mit Grauen, daß er einen Stich in den Schläfen und in der Kehle empfing, als seine Hand in der Tasche an etwas Kaltes streifte. Es waren ein paar Silbermünzen. Er nahm sie heraus, beugte sich zu dem Kinde nieder und gab sie ihm, weil sie glänzten und klirrten. Das Kind nahm sie und ließ sie ihm vor den Füßen niederfallen, daß sie in einer Spalte des auf einem Rost von Brettern ruhenden Bodens verschwanden. Dann kehrte es ihm den Rücken und ging langsam fort. Eine Weile stand er regungslos und hatte Herzklopfen vor Angst, daß es wiederkommen werde und von außen auf ihn durch die Scheiben schauen. Jetzt hätte er gleich fortgehen mögen, aber es war besser, eine Weile vergehen zu lassen, damit das Kind aus dem Garten fortginge. Jetzt war es in dem Glashaus schon nicht mehr ganz hell, und die Formen der Pflanzen fingen an, sonderbar zu werden. In einiger Entfernung traten aus dem Halbdunkel schwarze, sinnlos drohende Zweige unangenehm hervor, und dahinter schimmerte es weiß, als wenn das Kind dort stünde. Auf einem Brette standen in einer Reihe irdene Töpfe mit Wachsblumen. Um eine kleine Zeit zu übertäuben, zählte er die Blüten, die in ihrer Starre lebendigen Blumen unähnlich waren und etwas von Masken hatten, heimtückischen Masken mit zugewachsenen Augenlöchern. Als er fertig war, ging er zur Türe und wollte hinaus. Die Tür gab nicht nach; das Kind hatte sie von außen verriegelt. Er wollte schreien, aber er fürchtete sich vor seiner eigenen Stimme. Er schlug mit den Fäusten an die Scheiben. Der Garten und das Haus blieben totenstill. Nur hinter ihm glitt etwas raschelnd durch die Sträucher. Er sagte sich, daß es Blätter waren, die sich durch die Erschütterung der dumpfen Luft abgetrennt hatten und niederfielen. Trotzdem hielt er mit dem Klopfen inne und bohrte die Blicke durch das halbdunkle Gewirr der Bäume und Ranken. Da sah er in der dämmerigen Hinterwand etwas wie ein Viereck dunkler Linien. Er kroch hin, jetzt schon unbekümmert, daß er viele irdene Gartentöpfe zertrat und die hohen dünnen Stämme und rauschenden Fächerkronen über und hinter ihm gespenstisch zusammenstürzten. Das Viereck dunkler Linien war der Ausschnitt einer Tür, und sie gab dem Drucke nach. Die freie Luft ging über sein Gesicht; hinter sich hörte er die zerknickten Stämme und niedergedrückten Blätter wie nach einem Gewitter sich leise raschelnd erheben.

Er stand in einem schmalen, gemauerten Gange; oben sah der freie Himmel herein, und die Mauer zu beiden Seiten war kaum über mannshoch. Aber der Gang war nach einer Länge von beiläufig fünfzehn Schritten wieder vermauert, und schon glaubte er sich abermals gefangen. Unschlüssig ging er vor; da war die Mauer zur Rechten in Mannsbreite durchbrochen, und aus der Öffnung lief ein Brett über leere Luft nach einer gegenüberliegenden Plattform; diese war auf der zugewendeten Seite von einem niedrigen Eisengitter geschlossen, auf den beiden anderen von der Hinterseite hoher bewohnter Häuser. Dort, wo das Brett wie eine Enterbrücke auf dem Rand der Plattform aufruhte, hatte das Gitter eine kleine Tür.

So groß war die Ungeduld des Kaufmannssohnes, aus dem Bereich seiner Angst zu kommen, daß er sogleich einen, dann den anderen Fuß auf das Brett setzte und, den Blick fest auf das jenseitige Ufer gerichtet, anfing, hinüberzugehen. Aber unglücklicherweise wurde er sich doch bewußt, daß er über einem viele Stockwerke tiefen, gemauerten Graben hing; in den Sohlen und Kniebeugen fühlte er die Angst und Hilflosigkeit, schwindelnd im ganzen Leibe, die Nähe des Todes. Er kniete nieder und schloß die Augen; da stießen seine vorwärts tastenden Arme an die Gitterstäbe. Er umklammerte sie fest, sie gaben nach, und mit leisem Knirschen, das ihm, wie der Anhauch des Todes, den Leib durchschnitt, öffnete sich gegen ihn, gegen den Abgrund, die Tür, an der er hing; und im Gefühle seiner inneren Müdigkeit und großen Mutlosigkeit fühlte er voraus, wie die glatten Eisenstäbe seinen Fingern, die ihm erschienen wie die Finger eines Kindes, sich entwinden und er hinunterstürzt, längs der Mauer zerschellend. Aber das leise Aufgehen der Türe hielt inne, ehe seine Füße das Brett verloren, und mit einem Schwunge warf er seinen zitternden Körper durch die Öffnung hinein auf den harten Boden.

Er konnte sich nicht freuen; ohne sich umzusehen, mit einem dumpfen Gefühle, wie Haß gegen die Sinnlosigkeit dieser Qualen, ging er in eines der Häuser und dort die verwahrloste Stiege hinunter und trat wieder hinaus in eine Gasse, die häßlich und gewöhnlich war. Aber er war schon sehr traurig und müde und konnte sich auf gar nichts besinnen, was ihm irgendwelcher Freude wert schien. Seltsam war alles von ihm gefallen, und ganz leer und vom Leben verlassen ging er durch die Gasse und die nächste und die nächste. Er verfolgte eine Richtung, von der er wußte, daß sie ihn dorthin zurückbringen werde, wo in dieser Stadt die reichen Leute wohnten und wo er sich eine Herberge für die Nacht suchen könnte. Denn es verlangte ihn sehr nach einem Bette. Mit einer kindischen Sehnsucht erinnerte er sich an die Schönheit seines eigenen breiten Bettes, und auch die Betten fielen ihm ein, die der große König der Vergangenheit für sich und seine Gefährten errichtet hatte, als sie Hochzeit hielten mit den Töchtern der unterworfenen Könige, für sich ein Bett von Gold, für die anderen von Silber; getragen von Greifen und geflügelten Stieren. Indessen war er zu den niedrigen Häusern gekommen, wo die Soldaten wohnen. Er achtete nicht darauf. An einem vergitterten Fenster saßen ein paar Soldaten mit gelblichen Gesichtern und traurigen Augen und riefen ihm etwas zu. Da hob er den Kopf und atmete den dumpfen Geruch, der aus dem Zimmer kam, einen ganz besonders beklemmenden Geruch. Aber er verstand nicht, was sie von

ihm wollten. Weil sie ihn aber aus seinem achtlosen Dahingehen aufgestört hatten, schaute er jetzt in den Hof hinein, als er am Tore vorbeikam. Der Hof war sehr groß und traurig, und weil es dämmerte, erschien er noch größer und trauriger. Auch waren sehr wenige Menschen darin, und die Häuser, die ihn umgaben, waren niedrig und von schmutziggelber Farbe. Das machte ihn noch öder und größer. An einer Stelle waren in einer geraden Linie beiläufig zwanzig Pferde angepflöckt; vor jedem lag ein Soldat in einem Stallkittel aus schmutzigem Zwilch auf den Knien und wusch ihm die Hufe. Ganz in der Ferne kamen viele andere in ähnlichen Anzügen aus Zwilch zu zweien aus einem Tore. Sie gingen langsam und schlürfend und trugen schwere Säcke auf den Schultern. Erst als sie näher kamen, sah er, daß in den offenen Säcken, die sie schweigend schleppten, Brot war. Er sah zu, wie sie langsam in einem Torweg verschwanden und so wie unter einer häßlichen, tückischen Last dahingingen und ihr Brot in solchen Säcken trugen wie die, worin die Traurigkeit ihres Leibes gekleidet war.
Dann ging er zu denen, die vor ihren Pferden auf den Knien lagen und ihnen die Hufe wuschen. Auch diese sahen einander ähnlich und glichen denen am Fenster und denen, die Brot getragen hatten. Sie mußten aus benachbarten Dörfern gekommen sein. Auch sie redeten kaum ein Wort untereinander. Da es ihnen sehr schwer wurde, den Vorderfuß des Pferdes zu halten, schwankten ihre Köpfe, und ihre müden, gelblichen Gesichter hoben und beugten sich wie unter einem starken Winde. Die Köpfe der meisten Pferde waren häßlich und hatten einen boshaften Ausdruck durch zurückgelegte Ohren und hinaufgezogene Oberlippen, welche die oberen Eckzähne bloßlegten. Auch hatten sie meist böse, rollende Augen und eine seltsame Art, aus schiefgezogenen Nüstern ungeduldig und verächtlich die Luft zu stoßen. Das letzte Pferd in der Reihe war besonders stark und häßlich. Es suchte den Mann, der vor ihm kniete und den gewaschenen Huf trockenrieb, mit seinen großen Zähnen in die Schulter zu beißen. Der Mann hatte so hohle Wangen und einen so todestraurigen Ausdruck in den müden Augen, daß der Kauf-

mannssohn von tiefem, bitterem Mitleid überwältigt wurde. Er wollte den Elenden durch ein Geschenk für den Augenblick aufheitern und griff in die Tasche nach Silbermünzen. Er fand keine und erinnerte sich, daß er die letzten dem Kinde im Glashause hatte schenken wollen, das sie ihm mit einem so boshaften Blick vor die Füße gestreut hatte. Er wollte eine Goldmünze suchen, denn er hatte deren sieben oder acht für die Reise eingesteckt.

In dem Augenblick wandte das Pferd den Kopf und sah ihn an mit tückisch zurückgelegten Ohren und rollenden Augen, die noch boshafter und wilder aussahen, weil eine Blesse gerade in der Höhe der Augen quer über den häßlichen Kopf lief. Bei dem häßlichen Anblicke fiel ihm blitzartig ein längst vergessenes Menschengesicht ein. Wenn er sich noch so sehr bemüht hätte, wäre er nicht imstande gewesen, sich die Züge dieses Menschen je wieder hervorzurufen; jetzt aber waren sie da. Die Erinnerung aber, die mit dem Gesicht kam, war nicht so deutlich. Er wußte nur, daß es aus der Zeit von seinem zwölften Jahre war, aus einer Zeit, mit deren Erinnerung der Geruch von süßen, warmen, geschälten Mandeln irgendwie verknüpft war.

Und er wußte, daß es das verzerrte Gesicht eines häßlichen armen Menschen war, den er ein einziges Mal im Laden seines Vaters gesehen hatte. Und daß das Gesicht von Angst verzerrt war, weil die Leute ihn bedrohten, weil er ein großes Goldstück hatte und nicht sagen wollte, wo er es erlangt hatte.

Während das Gesicht schon wieder zerging, suchte sein Finger noch immer in den Falten seiner Kleider, und als ein plötzlicher, undeutlicher Gedanke ihn hemmte, zog er die Hand unschlüssig heraus und warf dabei den in Seidenpapier eingewickelten Schmuck mit dem Beryll dem Pferd unter die Füße. Er bückte sich, das Pferd schlug ihm den Huf mit aller Kraft nach seitwärts in die Lenden, und er fiel auf den Rücken. Er stöhnte laut, seine Knie zogen sich in die Höhe, und mit den Fersen schlug er immerfort auf den Boden. Ein paar von den Soldaten standen auf und hoben ihn an den Schultern und unter den Kniekehlen. Er spürte den Geruch ihrer Kleider,

denselben dumpfen, trostlosen, der früher aus dem Zimmer auf die Straße gekommen war, und wollte sich besinnen, wo er den vor langer, sehr langer Zeit schon eingeatmet hatte: dabei vergingen ihm die Sinne. Sie trugen ihn fort über eine niedrige Treppe, durch einen langen, halbfinsteren Gang in eines ihrer Zimmer und legten ihn auf ein niedriges eisernes Bett. Dann durchsuchten sie seine Kleider, nahmen ihm das Kettchen und die sieben Goldstücke, und endlich gingen sie, aus Mitleid mit seinem unaufhörlichen Stöhnen, einen ihrer Wundärzte zu holen.
Nach einer Zeit schlug er die Augen auf und wurde sich seiner quälenden Schmerzen bewußt. Noch mehr aber erschreckte und ängstigte ihn, allein zu sein in diesem trostlosen Raum. Mühsam drehte er die Augen in den schmerzenden Höhlen gegen die Wand und gewahrte auf einem Brett drei Laibe von solchem Brot, wie die es über den Hof getragen hatten. Sonst war nichts in dem Zimmer als harte, niedrige Betten und der Geruch von trockenem Schilf, womit die Betten gefüllt waren, und jener andere trostlose, dumpfe Geruch.
Eine Weile beschäftigten ihn nur seine Schmerzen und die erstickende Todesangst, mit der verglichen die Schmerzen eine Erleichterung waren. Dann konnte er die Todesangst für einen Augenblick vergessen und daran denken, wie alles gekommen war.
Da empfand er eine andere Angst, eine stechende, minder erdrückende, eine Angst, die er nicht zum ersten Male fühlte; jetzt aber fühlte er sie wie etwas Überwundenes. Und er ballte die Fäuste und verfluchte seine Diener, die ihn in den Tod getrieben hatten; der eine in die Stadt, die Alte in den Juwelierladen, das Mädchen in das Hinterzimmer und das Kind durch sein tückisches Ebenbild in das Glashaus, von wo er sich dann über grauenhafte Stiegen und Brücken bis unter den Huf des Pferdes taumeln sah. Dann fiel er zurück in große, dumpfe Angst. Dann wimmerte er wie ein Kind, nicht vor Schmerz, sondern vor Leid, und die Zähne schlugen ihm zusammen.
Mit einer großen Bitterkeit starrte er in sein Leben zurück und verleugnete alles, was ihm lieb gewesen war. Er haßte

seinen vorzeitigen Tod so sehr, daß er sein Leben haßte, weil es ihn dahin geführt hatte. Diese innere Wildheit verbrauchte seine letzte Kraft. Ihn schwindelte, und für eine Weile schlief er wieder einen taumeligen schlechten Schlaf. Dann erwachte er und wollte schreien, weil er noch immer allein war, aber die Stimme versagte ihm. Zuletzt erbrach er Galle, dann Blut, und starb mit verzerrten Zügen, die Lippen so verrissen, daß Zähne und Zahnfleisch entblößt waren und ihm einen fremden, bösen Ausdruck gaben.

ZU ›DAS MÄRCHEN DER 672. NACHT‹

ERSTER ENTWURF

19. April 1895

Das Märchen der 672ten Nacht
Von dem jungen Kaufmannssohn und seinen 4 Dienern
(Rekonvaleszenz nach der Influenza.)
Vater und mutterlos, lebt müßig und einsam, Wohnung, Geräte, Schuhe, Mäntel Nichtachtung alles dessen (2 Verse.)
die 4 Diener: die alte Wirtschafterin
der Diener 48jährig, maulbeerfarbiges Gesicht wie der Diktator Sulla
das Stubenmädchen, 18jährig, mattblond, dumm; sehr schön; eher schwermütig
das Küchenmädchen, kaum 15jährig, verschlossen
alle 4 reden sie wenig miteinander und umkreisen ihn, wie Hunde.

oft hört man an einem Nachmittag nur die Fische sich in ihren lichtdurchströmten Schalen bewegen und doch sind 5 Menschen zu Hause. in seinem Müßiggang Kaufmannsinstinkte: nicht Pferde, Waffen. Wie die Schönheit des älteren Mädchens wach wird, dadurch daß sie mit seinen Kämmen durch ihr Haar fährt, mit seinen ledernen Feilen ihre Nägel berührt

die Sommer in einem Tal im Gebirg, von dessen Abhängen rauschend sehr viel Bäche herunterfallen und wo nachts der Mond fast immer hinter den schwarzen Bergen steht und ungeheure silbergraue Wolken majestätisch über den dunkelleuchtenden Himmel gleiten

einmal wirft sich die Kleine aus dem Fenster auf eine mit Holz gedeckte Grube, bricht sich das Schlüsselbein; einmal, am Land, fällt ihm auf, wie schön das ältere Mädchen ist, wenn sie das Becken mit den Goldfischen am Kopf trägt und wenn sie

er sieht ihr nicht lange zu, sondern geht unruhig auf den

Markt, eine Blume oder ein Gewürz zu suchen, in dem genau diese Schönheit liegt: denn direkt ist sie ihm unnahbar (Verse)

in den Stielen der Nelken, im Duft des reifen Kornes erregtest Du meine Sehnsucht, aber als ich dich fand, warst Du es nicht Die ich gesucht hatte sondern die Schwester Deiner Seele.

Wegen des Dieners, der eines Vergehens beschuldigt wird muß er nach Wien fahren. Findet auf der persischen Gesandtschaft nur einen Schreiber und den Koch. Geht in der eigenen Stadt wie in einer fremden umher. in eine hochgelegene Vorstadt. über Treppen. Zu einem älteren ärmlichen Juwelier. ins Hinterzimmer, um für das Mädchen etwas zu finden (Berylle, Topase passen ihnen nicht, passen nicht zu ihrem Bild in seiner Seele) aus dem Hinterzimmer Ausblick auf einen Garten mit Glashäusern. Durchwandert eines: Wachsblumen, Narcissen, Anemonen. Will schon fortgehen. Da an den Scheiben des nächsten Glashauses das höchst seltsame Gesicht eines 4jährigen Mädchens, der kleineren Dienerin geheimnisvoll ähnlich; er bückt sich, öffnet einen niedrigen Riegel tritt ein Das Kind will ihn hinausdrängen. Streicheln, Münzen nützten nichts. Es redet kein Wort. Wenn er Blumen ansehen will, zieht es die Töpfe weg, wirft ihm einen Ziegelstein auf den Fuß, läuft endlich fort, verriegelt die Tür von außen. Er ist unruhig. Findet endlich eine kleine Hintertür. 3 Stufen hinunter unmittelbar vor dem Ausgang ein Brett über einen gemauerten viele Stock tiefen Graben. Er geht darüber einen Augenblick befällt ihn Angst: er drückt sie mit dem krampfhaft erfaßten Gedanken der Unentrinnbarkeit des Schicksals nieder. am Ende ein kleines Eisentürchen, gibt nach; Plattform, links und rechts Häuserrückseiten, links Musik. Geht links, schmutziges Stiegenhaus, hinunter, begegnet keinem Menschen; auf der Plattform Lebensfreude: Verse des Fatalismus; Sprichwörter: Wenn das Haus gebaut ist, kommt der Tod, Wo Du sterben sollst dahin tragen Dich Deine Füße; kommt in eine sehr ärmliche Vorstadt, geht der wahrscheinlichen Richtung nach;

Häuser der Soldaten; rufen ihn an, ob Taback kaufen will, stören ihn auf; geht in Hof: eine Reihe kniet vor Pferden wäscht Hufe, manche Pferde häßlich und tückisch, ziehen Oberlippe auf und zeigen die Zähne, schnauben, manchen treten die Augen tückisch heraus manche traurig; traurig schmutzig und eintönig die Soldaten; eine lange Reihe trägt Brot, alle sehr traurig; will dem letzten Münzen geben, da fällt Schmuck des Diener zu Boden, er bückt sich das Pferd schlägt nach ihm. Stöhnend liegt er am Boden. Soldaten tragen ihn in eines ihrer niedrigen Zimmer, stehlen alles, holen dann Wundarzt. Allein gelassen wacht er auf und stirbt.

SOLDATENGESCHICHTE

Auf dem langen Holzbalken, der längs der Hinterwand des Stalles hinläuft, saßen die Dragoner der Schwadron und aßen ihr Mittagbrot. Sie saßen in einem schmalen Streifen Schatten, den das überhängende Stalldach gerade auf ihre gebückten Köpfe hinabließ und auf die zinnernen Eßschalen, die jeder Mann auf seinen Knien stehen hatte. Ein paar Schritte weiter unter einem Nußbaum, der spärliche Flecken schwarzen Schattens auf den ausgetrockneten Boden warf, hatten die Unteroffiziere: 3 Zugsführer, der Eskadronistentrompeter und ein paar Korporäle, eine aus 2 Fässern und einem Brett gebaute Bank. In dem Schattenstreif an der Wand lief eine Art von Gespräch hin und her: es war ein halblautes dumpfes Gespräch, wie es niedere Menschen führen, wenn sie sich beengt und unfrei fühlen. Dann und wann lief ein halblautes Lachen, ein gemurmelter billiger Scherz, den jeder wiederholte, durch die Reihe: aber er lief nicht ungebrochen durch die Reihe, hatte einen toten Punkt, einen traurigen Menschen in der Mitte, an dem sich die von rechts und links kommenden Wellen harmlosen Geschwätzes brachen. Das war ein Mensch, in dessen magerem langen Gesicht mit den großen Ohren nichts besonderes lag als daß die Ohren abstehend waren und rötlich schimmerten und durch ihren eingelegten wie gefalteten oberen Rand etwas ängstliches hatten. Er hatte wie die andern seine Eßschale auf den Knien; aber während bei den andern schon der zinnerne Boden durch den Brei aus zerdrückten fetten Erdäpfeln blinkte, war seine Schale noch halbvoll. Trotzdem stand er plötzlich auf, stellte die Eßschale auf den Platz, wo er gesessen hatte, und ging mit großen ungelenken Schritten fort. Der Zugsführer Schillerwein hob das sommersprossige Raubvogelgesicht und sah dem Mann nach. Schwendar! schrie er hinter ihm her, als der Dragoner um die Ecke gebogen war. Ein kurzhalsiger Korporal neben ihm sah ihn fragend an. »Der Mann gefallt mir schon lang nicht,« sagte der

Zugsführer. »Der Kerl muß krank sein oder was« und aß weiter. Schwendar war um die Ecke gebogen, hatte seinen Namen hinter sich schreien gehört und war mit gesenktem Kopf längs der nach erwärmtem Kalk riechenden Mauer weitergegangen, über ihm die wütende Glut der funkelnden Sonne, vor der die durchsichtige Luft in ungeheuern bläulichen Massen hing, wie Dunst gewordenes dunkles Metall. Der Dragoner überschritt den breiten Hof, der zwischen den Stallungen liegt, und das blendende Licht des weißen Bodens und der kalkbestrichenen Mauer verwischte alle entfernten Formen und zehrte den Weg vor seinen Füßen auf, so daß er wie im Leeren dahinging.
Plötzlich fielen seine gesenkten Blicke auf ein dunkles tiefes Wasser, und er schrak zusammen bis ins Mark der Knochen, obwohl er sich augenblicklich bewußt wurde, daß es nichts weiter war als das große, halb in den Boden gesenkte Faß, aus dem man die Tränkeimer für die Pferde füllte. Aber seiner Seele war in der Kinderzeit ein tiefer Schauer vor leisem beschattetem Wasser eingedrückt worden: zuhause in der Ecke des kleinen Gartens zwischen einem hohen Stoß verfaulender dumpfriechender Blätter und einem mit feuchtkühlem Schatten erfüllten riesigen Holunderstrauch war das Regenwasserfaß gestanden, in dem sich kurz vor seiner Geburt seiner Mutter jüngere Schwester, ein alterndes Mädchen, aus Angst vor der ewigen Verdammnis und dem Feuer der Hölle ertränkt hatte, indem sie mit der geheimnisvollen eisernen Willenskraft der Schwachsinnigen den Kopf hinein tauchte, bis sie tot über dem Rand hing. Dem Knaben schien in dämmernden Abendstunden der unheimliche Winkel den schlaff überhängenden Leib der Toten zu zeigen, aber fürchterlich vermengte sich dieses Bild mit seinem eignen tiefsten Leben, wenn er an heißen Mittagsstunden sich über den dunklen feuchten Spiegel bog und ihm aus der Tiefe, die ihm grün schien, sein eigenes Gesicht entgegenschwebte, dann aber wieder sonderbar zerrann, von schwarzen und blinkenden Kreisen verschluckt, und ein gestaltloser Schatten sich nach aufwärts zu drängen schien, daß er schreiend entlief, und doch immer wieder zurückkam und hineinstarrte. Daß ihn aber die Erinnerung

daran in diesem Augenblick mit solcher Heftigkeit anfiel, war nur ein Teil des sonderbaren Zustandes, der sich des Soldaten seit Wochen immer mehr bemächtigt hatte, einer schwermütigen Nachdenklichkeit, die ihn in eine immer tiefere Traurigkeit hineintrieb, ihm im Bett die Augen aufriß und den Druck seines schweren Blutes fühlen ließ, ihm beim Essen die Kehle zuschnürte und sein Gemüt für alles Beängstigende und Traurige empfänglich machte. Nun wußte er, er würde sich umsonst aufs Bett legen: die glühende Sonne machte ihn nur müde nicht schläfrig und von innen war er unerklärlich aufgeregt:

Die Erinnerungen der Kindheit lagen entblößt in seinem erschütterten Gemüt, wie Leichen, die ein Erdbeben emporgeschüttelt hat: die Schauer der ersten Beicht, des ersten Gewitters, die grellen und dumpfen Erinnerungen der Schultage, drängten ihm ein Kind entgegen, zu dem er mehr als Du, zu dem er Ich sagen sollte, und doch war in ihm ein solches Stokken der Liebe, daß er nicht wußte, was er mit dieser Gestalt anfangen sollte, die ihm fremd war wie ein fremdes Kind, ja unverständlich wie ein Hund. Diese traurige Trunkenheit, dieser unerklärliche innere Sturm war ihm lästiger als die frühere Niedergeschlagenheit; er wollte lieber versuchen, sich zu zerstreuen und ging in den Marodenstall, um nachzusehen, ob neue kranke Pferde dazugekommen wären. Er fand aber in dem großen dunstig dämmernden Raum nur die drei, die er schon kannte: Der alte blinde Schimmel, dessen Farbe an den Flanken ins gelbliche ging, trat webend in seinem Stand nach rechts und nach links und ohne Unterlaß wieder nach rechts und nach links.

Im benachbarten Stand lag das dämpfige Pferd: es ruhte nicht mit untergeschlagenen Beinen wie gesunde Pferde tuen, sondern es lag sonderbar mit halbangespannten Gelenken, als wenn es unaufhörlich bereit sein müßte aufzuspringen, und der Kopf mit den großen suchenden Augen war krampfhaft nach oben gerichtet, um mit weitaufgerissenen verzweifelten Nüstern all die Luft einzuziehen, derer seine Brust und die wogenden schlaffen Flanken bedurften. Dies war die einzige Lage, welche es ertrug, ohne das Ersticken befürchten zu müssen. Das röchelnde Atmen dieses Pferdes und das dumpfe taktmäßige Hin- und Hertreten des webenden Schimmels gaben zusammen den Ton, der das Leben dieses Raumes ausmachte: von der Ecke, wo das dritte Pferd stand, ging nichts aus als Totenstille. Es war ein großes Tier und stand mit gesenktem Kopf auf seinen vier Füßen, als ob es schliefe. Aber es schlief nicht: unterm Fressen hatte es sich vergessen, wie es sich unterm Gehen vergessen konnte und geradeaus in eine Mauer oder in ein Wasser laufen wie in leere Luft. Es lebte, aber das Leben war ihm so völlig verloren wie einem Stein, der in einen Teich gesunken ist: in seinem dumpfen Wahnsinn stand es nicht schlafend und nicht wach, vom Leben und vom Tod, ja selbst von der Möglichkeit des Sterbens durch eine unsichtbare undurchdringliche Wand abgeschlossen: seine Augen waren offen, aber sie sahen nicht, er wußte unter dem Fressen in Bewußtlosigkeit, auf seinen großen herabhängenden Lefzen klebten viele Haferkörner und zwischen ihnen hing eine winzige hellgelbe Made, die sich voll Leben wand und krümmte.

Als der Dragoner wieder über den Hof zurückging, hörte er aus einer Stalltür lautes wieherndes Lachen. Zwei Korporäle standen unter der Tür und unterhielten sich damit, den Dragoner Moses Last um die Namen des Herrn Brigadiers und des Herrn Korpskommandanten zu fragen. Dieser Mensch war schwachsinnig; seine Ausbildung im Reiten hatte man nach kurzer Zeit wegen unüberwindlicher Feigheit aufgegeben, und da er von Haus aus Schneider war, so steckte man ihn ins sogenannte Professionistenzimmer; außerdem wurde er aber zur Pferdewartung verwendet, und stundenlang konnte man ihn unter dem Leib der ihm anvertrauten Pferde knien sehen mit lautloser Emsigkeit darin verloren, ihre Hufe mit einem kleinen fetten Lappen so heftig zu reiben, bis sie glänzten wie poliertes Horn. Aber es war unmöglich, ihm sonst die geringste militärische Ausbildung zu geben. Wenn der Rittmeister, dem er in hündischer Art anhänglich war, vor der Stalltür vom Pferd stieg, lief er hinaus, nahm die Kappe ab, und sagte, indem er das Gesicht vor Freude verzog, »Guten Tag, Herr Rittmeister«. Davon war er weder durch

Krummschließen noch durch Dunkelarrest abzubringen, ebensowenig aber durch irgendein Mittel dahinzubringen, daß er sich den Namen des Rittmeisters oder denjenigen eines anderen Vorgesetzten gemerkt hätte.
Schwendar machte die Kopfwendung, um die beiden Unteroffiziere zu grüßen und indessen seine Augen während dreier Doppelschritte auf ihnen hafteten, prägte sich der Anblick des Schwachsinnigen ihm heftig ein: er stand zitternd, in krampfhaft steifer Haltung, mit vorgestrecktem Kinn und Hals: in seinem aufgedunsenen Gesicht ging ein schiefer, gleichsam gesträubter Blick auf seine Quäler; hinter seinen dicken Lippen arbeitete es mühsam. Endlich flog ein schwacher Lichtschein über sein Gesicht; er quetschte Worte hervor, und im Eifer schob er sich dem einen Korporal auf den Leib, und er faßte ihn mit einer beweglichen Gebärde bei den Knöpfen der Uniform. Dann brüllte der Korporal irgendein Kommando, und Schwendar sah noch das aufgedunsene Gesicht vor einer geballten zum Schlag ausholenden Faust zurückfahren. Er ging mit schnellen Schritten weiter, hinauf ins Mannschaftszimmer, und weil doch Sonntag war, so zog er die Ausgehmontur an und nahm Helm und Säbel, um in die Stadt zu gehen. Als er fertig war, griff er aus Gewohnheit nach seiner alten silbernen Taschenuhr und erinnerte sich sogleich, daß er sie nicht mehr besaß und daß er seit 2 Monaten täglich danach griff und sich täglich mit dem gleichen Gefühl von Demütigung und dumpfem Schmerz auf die Umstände ihres Verlustes besann. Der Dieb war sein einziger Freund. Es war der Eskadronsriemer Thoma, der jetzt im Spielberg saß.

Immer tiefer trieb es ihn in den Wald hinein. Mit nachschleppendem Säbel und in den Nacken zurückgeschobenem Helm, stampfte er zwischen den Birken hin wie ein Betrunkener. Die niedrigen Zweige schlugen in sein erhitztes Gesicht, seine Füße ließen in dem moorigen Boden tiefe Spuren zurück, die sich gurgelnd mit schwarzbraunem Wasser füllten. Dieses Geräusch brachte ihm den Gedanken an den Tod so nah wie am Vormittag der Anblick des Wassereimers, und um es nicht länger zu hören, veränderte er seine Richtung und lief mehr als er ging einen Durchhau entlang, der festeren Boden hatte. Vor ihm schien der Wald sich zu lichten. Etwas Rötliches schwebte vor seinen Augen, ein rötlichblauer Schimmer zog sich quer über den Weg. Als er näher kam, waren es viele Salbeiblüten zwischen den dämmernden Büschen. Er sah sie aufmerksam an, aber wie er die Augen hob und weiterging, flog das Rötliche wieder vor ihm wie ein schwebender Schleier. Dann lag es auf dem Stamm einer vorgeneigten Birke, die halbversteckt lauernd seitwärts, wie ein roter Fleck. Dann kam es von allen Seiten ein ganzer blutroter Schleier, warf blutige große Flecken auf das kugelige Grün der dichten Büsche, auf die weißen Stämme. Lachen von Blut standen da, dort über dem dunkelnden Erdboden. Zehn Sprünge, zu deren jedem sein klopfendes Herz die Kraft verweigern zu wollen schien, brachten ihn an den Rand des Waldes. Blutend, von einem übermäßig angespannten Glanz, wie mit dem letzten Blick eines brechenden Auges starr und regungslos angeglüht lag die endlose wellenförmige Ebene vor ihm. Hinter dem großen Eisenbahndamm, bis zu welchem es 2 Stunden zu reiten war, sank die Sonne. Nur mehr der oberste Rand der nackten glühenden Scheibe blinkte über den Damm, wie das oberste eines vom Lid entblößten Auges: dann fiel auch dieses letzte funkelnde hinab, und allmählich sank der Glanz des Landes in seinen Abgrund, aus dem roter Rauch emporwehte, ins Tote. Erschöpft von Angst und Laufen hatte sich Schwendar am Rand des Waldes niedergesetzt. Als er den schweren Helm abnahm und ihn neben sich ins Gras stellte, war ihm, als träfe ihn aus dem Gebüsch von der Seite her ein kalter, aufmerksamer und doch teilnahmsloser Blick, und er fühlte seine Brust von einem Gefühl zusammengeschnürt, das mit einer fernen ganz fernen Erinnerung verknüpft sein mußte. Es war die Erinnerung an jenen Tag, an welchem seine Mutter gestorben war, eine dumpfe Erinnerung des Körpers mehr als der Seele. Er fühlte das Stocken seines Atems und das Frieren im Rücken, als die Kranke sich plötzlich aufrichtete und mit einer fremden, harten und starken Stimme sagte: Es ist die heilige Jungfrau Maria, sie winkt mir mit einem Licht, und dann noch einmal, sie winkt mir mit einem Licht. Dann gingen die Blicke der Sterbenden langsam, mit einem Ausdruck von Strenge und ohne alle Teilnahme über den Knaben hin, über ihn und über alles was noch im Zimmer war, zuletzt über die Erhöhung der Bettdecke, dort wo die eigenen mageren Füße waren, und blieben endlich stehen, starr und voll gespannter mühsamer Aufmerksamkeit wie nach innen gerichtet, während in die Seele des Knaben sich lautlos das Grauen hineinschraubte über dieses Entsetzliche, daß eine Gestalt, die er nicht sehen konnte, winkte und die Mutter ihr nachgehen mußte und dieser Fremden so verfallen war, daß ihre offenen Augen nichts mehr sahen, ihn nicht und nichts in der Welt. Alle diese Dinge stiegen in ihm empor und brachten eine Bitterkeit mit sich, gegen die es keine Rettung gab. Von neuem durchfühlte er das innere Erstarren des Kindes bei der Einsicht, daß so etwas geschehen konnte; jetzt aber, da es schon so lange geschehen war, sah er es in einem neuen fürchterlichen Lichte: er haßte seine Mutter dafür, daß sie sich so aus dem Leben fortgestohlen hatte mit einem kalten, leeren Blick auf ihn und alles, was sie in dieser Hölle zurückließ. Den Rasen, auf dem er saß, fühlte er als einen Teil der großen undurchdringlichen Decke, unter der die Toten sich verkrochen, um nicht mehr dabei zu sein. Wie Schläfer, die sich in den Dunst ihrer Betten einbohren und ihr Gesicht in den Polster graben, lagen sie unter ihm, und ihre Ohren waren voll Erde, daß sie sein Stöhnen nicht hören konnten und nicht achten auf seine Verlassenheit. Er sprang auf und schlug mit den Füßen gegen den Boden, daß die Sporen tiefe Risse in der Erde ließen und die streifigen Fetzen des Rasens gegen den Himmel flogen. Dann zog er den Säbel und fing an, auf die Büsche und kleinen Bäume einzuhauen vor Wut sinnlos und berauscht vom Gefühl des Zerstörers. Er glaubte einen schwachen Widerstand und den empörten Atem der Wesen zu spüren, die ihm unterlagen. Zerfetzte Blätter erfüllten die Luft und der Saft der verwundeten Zweige sprühte dem Soldaten auf Gesicht und Hände. Der Säbel schlug klaffende Streifen in das kühle Dunkel, das ihm wie aus Kellerlöchern entgegenquoll. Er fuhr zurück, denn diesmal berührte ihn ein starrer totenhafter Blick aus deutlicher Nähe, zu seinen Füßen schien ein elendes Wesen im Dunkel zusammengekauert, sein Säbel sauste auf einen weichen Körper nieder, und als er es herausschleuderte, war es die klägliche kleine Leiche eines verendeten Hasen, deren starre Augen jetzt mit leblosem Glotzen in das Weite des hohen kühlen Himmels schauten. Dieser erbärmliche Anblick erhöhte die dumpfe Wut des Elenden; von neuem stürzte er auf das tote Tier zu und schleuderte es in einem starken Bogen seitwärts, daß es klatschend gegen einen harten Stamm schlug und in der Höhe ein Schwarm erschreckter Dohlen sich jäh mit widerlichem Rufen und knarrenden Flügeln flüchtend in die stille Luft warf. Ihr Schreien zog den Blick des Soldaten aufwärts. Aus dem Gewipfel einer ungeheuren Ulme schwang der häßliche Schwarm sich weg, die auf uralten Wurzeln ruhend mit der Last einer grünen auf jähem Abhang aufgetürmten Bergstadt spielend schien. Zur Seite der Ulme aber stiegen 2 riesige Pappeln auf und drängten mit strebenden Kronen hoch ins Dämmernde empor. Die 3 Bäume waren nicht ineinander verwachsen, aber ihr grenzenlos starkes Streben schien sich aufeinander zu beziehen: Die dreifach ansetzende Wipfelmacht der Ulme nahm den kletternden Blick wie mit gewaltigen hebenden Armen mit, eine lebendige schattenerfüllte Wölbung reichte ihn der andern empor, bis ihn die letzte an die Pappeln abgab, die wie von inneren Flammen lautlosen Wettkampfes ergriffen still nebeneinander in den Raum hinaufwuchsen. Der Anblick der drei Bäume, die in der dunkelnden Stunde immer mehr ins riesenhafte wuchsen, legte sich wie ein Alp auf Schwendar: der Gedanke, mit seinem Säbel gegen diese unerschütterlichen Stämme zu schlagen, machte seinen Arm schwer, wie ein lahmes Glied. Die Macht dieser verhaltenen Riesenkräfte raubte seinem sinnlosen Spiel den trunkenen Schein von Überlegenheit, der ihn für Augenblicke über das Gefühl seiner Schwäche und Angst hinweggebracht hatte, unterband sein Blut und wies ihn ins Leere zurück. Er nahm seinen Helm mit abgewendeten Augen vom Boden auf und lief fort, quer über die offene Hutweide der Kaserne zu, den bloßen Säbel in der einen, den Helm in der andern Hand. Er hatte keinen anderen Gedanken als den, nicht länger allein zu sein: seine Angst hatte Bestimmtheit gewonnen, ihm war, als würfe sich nun bald die Last, mit der diese riesigen Bäume spielten, auf seine Seele. Schon war er ein weites Stück gelaufen, als er zwischen dem Klopfen seiner Adern die wütend schnellen Hufschläge eines Pferdes wahrnahm, das hinter ihm herjagen mußte und mit jedem dumpfen Dröhnen ein Stück des trennenden Bodens hinter sich warf. Ohne Überlegung warf er sich seitwärts wie ein gehetzter Hase und stürmte in weiten Sätzen dem Walde zu. Wo die Schleuse des herrschaftlichen Karpfenteiches an den Waldrand tritt, sprang er über den trockenen Ablaßgraben und lief am Teich weiter mit dem wilden Schatten seiner tollgewordenen Messnergestalt die großen dunklen Fische erschreckend, daß sie wie von einem Steinwurf getroffen im Kreis auseinanderschossen und in die grünschwarze, feuchte, dunkle Tiefe verschwanden. Der junge Offizier, der ihm aus Neugierde nachgaloppiert war, parierte am Rand des Teiches den großen heftig atmenden Fuchsen und sah der unbegreiflichen Gestalt nach, die mit den Sprüngen eines Wilden, Helm und Säbel in langen Armen krampfhaft schwingend, zwischen den Bäumen herflüchtete.

Er richtete sich auf. Helles Mondlicht lag über den 2 langen Reihen gleichförmiger Betten, und dunkle starke Schatten trennten wie Abgründe die Leiber der Schlafenden. Ihren Gesichtern gaben die dunklen Stellen, die unter den Augen und Lippen lagen, etwas Fremdes, Vergrößertes. Schwendar hatte sich aufgesetzt. Die Hände, deren Schwere er fühlte, als wenn sie tot wären, hatte er vor sich auf der Decke liegen. Seine Augen liefen mit einem unruhigen und leeren Ausdruck über die Schlafenden hin. Das Wachsein war nicht besser als der Halbschlaf mit geschlossenen Augen. Es war als schwebe der schwere Stein, der auf seiner Brust gelegen war, in einiger Entfernung vor ihm, rechts in der Gegend der halbdunkeln Ecke, wo die Zugtrompete hing, als schwebe er dort regungslos in der Dämmerung und beängstige von dort her seine Brust mit derselben lähmenden Last wie früher. Er wandte den Kopf nach der Seite, um ihn nicht zu sehen, und spannte seine ganze Kraft an, um sein Denken auf das zu drängen, was er vor Augen hatte. Es war ihm, als müsse es möglich sein, mit einer übermenschlichen Anstrengung die Gedanken nach außen zu drücken, so daß sie dem, was ihn im Innern ängstigte, den Rücken wenden mußten. Der Mann, welcher ihm zunächst lag, war der Korporal Taborsky. Er war im Zivil ein Schuster. Er lag kerzengerade auf dem Rükken. Die Arme hatte er auch gerade ausgestreckt, einen rechts einen links. Er war ein gutmütiger Mensch, der etwas auf Manieren hielt. Aus dem zufrieden aussehenden Gesicht stand das strohgelbe Schnurrbärtchen unter der Stumpfnase freundlich empor und bewegte sich bei den ruhigen Atemzügen. In der gewissermaßen wohlwollenden Regelmäßigkeit der Atemzüge lag das ausgedrückt, was ihn auch beim Dienst auszeichnete. Niemand sah mit soviel Wohlwollen einem Pferd fressen zu, niemand hörte mit einem so freundlichen überlegenen Gesicht Schimpfen und Klagen an. Er konnte stundenlang im Stall auf- und abgehen, jedesmal in jede der Spiegelscherben, die, zum Richten der Halsstreifen an den Holzpfeilern angebracht, einen freundlichen Blick werfen, gleichmütig aber nicht ohne Ironie nicken und wieder weitergehen. Unter seinem Kopfkissen lag ein zusammengefaltetes Taschentuch, das er nie benützte, und einige Blätter eines Kolportageromans. In diesen liebte er gern und mit einer gewissen Ostentation zu lesen, noch mehr liebte er es aber, gefragt zu werden, warum er denn gar so gern lese, und darüber Auskunft zu geben und im allgemeinen über den Unterschied von gebildeten Menschen und solchen, die sind wie das liebe Vieh, zu reden. Auf einmal, und mit einem Schlag, wußte Schwendar, daß nun alles zu Ende gedacht war, was er im Stande wäre, über diesen Mann zu denken und daß ihn länger anzuschauen ebenso nutzlos wäre wie für einen Durstenden einen Krug zu haben, der keinen Tropfen Wasser mehr in sich hält. Und schon spürte er im Innern, wie aus großer Entfernung unaufhaltsam näherkommend das Wiederkehren der Angst, welche diesen elenden aus Sand aufgeführten Damm, dieses Denken an den Mann, der neben ihm lag, unaufhaltsam fortspülen würde, wenn er ihn nicht schnell schnell verstärkte. Aber er hatte kaum den Mut, seinen Blick von dem Korporal weg und nach dem nächsten Bett hin zu drehn, denn dabei mußte er den dunkeln Raum zwischen diesen beiden Betten streifen, und in diesem mit Schatten gefüllten Abgrund schien ihm die Bestätigung des Entsetzlichen zu liegen, die Unabwendbarkeit des Wirklichen und die lächerliche Nichtigkeit der scheinbaren Rettungen. Wie ein feiger Dieb zwischen zwei Atemzügen über den Schlafenden den Fuß hebt, vom eignen Herzklopfen so umgeben, daß ihm der Boden weit weit weg vorkommt und die Möglichkeit seine Füße zu beherrschen unendlich gering. Er hob verstohlen und bebend den Blick über den dunklen Streifen und ließ ihn wie liebkosend mit aller Kraft über das Gesicht des nächsten Mannes gleiten, der beide Arme unter dem Kopf hatte, und mit offenem Mund schlief, daß man die starken hübschen Zähne seines Mundes sehen konnte und die Nüstern seiner aufgeworfenen Nase. Es war der Dragoner Cypris, ein kindischer Mensch, in dessen braunen Wangen Grübchen erschienen, wenn er lachte. Und er lachte überaus gerne. Schwendar versuchte, sich den Klang seines leisen und unerschöpflichen Lachens ins Gedächtnis zu rufen: es war wie das silberhelle Glucksen im Hals einer Glasflasche. Dieser Cypris war in seine Decke eingerollt wie ein Kind. Ihm gegenüber in der anderen Bettreihe lag der starke Nekolar. Er war zwanzigjährig, aber riesengroß und der stärkste Mann im Zug. Sein Haar war fein kurz und dicht wie das Fell eines Otters und von der Farbe wie glänzendes Strahlen. Er lag, das Gesicht in dem Kopfpolster eingegraben, und seine großen Glieder waren über das Bett geworfen, als wäre es ein großes, mißfärbiges Tier, mit dem er ränge und das er mit der Spannkraft seines jungen riesigen Körpers gegen den Boden drückte. Mit düsterer Verwunderung wandte Schwendar den Blick von ihm ab und sah seinen Nachbar an. Der Mann hieß Karasek. Häßlich und gemein war sein Gesicht und häßlich lag er im Bett, die Decke unter sein fettes Kinn hinaufgerissen, die Knie in die Höh gezogen, gleichzeitig feig und unverschämt.

Von ihm zogen sich Schwendars Blicke traurig und mit Ekel zurück und blieben auf der leeren Schlafstelle liegen, die unmittelbar neben seiner eigenen war, der Schlafstelle seines Freundes, des Riemers Thoma, der im Stockhaus saß. Da kam das Gefühl seiner Verlassenheit unendlich stark über ihn: verraten und verkauft hatte ihn sein Freund, seine Mutter war unter die Erde gegangen, seine Kehle verschnürte sich gegen das Essen, seine Glieder wollten ihn nicht mehr tragen und der Schlaf warf ihn aus. Stumpfsinnig stützte er sich erst auf einen Arm dann auf den andern. Dann mehr in einem Fieberdrang die Stellung zu verändern, als mit einer inneren Absicht, warf er die Decke ab und kniete in seinem Bette nieder. Mein Gott mein Gott mein Gott stöhnte er halblaut vor sich hin und drehte die Augen in den Höhlen wie ein leidendes Tier. Immer heller wurde das Zimmer, immer mehr beklemmte ihn die Nähe dieser Menschen, die eingehüllt in ihren schlafenden Leib dalagen und seiner Qualen nicht achteten. Eine dunkle Erinnerung gab ihm die Worte in den Mund. Mein Gott, mein Herr, laß du diesen Kelch an mir vorübergehn! Er wiederholte sie 3 oder 4mal, bis sich plötzlich etwas Unbegreifliches ereignete. In dem Licht, das das ganze Zimmer mit stiller Helle erfüllte, ging eine Veränderung vor sich. Es währte nur einen Augenblick lang: es schien von innen, es mochte von außen gekommen sein. Es war nichts als ein Aufzucken, wie das Winken eines fernen Lichtes. Dann sank das stille Licht wieder in sich zusammen, und alles war wie früher. Aber seiner Seele bemächtigte sich mit übernatürlicher Schnelligkeit die Ahnung, die Gewißheit, daß es ein Zeichen gewesen war, ein Zeichen für ihn, der Widerschein des geöffneten Himmels, der Abglanz eines durch das Haus gleitenden Engels. Mit offenem Mund und gelösten Gliedern drehte er sich auf den Knien dem Fenster zu.
Der schwarzblaue in ungeheurem Schweigen leuchtende Himmel trat vor seinen Blicken zurück und schien von nichts zu wissen. Auf der Erde aber lag das weiche Licht des tiefstehenden Mondes, umgab die Schmiede und das rotgedeckte Haus, in welchem Unteroffiziere wohnten, mit einem fremdartigen Schein, ließ die Barrieren der offenen Reitschulen

schlanker erscheinen, rundete die Kanten der frisch aufgeworfenen Gräben ab und machte aus den Äckern und dem großen Exerzierplatz ein einziges mit schwimmendem Glanz bedecktes weites Gefilde, um dessen fernen Rand der große finstere Damm den Blick aufnahm, um ihn mit sich fortzureißen wie ein erhöhter riesiger pfeilgerader Weg ins Unbekannte. Schwendars Augen aber, die ein feuchter Glanz zu erfüllen anfing, suchten in dem ganzen großen Raum ein Etwas, das kleiner sein mochte, wie der aufblitzende Blick eines Menschenauges und doch so groß, daß es durch den Zwischenraum des Himmels und der Erde hinwehte und alle menschlichen Maße zunichte machte. Seine Augen suchten den Ort, von dem das Zeichen ausgegangen war, denn er wußte, daß es ein Zeichen gewesen war und daß es ihm gegolten. Mit einem gewaltigen lautlosen Schwung war in seine leere Seele der Glaube zurückgesprungen und durchdrang ihn wie eine weiche stille von geheimnisvoller Lauheit getragene Flut. Schon nicht mehr wie das Nichts, dessen Inneres ausgehöhlt war von Leere und Kummer, von unfruchtbarem Stöhnen, schon verwandelt, eines unverlierbaren Glückes dumpf bewußt, kniete er in seinem weißen Hemd mit seinen schweren Augen, seinen sehnsuchtoffenen Lippen über den Leibern dieser Schlafenden, die sich in den Dunst ihrer Betten hineinbohrten, und mit den Zähnen gegen das Dunkel knirschten. Aber noch einmal wollte er das unsägliche Glück dieses Anfangs genießen, das ihm schon begehrenswerter schien als die Minuten, die seitdem verflossen waren, noch einmal den Anhauch fühlen, das lautlose Aufleuchten, mit dem etwas Ungeheures, unter dessen Vorüberwehen die Helle des Mondes lautlos anschwoll und wieder in sich zusammensank, durch die schweigende Nacht hin sich ihm zugeneigt hatte. Daß aber die Wiederholung des Zeichens ausbleiben und damit alles in Nichts zusammensinken könnte, dem vorzubauen, formte er den Gedanken des Wunsches mit einem kaum ihm selber deutlichen inneren Vorbehalt, er erlaubte dem Herrn im Voraus, sein zweites Zeichen zurückzubehalten, und auch das sollte nichts Böses bedeuten. Sein Gesicht nahm einen schlauen und furchtsamen

Ausdruck an: er wurde sich des Geräusches bewußt, das sein Atmen machte, und hielt ein. In diesem Augenblick durchdrang ihn die Überzeugung, daß sich an einem Teil des Himmels, den seine Blicke nicht bedeckten, etwas ereignet hatte. Er wußte nicht, was es war, aber Es war eingetroffen. Eine innere Gewalt bog ihn näher gegen das Fenster und heftete seinen Blick auf das Stück des seitlichen Horizontes, das sich nun hervorschob. Dort war es: dort wo zwischen 2 riesigen Pappeln eingeklemmt eine Ulme den Bau von Ästen geisterhaft gegen den dunkel undurchdringlichen Himmel hob, dort war Es, halb Bewegung halb Leuchten, lag es zwischen den Wipfeln, als hätte die Ferse eines Engels im Hinunterfahren den schaukelnden schwarzen Baldachin gestreift, unmerklich wie das Flügelheben eines kleinen Vogels in hoher heller Luft, und doch Bewegung ungeheuerer Art, wie wenn auf den großen Hutweiden hinter fernen kleinen Staubwolken sich viele Schwadronen ordneten, deren Näherkommen den Boden in fühlbaren Wellen erdröhnen ließ wie unterirdischer Donner.

Nach der Wiederholung des Zeichens ließ sich Schwendar leise niedergleiten und drückte die Stirn mit dem Gefühl innigen Glückes auf das Fußende des Bettes. Ihm war leicht wie einem neugebornen Kind: alle Schwere, alle Qualen schienen in der Ferne abschwellend hinzusinken, wie das Rauschen der Bäche aus tiefsten Tälern für den, der auf den Gipfel des ungeheuren Berges emporgehoben ist.

Er zog die Stallschuhe und die Zwilchmontur an, dann setzte er sich auf sein Bett und wartete leichten Herzens, bis er auf der Treppe die schweren Tritte des Tageskorporals hörte, der die Stallwarten ablösen ging. Da stand er auf und ging in den Stall. Auf der Stiege begegneten ihm die 3 oder 4 Abgelösten, die schlafen gingen. Ihre stumpfen mürrischen Gesichter und ihre Hast, ins Bett zu kriechen, erregte in ihm eine behagliche Verwunderung, wie das Treiben kleiner Kinder in einem Erwachsenen. An der Stalltür, wo es dunkel war, stieß ein betrunkener Wachtmeister, der sich einbildete, er sei der Inspektionsoffizier und müßte Ordnung schaffen, so heftig an ihn, daß er in den kleinen Graben, der um jeden Stall läuft, hineintaumelte: aber das innerliche Glücksgefühl, das ihn erfüllte, wurde unter jeder Berührung nur immer stärker, und unwiderstehlich quoll aus seinem tiefsten Herzen eine Freudigkeit, die auf seinem Gesicht zu einem Lächeln wurde, wie bei einem stark Verliebten. Zu einem Lächeln, das immer neu aufstieg wie leichte Luftblasen am Ende eines Wasserrohres. Alles nährte seine Heiterkeit: das hastige Herumlaufen zwischen den Ställen, wie es immer zur Zeit der Ablösung, das Fluchen des betrunkenen Wachtmeisters, das sich in der Ferne verlor. Als ein Dragoner, der zu einem andern Zug gehörte, aus Irrtum barfuß in seinen Stall gelaufen kam, um seine vergessenen Stallschuhe zu holen, mußte er laut lachen und sagte innerlich zu sich selber: »da gehts zu wie bei einer Hochzeit.« Behaglich ging er in dem halbdunklen Stall zwischen den stillen Pferden, die liegend oder stehend schliefen, auf und nieder, mit behaglichen wiegenden Schritten wie ein reicher Bauer, nur daß er die Hände nicht am Rücken hielt, sondern vor dem Leib gefaltet.

GESCHICHTE DER BEIDEN LIEBESPAARE

ich frage Anna: kann sie Felix lieben
Antwort: so viel sie eben kann!

dann gibt Theres selbst Antwort, indem sie mit Clemens sonderbar erregt zärtlich ist

hatte sich dicht neben mich gesetzt und das störte uns. Bei der nächsten Station stiegen noch andere Leute ein. Eine Frau mit 2 Kindern, ein Buckliger, ein dicker Offizier. Paula saß da, die Hände zwischen den Knien vorgebeugt wie ein Bub und sah zum Fenster hinaus. Ich sah auf ihre Hände, der eine Handschuh war offen zurückgestreift und ließ ein Stück des Handgelenkes frei: meine Augen blieben auf dieser Stelle, auf diesem kahlen, kinderhaft unfertigen Glied, aber eigentlich dachte ich an die Sachen die sie geredet hatte und wie sie sie geredet hatte. Dann wie ich aufsah, war mir wieder, als hätte ich die ganze Zeit an die kindische Magerkeit dieses Handgelenkes gedacht und dabei irgend etwas empfunden, oder gewußt? oder bestätigt gefunden? Indessen hatten die anderen Leute zu reden angefangen. Die Frau mit den Kindern klagte über irgend etwas. Der junge Bucklige gab ihr Recht aber in einer zornigen, verachtungsvollen Weise. Der dicke rotblonde Trainoffizier sagte etwas Gutmütiges. Es war jetzt so dämmerig in dem Wagen, daß ich die Gesichter nicht sehr deutlich sah. Aber ihre Stimmen schienen mir durchtränkt von Leben. Die Stimme der Frau war gesättigt mit kleinem dumpfem unterdrücktem Schmerz und einem süßlichen selbstgefälligen Ton und doch weinerlich. Die Stimme des Buckligen war hart, man fühlte in ihr die zornigen Bewegungen des Kehlkopfs; sie war gar nicht einfach: und wenn sie sich hob, drückte sie eine große innere Kraft, eine bösartige Überlegenheit aus. Der große schlichtaussehende Mann der

sich neben mich gesetzt hatte hörte zu. Von Zeit zu Zeit seufzte er. Sein Seufzen war tief und ich fühlte, daß es aus einer Brust kam, in der die unablässigen Sorgen gruben und lagen und das Blut schwer machten.
Jetzt kommt gleich die Endstation sagte die Paula und stand auf. Ich verwunderte mich über ihre Stimme, in der so gar nichts lag. Wie nichts war sie, farblos wie Wasser, die Kopfstimme eines Schulkindes.
Wir stiegen aus und sie ließ sich begleiten. Ihre Wohnung war noch ziemlich weit von dort. Wieder fragte ich und wieder kam Antwort auf Antwort mit dieser sonderbaren wasserhellen unmenschlichen Offenheit. Mir war, als hätte ich in diesen 2 Viertelstunden ihr junges Leben erfahren, alles. Es war fast nichts: es war wie unfertige Gärten mit dünnen Bäumen, wie leere Sommerwohnungen mit offenen Türen und ungemütlichen lichten Cretonmöbeln auf denen nie ein Mensch gesessen zu sein scheint. »Was ist das für ein Geschöpf?« dachte ich. Da wohn ich, sagte sie da oben. Sie zeigte auf ein Haus. Es war ein häßliches ganz neues Vorstadthaus mit 5 Stockwerken. Eine Menge Wohnungen waren noch unbewohnt. In den bewohnten waren die meisten Fenster offen. So sagte ich. Ja, häßlich ist es schon sagte sie und lachte ein bißchen. Mein Leben ist überhaupt nicht besonders hübsch. Ich wüßt schon etwas hübscheres. Dabei wandte sie mir das knaben-mädchenhafte Gesicht zu, mit dem ruhigen forschenden Blick, in dem nichts lag als Jugend. Adieu, sagte sie. Ich möchte sie aber sehen, geht denn das nicht, sagte ich. O ja das geht schon, wenn Sie wollen, sagte sie. Morgen? nein morgen nicht, übermorgen auch nicht. Aber am Donnerstag da geh ich erst um 11 ins Geschäft. Da können wir vorher im Volksgarten miteinander spazierengehn wenn sie wollen. Gut, sagte ich, am Donnerstag um 1/2 10. Lieber um 10 sagte sie oder gut, um 1/2 10 ich werd halt ein bissel zu spät kommen. Mir wär lieber wenn sie nicht zu spät kommen, sagte ich. Sie lachte. Warum lachen sie auf einmal fragte ich. Ich weiß nicht, sagte sie, wahrscheinlich weil ich schläfrig bin. Adieu. und ging in das Haus hinein, dessen Eingang ⟨mit⟩ Sandsteinornam⟨enten⟩ von falschem Barockgeschmack überladen war und nach frischem Neubau roch.

Langsam ging ich die lange Straße zurück die aus lauter solchen neuen Häusern bestand. Ich fand die Schönheit von dem, was ich immer als sehr häßlich empfunden hatte. Ich stellte mir diese Zimmer diese gestern gebauten Stiegen ohne Heimlichkeit bevölkert vor mit jungen Menschen, die fast gar keine Erinnerungen hatten. Als ich an dem letzten Haus vorüberging bewegte sich in einer Parterrewohnung das Licht durch die offenen Zimmer, wie wenn ein Mensch der allein zuhause ist etwas sucht. Ich meinte Paula zu sehen wie sie mit dem Licht in der Hand durch die Zimmer ging, vorbei an den Betten der Brüder, mit denen sie nichts gemein hatte, in ihr eignes kahles halbleeres Zimmer und sich niederlegte wie ein junges Tier, ohne auf irgend etwas um sie zu achten. Ich war sonderbar bezaubert von dem Gedanken dieser Leerheit. Eine Kinderei kam mir plötzlich ins Gedächtnis. Ich hatte mir als Kind immer gewünscht der Kronprinz zu sein, um jeden Abend in einem andern der unzähligen leeren Zimmer des Schönbrunner Schlosses schlafen gehn zu dürfen. Ich wußte, daß ich mich gefürchtet hätte: aber der geheimnisvolle Reiz dieses immer neuen Schlafengehens und Aufwachens in dem reinen stillen weißen Zimmer mit den Goldlüstern war stärker. Mit neuer wunderbarer Kraft kam mir mein damaliger Zustand zurück und deutlich das Gefühl wenn die Finger meiner Mutter durch meine halblangen Haare gingen. Ich stellte mir vor Paulas Haare anzurühren und mir war, als ob in denen der ganze Reiz ihrer Jugend für mich läge und darin daß sie meinen eigenen von damals so ähnlich waren. Und diese beiden Gefühle, kindische Sehnsucht nach dem Unwiederbringlichen und Wunsch des Erwachsenen spielten sonderbar durcheinander, bis ich zuhaus war und einschlief.

Während der zwei Tage, Dienstag und Mittwoch, verliebte ich mich in die Erinnerung an das wie sie gesagt hatte »Wahrscheinlich weil ich schläfrig bin«. Nicht das knaben-mädchenhafte Gesicht war, nicht die unglaublich jungen unglaublich dünnen lichtbraunen Haare waren es, mit denen die Ohren zugedeckt waren, nicht die wundervolle bestrickende Unfertigkeit der Bewegungen, dieser Bewegungen die an ein kindisches Reh erinnerten, sondern es war die Art dieser 5 Worte. Es war in ihnen das Geheimnisvolle eines jungen Wesens, das sich gehörte, und die geheimnisvolle Möglichkeit diesen Besitz herüberzuziehen, Herr darüber zu werden. So sind diese Dinge. Es ist besser wenn man nicht versucht, sie zu beschreiben. Und ich wußte es auch nicht auf einmal. Den ganzen folgenden Tag und die Hälfte des nächsten dachte ich nicht sehr viel an sie. Ja ich bemerkte daß ich den Namen des Geschäftes und den Namen der Gasse wo sie wohnte vergessen hatte und beides störte mich nicht sehr. Da ging ich am Mittwoch nachmittag zufällig am Volksgarten vorüber. Hinter dem schwarzen Gitter mit den vergoldeten Lanzen standen die Fliederbüsche und lagen die Wiesen so grün so wirklich von innen heraus grasgrün wie sie nur im frühen Mai sind und niemehr später. Ich ging hinein und setzte mich auf eine Bank. Als ich eine Weile gesessen war und die Luft eingeatmet hatte in der nichts als Frische war, kühle leichte nicht einmal Duft, denn hier war der Flieder noch nicht aufgebrochen, kam ein kleines Mädchen auf mich zu. Sie hatte ein weißes Kleid, schwarze Strümpfe und dunkelblonde Haare. Sie trug eine Springschnur in der Hand, ihr kleines Gesicht war erhitzt und ihre Augen waren dunkelblau und sehr gescheit. Bitte sagte sie, sind Sie nicht der Herr Doktor. Welcher Herr Doktor fragte ich. Der Herr Doktor was immer mit der kleinen Maxi gegangen ist. Ich schüttelte den Kopf. Da muß ich mich aber wirklich geirrt haben sagte die Kleine und sah mich lange ernst und nachdenklich an. Dann lief sie weg. Und von jenseits der Wiese sah sie noch einmal nach mir her, mit einem wunderlichen Kopfschütteln tiefer Enttäuschung und ging dann langsam weiter. Und in diesem Augenblick wußte ich, daß ich in Anna verliebt war. So sind diese Dinge. Und wie aus einem Brunnen der lange verstopft war die Garben von Wasser unaufhaltsam hervorschießen, so zwang es mich unaufhaltsam ihren Namen vor mich hin zu sagen: Anna Anna Anna. So sind diese Dinge.

Am nächsten Tag war ich sonderbar verworren und empfand etwas wie ein dumpfes Gefühl von Schuld und Beschämung. Und ich verlangte mir, nicht mit Anna allein zu sein. Am Nachmittag standen wir wieder vor der Tür von Theresens Garten.

Der Diener hatte den Auftrag, zuerst Clemens zu holen. Wir blieben an den Stufen der Veranda stehen. Clemens kam nicht aus dem Haus, sondern vom Garten her. Er war sehr verwundert. »Der Professor war da, sagte er. Es geht Therese sehr schlecht. So schlecht, daß er es für überflüssig hält ihr noch irgend etwas zu verbieten was ihr Vergnügen macht. Ihr dürft Euch über nichts wundern. Sie hat sich geschminkt. Und sie nimmt sehr viel Parfüm.« Er sagte diese Sätze sehr einfach. Nach dem letzten Wort hatte seine magere Kehle eine Bewegung, wie bei einem Verdursteten der mit Mühe schlingt. Es war etwas Großes an ihm, etwas sehr Einfaches und Großes. Am Weg sagte er nur noch eines: er sagte es wie einen Befehl. »Man muß achtgeben, ihr nicht merken zu lassen, wie schlecht sie sieht. Das ist auch seit heute Nacht. Wenn sie etwas fallen läßt muß man es unauffällig aufheben.«

Hinter den Blutbuchen stand die Nachmittagssonne. Von der zweiten Wiese, die frisch gemäht war, kam der laue Duft herüber. Ringsum mischte sich der Geruch von erwärmtem Gras und fetter dunkler Gartenerde.

Theresens Korb stand mitten in der Wiese, wie das Gehäuse einer großen schwachen und sonnenbedürftigen Blume und wir gingen langsam auf sie zu, mit leichten lautlosen Schritten wie 2 junge Fremde, die von weitem gekommen sind, das Wunder dieses Gartens zu sehen. Wenige Schritte vor dem Korb schwebte in der heißen Luft der sehnsüchtige übermäßig starke Geruch von russischen Veilchen. Wir standen ganz nah vor ihr, sie richtete die Augen auf uns mit einem langen mühsamen Blick: endlich erkannte sie uns und lächelte schwach. An ihre Knie gelehnt standen die beiden kleinen Kinder des Gärtners, ein Knabe und ein Mädchen. Sie spielten

mit Theresens Ringen, die in ihrem Schoß lagen; die wachsbleichen matten Hände der Kranken aber lagen auf den Köpfen der Kinder, eingegraben in die kurzen Löckchen, die die Farbe von frischen Hobelspänen hatten und zwischen denen wie bei jungen Tieren, die gesunde junge rötliche Haut durchschimmerte. In dem warmen Halbdunkel des Strandkorbes, das der übermäßig starke sehnsüchtige Geruch von russischen Veilchen durchsetzte, war sie anzusehen wie das geschmückte Wachsbild einer seltsamen und entzückenden Heiligen. Ihre geschminkten Wangen leuchteten, die mystischen veilchenfarbnen Augen waren noch größer als sonst und die Krone von aschblondem Haar schien wie mit einem wundervollen Zierrat mit den kleinen Ohren auszulaufen, an denen schwere Gehänge von alten Türkisen und Diamanten schwebten. Wie ein Gitter trennten die 5 Schnüre gelblicher Perlen, die den Hals umschlossen, die strahlende Schönheit des Kopfes von dem schwachen Leib, der in Spitzen eingehüllt war wie der Leib eines Kindes oder einer Toten, und der in die blutlosen ungeschmückten kläglichen Hände auslief.
Sie sagte: »Ich hab mich so angezogen, wie ich will daß ihr mich dann aufbahren laßt, wenn die Leute mich anschauen kommen.« Sie sagte es mit einem sonderbaren Lächeln, das »dann« halb wegwerfend wie etwas selbstverständliches, worüber man längst einig ist, und wir fanden keiner etwas zu entgegnen. Etwas entsetzliches, gespensterhaft-gassenbübisches war drin. Es war so ganz etwas anderes, aber es erinnerte mich wie mit einem Schlag an den Ton, wie Anna damals gesagt hatte: »Nun wirst du mich doppelt so gern haben weil mein Haar so riecht wie deine Sachets.«
Dann später ging Anna hinauf sich umkleiden. Und Clemens und ich gingen auf der Wiese auf und ab, auf der jetzt die langen hagern Schatten der Rosensträucher lagen. Ich fühlte daß wir beide immerfort an das gleiche dachten. Endlich blieb er vor einem Rosenstrauch stehen, dessen magere Zweige voll schwerer blaßgelber Knospen waren. »Glaubst du daß sie es weiß, wirklich weiß.« fragte er? »Sie hat es freilich schon immer gewußt vor den Ärzten, aber das mein ich nicht, ich mein das Wirkliche jetzt, das Nahe, das ist doch etwas ganz ande-

res.« Er sah mich an. Ich antwortete augenblicklich: »Keinesfalls weiß sie es wirklich, in den Augenblicken wo sie so davon redet. Es ist möglich, daß sie immer schwächer wird, je näher es kommt, und in ihren Schlaf versinkt wie in Wasser. Ein schrecklicher und mühseliger Tod kann nicht ihr Tod sein.« Diese Worte sagte ich eigentlich ohne sie zu denken: Die Worte fielen mir schnell ein und kamen schnell aus meinem Mund heraus aber sie enthielten eigentlich nicht das was ich sagen wollte. Ein großer dunkler einfacher Gedanke lag auf dem Grund meines Bewußtseins: ich dachte sie kann nur ihren eigenen Tod sterben und der muß eins sein mit ihrem Leben. Und die vogelhafte Schwäche ihres Lebens muß ihren Tod schwach machen. Aber was ich sagte, kam anders heraus: Ich hörte meiner Stimme reden zu und verwunderte mich über den Schein von Vernünftigkeit. Meine Stimme schien mir selbst unnatürlich hoch und dünn. Ich sah nach Therese zurück, weil ich fürchtete sie könnte uns gehört haben. Sie saß ganz ruhig, vorgeneigt die Ellbogen auf den Knien. Sie hielt einen kleinen silbernen Handspiegel, in dem sie sich ernst und regungslos betrachtete. Zu ihren Füßen spielten die plumpen kleinen Körper der Kinder, auf allen vieren halb aufgerichtet, mit den weichen ungeschickten Bewegungen kleiner Tiere. Wie eine geheimnisvolle Göttin Herrin ihres eigenen unfruchtbaren rührenden Geschickes saß sie da, gehüllt in ihre große Schönheit und Schwäche über den Spiegel gebeugt, während die Schatten des Abends den leichten Korb mit Dunkel füllten und an ihren unmütterlichen Knien die Kinder eines andern Weibes mit den großen Köpfen und den dicken kleinen Händen gegeneinander spielten. Da ich mich lange nach ihr umsah, folgte Clemens meinem Blick. Aber sogleich wandte er sich wieder um und seine Finger gruben sich in das Fleisch einer gelben Rosenknospe. »Du glaubst sie sieht ihr Gesicht an?« sagte er. »Sie sieht ihre Lippen an, oder ihr Zahnfleisch heute, wo die Lippen geschminkt sind. Sie hat irgendwie erraten, daß das ein Zeichen ist. Und damit quält sie sich. Heut früh, wie es schon licht in unserm Zimmer war, und sie geglaubt hat ich schlafe, hat sie es auch getan. Immer hat sie den Spiegel bei sich. Und es sieht schön

so aus.« Und dabei hielt er mir den blaßgelben fast farblosen zerrissenen Kern der Rose hin und warf ihn dann mit einer traurigen und bitteren Gebärde nach seitwärts auf den Boden. Wiederum war etwas großes an ihm etwas sehr einfaches und großes. Wir sahen Anna zwischen den Sträuchern auf uns zukommen und gingen ihr langsam entgegen.
Als wir zu dem Korb zurückkamen, waren die Kinder wach Therese eingeschlafen. Auf ihrem Schoß lag zwischen den mageren Händen der Spiegel und warf blinkend einen Schein des hellen Himmels zurück. Anna bückte sich, um die Ringe aufzuheben die verstreut im Gras lagen. »Schau!« sagte sie und hielt mir kniend die beiden flachen Hände entgegen, auf denen zwischen den Edelsteinen kleine Tautropfen bebten. »Es wird feucht«, sagte ich zu Clemens, »wir müssen sie hineintragen.« Aber sie schien so glücklich zu schlafen, daß wir nicht den Mut hatten, sie aufzuwecken. Ihr Mund war halboffen und zwischen den geschminkten Lippen schimmerten die kleinen Zähne feucht hervor. Auf einmal veränderte sich das Gesicht der Schlafenden. Wie im Schmerz zog sich die Oberlippe hinauf und entblößte die ganze milchweiße Reihe der oberen Zähne. Zugleich erschien ein böser und leidender Zug zwischen den Augenbrauen. Allmählich wurde der Ausdruck ihres Gesichtes entsetzlich. Wir standen vor ihr und beugten uns über sie und riefen leise ihren Namen um sie aufzuwecken. Ihr Gesicht drückte eine martervolle hilflose Angst aus. Clemens rührte ihre Hand an und da wachte sie endlich auf. Sie sah uns erschreckt und unsäglich traurig an. Dann traten ihr 2 große Tränen aus den Augen und rollten lautlos über die geschminkten Wangen. Und lange weinte sie trostlos unaufhaltsam vor sich hin, zusammenschauernd in ihrem hilflosen Jammer wie ein Tier. Wir trugen sie hinein und sie weinte immer weiter und schüttelte sich vor Leid, wie ein Kind. Als wir sie in ihrem Zimmer niederstellten, hörte sie zu weinen auf und sah lange mit einem entsetzlichen Blick vor sich hin. Dann sagte sie: »Ihr könnt es doch nicht verstehen, wenn ich's Euch auch erzähl. Man kann nicht erzählen was es wirklich ist.« »Du hast dich im Traum gefürchtet« sagte Clemens und küßte ihre Stirn. »Freilich, sagte sie, still

und gut wie ein Kind, freilich. Ich hab geträumt, ich bin dann geworden wie der Hund von dem ihr erzählt habt. Der Hund von dem da eine Photographie ist wiederholte sie gutmütig der ertrunken ist. Zuerst bin ich gestorben. Ich hab gespürt wie ich geworden bin, ganz, und nur die Zähne sind weiß und schön geblieben.« Wir versuchten sie anzulächeln, aber keiner vermochte es. Denn in ihrem Blick der gegen die Ecke des Zimmers ging lag das, was sie nicht auszusprechen vermochte. Und mit einer Gebärde, die ich nicht vergessen kann, weil sie nichts menschliches hatte, fuhr sie sich mit dem Rücken der Hand an der Schneide der oberen Zähne entlang. Das war der erste Tag.

In den 3 Tagen die nun kamen, schien sie nichts von dem zu spüren, was kommen mußte. Die Ärzte kamen und gingen und fanden nichts zu sagen. Clemens und ich aber erwarteten nach der verhüllten Qual des Traumes einen zweiten unverhüllteren Anhauch des Unentrinnbaren, wie einer nach einem dumpfen Anfall körperlicher Schmerzen schmerzlos daliegt angstvoll in sich hineinspähend und einen neuen erwartet, der aber dann ganz anders kommt, scharf und nackt wie Messerklingen und mit noch gesteigerter Gegenwart.

Sie schlief viele Stunden des Tages und sie aß fast nichts. Und der Geruch der russischen Veilchen der wie eine unsichtbare Wolke um ihren Korb und ihr Bett schwebte wurde fast unerträglich stark. Und noch etwas tauchte in ihr auf, das eine sonderbare Ähnlichkeit hatte, mit dieser kläglichen Verschwendung des Duftes der ihren geschwächten Sinnen nie genug tat: sie hatte eine neue eine sonderbar gesteigerte und veränderte Zärtlichkeit für Clemens. Wie nun ihre schwachen Kinderarme wild seinen Hals umklammerten, und immer wieder ihr Mund, ihr ganzer vogelhafter Leib sich ihm entgegenbog, ihre Augen glühend seinen Schritten nachhingen wie die Augen eines Hundes, darin ging ihr kraftloses Wesen unheimlich über sich selbst hinaus. Es war etwas verbotenes darin, eine tiefe Verletzung der natürlichen Scham, es war demütigend und schmerzlich anzusehen wie die Gier eines Kindes, die Wut eines Schwachen. Sie hatte ein in sich Zusammensinken mit lüsternen feuchten Augen und eine verwandelte verliebte Stimme wie die Trunkenen. Aber wenn sie den Geliebten in ihren Armen hielt, schien sie unschuldiger, einem sonderbar verstörten Kinde gleich, das eine Puppe glühend umschlingt. Ihre Zärtlichkeit entzündete sich nicht an ihm, kam an ihm nicht zur Ruhe. Ihre Hingebung war ohne Ziel; sie schien einem inneren Zwang zu gehorchen. Daß aber diese Veränderung die Maske der Liebe trug machte sie fürchterlicher als ihr lautloses Weinen oder ihre große Schwäche. Wenn sie einmal einschlief ließ sich Clemens auf einen Stuhl fallen, wie vor den Kopf geschlagen von dieser allzugroßen Traurigkeit und Demütigung. Seine magere Stirn war beladen mit Schmerzen und Müdigkeit; seine langen Arme hingen herab, die Arme die den Druck ihrer freudlosen trunkenen Zärtlichkeit halb aufgenommen halb abgewehrt hatten; sein Blick ging unter den hochgehobenen angeschwollenen Lidern starr gegen einen Punkt, wie die Augen eines großen gefangenen Vogels. Das ist zuviel, sagte er mit einer zerbrochenen Stimme: das ist wie wenn man sehen müßte, wie ein fremder Teufel sie in seiner Gewalt hat. Sie war aber in keiner Gewalt als der ihres Wesens welches das sterbende Leben noch einmal nach allen Seiten trieb wie der Kreisel bevor er hinfällt und taumelnd noch einmal in einem krampfhaften Schwung den ganzen Schauplatz seines traumhaft-kleinen Lebens umtanzt. Wie in einer Komödie der Schauspieler, der die Bewegungen der Mitspieler im Voraus weiß und doch darauf wartet, daß sie sie wirklich machen, sah ich sie unter der Herrschaft des Todes die sonderbaren unbewußten Wege wieder gehen die sie einmal in einer anderen Trunkenheit vor mir gegangen war. Ihr kleiner Leib dem die tiefe starke Zärtlichkeit versagt war, ihre machtlosen Augen ihre schwachen Gebärden tanzten den Tanz in dem sie ihre eigene Schönheit und ihre eigene Glückseligkeit fanden, jetzt da sie mit dem Schicksal anderer Menschen nichts mehr zu tun hatten. Wieder sah ich ihr zu die Julia spielen und wenn sie sich bückte um Clemens Hand zu küssen und wenn sie Wasser trank und wenn sie sich aus dem Schlaf aufrichtete, waren es scheinhafte, unbegreifliche Gebärden. Sie gehörte sich selber, wie die Verzückten, ihrem schwachen leeren kleinen Selbst.

Dies dauerte 3 Tage. Dann kam ein Morgen, an dem es zum ersten mal seit langer Zeit kühl war und regnete. Als wir hinunterkamen, lag Therese auf der Chaiselongue. Ihr Gesicht war weißer als der Polster, auf dem es lag. Sie war es müde geworden sich zu schminken. Ihre Hände ruhten todmüd und geduldig auf der mattseidenen Decke. Ihre Augen gingen matt und gleichgiltig über Anna über mich, über Clemens hin. Was 3 Tage in ihr gewesen war, gleichviel was, es war erloschen. Sie schlief viele Stunden. Wenn sie wach war redete sie von ihrer Schwäche und von gleichgiltigen Dingen. Sie klagte über nichts, sie redete nicht von der Zukunft. Langsam aber unaufhaltsam schien sie zu versinken. Es regnete den nächsten Tag, und den nächsten. Die Tage vergingen leer und lautlos wie in einer Betäubung.
Am Abend des 3ten Tages wurde es hell. Über den Blaubuchen und den Silberpappeln trieben im Weiten lichte kleine Wolken. Am Boden, zwischen den Stämmen, an den Rändern der Wipfeln schwebte etwas Goldiges. Therese wollte aufstehen: da fiel sie ohnmächtig zurück. Aber sie kam schnell wieder zu sich und hatte in den Haaren auf den Händen auf der mattseidenen Decke das blasse Gold der hinuntereilenden Sonne. Sie verlangte innig, ins freie zu kommen. Clemens und ich und der Diener trugen sie mit ihrem Ruhebett auf die Veranda. Von weitem sah sie die Gärtnerskinder über die Wiese laufen auf der das Goldige schon dunkelte und nur die Salbeiblüten da und dort tief purpurblau aufglühten. Sie ließ die Kinder herrufen, gab ihnen Obst und ließ sie mit ihren Ringen spielen. Neben den runden Gesichtern der Kinder war ihr Gesicht entsetzlich schattenhaft; es war als hätten die allzuschweren aschblonden Haare alle Kraft des Lebens aus diesem Kopf gesogen. Die Luft war still und nur das dünne abgebrochene Plaudern der Kinder flackerte auf und verstummte wieder wie Vogelgezwitscher. Die Schatten des Abends legten sich auf uns. Clemens Stirn schien noch magerer und sorgenvoller, rührend! Anna's Gesicht nahm einen harten und leeren Ausdruck an: es schien wie das Gesicht der Jugend selbst knabenmädchenhaft, aber ohne Glanz und ohne Liebe; die dünnen braunen Haare, die wie ein Schleier ihre

Ohren zudeckten, schienen fest und dicht wie ein sonderbares Tuch. Das Gesicht der Kranken hatte die Farbe erkalteter Asche. Ihre Lippen waren zusammengepreßt. Sie sah über die Kinder weg vor sich hin. Plötzlich kam in ihr Gesicht der Ausdruck entsetzlicher Angst. Sie richtete sich jäh auf und streifte die Ringe die auf ihrem Schoß lagen, heftig zu Boden wie eine Last deren Druck sie marterte. Ihre weißen Lippen bewegten sich wie um laut zu klagen, dann nahm der Mund einen tief schmerzlichen verachtungsvollen Zug an und sie sagte nur sehr laut: Die Kinder machen mich ja doch müd und schwindlig!
Clemens ging zu ihr und wollte ihre Hand nehmen aber sie entzog sie ihm und kehrte ihren Hals nach der andern Seite wie ein gequältes Tier. Ich nahm die beiden Kinder bei der Hand und führte sie weg. Hinter mir hörte ich Theresens Stimme sagen: Kein Mensch hilft mir. Es war ein entsetzlicher Ton, wie aus dem schwersten Traum heraus. Es lag keine Klage drin, kein Vorwurf sondern etwas ärgeres, das zusammenschnürende entsetzliche Alleinsein mit dem Unabwendbaren. Die Kinder gingen neben mir durch den stillen Garten und redeten kein Wort, weil sie nicht verstanden, was geschehen war und sich fürchteten. Das Gärtnerhaus lag versteckt hinter einer kleinen Böschung am Ende des Gartens, dort wo er sich gegen die alte Landstraße senkte. Die Fenster des kleinen Hauses waren offen. Zwischen den Spargelbeeten lag ein alter Hund und schlief. Ich trat in die Küche und suchte jemand, dem ich die Kinder übergeben könnte. Es war niemand da. Die niedrige Decke und die lauwarmen Wände auf denen große Fliegen saßen schienen meinen Ruf zu verschlucken. Die warmen kleinen Hände der Kinder hingen fest an meinen Händen. Es war als ob sie sich vor der verlassenen Wohnung fürchteten. Ich stieß eine angelehnte Tür auf und trat in ein halbdunkles Zimmer, das feuchtkühl und mit dem unbestimmten Geruch der ärmlichen Wohnungen erfüllt war.
Auf einem niedrigen Bett lag der Gärtner, in Unterkleidern, den rechten Fuß mit Tüchern dick umwunden. Er wandte mir sein schlaftrunkenes aufgedunsenes Gesicht zu. »Ich

bring die Kinder zurück« sagte ich; und dann fragte ich noch: »Was haben Sie denn da am Fuß.« »Mein Gott, gnädiger Herr«, sagte er, »die Harken ist mir hineingegangen.« »So« sagte ich und ging. Als ich hinten am Glashaus vorüberging, kam die Gärtnersfrau heraus und unmittelbar hinter ihr ein junger Bursche, den sie zur Aushilfe hatten. Denn der Garten war sehr groß. Die Frau hatte ein großes farbloses Gesicht mit kleinen falschen Augen. Der Bursche hatte eine Mähne von Haar und einen Mund mit feuchten aufgeworfenen Lippen. Als ich um die Ecke bog und an ihnen vorbei kam, stieß sie mit dem Ellenbogen nach dem Burschen und blieb stehen und grüßte sehr tief. Und er nahm den Strohhut ab und beugte sein Gesicht auf dem ein halb verlegenes und halb freches Lachen war, hinter ihre Schulter. Ich sah das alles, wie ich sah, daß auf meinem Wege zwei frische Tannenzapfen lagen, und wie ich in der Wiese die niedergedrückte viereckige Stelle bemerkte wo immer Theresens Strandkorb gestanden war und wie ich im dämmernden Gebüsch einen großen hochbeinigen Vogel über den Boden hüpfen sah, der einen seltsamen häßlichen Ruf ausstieß. Ich sah alle diese Dinge ohne daß ich einen Augenblick aufgehört hätte, an die Sterbende zu denken. Aber es kam plötzlich irgend etwas störendes zwischen mich und mein Denken, irgend ein solcher Schleier von Unsicherheit wie bei einem, der getrunken hat. Es war als wäre das nicht mehr mein unmittelbares nächstes Geschick, daß ich nun hingehn mußte und zusehn wie Therese sterben würde, oder als wäre es wohl mein Geschick, aber als wäre sein Stachel abgebrochen, die dumpfe Drohung, das unaussprechlich Schwere, das für mich dahinter zu liegen schien, gestaltlos aber doch voll erdrückender unentrinnbarer Gewalt über mein ganzes Leben. Geheimnisvoll wie die Ketten des Lebens von einem abgleiten, war mir, als hätte sich der unmittelbare Zusammenhang zwischen meinem Geschick und dem der anderen Menschen in diesem Haus gelöst. Ich ging wie einer den im Traum die Luft des Lebens berührt und die Ahnung, daß er träumt. Aber ich kam schon auf die verlassene Veranda zurück, ging schon durch die dunkelnden Zimmer hatte schon die Hand an der Türe die zu Therese und den andern führte und konnte noch nicht finden was denn das unbestimmte befreiende gewesen sei, dieses rätselhafte dunkle Bewußtsein, als ob bald die Schwere von mir abfallen könnte, wie die dumpfe Täuschung eines Traums. Und wie ich die Türe hinter mir schloß, schien das unbestimmte befreiende auch draußen zurückzubleiben.

Therese sprach. Sie sprach laut wie eine Zornige und ununterbrochen in dem gleichen erregten Ton. Clemens ging auf und ab, mit gleichen, hastigen Schritten und kehrte vor der andern Wand sich um wie die Tiere im Käfig. Dann schien er sich zusammenzunehmen. Blieb stehn und hielt die Hände mit krampfhaft verschlungenen Fingern auf dem Rücken. Anna stand am Fenster die Stirn an die Scheiben gelehnt. In einer Ecke im Dunkel, war der Arzt. Vom blassen Gesicht der Kranken, das wie ein unbestimmter lichter Fleck in der Dämmerung verschwamm, kam die unermüdliche Stimme her, getragen von einem großen unstillbaren Zorn, in dem ihr kraftloses Wesen zum letzten Mal unheimlich über sich selbst hinausging. Getrieben von ihrer vergeblichen zornigen Sehnsucht, schien die kleine Seele noch einmal die unfruchtbare Welt ihres kinderhaften leeren Daseins hastig zu umkreisen. In ihren sonderbaren harten Klagen zog ihr ganzes Leben vorüber wie in einem entsetzlichen leeren Licht, das nicht Tag und nicht Nacht mehr gleicht. Sie schien nicht zu wissen, daß Clemens da war, oder es bedeutete ihr nichts mehr: Das ganze scheinhafte Spiel der Liebe war in dieser Stunde vor ihren Augen nichts, so nichtig wie ihr ganzes Leben. Wie durch leere Luft strichen ihre Klagen über den Raum hin, wo die Erinnerungen der Liebe ihnen hätten entgegenstehen sollen. Dann schien sie mit ihrer Mutter und ihren Geschwistern zu sprechen: »hab ich Euchs nicht immer gesagt«, sagte sie sehr laut, »ich werd einmal sterben und nicht wissen für was ich gelebt hab.« Und entsetzlicher als daß sie dieses Letzte sagen mußte, war der Ton in dem sie es sagte: denn es lag ein grauenhafter dürrer Stolz des Rechtbehaltens drin.

In dieser Nacht verfiel ich für einige Stunden in eine Art von Betäubung. Aber ich schlief nicht wirklich: ununterbrochen wiederholte mein Kopf einzelne von den Sätzen die Therese geredet hatte, oder abgerissene Worte, genau in ihrem Ton mit marternder unermüdlicher Kraft. Dazwischen drängten sich in fast gleichmäßigen Abschnitten die Bilder der Dinge die ich in den letzten Stunden gesehen hatte: die Fliegen an den Wänden in der Küche des Gärtners, das schlaftrunkene rote Gesicht des Menschen und sein umwickelter Fuß, und das halb freche halb verlegene Gesicht des Gehilfen, das sich hinter die Schulter der Frau beugte. Dann kamen wieder aus meinem Innern Theresens Klagen mit entsetzlicher Deutlichkeit, wie von außen her, die zornige Kraft ihrer Stimme, das erbarmungslose Durchwühlen ihres freudlosen kleinen Lebens diese grauenvolle Weise über sich selber zu reden wie über eine ungeliebte Tote. Endlich hatte ich die Kraft diesen dumpfen quälenden Halbschlaf zu zerreißen. Ich schlug die Augen auf und war mit einem Mal wach, übermäßig wach. Mit einem Schlag war der Schlaf aus meinen Gliedern hinausgegossen wie das Wasser aus einem umgestürzten Krug springt. Ich war wach, wie einer der nie mehr schlafen wird. Das Zimmer war hell, aber nicht von der Sonne. Meine kalten sonderbar lieblosen Blicke gingen durch die Scheiben: es war der grünlich-bleiche Himmel vor Sonnenaufgang. Alles im Zimmer war deutlich sichtbar, aber alles schien unerfreulich, seltsam starr und nüchtern. Anna lag neben mir: sie atmete ruhig, ihr Kopf lag auf dem zurückgeworfenen Arm. Etwas in ihrem Gesicht und ihrem Daliegen erinnerte an einen Knaben. Ich stand leise auf und ging von ihr weg ins Nebenzimmer. Ich wußte daß ich nicht mehr schlafen werde. Ich zog Schuhe und einen langen Mantel an und stellte mich ans Fenster. Der Garten stand totenstill, so starr wie nie bei Tage und nie bei Nacht. Die Büsche auf denen kein Schatten und kein Licht lag, waren geheimnislos. Die Äste der Bäume stiegen tot in die fahle leere Luft. Die Zweige der Trauerweide hingen, hingen. Nichts konnte sich in der toten Luft bewegen. Es schien nicht der Garten selbst zu sein sondern sein Bild zurückgestrahlt von einem entsetzlichen Spiegel. Mir war, als stünde mein Herz still. Aber erbarmungslos warf mein überwaches Denken Erinnerung auf Erinnerung aus. Jetzt waren es nicht mehr die nächsten Eindrücke, es waren frühere: das erste Hereinfahren mit Anna, ihre dünne leere Stimme neben der zornigen Stimme des Buckligen und der traurigen Stimme der fremden Frau. Und irgend ein Gespräch mit Anna, in meinem Zimmer. Und ein anderes im Prater, an einem Abend wo es regnete. Und ein anderes, wie sie vom Tod ihrer Mutter erzählte. Und der Tonfall wenn sie etwas bitteres und trauriges sagte, der sonderbar wegwerfende leere Ton. Und das unsagbare, wenn sie küßte und sich küssen ließ, die geheimnisvolle tiefe Unfähigkeit sich herzugeben. Und die Art wie sie mich anschaute, und die anderen Menschen und die Dinge. Und das andere unaussprechliche, der Zusammenhang zwischen ihrem Schauen und ihrem Reden. Da unten lag es in diesem Garten: so lag in ihr die Welt widergestrahlt von einem entsetzlichen Spiegel. In diesem Augenblick bewegte sich Annas Leib leise im Schlafe. Und in diesem Augenblick wußte ich daß ich sie nicht mehr liebte. Wie mit einem Schlag wußte ich es daß mein Kopf und alle meine Glieder leer waren von dieser Liebe, leer wie ein umgestürzter Krug aus dem der letzte Mundvoll Wasser in einem Schwall gesprungen ist.

Plötzlich durchzuckte mich dieses Wissen: so blitzschnell daß es nach einem Augenblick wieder erlosch und mir war als hätte ich vergessen was ich eben wußte. Aber wie ein zweiter breiterer Blitz tauchte es von der anderen Seite in mein Denken wieder auf: denn meine Augen fielen am Ende des toten Gartens auf das öde graugrüne Dach der Gärtnerswohnung, auf dem kein Licht und kein Schatten lag, und von dort drang eine unbestimmte Sehnsucht auf mich ein, das zusammengeschmolzene Bild dieser niedrigen dumpfen Welt, der Mann die Frau und der dritte, die Kinder, die Fliegen an der Wand, der Geruch ihrer Zimmer, ihr Lachen, die Falschheit und die Lüsternheit ihrer Augen alles zusammen, die ganze dumpfe niedrige Fülle ihres Lebens, und die Vision ihrer großen schweren Leiber die so anders waren als der knaben-mädchenhafte leichte Leib, der drin sich leise im Schlafe regte, warf sich über mich wie eine Welle angefüllt mit der unendlichen Möglichkeit des Lebens. Und ich wußte durch und durch daß ich Anna nicht mehr liebte, und daß ihr Leib und

ihre Seele mir nichts mehr sein konnten, und daß mir das häßliche schön und rührend schien nur weil es das andere war.
Ich ging die Stiege hinunter. Ich konnte es nicht ertragen allein zu sein mit ihr, welche schlief, und alle diese Dinge zu denken. Auf dem Absatz der hölzernen Treppe blieb ich stehen. Es war nicht ruhig im Hause. Es wurden Türen zugemacht. In den unteren Zimmern liefen Menschen hin und her. Ich ging durchs Speisezimmer und das Boudoir. An der Tür von Theresens Schlafzimmer blieb ich stehen und wollte horchen. Da wurde sie von innen aufgerissen und Clemens stand vor mir, halb angekleidet und blässer als sein Hemd. Er sah mich mit einem blöden Blick an wie ein Trunkener und rief mir wie zornig entgegen: »So komm so komm!« Dann schien er sich zu besinnen: »Tot« sagte er und sein Mund verzog sich zu einem wilden lauten Aufweinen. Er kniete neben der Toten nieder legte seinen Kopf auf ihre Knie und schluchzte. Der Arzt trat zurück und die Kammerjungfer zündete 2 Kerzen an und stellte sie hinter den Kopf der Toten. In dem unsicheren Licht des Morgens und der schwachen Kerzen hatte ihr Gesicht mit den langen Wimpern von unten etwas grauenvolles. Aber als ich mich über sie beugte sah ich ein wunderbares leises fragendes Lächeln an dem lieblichen Mund und jetzt da die Drohung des Todes erfüllt war, schien mir nichts beängstigend nichts leer an dem schönen Gesicht. Alles schien diesem geheimnisvollen fragenden und unsäglich gütigen Lächeln zu dienen, es nahm der Blässe ihr Schreckliches, und die Schönheit der jungen Haare umgab das geheimnisvolle Lächeln mit königlichem Triumph.
Clemens sah auf und deutete gegen die Decke des Zimmers. Ich verstand ihn nicht gleich. »Die Anna« sagte er. Er meinte, ich solle sie holen. Ich ging und auf der Stiege traten mir die Tränen in die Augen. Aber ich wußte nicht, ob ich über das Geschick des Freundes weinte oder über meine Liebe, die gestorben war, so waren diese Dinge verflochten. Als ich an Annas Bett trat, beugte ich mich unwillkürlich über sie: aber mein Blick wurde hart, denn sie schien mir geheimnislos wie sie dalag, eingehüllt in ihr Leben, das ich nicht mehr lieben konnte. Und aus ihren dünnen jungen Haaren stieg der sehn-

süchtige Duft der verveine und mit ihm schien wie über einen leeren Abgrund mein eigenes Leben herüberzuatmen und ich empfand ein starkes Heimweh, wie Kinder die sich zu lange in einem fremden Hause verweilt haben. Und ich berührte die Hand der Frau, die nicht mehr meine Geliebte war, um sie aufzuwecken und zu der Toten hinunterzuführen, die unten lag, ihr blasses Gesicht beladen mit Schönheit und Geheimnis.

DAS DORF IM GEBIRGE

I

Im Juni sind die Leute aus der Stadt gekommen und wohnen in allen großen Stuben. Die Bauern und ihre Weiber schlafen in den Dachkammern, die voll alten Pferdegeschirrs hängen, voll verstaubten Schlittengeschirrs mit raschelnden gelben Glöckchen daran, alter Winterjoppen, alter Steinschloßgewehre und unförmlicher, rostblinder Sägen. Sie haben aus den unteren Stuben alle ihre Sachen weggetragen und alle Truhen für die Stadtleute freigemacht, und nichts ist in den Stuben zurückgeblieben als der Geruch von Keller mit großen Rahmeimern und altem Holz, der sich aus dem Innern des Hauses durch die kleinen Fenster zieht und in unsichtbaren Säulen säuerlich und kühl über den Köpfen der blaßroten Malven bis gegen die großen Apfelbäume hin steht.

Nur den Schmuck der Wände hat man zurückgelassen: die Geweihe und die vielen kleinen Bilder der Jungfrau Maria und der Heiligen in geschnitzten und papierenen Rahmen, zwischen denen Rosenkränze aus unechten Korallen oder winzigen Holzkugeln hängen. Die Frauen aus der Stadt hängen ihre großen Gartenhüte und ihre bunten Sonnenschirme an die Geweihe; in der Schlinge eines Rosenkranzes befestigen sie das Bild einer Schauspielerin, deren königliche Schultern und hochgezogene Augenbrauen unvergleichlich schön einen großen Schmerz ausdrücken; die Bilder von jungen Männern, von berühmten alten Menschen und von unnatürlich lächelnden Frauen lehnen sie an den Rücken eines kleinen wächsernen Lammes, das die Kreuzfahne trägt, oder sie klemmen sie zwischen die Wand und ein vergoldetes Herz, in dessen purpurnen Wundmalen sieben kleine Schwerter stecken.

Sie selber aber, die Frauen und Mädchen aus der Stadt, sieht man überall sitzen, wo sonst kein Mensch sitzt: auf den beiden Enden der hölzernen Brunnentröge, wo das zurücksprühende Wasser vom Wind in ihr Haar getragen wird, bis sie ganz voll Tau hängen, wie feine, dichte Spinnweben am Morgen. Oder sie sitzen auf dem Zauntritt, wo sie jeden stören, dessen Weg da hinüberführt. Aber sie wissen nichts davon, daß einer gerade dahin muß, gerade auf dieses bestimmte Feld zwischen den zwei Zäunen und dem tiefeingeschnittenen, lärmenden Bach. Für sie ist es gleichgiltig, wo man geht. Es liegt etwas so Zufälliges, Müheloses in ihrem Dasein. Sie brauchen keinen Feiertag und können aus jeder Stunde machen, was sie wollen. So ist auch ihr Singen. Sie singen nicht in der Kirche und nicht zum Tanz. Auf einmal, abends, wenn es dunkelt und zwischen die düsternden Bäume und über die Wege aus vielen kleinen Fenstern Lichtstreifen fallen, fangen sie zu singen an, hier eine, dort eine. Ihre Lieder scheinen aus vielerlei Tönen zusammengemischt, manchmal sind sie einem Tanzlied ganz nahe, manchmal einem Kirchenlied: es liegt Leichtigkeit darin und Herrschaft über das Leben. Wenn sie verstummen, nimmt das dunkelnde Tal sein schwerblütiges Leben wieder auf: man hört das Rauschen des großen Baches, anschwellend und wieder abfallend, anschwellend und abfallend, und hie und da das abgesonderte Rauschen eines kleinen hölzernen Laufbrunnens. Oder die Obstbäume schütteln sich und lassen einen Schauer raschelnder Tropfen von oben durch alle ihre Zweige fallen, so plötzlich wie das unerwartete Aufseufzen eines Schlafenden, und der Igel erschrickt und läuft ein Stück seines Weges schneller.

Manche von den Lichtstrahlen aber erlöschen lange nicht und sind noch da, wenn der Große Wagen bis an den Rand des Himmels herabgeglitten ist und seine tiefsten Sterne auf dem Kamm des Berges ruhen und durch die Wipfel der ungeheuren Lärchen unruhig durchflimmern. Das sind die Zimmer, in denen ein junges Mädchen aus einem Buch die Möglichkeiten des Lebens herausliest und verworren atmet wie unter der Berührung einer berauschenden und zugleich demütigenden Musik, oder in denen eine alternde Frau mit beängstigtem und staunendem Denken nicht darüber hinauskommt, daß dies traumhafte Jetzt und Hier für sie das Unentrinnbare, das Wirkliche bedeutet. Aus diesen Fenstern fällt immerfort das Kerzenlicht, greift durch die Zweige der Apfelbäume, legt einen Streifen über die Wiese, und über den Steindamm, bis hinunter an den schwarzen Seespiegel, der es zurückzustoßen und zu tragen scheint, wie einen ausgegossenen blaßgelben Schimmer. Aber es taucht auch hinunter und wirft in das feuchte Dunkel einen leuchtenden Schacht, in dem die schwarzgrauen Barsche stumpfsinnig stehen und die ruhelosen kleinen Weißfische unaufhörlich beben wie Zitternadeln.

II

Auf den Wiesen stecken sie ihre viereckigen Tennisplätze aus und umstellen sie mit hohen, grauen Netzen. Von weitem sind sie anzusehen wie ungeheuere Spinnennetze.
Wer innen steht, sieht die Landschaft wie auf japanischen Krügen, wo das Email von regelmäßigen, feinen Sprüngen durchzogen ist: der blaugrüne See, der weiße Uferstreif, der Fichtenwald, die Felsen drüber und zuoberst der Himmel von der zarten Farbe wie die blassen Blüten von Heidekraut, alles das trägt die grauen feinen Vierecke des Netzes auf sich.
Auf den welligen Hügeln, die jenseits der Straße liegen, wird gepflügt. So oft die Spieler ihre Plätze tauschen, um Sonne und Wind gerecht zu verteilen, so oft wenden die Pflüger das schwere Gespann und werfen mit einem starken Hub die Pflugschar in den Anfang einer neuen Furche. Gleichmäßig pflügen die Pflüger, wie ein schweres Schiff furcht der Pflug durch den fetten Boden hin, und die großen, von Luft und Arbeit gebeizten Hände liegen stetig mit schwerem Druck auf dem Sterz. Wechselnd ist das Spiel der vier Spieler. Zuweilen ist einer sehr stark. Von seinen Schlägen, die ruhig und voll sind, wie die Prankenschläge eines jungen Löwen, wird das ganze Spiel gehalten. Die fliegenden Bälle und die andern Spieler, ja der Rasengrund und die Netze, in denen sich das Bild der Wälder und Wolken fängt, alles folgt seinem Handgelenk, geheimnisvoll gebunden wie von einem starken Magnet.

Ein anderer ist schwach, ganz schwach. Zwischen ihm und jedem seiner Schläge kommt das Denken. Er muß sich selber zusehen. Seine Bewegungen sind von einer tiefen Unwahrheit: zuweilen sind es die Bewegungen des Degenfechters und zuweilen die Bewegungen dessen, der Steine von sich abwehren will.

Ein dritter ist gleichgiltig gegen das Spiel. Er fühlt den Blick einer Frau auf sich, auf seinen Händen, auf seinen Wangen, auf seinen Schläfen. Er schließt bisweilen die Augen, um ihn auch auf den Lidern zu fühlen. Er lebt im vergangenen Abend: denn die Frau, deren Blick er auf sich fühlt, ist nicht hier. Manchmal läuft er ein paar Schritte ganz zerstreut dorthin, wo kein Ball aufgefallen ist. Trotzdem spielt er nicht ganz schlecht. Zuweilen schlägt er mit einer großen gelassenen Bewegung, wie einer aus dem Schlaf heraus nach geträumten Früchten in die Luft greifen könnte. Und der Ball, den er so berührt, fliegt mit vollerer Wucht zurück als selbst unter den Schlägen des Starken. Er bohrt sich in den Rasen ein und fliegt nicht mehr auf.

Das Spiel der vier Spieler ist wechselnd: morgen, kann es sein, wird der Gleichgiltige den Starken ablösen. Vielleicht auch werden eitle und kühne Erinnerungen und der eingeatmete Morgenwind den zum Stärksten machen, der heute ganz schwach war.

Aber gleichmäßig pflügen die Pflüger und die schönen dunklen Furchen laufen gerade durch den schweren Boden.

DER GOLDENE APFEL

Als der Teppichhändler auf der Heimreise mit seinen fünf Kamelen, einem Diener und einem jungen Kameltreiber in die gelbliche alte Stadt am letzten Abhang des Gebirges – mit Namen die Stadt der Kühlen Brunnen – einritt, überkamen ihn sogleich eine Menge Erinnerungen, deren Schauplatz diese Stadt für ihn war, denn er hatte sie vor sieben Jahren, als gleichfalls seine Geschäfte ihn zu einer Reise nötigten, schon einmal betreten. Von hier aus gedachte er nun, da er seine Teppiche, die Last von vierzig Kamelen, mit reichlichem Gewinn veräußert hatte, in weniger als zwanzig Stunden die große Stadt, in der er lebte und seine Frau zurückgelassen hatte, zu erreichen. Und hier überfielen ihn stückweise jene Erinnerungen an eine vergessene Zeit seines Lebens.
Als er im Hof der Herberge stand, trug der Kameltreiber einen großen Eimer mit Wasser daher, und die durstigen Tiere hoben ihre greisenhaften Köpfe und sogen mit weit offenen Nüstern, indem sie einen eigentümlich gierigen Laut von sich gaben, den Hauch des Wassers ein. Der Teppichhändler griff mit der Hand in den Eimer, als der Bursch dicht an ihm vorbeikam, einen Schwimmkäfer herauszunehmen, der auf der Oberfläche dahinruderte; und indem er seine rechte Hand, die einen schönen Ring trug, doppelt sah, denn der dunkle feuchte Spiegel warf ihr Bild zurück, mußte er sich plötzlich mit der äußersten Deutlichkeit dessen erinnern, wie seine Hand vor sieben Jahren ausgesehen hatte, nämlich magerer, gleichsam ängstlicher und ohne jeden Schmuck. Und dieser geringfügigen Sache drängten sich unzählige andere Erinnerungen nach und versetzten ihn in einen seltsam unruhigen und peinlichen Zustand. Denn er hatte bei jenem ersten Aufenthalt gerade in dieser Stadt als ein völlig junger und unerfahrener Kaufmann verschiedene Unannehmlichkeiten, ja Demütigungen erlitten, deren Nachgeschmack ihm jetzt unerträglicher schien als damals die Wirklichkeit, vielleicht,

weil sich sein Leib und seine Seele inzwischen verändert hatten und Schlimmes mit minderer Biegsamkeit ertrugen.
Er tat von der Tür der Herberge ein paar Schritte auf die Straße hinaus, erkannte aber sogleich in einiger Entfernung das Haus eines vornehmen und reichen Mannes, dessen Hausverwalter ihn damals übel behandelt hatte. Die Beschämung über diese vor vielen lachenden Dienern erlittenen Beschimpfungen trieb ihm jetzt das Blut ins Gesicht, und er blieb stehen, wie wenn er so leichter den Atem und die Kraft finden müßte, diese Erinnerung abzuwehren. Er sah die Gesichter aller dieser rohen Menschen und seine eigene Gestalt in einer widerwärtigen geduckten Stellung; mit heißem Kopf und schwerem Atem, sehr rot, ging er langsam wieder in die Herberge zurück, ließ eine unbedeutende Mahlzeit von Fischen und Käse fast unberührt stehen und begab sich auf sein Zimmer, von den Erinnerungsbildern, die sein Kopf unaufhörlich auswarf, gequält wie von zudringlichen Mücken. Es war ihm, während er die Stiege hinaufstieg, fast unerträglich zu denken, daß alle diese Dinge durch nichts auf der Welt wieder ungeschehen zu machen waren; so unbegreiflich es ihm schien, daß sie ihm hatten widerfahren und von ihm ertragen werden können, so quälend rätselhaft erschien ihm anderseits, daß es gar nicht möglich sei, sie aus sich herauszureißen, sondern daß er mit dem Wissen dieser Dinge im Leib immerfort herumgehen müsse.
Er suchte sein Denken mit aller Kraft auf etwas Gegenwärtiges zu werfen, sich seine geänderten Verhältnisse, den beträchtlichen Reichtum, den er erworben hatte, sein Haus, seine Frau und seine nun bald siebenjährige kleine Tochter vorzustellen; aber die Willkür seines unbegreiflichen, vielleicht durch vorhergegangene übermäßige Anspannung seiner Kräfte verursachten fieberhaften Zustandes riß jeden Gegenstand augenblicklich in den Strudel aufgeregten Denkens hinein: er vermochte das Bild seiner Frau nicht so festzuhalten wie sie gegenwärtig war, sondern er mußte sie so denken wie sie damals gewesen war. Wie sie damals gewesen war, im ersten Jahr ihrer Ehe, schwebte sie jetzt um ihn herum, und er stand vor ihr mit jener Mischung von Trunkenheit und Be-

fangenheit, die ihn damals erfüllt hatte. Denn sie war vornehmer als er; er besaß sie und doch war etwas in ihr, das er nicht zu nehmen vermochte, wenn sie es auch hätte hergeben wollen. Und gerade dieses Ungreifbare, das ihn und sie auseinanderhielt, erhöhte in ihm den trunkenen Stolz des Besitzes. Von diesen Dingen hatte die Erinnerung an jene erste Reise ihre eigentümliche Färbung. Damals war ihm der Besitz dieser Frau etwas so Unversichertes noch, etwas völlig Traumhaftes. Alles was er tat bezog sich irgendwie darauf: jeder gute Handel und jeder Verdruß veränderten das Gefühl davon in einer durchdringenden Weise, aber es war doch immer da, war hinter allen Dingen wie ein starkes Licht hinter einem Schirme. Allen Demütigungen setzte er das Bewußtsein dieses Besitzes entgegen wie ein gefangener König das Bewußtsein seiner Hoheit: je ärgere Widerwärtigkeiten ihm tagsüber widerfuhren, um so herrlicher war es, abends, die Augen auf die Marktplätze fremder Städte oder auf jene mit bunten Schiffen bedeckten gleitenden Flüsse geheftet, zu wissen, daß jene, die nicht da war, die hier niemand kannte, ihm gehörte mit ihren Wangen, die nie eine andere Hand gestreichelt hatte, mit ihren Lippen, die nie eine von den gemeinen und schlechten Speisen berührt hatten, mit ihren Händen, die nie etwas Niedriges gearbeitet hatten. In Gedanken redete er stundenlang mit der Abwesenden und erzählte ihr alles was er erlebte, aber alles in einer lügenhaften Weise, ganz ohne daß er sich des unaufhörlichen Selbstbetruges bewußt wurde, der in diesen sonderbaren inneren Gesprächen enthalten war. Denn er ging dabei über die wirklichen erlebten Unannehmlichkeiten und Demütigungen zwar nicht ganz hinweg, aber er veränderte sie immerfort, indem er bald das Schmerzliche daran vertiefte und das Niedrige verwischte, bald sein eignes Verhalten in einer Lage, die Antworten, die er gegeben hatte, seine Art, etwas aufzunehmen, völlig umdichtete, mit einer bewußtlos aus ihm hervorquellenden Erfindungskraft, jener Kraft ähnlich, die Eidechsen und Würmern in unglaublich kurzer Zeit ein verstümmeltes Glied ihrer Körper neu und schön wieder hervortreibt. Diese unaufhörlichen Verfälschungen, die immer dem Mitleid und der Bewunderung zudrängten, veränderten aber wiederum in ihm das Bild der Person, auf die zu wirken sie in Gedanken bestimmt waren; wie unaufhörlich aufsteigender Weihrauch veränderten sie das Bild, machten es gleichsam goldener und schwärzer. Eine wunderbare geheimnisvolle Königin hörte einem wunderbaren Abenteuer eines in Sklaverei gefallenen überaus klugen Königs zu.

In einem wunderbaren Geschenk aber, einem goldenen, mit Essenzen gefüllten Apfel, verdichteten sich alle diese Phantasien zu einem greifbaren Sinnbild, und dies war das Geschenk, das er seiner Frau von jener ersten Reise zurückbrachte.

Dies alles kam ihm jetzt zurück: der eigentümliche Reiz, der für ihn gerade in dem Umstande gelegen hatte, daß das Geschenk für seine damaligen Verhältnisse viel zu kostbar war. Dann das wunderlich Königlich-Überflüssige, daß es in seiner Kostbarkeit nichts als ein Spielzeug war, weit überflüssiger als ein Ring oder ein Perlenband, wie das ihn bezaubert hatte, und gleichzeitig der scharfe und sehnsüchtige Duft der Essenzen, mit denen das Innere angefüllt war, ein Duft, in dem übermäßiges Entzücken und qualvolle Ungeduld durcheinanderfloß und der hervorstieg und nicht nur das durchlöcherte goldene Blattwerk im Innern des Apfels, sondern alle Wege seines Lebens, das Obere und das Untere seiner Tage und Nächte durchströmte. Dann die Inschrift, in der alles drin lag, was ihn damals erfüllte: das freche Pochen auf diesen Besitz, an den er selber kaum glauben konnte, und wieder das Gefühl des Abstandes, das traumhafte unendliche Erstaunen darüber, daß es wirklich so war.

Lange hatte er den Apfel schon mit sich geführt, und erst in der letzten Woche der Reise war ihm der Gedanke gekommen, rings um die Einschnürung, dort, wo der Stiel saß, Worte in die goldene Schale graben zu lassen. Und plötzlich war es ihm eingefallen, daß es diese Worte sein müßten: »Du hast mir alles hingegeben«, diese triumphierenden und über soviel Glück erstaunten Worte, mit denen ein Gedicht des Dschellaledin Rumi anfängt, des großen, tiefsinnigen Dichters. Er erinnerte sich, wie er als Knabe diese Worte hatte auswendig lernen müssen und wie wenig sie ihm gesagt hatten. Nun sagten sie ihm so viel, schienen so sehr alles herauszusagen, woran sein Leben hing, daß er mit einer unbestimmten Scheu nicht einmal wagte, sie völlig von dem Apfel aussprechen zu lassen, sondern nur die vier ersten ließ er eingraben: »Du hast mir alles –«, und dann einen Strich, wie wenn einer im Sprechen innehält.

Diese sieben Jahre alten Erinnerungen strömten in unaufhörlichen Wellen auf den Kaufmann ein, und es fruchtete ihm nichts, daß er in der von schwachem Sternenlicht erhellten Schlafkammer in der Herberge sich auf seinem Bett von einer Lage in die andere warf, ja selbst die geschlossenen Lider noch mit einem Tuch bedeckte. Je tiefer ihn außen Dunkel und Ruhe umgab, desto heftiger wurde diese unbegreifliche innere Bewegung. Es lag etwas Beängstigendes in solchem plötzlichen Hervorbrechen einer verlebten Zeit: mit aller Gewalt wollte er sich auf die Gegenwart besinnen, mit gewaltsam heraufgerufener Erinnerung focht er gegen jene unwillkürliche, der Boden seines Lebens schien ihm zu schwanken. Seine Beklommenheit, eine beinahe körperliche Beängstigung wurden so stark, daß er aufstand und im Zimmer herumging. Genarrt vom Leben erschien er sich, daß seine Seele so die Folge der Zeit aus sich umzuwerfen vermochte, und eine unglaubliche Unsicherheit und Traurigkeit befiel ihn. Allmählich hatte er sich ermüdet, um sich wieder auf sein Bett zu werfen, das schon im ersten Morgendämmern deutlicher dalag. Mit sanfter Entspannung fühlte er, wie seine Gedanken anfingen sich zu verwirren, es schien ihm, als müsse er eine Beziehung zwischen dem Duft des Apfels und dem Wesen seiner Frau finden, aber alles was er dachte kam ihm vor wie schon einmal gedacht oder schon einmal geträumt, und so glitt er in den endlichen Schlummer hinüber.

Den Nachmittag des Tages, der auf diesen folgte, verbrachte die Frau des Teppichhändlers der großen Hitze wegen in einem halb in den Boden versenkten Gemach an der Gartenseite ihres Hauses. Ihr Kind aber, ein siebenjähriges Mädchen, sonderbar klein und zart für ihr Alter, einer Puppe ähnlich, jedoch mit Augen, in denen ein zuweilen großer Ausdruck aufflackerte, stahl sich, leise hinter einem Vorhang durchgleitend, von der Mutter fort und stieg in ein großes leerstehendes Zimmer des oberen Stockwerks. Dort suchte die Kleine einen alten, hie und da erblindeten Spiegel hervor und fing an, sich in ihm zu betrachten. Zuerst lächelte sie ihr Bild an, dann runzelte sie die Stirn und fletschte gegen den Spiegel ihre kleinen blinkenden Zähne; einen Augenblick ließ sie ihr Gesicht wie in einer schlaffen tödlichen Müdigkeit hängen, dann verzerrte sie die weichen Züge und starrte mit weit aufgerissenen Augen und bös zurückgeworfenen Lippen sich selber entgegen. Nach einer Weile legte sie den Spiegel weg und ging auf eines der verhangenen Fenster zu. Sie schob ihren Kopf durch die Blende und mußte sogleich die Augen schließen, denn eine schmerzende Glut lag draußen. In dieser Stellung, den Leib und die Hand im dämmernden Zimmer, den blinden Kopf in Hitze gebadet, blieb sie lange: eine Menge Gedanken stiegen in ihr auf: sie wollte sich lauter schöne Sachen vorstellen, Erlebnisse mit anderen Kindern, mit Tieren und mit Erwachsenen. Aber ein dumpfes Gefühl von Unzulänglichkeit verstörte sie, irgend etwas stand zwischen ihr und diesen Dingen wie eine gläserne Scheidewand. Verdrossen und unglücklich zog sie den Kopf wieder ins Zimmer und war einen Augenblick dem dumpfen zornigen Aufweinen nah. Da bewegte der Wind leise den Vorhang an der Tür, und dem Kind war es, als ob ein leiser, kaum merklicher Hauch vom Duft des goldenen Apfels hereinflöge. Es war dies ein wirklicher goldener Apfel, den vor vielen Jahren ihr Vater als ein Geschenk für ihre Mutter von einer großen fernen Reise mitgebracht hatte. Sein Inneres war mit unendlich feinem verästelten goldenen Blattwerk ausgefüllt, und zwischen diesem schwebte ein unbegreiflicher Duft, der an nichts auf der Welt erinnerte. Nicht oft in seinem Leben hatte das Kind den Apfel gesehen, und immer nur beim unsicheren Licht einer Kerze, wenn ihn die Mutter hervornahm, um ihn gleich wieder in der dunklen Truhe zu verschließen. Jedesmal aber legte sich mit einer Wolke seines unbegreiflichen Duftes, der in allen Jahren nicht abnahm, ein ungeheurer Traum in die Seele der

Kleinen: einer Art war dieser goldene Apfel mit den wunderbarsten Dingen in den Märchen, mit dem sprechenden Vogel, dem tanzenden Wasser und dem singenden Baum war sein Leben irgendwie durch unterirdische Gänge verbunden, die hie und da in dunklen Gewölben, hie und da zwischen den schwankenden durchsichtigen Wohnungen der Meerkönigin hinliefen.

In einer Verbindung mit diesen Gängen stand auch der Brunnenkopf in einer Ecke des Hofes. Es hieß, er war ausgetrocknet, und die Eimer stiegen nur in einem anderen, größeren Brunnen mehr auf und ab; der alte war mit einem Steindeckel verschlossen, auf dem eine steinerne Gestalt hockte, einem nackten Menschen nicht unähnlich, aber in der Stellung eines Tieres auf allen Füßen. Keinesfalls war es ein gewöhnlicher vertrockneter Schacht, was dieses rätselhafte Wesen bewachte, und gegen Abend konnte man, wenn man das Ohr auf den Steindeckel lehnte, unten ein plötzliches Rauschen und eine Bewegung heftiger, in großer Tiefe sich hindrängender Körper vernehmen. Ein anderer Eingang in diese geheimnisvolle Welt mußte sich aber vor dem Haus, auf der Straße befinden, wenn man vermöchte, den großen flachen Stein zu heben, in welchen ein eiserner Ring eingelassen war.

Langsam ging die Kleine die Stiege hinunter, da leuchteten ihr von seitwärts aus der Wand zwei glühende Punkte entgegen wie die Augen eines Basilisken. Es waren zwei Schrauben des metallenen Beschläges an der großen halb in die Wand eingelassenen Truhe, in welcher der goldene Apfel verschlossen lag. Von hoch oben her sah durch eine eiförmige wie Bienenzellen vergitterte Öffnung in das dämmernde Stiegenhaus der weiche, von Licht gesättigte hellblaue Himmel. Durch eine einzige Stelle des Gitters aber brach ein blendender Strahl, durchschnitt die ganze bläulich bebende Luft und hatte seinen Fuß auf dem kupfernen Beschläge und ließ aus zwei Schraubenköpfen Glut und Leben hervorquellen wie aus lebendigen Augen.

Das Kind wußte, daß es einen geheimen Griff gab, die Truhe von der Seite zu öffnen, so daß man hineingreifen konnte, ohne den schweren Deckel zu heben. Es versuchte, das funkelnde Beschläge zu verschieben, dann das nächste, dann die anderen, die im Dunkel lagen. Endlich gab eines nach, und wunderbarer als die smaragdenen Türen einer zauberhaften Höhle schoben sich die verborgenen Seitentüren der Truhe auseinander. Mit dem Kopf stemmte sich das Kind den herausquellenden goldenen und bunten Geweben entgegen, seine Hände aber wühlten sich durch weiches aufgeschichtetes Linnen durch, an glatten kühlen Kugeln von Bernstein, schmerzenden geschnitzten und metallenen Geräten vorbei nach der Tiefe, dorthin, wo der Apfel lag, und zogen ihn hervor. Ohne ein anderes Bewußtsein als dieses Glück schob das Kind hastig die Türen wieder zu, das Beschläge sprang ein. Lange stand die Kleine regungslos, und in feierlichen Stößen, wie die Atemzüge eines schlafenden Zauberers, stieg aus dem Apfel der unbegreifliche Duft empor und umwölkte den Kopf des Kindes mit dem Bewußtsein grenzenloser Macht und Größe. Allmählich aber wurde sie es müde, so zu stehen, und es fiel ihr ein, daß der Sinn des Apfels nicht darin lag, daß man ihn bloß besaß, sondern, daß er ein Ding war wie die Wunderlampe oder die von Feen geschenkten Ringe, ein Ding, das Kraft über andere Dinge hatte. Und sogleich erblickte sie sich deutlich wie in einem Spiegel, mit dem Apfel in der Hand, von dem wie von einer Wunderlampe weiches honigfarbenes Licht und innerliche Sicherheit ausströmte, die Stufen in jene geheimnisvolle Welt hinabsteigen. Schnell schlüpfte sie auf die Straße hinaus, die in Glut gebadet leer und schweigend dalag. Sie stand über dem flachen Stein, beugte sich zu ihm nieder, berührte den eisernen Ring mit dem Apfel, drehte den Apfel dreimal in ihren kleinen Händen nach links, ließ ihn über den Stein hinwegrollen; der Stein erbebte nicht, regungslos lag der Ring in seiner Kerbe. Wie ein Alp legte sich das Bewußtsein auf sie, daß die Macht des Apfels versagt habe. Alles schien ihr dunkler, eine Menge widerwärtiger Gedanken, Gedanken, deren Inhalt sie kaum verstand und die doch eine quälende beklemmende Kraft über sie hatten, quollen in ihr auf. Sie mußte an ihre Mutter und ihren Vater denken: es erschien ihr unbegreiflich, wie solche Menschen ihr Leben ertrugen, da es doch so viele, viele Jahre dahinging und nichts von allem in sich hatte, was ihr den Wert des Daseins auszumachen schien. Sie begriff nicht, wie es möglich wäre, eine solche entsetzliche Langeweile zu ertragen. Eine Art Mitleid überkam sie, und eine große Verzagtheit. Sie sah den Apfel an und fand ihn kleiner und gewöhnlicher aussehen; sein Gewicht schien ihr das Gewicht eines Steines, während es früher die geheimnisvolle Schwere eines mehr als lebendigen Wesens gewesen war. Sie beschloß hinzugehen und ihn zwei kleinen Mädchen, mit denen sie öfter spielte, zu schenken: als ob es gar nichts Besonderes wäre, nichts Merkwürdigeres als eine Kugel von buntem Stein, wollte sie ihn vor die beiden Mädchen hinrollen lassen. Indem sie sich das vornahm, war es ihr, als müßte der Apfel empfinden, was darin lag: denn er war ihr noch nicht gleichgültig, die Gebärde der Verachtung, die sie sich abringen wollte, hatte doch noch ein dumpfes Gemenge aus Grauen, Trauer und Liebe hinter sich. Schon hatte sie ihn wieder von der Erde genommen, um diesen Weg anzutreten, als sie Schritte eines Menschen auf sich zukommen hörte, der schön gekleidet war und den zwei große rauhhaarige, übermäßig schlanke Hunde umsprangen. Dieser junge Mann war der oberste Stallmeister des Königs. Er war der Sohn eines Negers und einer Syrerin, und nur durch eine Reihe sonderbarer Glücksfälle zu seiner jetzigen hohen Stellung emporgestiegen. Mit leichten wiegenden Schritten kam er daher, so wie die Löwen und Panther gehen; er trug ein smaragdgrünes Obergewand, durch dessen mit Rot ausgenähte Schlitze das feine weiße Hemde hervorschimmerte; den schneeweißen Turban umwand eine goldene amethystenbesetzte Kette, im Schuppengürtel stak ein kurzer, breiter Dolch, daneben eine lederne Peitsche, deren Griff in eine goldene, einen großen Amethyst umringelnde Schlange auslief; unter dem Gürtel hing ein Schurz von rotem Leder bis gegen die Knie. Lichtgelbe Stiefel, mit metallgrünen Bändern besetzt, reichten hinauf bis nahe an die Kniekehle. Die Ärmel des Hemdes waren weit, über den Knöcheln aber von einem goldenen, mit schwarzen Blumen durchwirkten Band fest umwunden, so daß die schönen großen Hände, durchscheinend wie gelbliche Halbedelsteine, aus einem engen Kelch hervortraten.

Der Stallmeister des Königs war fröhlich, ein andauerndes Lächeln hielt die obere seiner geschwellten starken Lippen empor und zeigte einen Schimmer der blinkenden Zähne. Seine Fröhlichkeit hatte verschiedene Ursachen: erst am Morgen dieses Tages hatte ihm der König als Zeichen seiner besonderen Gunst diese beiden schönen, überaus seltenen Hunde zum Geschenk gemacht, die der König selber nebst anderen Hunden und langhaarigen Ziegen von einem kurdischen Fürsten zugesandt erhalten hatte.
Der Stallmeister ließ sie vor sich her springen, mit einem gellenden kurzen Pfiff riß er sie aus pfeilschnellem Lauf zu sich zurück, und ihre Leiber, ganz Wildheit und ganz Gehorsam, erfüllten ihn mit der Freude des neuen Besitzes. Er fühlte in diesen windschnellen feurigen Gliedern, die um ihn her tanzten, etwas von der leichten und heißen Kraft, die er selbst im Blut trug, und als er noch unter einem halbschattigen Säulengang einem mißgestalten armen Zwerg begegnete, einem kläglichen Geschöpfe, dem der übergroße greisenhafte Kinderkopf tief eingesattelt zwischen emporgekrümmten Schultern saß, da kamen ihm die eigenen leichtgefaßten Schultern und alle Gelenke seines Leibes so zum Bewußtsein, als wenn er mit nacktem Leib durch ein schönes Bad überaus leichten und doppelt tragenden Wassers dahinglitte. Sooft der heiße Wind den Vorhang von einem der seltenen gegen die Straße gekehrten Fenster bewegte, meinte er schon die Hand einer Frau zu sehen, die sich aus dem geheimnisvollen Dämmer im verhängten Gemach hervorbewegte, ihm Blumen oder einen Brief zuzuwerfen.
Plötzlich sah er das kleine Mädchen vor sich, das mit einer bittenden Gebärde den goldenen Apfel emporhielt und gleich darauf nach dem flachen Stein hinunterwies, als wollte sie den Mann bewegen, ihr diesen Weg aufzutun und ihm dafür den Apfel als Lohn versprechen. Einen Augenblick schien ihm die Kleine wie eine Liebesbotin, und der Stein mit dem Ring wie eine Falltür; auch freute ihn, seine Kraft an irgend etwas zu versuchen: so griff er mit der schönen kräftigen Hand, die aus einem engen Kelch von Gold und schwarzem Gewebe hervorwuchs, in den rostigen Ring und hielt die schwere Platte,

jeder Muskel des kräftigen Leibes unter den schönen bunten Kleidern gespannt wie eine Bogensehne, durch drei Augenblicke empor. Ein tiefer Schacht, angefüllt mit kalter Luft und tief unten das Rieseln von spärlichem Wasser, gähnte dem Kind entgegen. Auf den zweiten Blick schienen an den senkrechten, mit Finsternis behangenen Wänden hie und da Tiere hinzuhuschen. Auf den dritten Blick tat sich in beträchtlicher Tiefe nach der Seite hin die Öffnung eines neuen Schachtes auf, eines waagerechten unterirdischen Ganges. Da fühlte der Stallmeister seine Kraft am Ende und ließ den schweren Stein in seine Fugen zurück. Er griff mit beiden Händen nach der Kleinen, in deren Augen ein Teil der tiefen Finsternis und des Geheimnisses hing, die sie eingesogen hatten, und hob sie hoch in die heiße blendende Luft empor. Als er sie wieder herunterließ, fühlte er die Hand des Kindes an seiner Brust und einen harten Gegenstand in eine Falte seines Gewandes gegen innen gleiten. Aber erst, nachdem er wieder um die Ecke gebogen hatte, griff er hin und bemerkte, daß es der goldene Apfel war, dem ein seltener starker Geruch entströmte, worin übermäßige Süße und quälende Sehnsucht vermengt waren.

Als der Stein den Weg nach jener geheimnisvollen Welt wieder verschloß, stand das kleine Mädchen davor wie die aus ihrer Heimat ausgestoßene Tochter des Meerkönigs; sie beschloß, ihre Verbannung mit Mut zu ertragen und nicht eher zu ruhen, als bis sie einen Weg gefunden hätte, in ihr väterliches Reich zurückzukehren. Daß sie den Apfel für einen Blick in die Tiefe hingegeben hatte, schien ihr nur der Anfang einer Reihe wunderbarer Abenteuer, und nicht mehr geängstigt von der Öde und Unbegreiflichkeit ihrer wirklichen Umgebung – denn der Name Exil gab dem allem einen Sinn – ging sie ins Haus zurück.

Indessen war ihre Mutter mit unerquickten Augenlidern und schmerzlich klopfenden Schläfen aus einem kurzen Halbschlummer erwacht. Mit einem unangenehmen Nachgefühl erinnerte sie sich an etwas, wovon sie in dieser kurzen Zeit geträumt oder woran sie in dumpfer, halb unwillkürlicher Weise gedacht haben mußte, denn es war minder ein Schlaf als eine äußerliche Betäubung gewesen, die sie in ihrem schwülen halbdunklen Gemach überkommen hatte. Es waren Gedanken, denen nachzuhängen hie und da im völligen Wachen eine Lust sie anwandelte; aber da verscheuchte sie's jedesmal mit Gewalt. Diesmal aber hatte es sie in der Wehrlosigkeit des Schlafes überfallen und sich mit Leben vollgesogen und hing noch da, als sie aufwachte, stärker als je. Es war nicht so sehr eine Unzufriedenheit mit ihrem Leben, als eine verlockende Vorstellung, wie es hätte anders werden können, ein stilles Fieber, in welchem sich mit übermäßiger Lieblichkeit ungelebte Vorgänge abrollten: die mehr als sieben Jahre ihrer Ehe waren darin wie ausgelöscht, mit traumhafter Deutlichkeit kam das Bewußtsein ihres Mädchenwesens zurück, der Seele und des Leibes, und in irgendein Schicksal verstrickt, das nicht ihr wirkliches geworden war, tauschte sie mit unbestimmten Freunden und Feinden, mit schattenhaften Umgebungen Reden, in die sich alles ergoß was unausgesprochen und unnütz in ihr lag, ein solcher unerschöpflicher Schwall von Möglichkeiten, solche Abstufung von Stolz und Demut, von Tändelei und Hingebung, daß es das Wirkliche mit sich fortriß und überflutete, wie ein breiter, reißender Strom eine winzige Lehminsel mit sich fortreißt. Sie wußte nicht, daß es gerade die Fülle dieser inneren Möglichkeiten war, die sie vor gemeinen Wünschen bewahrte. Sie war jedesmal, wenn es über sie gekommen war, verletzt und beklommen, diesmal aber mehr als je. Mehr als je erschien ihr alles was wirklich war so unsäglich unsicher, so völlig das Werk des blinden Zufalls. Ihre ganze innere Welt war ihr verstört; sie konnte nicht fassen, worauf sich das Wort Gerechtigkeit bezog. Verzweifelt rang sie gegen den unsichtbarsten Feind, dessen Irrlehre sie im eigenen Innern fühlte, und nicht einmal als Wunsch, nur als Möglichkeit alles Schlimmen, alles Frevelhaften, alles Verlockenden. Mit unsicheren Augen sah sie um sich, und was sie sah und spürte, vermehrte ihre Beängstigung. An den Fenstern und im Nebenzimmer rührte der Wind an den Vorhängen: ihr war, als hörte sie das leise Treten einer Menge, die sich näherte, die den Hof und die Flure erfüllte, alles schien ihr erfüllt mit unsichtbaren Gestalten, dem Wehen ihrer Gewänder, aus der Luft schien etwas hervorzuwollen, das eins war mit dem Bedrohlichen in ihrem Innern. Sie verlangte, sich an irgend etwas festzuhalten, und sah sich nach ihrem Kind um, das Kind war nicht da. Sie erinnerte sich an einen Brief, den ihr Mann von seiner ersten Reise im ersten Jahr ihrer Ehe ihr geschickt hatte, und ging, ihn zu holen, um ihre Gedanken und die dumpfe Sehnsucht und Zärtlichkeit in ihr irgendwie gewaltsam auf das Wirkliche zu drängen. Er lag in der Truhe zuunterst, zwischen einer geschnitzten Dose aus Sandelholz und dem goldenen Apfel. Sie schloß die Truhe auf und mit einem Schrecken, der von den Augen den ganzen Körper durchfuhr, entdeckte sie, daß der Apfel nicht da war. Das völlig Unbegreifliche, völlig Unerwartete dieser Entdeckung fiel mitten in ihre Unruhe hinein, und nun erst schien ihr wie durch ein drohendes Zeichen verkündet, daß sich alles jenes Beängstigende und Bedrohliche wirklich auf ihr Leben bezog, eine Tür schien aufgesprungen, durch welche sich die leise tretenden Unsichtbaren nun erst recht in das Innerste ihres Daseins drängen konnten: ja, schon war etwas geschehen: etwas Geschehenes, nicht mehr bloß Gedanken, schien ihr nun zwischen ihr und ihrem Gatten, zwischen ihr und allem Guten und Frommen zu liegen; das fiel ihr schwer aufs Herz. Sie stand auf, ihre beklemmende gebückte Stellung zu verlassen, und sich zusammennehmend wollte sie sich selber sagen, daß dies nichts als unsinniges, durch Einsamkeit und Stille übermäßig erregtes Denken wäre.

Da stand lauernd wie eine Katze und über die feinen Züge einen eigentümlich lügenhaften Ausdruck gebreitet drei Schritte hinter ihr im Halbdunkel das Kind. Sogleich erriet sie einen Zusammenhang, und indem sie die Kleine heftig ergriff, verlangte sie von ihr die Wahrheit zu erfahren. Und als das Kind hartnäckig schwieg, in seine Augen ein immer stärkerer Ausdruck von Heimlichkeit und innerer bewußter Beherrschung trat, stieß sie die Kleine in eine dunkle Kammer und machte sich selbst auf, den Apfel zu suchen; denn sie war sicher, daß das Kind mit diesem kostbaren und merkwürdigen Spielzeug zu seinen Gespielen, den Kindern des Nach-

bars, gelaufen und ihm dort auf irgendwelche Weise der Apfel abgenommen worden oder sonst verlorengegangen sein werde. Als sie das zunächstgelegene Haus, das Haus eines reichen Gewürzhändlers, betreten hatte, war sie zuerst verwundert, im Vorhaus und auf der Treppe niemanden, nicht einmal eine Person des Gesindes zu sehen. Aus dem Hof aber wehte das Murmeln von vielen Menschen her. Dort richtete sie ihre Schritte hin, aber erst als sie, zwischen zwei Säulen hervortretend, mitten in einer ernstgekleideten feierlichen Schar von Menschen stand, kam ihr ins Gedächtnis, daß hier eine Leiche im Hause war, die Leiche der jüngsten, kaum fünfzehnjährigen Tochter des Gewürzhändlers. Völlig unbemerkt wieder wegzuschleichen war es nun zu spät, und so blieb die Frau an die Säule geduckt stehen und sah zu.
Um die Bahre war ein stilles Zudrängen und Wiederwegtreten: Die Leute sprachen immer ein paar Worte miteinander, dann trat jeder in sich selber zurück, und nur ein unbestimmtes Atmen und das Wehen und Aneinandervorbeistreifen vieler Kleider erfüllte den kleinen Hofraum, über den sich ein Gewebe spannte, auf dem die schwere Sonne lag und durch das dumpfe Hitze und flüssiges Gold durchsickerte. Jetzt schob sich am Kopfende der Bahre etwas auseinander, und für einen Augenblick konnte die Frau des Teppichhändlers zwischen dem lilafarbig über die Schulter gebauschten Gewand einer alten Frau und dem Kopf eines blassen, dunkeläugigen Knaben hindurch den flachen, in blendendes Weiß gehüllten Leib der Toten erblicken, die eine magere Schulter und ein Stück vom dünnen Hals. Wieder schoben sich andere Schultern und Köpfe vor und die junge Frau wandte ihre Augen nach drei Frauen, die ihr zunächst standen, aus der Verwandtschaft von des Gewürzhändlers Frau. Es waren zwei alte Frauen und eine junge. Von den beiden Alten aber war wiederum eine viel älter als die andere, ja mochte vielleicht ihre Mutter sein, und doch war auch die jüngere eine Greisin. In dem Gesicht der Uralten lebte nichts mehr: selbst die schwimmenden Augen schienen nur willenlos das aufzufangen, was vor ihnen lag, wie eine Lacke getauten Schneewassers am Rand des Waldes. Ihre Lippen waren kaum mehr

dunklere Linien; nur in dem versteinerten Kinn lebte blind und taub das Letzte eines harten Willens fort. Das Gesicht der jüngeren Greisin aber war unendlich reich: in ihren dunkel geränderten Augen flackerte Güte und ringsum hing etwas wie der Dunst von Feuer und Blut. Ihr Mund war groß und schön: man konnte sie von Vögeln umflattert denken, die kamen, auf diesen Lippen ihre Nahrung zu suchen, nicht in zärtlichem Spiel wie auf den Lippen eines jungen Mädchens, sondern mit tiefen dunklem Zutrauen in schweren Zeiten. Sonderbar sah neben diesem Gesicht das Gesicht der jungen Frau aus: wie der aus dunklem Erz getriebene Kopf einer jungfräulich hartherzigen Göttin in reichen [...] auf einmal neben dem riesigen gütigen Haupt der mit Türmen gekrönten und Früchten behängten Großen Mutter auftaucht...

– –

ZU ›DER GOLDENE APFEL‹

NOTIZEN

(Der Neger) Sein Zimmer. Der Geruch des Apfels vermischt sich mit dem Ledergeruch der Peitsche.
Abend der Entdeckung: wie er allein zurückbleibt, will er noch von einer Frucht essen, aber es läuft ein seltsames Tier darüber. Jetzt bemerkt er erst, wie viel Platz zu solchen Dingen in einem Haus ist.
Zugluft bewegt die Türvorhänge, draußen neigen sich Wipfel, es ist wie leises Wehen von Kleidern, leises Treten und Atmen von dichtgedrängten Menschen.
Er sieht draußen die nackte Gestalt des Kindes mühsam den Stein aufheben, die Monstrosität dieser Lüge berührt ihn so als ob man das Kind zu etwas Schlechtem gezwungen hätte. Immer wieder geht das dazwischen, daß er die Frucht hat nicht mehr anrühren können, weil das Tier darüber gelaufen ist. Er tritt ins Zimmer der Frau, derselbe Zug, sich gegens Reden zu wehren, derselbe lügenhafte Zug. Obwohl ja das Kind gar nicht gelogen hat! Das fällt ihm einen Augenblick ein, nützt aber nichts.
Am nächsten Tage ist er schon durch den zufälligen Anblick von einer Goldmünze, die in einen Spalt am Boden rollt, fast gerettet, da geschieht das, daß er den Apfel liegen sieht. Zuerst spürt er nur den Duft und glaubt es ist eine Halluzination.

(Der Teppichhändler) Im Zimmer des Stallmeisters: Er sieht aus dem Bettvorhang (Gold mit schwarzen Blumen) den Fuß des Negers hervorragen. Da beschließt er gleich, sie zu töten, der Neger ist ihm gleichgültig.
Er wollte eine hochmütige Frau haben.

Nach dem Mord.
Er wechselt die Kleider, gibt seine samt Leiche in Korb, wirft ihn in Fluß, nimmt Kleider vorher weg, vergräbt sie extra.

Geht fort, läßt Türen offen, hat scheinbar auf alles vergessen. Nun fällt ihm die »Versäumnis« ein, daß er den Korb nicht in den Rinnstein geworfen hat. Und dadurch fängt die Sache an ihm zurückzukommen.
Stille Gasse. Der eitle junge Schreiber. Blumen in der Tür. Trinkkrug im Schatten. Hübsche nachdenkende Haltung. Kommt der Wahnsinnige, sticht den Schreiber nieder (ein Barbiergeselle), ihm nach der alte Barbier, eine Frau, ein Kind. Hunde. Dem Teppichhändler graut vor der Welt. Am Markt Gedränge, wandelnde Vasen, kleine Karren, Frauen bieten ihm Obst an, überallhin scheint das Tier zu laufen, die erdfarbene Grille mit blutigen Flecken. Wieder dieselben Hunde. Man kann es nicht loswerden. So geht er ins Wasser, steckt den Kopf unter ein Einlaufgitter, schnell schnell.
NB. Er gibt einen kleinen Blutfleck an der linken Hand einem Goldfisch zu fressen. Das beruhigt ihn für eine Zeit vollständig.

In der Hütte des Flußaufsehers, wie er glaubt, durch physisches Wegschieben werde sich etwas erreichen lassen.

Der Frau fällt ein, daß sie eigentlich in einer Fiktion dahinlebt, denn sie ist gewohnt, über das Gemeine ihrer Existenz gerade immer hinwegzusehen.

REITERGESCHICHTE

Den 22. Juli 1848, vor 6 Uhr morgens, verließ ein Streifkommando, die zweite Eskadron von Wallmodenkürassieren, Rittmeister Baron Rofrano mit einhundertsieben Reitern, das Kasino San Alessandro und ritt gegen Mailand. Über der freien, glänzenden Landschaft lag eine unbeschreibliche Stille; von den Gipfeln der fernen Berge stiegen Morgenwolken wie stille Rauchwolken gegen den leuchtenden Himmel; der Mais stand regungslos, und zwischen Baumgruppen, die aussahen wie gewaschen, glänzten Landhäuser und Kirchen her. Kaum hatte das Streifkommando die äußerste Vorpostenlinie der eigenen Armee etwa um eine Meile hinter sich gelassen, als zwischen den Maisfeldern Waffen aufblitzten und die Avantgarde feindliche Fußtruppen meldete. Die Schwadron formierte sich neben der Landstraße zur Attacke, wurde von eigentümlich lauten, fast miauenden Kugeln überschwirrt, attackierte querfeldein und trieb einen Trupp ungleichmäßig bewaffneter Menschen wie die Wachteln vor sich her. Es waren Leute der Legion Manaras, mit sonderbaren Kopfbedeckungen. Die Gefangenen wurden einem Korporal und acht Gemeinen übergeben und nach rückwärts geschickt. Vor einer schönen Villa, deren Zufahrt uralte Zypressen flankierten, meldete die Avantgarde verdächtige Gestalten. Der Wachtmeister Anton Lerch saß ab, nahm zwölf mit Karabinern bewaffnete Leute, umstellte die Fenster und nahm achtzehn Studenten der Pisaner Legion gefangen, wohlerzogene und hübsche junge Leute mit weißen Händen und halblangem Haar. Eine halbe Stunde später hob die Schwadron einen Mann auf, der in der Tracht eines Bergamasken vorüberging und durch sein allzu harmloses und unscheinbares Auftreten verdächtig wurde. Der Mann trug im Rockfutter eingenäht die wichtigsten Detailpläne, die Errichtung von Freikorps in den Giudikarien und deren Kooperation mit der piemontesischen Armee betreffend. Gegen

10 Uhr vormittags fiel dem Streifkommando eine Herde Vieh in die Hände. Unmittelbar nachher stellte sich ihm ein starker feindlicher Trupp entgegen und beschoß die Avantgarde von einer Friedhofsmauer aus. Der Tete-Zug des Leutnants Grafen Trautsohn überspang die niedrige Mauer und hieb zwischen den Gräbern auf die ganz verwirrten Feindlichen ein, von denen ein großer Teil in die Kirche und von dort durch die Sakristeitür in ein dichtes Gehölz sich rettete. Die siebenundzwanzig neuen Gefangenen meldeten sich als neapolitanische Freischaren unter päpstlichen Offizieren. Die Schwadron hatte einen Toten. Einer das Gehölz umreitenden Rotte, bestehend aus dem Gefreiten Wotrubek und den Dragonern Holl und Haindl, fiel eine mit zwei Ackergäulen bespannte leichte Haubitze in die Hände, indem sie auf die Bedeckung einhieben und die Gäule am Kopfzeug packten und umwendeten. Der Gefreite Wotrubek wurde als leicht verwundet mit der Meldung der bestandenen Gefechte und anderer Glücksfälle ins Hauptquartier zurückgeschickt, die Gefangenen gleichfalls nach rückwärts transportiert, die Haubitze aber von der nach abgegebener Eskorte noch achtundsiebzig Reiter zählenden Eskadron mitgenommen.

Nachdem laut übereinstimmender Aussagen der verschiedenen Gefangenen die Stadt Mailand von den feindlichen sowohl regulären als irregulären Truppen vollständig verlassen, auch von allem Geschütz und Kriegsvorrat entblößt war, konnte der Rittmeister sich selbst und der Schwadron nicht versagen, in diese große und schöne, wehrlos daliegende Stadt einzureiten. Unter dem Geläute der Mittagsglocken, der Generalmarsch von den vier Trompeten hinaufgeschmettert in den stählern funkelnden Himmel, an tausend Fenstern hinklirrend und zurückgeblitzt auf achtundsiebzig Kürasse, achtundsiebzig aufgestemmte nackte Klingen; Straße rechts, Straße links wie ein aufgewühlter Ameishaufen sich füllend mit staunenden Gesichtern; fluchende und erbleichende Gestalten hinter Haustoren verschwindend, verschlafene Fenster aufgerissen von den entblößten Armen schöner Unbekannter; vorbei an Santo Babila, an San Fedele, an San Carlo, am weltberühmten marmornen Dom, an San Satiro, San

Giorgio, San Lorenzo, San Eustorgio; deren uralte Erztore alle sich auftuend und unter Kerzenschein und Weihrauchqualm silberne Heilige und brokatgekleidete strahlenäugige Frauen hervorwinkend; aus tausend Dachkammern, dunklen Torbogen, niedrigen Butiken Schüsse zu gewärtigen, und immer wieder nur halbwüchsige Mädchen und Buben, die weißen Zähne und dunklen Haare zeigend; vom trabenden Pferde herab funkelnden Auges auf alles dies hervorblickend aus einer Larve von blutgesprengtem Staub; zur Porta Venezia hinein, zur Porta Ticinese wieder hinaus: so ritt die schöne Schwadron durch Mailand.

Nicht weit vom letztgenannten Stadttor, wo sich ein mit hübschen Platanen bewachsenes Glacis erstreckte, glaubte der Wachtmeister Anton Lerch am ebenerdigen Fenster eines neugebauten hellgelben Hauses ein ihm bekanntes weibliches Gesicht zu sehen. Neugierde bewog ihn, sich im Sattel umzuwenden, und da er gleichzeitig aus einigen steifen Tritten seines Pferdes vermutete, es hätte in eines der vorderen Eisen einen Straßenstein eingetreten, er auch an der Queue der Eskadron ritt und ohne Störung aus dem Gliede konnte, so bewog ihn alles dies zusammen, abzusitzen, und zwar nachdem er gerade das Vorderteil seines Pferdes in den Flur des betreffenden Hauses gelenkt hatte. Kaum hatte er hier den zweiten weißgestiefelten Vorderfuß seines Braunen in die Höhe gehoben, um den Huf zu prüfen, als wirklich eine aus dem Innern des Hauses ganz vorne in den Flur mündende Zimmertür aufging und in einem etwas zerstörten Morgenanzug eine üppige, beinahe noch junge Frau sichtbar wurde, hinter ihr aber ein helles Zimmer mit Gartenfenstern, worauf ein paar Töpfchen Basilika und rote Pelargonien, ferner mit einem Mahagonischrank und einer mythologischen Gruppe aus Biskuit dem Wachtmeister sich zeigte, während seinem scharfen Blick noch gleichzeitig in einem Pfeilerspiegel die Gegenwand des Zimmers sich verriet, ausgefüllt von einem großen weißen Bette und einer Tapetentür, durch welche sich ein beleibter, vollständig rasierter älterer Mann im Augenblicke zurückzog.

Indem aber dem Wachtmeister der Name der Frau einfiel und

gleichzeitig eine Menge anderes: daß es die Witwe oder geschiedene Frau eines kroatischen Rechnungsunteroffiziers war, daß er mit ihr vor neun oder zehn Jahren in Wien in Gesellschaft eines anderen, ihres damaligen eigentlichen Liebhabers, einige Abende und halbe Nächte verbracht hatte, suchte er nun mit den Augen unter ihrer jetzigen Fülle die damalige üppig-magere Gestalt wieder hervorzuziehen. Die Dastehende aber lächelte ihn in einer halb geschmeichelten slawischen Weise an, die ihm das Blut in den starken Hals und unter die Augen trieb, während eine gewisse gezierte Manier, mit der sie ihn anredete, sowie auch der Morgenanzug und die Zimmereinrichtung ihn einschüchterten. Im Augenblick aber, während er mit etwas schwerfälligem Blick einer großen Fliege nachsah, die über den Haarkamm der Frau lief, und äußerlich auf nichts achtete, als wie er seine Hand, diese Fliege zu scheuchen, sogleich auf den weißen, warm und kühlen Nacken legen würde, erfüllte ihn das Bewußtsein der heute bestandenen Gefechte und anderer Glücksfälle von oben bis unten, so daß er ihren Kopf mit schwerer Hand nach vorwärts drückte und dazu sagte: »Vuic« – diesen ihren Namen hatte er gewiß seit zehn Jahren nicht wieder in den Mund genommen und ihren Taufnamen vollständig vergessen –, »in acht Tagen rücken wir ein, und dann wird das da mein Quartier«, auf die halboffene Zimmertür deutend. Unter dem hörte er im Hause mehrfach Türen zuschlagen, fühlte sich von seinem Pferde, zuerst durch stummes Zerren am Zaum, dann, indem es laut den anderen nachwieherte, fortgedrängt, saß auf und trabte der Schwadron nach, ohne von der Vuic eine andere Antwort als ein verlegenes Lachen mit in den Nacken gezogenem Kopf mitzunehmen. Das ausgesprochene Wort aber machte seine Gewalt geltend. Seitwärts der Rottenkolonne, einen nicht mehr frischen Schritt reitend, unter der schweren metallischen Glut des Himmels, den Blick in der mitwandernden Staubwolke verfangen, lebte sich der Wachtmeister immer mehr in das Zimmer mit den Mahagonimöbeln und den Basilikumtöpfen hinein und zugleich in eine Zivilatmosphäre, durch welche doch das Kriegsmäßige durchschimmerte, eine Atmosphäre von Behaglichkeit und

angenehmer Gewalttätigkeit ohne Dienstverhältnis, eine Existenz in Hausschuhen, den Korb des Säbels durch die linke Tasche des Schlafrockes durchgesteckt. Der rasierte, beleibte Mann, der durch die Tapetentür verschwunden war, ein Mittelding zwischen Geistlichem und pensioniertem Kammerdiener, spielte darin eine bedeutende Rolle, fast mehr noch als das schöne breite Bett und die feine weiße Haut der Vuic. Der Rasierte nahm bald die Stelle eines vertraulich behandelten, etwas unterwürfigen Freundes ein, der Hoftratsch erzählte, Tabak und Kapaunen brachte, bald wurde er an die Wand gedrückt, mußte Schweiggelder zahlen, stand mit allen möglichen Umtrieben in Verbindung, war piemontesischer Vertrauter, päpstlicher Koch, Kuppler, Besitzer verdächtiger Häuser mit dunklen Gartensälen für politische Zusammenkünfte, und wuchs zu einer schwammigen Riesengestalt, der man an zwanzig Stellen Spundlöcher in den Leib schlagen und statt Blut Gold abzapfen konnte.
Dem Streifkommando begegnete in den Nachmittagsstunden nichts Neues, und die Träumereien des Wachtmeisters erfuhren keine Hemmungen. Aber in ihm war ein Durst nach unerwartetem Erwerb, nach Gratifikationen, nach plötzlich in die Tasche fallenden Dukaten rege geworden. Denn der Gedanke an das bevorstehende erste Eintreten in das Zimmer mit den Mahagonimöbeln war der Splitter im Fleisch, um den herum alles von Wünschen und Begierden schwärte.
Als nun gegen Abend das Streifkommando mit gefütterten und halbwegs ausgerasteten Pferden in einem Bogen gegen Lodi und die Addabrücke vorzudringen suchte, wo denn doch Fühlung mit dem Feind sehr zu gewärtigen war, schien dem Wachtmeister ein von der Landstraße abliegendes Dorf, mit halbverfallenem Glockenturm in einer dunkelnden Mulde gelagert, auf verlockende Weise verdächtig, so daß er, die Gemeinen Holl und Scarmolin zu sich winkend, mit diesen beiden vom Marsche der Eskadron seitlich abbog und in dem Dorfe geradezu einen feindlichen General mit geringer Bedeckung zu überraschen und anzugreifen oder anderswie ein ganz außerordentliches Prämium zu verdienen hoffte, so aufgeregt war seine Einbildung. Vor dem elenden, scheinbar

verödeten Nest angelangt, befahl er dem Scarmolin links, dem Holl rechts die Häuser außen zu umreiten, während er selbst, Pistole in der Faust, die Straße durchzugaloppieren sich anschickte, bald aber, harte Steinplatten unter sich fühlend, auf welchen noch dazu irgendein glitschriges Fett ausgegossen war, sein Pferd in Schritt parieren mußte. Das Dorf blieb totenstill; kein Kind, kein Vogel, kein Lufthauch. Rechts und links standen schmutzige kleine Häuser, von deren Wänden der Mörtel abgefallen war; auf den nackten Ziegeln war hie und da etwas Häßliches mit Kohle gezeichnet; zwischen bloßgelegten Türpfosten ins Innere schauend, sah der Wachtmeister hie und da eine faule, halbnackte Gestalt auf einer Bettstatt lungern oder schleppend, wie mit ausgerenkten Hüften, durchs Zimmer gehen. Sein Pferd ging schwer und schob die Hinterbeine mühsam unter, wie wenn sie von Blei wären. Indem er sich umwendete und bückte, um nach dem rückwärtigen Eisen zu sehen, schlürften Schritte aus einem Hause, und da er sich aufrichtete, ging dicht vor seinem Pferde eine Frauensperson, deren Gesicht er nicht sehen konnte. Sie war nur halb angekleidet; ihr schmutziger, abgerissener Rock von geblümter Seide schleppte im Rinnsal, ihre nackten Füße staken in schmutzigen Pantoffeln; sie ging so dicht vor dem Pferde, daß der Hauch aus den Nüstern den fettig glänzenden Lockenbund bewegte, der ihr unter einem alten Strohhute in den entblößten Nacken hing, und doch ging sie nicht schneller und wich dem Reiter nicht aus. Unter einer Türschwelle zur Linken rollten zwei ineinander verbissene blutende Ratten in die Mitte der Straße, von denen die unterliegende so jämmerlich aufschrie, daß das Pferd des Wachtmeisters sich verhielt und mit schiefem Kopf und hörbarem Atem gegen den Boden stierte. Ein Schenkeldruck brachte es wieder vorwärts, und nun war die Frau in einem Hausflur verschwunden, ohne daß der Wachtmeister hatte ihr Gesicht sehen können. Aus dem nächsten Hause lief eilfertig mit gehobenem Kopfe ein Hund heraus, ließ einen Knochen in der Mitte der Straße fallen und versuchte ihn in einer Fuge des Pflasters zu verscharren. Es war eine weiße unreine Hündin mit hängenden Zitzen; mit teuflischer Hingabe scharrte sie, packte dann den Knochen mit den Zähnen und trug ihn ein Stück weiter. Indessen sie wieder zu scharren anfing, waren schon drei Hunde bei ihr: zwei waren sehr jung, mit weichen Knochen und schlaffer Haut; ohne zu bellen und ohne beißen zu können, zogen sie einander mit stumpfen Zähnen an den Lefzen. Der Hund, der zugleich mit ihnen gekommen war, war ein lichtgelbes Windspiel von so aufgeschwollenem Leib, daß er nur ganz langsam auf den vier dünnen Beinen sich weitertragen konnte. An dem dicken wie eine Trommel gespannten Leib erschien der Kopf viel zu klein; in den kleinen ruhelosen Augen war ein entsetzlicher Ausdruck von Schmerz und Beklemmung. Sogleich sprangen noch zwei Hunde hinzu: ein magerer, weißer, von äußerst gieriger Häßlichkeit, dem schwarze Rinnen von den entzündeten Augen herunterliefen, und ein schlechter Dachshund auf hohen Beinen. Dieser hob seinen Kopf gegen den Wachtmeister und schaute ihn an. Er mußte sehr alt sein. Seine Augen waren unendlich müde und traurig. Die Hündin aber lief in blöder Hast vor dem Reiter hin und her; die beiden jungen schnappten lautlos mit ihrem weichen Maul nach den Fesseln des Pferdes, und das Windspiel schleppte seinen entsetzlichen Leib hart vor den Hufen. Der Braun konnte keinen Schritt mehr tun. Als aber der Wachtmeister seine Pistole auf eines der Tiere abdrücken wollte und die Pistole versagte, gab er dem Pferde beide Sporen und dröhnte über das Steinpflaster hin. Nach wenigen Sätzen aber mußte er das Pferd scharf parieren. Denn hier sperrte eine Kuh den Weg, die ein Bursche mit gespanntem Strick zur Schlachtbank zerrte. Die Kuh aber, von dem Dunst des Blutes und der an den Türpfosten genagelten frischen Haut eines schwarzen Kalbes zurückschaudernd, stemmte sich auf ihren Füßen, sog mit geblähten Nüstern den rötlichen Sonnendunst des Abends in sich und riß sich, bevor der Bursche sie mit Prügel und Strick hinüberbekam, mit kläglichen Augen noch ein Maulvoll von dem Heu ab, das der Wachtmeister vorne am Sattel befestigt hatte. Er hatte nun das letzte Haus des Dorfes hinter sich und konnte, zwischen zwei niedrigen, abgebröckelten Mauern reitend, jenseits einer alten einbogigen Steinbrücke über einen anscheinend trockenen Graben den weiteren Verlauf des Weges absehen, fühlte aber in der Gangart seines Pferdes eine so unbeschreibliche Schwere, ein solches Nichtvorwärtskommen, daß sich an seinem Blick jeder Fußbreit der Mauern rechts und links, ja jeder von den dort sitzenden Tausendfüßen und Asseln mühselig vorbeischob, und ihm war, als hätte er eine unmeßbare Zeit mit dem Durchreiten des widerwärtigen Dorfes verbracht. Wie nun zugleich aus der Brust seines Pferdes ein schwerer rohrender Atem hervordrang, er dies ihm völlig ungewohnte Geräusch aber nicht sogleich richtig erkannte und die Ursache davon zuerst über und neben sich und schließlich in der Entfernung suchte, bemerkte er jenseits der Steinbrücke und beiläufig in gleicher Entfernung von dieser als wie er sich selbst befand, einen Reiter des eigenen Regiments auf sich zukommen, und zwar einen Wachtmeister, und zwar auf einem Braunen mit weißgestiefelten Vorderbeinen. Da er nun wohl wußte, daß sich in der ganzen Schwadron kein solches Pferd befand, ausgenommen dasjenige, auf welchem er selbst in diesem Augenblicke saß, er das Gesicht des anderen Reiters aber immer noch nicht erkennen konnte, so trieb er ungeduldig sein Pferd sogar mit den Sporen zu einem sehr lebhaften Trab an, worauf auch der andere sein Tempo ganz im gleichen Maße verbesserte, so daß nun nur mehr ein Steinwurf sie trennte, und nun, indem die beiden Pferde, jedes von seiner Seite her, im gleichen Augenblick, jedes mit dem gleichen weißgestiefelten Vorfuß die Brücke betraten, der Wachtmeister, mit stierem Blick in der Erscheinung sich selber erkennend, wie sinnlos sein Pferd zurückriß und die rechte Hand mit ausgespreizten Fingern gegen das Wesen vorstreckte, worauf die Gestalt, gleichfalls parierend und die Rechte erhebend, plötzlich nicht da war, die Gemeinen Holl und Scarmolin mit unbefangenen Gesichtern von rechts und links aus dem trockenen Graben auftauchten und gleichzeitig über die Hutweide her, stark und aus gar nicht großer Entfernung, die Trompeten der Eskadron »Attacke« bliesen. Im stärksten Galopp eine Erdwelle hinansetzend, sah der Wachtmeister die Schwadron schon im Galopp auf ein Gehölz zu, aus welchem feindliche Reiter mit Piken eilfertig

debouchierten; sah, indem er, die vier losen Zügel in der Linken versammelnd, den Handriemen um die Rechte schlang, den vierten Zug sich von der Schwadron ablösen und langsamer werden, war nun schon auf dröhnendem Boden, nun in starkem Staubgeruch, nun mitten im Feinde, hieb auf einen blauen Arm ein, der eine Pike führte, sah dicht neben sich das Gesicht des Rittmeisters mit weit aufgerissenen Augen und grimmig entblößten Zähnen, war dann plötzlich unter lauter feindlichen Gesichtern und fremden Farben eingekeilt, tauchte unter in lauter geschwungenen Klingen, stieß den nächsten in den Hals und vom Pferd herab, sah neben sich den Gemeinen Scarmolin mit lachendem Gesicht einem die Finger der Zügelhand ab- und tief in den Hals des Pferdes hineinhauen, fühlte die Mêlée sich lockern und war auf einmal allein, am Rand eines kleinen Baches, hinter einem feindlichen Offizier auf einem Eisenschimmel. Der Offizier wollte über den Bach; der Eisenschimmel versagte. Der Offizier riß ihn herum, wendete dem Wachtmeister ein junges, sehr bleiches Gesicht und die Mündung einer Pistole zu, als ihm ein Säbel in den Mund fuhr, in dessen kleiner Spitze die Wucht eines galoppierenden Pferdes zusammengedrängt war. Der Wachtmeister riß den Säbel zurück und erhaschte an der gleichen Stelle, wo die Finger des Herunterstürzenden ihn losgelassen hatten, den Stangenzügel des Eisenschimmels, der leicht und zierlich wie ein Reh die Füße über seinen sterbenden Herrn hinhob.
Als der Wachtmeister mit dem schönen Beutepferd zurückritt, warf die in schwerem Dunst untergehende Sonne eine ungeheure Röte über die Hutweide. Auch an solchen Stellen, wo gar keine Hufspuren waren, schienen ganze Lachen von Blut zu stehen. Ein roter Widerschein lag auf den weißen Uniformen und den lachenden Gesichtern, die Kürasse und Schabracken funkelten und glühten, und am stärksten drei kleine Feigenbäume, an deren weichen Blättern die Reiter lachend die Blutrinnen ihrer Säbel abgewischt hatten. Seitwärts der rotgefleckten Bäume hielt der Rittmeister und neben ihm der Eskadronstrompeter, der die wie in roten Saft getauchte Trompete an den Mund hob und Appell blies. Der Wacht-

meister ritt von Zug zu Zug und sah, daß die Schwadron nicht einen Mann verloren und dafür neun Handpferde gewonnen hatte. Er ritt zum Rittmeister und meldete, immer den Eisenschimmel neben sich, der mit gehobenem Kopf tänzelte und Luft einzog, wie ein junges, schönes und eitles Pferd, das es war. Der Rittmeister hörte die Meldung nur zerstreut an. Er winkte den Leutnant Grafen Trautsohn zu sich, der dann sogleich absaß und mit sechs gleichfalls abgesessenen Kürassieren hinter der Front der Eskadron die erbeutete leichte Haubitze ausspannte, das Geschütz von den sechs Mannschaften zur Seite schleppen und in ein von dem Bach gebildetes kleines Sumpfwasser versenken ließ, hierauf wieder aufsaß und, nachdem er die nunmehr überflüssigen beiden Zuggäule mit der flachen Klinge fortgejagt hatte, stillschweigend seinen Platz vor dem ersten Zug wieder einnahm. Während dieser Zeit verhielt sich die in zwei Gliedern formierte Eskadron nicht eigentlich unruhig, es herrschte aber doch eine nicht ganz gewöhnliche Stimmung, durch die Erregung von vier an einem Tage glücklich bestandenen Gefechten erklärlich, die sich im leichten Ausbrechen halb unterdrückten Lachens sowie in halblauten untereinnder gewechselten Zurufen äußerte. Auch standen die Pferde nicht ruhig, besonders diejenigen, zwischen denen fremde erbeutete Pferde eingeschoben waren. Nach solchen Glücksfällen schien allen der Aufstellungsraum zu enge, und solche Reiter und Sieger verlangten sich innerlich, nun im offenen Schwarm auf einen neuen Gegner loszugehen, einzuhauen und neue Beutepferde zu packen. In diesem Augenblicke ritt der Rittmeister Baron Rofrano dicht an die Front seiner Eskadron, und indem er von den etwas schläfrigen blauen Augen die großen Lider hob, kommandierte er vernehmlich, aber ohne seine Stimme zu erheben: »Handpferde auslassen!« Die Schwadron stand totenstill. Nur der Eisenschimmel neben dem Wachtmeister streckte den Hals und berührte mit seinen Nüstern fast die Stirne des Pferdes, auf welchem der Rittmeister saß. Der Rittmeister versorgte seinen Säbel, zog eine seiner Pistolen aus dem Halfter, und indem er mit dem Rücken der Zügelhand ein wenig Staub von dem blinkenden Lauf wegwischte, wiederholte er mit etwas lauterer

Stimme sein Kommando und zählte gleich nachher »eins« und »zwei«. Nachdem er das »zwei« gezählt hatte, heftete er seinen verschleierten Blick auf den Wachtmeister, der regungslos vor ihm im Sattel saß und ihm starr ins Gesicht sah. Während Anton Lerchs starr aushaltender Blick, in dem nur dann und wann etwas Gedrücktes, Hündisches aufflackerte und wieder verschwand, eine gewisse Art devoten, aus vieljährigem Dienstverhältnisse hervorgegangenen Zutrauens ausdrücken mochte, war sein Bewußtsein von der ungeheuren Gespanntheit dieses Augenblicks fast gar nicht erfüllt, sondern von vielfältigen Bildern einer fremdartigen Behaglichkeit ganz überschwemmt, und aus einer ihm selbst völlig unbekannten Tiefe seines Innern stieg ein bestialischer Zorn gegen den Menschen da vor ihm auf, der ihm das Pferd wegnehmen wollte, ein so entsetzlicher Zorn über das Gesicht, die Stimme, die Haltung und das ganze Dasein dieses Menschen, wie er nur durch jahrelanges enges Zusammenleben auf geheimnisvolle Weise entstehen kann. Ob aber in dem Rittmeister etwas Ähnliches vorging, oder ob sich ihm in diesem Augenblicke stummer Insubordination die ganze lautlos um sich greifende Gefährlichkeit kritischer Situationen zusammenzudrängen schien, bleibt im Zweifel: Er hob mit einer nachlässigen, beinahe gezierten Bewegung den Arm, und indem er, die Oberlippe verächtlich hinaufziehend, »drei« zählte, krachte auch schon der Schuß, und der Wachtmeister taumelte, in die Stirn getroffen, mit dem Oberleib auf den Hals seines Pferdes, dann zwischen dem Braun und dem Eisenschimmel zu Boden. Er hatte aber noch nicht hingeschlagen, als auch schon sämtliche Chargen und Gemeinen sich ihrer Beutepferde mit einem Zügelriß oder Fußtritt entledigt hatten und der Rittmeister, seine Pistole ruhig versorgend, die von einem blitzähnlichen Schlag noch nachzuckende Schwadron dem in undeutlicher dämmernder Entfernung anscheinend sich ralliierenden Feinde aufs neue entgegenführen konnte. Der Feind nahm aber die neuerliche Attacke nicht an, und kurze Zeit nachher erreichte das Streifkommando unbehelligt die südliche Vorpostenaufstellung der eigenen Armee.

ERLEBNIS DES MARSCHALLS VON BASSOMPIERRE

Zu einer gewissen Zeit meines Lebens brachten es meine Dienste mit sich, daß ich ziemlich regelmäßig mehrmals in der Woche um eine gewisse Stunde über die kleine Brücke ging (denn der Pont neuf war damals noch nicht erbaut) und dabei meist von einigen Handwerkern oder anderen Leuten aus dem Volk erkannt und gegrüßt wurde, am auffälligsten aber und regelmäßigsten von einer sehr hübschen Krämerin, deren Laden an einem Schild mit zwei Engeln kenntlich war, und die, sooft ich in den fünf oder sechs Monaten vorüberkam, sich tief neigte und mir soweit nachsah, als sie konnte. Ihr Betragen fiel mir auf, ich sah sie gleichfalls an und dankte ihr sorgfältig. Einmal, im Spätwinter, ritt ich von Fontainebleau nach Paris, und als ich wieder die kleine Brücke heraufkam, trat sie an ihre Ladentür und sagte zu mir, indem ich vorbeiritt: »Mein Herr, Ihre Dienerin!« Ich erwiderte ihren Gruß, und indem ich mich von Zeit zu Zeit umsah, hatte sie sich weiter vorgelehnt, um mir soweit als möglich nachzusehen. Ich hatte einen Bedienten und einen Postillon hinter mir, die ich noch diesen Abend mit Briefen an gewisse Damen nach Fontainebleau zurückschicken wollte. Auf meinen Befehl stieg der Bediente ab und ging zu der jungen Frau, ihr in meinem Namen zu sagen, daß ich ihre Neigung, mich zu sehen und zu grüßen, bemerkt hätte; ich wollte, wenn sie wünschte mich näher kennenzulernen, sie aufsuchen, wo sie verlangte.
Sie antwortete dem Bedienten: er hätte ihr keine erwünschtere Botschaft bringen können, sie wollte kommen, wohin ich sie bestellte.
Im Weiterreiten fragte ich den Bedienten, ob er nicht etwa einen Ort wüßte, wo ich mit der Frau zusammenkommen könnte. Er antwortete, daß er sie zu einer gewissen Kupplerin führen wollte; da er aber ein sehr besorgter und gewissenhafter Mensch war, dieser Diener Wilhelm aus Courtrai, so

setzte er gleich hinzu: da die Pest sich hie und da zeige und nicht nur Leute aus dem niedrigen und schmutzigen Volk, sondern auch ein Doktor und ein Domherr schon daran gestorben seien, so rate er mir, Matratzen, Decken und Leintücher aus meinem Hause mitbringen zu lassen. Ich nahm den Vorschlag an, und er versprach, mir ein gutes Bett zu bereiten. Vor dem Absteigen sagte ich noch, er solle auch ein ordentliches Waschbecken dorthin tragen, eine kleine Flasche mit wohlriechender Essenz und etwas Backwerk und Äpfel; auch solle er dafür sorgen, daß das Zimmer tüchtig geheizt werde, denn es war so kalt, daß mir die Füße im Bügel steif gefroren waren, und der Himmel hing voll Schneewolken.
Den Abend ging ich hin und fand eine sehr schöne Frau von ungefähr zwanzig Jahren auf dem Bette sitzen, indes die Kupplerin, ihren Kopf und ihren runden Rücken in ein schwarzes Tuch eingemummt, eifrig in sie hineinredete. Die Tür war angelehnt, im Kamin lohten große frische Scheiter geräuschvoll auf, man hörte mich nicht kommen, und ich blieb einen Augenblick in der Tür stehen. Die Junge sah mit großen Augen ruhig in die Flamme; mit einer Bewegung ihres Kopfes hatte sie sich wie auf Meilen von der widerwärtigen Alten entfernt; dabei war unter einer kleinen Nachthaube, die sie trug, ein Teil ihrer schweren dunklen Haare vorgequollen und fiel, zu ein paar natürlichen Locken sich ringelnd, zwischen Schulter und Brust über das Hemd. Sie trug noch einen kurzen Unterrock von grünwollenem Zeug und Pantoffeln an den Füßen. In diesem Augenblick mußte ich mich durch ein Geräusch verraten haben: Sie warf ihren Kopf herum und bog mir ein Gesicht entgegen, dem die übermäßige Anspannung der Züge fast einen wilden Ausdruck gegeben hätte, ohne die strahlende Hingebung, die aus den weit aufgerissenen Augen strömte und aus dem sprachlosen Mund wie eine unsichtbare Flamme herausschlug. Sie gefiel mir außerordentlich; schneller, als es sich denken läßt, war die Alte aus dem Zimmer und ich bei meiner Freundin. Als ich mir in der ersten Trunkenheit des überraschenden Besitzes einige Freiheiten herausnehmen wollte, entzog sie sich mir mit einer unbeschreiblich lebenden Eindringlichkeit zugleich des Blik-

kes und der dunkeltönenden Stimme. Im nächsten Augenblick aber fühlte ich mich von ihr umschlungen, die noch inniger mit dem fort und fort empordrängenden Blick der unerschöpflichen Augen als mit den Lippen und den Armen an mir haftete; dann wieder war es, als wollte sie sprechen, aber die von Küssen zuckenden Lippen bildeten keine Worte, die bebende Kehle ließ keinen deutlicheren Laut als ein gebrochenes Schluchzen empor.

Nun hatte ich einen großen Teil dieses Tages zu Pferde auf frostigen Landstraßen verbracht, nachher im Vorzimmer des Königs einen sehr ärgerlichen und heftigen Auftritt durchgemacht und darauf, meine schlechte Laune zu betäuben, sowohl getrunken als mit dem Zweihänder stark gefochten, und so überfiel mich mitten unter diesem reizenden und geheimnisvollen Abenteuer, als ich von weichen Armen im Nacken umschlungen und mit duftendem Haar bestreut dalag, eine so plötzliche heftige Müdigkeit und beinahe Betäubung, daß ich mich nicht mehr zu erinnern wußte, wie ich denn gerade in dieses Zimmer gekommen wäre, ja sogar für einen Augenblick die Person, deren Herz so nahe dem meinigen klopfte, mit einer ganz anderen aus früherer Zeit verwechselte und gleich darauf fest einschlief.

Als ich wieder erwachte, war es noch finstere Nacht, aber ich fühlte sogleich, daß meine Freundin nicht mehr bei mir war. Ich hob den Kopf und sah beim schwachen Schein der zusammensinkenden Glut, daß sie am Fenster stand: Sie hatte den einen Laden aufgeschoben und sah durch den Spalt hinaus. Dann drehte sie sich um, merkte, daß ich wach war, und rief (ich sehe noch, wie sie dabei mit dem Ballen der linken Hand an ihrer Wange emporfuhr und das vorgefallene Haar über die Schulter zurückwarf): »Es ist noch lange nicht Tag, noch lange nicht!« Nun sah ich erst recht, wie groß und schön sie war, und konnte den Augenblick kaum erwarten, daß sie mit wenigen der ruhigen großen Schritte ihrer schönen Füße, an denen der rötliche Schein emporglomm, wieder bei mir wäre. Sie trat aber noch vorher an den Kamin, bog sich zur Erde, nahm das letzte schwere Scheit, das draußen lag, in ihre strahlenden nackten Arme und warf es schnell in die Glut.

Dann wandte sie sich, ihr Gesicht funkelte von Flammen und Freude, mit der Hand riß sie im Vorbeilaufen einen Apfel vom Tisch und war schon bei mir, ihre Glieder noch vom frischen Anhauch des Feuers umweht und dann gleich aufgelöst und von innen her von stärkeren Flammen durchschüttert, mit der Rechten mich umfassend, mit der Linken zugleich die angebissene kühle Frucht und Wangen, Lippen und Augen meinem Mund darbietend. Das letzte Scheit im Kamin brannte stärker als alle anderen. Aufsprühend sog es die Flamme in sich und ließ sie dann wieder gewaltig emporlohen, daß der Feuerschein über uns hinschlug, wie eine Welle, die an der Wand sich brach und unsere umschlungenen Schatten jäh emporhob und wieder sinken ließ. Immer wieder knisterte das starke Holz und nährte aus seinem Innern immer wieder neue Flammen, die emporzüngelten und das schwere Dunkel mit Güssen und Garben von rötlicher Helle verdrängten. Auf einmal aber sank die Flamme hin, und ein kalter Lufthauch tat leise wie eine Hand den Fensterladen auf und entblößte die fahle widerwärtige Dämmerung.

Wir setzten uns auf und wußten, daß nun der Tag da war. Aber das da draußen glich keinem Tag. Es glich nicht dem Aufwachen der Welt. Was da draußen lag, sah nicht aus wie eine Straße. Nichts Einzelnes ließ sich erkennen: es war ein farbloser, wesenloser Wust, in dem sich zeitlose Larven hinbewegen mochten. Von irgendwoher, weither, wie aus der Erinnerung heraus, schlug eine Turmuhr, und eine feuchtkalte Luft, die keiner Stunde angehörte, zog sich immer stärker herein, daß wir uns schaudernd aneinanderdrückten. Sie bog sich zurück und heftete ihre Augen mit aller Macht auf mein Gesicht; ihre Kehle zuckte, etwas drängte sich in ihr herauf und quoll bis an den Rand der Lippen vor: es wurde kein Wort daraus, kein Seufzer und kein Kuß, aber etwas, was ungeboren allen dreien glich. Von Augenblick zu Augenblick wurde es heller und der vielfältige Ausdruck ihres zuckenden Gesichts immer redender; auf einmal kamen schlürfende Schritte und Stimmen von draußen so nahe am Fenster vorbei, daß sie sich duckte und ihr Gesicht gegen die Wand kehrte. Es waren zwei Männer, die vorbeigingen: einen Augenblick fiel der Schein einer kleinen Laterne, die der eine trug, herein; der andere schob einen Karren, dessen Rad knirschte und ächzte. Als sie vorüber waren, stand ich auf, schloß den Laden und zündete ein Licht an. Da lag noch ein halber Apfel: wir aßen ihn zusammen, und dann fragte ich sie, ob ich sie nicht noch einmal sehen könnte, denn ich verreise erst Sonntag. Dies war aber die Nacht vom Donnerstag auf den Freitag gewesen.

Sie antwortete mir: daß sie es gewiß sehnlicher verlange als ich; wenn ich aber nicht den ganzen Sonntag bliebe, sei es ihr unmöglich; denn nur in der Nacht vom Sonntag auf den Montag könnte sie mich wiedersehen.

Mir fielen zuerst verschiedene Abhaltungen ein, so daß ich einige Schwierigkeiten machte, die sie mit keinem Worte, aber mit einem überaus schmerzlich fragenden Blick und einem gleichzeitigen fast unheimlichen Hart- und Dunkelwerden ihres Gesichts anhörte. Gleich darauf versprach ich natürlich, den Sonntag zu bleiben, und setzte hinzu, ich wollte also Sonntag abend mich wieder an dem nämlichen Ort einfinden. Auf dieses Wort sah sie mich fest an und sagte mir mit einem ganz rauhen und gebrochenen Ton in der Stimme: »Ich weiß recht gut, daß ich um deinetwillen in ein schändliches Haus gekommen bin; aber ich habe es freiwillig getan, weil ich mit dir sein *wollte,* weil ich *jede* Bedingung eingegangen wäre. Aber jetzt käme ich mir vor, wie die letzte, niedrigste Straßendirne, wenn ich ein zweites Mal hieher zurückkommen könnte. Um deinetwillen hab' ich's getan, weil du für mich der bist, der du bist, weil du der Bassompierre bist, weil du der Mensch auf der Welt bist, der mir durch seine Gegenwart dieses Haus da ehrenwert macht!« Sie sagte: »Haus«; einen Augenblick war es, als wäre ein verächtlicheres Wort ihr auf der Zunge; indem sie das Wort aussprach, warf sie auf diese vier Wände, auf dieses Bett, auf die Decke, die herabgeglitten auf dem Boden lag, einen solchen Blick, daß unter der Garbe von Licht, die aus ihren Augen hervorschoß, alle diese häßlichen und gemeinen Dinge aufzuzucken und geduckt vor ihr zurückzuweichen schienen, als wäre der erbärmliche Raum wirklich für einen Augenblick größer geworden.

Dann setzte sie mit einem unbeschreiblich sanften und feierlichen Tone hinzu: »Möge ich eines elenden Todes sterben, wenn ich außer meinem Mann und dir je irgendeinem anderen gehört habe und nach irgendeinem anderen auf der Welt verlange!«, und schien, mit halboffenen, lebenhauchenden Lippen leicht vorgeneigt, irgendeine Antwort, eine Beteuerung meines Glaubens zu erwarten, von meinem Gesicht aber nicht das zu lesen, was sie verlangte, denn ihr gespannter suchender Blick trübte sich, ihre Wimpern schlugen auf und zu, und auf einmal war sie am Fenster und kehrte mir den Rükken, die Stirn mit aller Kraft an den Laden gedrückt, den ganzen Leib von lautlosem, aber entsetzlich heftigem Weinen so durchschüttert, daß mir das Wort im Munde erstarb und ich nicht wagte, sie zu berühren. Ich erfaßte endlich eine ihrer Hände, die wie leblos herabhingen, und mit den eindringlichsten Worten, die mir der Augenblick eingab, gelang es mir nach langem, sie soweit zu besänftigen, daß sie mir ihr von Tränen überströmtes Gesicht wieder zukehrte, bis plötzlich ein Lächeln, wie ein Licht zugleich aus den Augen und rings um die Lippen hervorbrechend, in einem Moment alle Spuren des Weinens wegzehrte und das ganze Gesicht mit Glanz überschwemmte. Nun war es das reizendste Spiel, wie sie wieder mit mir zu reden anfing, indem sie sich mit dem Satz: »Du willst mich noch einmal sehen? so will ich dich bei meiner Tante einlassen!« endlos herumspielte, die erste Hälfte zehnfach aussprach, bald mit süßer Zudringlichkeit, bald mit kindischem gespieltem Mißtrauen, dann die zweite mir als das größte Geheimnis zuerst ins Ohr flüsterte, dann mit Achselzucken und spitzem Mund, wie die selbstverständlichste Verabredung von der Welt, über die Schulter hinwarf und endlich, an mir hängend, mir ins Gesicht lachend und schmeichelnd wiederholte. Sie beschrieb mir das Haus aufs genaueste, wie man einem Kind den Weg beschreibt, wenn es zum erstenmal allein über die Straße zum Bäcker gehen soll. Dann richtete sie sich auf, wurde ernst – und die ganze Gewalt ihrer strahlenden Augen heftete sich auf mich mit einer solchen Stärke, daß es war, als müßten sie auch ein totes Geschöpf an sich zu reißen vermögend sein – und fuhr fort: »Ich will dich

von zehn Uhr bis Mitternacht erwarten und auch noch später und immerfort, und die Tür unten wird offen sein. Erst findest du einen kleinen Gang, in dem halte dich nicht auf, denn da geht die Tür meiner Tante heraus. Dann stößt dir eine Treppe entgegen, die führt dich in den ersten Stock, und dort bin ich!« Und indem sie die Augen schloß, als ob ihr schwindelte, warf sie den Kopf zurück, breitete die Arme aus und umfing mich, und war gleich wieder aus meinen Armen und in die Kleider eingehüllt, fremd und ernst, und aus dem Zimmer; denn nun war völlig Tag.
Ich machte meine Einrichtung, schickte einen Teil meiner Leute mit meinen Sachen voraus und empfand schon am Abend des nächsten Tages eine so heftige Ungeduld, daß ich bald nach dem Abendläuten mit meinem Diener Wilhelm, den ich aber kein Licht mitnehmen hieß, über die kleine Brücke ging, um meine Freundin wenigstens in ihrem Laden oder in der daranstoßenden Wohnung zu sehen und ihr allenfalls ein Zeichen meiner Gegenwart zu geben, wenn ich mir auch schon keine Hoffnung auf mehr machte, als etwa einige Worte mit ihr wechseln zu können.
Um nicht aufzufallen, blieb ich an der Brücke stehen und schickte den Diener voraus, um die Gelegenheit auszukundschaften. Er blieb längere Zeit aus und hatte beim Zurückkommen die niedergeschlagene und grübelnde Miene, die ich an diesem braven Menschen immer kannte, wenn er einen meinigen Befehl nicht hatte erfolgreich ausführen können. »Der Laden ist versperrt«, sagte er, »und scheint auch niemand darinnen. Überhaupt läßt sich in den Zimmern, die nach der Gasse zu liegen, niemand sehen und hören. In den Hof könnte man nur über eine hohe Mauer, zudem knurrt dort ein großer Hund. Von den vorderen Zimmern ist aber eines erleuchtet, und man kann durch einen Spalt im Laden hineinsehen, nur ist es leider leer.«
Mißmutig wollte ich schon umkehren, strich aber doch noch einmal langsam an dem Haus vorbei, und mein Diener in seiner Beflissenheit legte nochmals sein Auge an den Spalt, durch den ein Lichtschimmer drang, und flüsterte mir zu, daß zwar nicht die Frau, wohl aber der Mann nun in dem Zimmer

sei. Neugierig, diesen Krämer zu sehen, den ich mich nicht erinnern konnte, auch nur ein einziges Mal in seinem Laden erblickt zu haben, und den ich mir abwechselnd als einen unförmlichen dicken Menschen oder als einen dürren gebrechlichen Alten vorstellte, trat ich ans Fenster und war überaus erstaunt, in dem guteingerichteten vertäfelten Zimmer einen ungewöhnlich großen und sehr gut gebauten Mann umhergehen zu sehen, der mich gewiß um einen Kopf überragte und, als er sich umdrehte, mir ein sehr schönes tiefernstes Gesicht zuwandte, mit einem braunen Bart, darin einige wenige silberne Fäden waren, und mit einer Stirn von fast seltsamer Erhabenheit, so daß die Schläfen eine größere Fläche bildeten, als ich noch je bei einem Menschen gesehen hatte. Obwohl er ganz allein im Zimmer war, so wechselte doch sein Blick, seine Lippen bewegten sich, und indem er unter dem Aufundabgehen hie und da stehenblieb, schien er sich in der Einbildung mit einer anderen Person zu unterhalten: einmal bewegte er den Arm, wie um eine Gegenrede mit halb nachsichtiger Überlegenheit wegzuweisen. Jede seiner Gebärden war von großer Lässigkeit und fast verachtungsvollem Stolz, und ich konnte nicht umhin, mich bei seinem einsamen Umhergehen lebhaft des Bildes eines sehr erhabenen Gefangenen zu erinnern, den ich im Dienst des Königs während seiner Haft in einem Turmgemach des Schlosses zu Blois zu bewachen hatte. Diese Ähnlichkeit schien mir noch vollkommener zu werden, als der Mann seine rechte Hand emporhob und auf die emporgekrümmten Finger mit Aufmerksamkeit, ja mit finsterer Strenge hinabsah.
Denn fast mit der gleichen Gebärde hatte ich jenen erhabenen Gefangenen öfter einen Ring betrachten sehen, den er am Zeigefinger der rechten Hand trug und von welchem er sich niemals trennte. Der Mann im Zimmer trat dann an den Tisch, schob die Wasserkugel vor das Wachslicht und brachte seine beiden Hände in den Lichtkreis, mit ausgestreckten Fingern: er schien seine Nägel zu betrachten. Dann blies er das Licht aus und ging aus dem Zimmer und ließ mich nicht ohne eine dumpfe zornige Eifersucht zurück, da das Verlangen nach seiner Frau in mir fortwährend wuchs und wie ein um

sich greifendes Feuer sich von allem nährte, was mir begegnete, und so durch diese unerwartete Erscheinung in verworrener Weise gesteigert wurde, wie durch jede Schneeflocke, die ein feuchtkalter Wind jetzt zertrieb und die mir einzeln an Augenbrauen und Wangen hängenblieben und schmolzen.
Den nächsten Tag verbrachte ich in der nutzlosesten Weise, hatte zu keinem Geschäft die richtige Aufmerksamkeit, kaufte ein Pferd, das mir eigentlich nicht gefiel, wartete nach Tisch dem Herzog von Nemours auf und verbrachte dort einige Zeit mit Spiel und mit den albernsten und widerwärtigsten Gesprächen. Es war nämlich von nichts anderem die Rede als von der in der Stadt immer heftiger um sich greifenden Pest, und aus allen diesen Edelleuten brachte man kein anderes Wort heraus als dergleichen Erzählungen von dem schnellen Verscharren der Leichen, von dem Strohfeuer, das man in den Totenzimmern brennen müsse, um die giftigen Dünste zu verzehren, und so fort; der Albernste aber erschien mir der Kanonikus von Chandieu, der, obwohl dick und gesund wie immer, sich nicht enthalten konnte, unausgesetzt nach seinen Fingernägeln hinabzuschielen, ob sich an ihnen schon das verdächtige Blauwerden zeige, womit sich die Krankheit anzukündigen pflegt.
Mich widerte das alles an, ich ging früh nach Hause und legte mich zu Bette, fand aber den Schlaf nicht, kleidete mich vor Ungeduld wieder an und wollte, koste es, was es wolle, dorthin, meine Freundin zu sehen, und müßte ich mit meinen Leuten gewaltsam eindringen. Ich ging ans Fenster, meine Leute zu wecken, die eisige Nachtluft brachte mich zur Vernunft, und ich sah ein, daß dies der sichere Weg war, alles zu verderben. Angekleidet warf ich mich aufs Bett und schlief endlich ein.
Ähnlich verbrachte ich den Sonntag bis zum Abend, war viel zu früh in der bezeichneten Straße, zwang mich aber, in einer Nebengasse auf und nieder zu gehen, bis es zehn Uhr schlug. Dann fand ich sogleich das Haus und die Tür, die sie mir beschrieben hatte, und die Tür auch offen, und dahinter den Gang und die Treppe. Oben aber die zweite Tür, zu der die Treppe führte, war verschlossen, doch ließ sie unten einen

feinen Lichtstreif durch. So war sie drinnen und wartete und stand vielleicht horchend drinnen an der Tür wie ich draußen. Ich kratzte mit dem Nagel an der Tür, da hörte ich drinnen Schritte: es schienen mir zögernd unsichere Schritte eines nackten Fußes. Eine Zeit stand ich ohne Atem, und dann fing ich an zu klopfen: aber ich hörte eine Mannesstimme, die mich fragte, wer draußen sei. Ich drückte mich ans Dunkel des Türpfostens und gab keinen Laut von mir: die Tür blieb zu, und ich klomm mit der äußersten Stille, Stufe für Stufe, die Stiege hinab, schlich den Gang hinaus ins Freie und ging mit pochenden Schläfen und zusammengebissenen Zähnen, glühend vor Ungeduld, einige Straßen auf und ab. Endlich zog es mich wieder vor das Haus: ich wollte noch nicht hinein; ich fühlte, ich wußte, sie würde den Mann entfernen, es müßte gelingen, gleich würde ich zu ihr können. Die Gasse war eng; auf der anderen Seite war kein Haus, sondern die Mauer eines Klostergartens: an der drückte ich mich hin und suchte von gegenüber das Fenster zu erraten. Da loderte in einem, das offen stand, im oberen Stockwerk, ein Schein auf und sank wieder ab, wie von einer Flamme. Nun glaubte ich alles vor mir zu sehen: sie hatte ein großes Scheit in den Kamin geworfen wie damals, wie damals stand sie jetzt mitten im Zimmer, die Glieder funkelnd von der Flamme, oder saß auf dem Bette und horchte und wartete. Von der Tür würde ich sie sehen und den Schatten ihres Nackens, ihrer Schultern, den die durchsichtige Welle an der Wand hob und senkte. Schon war ich im Gang, schon auf der Treppe; nun war auch die Tür nicht mehr verschlossen: angelehnt, ließ sie auch seitwärts den schwankenden Schein durch. Schon streckte ich die Hand nach der Klinke aus, da glaubte ich drinnen Schritte und Stimmen von mehreren zu hören. Ich wollte es aber nicht glauben: ich nahm es für das Arbeiten meines Blutes in den Schläfen, am Halse, und für das Lodern des Feuers drinnen. Auch damals hatte es laut gelodert. Nun hatte ich die Klinke gefaßt, da mußte ich begreifen, daß Menschen drinnen waren, mehrere Menschen. Aber nun war es mir gleich: denn ich fühlte, ich wußte, sie war auch drinnen, und sobald ich die Türe aufstieß, konnte ich sie sehen, sie ergreifen und, wäre es auch aus den Händen anderer, mit einem Arm sie an mich reißen, müßte ich gleich den Raum für sie und mich mit meinem Degen, mit meinem Dolch aus einem Gewühl schreiender Menschen herausschneiden! Das einzige, was mir ganz unerträglich schien, war, noch länger zu warten.

Ich stieß die Tür auf und sah: In der Mitte des leeren Zimmers ein paar Leute, welche Bettstroh verbrannten, und bei der Flamme, die das ganze Zimmer erleuchtete, abgekratzte Wände, deren Schutt auf dem Boden lag, und an einer Wand einen Tisch, auf dem zwei nackte Körper ausgestreckt lagen, der eine sehr groß, mit zugedecktem Kopf, der andere kleiner, gerade an der Wand hingestreckt, und daneben der schwarze Schatten seiner Formen, der emporspielte und wieder sank.

Ich taumelte die Stiege hinab und stieß vor dem Haus auf zwei Totengräber: der eine hielt mir seine kleine Laterne ins Gesicht und fragte mich, was ich suche, der andere schob seinen ächzenden, knirschenden Karren gegen die Haustür. Ich zog den Degen, um sie mir vom Leibe zu halten, und kam nach Hause. Ich trank sogleich drei oder vier große Gläser schweren Weins und trat, nachdem ich mich ausgeruht hatte, den anderen Tag die Reise nach Lothringen an.

Alle Mühe, die ich mir nach meiner Rückkunft gegeben, irgend etwas von dieser Frau zu erfahren, war vergeblich. Ich ging sogar nach dem Laden mit den zwei Engeln; allein, die Leute, die ihn jetzt innehatten, wußten nicht, wer vor ihnen darin gesessen hatte.

M. de Bassompierre, Journal de ma vie, Köln 1663.–
Goethe, Unterhaltungen deutscher Ausgewanderten.

DAS MÄRCHEN VON DER VERSCHLEIERTEN FRAU

Die junge Frau des Bergmannes trat ans Fenster der hinteren Stube, um zu sehen, ob die Sonne bald an den Rand des Berges sinken werde. Die Sonne stand aber noch hoch, die Nelken auf dem Fensterbrett warfen ganz kurze Schatten, und von unten rauschte der Bach eine merkliche Kühle herauf. Obwohl die Frau wußte, daß ihr Mann noch lange nicht von der Schicht heimkommen konnte, blieb sie doch am Fenster stehen und spähte durch die dämmernden Laubkronen hinüber auf ein paar gelbrote Flecke zwischen dem Grün: das war der Waldweg. Plötzlich aber mußte sie zurücktreten und sich mit beiden Händen an der Tischkante festhalten: der kleine wohlbekannte Abgrund vor dem Fenster, in dessen Tiefstem der kleine Sturzbach hintoste und über dessen ganzen grünen Abhang der gekrümmte Zweig eines Apfelbaums hinabgriff, verursachte ihr Schwindel. Sie heftete ihre ängstlichen Augen auf ihr dreijähriges Mädchen, das auf dem Fußboden spielte. Das Kind sah lächelnd zu ihr auf, zugleich fühlte die Mutter, wie das warme Blut ihrem Herzen wieder zuströmte. Sogleich nahm das Gesicht der jungen Frau einen hellen verklärten Ausdruck an: denn sie wußte, daß sie ein zweites Kind unter dem Herzen trug, und da sie dieses neue Leben nur erst ahnte und seine Regungen noch nicht fühlen konnte, so nahm sie diese ängstlichen Bewegungen ihres Blutes für eine Bürgschaft seines bewußtlosen Werdens. Sie nahm das Kind, das sie für sich schon »die Große« nannte, bei der Hand und ging aus der Stube. Als sie aber die Tür hinter sich zuschloß und nun auf der dämmrigen Dachtreppe stand, befiel sie ein neues Gefühl von noch viel heftigerer Bangigkeit: ihr war, als hätte sie, da sie die Tür zudrückte, den Deckel über einem Sarge zugedrückt; als wäre mit dem hellen Zimmer das ganze Glück ihres Lebens für immer hinter ihr versunken. Ihre Füße waren wie mit Blei gefüllt, und als sie hinunterkam, mußte sie sich auf den Steinrand des Brunnens setzen und ihre Schläfen pochten. Das Kind ließ sich gleich an der Mauer des Hauses nieder und fing an, mit einem alten verbogenen Zinnlöffel ein Mausloch aufzugraben. Es fragte was; die Mutter gab ihm aber keine Antwort: sie hatte den Kopf gewandt und ihr Blick hatte sich in die dunkle Tiefe des Brunnenschachtes verfangen. Sie sah den finstern Abgrund und sah etwas Lebendes, ihr unendlich Teueres hinabsteigen; sie konnte sich nicht regen, nicht schreien und mußte mit gelähmten Knien, mit starrem Aug geschehen lassen, was geschah. Auf einmal gab eine schnell um sich greifende innere Deutlichkeit ihr zu erkennen, daß es nicht ein gegenwärtiges sondern ein zukünftiges Leid war, dessen Schatten über sie sank wie ein Schleier von Blei. Ihre linke Hand preßte sich gegen ihren Leib: denn ihr war, als fühlte sie dem Leben, das da innen keimte, ein fürchterliches unnennbares Schicksal zubereitet. Allmählich hob sich der Knoten der Angst aus ihr, schien sich zu lösen und sich ringsum, ringsum zu verteilen. Licht und Dunkel, Berg und Bach und Luft schien eine einzige lauernde Gefahr, aber nicht für sie, sondern für das Wesen, das aus ihr geboren werden sollte. In ihrer beklommenen Finsternis glühte das neue Muttergefühl stärker und stärker durch, allmählich wich der Krampf, in einem rötlichen Dunst stand das Kind vor ihr und zupfte sie am Kleid. Die Sonne war längst hinab, alles stand in kühler Dämmerung, das Kind weinte stark und zog an der Hand, die sie noch immer an den Leib gepreßt hielt. Sie war vier Stunden so gesessen. Sie stand auf und schüttelte das Ängstliche aus den schlaftrunkenen Gliedern. Eine feuerfarbene gefüllte Nelke bog sich aus der dunkelnden Schlafstube ihr entgegen, wie ein Lebendiges. Die junge Frau sagte in sich: »Ich darf nicht traurig sein, solang ich es in mir trage, das ist ihm schlecht«, und sie hob die Arme über sich und langte nach der Nelke, sog ihren farbigen Glanz und ihren Duft in sich und sang etwas halblaut, das ihr aus einem alten Gesangbuch geblieben war:

»Ihr Nägelein, so zeigt euch an!
Ihr blüht und glüht, doch ist's ein Kleid:
ist um die Zeit, kommt Ewigkeit,
wird alle Kreatur befreit,
zeigt euch mir an, was wär't ihr dann?«

Sie sang nur um zu singen und ihr Herz achtete nicht auf den Sinn, sondern dachte dem Mann entgegenzugehn, ihn zu küssen und ihm die geheimen Ängstigungen völlig zu verschweigen und zu verbergen. Indem sah sie jenseits des Baches einen zwischen den Büschen hervortreten und den Abhang hinunterklimmen, wie einer der den Übergang sucht. Er war gekleidet wie ein Bergknappe, aber fremdartig und ganz in einem gleichförmigen dunklen Stoff. Unter der Mütze fiel links und rechts schlichtes braunes Haar in Strähnen herab und umrahmte das blasse junge Gesicht. Mit der Linken hielt er sich an einem Zweig und sah herüber auf die junge Frau. Seine Lippen, konnte sie erkennen, waren dünn wie einander berührende Messerrücken. Es schien, als brächte er eine Botschaft, und keine gute. Er schwang sich an dem Zweig nach rechts hinüber; die Frau ging vor, um die Ecke des Hauses; als sie aber an den Zaun trat und sich vorbeugte, war der Fremde verschwunden, und den Bach hinauf und hinab rührte sich kein Zweig, als die ins Wasser hingen und vom Wirbel ruckweise hin und her gerissen wurden. Es ängstigte sie, in der Dämmerung mit den tosenden schreienden Wasserstimmen allein zu sein; sie nahm das Kind, ging in die Küche, zündete ein Licht an und setzte es auf den Herd, noch ein zweites und setzte es in das kleine vergitterte Fenster, dann fing sie an Kartoffel zu schälen, und das Kind freute sich, wie davon ein Schatten an der Mauer herunterlief wie ein gewundenes Band.

Indessen ging ihr Mann die Straße herunter, die von der Tagesöffnung des Bergwerks zum Dorf hinabführte. Er ging bald auf der rechten, bald auf der linken Seite der Straße, wie einer der in tiefes Denken verloren ist. Auf der alten Steinbrücke über dem dunklen Wassersturz blieb er stehen und strich mit einem erwartungsvollen Blick die Felswand empor bis in die mächtigen drängenden Wolken, die droben noch im Lichte gingen; und blickte dann mit noch erregterer Erwartung in den feuchten rauschenden Abgrund hinab, als müßte sich da, und müßte sich im Augenblick, in lautlosen Angeln eine geheime Tür ihm auftun ins Innere. Denn er wußte: nun war die Zeit da. Es waren Zeichen über Zeichen gewesen, vorher, die hatten bedeutet: nun kommt die Zeit heran. Diese Zeichen hatte er lange nicht verstanden, ihn dünkten sie unscheinbar, obwohl sie wundervoll waren; und obwohl sie Vorzeichen waren, nahm er sie für Erinnerungen. Er nahm sie zu allermeist für vereinzelte grundlose und süße Erinnerungen aus unbestimmten früheren Zeiten seines Lebens. Es geschah ihm, daß er ein unbeschreibliches Wohlgefühl davon hatte, sich mit der linken Hand an die Bergwand zu stützen; oder daß er, wenn die feuchte Kühle des finstern Geklüfts ihn umschlug, die Augen schloß, und sich ganz in sich selber einwühlend, für einen Augenblick in der vollkommenen süßen Unschuld der Kinderzeit zu atmen glaubte. Manchmal kam es ihn so stark an, daß er eine Zeitlang jeden Hammerschlag, den er im Gestein, und dann wieder jeden Schritt, den er im Freien tat, traumweis im Reich der Erinnerung zu tun vermeinte. Und als er eines Tages in solcher Verfassung pochte, stand hinter ihm im Schein der Grubenlampe ein junger fremder Bergmann mit langsträhnigem braunem Haar, der ihm lange zusah, dann mit dünnen Lippen zu reden anfing und ohne den Gruß »Glück auf« ihn vielerlei fragte. »Wer seid denn Ihr?« fragte er selber den Fremden. »Das kann Euch gleich sein«, antwortete der Fremde schnell, »ich bin einmal da und will Euch zu Eurem Glück verhelfen.« »Ich will aber wohl erst wissen, wer und woher Ihr Seid«, sagte er noch einmal. Der Fremde zuckte ungeduldig, trat ganz nahe heran und beugte sich über den, der im Gestein saß. »Ich will mich ausweisen«, sagte er, »daß wir recht wohlbekannt sind. Hast du dich heute bei der stillen Arbeit wieder stark *erinnern* müssen?« »Ja«, sagte der andere halb unwillkürlich. »Und hast dich leicht gefragt: Wo tu ich diesen Hammerschlag? tu ich ihn hier oder tu ich ihn tausend Meilen von hier? wie?« Der andere bejahte mit den Augen. »Und wenn du zu Haus bist und gehst aus einem Zimmer ins andere und schlägst eine Tür hinter dir zu und öffnest eine andere, ist dir da nicht, als wären es gar nicht deines Hauses Stuben, in denen du umhergehst, sondern als tätest du Türen auf und zu, ganz ganz woanders, tausendmal woanders?« Dem Bergmann war, als schöbe sich in ihm etwas auseinander, sich so durchschaut zu fühlen.

»Und lebst so dahin«, redete der Fremde weiter, »und redest nichts und deutest nichts und willst nicht wissen, worauf das alles hinaus soll?« »Ja, soll's denn aus mir hinaus?« fragte der andere, und bei dem bloßen Gedanken überfiel ihn ein grenzenloses Gefühl von Öde und Verzweiflung. Der Fremde lachte lautlos: »Nichts soll heraus, sondern du sollst hinein. Hineinstoßen muß man so einen in seine eigene Glückseligkeit. So nimmst du denn wirklich das alles für Erinnerungen? Hast du denn je in früheren Zeiten ein solches Glücksgefühl verspürt? Ahnst du denn nicht, daß es lauter Vorzeichen sind, luftige Vorausspiegelungen, nichts als Vorgefühle des namenlosen Glücks, das auf dich wartet? Muß dir die verschleierte Frau noch viele Boten schicken, bis du dich aufmachst, zu ihr zu kommen?« Bei diesem geheimnisvollen Namen war dem Bergmann, als entzündete sich über seinem Kopf eine Lampe und durchdränge mit der Gewalt des Lichtes die Dumpfheit des finstern Gesteins rechts und links und oberhalb, ja auch seinen ganzen Leib und was unter ihm war, so daß er selber durchleuchtet inmitten durchschienener Gewölbe über durchfunkeltem Abgrund fest dastand. Und aus dem Innersten her durchsetzte ihn ein unnennbares völlig neues und doch überaus bestimmtes Gefühl seiner selbst, in dem alle die früheren ahnungsweisen Glücksgefühle enthalten waren, aber nur wie kleine Bläschen, die sich augenblicklich in der kristallenen flutenden leuchtenden Klarheit des Ganzen auflösten. Er sah die Gestalt des Fremden kleiner und undeutlicher vor sich, als stünde jener weit unten und jenseits bergestiefer Schluchten. Es drängte ihn, dem Fremden etwas zuzurufen. »Ich gehe meine Herrin aufzusuchen«, diese Worte kamen aus seinem Mund, ihn selber überraschend, und verschwebten klanglos in einem so ungeheueren Raum, daß ihn schwindelte. In diesem Augenblick hörte er schwere schlürfende Schritte sich nähern und hörte sich beim Namen rufen: »Hyacinth«, und nochmals »Hyacinth«. »Siehst du ihn?« sagte eine andere Stimme. »Mir scheint, er schläft«, antwortete die andere, »oder er redet mit einem Venediger.« Der Schein einer Grubenlampe schwankte heran und in dem finstern Gange standen vor Hyacinth zwei Bergleute, die im

Nachbarstollen arbeiteten. Der Fremde war verschwunden. »Ist dir deine Lampe ausgegangen?« fragte der eine. Hyacinth gab keine Antwort. Schweigend raffte er sein Zeug zusammen und ging hinter den andern her bis an den Förderschacht und fuhr zutage. Seine Füße trugen ihn aus Gewohnheit den Weg nach Hause; er ging bald auf der rechten, bald auf der linken Seite der Straße und wußte kaum, wo er ging; er fühlte nur das tiefe Müssen, das ihn zu der verschleierten Frau hintrieb, deren fernes verborgenes Dasein ihn überwältigte, daß er sie stärker leben fühlte als sich selber. Jenseits der gewölbten Brücke tat er einen unsicheren Schritt und stieß mit dem Knöchel hart gegen einen Stein. Als er den Schmerz fühlte, dachte es in ihm: »Der da hingeht und mit dem Fuß an die Steine stößt, der bin ich ja gar nicht. Ich bin ja der, der hinüber gehört«, und da er in diesem Augenblick den Kopf emporwarf und über sich im letzten schon erkaltenden Himmelslicht einen Sperber kreisen sah, dessen heftiges Schreien herniederdrang, so überkam es ihn einen Augenblick, daß er nicht wußte, ob er die Kreatur war, die drunten an der dunkelnden Bergwand vor sich schritt, oder die andere, die mit ausgebreiteten Flügeln droben hinglitt. Nun wußte er aber, daß dieses alles nur Vorausspiegelungen dessen waren, was ihn erwartete. Als er vor seinem Haus stand und den Lichtschein sah, der aus dem kleinen vergitterten Küchenfenster fiel, warf er über das alles einen sonderbaren Blick: es war ihm zumute, als hätte er das alles seit Jahren nicht gesehen und sähe es auch jetzt nicht wirklich, sondern als käme er nur in einem beklommenen Traum daran vorüber. Er trat an das erleuchtete Fenster, um hineinzusehen: da bemerkte er, daß wohl die Gitterstäbe auf die getünchte Mauer seitlich einen schwarzen scharfen Schatten warfen, sein Kopf aber nicht. Er hob die Hand zwischen das Licht und die Mauer, und auch die Hand warf keinen Schatten. Er trat ins Haus, hing seine Kappe an einen Nagel und öffnete die Küchentür. Seine Frau fuhr vor Schrecken, als er hereintrat, von dem niedrigen Holzschemel auf, und das Msser, mit dem sie geschält hatte, fiel klirrend zu Boden. »Du bist es, du, du!« brachte sie mühsam hervor, und ihr erschrockenes Gesicht lächelte gleich, und sie hing sich an ihn, indes die Kleine, den Kopf an der Mutter Knie gedrückt, angstvoll weinte. »Daß ich sitze und horche«, sagte die Frau, »und jede Maus höre, jeden Käfer draußen, und hör dich nicht, nicht gehen im Garten, nicht die Tür auftun, nicht in den Flur treten und nicht hereinkommen! Davon sind wir beide so erschrocken. Es war, wie wenn die leere Luft auf einmal eine menschliche Gestalt bekommen hätte, so warst du auf einmal da.« Sie gingen in die andere Stube, das Nachtmahl war schnell aufgetragen, und das Kind beruhigte sich bald bei seiner Milch: Jedesmal, wenn die Frau mit einer Schüssel oder einem reinen Löffel zum Tisch und in den Schein des Talglichtes trat, schien ihr junges argloses Gesicht dem Hyacinth verändert. Er hatte das Licht gleich so gestellt, daß auf ihn kein rechter Schein fiel. Das Kind saß ganz im Licht und wie sich die Frau zuletzt niederbeugte, um dem Kind den Mund abzuwischen, glaubte er eine zahnlose Greisin zu sehen, die mit ihren welken Wangen und eingefallnen Schläfen wie gierig nach lebendiger Wärme an dem weichen blonden leuchtenden Kinderkopf langsam hinstrich.

Er stand auf und sagte: »Ich bin recht müde und will mich gleich niederlegen.« Dabei nahm er das Licht in die Hand und hatte acht, sich schnell durch die Tür zu drücken. Die Frau entzündete noch einen Span, gab ihn dem Kind zu halten und räumte schnell den Tisch ab. Als Hyacinth die Tür hinter sich zugedrückt hatte, zuckte das Licht in seiner Hand, und wo es seinen unsteten blaßgelben Schein hinwarf, da schien dem Mann im Gehen sein ganzes Haus verändert, die Mauern alt und mit unheimlichen Rissen wie das Gemäuer eines alten Kirchhofs, die Dielen sogar seltsam und traurig verändert, die Klinken an den Türen verwahrlost und wie wenn seit vielen Jahren keine Hand sie berührt hätte. Er zog sich aus und legte seine Kleider auf einen Stuhl neben dem Bett; das Licht hatte er auf ein Gesims an der Wand gestellt, und von dort beschien es die Kleider, und sie sahen traurig aus wie das Bündel Kleider des unbekannten Verstorbenen, das manchmal im Amt auf einem Tisch neben dem zugedeckten Leichnam ausgestellt ist. Indem kratzten die Frau und das Kind an der Tür; ihr Span war ihnen ausgegangen und sie fanden lange die Klinke nicht. Wie sie hereintraten, hatte Hyacinth Mühe sich zu besinnen, wer diese Frau und dieses Kind denn wären und wie es käme, daß sie mit ihm in einer Kammer schliefen. Die da ihr Kind zu Bett legte und zudeckte, die in Strümpfen lautlos umherging und ihr Haar aufflocht, erschien ihm wie eine Tote, die in ihrem weißen Linnen aus dem Grab hervorgestiegen war, ein sonderbares wortloses Spiel zu treiben. Als sie ihr Gesicht ihm zukehrte, zu sehen, ob er schlafe, und dabei den Atem aus ihrem jungen Mund über die halboffenen Lippen blies, sah er unter ihrer Haut den beinernen lippenlosen Schädel und schlug unter innerem Stöhnen, das eine tiefe Erstarrung aber nicht zum Laut werden ließ, mit der Hand das Licht aus.

Nun stand die gewohnte liebe Gestalt im Dunkel; über dem weißen Hemd floß das dunkle Haar von den Schultern zur Brust; mit eingehaltenem Atem sah sie auf ihn hin, und da sie ihn eingeschlafen glaubte, so nickte sie mütterlich zufrieden. Dieses Nicken kam noch zu ihm; schon in die grundlose Tiefe eines auflösenden Schlafes versinkend hing sich sein Bewußtsein noch einen Augenblick daran wie an einen süßduftenden Zweig. Er fühlte sich noch lächeln, fühlte das andere Bette sich leicht bewegen und war eingeschlafen. Er erwachte und wußte, daß eine Stimme seinen Namen gerufen hatte; er richtete sich im Bette auf und wußte sogleich, daß nun der Anfang gekommen war. Er konnte aufstehen und das Bett ächzte nicht; er trat auf die Dielen, er kam in seine Kleider und es gab keinen Laut. Er hörte den ruhigen Atem der Frau, den schnellern des Kindes und draußen den nächtlich rauschenden Bach: da rief es nochmals. Er schwang sich durchs Fenster hinaus ins Freie und lief durch das tauige Unkraut hinab an die Straße. Die Straße lag leer da im Mond und stieg hinauf in den Wald und lief hinab ins dämmernde große Tal. Er stand nicht lange, da kam von droben her ein Lärm, halb Rauschen halb Dröhnen, anders als das Brausen der Wasserstürze und das Abrollen der Felsblöcke. Es kam näher, und sogleich brach es zwischen den nächtig riesenhaften Tannen mit schallendem Hufschlag, wildem Schnauben und schwerem Rollen hervor, dröhnte heran und war eine Kutsche, größer als die des

Fürstbischofs von Brixen, und als die vor Hyacinth ankam, riß der Kutscher, ein Großer mit finsterem rotfunkelndem Gesicht, die vier schweren schnaufenden Gäule zusammen, und der Wagenschlag sprang auf, nach der Seite wo Hyacinth stand, und er hinein und fiel mit dem Rücken in die Polster, so rissen die vier den Wagen dröhnend weiter.

– –

ZU ›DAS MÄRCHEN VON DER VERSCHLEIERTEN FRAU‹

NOTIZEN

Anfang: Er hat an Besitz gehangen: Ohrringe der Frau, Korallen, Muscheln. Schöne Wachslichter – (alles wirft keinen Schatten, kein Licht). Die Wangen der Frau geheimnislos. – Schluß: Auf ihren Wangen weicht der Schleier des Schlafes dem Schreck, der Schreck dem Glanz. – Das Fortsehnen: er legt sich plötzlich, auf einen Arm oder auf den Rücken, und diese Stellungen geben ihm die Ahnung von Möglichkeiten unerhörter Erlebnisse. – Geheimnis ahnt er, ist Element des Daseins. – (Was du für Erinnerungen nimmst, sind aber Kräftigkeiten deiner Seele. Anschwellen des Sturmes, wodurch du deine Macht ahnst und ahnst, wie dir als Liebling der Königin die Kreaturen unterworfen sein werden.) – Wie er die beunruhigenden Erinnerungen hat, Ergießungen der Phantasie, so hat die Frau Vorausdeutungen von Abgründen, Trennungen; Platzangst, kann Brunnen im Hof nicht ansehen: bezieht das auf ein Kind, mit dem sie schwanger geht. (Schluß: klärt sich auf, wie wundervoll das ist, daß sie sein Schicksal spürt wie ihren Leib.) Denkt sich ungefährliche Berufe für ihr Kind aus.
Verläßt seine Frau. Diese sieht sein Fortgehen. Tut dann die Augen auf, sieht gleichen Mond, sieht, daß es wirklich war.
Die Wanderung. (Er konnte nie erfahren, wie lange er ausgewesen war.) Sobald er bemerkt hat, daß es keine Erinnerungen sondern Vorausspiegelungen sind, sagt er sich: es muß Zusammenhang drin sein. Es ist ein tiefes Müssen, das mich die verschleierte Frau suchen heißt. Ich muß jetzt auf alle Zeichen recht achten. Der jetzt hungert und schlecht liegt, der ist's ja gar nicht (der bin nicht ich). Ich bin ja der, der hinüber gehört. Einmal, einen Fluß übersetzend, spürt er deutlich: nun trägt's mich ihr entgegen, und ist wieder sehr froh. Er wird gekreuzigt (etwas Ähnliches) und fühlt: das ist nur Hinübergehobenwerden. Noch auf dem Galgen, fängt er schon an jenseits zu leben. Er kommt zum Dorf der Zwerge, sagt

sich: jetzt muß ich zu denen in die richtige Lage kommen, die mich »hinein« bringt (wie: jetzt muß ich nur den Griff finden, der die Tür aufmacht), und kommt gleich in die Lage, einem mit [einem] Stein Erschlagenen beizuspringen und dafür als Mörder erwischt zu werden; gelangt dadurch in halbverfallene Kirche, wo ein Mosaik ihn sehr tröstet und ihm zeigt, daß er auf rechtem Weg ist. In einem Korb ertränkt, macht ihn ein im Schilf spielendes Kindlein los (sein eigenes, das er nachher geboren auf seiner Frau Brust schlafen findet).
Tritt in ein Zimmer, wo eine Familie düstere Reisevorbereitungen trifft – Haus der Abschiede.
1. Der Palast. Die beiden Gelähmten. Unterm Stein. Die Tänzerin, die als Flamme hinsinkt. Andeutung, wie die beiden gelähmt worden sind: die haben auch schon ihr geschlossenes Schicksal.
2. Müllers Tochter und der Vogel mit klagenden Augen. Der alte Müller. Die Zwerge. Sie haben jemanden erschlagen, ein Fußknöchel liegt im Mühlbach. Sie hat schon Geliebten als Freund (der Tote und der Vogel). – (Ein idyllisches Stadium: Kohlhäupter, ein klagender Vogel, bei dem Bauern, für den die Zwerge arbeiten und immer Säcke bringen.)
1 u. 2 sind zwei Gruppen, die Liebe, Leid, Verschuldung, Schicksal in sich tragen. Müllers Tochter sagt: er hat so gierige Augen, schick ihn doch zu den Zwergen. Die haben das Feuer, das alles aufschmelzen könnte. – Die Zwerge haben das Feuer: in Tiere, in Steine, in Säcke verborgen. Übergang: »Sucht hier zu helfen, vielleicht kann Euch auch mitgeholfen werden.«
Tiere besuchen ihn im Gefängnis (Unke, kleine Eule, Spinne): da er sie sehr liebgewinnt, zweifelt er nicht, daß sie von der Königin gesandt sind. Ihre Augen erscheinen ihm mitwissend. Für die Spinne singt er. Liebe ist (so ahnt er unbewußt) das Medium, in welchem die verschleierte Frau, und die ihr gehören, schwimmt.
Nachem ihn das Kind aus der Truhe befreit hat (das Kind ist gleich in der Höhle verschwunden), Gewimmel von freundlichen Tieren, dann die Spinnerin, dann der Eremit.
Eine Spinnerin auf dem Weg erscheint ihm sehr begehrens-

wert; ihr zuzusehen sehr wünschenswert; ihm ist, als spänne sie ihre Fäden aus seinem Leib, mit unbeschreiblichem Entzücken sieht er dem Faden zu. Nachher ist sie häßlich, schwere Züge; Raben und Kröten dienen ihr.
Nach der Rettung Wanderung: einsame Spinnerin, zu deren Füßen auf der riesigen Halde er sich hinlegen möchte. Er findet nach niedrigem und verlangendem Anschauen fremder Schicksale, nachdem man auch das reine schlackenlose Feuer nicht erlangen kann, einen mystischen Gewinn, einem Schicksal nachzuschauen. (»Ein Wesen ist's, woran wir uns erfreuen«; Einzeln-Existenz ist alles.) Er weiß nicht, wieviel Zeit da vergeht. Endlich sagt er: »helf Euch Gott!« Da wird sie ein Schwan. Er schreitet weiter, findet Eremiten.
Architekturgedanke der Wanderung: es wird erst gegen Ende ein Aufbau ahnungsweise erkennbar: daß jenes nicht hätte eintreten können, ohne auf jenes Frühere gebaut zu sein. Grundfesten werden im letzten Augenblick im Nachhinein erkannt. – Eine Lehre: Alles kann zu allem werden: die einzelnen Perlen der Schnur. Die Schlechten zerfallen, die Guten verwandeln sich. – Eine Lehre: Liebe überwindet die Zeit. – Eine Lehre: die Ökonomie des Ganzen: Feuer, das irgendwo konsumiert wird, muß sich von anderswo ersetzen. Alle haben mancherlei; was sie haben, scheint dem Wanderer eine Zauberharmonie: was ihnen fehlt, erwähnen sie, und es scheint ihm nur eine weitere Zierde ihres Mundes, daß sie diese Sehnsucht äußern.
Begegnung: ein schöner Fremdling mit einem Hund geht über eine Brücke. – Auf einem See, den er mit schweigsamem Fährmann gegen Abend übersetzt, der gebundene Bacchos, – hier zergehen die Planken seines Bootes und der See wird Smaragd. (Schütterndes Schiff.) – Der Park, in welchem die Schwestern, die Brüder, das redende Wasser und der singende Baum sind; bereiten sich auch zur Pilgerfahrt vor. Ein Springbrunnen und, endlich sich noch höher schwingend, ein Vogel fängt den letzten Schein der untergegangenen Sonne auf.
Der letzte Nachmittag: Riesiges Plateau. Jubelnder Einsiedler. Schwan, Sturm, Insel, sich brechende Wellen. Ungeduld.

Beflügelter Jüngling nimmt ihm die letzte Last ab, – dem Licht nach. – Sturm. Chaos. Er mit dem Schwan allein. Leuchtende Wellen, die ineinanderrinnen, jede ein leuchtendes Gehäuse voll Perlen, Fischen. – Der Sturm entsteht durch Liebesvision des Eremiten. Er entfesselt Ströme, Erdgewalten und Luftreiche.
Weissagung: du mußt den redenden Baum finden, eh die Sonne verschwindet. – Er spricht während des Sturmes mit dem Baum voll unendlichen Vertrauens. – (Der Wirbelsturm treibt den Baum, in dem er hängt, an den verschiedenen früher berührten Behausungen vorbei.) – Auf der Insel, die sich ausdehnt, ein Brunnen. – Die Insel der Wiedergeburt. Sie entsteht durch Erweiterung des Baumes, an dessen Wipfeln er mit einigen Tieren haftet. Sie erweitert sich schnell, treibt wie ein Schiff, bevölkert sich, blüht und grünt. Ist voll Laubengängen, Liebesglück, seliger Himmel. Er schweift in ihr herum wie in einem Brautgemach, ist sicher sie hier zu finden, dringt endlich bei Mondaufgang in die duftende (nach Leben duftende) Grotte ein und steigt tiefer und tiefer hinab.
Im Brunnenschacht: langes Hinabklettern, dann plötzlich Sich-Umdrehen-Müssen, dann hinauf. – Nach dem Umdrehen (das er einem Schwindel zuschreibt), wobei er mit den Händen hingreifen muß wo früher Füße waren, glaubt er wieder zur Insel zurückzukommen.
Vor dem Emporsteigen Ausruhen in einer dämmernden Grotte: dann steige noch ein paar Stufen: sieh in Spiegel. (Der Spiegel hat zwei große Flügel von Purpurfinsternis.) Hier ein unendliches Behagen: Vorgenuß, er ist einen Augenblick lang ein kleines Kind, pflückt Frucht, hebt sich damit aufwärts. Diese Frucht hat er noch in der Hand, wie er nach Haus kommt, »die Größere« nimmt sie ihm, es sind Trauben.
Aus einer Perle, die er neben dem Spiegel gefunden hat, wird immer, was die eben durchwanderte Atmosphäre verlangt.
Auf dem letzten Gefilde: der Einsiedler. Seither viele Stimmen in der Luft. Diese bleiben auch in der Rückkunft hangend, alle nach einem Wort verlangend: er wirft die Perle in die Luft, da kommt ihm das Wort in die Kehle.

Sein Zurückkommen: durch den Brunnen, in sein Schlafzimmer, mit verwandelten Augen: bei erstem Hahnenkraht, vor Sonnenaufgang. Blumen in der Morgenluft sich wiegend. In der letzten Zeit hat er gefühlt, ganz nahe der verschleierten Königin zu sein, die in ihrem Leib das Leben trägt. Die Frühluft, trächtige Sterne.
Rückkunft: in einem Spiegel sieht er die im Bett liegende Frau, im ersten Sonnenstrahl, erkennt sie aber nicht. Auf ihrer Brust bewegt sich lebendiges Geschmeide. – »Ich wußte es«, sagte die Frau, »die Nelken flammten – und noch zwei Zeichen: die Große las es in den Sternen (sah den Schwan).« – In seinem Munde bildet sich das Wort »Du«.

DIE WEGE UND DIE BEGEGNUNGEN

Der Flug der Vögel ist wundervoll in diesen strahlenden Tagen, und ich begreife vollkommen, daß ich diese Zeilen einmal augeschrieben habe: Je me souviens des paroles d'Agur, fils d'Jaké, et des choses qu'il déclare les plus incompréhensibles et les plus merveilleuses: la trace de l'oiseau dans l'air et la trace de l'homme dans la vierge. Diese Zeilen stehen, mit Bleistift an den Rand geschrieben, mitten in einem Reisebuch, und ich fand sie vor drei Tagen, als ich danach suchte, ob es eine Straße gäbe, wenn man vom Meer herauf nach Urbino gekommen sei, dann von dort zu Wagen übers Gebirg nach Assisi oder an den Trasimenischen See zu gehen. [Denn in diesen Tagen ist die Luft so wollüstig leise bewegt, und die Reinheit des Äthers so strahlend, und die Reinheit der Zweige, die in den reinen Himmel ragen, und das Hin- und Herjagen zweier kleiner Falken über dem Knauf der Kirche, und das ferne Flüchten eines schneeweißen Taubenschwarmes sind von solcher Gewalt über die Einbildung, daß es scheint als müsse überallhin eine Straße führen. Aber es ist sonderbar, wie völlig einem alles entschwinden kann.]* Ich sehe, daß diese Zeilen von meiner Schrift sind, sie sind zittrig geschrieben, vielleicht im Wagen, vielleicht in der Bahn; aber kein Nachdenken bringt mich darauf, woher sie stammen. Aus einem ältern französischen Buch vermutlich. Aber hätte ich damals in Umbrien in fremdartigen, seltenen Büchern gelesen? Ich weiß nichts davon. Wer ist Agur? Und wer ist der Redende, der sich Agurs entsinnt? Und dennoch habe ich dies geschrieben, und nun ist alles andre verloschen, und nur dies ragt herauf. Und irgendwo in mir, bei den Dingen, die ich erlebt habe, bevor ich drei Jahre alt war, und von denen mein waches Erinnern nie etwas gewußt hat, bei den Geheimnissen

* [...] Die in Klammern gesetzten Abschnitte standen nur im Erstdruck.

meiner dunkelsten Träume, bei den Gedanken, die ich hinter meinem eigenen Rücken je gedacht habe, wohnt nun dieser Agur – und wird vielleicht eines Tages heraufsteigen wie ein Toter aus einem Gewölbe, wie ein Mörder aus einer Falltür, und sein Wiederkommen wird seltsam sein, aber nicht seltsamer eigentlich als vorgestern nachmittags das Hereinstürzen der zurückgekehrten jungen Schwalbe, durch die Luft, durch die halboffene Haustür, ins alte Nest, einschlagend wie ein dunkler Blitz. Und eine Minute darauf, wie ein zweiter dunkler Blitz, aus dem Scheitelpunkt des Äthers, nachschlagend dem ersten, kam das Weibchen, die junge Schwester, und jetzt die Frau. Denn es sind Geschwister, ausgebrütet im vorigen Sommer in diesem Nest hinter unsrer Haustür. Wie wußten sie den Weg, herabfahrend aus der Unendlichkeit der Himmel? Wie wußten sie unter den Ländern dieses Land, unter den Tälern dies kleine Tal, unter den Häusern dieses Haus? Und wo in mir wohnt Agur, der dieses Wunder anstaunte über allen Wundern, und nichts geheimnisvoller fand als die Spur dieses Wunders, die unsichtbare Spur des Vogels in der Luft?

[Aber auch wir sind immer in Bewegung, und es läßt sich keine seltsamere und geheimnisvollere Figur denken als die scheinbar willkürlichen Linien dieses Weges. Sie durchkreuzen einander, sie führen zum Anfangspunkt zurück, durchschneiden ihn und führen wieder weg. Manchmal hinterlassen sie eine Spur von Blut und Feuer, die lange leuchtet. Manchmal lassen sie eine Spur, die so strahlt, daß sie nicht vergeht. Die mit Christus leben, gehen immerfort einen Weg bis an sein Ende und wieder zurück, so wie auf jener Leiter in Jakobs Traum die Engel immerfort aufwärts und abwärts stiegen. Es sind Ruhepunkte auf diesem Weg, die niemand vergessen kann, wie jenes Abendmahl, oder früher das Niederlassen auf einem Bergesabhang, mit Tausenden ringsum, die gekommen waren, zuzuhören. Und es sind Wendepunkte, Kreuzwege, scheinbare Möglichkeiten, diesen anderen Weg zu gehen, schauerliche Momente, die immer und immer wieder von gläubigen Seelen durchlebt werden, wie jenes Innehalten vor den Toren Jerusalems, jenes Warten auf die Eselin, die gebracht werden muß, »damit das Wort erfüllet werde«, oder jener höchste, furchtbarste Augenblick auf dem Ölberg. Wer dies angeschaut hat, diesen Weg und die Stationen dieses Weges, hat die Figur erblickt, deren Linien die Wege eines Menschen sind, deren größtes Geheimnis aber die Punkte sind, wo die Linien umbiegen. Die Züge Alexanders des Großen, die Züge des Kolumbus und der Konquistadoren, ich meine die ganzen Lebenslinien dieser Menschen, von der Wiege bis zum Scheiterhaufen oder zum Grab, mit ihrem Lauf durch Königspaläste, über die Leiber von Königen und dann wieder durch Kerker und Verliese, auf einer Tafel eingezeichnet, sind tiefsinnige Figuren, aber vielleicht entstünde eine noch tiefsinnigere Figur, wenn einer die Wege des Don Quichote vor sich hinzeichnen würde, deren Wendepunkte jene Windmühlen sind, und das Gasthaus mit den Marionetten, oder der Keller mit den Weinschläuchen, oder die Wege der Figuren Dostojewskis, die doch nur von einer Wohnung in eine andere führen, oder aus einem Keller auf einen öden Platz, hinter einen Schuppen, an eine traurige Feuermauer oder dergleichen. Denn ein ganz gewöhnliches Wohnzimmer, ein verwahrloster Schuppen oder eine abbröckelnde Mauer können ebensogut die endgültigen Wendepunkte eines Weges sein wie die Tore von Jerusalem oder die Gestade des Indus. Und das Zurückkehren des Raskolnikow in das Miethaus, in die Wohnung, wo er die Pfandleiherin erwürgt hat, ist nicht weniger ein Moment des Schicksals als das Heranschreiten von Hamlets Vaters Geist auf der Terrasse von Helsingör. Es ist nur sonderbar, daß alles immerfort auf dem Weg ist; daß, abgesehen von dem Niederliegen zum Schlaf – und auch Wanderer liegen zum Schlaf nieder –, diese beiden, Hamlet und seines Vaters Geist, seit Tagen auf dem Wege zueinander sind, und daß Raskolnikow von der Stunde des Mordes an sozusagen auf Umwegen diesen Weg zurück sucht nach dem Punkt, wo sein Schicksal sich zweimal entscheiden sollte, das eine Mal scheinbar, das andere Mal wirklich und endgültig.

Dieses beständige Auf-dem-Wege-sein aller Menschen muß der bohrende Traum der Gefangenen sein und die Verzweif-

lung aller treuen Liebenden. Ich habe gehört, daß in den Gefangenenhäusern keines von den erlaubten Büchern so sehnlich verlangt wird als eine Landkarte. Seine Finger auf einer Landkarte wandern zu lassen, das ist der spannendste Abenteurerroman: alle seine Abenteuer sind unbestimmt und alle Möglichkeiten sind offengelassen. Wir sind keine Gefangenen, und wir sind selbst immerfort auf dem Wege unseres Schicksals. Aber wenn wir für Augenblicke stocken, wenn wir ausruhen müssen und warten, so lesen wir in Büchern wie die Gefangenen in ihrer beschmutzten Karte, und dann wandern wir wieder mit Wandernden, ob es Sindbad ist, den die Wellen von Strand zu Strand werfen, oder Lovelace zu Pferd, in der Tasche den Schlüssel, der das Hinterpförtchen zum Park der Harlowes aufsperrt, oder Ödipus auf dem Wege nach Kolonos. Wir sind mit Franz von Assisi ebenso auf dem Weg wie mit Casanova. Und nichts ist uns im Grunde seltsamer als ein Mensch, der seine Stelle nicht wechselt. Wir wissen nichts von Sankt Simeon Stylites, als daß er dreißig Jahre auf einer Säule ausgeharrt hat, aber dieses eine Faktum wirft seinen starren, schmalen Schatten durch die Jahrhunderte und vertritt die Stelle einer ganzen Legende. Wir wissen zu wenig von Kant, aber unter dem wenigen ist der eine Zug, daß es ihn nie verlangt hat, etwas von der Welt zu sehen außer Königsberg, und dieser eine Zug hat etwas Ungeheures: mit ähnlichen sparsamen ewigen Zügen sind die erhabensten Göttergesichter des alten Ägypten in den schwarzgrünen ewigen Stein gemeißelt.]
Aber es ist sicher, daß das Gehen und das Suchen und das Begegnen irgendwie zu den Geheimnissen des Eros gehören. Es ist sicher, daß wir auf unsrem gewundenen Wege nicht bloß von unsren Taten nach vorwärts gestoßen werden, sondern immer gelockt von etwas, das scheinbar immer irgendwo auf uns wartet und immer verhüllt ist. Es ist etwas von Liebesbegier, von Neugierde der Liebe in unsrem Vorwärtsgehen, auch dann, wenn wir die Einsamkeit des Waldes suchen oder die Stille der hohen Berge oder einen leeren Strand, an dem wie eine silberne Franse das Meer leise rauschend zergeht. Allen einsamen Begegnungen ist etwas sehr Süßes beigemengt,

und wäre es nur die Begegnung mit einem einsam stehenden großen Baum oder die Begegnung mit einem Tier des Waldes, das lautlos anhält und aus dem Dunkel her auf uns äugt. Mich dünkt, es ist nicht die Umarmung, sondern die Begegnung die eigentliche entscheidende erotische Pantomime. Es ist in keinem Augenblick das Sinnliche so seelenhaft, das Seelenhafte so sinnlich als in der Begegnung. Hier ist alles möglich, alles in Bewegung, alles aufgelöst. Hier ist ein Zueinandertrachten noch ohne Begierde, eine naive Beimischung von Zutraulichkeit und Scheu. Hier ist das Rehhafte, das Vogelhafte, das Tierischdumpfe, das Engelsreine, das Göttliche. Ein Gruß ist etwas Grenzenloses. Dante datiert sein »Neues Leben« von einem Gruß, der ihm zuteil geworden. Wunderbar ist der Schrei des großen Vogels, der seltsame, einsame, vorweltliche Laut im Morgengrauen von der höchsten Tanne, dem irgendwo die Henne lauscht. Dies Irgendwo, dies Unbestimmte und doch leidenschaftlich Begehrende, dies Schreien des Fremden nach der Fremden ist das Gewaltige. [In der Umarmung ist das Fremdsein, das Fremdbleiben das Furchtbare, das Grausame, das Paradoxon – in der Begegnung flattert um jeden von beiden seine ewige Einsamkeit wie ein prachtvoller Mantel, und es ist, als könnte er ihn auch von sich werfen, im nächsten Augenblick schon.] Die Begegnung verspricht mehr, als die Umarmung halten kann. Sie scheint, wenn ich so sagen darf, einer höheren Ordnung der Dinge anzugehören, jener, nach der die Sterne sich bewegen und die Gedanken einander befruchten. Aber für eine sehr kühne, sehr naive Phantasie, in der Unschuld und Zynismus sich unlösbar vermengen, ist die Begegnung schon die Vorwegnahme der Umarmung. Solche Blicke hefteten die Hirten auf eine Göttin, die plötzlich vor ihnen stand, und es war etwas in dem Blick der Göttin, woran der dumpfe Blick des Hirten sich entzündete. Und Agur hat recht, wenn er ein König war oder ein großer Scheich in der Wüste, ein weiser und prunkvoller Kaufmann oder ein Seefahrer unter den Seefahrern – er hat recht, daß er am Abend seiner Tage, sitzend im Schatten seiner Weisheit und Erfahrung, jene beiden Wunder in der Rede seines Mundes in eines verflicht: das Geheimnis der Umarmung und das Geheimnis des Fluges. Aber wer ist Agur, der in mir lebt mit seiner lebendigen Rede? Soll ich wirklich in mir sein Gesicht nicht sehen können? Seine Erfahrungen sind reich und üppig, der Ton seiner Rede ist der Ton des Erfahrnen, aber lässig. Er verschmäht es, den Prediger zu machen, sondern läßt nur dann und wann ein Wort fallen, das reich und schwer ins Ohr des Hörers sinkt. Wie Boas muß ich ihn denken, der einen schönen weißen Bart hatte und ein gebräuntes Gesicht, der gekleidet ging in ein feines Linnen, und auf dessen Kornfeldern den Armen nicht verwehrt war, die Ähren zu lesen. Aber habe ich nicht einmal sein Gesicht gesehen? Freilich, nur im stummen Traum, und der, dessen Gesicht ich sah, hatte keinen Namen. Aber nun dünkt mich, das war jener Agur, und ich muß die Rede, die meine eigne Handschrift mir überliefert, in den Mund dessen legen, von dem mir einmal träumte, und der, wie der Traum ihn malte, ein Patriarch war unter den Patriarchen, ein König über ein namenloses gewaltiges Volk von Wandernden.

Dies war der Traum. Ich lag und war müde von einem weiten Weg über Berge. Es war noch Sommer, aber gegen Ende des Sommers, und als mitten in der Nacht ein Sturm die Balkontür aufriß und der See heftig rauschend gegen die Pfähle schlug, sagte ich mir, halb im Schlaf: »Das sind die Herbststürme.« Und zwischen Schlaf und Wachen durchfloß mich ein unbeschreibliches Glücksgefühl über die Weite der Welt (über deren halberleuchtete Berge und Täler und Seen jetzt der Sturm hinbrauste). In dieses Gefühl versank ich wie in eine weiche dunkle Welle und war sogleich mitten im Traum und war draußen und droben, in der halberleuchteten fahlen Nacht, im Sturm, auf dem weiten Abhang eines großen Berges. Aber es war mehr als der Abhang eines Berges, es war eine ungeheure Landschaft, es war – dies konnte ich nicht sehen, sondern ich wußte es – der terrassenförmige Rand eines gigantischen Hochlandes, es war Asien. Und um mich war, gewaltiger als der Sturm, und die fahle, halberleuchtete Nacht mit großmächtiger Unruhe erfüllend, ein ungeheurer Aufbruch. Ein ganzes Volk war um mich, und das ganze Volk war im Dunkel geschäftig, seine Zelte abzubrechen und seine Habe auf Packtiere zu laden. Ganz nahe von mir waren Gruppen stummer Menschen, hastig beluden sie Kamele und andre Tiere; aber es war sehr finster. Ich legte auch mit Hand an bei einem Zelt, das noch nicht abgebrochen war. Ich war allein in dem Zelt, riß die Zeltpflöcke aus der Erde, und bei einem halben Licht sah ich die prachtvolle Arbeit, die den untern Saum des Zeltes schmückte: ein sehr künstlerisches Ornament, aus dunkelbraunen Lederstreifen aufgenäht auf ganz hellen naturfarbenem Leder. Immerfort war um mich die dumpfe Bewegung des ungeheuren Aufbruches, ich fühlte, wie alles unter der Gewalt des Befehles geschah, eines Befehles, gegen den es keinen Widerspruch gab. Und ohne weiters wußte ich, daß das Zelt, an dem ich arbeitete, ein Teil von *seinem* Zelte war, von dem Zelte dessen, der den Aufbruch befohlen hatte, und von dem alle Befehle kamen. Und als müßte es so sein, stieg ich auf einen Klumpen übereinandergelegter Decken der Maultiere, schob irgend etwas in der Zeltwand auseinander und sah hinein in das Hauptzelt. Es war finstrer darin als dort, wo ich stand. Erst allmählich konnte ich sehen, dann aber ganz deutlich. Das Zelt war ohne Möbel oder Schmuck, nur die dunklen Wände. An der einen Seite lagen auf einer großen Decke, auf einer dunkelroten oder rotvioletten Decke, ein junges Weib von dunkler Blässe, von einer unbeschreiblichen dunklen Blässe und Schönheit, aus deren Armen ein Mann sich löste, ein großer, hagerer Mann, aufstand und dicht vor meinen Augen vorüberging durch das leere Zelt an die entgegengesetzte Wand. Die Junge – sie trug nichts als breite Armreifen – hob stumm die Arme nach ihm, wie um ihn zurückzurufen, aber er sah sich nicht nach ihr um. Auch ich hatte sein Gesicht kaum gesehen, aber ich wußte, daß er alt war, alt und gewaltig, mit einem zweigeteilten wehenden Bart, um den Kopf einen erdfarbenen Turban. Aber sein sehr schlanker Körper, nackt bis zum Gürtel, seine langen dünnen Arme waren wie die eines jungen Mannes, voll Leichtigkeit und Kühnheit. Von der Hüfte hing ihm ein langer Schurz von dem unbeschreiblichsten Gelb. Ich will den Ton dieses Gelb wiedererkennen, wo und wann immer es mir wieder vor die Augen käme. Es war herrlicher als das Gelb auf alten persischen Kacheln, strahlender als das Gelb der gelben Tulpe. Jetzt war er an der Zeltwand gegenüber, der dunkelsten, und riß dort einen Vorhang auf, daß ein großes Fenster entstand. Der Wind wehte herein und warf seinen zweigeteilten weißen Bart über seine erdbraunen mageren Schultern nach rückwärts. Die schöne Frau hob sich bittend auf und schien ihn zärtlich beim Namen zu rufen, aber die Luft trug mir den Laut nicht zu. Ich sah nur ihn und sah durch das Fenster, das er in die Zeltwand gerissen hatte, hinaus: da war draußen die halberleuchtete Nacht, das unabsehbare gestufte Bergland und der stumme Aufbruch eines ganzen Volkes. Und sein bloßes Dastehen an dem viereckigen Ausschnitt des Zeltes, das über alle Zelte erhöht war, brachte einen stummen, wilden Tumult in den ganzen Aufbruch, und selbst die Wolken schienen schneller unter dem ziemlich bleichen Mond über das Bergland hinzujagen. Dieser Mann und kein andrer war Agur.

ERINNERUNG SCHÖNER TAGE

Die Sonne stand noch ziemlich hoch, als wir ankamen, aber ich ließ sogleich in die engen dunklen Gassen einbiegen. Ferdinand und seine Schwester saßen nebeneinander, als wir so lautlos hinglitten, und ihre Augen gingen über die alten Mauern, deren rote und graue Spiegelung wir zerteilten, über die Portale, deren Schwelle das Wasser bespülte, über die steinernen, feuchtglänzenden Wappen und die mächtig vergitterten Fenster. Wir fuhren unter kleinen Brücken durch, deren feuchte Wölbung dicht über unseren Köpfen war, über die kleine alte Frauen und ganz gebogene alte Männer hinhumpelten und nackte Kinder sich seitlich herabließen, um zu baden. Vor einem engen, stillen Platz ließ ich anlegen. Stufen führten zu einer Kirche. In den Mauern standen viele Steinfiguren in Nischen und traten in das Abendlicht vor... Die Geschwister wollten stehenbleiben, aber ich zog sie fort, hinter mir her, durch noch engere Gassen, in denen kein Wasser war, sondern Steinboden, endlich durch einen dumpfen finsteren Schwibbogen hinaus auf den großen Platz, der dalag wie ein Freudensaal, mit dem Himmel als Decke, dessen Farbe unbeschreiblich war: denn es wölbte sich das nackte Blau und trug keine Wolke, aber die Luft war gesättigt von aufgelöstem Gold, und wie ein Niederschlag aus der Luft hing an den Palästen, die die Seiten des großen Platzes bilden, ein Hauch von Abendrot. Die beiden Geschwister, die zum erstenmal dies sahen, waren wie in einem Traum. Katharina sah zur Rechten hin auf den Palast des Sansovin, diese Säulen, diese Balkone, Loggien, aus denen die Schatten und das Strahlende des Abends was Unwahrscheinliches machten – den stummen Anfang eines Festes, zu dem der Tag und die Nacht geladen waren; sie sah zur Linken den älteren Palast, dessen rote Mauern zu leben schienen, den phantastischen Turm mit der blauen Uhr, sie sah vor sich die märchenhafte Kirche, die Kuppeln, die ehernen Pferde hoch oben, die durchsichtigen, steinernen Gehäuse, in denen Gestalten standen, die goldenen Tore, das Innere geheimnisvoll leuchtend, und sie fragte immer wieder: »Ist dies wirklich? kann dies wirklich sein?« Ferdinand eilte immer vorwärts: »Kommt noch etwas? Geht es noch weiter?« fragte er. Nun stand er und sah das offene Meer und Barken und Segel und Säulenportale, neue Kuppeln drüben, und den Triumph des Abends auf Wolken wie ferne Goldgebirge, jenseits der Inseln. Nun kehrte er sich um, uns zu rufen, da gewahrte er hinter sich die Wucht des Glockenturmes, pfeilgerade aufsteigend, daß das leuchtende Gewölbe droben vor ihm zurückzuweichen schien. »Ich will hinauf!« rief Ferdinand, der selten einen Turm, und wäre es einer Dorfkirche, unbestiegen ließ. Aber Katharina nahm ihn heftig bei der Hand, daß er sich umwenden mußte, und mit ihren beiden Händen zeigte sie vor sich hin und blieb nicht stehen, sondern ging immer vorwärts gegen das Wasser, in dem ein Strom von goldenem Feuer sich über einem tiefen blauen, metallisch blinkenden Element hinzuwälzen schien. Ferdinand blieb neben ihr; nun waren sie nah dem Rande, die Männer in den Barken, die in dem blendenden, traumhaften Licht völlig schwarz aussahen, winkten ihnen; einer ruderte nahe heran, sie ließen sich zu ihm hinunter in das schwarze Boot und glitten hinaus in die Feuerstraße. Viele Barken waren draußen, und zwischen ihnen schnitten die finstern Segelboote durch, alles war beladen mit Leben, überall waren Gesichter, die sich einander entgegentragen wollten, und die Wege, die einander durchkreuzten, waren wie magische Figuren auf einer feurigen Tafel, und in der Luft flogen dunkle kleine Vögel, und auch ihre Wege waren solche Zauberfiguren. Ich mußte, wie ich so auf der Brücke stand und an dem glatten, uralten Stein mich überlehnte und draußen zwei Barken zueinander lenkten, jäh an Lippen denken, wie sie den langentwöhnten Weg zu geliebten Lippen leicht und traumhaft wiederfinden. Ich fühlte die schmerzliche Süßigkeit des Gedankens, aber ich schwamm zu leicht auf der Oberfläche meines Denkens, ich konnte nicht hinabtauchen, um zu erfahren, an wen ich im Innersten gedacht hatte; so traf mich der Gedanke wie ein Blick aus einer Maske, und mir war, als wär es Katharinens Aug, deren Mund ich noch nie geküßt hatte. Nun war alles in Feuer, hinter den Inseln die Wolken schienen in goldenen Rauch aufzugehen, der Geflügelte auf seiner goldenen Kugel glühte: ich begriff, es war nicht nur die Sonne dieses Augenblicks, sondern vergangener Jahre, ja vieler Jahrhunderte. Mir war, als könnte ich dies Licht nie mehr aus mir verlieren, ich wandte mich und ging zurück. Mädchen streiften an mir vorbei, eine stieß die andere und riß ihr das schwarze Umhängtuch von rückwärts herab; da sah ich ihren Nacken zwischen dem schwarzen Haar und dem schwarzen Tuch, das sie gleich wieder hinaufzog: aber das Leuchten dieses schmächtigen Nackens war ein Aufleuchten des Lichtes, das überall war, aber überall zugedeckt wurde. Die Halbkinder mit den Umhängtüchern waren gleich wieder verschwunden, wie Fledermäuse in einem Mauerspalt, und ein alter Mann kam vorbei, und im Tiefsten seiner Augen, die Augen eines traurigen alten Vogels waren, war ein Funken von Licht. Ohne es zu wollen, denn mir war zu wohl, als daß ich etwas gewollt hätte, ging ich nun im Kreis und trat wieder durch den Schwibbogen zurück auf den großen Platz, ging unter den Säulengängen hin. Aber das goldne Leben des Feuers war nicht mehr in der Luft, nur in den erleuchteten Läden, die überall waren, unter den dämmernden Säulengängen lagen Dinge, die leuchteten: da war der Laden eines Juweliers mit Rubinen, Smaragden, Perlen, kleinen an Schnüren und großen, die jede ihren Schimmer um sich hatte wie der Mond. Ich trat vor die Butike eines Antiquitätenhändlers, da lagen alte Seidenstoffe mit eingewebten Blumen aus Gold und Silber: in diesen Seiden war überall das Leben des Lichtes und ich weiß nicht was für eine Erinnerung an schöne Gestalten, von denen diese starren Hüllen in lebendigen Nächten abgefallen waren. Gegenüber war ein kleiner Laden, da funkelten blaue und grüne Schmetterlinge und Muscheln, besonders Nautilusmuscheln, die aus Perlmutter sind und die Form eines Widderhorns haben. Ich stand vor jedem Laden und ging hin und wider von einem zum andern dieser Geschöpfe, aus denen das Leben des Lichtes auch bei Nacht nicht weicht, und ich war voll Lust, etwas dergleichen

mit meinen Händen hervorzubringen, aus der gärenden Seligkeit in mir etwas zu bilden und es auszuwerfen. Wie die feurige, feuchte Luft eines Inselstrandes den funkelnden Schmetterling aus sich bildet, wie das Meer mit dem unter seiner Wucht begrabenen dämonischen Licht die Perle und den Nautilus bildet und sie auswirft, so wollte ich etwas bilden, das funkelte von der inneren Lust des Lebens, und es hinter mich werfen, wenn der unaufhaltsame und entzückende Sturz des Daseins mich dahinriß.
Und ich fühlte wohl die dunkeln Kräfte, aber ich wußte noch nicht, was es war, das ich machen sollte. So ging ich zurück nach dem Gasthof, und mir fiel ein, daß ich mein Zimmer noch nicht gesehen hatte. Als ich die finstere Treppe hinaufstieg, kam eine junge Frau an mir vorbei. Sie war sehr groß, sie trug ein helles Abendkleid und Perlen um den bloßen Hals. Sie war eine von den Engländerinnen, die antiken Statuen gleichen. Wunderbar war der junge Glanz ihres fast strengen Gesichtes und der Schwung ihrer Augenbrauen, die geformt waren wie Flügel. Sie stieg hinunter an mir vorbei und sah mich an, weder flüchtig noch überlange, weder scheu noch allzu sicher, sondern ganz ruhig. Ihr Blick war einer Art mit ihrer Schönheit, die voll Gleichgewicht war, die mitten inne war zwischen der Anmut eines jungen Mädchens und dem allzubewußten Glanz einer großen Dame. Sie hätte in einem Maskenspiel Diana spielen mögen, die von Aktäon überrascht wird, aber man hätte gesagt: Sie ist zu jung. Sie wartete unten und sah herauf, das fühlte ich mehr als ich es sah, und nun kam ihr Mann oder ihr Freund an mir vorüber, der auch jung, sehr groß und ein schöner Mensch war, mit dunklem Haar und einem Mund, der einst, wenn er älter wäre, aussehen würde wie der Mund einer römischen Imperatorenbüste, eines jungen Nero. – –

Ich lag auf dem Bette und war noch halb angekleidet und hörte durch die Tapetentür die Stimmen der beiden im Nebenzimmer. Unten tief plätscherte es leise, das war wohl der Laufbrunnen in der Gasse, nein, das war nicht die Dorfgasse, es war das Meer, das an den marmornen Stufen des Hauses leckte. Von ferne kamen die singenden Stimmen; sie mußten jetzt mit ihren lampionbehängten Barken drüben sein, drüben bei den Inseln, vielleicht waren sie ausgestiegen und hatten ihre Lampions in die Zweige des Klostergartens gehängt und saßen beieinander im Gras zwischen fünftausend blühenden Lilien und Rosmarinstöcken und sangen. Die Töne waren wie hochfliegende Vögel, so hoch, daß sie das Licht, das hinter der Welt hinabgestürzt ist, noch halten, bis es überall wieder zu leben angefangen. Nun erlosch das Singen, aber auf einmal tauchte es ganz nahe wieder auf, dunkel tönender, voller, wie der seelenvolle Laut eines Vogels war es, so nahe der menschlichen Sprache, menschlicher als die Sprache, getränkt mit dunklem hervorquellenden Leben, nicht überlaut und doch ganz nahe bei mir. Dort hinter der Tapetentür war es: es war kein Singen, es war ja das leise, dunkeltönige Lachen dieser schönen großen Frau: o wie sie ganz in diesem Lachen gewesen war, ihr schöner hoher Leib, ihre gebietenden Schultern. Nun sprach sie: sie sprach mit dem, der ihr Mann war oder ihr Freund. Ich konnte nicht verstehen, was sie sprachen. Versagte sie ihm, um was er flüsternd bat? Sie durfte gewähren, sie durfte versagen, sie durfte alles. Es war solch ein schwellendes Gefühl ihres Selbst im Klang ihres halblauten Lachens. Nun ging daneben eine Tür und draußen auf dem Gang tönten Schritte. Dann war alles still. So war sie allein. Es war in diesem Augenblick herrlicher, von dieser Einsamkeit umspielt allein zu sein und neben ihr, als bei ihr. Es war eine Herrschaft über sie aus dem Dunklen. Es war Zeus, dem noch nicht eingefallen ist, daß er Amphitryons Gestalt wie einen Mantel um seine göttlichen Glieder schlagen kann und *ihr* erscheinen, die zweifeln wird und an ihren Zweifeln zweifeln und ihr Gesicht verwandeln unter diesen Zweifeln wie eine Welle. Aber das Dunkel wollte mich in sich hineinziehen, in ein schwarzes Boot, das auf schwarzem Wasser hinglitt. Nirgends mehr lebte das Licht als hier in der Nähe dieser Frau. Mein Denken durfte nicht ganz ins Dunkel fallen, sonst schlief ich auch: wie ein Sperber mußte es immer über dem Leuchtenden kreisen, über der Wirklichkeit, über mir und dieser Schlafenden. Wollust des Fremden, der kommt und geht... – so nährte sich mein Denken vom Leuchtenden und kreiste weiter – ... die Anrechte des Herrn haben und doch fremd sein... So muß es diesem zumute sein, der heute nicht neben seiner Geliebten schlafen darf. So muß es sein. Kommen und Gehen. Fremd und daheim. Wiederkommen. Zuweilen kam Zeus wieder zu Alkmene. Auf Verwandlungen geht unsere tiefste Lust. Von dieser entzükkenden Wahrheit brannte das Denken so hell wie eine lodernde Fackel. Nein, vier lodernde Fackeln, über jedem Bettpfosten eine. Es ist der alte finstre Fackelwagen; jetzt legen sich die Pferde ins Geschirr, es reißt mich hin in die Nacht. Ich muß liegen, stilliegen, wie ein Schlafender, denn es geht ja bergauf, hinauf ins Gebirg, auf steinernen Brücken über tosende Bäche, ganz hinauf ins alte Dorf. Hier geht der Bach still und tief zwischen den alten Häusern hin. Ich muß mich eilen: ich muß ja den Fisch fangen, eh der Morgen graut. Im Dunkel, wo das Mühlwasser am tiefsten und am reißendsten geht, ober dem Wehr, dort steht im Dunkel der große alte Fisch, der das Licht geschluckt hat. Stechen muß ich nach ihm mit dem Dreizack, so kann ich das Licht mit den Händen aus seinem Bauch nehmen. Das Licht, das er verschluckt hat, ist die Stimme der Schönen, nicht die Stimme, mit der sie spricht, sondern ihr geheimstes Lachen, womit sie sich gibt. Ich muß den Dreizack suchen, weiter oben am Bach, zwischen Wacholdergebüsch. Die Wacholder sind klein, aber sie sind mächtig, wenn sie so beisammenstehn: sie sind treu, das ist ihre Kraft. Wenn ich unter sie gerate, verwandle ich mich nie mehr. Ich will nur mit der Hand zwischen sie hinein nach dem Dreizack greifen, da zuckt etwas, das ist Katharinas noch nie geküßter Mund. So stehe ich wieder und getraue mich nicht. Aber ich bedarf ja auch dessen, was ich da suche, nicht mehr, denn es ist schon nahe dem Morgen. Ich höre Glocken und Orgeltöne. Sicherlich ist Kathi jetzt schon leise die Treppe hinunter und betet in der Markuskirche, betet wie ein Kind ein Lippengebet, träumt dann wortlos vor sich hin in der goldnen Kirche.

Es war ein Schlaf und immer ein neues Hinüberwachen in neue Träume, Besitzen und Verlieren. Ich sah meine Kindheit ferne wie einen tiefen Bergsee und ging in sie hinein wie in ein Haus. Es war ein Sichhaben und Sichnichthaben – Alleshaben und Nichtshaben. Es mischte sich Morgenluft der Kinderzeit und Ahnung des Todseins, die Weltkugel schwebte vorüber im blauen starren Licht, indes ein Toter tiefer und tiefer ins Dunkel sank, und dann war es eine Frucht, die mir entgegenrollte, aber meine Hand war zu kalt und steif, um sie zu fassen: da sprang ich selber als Kind unter dem Bett hervor, auf dem ich selber mit kalten, steifen Händen lag, und haschte danach. Aus jedem Traumbild schlugen wie aus Äolsharfen Harmonien heraus, ein Widerschein von Flammen fiel auf die weiße Decke, und der frühe Meerwind hob und bewegte das weiße Papier auf dem kleinen Tischchen. Abgefallen war der Schlaf, fröhlich berührten die nackten Füße den Steinboden, und aus dem Waschkrug sprang das Wasser mit eigenem Willen wie eine lebendige Nymphe. Die Nacht hatte ihre Kraft in alles hineingeströmt, alles sah wissender aus, nirgendmehr lag Traum, aber überall Liebe und Gegenwart. Die weißen Blätter leuchteten im vollen Morgenlicht, sie wollten mit Worten bedeckt sein, sie wollten mein Geheimnis haben, um mir dafür tausend Geheimnisse zurückzugeben. Neben ihnen lag die schöne große Orange, die ich abends hingelegt hatte; ich schälte sie und aß sie eilig. Es war, als lichtete ein Schiff die Anker und ich müßte hastig fortgehen in eine fremde Welt. Eine Zauberformel drängte und zuckte in mir, aber das erste Wort fiel mir nicht ein. Ich hatte nichts als die durchsichtigen farbigen Schatten meiner Träume und Halbträume. Wenn ich sie voll Ungeduld an mich heranreißen wollte, wichen sie zurück, und es war, als hätten die Wände und die sonderbar geformten altmodischen Möbel des Gasthofzimmers sie in sich gesogen. Das ganze Zimmer sah noch immer wissend aus, aber höhnisch und leer. Aber sogleich waren die Schatten wieder da, und indem ich mit dem Herzen gegen sie drängte und meinen Wunsch, der auf Treue und Untreue, auf Scheiden und Bleiben, auf Hier und Dort zugleich gerichtet war, gegen sie spielen ließ wie eine Zaubergerte, fühlte ich, wie ich wirkliche Gestalten aus dem nackten Steinboden vor mir ziehen konnte und wie sie leuchteten und körperliche Schatten warfen, wie mein Wunsch sie gegeneinander bewegte, wie sie ja um meinetwillen da waren und sich doch nur umeinander bekümmerten, wie mein Wunsch ihnen Jugend und Alter und alle Masken angebildet hatte und in ihnen sich erfüllte und sie doch von mir abgelöst waren und eines nach dem anderen und jedes nach sich selber gelüsteten. Ich konnte mich von ihnen entfernen, konnte einen Vorhang vor ihr Dasein fallen lassen und ihn wieder aufziehen. Aber immerfort, wie die Strahlen der schrägen Sonne hinter einer üppigen Gewitterwolke auf eine fahlgrüne Gartenlandschaft fallen, sah ich, wie die Herrlichkeit der Luft, des Wassers und des Feuers gleichsam von oben her in schrägen, geisterhaften Strahlen in sie hineinströmte, so daß sie für mein geheimnisvoll begünstigtes Auge zugleich Menschen waren und zugleich funkelnde Ausgeburten der Elemente.

LUCIDOR

FIGUREN ZU EINER UNGESCHRIEBENEN KOMÖDIE

Frau von Murska bewohnte zu Ende der siebziger Jahre in einem Hotel der inneren Stadt ein kleines Appartement. Sie führte einen nicht sehr bekannten, aber auch nicht ganz obskuren Adelsnamen; aus ihren Angaben war zu entnehmen, daß ein Familiengut im russischen Teil Polens, das von Rechts wegen ihr und ihren Kindern gehörte, im Augenblick sequestriert oder sonst den rechtmäßigen Besitzern vorenthalten war. Ihre Lage schien geniert, aber wirklich nur für den Augenblick. Mit einer erwachsenen Tochter Arabella, einem halb erwachsenen Sohn Lucidor, und einer alten Kammerfrau bewohnten sie drei Schlafzimmer und einen Salon, dessen Fenster nach der Kärntnerstraße gingen. Hier hatte sie einige Familienporträts, Kupfer und Miniaturen an den Wänden befestigt, auf einem Guéridon ein Stück alten Samts mit einem gestickten Wappen ausgebreitet und darauf ein paar silberne Kannen und Körbchen, gute französische Arbeit des achtzehnten Jahrhunderts, aufgestellt, und hier empfing sie. Sie hatte Briefe abgegeben, Besuche gemacht, und da sie eine unwahrscheinliche Menge von »Attachen« nach allen Richtungen hatte, so entstand ziemlich rasch eine Art von Salon. Es war einer jener etwas vagen Salons, die je nach der Strenge des Beurteilenden »möglich« oder »unmöglich« gefunden werden. Immerhin, Frau von Murska war alles, nur nicht vulgär und nicht langweilig, und die Tochter von einer noch viel ausgeprägteren Distinktion in Wesen und Haltung und außerordentlich schön. Wenn man zwischen vier und sechs hinkam, war man sicher, die Mutter zu finden, und fast nie ohne Gesellschaft; die Tochter sah man nicht immer, und den dreizehn- oder vierzehnjährigen Lucidor kannten nur die Intimen.

Frau von Murska war eine wirklich gebildete Frau, und ihre Bildung hatte nichts Banales. In der Wiener großen Welt, zu der sie sich vaguement rechnete, ohne mit ihr in andere als eine sehr peripherische Berührung zu kommen, hätte sie als »Blaustrumpf« einen schweren Stand gehabt. Aber in ihrem Kopf war ein solches Durcheinander von Erlebnissen, Kombinationen, Ahnungen, Irrtümern, Enthusiasmen, Erfahrungen, Apprehensionen, daß es nicht der Mühe wert war, sich bei dem aufzuhalten, was sie aus Büchern hatte. Ihr Gespräch galoppierte von einem Gegenstand zum andern und fand die unwahrscheinlichsten Übergänge; ihre Ruhelosigkeit konnte Mitleid erregen – wenn man sie reden hörte, wußte man, ohne daß sie es zu erwähnen brauchte, daß sie bis zum Wahnsinn an Schlaflosigkeit litt und sich in Sorgen, Kombinationen und fehlgeschlagenen Hoffnungen verzehrte – aber es war durchaus amüsant und wirklich merkwürdig, ihr zuzuhören, und ohne daß sie indiskret sein wollte, war sie es gelegentlich in der fürchterlichsten Weise. Kurz, sie war eine Närrin, aber von der angenehmeren Sorte. Sie war eine seelengute und im Grunde eine scharmante und gar nicht gewöhnliche Frau. Aber ihr schwieriges Leben, dem sie nicht gewachsen war, hatte sie in einer Weise in Verwirrung gebracht, daß sie in ihrem zweiundvierzigsten Jahre bereits eine phantastische Figur geworden war. Die meisten ihrer Urteile, ihrer Begriffe waren eigenartig und von einer großen seelischen Feinheit; aber sie hatten so ziemlich immer den falschesten Bezug und paßten durchaus nicht auf den Menschen oder auf das Verhältnis, worauf es gerade ankam. Je näher ein Mensch ihr stand, desto weniger übersah sie ihn; und es wäre gegen alle Ordnung gewesen, wenn sie nicht von ihren beiden Kindern das verkehrteste Bild in sich getragen und blindlings danach gehandelt hätte. Arabella war in ihren Augen ein Engel, Lucidor ein hartes kleines Ding ohne viel Herz. Arabella war tausendmal zu gut für diese Welt, und Lucidor paßte ganz vorzüglich in diese Welt hinein. In Wirklichkeit war Arabella des Ebenbild ihres verstorbenen Vaters: eines stolzen, unzufriedenen und ungeduldigen, sehr schönen Menschen, der leicht verachtete, aber seine Verachtung in einer ausgezeichneten Form verhüllte, von Männern respektiert oder beneidet und von vielen Frauen geliebt wurde und eines trockenen Gemütes war. Der kleine Lucidor dagegen hatte nichts als

Herz. Aber ich will lieber gleich an dieser Stelle sagen, daß Lucidor kein junger Herr, sondern ein Mädchen war und Lucile hieß. Der Einfall, die jüngere Tochter für die Zeit des Wiener Aufenthaltes als »travesti« auftreten zu lassen, war, wie alle Einfälle der Frau von Murska, blitzartig gekommen und hatte doch zugleich die kompliziertesten Hintergründe und Verkettungen. Hier war vor allem der Gedanke im Spiel, einen ganz merkwürdigen Schachzug gegen einen alten, mysteriösen, aber glücklicherweise wirklich vorhandenen Onkel zu führen, der in Wien lebte und um dessentwillen – alle diese Hoffnungen und Kombinationen waren äußerst vage – sie vielleicht im Grunde gerade diese Stadt zum Aufenthalt gewählt hatte. Zugleich hatte aber die Verkleidung auch noch andere, ganz reale, ganz im Vordergrund liegende Vorteile. Es lebte sich leichter mit *einer* Tochter als mit zweien von nicht ganz gleichem Alter; denn die Mädchen waren immerhin fast vier Jahre auseinander; man kam so mit einem kleineren Aufwand durch. Dann war es eine noch bessere, noch richtigere Position für Arabella, die einzige Tochter zu sein als die ältere; und der recht hübsche kleine »Bruder«, eine Art von Groom, gab dem schönen Wesen noch ein Relief.

Ein paar zufällige Umstände kamen zustatten: die Einfälle der Frau von Murska fußten nie ganz im Unrealen, sie verknüpften nur in sonderbarer Weise das Wirkliche, Gegebene mit dem, was ihrer Phantasie möglich oder erreichbar schien. Man hatte Lucile vor fünf Jahren – sie machte damals, als elfjähriges Kind, den Typhus durch – ihre schönen Haare kurz schneiden müssen. Ferner war es Luciles Vorliebe, im Herrensitz zu reiten; es war eine Gewohnheit von der Zeit her, wo sie mit den kleinrussischen Bauernbuben die Gutspferde ungesattelt in die Schwemme geritten hatte. Lucile nahm die Verkleidung hin, wie sie manches andere hingenommen hätte. Ihr Gemüt war geduldig, und auch das Absurdeste wird ganz leicht zur Gewohnheit. Zudem, da sie qualvoll schüchtern war, entzückte sie der Gedanke, niemals im Salon auftauchen und das heranwachsende Mädchen spielen zu müssen. Die alte Kammerfrau war als einzige im Geheimnis; den fremden Menschen fiel nichts auf. Niemand findet leicht als erster etwas Auffälliges: denn es ist den Menschen im allgemeinen nicht gegeben, zu sehen, was ist. Auch hatte Lucile wirklich knabenhaft schmale Hüften und auch sonst nichts, was zu sehr das Mädchen verraten hätte. In der Tat blieb die Sache unenthüllt, ja unverdächtigt, und als jene Wendung kam, die aus dem kleinen Lucidor eine Braut oder sogar noch etwas Weiblicheres machte, war alle Welt sehr erstaunt. Natürlich blieb eine so schöne und in jedem Sinne gut aussehende junge Person wie Arabella nicht lange ohne einige mehr oder weniger erklärte Verehrer. Unter diesen war Wladimir weitaus der bedeutendste. Er sah vorzüglich aus, hatte ganz besonders schöne Hände. Er war mehr als wohlhabend und völlig unabhängig, ohne Eltern, ohne Geschwister. Sein Vater war ein bürgerlicher österreichischer Offizier gewesen, seine Mutter eine Gräfin aus einer sehr bekannten baltischen Familie. Er war unter allen, die sich mit Arabella beschäftigten, die einzige wirkliche »Partie«. Dazu kam dann noch ein ganz besonderer Umstand, der Frau von Murska wirklich bezauberte. Gerade er war durch irgendwelche Familienbeziehungen mit dem so schwer zu behandelnden, so unzugänglichen und so äußerst wichtigen Onkel liiert, jenem Onkel, um dessentwillen man eigentlich in Wien lebte und um dessentwillen Lucile Lucidor geworden war. Dieser Onkel, der ein ganzes Stockwerk des Buquoyschen Palais in der Wallnerstraße bewohnte und früher ein sehr vielbesprochener Herr gewesen war, hatte Frau von Murska sehr schlecht aufgenommen. Obwohl sie doch wirklich die Witwe seines Neffen (genauer: seines Vaters-Bruders-Enkel) war, hatte sie ihn doch erst bei ihrem dritten Besuch zu sehen bekommen und war darauf niemals auch nur zum Frühstück oder zu einer Tasse Tee eingeladen worden. Dagegen hatte er, ziemlich de mauvaise grâce, gestattet, daß man ihm Lucidor eimal schikke. Es war die Eigenart des interessanten alten Herrn, daß er Frauen nicht leiden konnte, weder alte noch junge. Dagegen bestand die unsichere Hoffnung, daß er sich für einen jungen Herrn, der immerhin sein Blutsverwandter war, wenn er auch nicht denselben Namen führte, irgendeinmal in ausgie-

biger Weise interessieren könnte. Und selbst diese ganz unsichere Hoffnung war in einer höchst prekären Lage unendlich viel wert. Nun war Lucidor tatsächlich einmal auf Befehl der Mutter allein hingefahren, aber nicht angenommen worden, worüber Lucidor sehr glücklich war, die Mutter aber aus der Fassung kam, besonders als dann auch weiterhin nichts erfolgte und der kostbare Faden abgerissen schien. Diesen wieder anzuknüpfen, war nun Wladimir durch seine doppelte Beziehung wirklich der providentielle Mann. Um die Sache richtig in Gang zu bringen, wurde in unauffälliger Weise Lucidor manchmal zugezogen, wenn Wladimir Mutter und Tochter besuchte, und der Zufall fügte es ausgezeichnet, daß Wladimir an dem Burschen Gefallen fand und ihn schon bei der ersten Begegnung aufforderte, hie und da mit ihm auszureiten, was nach einem raschen, zwischen Arabella und der Mutter gewechselten Blick dankend angenommen wurde. Wladimirs Sympathie für den jüngeren Bruder einer Person, in die er recht sehr verliebt war, war nur selbstverständlich; auch gibt es kaum etwas Angenehmeres, als den Blick unverhohlener Bewunderung aus den Augen eines netten vierzehnjährigen Burschen.
Frau von Murska war mehr und mehr auf den Knien vor Wladimir. Arabella machte das ungeduldig wie die meisten Haltungen ihrer Mutter, und fast unwillkürlich, obwohl sie Wladimir gern sah, fing sie an, mit einem seiner Rivalen zu kokettieren, dem Herrn von Imfanger, einem netten und ganz eleganten Tiroler, halb Bauer, halb Gentilhomme, der als Partie aber nicht einmal in Frage kam. Als die Mutter einmal schüchterne Vorwürfe wagte, daß Arabella gegen Wladimir sich nicht so betrage, wie er ein Recht hätte, es zu erwarten, gab Arabella eine abweisende Antwort, worin viel mehr Geringschätzung und Kälte gegen Wladimir pointiert war, als sie tatsächlich fühlte. Lucidor-Lucile war zufällig zugegen. Das Blut schoß ihr zum Herzen und verließ wieder jäh das Herz. Ein schneidendes Gefühl durchzuckte sie: sie fühlte Angst, Zorn und Schmerz in einem. Über die Schwester erstaunte sie dumpf. Arabella war ihr immer fremd. In diesem Augenblick erschien sie ihr fast grausig, und sie hätte nicht

sagen können, ob sie sie bewunderte oder haßte. Dann löste sich alles in ein schrankenloses Leid. Sie ging hinaus und sperrte sich in ihr Zimmer. Wenn man ihr gesagt hätte, daß sie einfach Wladimir liebte, hätte sie es vielleicht nicht verstanden. Sie handelte, wie sie mußte, automatisch, indessen ihr Tränen herunterliefen, deren wahren Sinn sie nicht verstand. Sie setzte sich hin und schrieb einen glühenden Liebesbrief an Wladimir. Aber nicht für sich, für Arabella. Daß ihre Handschrift der Arabellas zum Verwechseln ähnlich war, hatte sie oft verdrossen. Gewaltsam hatte sie sich eine andere, recht häßliche Handschrift angewöhnt. Aber sie konnte sich der früheren, die ihrer Hand eigentlich gemäß war, jederzeit bedienen. Ja, im Grunde fiel es ihr leichter, so zu schreiben. Der Brief war, wie er nur denen gelingt, die an nichts denken und eigentlich außer sich sind. Er dasavouierte Arabellas ganze Natur: aber das war ja, was er wollte, was er sollte. Er war sehr unwahrscheinlich, aber eben dadurch wieder in gewisser Weise wahrscheinlich als der Ausdruck eines gewaltsamen inneren Umsturzes. Wenn Arabella tief und hingebend zu lieben vermocht hätte und sich dessen in einem jähen Durchbruch mit einem Schlage bewußt worden wäre, so hätte sie sich allenfalls so ausdrücken und mit dieser Kühnheit und glühenden Verachtung von sich selber, von der Arabella, die jedermann kannte, reden können. Der Brief war sonderbar, aber immerhin auch für einen kalten, gleichgültigen Leser nicht ganz unmöglich als ein Brief eines verborgen leidenschaftlichen, schwer berechenbaren Mädchens. Für den, der verliebt ist, ist zudem die Frau, die er liebt, immer ein unberechenbares Wesen. Und schließlich war es der Brief, den zu empfangen ein Mann in seiner Lage im stillen immer wünschen und für möglich halten kann. Ich nehme hier vorweg, daß der Brief auch wirklich in Wladimirs Hände gelangte: dies erfolgte in der Tat schon am nächsten Nachmittag, auf der Treppe, unter leisem Nachschleichen, vorsichtigem Anrufen, Flüstern von Lucidor als dem aufgeregten, ungeschickten vermeintlichen Postillon d'amour seiner schönen Schwester. Ein Postskriptum war natürlich beigefügt: es enthielt die dringende, ja flehende Bitte, sich nicht zu erzürnen, wenn sich

zunächst in Arabellas Betragen weder gegen den Geliebten noch gegen andere auch nur die leiseste Veränderung würde wahrnehmen lassen. Auch er werde hoch und teuer gebeten, sich durch kein Wort, nicht einmal durch einen Blick, merken zu lassen, daß er sich zärtlich geliebt wisse.
Es vergehen ein paar Tage, in denen Wladimir mit Arabella nur kurze Begegnungen hat, und niemals unter vier Augen. Er begegnet ihr, wie sie es verlangt hat; sie begegnet ihm, wie sie es vorausgesagt hat. Er fühlt sich glücklich und unglücklich. Er weiß jetzt erst, wie gern er sie hat. Die Situation ist danach, ihn grenzenlos ungeduldig zu machen. Lucidor, mit dem er jetzt täglich reitet, in dessen Gesellschaft fast noch allein ihm wohl ist, merkt mit Entzücken und mit Schrecken die Veränderung im Wesen des Freundes, die wachsende heftige Ungeduld. Es folgt ein neuer Brief, fast noch zärtlicher als der erste, eine neue rührende Bitte, das vielfach bedrohte Glück der schwebenden Lage nicht zu stören, sich diese Geständnisse genügen zu lassen und höchstens schriftlich, durch Lucidors Hand, zu erwidern. Jeden zweiten, dritten Tag geht jetzt ein Brief hin oder her. Wladimir hat glückliche Tage und Lucidor auch. Der Ton zwischen den beiden ist verändert, sie haben ein unerschöpfliches Gesprächsthema. Wenn sie in irgendeinem Gehölz des Praters vom Pferd gestiegen sind und Lucidor seinen neuesten Brief übergeben hat, beobachtet er mit angstvoller Lust die Züge des Lesenden. Manchmal stellt er Fragen, die fast indiskret sind; aber die Erregung des Knaben, der in diese Liebessache verstrickt ist, und seine Klugheit, ein Etwas, das ihn täglich hübscher und zarter aussehen macht, amüsiert Wladimir, und er muß sich eingestehen, daß es ihm, der sonst verschlossen und hochmütig ist, hart ankäme, nicht mit Lucidor über Arabella zu sprechen. Lucidor posiert manchmal auch den Mädchenfeind, den kleinen, altklugen und in kindischer Weise zynischen Burschen. Was er da vorbringt, ist durchaus nicht banal; denn er weiß einiges von dem darunter zu mischen, was die Ärzte »introspektive Wahrheiten« nennen. Aber Wladimir, dem es nicht an Selbstgefühl mangelt, weiß ihn zu belehren, daß die Liebe, die er einflöße, und die er einem solchen Wesen wie Arabella

einflöße, von ganz eigenartiger, mit nichts zu vergleichender Beschaffenheit sei. Lucidor findet Wladimir in solchen Augenblicken um so bewundernswerter und sich selbst klein und erbärmlich. Sie kommen aufs Heiraten, und dieses Thema ist Lucidor eine Qual, denn dann beschäftigt sich Wladimir fast ausschließlich mit der Arabella des Lebens anstatt mit der Arabella der Briefe. Auch fürchtet Lucidor wie den Tod jede Entscheidung, jede einschneidende Veränderung. Sein einziger Gedanke ist, die Situation so hinzuziehen. Es ist nicht zu sagen, was das arme Geschöpf aufbietet, um die äußerlich und innerlich so prekäre Lage durch Tage, durch Wochen – weiter zu denken, fehlt ihm die Kraft – in einem notdürftigen Gleichgewicht zu erhalten. Da ihm nun einmal die Mission zugefallen ist, bei dem Onkel etwas für die Familie auszurichten, so tut er sein mögliches. Manchmal geht Wladimir mit; der Onkel ist ein sonderbarer alter Herr, den es offenbar amüsiert, sich vor jüngeren Leuten keinen Zwang anzutun, und seine Konversation ist derart, daß eine solche Stunde für Lucidor eine wahrhaft qualvolle kleine Prüfung bedeutet. Dabei scheint dem Alten kein Gedanke ferner zu liegen als der, irgend etwas für seine Anverwandten zu tun. Lucidor kann nicht lügen und möchte um alles seine Mutter beschwichtigen. Die Mutter, je tiefer ihre Hoffnungen, die sie auf den Onkel gesetzt hatte, sinken, sieht mit um so größerer Ungeduld, daß sich zwischen Arabella und Wladimir nichts der Entscheidung zu nähern scheint. Die unglückseligen Personen, von denen sie im Geldpunkt abhängig ist, fangen an, ihr die eine wie die andere dieser glänzenden Aussichten als Nonvaleur in Rechnung zu stellen. Ihre Angst, ihre mühsam verhohlene Ungeduld teilt sich allen mit, am meisten dem armen Lucidor, in dessen Kopf so unverträgliche Dinge durcheinander hingehen. Aber er soll in der seltsamen Schule des Lebens, in die er sich nun einmal begeben hat, einige noch subtilere und schärfere Lektionen empfangen.
Das Wort von einer Doppelnatur Arabellas war niemals ausdrücklich gefallen. Aber der Begriff ergab sich von selbst: die Arabella des Tages war ablehnend, kokett, präzis, selbstsicher, weltlich und trocken fast bis zum Exzeß, die Arabella

der Nacht, die bei einer Kerze an den Geliebten schrieb, war hingebend, sehnsüchtig fast ohne Grenzen. Zufällig oder gemäß dem Schicksal entsprach dies einer ganz geheimen Spaltung auch in Wladimirs Wesen. Auch er hatte, wie jedes beseelte Wesen, mehr oder minder seine Tag- und Nachtseite. Einem etwas trockenen Hochmut, einem Ehrgeiz ohne Niedrigkeit und Streberei, der aber hochgespannt und ständig war, standen andere Regungen gegenüber, oder eigentlich: standen nicht gegenüber, sondern duckten sich ins Dunkel, suchten sich zu verbergen, waren immer bereit, unter die dämmernde Schwelle ins Kaumbewußte hinabzutauchen. Eine phantasievolle Sinnlichkeit, die sich etwa auch in ein Tier hineinträumen konnte, in einen Hund, in einen Schwan, hatte zu Zeiten seine Seele fast ganz in Besitz gehabt. Dieser Zeiten des Überganges vom Knaben zum Jüngling erinnerte er sich nicht gerne. Aber irgend etwas davon war immer in ihm, und diese verlassene, auch von keinem Gedanken überflogene, mit Willen verödete Nachtseite seines Wesens bestrich nun ein dunkles, geheimnisvolles Licht: die Liebe der unsichtbaren, anderen Arabella. Wäre die Arabella des Tages zufällig seine Frau gewesen oder seine Geliebte geworden, er wäre mit ihr immer ziemlich terre à terre geblieben und hätte sich selbst nie konzediert, den Phantasmen einer mit Willen unterdrückten Kinderzeit irgendwelchen Raum in seiner Existenz zu gönnen. An die im Dunklen Lebende dachte er in anderer Weise und schrieb ihr in anderer Weise. Was hätte Lucidor tun sollen, als der Freund begehrte, nur irgendein Mehr, ein lebendigeres Zeichen zu empfangen als diese Zeilen auf weißem Papier? Lucidor war allein mit seiner Bangigkeit, seiner Verworrenheit, seiner Liebe. Die Arabella des Tages half ihm nicht. Ja, es war, als spielte sie, von einem Dämon angetrieben, gerade gegen ihn. Je kälter, sprunghafter, weltlicher, koketter sie war, desto mehr erhoffte und erbat Wladimir von der anderen. Er bat so gut, daß Lucidor zu versagen nicht den Mut fand. Hätte er ihn gefunden, es hätte seiner zärtlichen Feder an der Wendung gefehlt, die Absage auszudrücken. Es kam eine Nacht, in der Wladimir denken durfte, von Arabella in Lucidors Zimmer empfangen, und wie empfangen, worden zu sein. Es war Lucidor irgendwie gelungen, das Fenster nach der Kärntnerstraße so völlig zu verdunkeln, daß man nicht die Hand vor den Augen sah. Daß man die Stimmen zum unhörbarsten Flüstern abdämpfen mußte, war klar: nur eine einfache Tür trennte von der Kammerfrau. Wo Lucidor die Nacht verbrachte, blieb ungesagt: doch war er offenbar nicht im Geheimnis, sondern man hatte gegen ihn einen Vorwand gebraucht. Seltsam war, daß Arabella ihr schönes Haar in ein dichtes Tuch fest eingewunden trug und der Hand des Freundes sanft, aber bestimmt versagte, das Tuch zu lösen. Aber dies war fast das einzige, das sie versagte. Es gingen mehrere Nächte hin, die dieser Nacht nicht glichen, aber es folgte wieder eine, die ihr glich, und Wladimir war sehr glücklich. Vielleicht waren dies die glücklichsten Tage seines ganzen Lebens. Gegen Arabella, wenn er untertags mit ihr zusammen ist, gibt ihm die Sicherheit seines nächtlichen Glückes einen eigenen Ton. Er lernt eine besondere Lust darin finden, daß sie bei Tag so unbegreiflich anders ist; ihre Kraft über sich selber, daß sie niemals auch nur in einem Blick, einer Bewegung sich vergißt, hat etwas Bezauberndes. Er glaubt zu bemerken, daß sie von Woche zu Woche um so kälter gegen ihn ist, je zärtlicher sie sich in den Nächten gezeigt hat. Er will jedenfalls nicht weniger geschickt, nicht weniger beherrscht erscheinen. Indem er diesem geheimnisvoll starken weiblichen Willen so unbedingt sich fügt, meint er, das Glück seiner Nächte einigermaßen zu verdienen. Er fängt an, gerade aus ihrem doppelten Wesen den stärksten Genuß zu ziehen. Daß ihm die gehöre, die ihm so gar nicht zu gehören scheint, daß die gleiche, welche sich grenzenlos zu verschenken versteht, in einer solchen unberührten, unberührbaren Gegenwart sich zu behaupten weiß, dies wirklich zu erleben ist schwindelnd, wie der wiederholte Trunk aus einem Zauberbecher. Er sieht ein, daß er dem Schicksal auf den Knien danken müsse, in einer so einzigartigen, dem Geheimnis seiner Natur abgelauschten Weise beglückt zu werden. Er spricht es überströmend aus, gegen sich selber, auch gegen Lucidor. Es gibt nichts, was den armen Lucidor im Innersten tödlicher erschrecken könnte.

Arabella indessen, die wirkliche, hat sich gerade in diesen Wochen von Wladimir so entschieden abgewandt, daß er es von Stunde zu Stunde bemerken müßte, hätte er nicht den seltsamsten Antrieb, alles falsch zu deuten. Ohne daß er sich geradezu verrät, spürt sie zwischen sich und ihm ein Etwas, das früher nicht war. Sie hat sich immer mit ihm verstanden, sie versteht sich auch noch mit ihm; ihre Tagseiten sind einander homogen; sie könnten eine gute Vernunftehe führen. Mit Herrn von Imfanger versteht sie sich nicht, aber er gefällt ihr. Daß Wladimir ihr in diesem Sinne nicht gefällt, spürt sie nun stärker; jenes unerklärliche Etwas, das von ihm zu ihr zu vibrieren scheint, macht sie ungeduldig. Es ist nicht Werbung, auch nicht Schmeichelei; sie kann sich nicht klar werden was es ist, aber sie goutiert es nicht. Imfanger muß sehr wohl wissen, daß er ihr gefällt. Wladimir glaubt seinerseits noch ganz andere Beweise dafür zu haben. Zwischen den beiden jungen Herren ergibt sich die sonderbarste Situation. Jeder meint, daß der andere doch alle Ursache habe, verstimmt zu sein oder einfach das Feld zu räumen. Jeder findet die Haltung, die ungestörte Laune des andern im Grunde einfach lächerlich. Keiner weiß, was er sich aus dem andern machen soll, und einer hält den andern für einen ausgemachten Geck und Narren.

Die Mutter ist in der qualvollsten Lage. Mehrere Auskunftsmittel versagen. Befreundete Personen lassen sie im Stich. Ein unter der Maske der Freundschaft angebotenes Darlehen wird rücksichtslos eingefordert. Die vehementen Entschlüsse liegen Frau von Murska immer sehr nahe. Sie wird den Haushalt in Wien von einem Tag auf den andern auflösen, sich bei der Bekanntschaft brieflich verabschieden, irgendwo ein Asyl suchen, und wäre es auf dem sequestrierten Gut im Haus der Verwaltersfamilie. Arabella nimmt eine solche Entschließung nicht angenehm auf, aber Verzweiflung liegt ihrer Natur ferne. Lucidor muß eine wahre, unbegrenzte Verzweiflung angstvoll in sich verschließen. Es waren mehrere Nächte vergangen, ohne daß sie den Freund gerufen hätte. Sie wollte ihn diese Nacht wieder rufen. Das Gespräch abends zwischen Arabella und der Mutter, der Entschluß zur

Abreise, die Unmöglichkeit, die Abreise zu verhindern: dies alles trifft sie wie ein Keulenschlag. Und wollte sie zu einem verzweifelten Mittel greifen, alles hinter sich werfen, der Mutter alles gestehen, dem Freund vor allem offenbaren, wer die Arabella seiner Nächte gewesen ist, so durchfährt sie eisig die Furcht vor seiner Enttäuschung, seinem Zorn. Sie kommt sich wie eine Verbrecherin vor, aber gegen ihn, an die anderen denkt sie nicht. Sie kann ihn diese Nacht nicht sehen. Sie fühlt, daß sie vor Scham, vor Angst und Verwirrung vergehen würde. Statt ihn in den Armen zu halten, schreibt sie an ihn, zum letztenmal. Es ist der demütigste, rührendste Brief, und nichts paßt weniger zu ihm als der Name Arabella, womit sie ihn unterschreibt. Sie hat nie wirklich gehofft, seine Gattin zu werden. Auch kurze Jahre, ein Jahr als seine Geliebte mit ihm zu leben, wäre unendliches Glück. Aber auch das darf und kann nicht sein. Er soll nicht fragen, nicht in sie dringen, beschwört sie ihn. Soll morgen noch zu Besuch kommen, aber erst gegen Abend. Den übernächsten Tag dann – sind sie vielleicht schon abgereist. Später einmal wird er vielleicht erfahren, begreifen, sie möchte hinzufügen: verzeihen, aber das Wort scheint ihr in Arabellas Mund zu unbegreiflich, so schreibt sie es nicht. Sie schläft wenig, steht früh auf, schickt den Brief durch den Lohndiener des Hotels an Wladimir. Der Vormittag vergeht mit Packen. Nach Tisch, ohne etwas zu erwähnen, fährt sie zu dem Onkel. Nachts ist ihr der Gedanke gekommen. Sie würde die Worte, die Argumente finden, den sonderbaren Mann zu erweichen. Das Wunder würde geschehen und dieser festverschnürte Geldbeutel sich öffnen. Sie denkt nicht an die Realität dieser Dinge, nur an die Mutter, an die Situation, an ihre Liebe. Mit dem Geld oder dem Brief in der Hand würde sie der Mutter zu Füßen fallen und als einzige Belohnung erbitten – was? – ihr übermüdeter, gequälter Kopf versagt beinahe – ja! nur das Selbstverständliche: daß man in Wien bliebe, daß alles bliebe, wie es ist. Sie findet den Onkel zu Hause. Die Details dieser Szene, die recht sonderbar verläuft, sollen hier nicht erzählt werden. Nur dies: sie erweicht ihn tatsächlich – er ist nahe daran, das Entscheidende zu tun, aber eine greisenhafte Grille wirft den Entschluß wieder um: er wird später etwas tun, wann, das bestimmt er nicht, und damit basta. Sie fährt nach Hause, schleicht die Treppe hinauf, und in ihrem Zimmer, zwischen Schachteln und Koffern, auf dem Boden hockend, gibt sie sich ganz der Verzweiflung hin. Da glaubt sie im Salon Wladimirs Stimme zu hören. Auf den Zehen schleicht sie hin und horcht. Es ist wirklich Wladimir – mit Arabella, die mit ziemlich erhobenen Stimmen im sonderbarsten Dialog begriffen sind.

Wladimir hat am Vormittag Arabellas geheimnisvollen Abschiedsbrief empfangen. Nie hat etwas sein Herz so getroffen. Er fühlt, daß zwischen ihm und ihr etwas Dunkles stehe, aber nicht zwischen Herz und Herz. Er fühlt die Liebe und die Kraft in sich, es zu erfahren, zu begreifen, zu verzeihen, sei es, was es sei. Er hat die unvergleichliche Geliebte seiner Nächte zu lieb, um ohne sie zu leben. Seltsamerweise denkt er gar nicht an die wirkliche Arabella, fast kommt es ihm sonderbar vor, daß sie es sein wird, der er gegenüberzutreten hat, um sie zu beschwichtigen, aufzurichten, sie ganz und für immer zu gewinnen. Er kommt hin, findet im Salon die Mutter allein. Sie ist aufgeregt, wirr und phantastisch wie nur je. Er ist anders, als sie ihn je gesehen hat. Er küßt ihr die Hände, er spricht, alles in einer gerührten, befangenen Weise. Er bittet sie, ihm ein Gespräch unter vier Augen mit Arabella zu gestatten. Frau von Murska ist entzückt und ohne Übergang in allen Himmeln. Das Unwahrscheinliche ist ihr Element. Sie eilt, Arabella zu holen, dringt in sie, dem edlen jungen Mann nun, wo alles sich so herrlich gewendet, ihr Ja nicht zu versagen. Arabella ist maßlos erstaunt. »Ich stehe durchaus nicht so mit ihm«, sagt sie kühl. »Man ahnt nie, wie man mit Männern steht«, entgegnet ihr die Mutter und schickt sie in den Salon. Wladimir ist verlegen, ergriffen und glühend. Arabella findet mehr und mehr, daß Herr von Imfanger recht habe, Wladimir einen sonderbaren Herrn zu finden. Wladimir, durch ihre Kühle aus der Fassung, bittet sie, nun endlich die Maske fallen zu lassen. Arabella weiß durchaus nicht, was sie fallen lassen soll. Wladimir wird zugleich zärtlich und zornig, eine Mischung, die Arabella so wenig goutiert, daß sie schließlich aus dem Zimmer läuft und ihn allein stehen läßt. Wladimir in seiner maßlosen Verblüffung ist um so näher daran, sie für verrückt zu halten, als sie ihm soeben angedeutet hat, sie halte ihn dafür und sei mit einem Dritten über diesen Punkt ganz einer Meinung. Wladimir würde in diesem Augenblick einen sehr ratlosen Monolog halten, wenn nicht die andere Tür aufginge und die sonderbarste Erscheinung auf ihn zustürzte, ihn umschlänge, an ihm herunter zu Boden glitte. Es ist Lucidor, aber wieder nicht Lucidor, sondern Lucile, ein liebliches und in Tränen gebadetes Mädchen, in einem Morgenanzug Arabellas, das bubenhaft kurze Haar unter einem dichten Seidentuch verborgen. Es ist sein Freund und Vertrauter, und zugleich seine geheimnisvolle Freundin, seine Geliebte, seine Frau. Einen Dialog, wie der sich nun entwickelnde, kann das Leben hervorbringen und die Komödie nachzuahmen versuchen, aber niemals die Erzählung.

Ob Lucidor nachher wirklich Wladimirs Frau wurde oder bei Tag und in einem anderen Land das blieb, was sie in dunkler Nacht schon gewesen war, seine glückliche Geliebte, sei gleichfalls hier nicht aufgezeichnet.

Es könnte bezweifelt werden, ob Wladimir ein genug wertvoller Mensch war, um so viel Hingabe zu verdienen. Aber jedenfalls hätte sich die ganze Schönheit einer bedingungslos hingebenden Seele, wie Luciles, unter anderen als so seltsamen Umständen nicht enthüllen können.

DÄMMERUNG
UND NÄCHTLICHES GEWITTER

Furchtbar krümmte sich der Sperber, den die Buben an das Scheunentor genagelt hatten, der hereinbrechenden Nacht entgegen. Euseb, der älteste von denen, die es getan hatten, stand in der Dämmerung und starrte auf den Vogel, aus dessen leuchtenden Augen die Raserei hervorschoß, indes er sich an den eisernen Nägeln, die seine Flügel durchdrangen, zu Tode zuckte. Da stieß aus der dunkelnden Luft das Weibchen herab, mit gellendem Schrei flog es wie sinnlos schwindelnde kleine Kreise, hing dann mit ausgespannten Flügeln und glimmenden Augen starr da und warf sich jäh aufwärts, rückwärts gegen die Bergwand hin, in wahnsinnig wilden Flügen verschwindend, wiederkehrend. Ihr Schreien sollte das nachtschwarze Gewitter, das da lag und mit seinem zurückgehaltenen Blitz den eigenen Leib durchflammte, heranlocken und mit Zauberkreisen auf das Dorf niederziehen. Der Knabe Euseb hielt sich kaum auf den Beinen und das Grausen faßte ihn im Genick, daß er nicht den Augapfel zu drehen wagte. Dennoch ergriff er nochmals den Hammer, um seinen Vater zu finden. Als aber nun, unter einem lautlosen Blitz, die ganze Scheune fahl aufzuckte, und nun von einem Windstoß aufgestört zu seiner Rechten der bärtige Ziegenmelker aus einem Mauerspalt hervorschoß, einen Käfer zu spießen, zu seiner Linken die Fledermaus hintaumelte, so riß es ihn herum und trieb ihn mit knirschenden Zähnen ins Dorf hinab. Da zeigte ein neuer Blitz dicht vor ihm die Kirchhofmauer mit allen ihren Fugen, in denen Asseln wohnten; die Kreuze schienen sich unter der jähen Helle zu recken und auf dem einen frischen vorjährigen Kindergrab schüttelte sich der Strauch, dessen Blüten rote Herzen waren, die an Fäden hingen. Aber wie der Blitz verzuckte und die Dunkelheit schwer wie ein Bett-Tuch hereinfiel, glitt aus dem rückwärtigen Fenster eines kleinen Hauses schräg hin auf die Kirchhofmauer ein Lichtschein. In dieser Kammer schlief die Tochter des

Fleischhauers, das schönste Mädchen des Dorfes; und es hatte einer der älteren Knaben, das wußten alle, hier einmal, da sie sich entkleidete, den Schatten ihrer Brüste auf den Vorhängen immerfort sehen können, bis sie das Licht ausblies.

So drückte sich Euseb unter ein Vordach, wo Schindeln hoch aufgeschichtet lagen; und sein Herz klopfte anders als früher. Ihm gegenüber hing, den Kopf abwärts, das Kalb, das er am Nachmittage hatte führen sehen; noch schien aus dem weichen Maul der warme Hauch zu dringen. Hier verging dem Knaben Euseb die Zeit, die er lauerte, wie nichts; er hörte nicht die Viertelstunden fast über seinem Kopfe schlagen und in der beklommenen Luft dröhnen. Er achtete des Blitzes nicht, der grell die Glocken in ihrem Gestühl entblößte; er fühlte nur das Kalb, ihn erfüllte nur, daß das Mädchen da drinnen war und dann in ihrer Kammer sich zu Bett legen würde. Jetzt ging sie in der Gaststube umher, es saßen da zwei oder drei, denn der Fleischhauer schenkte einen einjährigen Wein aus.

Nun kamen zwei dunkle Gestalten draußen auf das Haus zu; es waren Bediente der Stadtleute, die ihre Landhäuser rings um das Dorf und an den Hängen der Berge hatten; der eine war in Livree mit Kniestrümpfen, der andere war als Jäger gekleidet. Nun blieb der eine zurück und der andere ging voraus und trat in die Gaststube. Da trat auf den, der zurückgeblieben war, aus dem finsteren Winkel hart neben einem rauschenden Laufbrunnen eine Frauensperson, hob die Hände gegen den Menschen auf und suchte seinen Arm zu fassen. Die untere Hälfte ihrer Gestalt war unförmlich breit, und Euseb wußte sogleich, daß es die Magd des Kronenwirtes war, eine junge Ortsfremde, zu der er und die andern Knaben verstohlen hinsahen, wenn sie mit schwerem Leib am gestauten Mühlbach niederkniete, die Wäsche zu schwemmen; weil sie alle wußten, daß die eine Schwangere war. Nun schüttelte der Bediente die Flehende, daß sie mit der einen Hand am Brunnenrand sich stützte, mit der andern krampfhaft sich zum Leibe fuhr; ihr Weinen übertönte das Rauschen des Brunnens; da trat der andere Bediente mit der schönen Fleischhauerstochter auf die Schwelle, und der Livrierte gab jetzt seiner Rede, indem er gegen die im Finstern stehende Magd sich halb umwandte, einen lauten und fremd vornehmen Ton. »Das war voriges Jahr«, rief er zurück, »und jetzt schreiben wir ein neues Jahr. Und damit sela!« Und da sie mit einem aus angstvoll aufgerissenem Mund hervorbrechenden »Joseph, Joseph« nochmals auf ihn zu wollte, so warf er ihr mit messerscharfen Worten, die wirklich die Kraft hatten, sie starr stehen zu machen, vor, daß eine Person in ihrem Zustande sich schämen sollte, auf der Gasse und vor den Wirtshäusern herumzuziehen, daß ihn die Zeit, die er im vorigen Jahr mit ihr vertan habe, gereue und ihn auch jetzt jede weitere Minute gereuen würde, da er Besseres vorhätte, als sich mit ihr herzustellen.

Den Knaben Euseb in seinem Versteck durchdrangen diese messerscharfen Worte mit einer Art grausamer Wollust; bei der Gewandtheit, mit der der Bediente seine Worte vorbrachte und dann drei Takte pfeifend und ohne sich umzuwenden in dem Gasthaus verschwand, wurde es ihm ähnlich zumute wie öfters wenn die Kleider der Frauen und Mädchen aus der Stadt ihn streiften: aus diesen hauchte ein feiner betäubender Duft, der ihn mit einem zwiespältigen Gefühl erfüllte, in dem er, ihn einziehend, weich und demütig dahinzusinken meinte und zugleich etwas in ihm sich dabei gewalttätig aufbäumte. Dieses Doppelte ergriff ihn jetzt wieder, es war als ginge wie eine Tür im Dunkeln die geheime Herrlichkeit des Lebens der Stadtleute und ihrer Diener für ihn auf, und es trieb ihn, der Magd, die vor sich hinstöhnend, die Hand im Mund, verzerrten Gesichtes fortwankte, nachzuschleichen, immer unbemerkt hinter ihr drein zu sein, mit der Ahnungslosen ein grausames Spiel zu treiben. Sie ging in dumpfer Verzweiflung mitten in der Straße hin; er schlupfte seitwärts zwischen den Hecken die sich im Sturme bogen, unter den Bäumen die der Sturm schüttelte, längs der Scheunen die in ihrem Gebälke ächzten. Der nächtliche Sturm trieb ihm Staub und Spreu in die weitaufgerissenen Augen; er achtete es nicht: er hatte das Bewußtsein seiner Gestalt verloren, minutenlang war er klein wie die Wiesel, wie die Kröten, wie alles was da an der zitternden Erde raschelte und lauerte; im andern Augenblick war er riesengroß, er reckte sich zwischen den Bäumen empor, und er war's, der in ihre Wipfel griff und sie ächzend niederbog; er war der Schreckliche, der im Dunkel lauert und am Kreuzweg hervorspringt, und in ihm die Schreckhaftigkeit eines gescheuchten Rehes, und er fühlte alle Schauder, die von ihm ausgingen, an seinem eigenen Rücken herunterrieseln. Diese, die vor ihm hintaumelte, war ihm ganz verfallen; er war ein Stadtherr und hatte mehrere dergleichen; zwei Frauen hatte er in sein Haus eingesperrt, und diese trieb er jetzt dazu; er war der Metzger, der ein ihm entlaufenes Tier beschlich, um es zu Tode zu führen, das Tier aber war ein behextes Tier; es war dieses Weib da vor ihm. Er duckte sich, wenn der Wind innehielt, und sprang wieder vor, wenn er daherstob; es war eine innige Übereinstimmung zwischen den Atemzügen des Windes und seiner wilden geheimen Jagd; der Wind war mit ihm im Bunde, und die großen Blitze erleuchteten den Weg mit seinen Wagengeleisen, warfen ihren Schein an der Kalkmauer der Häuser hin und zwischen die Hecken, leuchteten in den Wald hinein und zeigten die Wurzeln der Bäume, alles um ihm seine Beute immer zu zeigen, wenn sie im Dunkel entschlüpfen wollte.

ZU ›DÄMMERUNG UND NÄCHTLICHES GEWITTER‹

NOTIZEN

Traum des Knaben. (Dämmerung u. nächtliches Gewitter (?))
Er badet in niedrigem leise fließenden Wasser, taucht, vermält sich dem Boden, wird selbst zu verschiedenen Erden, die sich sondern in schwere dunkle moorige und funkelnde goldige, aus diesen hebt sich eine ganz goldene kleine Gestalt, es ist sein Vater, steigt aber gleich wieder in die Erde hinab. (Er ist ein uneheliches Kind und kennt seinen Vater nicht.)

*

Die schlimmste Anfechtung für den Knaben: wie ihn der Zweifel anfällt, ob denn an dem Ganzen etwas dran sei – wie er die Kraft der Landschaft und der Mannheit, die aus ihr emporwächst, bezweifelt – und dann mit einem Ruck dies alles auf sich zu nehmen bereit ist und alles, was daraus entstehen möge, Böses, Gemischtes, Drohendes auf sich zu nehmen und durchzustehen, *also zu leben*.
Er war am Rand einer solchen Verwirrung gewesen, daß ihm geschienen war, es greife eine Mutterhand-Mörderhand nach *ihm,* die doch nach einem Wesen neben ihm griff – und er vermöchte es nicht zu sonder – –
Hebbels Gemütsverfassung in der schlimmsten Zeit seines Lebens
Der Knabe wurde in dieser Nacht weit über sich selber emporgerissen – – sein Vater kommt ihm nahe als Räuber, Landstreicher, der ein Pferd losmachen will – Heiliges tritt ihm bis zum Berühren nahe –

*

In allem berührte ihn sein Schicksal, reizte ihn zur Grausamkeit und regte etwas weit Tieferes in ihm auf.

*

Zustand des Knaben Euseb: an das Gute der Welt nicht heran –, zu ihm nicht hinüberkommen zu können – will sich hinüberschwingen, – sich hinübertasten – auch der Mord an dem Sperber ist so eine folternde Ungeduld, hinüberzukommen in das Andere. Das Rätsel, wie alles von außen anders aussieht: bei einem Fenster hineinschauen – ein Fenster von weitem sehen. Ihm ist: er wirft sich immer durch die Dinge hindurch.

*

in dem Knaben ein grandioses Einteilen des Chaos, manchmal: dies unten, dies oben, dies rechts dies links: damit wird er Herr über das Chaos. Dies unterstützt er durch Stellungen im Liegen; Aufstehen, steif knien. Nimmt er absurde Stellungen an im Bett so wird er schnell zur Chimäre, endet im Schlangenschweif u. s. f. dies in diesem Ton: ich darf nicht so liegen, sagte sich Euseb: sonst werde ich zur Schlange

*

Knabengeschichte

Der Umschwung zum Glücksbewußtsein, Gleichgewicht, Identität an etwas ganz kleinem. In einem Gefühl von oben und unten, wie er halbschief auf dem Bett aufsteht – in einem Gefühl wie er einen locker sitzenden Nagel aus der Wand zieht, zugleich zieht er die Nägel aus dem Sperber – er läßt den Sperber oder begräbt ihn auf dem Müllhaufen es ist beides gleich – er verfolgt das Weibchen in seiner Brust oder in der Luft es ist beides gleich unendlich – er geht und wird Christus in der Kirche finden, findet ihn aber genau so gut, ihn und seine umgebenden Zöllner, Idioten, triefäugige Alte – unter den Brennesseln bei dem Katzenskelett – er kann jetzt da oder dorthin gehen oder in die Fabrik eintreten

Seltenheit eines reinen Aufschauens in den Himmel. Plötzlich fällt auch der früher abgewiesene Gedanke von der Größe der Welt auf sein Herz

Güsse von geistigem Licht

*

Euseb und der Vogel: alle seine Gier nach Eindrücken zuerst um das Erlebnis mit dem Vogel zu ersticken (plötzlicher Schreck wie er erkennt, daß die Gemeinschaft der andern ihm dabei nichts hilft, die andern hängen nur so daneben herum wie aufgeblasene Därme, die der Wind bewegt, neben dem Kalb); er sucht sich zu betäuben, wirft sich auf seine Pferdedecke auf den Bauch, die Arme vor der Brust (wie ein Horchender an einer Tür); da ist auf einmal unter ihm der Vogel in undeutlicher Menschengestalt. Er muß heraus: er muß es durchdenken. Diese Erkenntnis, dieser Entschluß ist knabenhaft mutig; nun wird er zu einem fabelhaften Antagonismus: er und der Vogel als märchenhafte Gegner –– dieses Märchen zerrinnt, er kann einschlummern.

*

Euseb kann durch zu starke Aufregungen nicht schlafen. Es ist ihm als hätte er durch den Mord des Sperbers (dabei fühlte er sich von Dämonie erfüllt, während er nach ihm schoß, Schwinge lähmte, und annageln leitete: von Dämonie als bezögen sich die Weltvorgänge auf ihn, auch als gälten ihm die kreischenden Flüche des Weibchen) ein Sesam öffne dich gerufen: die Vorgänge dieser Nacht müssen sich aufeinander-türmen darum läuft er zum Fenster der Fleischhauerstochter hat Halluzination sie drücke ihn an ihre nackte Brust, taumelt dann der Schwangeren nach – alles wie ein heißer Hund der suchend, schnuppernd, zick zack läuft. Er kriecht einmal ins Bett, hälts wieder nicht aus und geht sich baden. Dabei sieht er die Kindesmörderin. (er glaubt sie gehe gleichfalls, aus Wollust, baden. Wie sie ihn sieht, läßt sie schreiend etwas ins Wasser fallen, stürzt fort.)

Wie alles aneinander Lust findet, sich alle Lüste verketten: die essenden und weintrinkenden Weiber, denen jede vergebliche Wehe der Frau neue Schüsseln hinschleudert

*

ein Blitz und starker Guß den alle fühlen: auch die alte im Bette die mit dem toten Kind an ihrer Brust auch der Sperber davon neu belebt hört sein Weib in den wütenden Lüften, ist selber schon halb im jenseits, meint er sei ein viel größerer Vogel, zu größerem Horst, zu größerer Wollust geboren.

in diesem Moment alle Personen konzentrieren

*

Euseb: wie er im Wasser steht, trägt das Wasser ihm den ganzen Wald zu: fühlt Waldmäuse laufen, hört Tauben, spürt die ganze Welt, sein ertrunkener Freund ist ihm nahe, auch der Sperber lebendig: auf einmal erkaltet das alles erstarrt der ertrunkene liegt neben ihm, der Sperber hängt dort und dies alles wird nie enden (Vorgefühl der ehernen Hölle von der der Cooperator gesprochen)

*

Dämmerung und nächtl. Gewitter.
Sperber an die Scheune genagelt flügelschlagend. Seine Gattin in den blitzschwangeren Lüften kreisend, ihn mit blitzenden Augen suchend. Der Bube der es getan von lockendem Grauen zum Kirchhof getrieben. Dort die Fleischhauerstochter, den Bedienten erwartend. Die in Wehen liegende Dienstmagd. Der Arzt horchend ob der Mann der Frau abgereist ist. Der Cooperator fühlend was diese Stadtleute bedeuten die in den Bauernbetten in Wollust und Schlaflosigkeit liegen. Todesvorgefühl des Cooperators am brausenden Bach: Höllenahnung. In einer Dachkammer die Alte die vor Verdammnis zittert in triefenden Regen hinunterlauscht. Die Hebamme von einer zur andern springend. Der Kaufmann will seinen Sohn Gott aufopfern, für das Sündenleben das er geführt, so oft Samen zu Grunde gehen lassend. Der Bediente spielt im Wirtshaus und verliert. Der Cooperator ringt mit seiner Todesangst, der junge Arzt mit Qualgefühl der Nichtigkeit seiner großen Leidenschaft; er schreit seinen Zynismus in die Blitze hinein. Die Blitze leuchten in die Augäpfel der Alten, leuchten der Entbundenen zum Bett hinab, beleuchten gleichzeitig das gleißnerische Gesicht der Hebamme. Das tote Kind hält er im Morgengrauen gegen den fahlen Himmel. Sperber haucht sein Leben aus. Knabe hilft läuten.

*

Frühlingserwachen
so zu dem Kalb hinab Euseb und der Vogel: alle seine Gier nach Eindrücken zuerst um das Erlebnis mit dem Vogel zu ersticken. (Plötzlicher Schreck wie er erkennt daß die Gemeinschaft der anderen ihm dabei nichts hilft, die andern hängen nur so daneben herum wie aufgeblasene Därme die der

Wind bewegt neben dem Kalb) er sucht sich zu betäuben, wirft sich auf seine Pferdedecke, auf den Bauch die Arme vor der Brust (wie ein Horchender an einer Tür) da ist auf einmal unter ihm der Vogel in undeutlicher Menschengestalt. Es muß heraus: er muß es durchdenken. Diese Erkenntnis dieser Entschluß ist knabenhaft mutig: nun wird er zu einem fabelhaften Antagonismus – er und der Vogel als märchenhafte Gegner – – dieses Märchen zerrinnt, er kann einschlummern.

*

Der Vater...
vielleicht einer der dem Teufel vom Schubkarren gefallen ist
die Hand Gottes des Vaters

----

auf jede Weise den Vater suchen

*

Er suchte den Vater – auch in Hammerschlägen auf die Nägel, die den Leib des Sperbers am Holz kreuzigten, suchte er den Vater – – und fand sich. So gekreuzigt war auch er durch den Vater, den Verächter seines Lebens. – Predigt des Katecheten: der Vater habe die Verachtung kundgegeben für das von ihm hinterlassene Geschöpf.

*

Das gräßliche des Ideen-losen – alles lebt dahin, paart sich, frißt, brüllt, stinkt, übervorteilt, unterdrückt, höhnt, belauert, beargwöhnt einander – greift an einander herum...

Die greifende Hand – nach einem Kind... ihm scheints die Hand des unbarmherzigen Vaters. Diese Hand die sich auf seine Brust legt, als etwas millionenfach schweres: er findet an der Stelle dann immer die eigene, totenhafte Hand. »Meinem Vater seine Hand« sprach er, ohne die Zunge zu bewegen.

*

zur Idee des Ganzen:
Râmakrishna in seinem Verhältnis zu der Göttin Kâli: ein Wirbelsturm durchwühlt seine Seele jahrelang. Er ist in sich nicht mehr. Manchmal scheint es, als wäre er nirgends mehr:

aber da blitzt es auf: in der Göttin ist er noch. Was die Göttin hier: ist in der Novelle das Leben. Das Leben, das in den Individuen aufzüngelt, wie die Flamme in einem wirren Haufen feuchter Hölzer. Dem Priester, dem Arzt schwindet es vor den grausenden Augen: mit tiefster Herzensangst sehen sie es auf einer Nadelspitze Raum zusammenschrumpfen; ebenso die Alte Frau, der es sich zusammenzieht zu der Türspalte des Himmels. Ganz vertiert empfangen es die im Dunkel essenden: welche denken: noch eine Wehe, noch eine Schüssel. Vor Euseb glänzt es in starken Wellen, wie der Rücken dunklen starken Wassers, darin einer schwimmt.

*

Idee

Wem gehört das Leben? Gott wirft es hin und her in die Geschöpfe (denkt der Cooperator) plötzlich flammt es als Sinnenlust auf in einem Bauernleib, dann als Völlerei, jetzt ist es für mich als feindselige Kraft konzentriert im Blick des jungen Arztes.

*

Der Knabe wurde in dieser Nacht weit über sich selber emporgerissen – – sein Vater kommt ihm nahe als Räuber Landstreicher der ein Pferd losmachen will – Heiliges tritt ihm bis zum Berühren nahe –

in allem berührte ihn sein Schicksal, reizte ihn zur Grausamkeit und regte etwas weit tieferes in ihm auf.

*

Sein unbarmherziger Vater der sich vor ihm verborgen hat im Nicht-da-sein – vielleicht steht er hinterm Gebüsch – als der klumpfüßige Hehler – als der vornehme Fremde

das unsagbar unsichere seiner Stellung im Dasein: so unsicher ist niemand auf der Welt: unsicher dem ausgearbeiteten Ochsen gegenüber – vielleicht gehörts ihm, vielleicht gehörts ihm nicht

der barmherzige Vater der ihm statt dessen zugewiesen ist, der Vater aller Kreaturen – alles wird zu allem   Grausen –

das einzige Element das möglich ist, ist das Wasser: baden. I will not touch my flesh to the earth, as to other flesh. To renew me.

*

Man entfernt sich von Gott (scheinbar auf immer, wie durch den Mord an dem Sperber) und kehrt gerade auf diesem Weg zu ihm zurück.

Euseb:
Ich tu – aber: ich bin ja auch was ich tu

*

»Ich will zu dir dürfen« wen meint er? den himmlischen oder den irdischen Vater?

ANDREAS

DIE WUNDERBARE FREUNDIN

> Es hat in unsrer Mitte Zauberer
> Und Zauberinnen, aber niemand weiß sie.
> *Ariost*

»Das geht gut«, dachte der junge Herr Andreas von Ferschengelder, als der Barkenführer ihm am 7. September 1778 seinen Koffer auf die Steintreppe gestellt hatte und wieder abstieß, »das wird gut, läßt mich der stehen, mir nichts dir nichts, einen Wagen gibts nicht in Venedig, das weiß ich, ein Träger, wie käme da einer her, es ist ein öder Winkel, wo sich die Füchse gute Nacht sagen. Als ließe man einen um sechs Uhr früh auf der Rossauerlände oder unter den Weißgärbern aus der Fahrpost aussteigen, der sich in Wien nicht auskennt. Ich kann die Sprache, was ist das weiter, deswegen machen sie doch aus mir was sie wollen! Wie redt man denn wildfremde Leute an, die in ihren Häusern schlafen – klopf ich an, und sag: Herr Nachbar?« Er wußte, er würde es nicht tun, – indem kamen Schritte näher, scharf und deutlich in der Morgenstille auf dem steinernen Erdboden; es dauerte lange, bis sie näher kamen, da trat aus einem Gäßchen ein Maskierter hervor, wickelte sich fester in seinen Mantel, nahm ihn mit beiden Händen zusammen und wollte quer über den Platz gehen. Andreas tat einen Schritt vor und grüßte, die Maske lüftete den Hut und zugleich die Halblarve, die innen am Hut befestigt war. Es war ein Mann, der vertrauenswürdig aussah, und nach seinen Bewegungen und Manieren gehörte er zu den besten Ständen. Andreas wollte sich beeilen, es dünkte ihn unartig, einen Herrn, der nach Hause ging, zu dieser Stunde lang aufzuhalten, er sagte schnell, daß er ein Fremder sei, eben vom festen Land herübergekommen, aus Wien über Villach und Görz. Sogleich erschien ihm überflüssig, daß er dies erwähnt hatte, er wurde verlegen und verwirrte sich im Italienischreden.

Der Fremde trat mit einer sehr verbindlichen Bewegung näher und sagte, daß er ganz zu seinen Diensten sei. Von dieser Gebärde war vorne der Mantel aufgegangen, und Andreas sah, daß der höfliche Herr unter dem Mantel im bloßen Hemde war, darunter nur Schuhe ohne Schnallen und herabhängende Kniestrümpfe, die die halbe Wade bloß ließen. Schnell bat er den Herrn, doch ja bei der kalten Morgenluft sich nicht aufzuhalten und seinen Weg nach Hause fortzusetzen, er werde schon jemanden finden, der ihn nach einem Logierhaus weise oder zu einem Wohnungsvermieter. Der Maskierte schlug den Mantel fester um die Hüften und versicherte, er habe durchaus keine Eile. Andreas war tödlich verlegen im Gedanken, daß der andere nun wisse, er habe sein besonderes Negligé gesehen; durch die alberne Bemerkung von der kalten Morgenluft und vor Verlegenheit wurde ihm ganz heiß, so daß er unwillkürlich auch seinerseits den Reisemantel vorne auseinanderschlug, indessen der Venezianer aufs höflichste vorbrachte, daß es ihn besonders freue, einem Untertan der Kaiserin und Königin Maria Theresia einen Dienst zu erweisen, um so mehr, als er schon mit mehreren Österreichern sehr befreundet gewesen sei, so mit dem Baron Reischach, Obersten der kaiserlichen Panduren, und mit dem Grafen Esterhazy. Diese wohlbekannten Namen, von dem Fremden hier so vertraulich ausgesprochen, flößten Andreas großes Zutrauen ein. Freilich kannte er selber so große Herren nur vom Namenhören und höchstens vom Sehen, denn er gehörte zum Klein- oder Bagatelladel.

Als der Maskierte versicherte, er habe, was der fremde Kavalier brauche, und das ganz in der Nähe, so war es Andreas ganz unmöglich, etwas Ablehnendes vorzubringen. Auf die beiläufig schon im Gehen gestellte Frage, in welchem Teil der Stadt sie hier seien, erhielt er die Antwort, zu Sankt Samuel. Und die Familie, zu der er geführt werde, sei eine gräflich patrizische und habe zufällig das Zimmer der ältesten Tochter zu vergeben, die seit einiger Zeit außer Hause wohne. Indem waren sie auch schon in einer sehr engen Gasse vor einem sehr hohen Hause angelangt, das wohl ein vornehmes, aber recht verfallenes Ansehen hatte und dessen Fenster anstatt mit

Glasscheiben alle mit Brettern verschlagen waren. Der Maskierte klopfte ans Tor und rief mehrere Namen, hoch oben sah eine Alte herunter, fragte nach dem Begehren, und die beiden parlamentierten sehr schnell. Der Graf selbst wäre schon ausgegangen, sagte der Maskierte zu Andreas, er gehe immer so früh aus, um das Nötige für die Küche zu besorgen. Aber die Gräfin sei zu Hause; so werde man wegen des Zimmers unterhandeln und auch gleich Leute nach dem zurückgelassenen Gepäck schicken können.

Der Riegel am Tor öffnete sich, sie kamen in einen engen Hof, der voll Wäsche hing, und stiegen eine offene und steile Steintreppe empor, deren Stufen ausgetreten waren wie Schüsseln. Das Haus gefiel Andreas nicht, und daß der Herr Graf so früh ausgegangen war, um das Nötige für die Küche zu besorgen, verwunderte ihn, aber daß es der Freund der Herren von Reischach und Esterhazy war, der ihn einführte, machte einen hellen Schein über alles und ließ keine Traurigkeit aufkommen.

Oben stieß die Treppe an ein ziemlich großes Zimmer, in dem an einem Ende der Herd stand, an dem anderen ein Alkoven abgeteilt war. An dem einzigen Fenster saß ein junges halberwachsenes Mädel auf einem niedrigen Stuhl, und eine nicht mehr junge, aber noch ganz hübsche Frau war bemüht, aus dem schönen Haar des Kindes einen höchst künstlichen Chignon aufzutürmen. Als Andreas und sein Führer das Zimmer betraten und die Hüte abnahmen, stob das Kind laut aufschreiend davon ins Nebenzimmer und ließ Andreas ein mageres Gesicht mit dunklen reizend gezeichneten Augenbrauen gewahren, indessen der Maskierte sich an die Frau Gräfin wandte, die er als Cousine anredete, und ihr seinen jungen Freund und Schützling vorstellte.

Es gab ein kurzes Gespräch, die Dame nannte einen Preis für das Zimmer, den Andreas ohne weiteres zugestand. Er hätte um alles gern gewußt, ob es ein Zimmer nach der Gasse hin sei, oder ein Hofzimmer, denn in einem solchen seine Zeit in Venedig zu verbringen hätte ihm traurig geschienen, auch ob er hier in der inneren Stadt sei oder in der Vorstadt. Aber er fand nicht den Augenblick für seine Frage, denn das Gespräch zwischen den beiden anderen ging immer weiter, und das verschwundene junge Geschöpf wippte mit der Tür und rief energisch von innen heraus, da müßte sofort der Zorzi aus dem Bett herausgebracht werden, denn er liege oben und habe seinen Magenkrampf. Darauf hieß es, die Herren sollten nur hinaufgehen; den unnützen Menschen aus dem Zimmer zu entfernen, das würden schon die Buben besorgen. Er werde auf der Stelle ausziehen und das Gepäck des Ankömmlings dafür hinaufgeschafft werden. Sie bat entschuldigt zu sein, wenn sie den Herrn nicht selbst hinaufbegleite, sondern dies dem Cousin überlasse, denn sie habe alle Hände voll zu tun, weil sie die Zustina zurichten müsse, um mit ihr die Besuche wegen der Lotterie zu machen. Es müßten heute sämtliche Protektoren der Liste nach im Laufe des Vor- und Nachmittags besucht werden.

Andreas hätte nun wieder gerne gewußt, was es mit diesen Protektoren und der Lotterie auf sich habe, doch da sein Mentor die Sache mit lebhaftem und beifälligem Nicken als bekannt hinzunehmen schien, fand er keine schickliche Gelegenheit zu einer Frage, und man stieg hinter den zwei halbwüchsigen Jungen, die Zwillinge sein mußten, die steile Holztreppe hinauf nach Fräulein Ninas Zimmer.

Vor der Tür machten die Knaben halt, und als ein mattes Stöhnen herausdrang, sahen sie einander mit den flinken Eichhörnchenaugen an und schienen sehr befriedigt. Auf dem Bett, dessen Vorhänge zurückgeschlagen waren, lag ein bleicher junger Mensch. Ein Holztisch an der Wand und ein Stuhl waren mit schmutzigen Pinseln und Farbtöpfchen besetzt, eine Palette hing an der Wand. Gegenüber hing ein klarer sehr hübscher Spiegel, sonst war der Raum leer, aber licht und freundlich. »Ist dir besser?« sagten die Knaben. – »Besser«, stöhnte der Liegende. – »So kann man den Stein wegheben?« – »Ja, ihr könnt ihn wegheben.« – »Wenn einer Magenkrampf hat, muß man ihm den Stein auf den Magen heben, dann wird er gesund«, meldete der eine der beiden Knaben, indes der zunächst Dabeistehende den Stein, den abzuheben kaum ihre angespannten vereinten Kräfte hinreichten, von dem Kranken wälzte.

Andreas war es greulich, daß man einen leidenden Menschen so um seinetwillen aus dem Bette warf. Er trat ans Fenster und schlug den halbangelehnten Laden vollends zurück: unten war Wasser, und kleine besonnte Wellen schlugen an die breiten Stufen eines recht großen Gebäudes gerade gegenüber, und an einer Mauer tanzte ein Netz von Lichtkringeln. Er beugte sich hinaus, da war noch ein Haus, dann noch eins, dann mündete die Gasse in eine große breite Wasserstraße, auf der die volle Sonne lag. An dem Eckhaus sprang ein Balkon vor, mit einem Oleanderbaum darauf, dessen Zweige der Wind bewegte, auf der anderen Seite hingen Tücher und Teppiche aus luftigen Fenstern. Über dem großen Wasser drüben stand ein Palast mit schönen Steinfiguren in Nischen.
Er trat ins Zimmer zurück, da war der im Domino verschwunden, der junge Mensch stand auf und beaufsichtigte die Buben, die von dem einzigen Tisch und Stuhl des Zimmers eifrig Farbentöpfchen und Bündel schmutziger Pinsel wegräumten. Er war blaß und ein wenig verwahrlost, aber wohlgestaltet; in seinem Gesicht nichts Häßliches als eine schiefe Unterlippe nach einer Seite herabgezogen, das gab ihm einen hämischen Ausdruck. – »Haben Sie bemerkt«, wandte er sich an Andreas, »daß er unter dem Domino nichts anhat als sein Hemd? Auch die Schnallen an den Schuhen weggeschnitten. So geht es ihm alle Monat einmal. Nun, Sie verstehen wohl, was wirds sein? Er ist ein verzweifelter Spieler. Was sonst? Sie hätten ihn gestern sehen sollen. Er hatte einen gestickten Rock, eine Weste mit Blumen, zwei Uhren mit Berloquen daran, eine Dose, Ringe an jedem Finger, hübsche silberne Schuhschnallen. So ein Kujon!« Und er lachte, aber sein Lachen war nicht hübsch. – »Sie werden ein bequemes Zimmer haben. Wenn Sie sonst noch etwas brauchen, ich bin stets zu Ihrer Verfügung. Ich kann Ihnen ein Kaffeehaus zeigen, hier nahebei, wo man Sie anständig bedienen wird, wenn ich Sie einführe. Sie können dort Ihre Briefe schreiben, Ihre Bekannten hinbestellen und alles abmachen, außer dem, was man lieber hinter geschlossenen Türen abmacht.« – Hier lachte er wieder, und die beiden Buben fanden den Witz vor-

trefflich und lachten laut, dabei strengten sie alle Kräfte an, um den schweren Stein aus dem Zimmer zu schleppen; ihre Gesichter sahen der Schwester unten ähnlich.

»Wenn Sie eine Kommission haben, die einen vertrauenswürdigen Menschen erfordert«, fuhr der Maler fort, »so wird es mir eine Ehre sein, wenn Sie mir sie übergeben. Wenn ich nicht zur Hand bin, so nehmen Sie nur einen Furlaner, das sind die einzig verläßlichen Dienstmänner. Sie finden ihrer am Rialto und an jedem größeren Platz und werden sie an der bäurischen Tracht erkennen. Es sind zuverlässige Leute und verschwiegen, merken sich Namen und erkennen auch eine Maske, an ihrem Gang und an den Schuhschnallen. Wenn Sie von da drüben etwas brauchen, so sagen Sie es mir, ich bin Maler des Hauses und habe freien Zutritt zu allen Räumen.«

Andreas verstand, daß er von dem grauen Gebäude gegenüber sprach, das ihm zu groß für ein Bürgerhaus, zu dürftig für einen Palast erschienen war und vor dessen Tor breite Steinstufen ins Wasser führten. »Ich spreche vom Theater zu Sankt Samuel, dem Haus hier gegenüber. Ich dachte, Sie wüßten das längst. Wir sind alle da drüben beschäftigt. Ich, wie gesagt, bin Dekorationsmaler und Feuerwerker, Ihre Hausfrau ist Logenschließerin, der Alte ist Lichtputzer.« – »Welcher?« – »Der Graf Prampero, bei dem Sie wohnen, wer sonst? Zuerst war die Tochter Schauspielerin, die hat sie alle hineingebracht – nicht diese, die Sie gesehen haben – die Ältere, Nina. Diese ist der Mühe wert, und ich werde Sie heute nachmittag zu ihr führen. Die Kleine tritt im nächsten Karneval auf. Die Buben machen dringende Wege. – Jetzt will ich mich aber nach Ihrem Gepäck umsehen.«

Andreas blieb allein, schlug die Fensterläden zurück und hakte sie ein. Von dem einen war der Haken zerbrochen, er nahm sich vor, ihn sogleich richten zu lassen. Dann räumte er was noch von Farbtöpfen und Büchsen herumstand vor die Tür und reinigte mit einem Lappen Leinwand, der unter dem Bett lag, seinen Tisch von den Farbenflecken, bis die polierte Fläche sauber glänzte; dann trug er den bunten Lappen hinaus, suchte ein Eck, ihn zu verstecken, und fand dort einen

Reisbesen, mit dem er sein Zimmer kehrte. Als dies geschehen war, rückte er den hübschen kleinen Spiegel lotrecht, streifte die Bettvorhänge zurück und setzte sich auf den einzigen Stuhl am Fußende des Bettes, das Gesicht dem Fenster zugewandt. Die freundlich bewegte Luft kam herein, berührte sein junges Gesicht mit leisem Geruch von Algen und Meeresfrische.

Er dachte an seine Eltern und den Brief, den er im Kaffeehaus an sie schreiben müßte. Er nahm sich vor, beiläufig zu schreiben: »Verehrungswürdigste, gnädige Eltern, – ich melde, daß ich in Venedig glücklich eingetroffen. Ich bewohne ein freundliches, sehr reines und luftiges Zimmer bei einer adeligen Familie, die es zufällig zu vergeben hat. Das Zimmer geht auf die Gasse, aber anstatt des Erdbodens ist unten Wasser, und die Leute fahren in Gondeln oder das arme Volk in großen Trabakeln, ähnlich wie Donauzillen; die sind statt der Lastträger. Daher werde ichs auch sehr ruhig haben. Peitschenknall oder Geschrei hört man nicht.« Er dachte noch zu erwähnen, daß es hier Dienstmänner gäbe, die so findig seien, daß sie im Stand wären, eine Maske am Gang und an den Schuhschnallen wiederzuerkennen. Das würde seinem Vater Vergnügen machen zu erfahren, denn er war sehr darauf aus, das Besondere und Kuriose fremder Länder und Gebräuche zu sammeln. Zweifelhaft war ihm, ob er berichten solle, daß er ganz nahe einem Theater wohne. Das war in Wien immer sein sehnsüchtiger Wunsch gewesen. Vor vielen Jahren, als er zehn oder zwölf Jahre alt war, hatte er zwei Freunde, die im Blauen Freihaus auf der Wieden wohnten, auf der gleichen Treppe im vierten Hof, wo in einer Scheune das »beständige Theater« errichtet war. Er erinnerte sich des Wunderbaren, bei denen gegen Abend zu Besuch zu sein, Dekorationen heraustragen zu sehen: eine Leinwand mit einem Zaubergarten, ein Stück von einer Dorfschenke drinnen, der Lichtputzer, das Summen der Menge, die Mandorlettiverkäufer. Stärker als alles das Durcheinanderspielen aller Instrumente beim Stimmen, das ging ihm durchs Herz noch heute, wie er sich erinnerte. Der Bühnenboden war uneben: der Vorhang an einigen Stellen zu kurz, Ritterstiefel kamen und gingen. Zwi-

schen dem Hals einer Baßgeige und dem Kopf eines Musikanten sah man einmal einen himmelblauen Schuh mit Flitter bestickt. Der himmelblaue Schuh war wunderbarer als alles. – Später stand ein Wesen da, das diesen Schuh anhatte, er gehörte zu ihr, war eins mit ihrem blau und silbernen Gewand: sie war eine Prinzessin, Gefahren umgaben sie, ein Zauberwald nahm sie auf, Stimmen tönten aus den Zweigen, aus Früchten, die von Affen hergerollt wurden, sprangen holdselige Kinder, leuchteten. Die Prinzessin sang, Hanswurst war ihr nahe und doch meilenfern, alles das war schön, aber es war nicht das zweischneidige Schwert, das durch die Seele drang, von zartester Wollust und unsäglicher Sehnsucht bis zu Weinen, Bangen und Beglückung, wenn der blaue Schuh allein unter dem Vorhang da war.
Er beschloß bei sich, daß er die Nähe des Theaters nicht erwähnen würde, auch nicht den sonderbaren Aufzug des Herren, der ihn eingeführt hatte. Er hätte sagen müssen, daß er ein Spieler war, der alles bis aufs Hemd verspielt hatte, oder diesen Umstand auf künstliche Weise verschweigen. So konnte er freilich nicht von Esterhazy erzählen, das hätte die Mutter gefreut. Den Mietpreis wollte er gern erwähnen, zwei Zechinen monatlich, das war auch nach seinem Gelde nicht viel. – Aber was nützte das, wenn er doch durch eine einzige Torheit in einer einzigen Nacht mehr als die Hälfte seines Reisegeldes eingebüßt hatte. Dies würde er den Eltern nie eingestehen dürfen, wozu also prahlen, daß er sparsam wohne. Er schämte sich vor sich selber und wollte einmal an die drei unheilvollen Tage in Kärnten nicht denken, aber da stand schon das Gesicht des schurkischen Bedienten vor ihm, und ob er wollte oder nicht, mußte er sich an alles erinnern, haarklein und von Anfang an: so kam es über ihn, jeden Tag einmal, früh oder abends.

Er war wieder in der Herberge »Zum Schwert« in Villach nach einem scharfen Reisetag und wollte zu Bett gehen. Da, schon auf der Treppe, präsentierte sich ihm ein Mensch als Bedienter oder Leibjäger. Er: er brauche keinen, reise allein, besorge sich tagsüber sein Pferd selber, nachts täte das schon der Hausknecht. Der andere drauf läßt ihn nicht los, steigt Stufe für Stufe mit, immer quer in Frontstellung bis an die Tür, tritt dann in der Tür quer auf die Schwelle, daß sie Andreas nicht zumachen kann: daß es nicht schicklich wäre für einen jungen Herrn von Adel, ohne Bedienten zu reisen, in Italien gäbe das ein miserables Ansehen, da seien sie höllisch proper in diesem Punkt. Und wie er fast lebenslang nichts anderes getan habe als mit jungen Herrn über Land zu reiten, zuletzt mit dem Freiherrn Edmund auf Petzenstein, früher mit dem Domherrn Graf Lodron, die werde der Herr von Ferschengelder doch wohl kennen. Wie er bei diesen als Reisemarschall vorausgereist sei, alles bestellt, alles eingerichtet, daß der Herr Graf vor Staunen nicht habe auskönnen: »niemals zuvor sei er so billig gereist«, und es waren die besten Quartiere. Wie er das Wälsche spräche und das Ladinische und Italienisch natürlich mit aller Geläufigkeit und die Münzen kenne, und die Streiche der Wirte und der Postillons, da käme ihm keiner auf, jeder sage nur: »gegen den Herren, den Ihr da habt, könne man nicht an, der sei wohlbehütet«. Und wie er Roßkaufen verstände, daß er jeden Roßtäuscher übers Ohr hauen könne, auch einen ungarischen, das seien die gefinkeltsten, geschweige denn einen deutschen und wällischen. Und was die persönliche Bedienung beträfe, da sei er Leiblakei und Friseur und Perückenmacher, Kutscher und Jäger und Piqueur, Büchsenspanner, er verstehe die hohe wie die niedrige Jagd, die Korrespondenz, die Registratur, das Vorlesen und Billettschreiben in vier Sprachen und könne dienen als Dolmetscher oder, wie man im Türkischen spräche, als Dragoman. Es sei ein Wunder, daß ein Mensch wie er frei wäre, auch habe der Freiherr von Petzenstein ihn à tout prix wollen seinem Herrn Bruder zuschanzen, aber er habe es sich in den Kopf gesetzt, den Herrn von Ferschengelder zu bedienen. Nicht um des Lohnes willen, der sei ihm Nebensache. Aber das stünde ihm an, einem solchen jungen Herrn, der seine erste Reise machte, behilflich zu sein und sich ihm lieb und wert zu machen. Das Zutrauen sei es, worauf sein Sinn stünde, das wäre der Lohn, den ein Diener wie er im Auge habe. Um herrschaftliches Zutrauen diene er, und

nicht um Geld. Deswegen habe er es auch nicht bei den kaiserlichen Reitern aushalten können, denn dort regiere der Stock und die Angeberei und nicht das Zutrauen. – Hier fuhr er sich mit der Zunge über die feuchte dicke Lippe wie eine Katze.
Nun brachte Andreas hervor: er danke ihm schön für den Dienstwillen, aber er wolle hier keinen Diener nehmen. Später vielleicht in Venedig einen Lohnbedienten – und damit wollte er die Tür zumachen –, aber der letzte Satz war schon zuviel, die kleine Vornehmtuerei, denn er hatte nie daran gedacht, in Venedig einen Lakaien zu nehmen, die strafte sich. Da spürte der andere am unsicheren Ton, wer in diesem Handel der Stärkere war, und stemmte seinen Fuß gegen die Tür, und wie das kam, fand dann Andreas nie mehr heraus, daß der Kerl dann schon gleich, als wäre das zwischen ihnen abgemachte Sache, von seiner Berittenmachung sprach: da wäre heute Gelegenheit, die käme nie wieder. Diese Nacht zöge ein Pferdehändler hier durch, den kenne er noch vom Domherrn aus, ausnahmsweise kein Jüdl, der habe ein ungarisches Pferdchen zu verkaufen, das stünde ihm wie angegossen. Wenn er das zwischen die Schenkel bekäme, das täte den Spanischen Tritt binnen heute und einer Woche. Das Bräundl koste, glaube er, neunzig Gulden für jeden andern, aber für ihn siebzig. Das schriebe sich aus den großen Pferdekäufen her, die er für den Domherrn gemacht habe, doch müsse er noch heute vor Mitternacht den Handel gutmachen, der Händler sei ein Frühaufsteher. So möge der gnädige Herr ihm das Geld gleich aus dem Leibgurt geben, oder ob er hinuntergehen sollte und gar den Mantelsack oder den Sattel heraufholen? da wäre sicherlich ein Kapital in Dukaten eingenäht, denn bei sich trüge ein solcher Herr ja nur das Nötigste.
Wie der Mensch von Geld sprach, war sein Gesicht widerlich, unter den frechen, schmutzig blauen Augen zuckten kleine Fältchen im sommersprossigen Fleisch wie kleine Wasserwellen. Er kam Andreas ganz nah, und über die aufgeworfenen nassen dicken Lippen rochs nach Branntwein. Jetzt schob Andreas ihn über die Schwelle hinaus – da fühlte der Kerl, daß der junge Herr stark war, und sagte nichts. Aber Andreas

sagte wieder ein Wort zu viel, weil ihm das zu grob war, daß er den Zudringlichen so unsanft angerührt hatte, – er meinte, so etwas Grobes, Handgreifliches würde der Graf Lodron nie getan haben, – und so fügte er noch gewissermaßen zum Abschied bei, er wäre halt heute zu müde, morgen vormittag könnte man ja sehen. Jedenfalls sei vorläufig zwischen ihnen nichts abgemacht.

Morgen mit dem frühesten gedachte er ohne weiteres abzureiten. Damit aber drehte er sich den Strick, denn am andern Morgen, noch ehe es recht hell und Andreas wach war, stand der Kerl schon an der Tür und meldete, er habe bereits für den gnädigen Herrn bare fünf Gulden verdient, dem Roßtäuscher das Prachtpferd um fünfundsechzig abgehandelt, es stünde unten im Hof, und jeder Gulden unter fünfundsechzig, den der Herr von Ferschengelder verlöre, wenn er das Pferd in Venedig losschlüge, der möge ihm von seinem Lohn abgezogen werden.

Andreas sah schlaftrunken vom Fenster aus ein mageres, aber munteres Pferdchen im Hof stehen. Da packte ihn die Eitelkeit an, daß es doch was anderes wäre, mit einem Bedienten hinter sich in die Städte und Gasthöfe einzureiten. An dem Pferd konnte er nichts verlieren, das war ein gesicherter Handel. Der kurzhalsige, sommersprossige Bursch hatte doch nichts weiter als ein handfestes und gewitzigtes Ansehen, und wenn der Freiherr zu Petzenstein und der Graf Lodron ihn in ihrem Dienste gehabt hätten, so könne er schon nicht der erste beste sein. Denn eine unbegrenzte Ehrfurcht vor den Personen des hohen Adels hatte Andreas mit der wienerischen Luft im Elternhaus in der Spiegelgasse eingesogen, und was in dieser höheren Welt vorging, das war wie Amen im Gebet.

So hatte denn Andreas einen Bedienten, der hinter ihm ritt und seinen Mantelsack übergeschnallt hatte, ehe er es recht wußte und wollte. Den ersten Tag ging alles gut, aber trotzdem zog auch der jetzt als trüb und häßlich an Andreas vorüber, und es wäre ihm lieber gewesen, ihn nicht wieder durchzumachen. Aber da fruchtete kein Wollen.

Andreas hatte wollen auf Spittal und dann durchs Tirol hinabreiten, der Bediente aber ihn beschwätzt, links abzubiegen und im Kärntnerischen zu bleiben. Da seien die Straßen weit besser und die Unterkünfte gar ohne Vergleich, auch mit den Leuten ein ganz anderes Leben als mit den Tiroler Schädeln. Die kärntnerischen Wirtstöchter und Müllerinnen seien apart, die rundesten, festesten Busen von ganz Deutschland seien ihre, das sei sprichwörtlich, und Lieder gingen darauf mehr als eins. Ob denn dies dem Herrn von Ferschengelder nicht bekannt sei?

Andreas schwieg, ihm war heiß und kalt neben dem Menschen da, der nicht gar so viel älter war als er, leicht um fünf Jahre; – wenn der gewußt hätte, daß er noch nie ein Weib hatte ohne ihre Kleider gesehen, geschweige angerührt, so hätte es einen frechen Spott gegeben, eine Rede, wie er sie gar nicht aussinnen konnte, dann aber auch Andreas ihn vom Pferd gerissen, wild auf ihn dreingeschlagen, das fühlte er, und das Blut schlug ihm gegen die Augen.

Sie ritten schweigend durch ein breites Tal, es war ein regnichter Tag, grasige Berglehnen links und rechts, hie und da ein Bauernhof, ein Heustadl, hoch oben Wald, auf dem faul die Wolken lagen. Nach dem Mittagessen war der Gotthelff redselig, ob der junge Herr die Wirtin angeschaut hätte? Jetzt wäre freilich nicht mehr so viel an ihr, aber Anno 69, also vor jetzt neun Jahren, da wäre er sechzehnjährig gewesen, da hätte er die Frau gehabt, jede Nacht, einen Monat lang. Da wäre das wohl der Mühe wert gewesen. Schwarze Haare hätte sie gehabt, bis unter die Kniekehlen. Dabei trieb er sein Pferdchen an und ritt ganz dicht an Andreas, daß der ihn mahnen mußte, er solle achthaben, nicht aufzureiten, sein Fuchs vertrüge das nicht. Am Schluß habe die einen rechten Denkzettel gekriegt, das sei ihr recht geschehen. Da habe er es mit einer bildsauberen gräflichen Kammerjungfer gehalten, und davon habe der Wirtin was geschwant, und sie sei vor Eifersucht darüber ganz abgemagert und hohläugig geworden wie ein kranker Hund. Er sei damals nämlich Leibjäger gewesen, beim Grafen Porzia, das sei sein erster Dienst gewesen, und verwundert genug hätte man sich in ganz Kärnten darüber, daß der Graf ihn mit sechzehn Jahren zum Leibjäger machte und zum Vertrauten noch dazu. Aber der Herr Graf habe schon gewußt, was er tue und auf wen er sich verlassen könnte, und da wäre auch Diskretion nötig gewesen, denn der Herr Graf hatte mehr Liebschaften als Zähne im Mund, und mehr als *ein* Ehemann wäre gewesen, der hätte ihm den Tod geschworen, unter den Herrschaften und auch unter den Bauern, den Müllern und Jägern. Damals habe es der Graf mit der pormbergischen jungen Gräfin gehabt, die wäre verliebt gewesen wie eine Füchsin, und gerade so wie sie in den Herrn Grafen, so die Kammerjungfer, eine blonde slowenische, in ihn, den Gotthelff. Da, wenn zu Pormberg beim Ehemann die Treibjagd war, hätte sich die Gräfin heimlich zum Stand des Grafen Porzia geschlichen, ja auf allen vieren wäre sie dorthin gekrochen, und indessen hätte der Graf ihm die Büchse in die Hand gegeben und ihm befohlen, an seiner Statt zu schießen, daß man nichts bemerke. Und da hätte man auch nichts bemerkt, denn er sei ein ebenso guter Schütze gewesen wie der Herr Graf. Da habe er einmal mit Rehposten auf einen starken Bock geschossen, vierzig Schritt so beiläufig und durch Jungholz, gerade das Blatt habe er im Dämmern wahrnehmen können. Da sei das Wild im Feuer zusammengebrochen, aber zugleich da aus dem Unterholz ein kläglicher Schrei gekommen als wie von einem Weib. Gleich nachher seis aber still geworden, als habe das verwundete Weib sich selber den Mund zugehalten. Da habe er seinen Stand natürlich nicht verlassen können, die nächste Nacht aber die Wirtin aufgesucht und sie im Bett gefunden mit Wundfieber. Da sei er flink dahintergekommen, daß die Eifersucht sie in den Wald getrieben habe, weil sie gemeint hatte, die Kammerjungfer wäre mit und sie fände die beiden im Unterholz miteinander. Er habe sich den Buckel voll lachen müssen, daß sie den Denkzettel erwischt habe von seiner Hand, und habe ihm doch keinen Vorwurf machen können, vielmehr seinen gesalzenen Spott ruhig hinnehmen und den Mund halten müssen vor jedermann und sich gegen jedermann geradlügen, wie sie sei in die Sichel gefallen und habe sich oberm Knie einen Schnitt getan.

Andreas ritt schneller, der andere auch, sein Gesicht dicht hinter Andreas war rot vor wilder frecher Lust wie ein Fuchs in der rage. Andreas fragte, ob die Gräfin noch lebe. Oh die habe noch manchen glücklich gemacht und sähe heut noch aus wie fünfundzwanzig. Das sei eine, von der wisse er manches Stückl zu erzählen, – und überhaupt die vornehmen Weiber hier auf den Schlössern, wenn man die nur richtig zu nehmen wisse, wo eine Bäuerin den kleinen Finger gäbe, da gäben die gleich die ganze Hand und das übrige auch dazu. Nun ritt er ganz dicht neben Andreas, anstatt dahinter, aber Andreas achtete es nicht. Der Bursch war ihm widerlich wie eine Spinne, aber von dem Gerede war sein zweiundzwanzigjähriges Blut aufgeregt, und seine Gedanken gingen woanders hin. Er dachte, wenn er diesen Abend ankäme auf dem Pormbergischen Schloß und wäre erwartet und andere Gäste auch. Am Abend nach einer Jagd, und er der beste Schütz, wo er hinzielt, fällt was. Die schöne Gräfin in seiner Nähe, wie er schießt, spielt ihr Blick so mit ihm wie er mit dem Leben der Waldtiere. – Dann sind sie auf einmal allein, ein ganz einsames Gemach, er mit der Gräfin allein, klafterdicke Mauern, totenstill. Ihm graust, daß es ein Weib ist und nicht mehr eine Gräfin, auch nicht der junge Kavalier, nichts Galantes, Ehrbares mehr, auch nichts Schönes, sondern ein wildes Tun, ein Morden im Dunkeln. Der Kerl ist dicht daneben und schießt mit aufgerissenem Maul seine Büchse auf ein Weib, das im Hemd zu ihm geschlichen ist. Er will mit der Gräfin wieder in den Speisesaal zurück, dorthin wo alles fröhlich ist und ehrbar, reißt seine Gedanken zurück – da spürt er, daß er sein Pferd pariert hat, und zugleich stolpert dem Bedienten sein Gaul. Der flucht Himmelsakrament, als wäre das vorn nicht sein Herr, sondern einer, mit dem er lebenslang die Säu gefüttert habe. Andreas verweists ihm nicht. Er ist jetzt zu schlapp, das breite Tal ist ihm widerlich, die Wolken hängen da wie Säcke. Er möchte, das wäre alles längst vorüber, möchte älter sein und schon Kinder haben, und das wäre sein Sohn, der nach Venedig ritte. Aber ein ganz andrer Kerl als er, ein rechter Mann, und alles rein und freundlich wie an einem Sonntagmorgen, wenn man die Glocken hört.

Den nächsten Tag ging die Straße bergauf. Das Tal zog sich

zusammen, steilere Abhänge, hoch oben manchmal eine Kirche, ein paar Häuser, tief drunten ein rauschendes Wasser. Die Wolken waren bewegt, manchmal fuhr ein Sonnblick wie ein Schuß bis hinab an den Fluß, zwischen Weide und Haseln leuchteten die Steine fahl weiß auf, das Wasser grün. Dann wieder Dunkelheit, leichter Regen. Nach den ersten hundert Schritt lahmte das frisch gekaufte Pferd, seine Augen waren trüb, der Kopf viel älter, das ganze Tier sah aus wie ausgewechselt. Der Gotthelff zog los, das wäre kein Wunder, wenn abends, wo die Pferde müde in den Beinen wären, einer seinen Gaul auf der halbdunklen Landstraße ohne Grund zusammenrisse, mir nichts dir nichts, daß der hintere Reiter ins Stolpern kommen müsse. So eine Manier sei ihm noch nicht vorgekommen, bei den kaiserlichen Reitern werde das mit Krummschließen gestraft.
Andreas verwies es ihm wieder nicht, der Mensch versteht was von Pferden, dachte er, dünkt sich verantwortlich für den Braunen, davon geht ihm die Galle über. – Aber dem Freiherrn von Petzenstein hätte ers doch nicht in dem Ton gesagt. Geschieht mir recht. Da ist halt ein gewisses Ding um einen solchen großen Herrn, vor dem hat ein Lakai Respekt. Bei mir ists nichts, wollte ichs da erzwingen, es stünde mir nicht an. Bis Samstag nehme ich ihn mit, dann verkaufe ichs Pferd, mag auch das halbe Geld dabei verloren sein, lohn ihn ab, ein Bursch wie der findet sich zehn Dienste für einen, aber er braucht eine andere Hand über sich.
Bald mußten sie Schritt reiten; sah des Pferdes Kopf trübselig und abgefallen aus, so des Gotthelff Gesicht gedunsen und grimmig. Er zeigte auf einen großen Bauernhof vor ihnen, seitlich der Straße: dort wird abgesessen, einen stockkrummen Gaul reite ich keinen Schritt weiter.

Das Gehöft war mehr als stattlich. Ums Ganze lief eine steinerne Mauer im Viereck, an jeder Ecke ein starker Turm, das Tor in Stein gefaßt, darüber ein Wappenschild. Andreas dachte, es müsse ein Herrensitz sein. Sie stiegen ab. Gotthelff nahm die beiden Pferde in die Hand, den Braunen mußte er durch das Tor mehr ziehen als führen. Im Hof war niemand als ein schöner großer Hahn auf dem Mist mit vielen Hennen, auf der anderen Seite lief ein kleines Wasser vom Brunnen ab, hatte einen Abzug unter der Mauer zwischen Nesseln und Brombeeren, da schwammen kleine Enten. Eine ganz kleine Kapelle stand da; Blumen daran hinten in Holzgittern, das alles innerhalb der Mauer. Der mittlere Weg durch den Hof war gepflastert, die Hufe der Pferde klapperten darauf. Der Weg führte mitten durchs Haus, ein mächtig gewölbter Torweg, die Stallungen mußten hinterm Haus sein.

Jetzt kamen zwei Knechte herzu, auch eine junge Magd, dann der Bauer selber, ein Hochgewachsener, dem Anschein nach kaum viel über vierzig, dabei schlank und mit einem schönen Gesicht. Den Fremden wurde ein Stall gewiesen für die Pferde, dem Andreas eine freundliche Stube im Oberstock, alles in der Art eines wohlhabenden Hauses, wo man nicht verlegen ist, wenn auch ungemeldete Gäste kommen. Der Bauer warf einen Blick auf den kleinen Braunen, dann trat er hin, sah dem Pferd zwischen den Vorderbeinen durch, sagte nichts. Die beiden Fremden wurden geheißen, gleich zum Mittagstisch zu kommen.

Die Stube war stattlich gewölbt, an der Wand ein geschnitzter Heiland am Kreuz, mächtig groß. In der einen Ecke der Tisch, die Mahlzeit schon aufgetragen. Die Knechte und Mägde, schon den Löffel in der Hand, zuoberst die Bäuerin, eine große Frau mit einem geraden Gesicht, aber nicht so schön und freudig wie der Mann, und daneben die Tochter, so groß wie die Mutter, aber doch noch wie ein Kind, ebenmäßig die Züge wie die der Mutter, aber alles freudig bei jedem Atemzug aufleuchtend wie beim Vater.

An der Mahlzeit, die jetzt kam, würgte Andreas in Erinnerung wie an einem argen Bissen, der doch den Schlund hinunter mußte. Die Leute so gut, so zutraulich, alles so ehrbar und sittlich, arglos, das Tischgebet schön vorgesprochen vom Bauer, die Bäuerin sorglich zu dem fremden Gast wie zu einem Sohn, die Knechte und Mägde bescheiden und ohne Verlegenheit, ein freundliches offenes Wesen hin und her. Dazwischen hinein aber der Gotthelff, wie der Bock im jungen Kraut, frech und oben herab mit seinem Herrn, unflätig

und herrisch mit den Knechtsleuten, ein Hineinfressen, Angeben, Prahlen. Andreas schnürt es die Kehle, alles was der Kerl sich vergibt und nach links und rechts sich überhebt mit Frechheit und Albernheit, geht ihm zehnfach durch den Leib. Er spürts, als fasse seine Seele jeden der Knechte und Bauer und Bäuerin dazu. Der Bauer scheint ihm so still um die Stirn, der Bäuerin Gesicht streng und hart geworden – er möchte auf und dem Gotthelff so tun, die Fäuste ums Gesicht schlagen, daß der blutend zusammenfiele, man ihn aus dem Zimmer schleppen müßte, die Füße voraus.
Endlich ist es so weit, das Danksprüchel gebetet, wenigstens heißt er ihn gleich in Stall und nach dem kranken Pferd schauen, zuvor Mantelsack und Felleisen auf sein Zimmer tragen, und das so scharf und bestimmt, daß der Bediente ihn erstaunt anschaut, und wenn schon mit einem schiefen Maul und bösem Blick, doch sich sogleich aus dem Zimmer hebt.
Andreas ging auf seine Stube – wollte hinunter nach dem Pferd sehen, wollte es auch sein lassen, nur daß er den Gotthelff nicht zu sehen brauche. Stand im Torweg, unterdem ging eine angelehnte Tür, trat das Mädchen Romana hervor, fragte ihn, wo er hinginge. Er: er wisse es nicht, sich die Zeit vertreiben, auch nach dem Pferd sehen müsse er, ob man morgen werde abreiten können. Sie: »Müßt Ihr euch die vertreiben? mir vergeht sie schnell genug, oft ist mir angst.« – Ob er schon im Dorf gewesen sei? die Kirche sei gar schön, sie wolle sie ihm zeigen. Dann, wenn sie heimkämen, könne er nach dem Pferd sehen, dem habe sein Reitknecht unterdessen Umschläge gemacht, von frischem Kuhmist.
Dann gingen sie hinten zum Hof hinaus, da war zwischen dem Kuhstall und der Mauer ein Weg, und neben dem einen Eckturm führte ein kleines Pförtchen ins Freie. Auf dem kleinen Fußweg durch die Wiesen aufwärts sprachen sie viel. Sie fragte ihn, ob seine Eltern noch am Leben, ob er Geschwister gehabt? – da täte er ihr leid, so ganz allein, sie habe zwei Brüder, sonst wären ihrer neun, wenn nicht sechse gestorben wären, die wären alle als unschuldige Kinder im Paradies. Die Brüder wären mit zwei Knechten oben in dem Klosterwald holzmachen, da wäre es lustig in der Holzhütte leben, eine

Magd wäre auch mit, da dürfe nächstes Jahr sie hin, es sei ihr von den Eltern versprochen.
Indem waren sie ans Dorf gekommen. Die Kirche lag seitwärts, sie waren eingetreten, sprachen leise. Romana zeigte ihm alles, einen Schrein mit einem Fingerglied der heiligen Radegundis in goldener Kapsel, die Kanzel mit pausbackigen Engeln, die silberne Trompeten bliesen, ihren Platz und der Eltern und Geschwister, die waren in der vordersten Bank und seitlich der Bank ein metallenes Schildchen, darauf stand: Vorrecht des Geschlechts Finazzer. Nun wußte er den Namen.
Zu einer anderen Seite traten sie aus der Kirche hinaus, da war man auf dem Kirchhof. Romana ging zwischen den Gräbern um wie zu Hause, sie führte Andreas zu einem Grabhügel, da waren mehrere Kreuze hintereinander eingesteckt. »Hier liegen meine kleinen Geschwister, Gott hab sie selig«, sagte sie und bückte sich und jätete zwischen den schönen Blumen das wenige Unkraut. Dann nahm sie das kleine Weihwasserbekken vom vordersten Kreuz ab und sagte: »Ich muß ihm frisches Weihwasser eintun; die Vögel setzen sich fleißig drauf und schmeißens um.« Indessen las Andreas die Namen ab: da waren die unschuldigen Knaben Aegydius, Achaz und Romuald Finazzer, das unschuldige Mädchen Sabina und die unschuldigen Zwillingskinder Mansuet und Liberata. Andreas schauderte in sich, daß sie so früh hatten hinwegmüssen, keiner auch nur ein Jahr hier geweilt, der eine nur einen Sommer, einen Herbst gelebt. Er dachte an das warmblütige freudige Gesicht des Vaters und begriff, daß der Mutter ihr ebenmäßiges Gesicht härter und blässer war. Da kam Romana mit Weihwasser in der Hand aus der Kirche zurück, sie trug das kleine Becken mit ehrfürchtiger Achtsamkeit, keinen Tropfen zu verschütten. Gerade in ihrem bedachten Ernst war sie ein Kind, im Unbewußten aber und in der Lieblichkeit und Größe eine Jungfrau. – »Hierum liegen lauter meinige Verwandte«, sagte sie und sah mit den leuchtenden braunen Augen über die Gräber: es war ihr wohl, hier zu sein, wie ihr wohl war, bei Tisch zwischen Vater und Mutter zu sitzen und den Löffel in den wohlgeformten Mund zu führen. Sie schaute,

wo Andreas hinsah; ihr Blick konnte so fest sein wie eines Tieres und den Blick eines anderen, wo der hinschweifte, gleichsam nehmen.
In der Kirchenmauer hinter den Finazzergräbern war ein großer rötlicher Grabstein eingelassen, darauf die Gestalt eines Ritters, gewappnet von Kopf zu Fuß, den Helm im Arm, zu seinen Füßen ein kleiner Hund, so lebendig als schliefe er nur, dessen Pfoten rührten an ein Wappenschild. Sie zeigte ihm das Hundel, das Eichkatzel mit Krone in den Pfoten und selber gekrönt, als Helmzier. »Das ist unser Urahn«, sagte Romana, »derselbig ist ein Ritter gewesen und von Wälschtirol hierher angesessen.« – »So seid ihr adelig, und das Wappen, das ob der Sonnenuhr ans Haus gemalt ist, ist euer?« sagte Andreas. – »Schon«, sagte Romana und nickte, »daheim ist im Buch alles abgemalt, und das heißt man den Kärntnerischen Ehrenspiegel. Das ist aus der Zeit vom Kaiser Maximilian dem Ersten, das kann ich Ihnen zeigen, wenn Sie es sehen wollen.«
Daheim zeigte sie ihm das Buch, und ihre Freude war groß wie die eines wahrhaften Kindes über die vielen schönen Helmzierden. Die Flügel, springende Böcklein, Adler, Hahn und ein wilder Mann – nichts entging ihr, aber das eigene Wappen war das schönste: das Eichhörnchen mit der Krone in der Hand; es ist nicht das schönste, aber es ist ihr das liebste. Sie drehte Blatt für Blatt für ihn um und ließ ihm Zeit, »Schaun jetzt das!« rief sie jedes Mal. »Der Fisch sieht zornig aus wie eine frischgefangene Forelle – der Bock ist arg.«
Dann brachte sie ein anderes dickes Buch, da waren die Höllenstrafen verzeichnet: die Martern der Verdammten waren angeordnet nach den sieben Todsünden, alles in Kupfern. Sie erklärte Andreas die Bilder und wie jede Strafe aus der Sünde genau hervorgehe; sie wußte alles und sprach alles aus, ohne Arg und ohne Umschweif; es war Andreas, als schaue er in einen Kristall, in dem lag die ganze Welt, aber in Unschuld und Reinheit.
Sie saßen miteinander in der großen Stube auf der Bank, die ins Eckfenster hineingebaut war, da horchte Romana auf, als könnte sie durch die Wand hören: »Jetzt sind die Geißen da-

heim, kommen Sie, sie anschaun.« Sie nahm Andreas bei der Hand, der Geißbub hatte den Milchkübel hingestellt, die Geißen drängten sich um ihn, jede wollte das volle Euter über dem Kübel haben. Es waren ihrer fünfzig, der Bub war ganz fest eingeschlossen von ihnen. Romana kannte jede, zu ihr wandten sie sich um, unschlüssig, ob dahin oder dorthin. Sie zeigte Andreas die bösartigste und die gutherzigste, die langhaarigste und die am meisten Milch gab, die Geißen kannten auch sie und kamen willig zu ihr. An der Mauer dort war ein grasiger Fleck, das Mädchen legte sich flink auf den Boden, so stand eine Geiß sogleich über ihr, sie trinken lassen, und wollte nicht ungesogen von ihr fort, bis Romana hinter einen Leiterwagen sprang und Andreas bei der Hand mitzog. Die Geiß fand nicht den Weg und meckerte kläglich hinter ihr drein.
Indem stiegen Romana und Andreas in dem einen Turm, der gegens Gebirge hin stand, die Wendeltreppe empor. Oben war ein kleines rundes Gemach, da hockte auf einer Stange ein Adler. Über sein versteintes Gesicht, in dem die Augen wie erstorben lagen, flog ein Licht, er hob in matter Freude die Schwingen und hüpfte zur Seite, Romana setzte sich zu ihm und legte eine Hand auf seinen Hals. Den habe der Großvater heimgebracht, noch fast nackt. Denn Adlerhorst ausnehmen, das sei dem Großvater sein Sach gewesen, sonst habe er bereits nichts getrieben, aber oft weit reiten, dann herumsteigen, Horst aufspüren wo im Gewänd, die Leut von dort aufbieten, Senner und Jäger, die längsten Kirchenleitern aneinanderbinden lassen, hinauf und ein Nest ausnehmen, oder an einem Strick sich herablassen kirchturmtief. Das sei sein Sach gewesen und schöne Frauen heiraten. Das habe er viermal getan, und nach jeder Tod allemal eine noch schönere und allemal aus der Blutsfreundschaft, denn, habe er gesagt, übers Finazzersche Blut gehe ihm nichts. Wie er den Adler da gefangen, sei er schon vierundfünfzig gewesen und an vier Kirchenleitern neun Stunden über dem schrecklichsten Abgrund gehangen, darauf aber seine letzte Frau gefreit. Die wäre eines Vetters junge Witwe gewesen und hätte immer nach dem Großvater gelangt, niemanden anders angeschaut als diesen

und sich fast gefreut, wie – vor einem scheuen Ochsen – ihr Mann sich totfiel, von dem sie ein schönes kleines Mädl hatte, eine hochschwanger gehende Frau damals. So waren der Vater und die Mutter zusammengebrachte Kinder gewesen, die Mutter ein Jahr älter als der Vater. Darum hingen sie auch gar so sehr aneinander, weil sie vom gleichen Blut waren und von Kindheit an miteinander aufgewachsen. Wenn der Vater verritte, nach Spittal oder ins Tirol hinüber, Vieh einkaufen, und wäre es auch nur auf zwei oder drei Nächte, so ließe ihn die Mutter kaum los, da weinte sie allemal und jedesmal wieder, hing lang an ihm, küßte ihm den Mund und die Hände und hörte nicht auf mit Winken und Nachschauen und Segennachsprechen. So wollte sie auch einmal mit ihrem Mann zusammenleben, anders wollte sies nicht.

Indem waren sie über den Hof gegangen, neben der Hoftür war eine Holzbank inner der Mauer, dort zog sie ihn hin und hieß ihn neben sie setzen. Andreas war es wunderbar, wie das Mädchen so ungehemmt alles zu ihm redete, als ob er ihr Bruder wäre. Indessen war Abend geworden, das graue Gewölk auf einer Seite aufs Gebirg herabgesunken, auf der andern Seite eine durchdringende Helligkeit und Reinheit, einzelne goldene Flocken da und dort am Himmel, alles in Bewegung auf dem dunkelblauen Himmel, der Tümpel mit den aufgeregten Enten wie sprühendes Feuer und Gold, der Efeu drüben an der Mauer der Kapelle wie Smaragd, ein Zaunschlüpfer oder Rotkehlchen glitt aus dem grünen Dunkel hervor, überschlug sich mit einem süßen Laut in der webend leuchtenden Luft. Das Schönste waren Romanas Lippen, die waren von leuchtendem durchsichtigem Purpurrot, und ihre eifrig arglosen Reden kamen dazwischen heraus wie eine Feuerluft, in der ihre Seele hervorschlug, zugleich aus den braunen Augen ein Aufleuchten bei jedem Wort.

Auf einmal sah Andreas drüben im Haus, in einem ausgebauchten Fenster im Oberstock, die Mutter stehen und auf sie herabschauen. Er sagte es zu Romana. Durchs bleigefaßte Fenster schien ihm das Gesicht der Frau trüb und streng, er meinte, sie müßten jetzt aufstehen und ins Haus gehen, die Mutter würde sie brauchen, oder sie wollte nicht, daß sie so

beisammen hier säßen. Romana nickte nur froh und frei, zog ihn an der Hand, er solle sitzen bleiben, die Mutter nickte dazu und ging vom Fenster weg. Das war Andreas fast unbegreiflich, er wußte nichts anderes gegenüber Eltern und Respektspersonen als gezwungenes und ängstliches Betragen; er konnte nicht denken, daß der Mutter ein solcher freier Umgang anders als mißfällig wäre, wenn sie es schon nicht ausspräche. Er setzte sich nicht wieder, sondern sagte, er müsse doch jetzt nach dem Pferde sehen.
Als sie in den Stall kamen, hockte die junge Magd bei einem Feuer, ihr Haar hing in Strähnen über die erhitzten Backen, der Bediente mehr auf ihr als neben ihr, sie schien in einem eisernen Topf was zu brauen. »Soll ich noch um Salpeter, Herr Wachtmeister«, sagte die Dirne und kicherte, als stecke da was Großes dahinter. – Als Andreas eintrat und Romana hinter ihm, nahm der Lümmel mit Not eine manierliche Stellung an. Andreas hieß ihn, den Mantelsack, der noch im Stroh lag, gleich auf sein Zimmer tragen und das Felleisen auch. »Schon gut«, sagte der Gotthelff, »erst muß das da fertig sein. Das wird ein Trank, der kann ein krankes Roß gesund und einen gesunden Hund krank machen.« Dabei drehte er sich gegen Andreas um und sah ihm recht frech in die Augen. – »Was ist mit dem Pferd«, sagte Andreas und tat einen Schritt in den Stand hinein, stockte aber, ehe er den zweiten Schritt tat, weil er wußte, er verstands nicht, und der Braun trübselig dreinschaute. – »Was soll sein, morgen früh ist er gesund und abgeritten wird«, erwiderte der Bursch und drehte sich wieder zum Feuer, aber hinten im Maul lachte er dabei.
Andreas nahm den Mantelsack und tat, als hätte er vergessen, was er dem Burschen anbefohlen hatte. Er grübelte selber, vor wem er so tat, vor sich, vor dem Kerl oder vor Romana. Diese ging hinter ihm drein die Treppe hinauf. Er ließ die Stubentür hinter sich offen, warf den Mantelsack zur Erde, das Mädchen trat herein, sie trug das Felleisen und legte es auf den Tisch.
»Das ist meiner Großmutter ihr Bett, darin hat sie Kindbett gehalten. Sehen, wie schön das gemalt ist, aber meiner Mutter und Vater ihr Bett ist noch schöner und weit größer, da sind

oberkopf der heilige Jakob und Stefan draufgemalt und unterfuß noch schöne Blumenkränz. Dies ist das kürzere, weil die Großmutter kein großes Weib war. Ich weiß nicht, obs für Sie die Länge haben wird, ist gar kurz. Wir sind in der Länge gleich, müssen probieren, ob eins da ausgestreckter schlafen kann. Schief und quer schlafen ist kein Schlafen. Das meinige ist lang und breit, hätten zwei Platz.«
Flink schwang sie die großen leichten Glieder in das Bett und lag der Länge nach darin und berührte mit der Fußspitze einen Leisten der unteren Bettstatt. Andreas war über sie gebeugt. So fröhlich und arglos lag sie unter ihm, wie sie sich auch unter die Geiß hingestreckt hatte. Andreas sah auf ihren halboffenen Mund, sie streckte die Arme nach ihm aus und zog ihn leise an sich, daß seine Lippen die ihren berührten. Er hob sich auf, es durchfuhr ihn, daß es der erste Kuß in seinem Leben war. Sie ließ ihn und zog ihn wieder sanft zu sich und nahm und gab wieder einen Kuß und dann auf die gleiche Weise zum dritten und vierten Mal. Der Wind bewegte die Tür, Andreas war es, als habe wer hereingeschaut. Er ging hin, trat auf den Gang hinaus; da war niemand. Romana kam gleich hinter ihm drein, er ging die Treppe hinunter, ohne ein Wort zu sprechen, sie ebenso hinter ihm her, ganz leicht und unbeschwert.
Unten stand ihr Vater und gab dem Altknecht Befehl, wie das letzte Grummet einzufahren sei, wo zuerst was trocknet. Sie lief zutraulich zu ihm hin, lehnte sich an ihn; der schöne Mann stand neben dem großen Kind wie ein Bräutigam.
Andreas ging nach dem Stall, als hätte er dort wichtig zu tun. Der Knecht kam eilfertig aus dem Halbdunkel heraus, stieß fast an ihn, rief »Oha«, als hätte er seinen Herrn nicht erkannt, und gleich sprudelte ihm Rede vom feuchten Mund. Das sei ein prächtiges Mensch, die helfe ihm fleißig das Pferd kurieren. Die sei auch nicht von hier, sondern aus dem Unterland und habe die Bauersleut alle im Sack. Aber dem Herrn brauche er nichts zu erzählen, der verstehe die Sache ganz wohl, der habe sich eine junge und saubere ausgesucht. Ja, so sei es eben in Kärnten, das sei ein Leben! Da seien sie schon mit fünfzehn keine Jungfrauen mehr, da lasse des Großbauern

Tochter ihre Kammertür ebenso gern unverriegelt, wie die Kuhmagd die ihre, heute dem, morgen jenem, so komme ein jeder auf seine Rechnung. – Dem Andreas war eine Hitze in der Brust und stieg gewaltsam die Kehle herauf, aber keine Rede löste sich ihm von der Zunge; er hätte dem mit der Faust ums Maul schlagen wollen – warum tat er es nicht? Der andere spürte was und trat einen halben Schritt zurück. Aber Andreas war woanders, seine Augäpfel zitterten, er sah Romana im Hemd im Finstern auf ihrem reinen Bett sitzen, die nackten Füße hinaufgezogen und auf die Klinke schauen. Sie hatte ihm ihre Kammertür gezeigt und daß daneben ein leeres Zimmer war, und von ihrem Bett geredet, das alles ging vor ihm hin, wie ein Bergnebel. Er wollte den Gedanken nicht nachhängen, sich davon abwenden – unwillkürlich kehrte er dem Kerl nun den Rücken, und da hatte der wieder gewonnenes Spiel.
Beim Nachtmahl wars Andreas wie nie im Leben, alles wie zerstückt: das Dunkel und das Licht, die Gesichter und die Hände. Der Bauer griff gegen ihn nach dem Mostkrügel, Andreas erschrak ins Innerste, als suche eine richtende Hand die Ader seines Herzens. Unten am Tisch gluckste die Magd ihr »Herr Wachtmeister« heraus, Andreas fragte bös und herrisch, »was ist das für ein Mann?« Die Stimme schien ihm so fremd, und ihm war wie einem Träumenden, der aus dem Traum spricht. Von weit her starrte der Bediente ihn an, weiß und struppig, – verbissen.
Später war Andreas allein in seinem Zimmer. Er stand am Tisch, schnürte an seinem Mantelsack herum, Feuerzeug lag da, er brauchte keine Kerze, der Mond fiel stark durchs Fenster, alles zerschied sich in schwarz und weiß. Er horchte auf die Geräusche im Haus, die Reitstiefel hatte er ausgezogen – er wußte nicht, auf was er wartete. Und wußte es doch und stand auf einmal draußen im Gang vor einer Zimmertür. Er hielt den Atem an: zwei Menschen, die beisammen im Bett lagen, sprachen miteinander gedämpft und zutraulich. Seine Sinne waren geschärft, er konnte hören, daß die Bäuerin unterm Reden ihr Haar flocht und zugleich, wie unten der Hofhund gierig an etwas fraß. Wer füttert jetzt in der Nacht den

Hund, dachte es in ihm, und zugleich war ihm zumut, als müsse er nochmals zurück in seine Knabenzeit, als er noch das kleine Zimmer neben den Eltern hatte und sie durch den in die Wand eingelassenen Kleiderschrank mußte abends reden hören, er mochte wollen oder nicht. Er wollte auch jetzt nicht horchen, und hörte doch, dazwischen aber hörte er auch seine Eltern reden, die waren freilich älter als der Bauer und die Bäuerin, doch nicht viel, zehn Jahr etwa. Ist das so viel – dachte er –, sind sie dem Tod so viel näher, abgelebt? Es ist bei jedem Wort, als könnts auch ungeredet bleiben, eine Rede, eine Gegenrede, und das wahre Leben vorbei. Bei den Zweien da drin alles so zutraulich und warmblütig wie bei ganz Neuvermählten.

Auf einmal traf es ihn, wie wenn ihm ein kalter Tropfen mitten aufs Herz gefallen wäre. Sie sprachen von ihm und dem Mädchen, aber auch das war arglos. Was immer das Kind täte, sagte die Frau, sie ließe ihrs angehen, denn sie wüßte, hinterm Rücken löffeln würde ihr das Kind nie. Dazu sei sie zu freimütig, das habe sie von ihm, wie er allezeit ein feuriger Freund und glückliebender Mensch gewesen, so sei es jetzt durch Gottes Güte das Kind geworden. – Nein, sagte der Mann, das habe sie von ihr, weil sie dieser Mutter Kind sei, darum könne nichts Falsches und Verstohlenes an ihr sein. – Da habe er aber jetzt ein altes Weib an ihr, wo schon die Tochter einem fremden Mann nachgehe, da müsse er sich bald schämen, zu ihr zu sein wie ein Liebhaber. – Nein, da bewahre Gott, ihm sei sie alleweil die gleiche, nein vielmehr immer die Liebere und keine Stund noch hätte es ihn gereut diese achtzehn Jahre. – So auch sie keine Stund noch. Ihr sei nur um ihn; und, gab seine schöne Stimme zurück, ihm sei nur um sie und die Kinder, das wäre ein Einziges mit ihr zusammen – die welche da seien und die anderen. So seien doch die zwei alten Leut glücklich zu preisen, die der angeschwollene Schwarzbach im April mitgenommen habe. Zusammen seien sie auf einer Bettstatt dahingeschwommen, hielten einander bei den Händen, und mitsammen hätt sies in einen Tobel hinuntergerissen und ihr weißes Haar hätte geleuchtet wie Silber unter den Weiden. Das gebe Gott halt denen, die er ausgewählt hätte; das sei jenseits von Wünschen und Bitten.

Indem wurde es ganz still im Zimmer, man hörte ein leises Sichbewegen in den Betten, ihm war, als küßten sich die beiden. Er wollte weg und getraute sichs nur nicht, um der vollkommenen Stille willen. Es legte sich schwer auf ihn, daß es zwischen seinen Eltern nicht so schön war, kein so inniger Umgang zwischen ihnen, obwohl doch jeder stolz war auf den andern und sie gegen die Welt fest zusammenstanden und empfindlich jedes des anderen Ehre und allgemeine Achtung wahrten. Er konnte sichs nicht auflösen, was seinen Eltern fehlte; da fingen die beiden drinnen an, mitsammen das Vaterunser zu beten, Andreas schlich sich fort.

Jetzt zog es ihn erst recht zu Romanas Tür, unwiderstehlich, aber anders als früher, alles war auseinandergetreten in Weiß und Schwarz. Er sagte sich, das ist einmal mein Haus, meine Frau, so lieg ich neben ihr und rede von unseren Kindern. Er war jetzt sicher, daß sie ihn erwartete, ganz in der gleichen Weise wie er jetzt zu ihr ging, für viele unschuldige feurige Umarmungen und ein heimliches Verlöbnis.

Er ging mit sicheren schnellen Schritten bis zu der Tür, sie war nur angelehnt: gab seinem Druck lautlos nach. Ihm war, als säße sie wachend im Dunkeln, glühte vor Erwartung. Er stand schon mitten im Zimmer, da merkte er, sie regte sich nicht. Ihr Atem ging so lautlos, daß er den seinigen anhalten mußte in gespanntem Horchen und nicht wußte, ob sie wach war oder schlief. Sein Schatten lag wie festgewurzelt auf dem Fußboden, fast hätte er vor Ungeduld den Namen geflüstert, kam dann keine Antwort, sie mit Küssen geweckt – da durchfuhr es ihn wie ein kaltes Messer. In einem anderen Bett, über das ein großer Schrank schwarzen Schatten warf, regte sich ein anderer Schläfer, seufzte auf, suchte eine andere Stelle. Der Kopf kam dem Mondlicht nahe, weiße gesträhnte Haare, es war die alte Magd, die Ausgeherin. Nun mußte er hinaus, zwischen jedem Schritt und dem nächsten lag eine endlose Zeit. Betrogen ging er leise, wie träumend den langen mondhellen Gang hinweg in seine Stube.

Ihm war so heimlich, so wohnlich wie nie in seinem Leben. Er sah auf den rückwärtigen Hof hinaus, über dem Stall hing der Vollmond, es war eine spiegelhelle Nacht. Der Hund stand mitten im Licht, er hielt den Kopf sonderbar ganz schief, drehte sich in dieser Stellung immerfort um sich selber. Es war, als erduldete das Tier ein großes Leiden, vielleicht war er alt und dem Tode nah. Andreas fiel eine dumpfe Traurigkeit an, ihm war unmäßig betrübt zumut über das Leiden der Kreatur, wo er doch so glücklich war, als werde er in diesem Anblick an den nahe bevorstehenden Tod seines Vaters gemahnt.

Er trat vom Fenster weg, nun konnte er wieder an seine Romana denken, nur jetzt noch wahrer und feierlicher, da er eben in solcher Weise an seine Eltern gedacht hatte. Er war schnell ausgezogen und zu Bett, und in seiner Einbildung schrieb er an seine Eltern. Die Gedanken strömten ihm, alles, was ihm einfiel, war unwiderleglich, einen solchen Brief hatten sie von ihm noch nie bekommen. Sie mußten fühlen, daß er nun kein Knabe war, sondern ein Mann. Wäre er eine Tochter statt eines Sohnes – so beiläufig fing er an –, so wäre ihnen schon lange das Glück zuteil gewesen, in noch rüstigen Jahren Enkel zu umarmen und Kinder ihrer Kinder heranwachsen zu sehen, – durch ihn hätten sie auf dieses Glück allzulange warten müssen, das doch einer der reinsten aller Glücksfälle des Lebens sei und gewissermaßen selber ein erneutes Leben. – Die Eltern hätten immer zu wenig Freude an ihm gehabt – er dachte dies so lebhaft, als wären sie tot und er müßte sich auf sie legen, sie mit seinem Leib erwärmen. – Nun hätten sie ihn auf eine kostspielige Reise in fremdes Land ausgeschickt – wozu? um fremde Menschen kennenzulernen, fremde Landesgebräuche zu beobachten, um sich in den Manieren zu vervollkommnen. Dies alles aber sind nur Mittel und abermals Mittel zum Zweck. Wie viel besser stünde es, wenn sich dieser höchste Zweck selber, der nichts anderes sei als das Glück des Lebens, mit einem raschen Schritt für immer erreichen lasse. Nun habe er ja durch Gottes plötzliche Fügung das Mädchen gefunden, die Lebensgefährtin, die sein Glück verbürge. Von jetzt an gebe es für ihn nur *ein* Trachten: an der Seite dieser durch die eigene Zufriedenheit auch die Eltern zufriedenzustellen.

Der Brief, den er in Gedanken schrieb, war weit über dieser

dürftigen Inhaltsangabe, die beweglichsten Worte kamen ihm ungesucht, die schönen Wendungen hingen sich kettenweise aneinander. Er redete von dem schönen Besitz der Familie Finazzer und von ihrer altadeligen Abstammung, ohne Prahlerei, auf eine Weise, die ihn selbst zufriedenstellte, nebenhin und doch mit Nachdruck. Hätte er nur ein Tintenfaß und eine Feder zur Hand gehabt, er wäre aus dem Bett gesprungen, und der Brief wär in einem Schwung geschrieben. So aber fing die Müdigkeit an, ihm die schöne Kette auseinanderzulösen, andere Vorstellungen drängten sich dazwischen, und lauter widerwärtige und ängstliche.

Es mochte Mitternacht vorüber sein. Er sank in einen wüsten Traum und aus einem in den anderen. Alle Demütigungen, die er je im Leben erfahren hatte, alles Peinliche und Ängstigende war zusammengekommen, durch alle schiefen und queren Situationen seines Kindes- und Knabenlebens mußte er wieder hindurch. Dabei floh Romana vor ihm, in seltsamen halb bäurischen, halb städtischen Kleidern, bloßfüßig unterm schwarz gefältelten Brokatrock, und es war in Wien in der menschenbelebten Spiegelgasse, ganz nahe dem Haus seiner Eltern. Angstvoll mußte er ihr nach und mußte doch dies Nacheilen wieder ängstlich verbergen. Sie drängte sich durch die Menschen durch und wandte ihm ihr Gesicht zu, das hölzern und verzogen war. Wie sie weiterhastete, waren ihr die Kleider unordentlich vom Leibe gerissen. Auf einmal verschwand sie in einem Durchhaus, er ihr nach, soweit es der linke Fuß erlaubte, der unendlich schwer war und sich immer wieder in Spalten des Pflasters verfing. Nun war er endlich auch in dem Durchhaus, aber er hatte langsam zu gehen, und hier blieb ihm keine schreckliche Begegnung erspart. Ein Blick, den er als Knabe gefürchtet hatte wie keinen zweiten, der Blick seines ersten Katecheten, schoß durch ihn hindurch, und die gefürchtete kleine feiste Hand faßte ihn an. Das widerwärtige Gesicht eines Knaben, der ihm in dämmernder Abendstunde auf der Hintertreppe erzählt hatte, was er nicht hören wollte, preßte sich gegen seine Wange, und wie er dieses mit Anstrengung zur Seite schob, lag vor der Tür, durch die er jetzt Romana nach mußte, ein Wesen und setzte sich

gegen ihn in Bewegung: es war die Katze, der er einmal mit einer Wagendeichsel das Rückgrat abgeschlagen hatte, und die solange nicht hatte sterben können. So war sie noch nicht gestorben, nach soviel Jahren! kriechend mit gebrochenem Kreuz, wie eine Schlange kommt sie ihm entgegen, und er fürchtet über alles ihre Miene, wenn sie ihn ansieht. Es hilft nichts, er muß über sie weg. Den schweren linken Fuß hebt er mit unsäglicher Qual über das Tier, dessen Rücken in Windungen unaufhörlich auf und nieder geht, da trifft ihn der Blick des verdrehten Katzenkopfes von unten, die Rundheit des Katzenkopfes aus einem zugleich katzenhaften und hündischen Gesicht, erfüllt mit Wollust und Todesqual in gräßlicher Vermischung – er will schreien, indem schreit es auch drin im Zimmer: er muß sich durch den Wandschrank winden, der voll von den Kleidern der Eltern ist. Immer gräßlicher schreit es drin, wie ein lebendes Wesen, das ein Mörder abtut. Es ist Romana, und er kann ihr nicht helfen. Es sind der abgetragenen Kleider zu viel, die Kleider von den vielen Jahren, die nicht weggegeben worden sind: schweißtriefend windet er sich durch – mit klopfendem Herzen lag er wach in seinem Bett. Es war schon halb hell, aber noch vor Tag.
Unruhe war im Haus, Türen gingen, im Hof war ein Geräusch von laufenden und einander zurufenden Menschen. Da setzte der Schrei aufs neue ein, der seine träumende Seele aus der Tiefe des Traums an das fahle Licht emporgezogen hatte. Es war das durchdringende Weinen und Klagen einer Frauenstimme, ein gellendes Jammern, unaufhörlich stoßweise sich erneuernd. Andreas war aus dem Bett und zog sich an, aber dabei war ihm zumut, wie einem Verurteilten, den das Rufen des Henkers geweckt hat; der Traum hing noch zu sehr an ihm, die gestrige Nacht – ihm war, als habe er etwas Schweres begangen und nun komme alles ans Licht.
Er lief die Treppe hinab, der Stimme nach, die im ganzen Haus gräßlich hallte. Wenn er dachte, es könne Romana sein, so erstarrte ihm das Blut. Dann war ihm wieder, solche Töne könnten aus ihr nicht herauskommen, auch wenn sie als eine Märtyrerin auf dem Rost liege.
Unten im Erdgeschoß lief ein kleiner Gang seitlich, der stand

voller Knechte und Mägde, die zur offenen Tür einer Kammer hineinstarrten. Andreas trat unter sie, und sie ließen ihn durch. Auf der Schwelle zu der Kammer blieb er stehen. Rauch und Gestank von Angebranntem schlug ihm entgegen. An den Bettpfosten war eine fast nackte Weibsperson gebunden, aus deren Mund die unaufhörlichen gellenden Klagen oder Anklagen hervorbrachen, die mit einem Klang wie aus der höllischen Verdammnis bis in die Tiefe von Andreas' Traum hinuntergelangt hatten. Der Bauer war um die Tobende, die Bäuerin halb angekleidet, der Altknecht schnitt mit dem Taschenmesser den verknoteten Strick durch, der ihre Fußknöchel mit dem Bett verband. Die Handfesseln, schon durchschnitten, und ein Knebel lagen auf der Erde. Die Obermagd goß Wasser aus einem Krug auf die glosende Matratze und die hinteren verkohlten Bettpfosten und trat die glimmenden Funken in dem Stroh und Reisig aus, das vor dem Bett aufgehäuft war.

Nun erkannte Andreas in der schreienden Gebundenen die junge Magd, die sich gestern mit seinem Bedienten gemein gemacht hatte, und nun ahnte er einen gräßlichen Zusammenhang, daß es ihn heiß und kalt überlief. Das Schreien ließ nach, der Zuspruch des Bauern und der Bäuerin schien allmählich auf das vor Angst halb wahnsinnige Geschöpf zu wirken. Zuckend lag sie der Obermagd im Schoß, die sie mit einer Pferdedecke umwickelte. Sie fing an, auf die Fragen des Bauern Antwort zu geben, das verschwollene Gesicht nahm einen menschlichen Ausdruck an, aber jede Antwort wurde wieder zu einem die Seele zerreißenden Schreien, das aus dem aufgerissenen Mund drang und durchs Haus hin schallte. Ob der Mensch sie durch einen Schlag oder sonstwie betäubt habe und dann ihr erst den Knebel in den Mund getan habe, fragte der Bauer, welcher Art das Gift gewesen sei, das er für den Hund zusammengemischt habe, und ob zwischen diesem und dem Augenblick, da sie den Knebel aus dem Mund kriegen und schreien konnte, eine kurze oder lange Zeit verstrichen sei, – aber aus dem Mund des Geschöpfes kam nichts andres heraus, als daß das Entsetzen sie heulen ließ, damit ein strafender Gott es höre: sie so angebunden und vor ihren se-

henden Augen das Feuer angemacht, und dann hinausgegangen und sie von außen eingeriegelt, und durchs Fenster auf sie hereingegrinst und ihrer in ihrer Todesangst gespottet. Hinein mischte sie flehentliche Bitten, ihr die schwere Sünde zu verzeihen. Ein Name wurde nicht genannt, aber Andreas wußte nur zu gut, von wem die Rede war. Traumartig, als hätte er nun hier gesehen was er wollte, ging er durch die Knechte und Mägde durch, die ihm stillschweigend Platz machten; da stand hinter allen, in eine Türnische geduckt, Romana, halb angezogen, mit bloßen Füßen und zitternd. Fast so, wie ich sie im Traum gesehen habe, sagte es in ihm. Als sie ihn gewahr wurde, nahm ihr Gesicht den Ausdruck maßlosen Schreckens an.
Er trat in den Stall, ein junger Knecht war leise hinter ihm dreingegangen, vielleicht aus Mißtrauen. Der Stand, worin gestern Andreas' Fuchs gestanden hatte, war leer, der Braun stand auf den Beinen und sah jämmerlich drein. Der hochgewachsene junge Knecht, der ein offenes Gesicht hatte, sah Andreas an, und dieser entschloß sich zu fragen: »Hat er sonst noch was mitgehen lassen?« – »Derzeit scheints nicht«, sagte der Knecht, »es sind ihm unser etliche nach, aber sein Pferd ist wohl das schnellere, und er mag leicht zwei Stunden Vorsprung haben.« Andreas sagte nichts. Sein Pferd war dahin und mehr als die Hälfte seines Reisegeldes, das in den Sattel eingenäht war. Das aber schien ihm das geringere vor der Schmach, wie er jetzt dastünde vor den Bauersleuten, denen er dies scheußliche Greuel ins Haus gebracht hatte. Das Sprichwort »Wie der Herr so der Knecht« fiel ihm ein, und blitzschnell die Umkehrung, daß er wie von Blut übergossen vor dem ehrlichen Gesicht des Burschen dastand. – »Das Pferd da ist auch bei uns gestohlen«, sagte dieser und zeigte auf den Braun, »der Herr hats gleich gewußt, aber er hats Ihnen vorerst nicht sagen wollen.«
Andreas antwortete nicht, er ging die Treppe hinauf, und ohne das Geld zu zählen, das ihm geblieben war, nahm er so viel zu sich, als ihm nötig schien, um dem Finazzer sein gestohlenes Gut wieder zu erstatten. Und da er keinen Anhalt hatte, wieviel ein Klepper wie der Braun unter den Bauern

wert sein könnte, so steckte er auf jeden Fall so viel zu sich, als er in Villach dafür bezahlt hatte. Dann stand er eine ganze Weile in unbewußten Gedanken vor dem Tisch in seinem Zimmer, und endlich ging er hinunter, das Geschäft abzumachen.

Er mußte warten, bis er mit dem Bauern reden konnte, denn es waren eben die drei Knechte eingeritten und berichteten, was sie ausgespäht und was sie von begegnenden Hirten und Landhegern in Erfahrung gebracht hatten; aber es gab wenig Aussicht, daß man des Halunken werde habhaft werden können. Der Bauer war freundlich und gelassen, Andreas um so verlegener. – »Wollen Sie denn das Pferd behalten«, fragte er, »und mir aufs neue abkaufen? denn ich weiß wohl, daß Sie ehrlich bezahlt haben werden.« – Andreas verneinte. – »Wenn nicht, wie soll ich von Ihnen Geld nehmen«, sagte er, »Sie haben mir ein gestohlenes Gut ins Haus zurückgebracht und mich überdies ein schlechtes Stallmensch kennengelehrt, daß ich sie aus dem Haus und vor die Gerichte bringen kann, bevor sie mir Ärgeres anstellt. Sie sind ein unerfahrener junger Herr, und unser Herrgott hat sichtbar seine Hand über Sie gehalten: die Magd hat eingestanden, sie hat beim Zusammensein auf der Schulter des Halunken ein Brandmal gesehen, und sie meint, hätte er ihren Blick nicht aufgefangen, über den er im Augenblick bleicher wurde als die Wand, so hätte er ihr nicht so viehisch mitgespielt. Danken Sie Ihrem Schöpfer, daß er Sie davor bewahrt hat, mit diesem entsprungenen Mordbuben eine Nacht im Wald zu verbringen. Wenn Sie weiter nach Italien wollen, wie Sie gestern gesagt haben, so kommt heute abend ein Fuhrmann hier durch, der bringt Sie bis Villach, und von dort findet sich eine Gelegenheit ins Venezianische hinunter, einen Tag über den anderen.«

Der Fuhrmann kam erst den nächsten Abend, und so verbrachte Andreas noch zwei Tage auf dem Finazzerhof. – Es war ihm schlimm, daß er dem Bauern nach dieser Sache noch zu Last liegen mußte, ihm war zumut wie einem Gefangenen. Er schlich im Haus herum, die Leute gingen ihrer Arbeit nach, auf ihn achtete niemand. Den Bauern sah er von weitem durchs Fenster aufsitzen und wegreiten, die Bäuerin kam ihm nicht zu Gesicht. Er ging aus dem Haus und die Wiese hinan, hinterm Gehöft. Die Wolken hingen regungslos ins Tal hinein, alles war trüb und schwer, öde wie am Ende der Welt. Er wußte nicht, wohin gehen, setzte sich auf einen Stoß geschichteter Balken, die da lagen. Er wollte sich ein anderes Wetter denken, ihm war, als könne dies Tal hier nur so aussehen. Und doch war ich gestern hier so glücklich, sagte er und wollte sich Romanas Gesicht hervorrufen, konnte es nicht und ließ es auch gleich sein. So etwas kann nur dir passieren, hörte er die Stimme seines Vaters sagen, so scharf und deutlich, als wäre es außer ihm. Er stand auf, tat ein paar träge Schritte, die Stimme sagte es noch einmal. Er blieb stehen, er wollte sich dagegen auflehnen. Warum glaub ich es selbst, grübelte er und ging langsam mit widerstrebendem Fuß den Pfad hinauf, und doch war es ihm fürchterlich, weil er ihn gestern gegangen war. Darin war kein Gedanke an Romana, nur das unerträglich scharfe Gefühl des Gestern, der Nachmittagsstunde, auf die dann der Abend, die Nacht und diese Morgenstunde gefolgt waren. »Warum weiß ichs selber, daß mir das hat passieren müssen«, darüber grübelte er, und hie und da warf er auf die bewaldeten Abhänge drüben, an denen der Nebel herumhing, einen Blick wie ein Gefangener auf die Wände seines Kerkers.

Zwischen diesem dumpfen Grübeln zählte er die Ausgaben der vier Reisetage von Wien bis Villach zusammen, die ihm jetzt außer allen Maßen groß erschienen, dann die Ausgabe für das zweite Pferd und den gestohlenen Betrag. Dann rechnete er die übrige Summe aus österreichischem in venezianisches Geld um: in Zechinen erschien sie ihm dürftig genug, aber in Dublonen gar so bettelhaft, daß er verzagt stehenblieb und vor sich hinsann, ob er umkehren sollte oder weiterreisen. Nach dem wie ihm zumute war, wäre er umgekehrt, aber das hätten die Eltern nicht vergeben: so viel Geld war ausgegeben und für nichts und wieder nichts. Er meinte zu fühlen, daß es den Eltern nicht um ihn ging und daß es ihm Freude machte, sondern um die Repräsentation und das Ansehen. Die Gesichter der Bekannten und Verwandten tauchten ihm

auf, es waren hämische und aufgeblasene darunter und gleichgültige und auch freundliche, aber nicht eines, bei dem ihm die Brust weiter geworden wäre.
Der Großvater Ferschengelder fiel ihm ein, der Andreas geheißen hatte wie er, und wie der einst einmal vom väterlichen Hof weg die Donau hinab gegen Wien marschiert war, mit nicht mehr als einem Silbersechser im Schnupftuch und es zum kaiserlichen Leiblakai und zum »Edlen von« brachte. Es war ein schöner Mann gewesen, und der Andreas, hieß es, hätte von ihm die Statur, aber bei weitem nicht das Auftreten. Der Vorwurf fiel ihm ein, vom Großvater, auf dem der Stolz der Familie ruhte, habe er wenig an sich, aber der Onkel Leopold schlage ihm ins Genick. Der sei auch als Kind grausam gegen die Tiere gewesen und habe sich dann zu einem gewalttätigen unglückseligen Menschen ausgewachsen, der das Vermögen verringerte, die Familienehre nicht zu wahren wußte und über alle, die mit ihm zu tun hatten, nichts als Kummer und Beschwerden brachte.
Die stämmige Figur des Onkel Leopold stand vor ihm, das rote Gesicht, die kugeligen Augen; er sah ihn aufgebahrt auf dem Totenbett liegen, und das Ferschengelderwappen, auf ein Holz gemalt, lehnte zu Füßen des Bettes. Bei der einen Tür, die der Bediente aufriß, trat die kinderlose rechte Frau herein, die geborene della Spina, ein Taschentuch in ihren schönen vornehmen Händen, bei der anderen halb offenen Tür drückte sich die andere, illegitime herein, die bäurische mit dem runden Gesicht und dem hübschen Doppelkinn, hinter der ihre sechs Kinder einander bei der Hand hielten und ängstlich an der Mutter vorbei auf ihren toten Herrn Vater hinschauten. – Und wie es Betrübten und Verfinsterten zu gehen pflegt, in der Erinnerung beneidete Andreas den Toten.
Im Herabgehen fing er wieder zu rechnen an, um wieviel das Ferschengelderische Anteil sich geschmälert hatte, er rechnete nach, welchen Teil vom jetzigen Jahreseinkommen seine Reise verschlinge, und machte sich hypochondrische Gedanken. Am Mittagstisch fand er seinen Platz bereit, aber zuoberst saß heute die alte weißhaarige Magd und teilte aus, nicht

nur der Bauer fehlte, auch die Bäuerin und Romana. Andreas war, er habe es immer gewußt, und er fühlte, daß er Romana nicht mehr sehen werde. Er aß schweigend, die Dienstleute redeten untereinander, aber keiner berührte das Geschehnis der Nacht mit einem Wort. Nur daß der Bauer auf Villach geritten sei, um bei dem Gerichtshalter vorzusprechen, wurde erwähnt. Der Altknecht sagte, indem er aufstand, über den Tisch zu Andreas, der Bauer lasse ihm sagen, es sei möglich, daß der Fuhrmann auch erst morgen durchkäme, in diesem Fall möge sich Andreas so lange gedulden und vorliebnehmen.

Es war ein trüber, stiller Nachmittag. Andreas hätte was gegeben für einen einzigen Windstoß. Aus dem Nebel hatten sich große und kleine Wolken geballt, sie hingen da, regungslos, wie von Ewigkeit zu Ewigkeit. Andreas ging wieder den Pfad hinauf gegen das Dorf. Hinunterzugehen ekelte ihn, den Rückweg berghinauf, den Finazzerhof vor sich, hätte er nicht ertragen. Auf der anderen Talseite wußte er keinen Weg. Hätte er einen Gefährten gehabt, nur einen Bauernhund oder irgendein Tier. Das habe ich mir für alle Zeiten verwirkt, dachte er. Ihm kam kein anderer Gedanke als ein quälender. Er sah sich als zwölfjährigen Knaben, sah das Hündlein, das ihm zugelaufen war, ihm auf Schritt und Tritt folgte. Die Demut, mit der es in ihm, dem ersten Begegnenden, seinen Herrn erblickte, war unbegreiflich, die Freude, die Seligkeit, mit der es sich bewegte, wenn er es nur ansah. Meinte es, sein Herr zürne, so warf es sich auf den Rücken, zog die Beinchen angstvoll an sich, gab sich ganz preis, mit einem unbeschreiblichen Blick von unten her. Eines Tages sah es Andreas in der gleichen Stellung vor einem großen Hund, die er geglaubt hatte, es nehme sie einzig gegen ihn ein, um seinen Zorn zu beschwichtigen und sich seiner Gnade zu empfehlen. Die Wut stieg in ihm auf, er rief das Hündlein zu sich. Schon auf zehn Schritte wurde es seine zornige Miene gewahr. Und es kam kriechend heran, den zitternden Blick auf Andreas' Gesicht geheftet. Er schmähte es eine niedrige und feile Kreatur, unter der Schmähung kam es näher und näher. Ihm war, da habe er den Fuß gehoben und traf das Rückgrat von oben mit dem Schuhabsatz. Das Hündlein gab einen kurzen Schmerzenslaut und knickte zusammen, aber es wedelte ihm zu. Er drehte sich jäh um und ging weg, das Hündlein kroch ihm nach, das Kreuz war gebrochen, trotzdem schob es sich seinem Herrn nach wie eine Schlange, bei jedem Schritt einknickend. Er blieb endlich stehen, da heftete das Hündlein einen Blick auf ihn und verschied wedelnd. Ihm war unsicher, ob er es getan hatte oder nicht; – aber es kommt aus ihm. So rührt ihn das Unendliche an. Die Erinnerung war martervoll, trotzdem wandelte ihn ein Heimweh an nach dem zwölfjährigen Knaben Andreas, der das begangen hatte. Alles schien ihm gut, was nicht hier war, alles lebenswert außer der Gegenwart. Er sah unten einen Kapuziner die Straße wandeln. An einem Kreuz kniete er nieder. Wie wohl mußte dieser unbeschwerten Seele sein. Er flüchtete mit seinen Gedanken in die Gestalt, bis sie ihm an einer Wendung der Straße entschwand. Dann war er wieder allein.

Das Tal war ihm unerträglich, er kletterte zum Wald empor. Zwischen den Stämmen war ihm wohler, feuchte Zweige schlugen ihm ins Gesicht, er sprang dahin, auf dem Boden unter ihm knackten morsche Äste. Er richtete seine Sprünge so ein, daß er sich jedesmal hinter starke Stämme verbarg, zwischen den Tannen waren schöne alte Laubbäume, Buchen und Ahorn, hinter jedem dieser versteckte er sich, dann sprang er weiter – endlich war er sich selber entsprungen wie einem Gefängnis. Er stürmte in Sprüngen dahin, er wußte nichts von sich als den Augenblick. Bald meinte er, er wäre der Onkel Leopold, der wie ein Faun im Wald sprang, einer Bauerndirn nach, bald, er wäre ein Verbrecher und ein Mörder wie der Gotthelff, dem die Häscher nachsetzten. Aber er verstand sich zu retten – ein Fußfall vor der Kaiserin...

Auf einmal fühlte er, daß wirklich ein Mensch in der Nähe war, der ihn beobachtete. Auch das wurde vergällt! er duckte sich hinter einen Haselstrauch und blieb regungslos wie ein Tier. Der Mensch auf der kleinen Waldblöße, fünfzig Schritt vor ihm, spähte in den Wald hinein. Als er eine Weile nichts hörte, fuhr er in seiner Arbeit fort. Er grub. Andreas sprang ihn an, von Baum zu Baum. Wenn ein Zweig knackte, sah der

draußen von seiner Arbeit auf, aber Andreas kam ihm schließlich ganz nah. Es war einer von den Knechten aus Castell Finazzer. Er begrub den Hofhund, warf dann die Erde wieder in das Grab, glättete es mit der Schaufel und ging weg.
Andreas warf sich auf das Grab und blieb lange liegen in dumpfen Gedanken. Hier! sagte er vor sich hin, hier! das viele Herumlaufen ist unnütz, man lauft sich selber nicht davon. Bald ziehts einen dorthin, bald zerrts einen dahin, mich haben sie diesen weiten Weg geschickt, endlich endet er auf irgendeinem Fleck, halt auf diesem! – Zwischen ihm und dem toten Hund war was, er wußte nur nicht was, so auch zwischen ihm und Gotthelff, der schuld an dem Tod des Tieres war, – andrerseits zwischen dem Hofhund und jenem anderen. Das lief alles so hin und her, daraus spann sich eine Welt, die hinter der wirklichen war, und nicht so leer und öd wie die. – Dann staunte er über sich: wo komme ich her? – und ihm war, da läge ein anderer, in den müßte er hinein, habe aber das Wort verloren.
Der Abend war eingefallen ohne einen Streifen Rot am Himmel, ohne irgendein Zeichen, in dem die Schönheit der wechselnden Tageszeit sich auswirkt. Aus den hängenden Wolken trat ein ödes schwärzliches Dunkel hervor, und es fing aus der Nebelluft still auf den Daliegenden zu regnen an. Ihn fror, er hob sich auf und ging hinab.
In seinem Traum der gleichen Nacht schien die Sonne, er ging tiefer und tiefer in den hohen Wald hinein und fand Romana. Der Wald leuchtete je tiefer je mehr, im mittelsten, wo alles am dunkelsten und leuchtendsten war, fand er sie sitzen auf einer kleinen Inselwiese, die von leuchtendem Wasser umronnen war. Sie war im Heuen eingeschlafen, Sichel und Rechen lagen nah bei ihr. Als er über das Wasser stieg, saß sie auf und sah ihn an, aber fremd. Er rief sie an: »Romana, siehst du mich?« – so leer ging ihr Blick. »O ja, freilich«, sagte sie mit einem sonderbaren Blick, »weißt du, ich weiß nicht, wo der Hund begraben liegt.« – Ihm war seltsam, er mußte lachen über ihre Rede, so witzig schien sie ihm. Sie ging ängstlich vor ihm zurück, übertrat sich mit den Füßen ins aufge-

häufte Heu und sank halb zu Boden, wie ein verwundetes Reh. Er war dicht bei ihr und fühlte, sie hielt ihn für den bösen Gotthelff und doch wieder nicht für den Gotthelff. Ganz sicher war auch ihm nicht, wer er war. Sie flehte zu ihm, er solle sie doch nicht nackt vor allen Leuten ans Bett binden und sich nicht davonmachen auf gestohlenem Pferd. Er faßte sie, er nannte sie zärtlich beim Namen, ihre Angst war gräßlich. Er ließ sie los, da rutschte sie auf den Knien ihm nach. »Komm nur wieder«, rief sie flehentlich, »ich gehe mit dir, und wärs unter den Galgen. Der Vater will mich einsperren, die Mutter hält mich, die toten Brüder und Schwestern wollen sich auch anhängen, aber ich mache mich los, ich lasse sie alle und komme zu dir.« Er wollte zu ihr, da war sie verschwunden.
Verzweifelnd stürzte er in den Wald, da kam sie ihm entgegen, zwischen zwei schönen Ahornbäumen, fröhlich und freundlich, als wäre nichts geschehen. Ihre Augen leuchteten seltsam, ihre nackten Füße glänzten auf dem Moos und der Saum ihres Rockes war naß. »Was bist du denn für eine«, rief er ihr staunend entgegen. – »So eine halt«, sagt sie und hält ihm den Mund hin, »nein, so eine«, ruft sie, wie er sie umfassen will, und schlägt mit dem Rechen nach ihm. Sie traf ihn an der Stirn, es gab einen scharfen hellen Schlag wie gegen eine Glasscheibe – er fuhr auf und war wach.
Er wußte, daß er geträumt hatte, aber die Wahrheit in dem Traum durchfuhr ihn mit Glück bis in die letzte Ader. Romanas ganzes Wesen hatte sich ihm angekündigt mit einem Leben, das über der Wirklichkeit war. Alles Schwere war weggeblasen. In ihm oder außer ihm, er konnte sie nicht verlieren. Er hatte das Wissen, noch mehr, er hatte den Glauben, daß sie für ihn lebte. Er trat in die Welt zurück wie ein Seliger. Ihm war, sie stand vielleicht unten, hatte einen Stein an die Glasscheibe geworfen, ihn dadurch geweckt. Er lief ans Fenster, da war ein Sprung in der Scheibe, im Fensterrahmen lag ein toter Vogel. Er ging langsam zurück, den Vogel in der Hand, den er auf sein Kopfkissen legte. Der kleine Leichnam durchströmte seinen Puls mit Wonne, ihm war, er hätte leicht dem Tier das Leben zurückgeben können, wenn er es nur an sein Herz genommen hätte. Er saß auf dem Bette in tausend strö-

menden Gedanken: er war glücklich. Sein Leib war ein Tempel, in dem Romanas Wesen wohnte, und die verrinnende Zeit umflutete ihn und spielte an den Stufen des Tempels. –
Im Haus war zuerst alles still im grauenden Morgen, und der Regen fiel. Als er aus seiner träumenden Entrücktheit hervorstieg, war es hoch am Tag und hell. Im Haus war alles geschäftig. Er ging hinunter, ließ sich ein Stück Brot geben und trank am Brunnen. Er strich im Haus herum, niemand beachtete ihn. Wo er ging und stand, war ihm wohl: seine Seele hatte einen Mittelpunkt. Er aß mit den Leuten, der Bauer war noch nicht zurück, von der Bäuerin und Romana redete niemand. Nachmittags kam der Fuhrmann, er war bereit, Andreas mitzunehmen, aber nach dem Gang seiner Geschäfte mußte er noch vor Abend aufbrechen; übernachten würden sie im nächsten Dorf talab.
Ein frischer Wind blies zum Tal herein, schöne große Wolken zogen querüber, und draußen gegens Land war es leuchtend hell. Ein Knecht trug den Mantelsack und das Felleisen hinunter zum Wagen, Andreas folgte ihm. Unten an der Treppe kehrte er wieder um, und eine Stimme sagte ihm, jetzt stünde Romana wartend oben in seinem leeren Zimmer. Als er über die Schwelle trat und sie nicht da war, konnte er es kaum begreifen, er sah in alle Ecken, als könnte sie sich in der getünchten Wand verborgen haben. Mit gesenktem Kopf ging er wieder hinunter. Unten stand er lange unschlüssig und horchte: draußen redeten die Knechte, die dem Fuhrmann einspannen halfen. Andreas fühlte ein Engerwerden um die Brust. Ohne seinen Willen trugen ihn die Füße in den Stall. Der Braun stand da und fraß mit trübseligem Gesicht und zurückgelegten Ohren, ein paar von den Bauernpferden drehten sich in ihrem Stand nach dem Eintretenden um. Andreas stand eine unbestimmte Zeit in dem dämmernden Raum und horchte auf ein Zwitschern – da fuhr durch das kleine vergitterte Fenster ein goldener Strahl schräg hindurch bis gegen die Stalltür und blieb so, eine Schwalbe glitt aufleuchtend hindurch, und hinter ihr Romanas Mund, offen, feucht und zuckend vor unterdrücktem Weinen. Kaum begriff er, daß sie jetzt leibhaftig vor ihm stand; aber er begriff es doch,

und die Überfülle lähmte alle seine Glieder. Sie war bloßfüßig, die Zöpfe hinunterhängend, als wäre sie aus dem Bett gesprungen, zu ihm gelaufen. Er konnte und er wollte nicht fragen, nur seine Arme hoben sich ihr halb entgegen. Sie kam nicht auf ihn zu, sie wich ihm auch nicht aus, sie war ihm so nah, als wäre sie in ihm, dabei schien es wieder, als sähe sie ihn gar nicht. Jedenfalls blickte sie ihn nicht an; auch er tat nichts, um sich ihr zu nähern. Aus ihrem Mund wollte ein Wort hervor, aus ihren Augen die Tränen. Sie riß unablässig an ihrer dünnen silbernen Halskette, als ob sie sich erdrosseln wollte, und entzog sich ihm dabei völlig; es war, als ob der Schmerz jetzt mit ihr ein Spiel spielte, darüber sie die Nähe Andreas' gar nicht fühlte. Endlich riß die Kette, ein Stück glitt ihr ins offene Hemd, das andere blieb ihr in der Hand. Dieses drückte sie Andreas von oben her auf den Handrücken, ihr Mund zuckte, als müßte ein Schrei heraus und könnte nicht, sie lehnte sich gegen ihn, ihr Mund, der feucht und zuckend war, küßte den seinen – da war sie davon.

Das Stück silberne Kette war von Andreas' Hand hinabgeglitten. Er hob es aus dem Stroh – er wußte nicht, sollte er ihr nach, alles ging in der Welt vor und zugleich mitten in seinem Herzen, wo noch nie ein Fremdes ihn durchschnitten hatte, – da hörte er, die draußen suchten ihn, wer wurde nach ihm die Treppe hinaufgeschickt. Nun mußte sich alles entscheiden. Jetzt alles umstoßen, dachte er blitzschnell, sagen, ich bleibe da, das Gepäck abnehmen lassen, die Knechte bedeuten, ich habe mich anders besonnen? Wie war denn das möglich? und wie konnte er vor den Finazzer, auch nur vor die Bäuerin hintreten? mit welcher Rede, mit was an Begründung? Wer hätte er sein müssen, um sich eine solche Handlungsweise zu erlauben und sich dann in einer solchen blitzartig veränderten Lage zu behaupten?

Er saß schon auf dem Frachtwagen, die Pferde zogen an, er wußte nicht wie. Eine Zeit muß vergehen, hierbleiben kann ich nicht, aber wiederkommen kann ich, dachte er, und bald, als der Gleiche und als ein Anderer. Er fühlte die Kette zwischen seinen Fingern, die ihn versicherte, daß alles wirklich war und kein Traum.

Der Wagen rollte bergab, vor ihm war die Sonne und das erleuchtete weite Land, hinter ihm das enge Tal mit dem einsamen Gehöft, das schon im Schatten lag. Seine Augen sahen nach vorn, aber mit einem leeren kurzen Blick, die Augen des Herzens schauten mit aller Kraft nach rückwärts. Die Stimme des Fuhrmannes reißt ihn aus sich, der mit der Peitsche nach oben zeigte, wo in der reinen Abendluft ein Adler kreiste. Nun wurde Andreas erst gewahr, was vor seinen Augen lag. Die Straße hatte sich aus dem Bergtal herausgewunden und jäh nach links hingewandt; hier war ein mächtiges Tal aufgetan, tief unten wand sich ein Fluß, kein Bach mehr, dahin, darüber aber jenseits der mächtigste Stock des Gebirges, hinter dem, noch hoch oben, die Sonne unterging. Ungeheure Schatten fielen ins Flußtal hinab, ganze Wälder in schwärzlichem Blau starrten an dem zerrissenen Fuß des Berges, verdunkelte Wasserfälle schossen in den Schluchten hernieder, oben war alles frei, kahl, kühn emporsteigend, jähe Halden, Felswände, zuoberst der beschneite Gipfel, unsagbar leuchtend und rein.

Andreas war zumut wie noch nie in der Natur. Ihm war, als wäre dies mit einem Schlag aus ihm selber hervorgestiegen: diese Macht, dies Empordrängen, diese Reinheit zuoberst. Der herrliche Vogel schwebte oben allein noch im Licht, mit ausgebreiteten Fittichen zog er langsame Kreise, der sah alles von dort, wo er schwebte, sah noch ins Finazzertal hinein, und der Hof, das Dorf, die Gräber von Romanas Geschwistern waren seinem durchdringenden Blick nahe wie diese Bergschluchten, in deren bläuliche Schatten er hinabäugte, nach einem jungen Reh oder einer verlaufenen Ziege. Andreas umfing den Vogel, ja er schwang sich auf zu ihm mit einem beseligten Gefühl. Nicht in das Tier hinein zwang es ihn diesmal, nur des Tieres höchste Gewalt und Gabe fühlte er auch in seine Seele fließen. Jede Verdunklung, jede Stockung wich von ihm. Er ahnte, daß ein Blick von hoch genug alle Getrennten vereinigt und daß die Einsamkeit nur eine Täuschung ist. Er hatte Romana überall – er konnte sie in sich nehmen wo er wollte. Jener Berg, der vor ihm aufstieg und dem Himmel entgegenpfeilerte, war ihm ein Bruder und mehr als ein Bruder. Wie jener in gewaltigen Räumen das zarte Reh hegte, mit Schattenkühle es deckte, mit bläulichem Dunkel es vor dem Verfolger barg, so lebte in ihm Romana. Sie war ein lebendes Wesen, ein Mittelpunkt und um sie ein Paradies, nicht unwirklicher, als dort jenseits des Tales sich entgegentürmte. Er sah in sich hinein und sah Romana niederknien und beten: sie bog ihre Knie wie das Reh, wenn es sich zur Ruhe bettet, die zarten Ständer kreuzt, und die Gebärde war ihm unsagbar. Kreise lösten sich ab. Er betete mit ihr, und wie er hinübersah, war er gewahr, daß der Berg nichts anderes war als sein Gebet. Eine unsagbare Sicherheit fiel ihn an: es war der glücklichste Augenblick seines Lebens.

Als er zu seinen Hausleuten herunterkam, fand er das Mädchen Zustina in eifrigem Handel mit einem kleinen Mann in mittleren Jahren, dessen Gesicht durch eine fast halbmondförmig gekrümmte Nase ein verwegenes und besonderes Aussehen erhielt, und der in einem baumwollenen Schnupftuch etwas in der Hand trug, wovon das Zimmer mit Fischgeruch erfüllt war. »Nein, es geht wirklich nicht, was Sie sich von den Leuten aufschwätzen lassen«, hörte er sie sagen. »Wenn es ein anderer Tag wäre, würde ich es vor der Mutter verantworten. Aber heute müssen Sie mir wieder herunter. Und vergessen Sie dann auch den Tapezierer nicht. Verhandeln Sie es mit ihm Punkt für Punkt, genau so wie ich gesagt habe. Tapezierer sind verschlagene Leute und ohne Gewissen, aber ein Mann, der sich auszudrücken versteht, wie Sie sind, muß jedem gewachsen sein. Die Ziehung ist genau eine Woche nach Mariä Geburt, also muß am Abend vorher der Altar geliefert sein. Fehlt das geringste, so wird ihm ein halber Silberdukaten abgezogen. Genau wie einen Fronleichnamsaltar will ichs haben, vorne eine Draperie mit Girlanden, und in die Mitte zwischen frischen Blumenarrangements kommt die Urne, aus der die Lose gezogen werden. Für die Aufstellung darf er nichts separat rechnen. Er hats ins Haus zu liefern, beim Zurichten und Dekorieren muß Zorzi helfen. Jetzt gehen Sie und richten es so aus, daß man Sie beglückwünschen muß, und lassen Sie mir Ihr Ausgabenbuch da, ich werde es durchsehen.«

Der Alte entfernte sich, als Andreas eintrat. »Da sind Sie ja«, sagte Zustina. »Ihr Gepäck liegt schon unten. Zorzi wird Leute holen, die es heraufschaffen. Dann wird er Ihnen ein gutes Kaffeehaus zeigen und Sie, wenn Sie wollen, zu meiner Schwester begleiten, die sich sehr freuen wird, Ihre Bekanntschaft zu machen. – Zu solchen Diensten ist er gut«, setzte sie hinzu, »im übrigen ist es durchaus nicht nötig, daß Sie gleich Ihren Vertrauten aus ihm machen. Das ist übrigens Ihre Sache, es gibt allerlei Menschen auf der Welt, und jeder muß sehen, wie er sich durchfindet. Ich sage, man muß die Welt nehmen wie sie ist.« Sie lief zum Herd, sah in der Röhre nach, begoß den Braten; ein paar Kleidungsstücke, die der Mutter und dem Bruder zu gehören schienen, verschwanden in einem großen Schrank. Sie jagte die Katze vom Speisebrett und besorgte einen Vogel, der im Fenster hing. »Eines wollte ich Ihnen auch sagen«, fuhr sie fort und blieb einen Augenblick vor Andreas stehen, »ich weiß nicht, ob Sie eine größere Summe Geldes bei sich haben oder einen Brief an einen Herrn Bankier. Wenn es das erstere ist, so geben Sie es einem Geschäftsfreund oder wen immer Sie hier in der Stadt kennen zum Aufheben. Nicht als ob es unehrliche Leute im Hause gäbe, aber ich will keine Verantwortung haben. Ich habe genug zu tun, das Haus in Ordnung zu halten, meine zwei Brüder zu unterrichten und für meinen Vater zu sorgen; denn meine Mutter ist meist auswärts beschäftigt. Auch können Sie denken, daß mir die Vorbereitung für die Lotterie Mühe und Denken genug kostet. Wie leicht beleidigt man... – Sie müssen entschuldigen, daß es uns nicht möglich ist, Ihnen ein Los anzubieten, obwohl Sie bei uns wohnen, aber Sie sind ein Fremder, und in einem solchen Punkt sind unsere Protektoren sehr genau. Der zweite Preis ist auch sehr anständig, es ist eine goldene emaillierte Dose; ich werde sie Ihnen zeigen, sobald der Juwelier sie abliefert.«

Sie rechnete unterweilen stehend das kleine Ausgabenbuch nach und bediente sich dazu eines winzigen Bleistifts, den sie in irgendeiner Locke ihres Toupets verborgen gehabt hatte; denn sie war frisiert wie zu einem Ball mit einem hohen Toupet und trug Tuchpantoffel, einen Taffetrock mit Silberspitzen, oben aber eine karierte Hausjacke, die ihr viel zu weit war und den reizenden schlanken, aber gar nicht kindlichen Hals völlig zeigte. Ihre Augen gingen unterm halblauten Rechnen, mit dem sie ihre Rede unterbrach, bald auf Andreas, bald auf den Herd, bald auf die Katze. Auf einmal schoß ihr etwas durch den Kopf, sie flog ans Fenster, bog sich weit hinaus und rief durchdringend hinunter: »Graf Gasparo! Graf Gasparo! Hören Sie mich noch! Ich möchte Ihnen noch etwas sagen.«

»Hier bin ich«, sagte der Herr mit der Hakennase und den Fischen und trat unvermutet durch die Tür ins Zimmer. »Was schreist du nach mir durchs Fenster? – hier stehe ich«, und er wandte sich zu Andreas: »ich habe soeben unten erst vernommen, daß Sie der ansehnliche junge Fremde sind, den ich die Ehre habe, als meinen Gast zu begrüßen. Ich wünsche Ihnen und uns, es möge Ihnen unter unserem bescheidenen Dache wohlergehen. Sie bewohnen die Zimmer meiner Tochter Nina. Sie kennen sie noch nicht, und so können Sie den Beweis der Hochschätzung und des Vertrauens noch nicht ermessen, den wir Ihnen geben, indem wir dieses Appartement zu Ihrer Verfügung stellen. Das Zimmer eines solchen Menschen ist wie das Kleid eines Heiligen, an dem Kräfte haften. Was immer Sie in dieser Stadt erleben werden – und Sie sind hergekommen, um Erlebnisse und Erfahrungen zu sammeln –, in diesen Wänden wird die Ruhe des Gemüts und das Gleichgewicht der Seele Ihnen zurückkehren. Die Luft selber in diesen Zimmern atmet, wie soll ich sagen, eine unüberwindliche Tugend. Lieber zu sterben als diese Tugend zu opfern, war der eherne Vorsatz meines Kindes. Ich, mein Herr«, er berührte Andreas mit seiner Hand, die weiß und außerordentlich wohlgeformt, nur zu klein für einen Mann und dadurch unerfreulich war, »war weder imstande, meine Tochter in einer solchen Gesinnung zu bestärken, noch sie dafür zu belohnen. Ich bin eine gescheiterte Existenz, herabgestürzt in Stürmen von der Höhe meiner Familie.« Er trat zurück und ließ die Hand mit einer unnachahmlichen Gebärde sinken. Mit einer Verneigung verließ er das Zimmer.

Zustinas Gesicht strahlte vor Bewunderung über die Rede

des Grafen. Wirklich war die Art, wie er die wenigen Sätze vorgebracht hatte, ein Meisterwerk von Anstand und Abstufung: Würde mischte sich in ihr mit Menschlichkeit, Ernst und Erfahrung war durch Zutrauen gemildert. Der Ältere sprach zum Jüngeren, der Hausherr zu seinem Gast, der vom Leben geprüfte Greis väterlich zum ungeprüften Jüngling und ein venezianischer Edelmann zum Edelmann: – das alles war darin. »Was sagen Sie dazu, wie mein Vater sich ausdrückt?« fragte sie. Über dem aufrichtigen und kindlichen Vergnügen, das sie empfand, schien sie vergessen zu haben, daß sie den Vater um irgendeiner Sache willen zurückgerufen hatte. »So findet er in jeder Lage«, rief sie mit leuchtenden Augen, »das richtige Wort. Er hat viel Unglück gehabt und viele Feinde, aber seine großen Talente kann ihm niemand abstreiten.« War sie früher quecksilbern und eifrig gewesen, aber dabei trocken, so war sie nun erst ganz belebt von innen heraus, ihre Augen leuchteten, und ihr Mund bewegte sich mit einem unbeschreiblichen, kindhaften Eifer. Etwas in ihr ließ an ein Eichhörnchen denken, doch war sie eine resolute brave kleine Frau.

»Nun kennen Sie also auch meinen Vater, und ehe eine Stunde vergeht, werden Sie meine Schwester kennenlernen und sicher auch einige ihrer Freunde. Der vornehmste darunter ist der Herzog von Camposagrado, der spanische Gesandte. Er ist ein so großer Herr, daß, wenn der König von Spanien mit ihm spricht, so setzt er seinen Hut auf. Erschrecken Sie nicht, wenn Sie ihn sehen, er sieht aus wie ein wildes Tier, aber er ist ein sehr großer Herr. Da hat sie einen unter ihren Freunden, der mir selbst gefiele, – aber wozu von mir sprechen. Es ist ein österreichischer Hauptmann, ein Slawonier, das heißt, er besitzt ein österreichisches Hauptmannspatent und hat Privilegien, die Vieheinfuhr für ungarische und steirische Ochsen über Triest, ein schönes Geschäft, und er ist auch ein schöner Mann und in Nina verliebt über alle Begriffe. Denken Sie, daß er nie von Tisch aufsteht ohne auf ihr Wohl zu trinken und daß er dann jedesmal sein Glas durch die Scheiben in den Kanal oder gegen die Mauer wirft, wenn es aber ein besonderer Tag ist, so zerschlägt er in der gleichen

Weise alles Glas was auf dem Tisch ist, und alles Nina zu Ehren. Natürlich bezahlt er dann die Gläser. Ist das nicht eine Bestialität? – aber in seinem Land ist das größte Höflichkeit. Er ist ein großer Spieler – nun, Sie werden ihn selbst kennenlernen und werden leben wie die andern. Wäre er mein Mann, würde ich ihms schon abgewöhnen. Eines aber«, fuhr sie fort und sah ihn ernsthaft und wichtig an, mit einem reizenden Ausdruck, »wenn Sie Händel bekommen, Mißverständnisse, Zank und Streit, so setzen Sie Ihren Willen durch. Lassen Sie sich nicht durch Tränen herumkriegen, weder durch die Tränen von Weibern noch von Männern. Das ist eine läppische Schwachheit, die ich nicht leiden kann. Aber ich spreche nicht von Ninas Tränen. Ninas Tränen sind echt wie Gold. Wenn sie weint, da ist sie wie ein kleines Kind. Man hat nicht das Herz, ihr zu versagen, was sie sich wünscht, denn sie hat ein zehnmal besseres Herz als ich, obwohl sie schon einundzwanzig ist und ich noch nicht sechzehn. Aber was kann das Sie interessieren«, setzte sie mit einem schelmischen Blick hinzu, indem sie den Vogel am Fenster versorgte, »mich über mich reden zu hören – dazu sind Sie nicht nach Venedig gekommen. Gehen Sie hinunter, Zorzi wird unten stehen und auf Sie warten.«

Andreas war schon auf der Treppe, als sie ihm nachkam. »Noch eins – es ist mir nur so durch den Kopf gegangen. Sie sehen gutmütig aus, und einen Guten muß man beim ersten Schritt warnen. Lassen Sie sich niemals von einem andern Wechsel zum Akzeptieren aufschwätzen, wenn er Ihnen auch zur Deckung andere zugleich anbietet, die vor den seinigen fällig sind, – niemals, verstehen Sie mich.« Einen Augenblick legte sie ihre Hand leicht auf Andreas' Arm – es war ganz die gleiche Gebärde, die vorhin der Vater gehabt hatte, aber wie wahr ist das Sprichwort, wenn zwei dasselbe tun, ist es nicht dasselbe. Es war eine so reizende kleine Hand und die mütterliche, frauenhafte Gebärde bezaubernd. – Sie war schon wieder drin, und als Andreas die Treppe hinabging, hörte er sie auf der andern Seite durchs Fenster Zorzi zurufen.

»Ist sie nicht eine allerliebste kleine Frau«, sagte Zorzi, der unten stand, als hätte er erraten, womit sich Andreas' Gedanken

beschäftigten. – »Aber was hat es mit der Lotterie auf sich«, fragte Andreas nach den ersten Schritten, »wer gibt die Preise aus, und was hat die Familie damit zu schaffen? es sieht ja aus, als wären sie selber die Veranstalter.« Der Maler antwortete nicht sogleich. »Das sind sie auch«, sagte er, indem er seine Schritte an einer Straßenecke verlangsamte und Andreas an sich herankommen ließ. »Warum soll ich es Ihnen nicht sagen? die Lotterie geht in einem kleinen Kreise von vornehmen und reichen Herren vor sich, und der erste Preis ist die Kleine selber.« – »Wie, sie selber?« – »Nun, ihre Jungfernschaft, wenn Sie ein anderes Wort wollen. Sie ist ein gutes Geschöpf und hat sich in den Kopf gesetzt, ihren Leuten aus dem Elend zu helfen. Sie sollten hören, wie schön sie über die Sache redet und welche Mühe sie sich mit der Subskription gegeben hat. Denn bei ihr muß alles nett und ordentlich zugehen. Ein großer Herr, der ein alter Gönner der Familie ist, hat das Protektorat übernommen«, hier dämpfte er die Stimme, »– es ist der Patrizier Herr Sacramozo, der zuletzt Gouverneur von Korfu war. Ein Los kostet nicht weniger als vierundzwanzig Zechinen, und es ist kein Name auf die Subskriptionsliste gesetzt worden, der nicht von Herrn Sacramozo gebilligt worden wäre.«
Andreas war plötzlich heftig errötet, so daß die Sehkraft seiner Augen durch ein Flimmern geschwächt war und er über einen zertretenen Paradeisapfel, der vor seinen Füßen lag, fast ausgeglitten wäre. Der andere sah ihn im Gehen von der Seite an. »Eine solche Sache«, fuhr er fort, »kann sich im Kreis von vornehmen Leuten abspielen, und die den Anstand haben, nichts davon verlauten zu lassen; andernfalls würde die Behörde sich dreinmischen. So wird von den hiesigen Herren nicht gern ein Fremder in eine Verabredung dieser Art hineingezogen. Wenn Ihnen aber sehr viel daran liegt, so will ich mir Mühe geben, und vielleicht kann ich Ihnen indirekt ein Los verschaffen, ich meine in der Weise, daß einer der Subskribenten Ihnen gegen eine Abfindung, die nicht wenig sein wird, seine Chance abtritt, ohne daß Ihr Name genannt wird.« Andreas wußte nicht, was er antworten sollte, und ging schnell auf etwas anderes über, indem er sein Erstaunen

darüber aussprach, daß die ältere Tochter keinen besseren Weg wüßte, ihrer Familie beizuspringen, und es der kleinen Schwester überließ, sich in dieser ungewöhnlichen Weise aufzuopfern.

»Nun, etwas so Ungewöhnliches ist es ja nicht, was sie tut«, erwiderte der andere, »und von Nina ist nicht viel zu erwarten, das weiß die Kleine selber am besten. Nina ist keine Wirtschafterin, und was Sie ihr heute schenken, zergeht ihr morgen zwischen den Fingern. Sie ist eine Schönheit, aber an Kopf kann sie sich mit Zustina nicht messen. Schaun Sie wie sie ist: einmal will ich ihr einen reichen vornehmen Herrn aus Wien vorstellen, den Grafen Grassalkowicz, – der Name wird Ihnen nicht fremd sein. Und Sie werden wissen, was es bedeutet, die Bekanntschaft dieses Herrn zu machen, der, wie Sie wissen, zwei Palais in Wien und eins in Prag hat, und dessen Güter in Kroatien so groß sind als der ganze Besitz der Republik. ›Wie heißt der Mensch‹, sagt sie und läßt sich den Namen wiederholen, dabei zieht sie die Nasenflügel nach oben; wenn sie das tut, ist bei ihr nichts zu machen, so wenig wie bei einem stützigen Pferd. ›Der Name‹, sagt sie, ›klingt wie ein recht gemeiner Fluch, und wie der Name, so wird auch der Träger sein. Führe ihn wohin du willst, ich mag nichts von ihm wissen.‹ Da haben Sie die ganze Nina.«

Andreas dachte, es sei keine so ungewöhnlich große Auszeichnung, als er bisnun angenommen hatte, durch diesen Freund bei Fräulein Nina eingeführt zu werden, aber er behielt seine Gedanken bei sich.

Sie waren auf einem freien Platz angekommen: vor einer kleinen Kaffeebutik standen im Freien hölzerne Tischchen und Strohstühle; an einem schrieb ein Herr, der ganz in Schwarz gekleidet war, Briefe. An einem andern saß ein plumper Mann mit bläulicher Rasur in mittleren Jahren, der einen fremdartigen langen Rock mit Verschnürung trug, und hörte in bequemer Stellung und mit unbewegter Miene einem jungen Mann zu, der in ihn hineinredete, dabei nicht wagte, seinen Stuhl an den Tisch zu ziehen, ja sich kaum wirklich niederzusitzen getraute, daß Andreas ihn nicht ansehen konnte, ohne Mitleid und Unruhe zu spüren.

»Sehen Sie dort die zwei«, flüsterte Zorzi und schob die Schokolade an sich, die Andreas für ihn hatte kommen lassen. »Es ist ein reicher Grieche und sein Neffe. Der Alte ist Millionär und der arme Bursch sein einziger Verwandter. Aber er ist mit ihm unzufrieden, weil der Junge gegen seinen Willen geheiratet hat, und er erlaubt ihm nicht einmal, sein Haus zu betreten. Dem Jungen geht das Wasser bis an den Hals, und er ist in den Händen von jüdischen und christlichen Wucherern und läuft dem Onkel auf Schritt und Tritt nach. Sehen Sie unauffällig hin: der Alte würdigt ihn kaum eines Blickes, geschweige denn einer Antwort. Er raucht und läßt ihn reden – bemerken Sie, wie der unglückselige Bettler sich krümmt, nichts von dem Rauch mitzurauchen. Und nach einer Weile, merken Sie auf, – er wird seinen Kaffee zahlen und fortgehen, am Schluß wird der Junge vor ihm auf die Knie fallen, der Alte wird so wenig darauf achten, als wenn es ein Hund wäre. Er wird sich an sein Gewand hängen, der Alte wird ihn abschütteln und seines Weges gehen, als wenn er allein wäre. Dasselbe Schauspiel können Sie mehrmals im Tag sehen, morgens vor der Börse, hier, und abends auf der Riva. Ist es nicht unterhaltend, wie bestialisch die Menschen einander mitspielen und wie beharrlich sie in ihrer Bosheit sein können!«

Andreas hörte kaum zu, so sehr beschäftigte ihn die Erscheinung des schreibenden Herrn. Es war ein überlanger, schmaler Körper, der sich schreibend über das kleine Tischchen bog, unter welchem die langen Beine keinen Platz fanden als durch Bescheidenheit, überlange Arme, die sich notdürftig unterbringen konnten, überlange Finger, die den schlechten, ächzenden Federkiel führten. Die Stellung war unbequem und beinahe lächerlich, aber nichts hätte das Wesentliche des Mannes schöner enthüllen können als diese Unbequemlichkeit und wie er sie ertrug, besiegte, ihrer nicht gewahr wurde. Er schrieb hastig, die Zugluft zerrte an dem Blatt, er hätte müssen ungeduldig sein, und doch war eine Beherrschung in allen seinen Gliedern, eine – so seltsam das Wort klingen mag – Verbindlichkeit gegen die toten Gegenstände, die ihm so mangelhaft zu Dienst standen, ein Hinwegsehen über die

Unbequemlichkeit der Lage, das unvergleichlich war. Ein starker Luftzug warf eines der Blätter zu Andreas hinüber. Andreas fuhr auf und beeilte sich, dem Fremden das Blatt zu reichen, der sich selbst ohne Hast seitlich gebückt hatte, mit einer halben Neigung das gereichte in Empfang nahm, wobei Andreas der Blick seiner dunklen Augen traf, die ihm schön schienen, obwohl sie in einem Gesicht saßen, das niemand für schön halten konnte. Der Kopf war bei weitem zu klein für die Gestalt und die gelbliche, etwas leidende Miene so seltsam verzogen, daß Andreas der ungereimte Gedanke an das vertrocknete Gesicht einer toten Kröte durch den Sinn fuhr.
Er hätte mögen viel von diesem Manne wissen – aber gerade nichts durch Zorzi, der sich zu ihm herüberlehnte und ihm zuwisperte: »Ich werde Ihnen sagen, wer das ist, sobald er weggegangen ist. Ich will jetzt den Namen nicht nennen. Er ist der Bruder eben – des großen Herrn, den ich Ihnen vorhin als Protektor der Familie, bei der Sie wohnen, genannt habe. Sie verstehen mich, als den, unter dessen Ägide die Lotterie vor sich geht. Es ist ein Malteser«, fuhr er dann fort, hielt aber sogleich inne, als der Schreibende den Kopf hob, »– trägt aber, wie Sie sehen, auf seinen Kleidern nicht das Kreuz, das zu tragen er nicht nur berechtigt, sondern auch verpflichtet ist. Er hat große Reisen gemacht, man sagt, er sei im Innersten von Ostindien oder gar an der Chinesischen Mauer gewesen, und soll nach den Reden der einen im Dienst der Jesuiten stehen, nach den andern nicht viel anderes als ein Freimaurer sein.«
Der reiche Grieche und sein bettelarmer Neffe standen auf – die plumpe Herzenshärte des einen, die hündische Demut des anderen waren abscheulich. In beiden schien die Menschennatur entwürdigt. Für Andreas war es außer der Begreiflichkeit, daß ein so gemeines Schauspiel sich in solcher Nähe eines Wesens, wie der Ritter ihm dünkte, abspielen konnte; ja als nun beide gegeneinander, in einer Art von Fauchen der eine und Winseln der andere, ihre Stimmen erhoben, meinte er dazwischenspringen und sie mit dem Stock zur Ruhe bringen zu müssen. Einen Augenblick sah der Malteser auf, aber er blickte über die beiden Menschen hinweg, als wären sie

nicht da, und nickte, im Aufstehen den Brief verschließend, einem jungen Burschen zu, der nun vorsprang und mit einer Verbeugung den Brief in Empfang nahm und damit abging, indessen der Ritter sich nach der anderen Seite entfernte.
Als er um die Ecke verschwunden war, schien Andreas der Platz verödet. Zorzi bückte sich und brachte unter dem Tisch ein gefaltetes Briefblatt hervor: »Da hat uns der Wind etwas von der Korrespondenz des Herrn Ritter Sacramozo unter die Füße geworfen«, sagte er, »entschuldigen Sie mich für einen Augenblick, ich will dem Ritter es nachtragen.« – »Lassen Sie mich es ihm zurückgeben«, fuhr es aus Andreas' Mund; ihm war, als hätte seine Zunge es aus eigener Macht gesagt, und schon hatte er das Blatt angefaßt. Ihm lag unendlich an der Erfüllung dieses Wunsches, er zog das Papier dem andern aus den Fingern und lief in einem engen Gäßchen hinter dem Malteser drein.
Es war mehr als Grazie, eine wahre unnachahmliche Vornehmheit, mit der der Ritter ihn anhörte und das Blatt entgegennahm, und Andreas glaubte niemals eine wunderbarere Übereinstimmung zwischen der Haltung eines Menschen und dem Klang seiner Stimme wahrgenommen zu haben. Die Worte »Sie sind sehr freundlich, mein Herr«, kamen deutsch und in der besten Aussprache von seinen Lippen. Sein herzenswarmes und zugleich seelenvolles Gesicht schien eine tiefe, aus der Seele dringende Freundlichkeit auszudrücken. In der Spanne eines Augenblickes fühlte sich Andreas mit Wohlwollen empfangen, in eine jede Fiber seines Wesens erhöhende Atmosphäre aufgenommen und wieder verabschiedet. Er stand vor dem Fremden wie entseelt, sein Körper kam ihm plump und seine Haltung bäurisch vor. Aber jedes Glied seines Körpers wußte um jedes Glied und führte das Bild der hohen, in nachlässiger Bestimmtheit, in herablassender Verbindlichkeit sich leicht gegen ihn neigenden Gestalt ins Innere, wie eine Flamme auf Flamme bebte.
Er ging zurück und war schon in sich dumpf bemüht, den Ausdruck dieser Augen, den Klang dieser Stimme festzuhalten, als wäre es für die Ewigkeit ein Verlorenes, – fragte sich: hab ich den schon früher gesehen? wie könnte mir sonst das

Bild im Augenblick so tief eingedrückt sein? von mir selbst kann ich über ihn erfahren! – Wie staunte er aber, als er einen schnell und leicht ihm nacheilenden Schritt mehr fühlte als hörte, der kein anderer als der des Maltesers sein konnte, als er sich eingeholt sah und ihm mit der gleichen einnehmenden Stimme in der verbindlichsten Weise bedeutet wurde, er müsse sich geirrt haben. »Der Brief, den Sie so gütig waren, mir zu geben, ist weder von meiner Hand, mein Herr, noch ist er an mich gerichtet. Er muß Ihnen selbst gehören – jedenfalls muß ich Sie bitten, darüber zu verfügen!«
Andreas war verlegen und verwirrt, einige undeutliche Gedanken kreuzten sich in ihm, die Furcht, zudringlich zu erscheinen, durchfuhr ihn wie eine heiße Nadel. In der Verwirrung schien es ihm leichter, welches Bestimmte immer zu sagen, als etwas Unbestimmtes, für das er niemals die Wendung gefunden hätte, – er errötete über eine unbeherrschte Gebärde seiner Hände, die schon nach dem Briefblatt wieder gegriffen hatten; um so entschiedener beteuerte er nun, daß der Brief ganz sicher nicht ihm gehöre, er in keiner Weise darüber zu verfügen habe. Die Miene, mit welcher der Malteser sich sogleich zufrieden gab, war mehr die eines Mannes, der sich unter keiner Bedingung aufdrängt, als die eines von einem Irrtum Überzeugten, und der unmerkliche Schimmer eines Lächelns überflog sein Gesicht oder nur seine Augen, als er nochmals mit Verbindlichkeit grüßte und sich abkehrte.
»Es ist Zeit«, rief Zorzi, »wenn Sie wünschen, die schöne Nina heute kennenzulernen. Sie wird auf sein und, wenn wir Glück haben, noch keinen Besuch bei sich haben. Später fährt sie aus, oder sie hat ihre Freunde zu Tisch. – Nun«, fragte er im Gehen, »haben Sie die Bekanntschaft des Ritters gemacht und ihm seinen Brief zurückgegeben? Denken Sie, der Narr schreibt täglich zwei und drei solche Briefe von zehn Seiten an ein und dieselbe Person, und dabei sieht er sie fast jeden Tag und ist trotz allem, glaub ich, nicht einmal ihr Liebhaber. Denn sie ist eine Halbnärrin und liegt entweder krank im Bett oder auf ihren Knien in irgendeiner Kirche. Sie hat weder einen Mann noch einen Verwandten. Der Ritter ist der einzige Mensch, der zu ihr kommt, und da sie nicht unter die Leute

geht, hat er nicht einmal den Spaß, für ihren Kavalier zu gelten. Dabei versteckt er aber die Geschichte vor jedermann, als ginge es um ein junges Mädchen oder eine Nonne.« – »Wie kommen Sie dazu, die Geheimnisse aller Leute zu wissen«, fragte Andreas verwundert. – »Ach, man erfährt allerlei«, gab der andere zurück, mit dem gleichen Lachen, das Andreas schon so mißfallen hatte, »–aber hier ist das Haus. Wir gehen einfach hinauf, oder warten Sie lieber eine Minute, ich springe hinauf und sehe, wie es steht und ob man Sie vorlassen will.«

Es verging nun eine Spanne Zeit, deren Dauer Andreas nicht hätte mit Sicherheit bestimmen können. Vielleicht blieb der Maler nur so lange aus, als es natürlicherweise bedurfte, um die Treppen hinaufzusteigen, sich selber anmelden zu lassen und einen Besuch anzukündigen, vielleicht hatte man ihn oben warten lassen, und es verfloß eine viel längere Zeit. Andreas entfernte sich ein paar Schritte von dem Haus, durch dessen Tür Zorzi verschwunden war, und ging bis ans Ende der ziemlich engen Gasse. Sie endete in einem Schwibbogen, unter diesem aber führte seltsamerweise eine Steinbrücke über einen Kanal auf einen kleinen eiförmigen Platz hinüber, auf dem eine kleine Kirche stand. Andreas ging wieder zurück und war ärgerlich, daß er nun schon nach wenigen Minuten unter den ziemlich einfachen und gleichartigen Häusern das richtige nicht wiedererkennen konnte. Die Tür des einen, dunkelgrün, mit einem bronzenen Türklopfer in Gestalt eines Delphins, schien ihm die zu sein, durch welche Zorzi verschwunden war, doch war die Tür geschlossen und Andreas meinte jenen noch vor sich zu sehen, wie er durch eine offene Tür in einen Hausflur trat. Immerhin war keine Gefahr, daß sie einander verfehlten, wenn Andreas nochmals bis an die Brücke vorging und den kleinen Platz mit der Kirche in Augenschein nahm. Gasse und Platz waren völlig menschenleer, man mußte einen Schritt hören, geschweige einen Ruf oder wiederholte Rufe, wenn Zorzi ihn suchte. So überschritt er die Brücke; unter ihr hing auf dem dunklen Wasser eine kleine Barke angebunden, nirgend war ein Mensch zu sehen oder zu hören: der ganze kleine Platz hatte etwas Verlorenes und Verlassenes.

Die Kirche war aus Backsteinen, niedrig und alt; vorn gegen den Platz zu hatte sie einen Aufgang, der wenig zu ihr paßte: breite Stufen trugen eine Kolonnade aus weißem Marmor, einen antiken Giebel mit einer Inschrift. An den lateinischen Worten waren einzelne der vergoldeten Buchstaben groß. Andreas versuchte, sich daraus eine Jahreszahl zusammenzusetzen.
Als er die Augen wieder senkte, stand in beträchtlicher Entfernung von ihm, seitlich neben der Kirche, eine Frau, die ihn ansah. Er konnte sich nicht recht erklären, wo sie hergekommen war; aus einer Seitentür der Kirche konnte sie nicht wohl hervorgetreten sein, denn sie stand so, als wollte sie vielmehr auf die Kirche zu und wäre unschlüssig oder wie erschrocken über Andreas' Gegenwart stehengeblieben. Tritte eines den Platz Überschreitenden oder Herankommenden hatte er nicht gehört. Und er fand sich nachdenkend, ob sie zu ihrer anständigen einfachen Tracht Hausschuhe trug, die ihre Schritte lautlos gemacht hatten, und er verwunderte sich selbst, daß ihn dieser Gedanke beschäftigte. Denn es war doch nichts weiter als eine anscheinend junge Frau aus den bescheidenen Ständen, mit dem schwarzen Tuch über Kopf und Schultern, aus deren ziemlich blassem, aber wie es schien recht hübschem Gesicht zwei dunkle Augen allerdings mit sonderbarer, wenn die Entfernung nicht trog, ängstlicher Spannung unverwandt auf den Fremden gerichtet waren – mit der gleichen Spannung, das fühlte er, ob er sich nun das Ansehen gab, die Kapitelle der korinthischen Säulen zu betrachten, oder ob er den Blick erwiderte. Immerhin war kein Grund, hier zu verharren, und schon setzte er den Fuß auf die unterste Steintreppe und war nun aus dem Gesichtsfeld der Stehenden verschwunden.
Aber als er den schweren Vorhang hebend in die Kirche eintrat, so war die Frau zu gleicher Zeit durch eine Seitentür eingetreten und ging auf einen Betstuhl zu, der vorn gegen den Altar zu stand. Nun kam von ihr für Andreas der bestimmte Eindruck, es handle sich um eine durch Krankheit sei es am Leibe, sei es an der Seele bedrückte Frauensperson, welche hier im Gebete Linderung ihrer Leiden suche.

Er wünschte jetzt nichts anderes, als die Kirche so leise als möglich wieder zu verlassen, denn es schien ihm, die Frau sehe sich manchmal ängstlich nach ihm um, als nach einem ungewünschten Zeugen ihrer schmerzvollen Einsamkeit. Nun war in der Kirche, verglichen mit dem Platz, auf dem der grelle Sonnenschein lag, Halbdunkel; auch hing in der kühlen eingeschlossenen Luft noch ein wenig Weihrauchduft, und Andreas hielt seinen Blick, da er um alles nicht beobachten, sondern nur den Raum verlassen wollte, sicher nicht völlig scharf, nicht spähend auf die Betende gerichtet – aber abgesehen davon, das ist sicher, er hätte geschworen, sie habe sich nun mit gerungenen, flehentlich erhobenen Händen nicht gegen den Altar, sondern nirgend anders als gegen ihn hin gewandt, ja sich auf ihn zuzubewegen gestrebt, mit einer Hemmung aber, als wäre ihr Körper von den Hüften hinab mit schweren Ketten umwunden. Zugleich glaubte er ein Stöhnen, wenn auch leise, doch außer jeder Sinnestäuschung, deutlich gehört zu haben. Im nächsten Augenblick freilich mußte er wenn nicht die Gebärde, so doch jeden Bezug auf seine Person als Einbildung ansehen. Denn die Fremde war nun wieder in dem Betstuhl zusammengesunken und blieb völlig still.
Er tat lautlos die wenigen Schritte, die ihn vom Ausgang trennten, und bestrebte sich, den Vorhang so wenig zu heben, daß kein Strahl vom grellen Licht hineindringend die heilige Dämmerung, in welcher er die Bekümmerte zurückließ, verstörte. Dabei ging sein Blick unwillkürlich noch zum Betstuhl zurück, und was er nun wahrnahm, erstaunte ihn freilich so, daß er in den Falten des Vorhangs selber, und atemlos, stehenblieb: – dort saß jetzt, genau an der gleichen Stelle, eine andere Person, saß nicht mehr, sondern war im Betstuhl aufgestanden, kehrte dem Altar den Rücken und spähte auf Andreas hinüber, duckte sich nach vorn und sah sich dann wieder verstohlen nach ihm um. In ihrem Anzug unterschied sich diese Person nicht allzusehr von der früheren, welche sich mit einer fast unbegreiflichen Schnelle und Lautlosigkeit entfernt haben mußte. Auch die Neue trug sich in den gleichen bescheidenen dunklen Farben – so hatte Andreas auf dem Wege die kleinen Bürgersfrauen und Mädchen in einer anständigen

Gleichförmigkeit sich kleiden sehen –, aber diese hier hatte kein Kopftuch. Ihr schwarzes Haar hing in Locken zu seiten des Gesichtes, und ihr Gehaben war von der Art, daß es nicht möglich war, sie mit dem gedrückten und bekümmerten Wesen zu verwechseln, dessen Platz sie plötzlich und geräuschlos eingenommen hatte. Es war etwas Freches und fast Kindisches in der Art, wie sie sich mehrmals unwillig umblickte und dann geduckt über die Schulter die Wirkung ihres zornigen Umblickens ausspähte. Sie konnte ebenso im Sinn haben, einen Neugierigen fortzuscheuchen als einen Gleichgiltigen neugierig zu machen, ja als sich Andreas nun wirklich wegwandte, um zu gehen, so war ihm, sie habe hinter seinem Rücken her mit offenen Armen ihm zugewinkt.
Er stand auf dem Platz, ein wenig geblendet, da kam jemand hinter ihm aus der Kirche herausgetreten und streifte mit schnellen Schritten so dicht an ihm vorbei, daß er den Luftzug fühlte. Er sah die eine Seite eines jungen blassen Gesichtes, das sich jäh von ihm abkehrte, die Locken flogen dabei, daß sie fast seine Wangen streiften, in dem Gesicht zuckte es wie von verhaltenem Lachen. Der rasche, fast laufende Gang, dies dichte Vorüberstreifen und jähe Abwenden, alles war viel zu gewaltsam, um nicht absichtlich zu sein, aber schien viel mehr der Übermut eines Kindes als die Frechheit einer erwachsenen Person. Dennoch war es die Gestalt einer solchen, ja so seltsam die kecke Freiheit des Körpers, als sie nun die schlanken Beine werfend, daß die Röcke flogen, vor Andreas auf die Brücke zusprang, daß Andreas einen Augenblick dachte, er habe mit einem verkleideten jungen Mann zu tun, der mit ihm, als einem augenscheinlich Fremden, seinen Übermut treibe. Doch sagte ihm dann weiter ein Etwas über allem Zweifel, daß er ein Mädchen oder eine Frau in dem Wesen vor sich habe, das nun auf der kleinen Brücke selber standhielt, wie um ihn zu erwarten. In dem Gesicht, das ihm hübsch genug schien, glaubte er einen frechen Zug zu sehen, das ganze Betragen schien ihm völlig dirnenhaft, und doch war etwas dabei, das ihn mehr anzog als abstieß. Er wollte der jungen Person nicht auf der schmalen Brücke begegnen, einen andern Weg zurück in das Gäßchen hatte er nicht. So drehte er sich

jäh um und stieg in die Kirche zurück und dachte damit dem Frauenzimmer ein entschiedenes Zeichen der Abwehr gegeben zu haben und sie los zu sein. Sonderbar genug war es ihm, daß er nun in der stillen Kirche die andere Person nicht wieder vorfand. Er ging ganz vorn bis an den Altar, warf einen Blick in die kleinen Kapellen links und rechts, sah hinter die Pfeiler – nirgends eine Spur: es war, als hätte der Steinboden sich geöffnet und die Bekümmerte eingesogen, an ihrer Stelle aber jenes andere sonderbare Geschöpf hervorgelassen.
Als Andreas wieder auf den Platz heraustrat, sah er zu seiner Erleichterung, daß die Brücke frei war. Er ging in das Gäßchen zurück und fragte sich, ob er nicht doch indessen Zorzis Heraustreten versäumt habe und dieser ihn nicht etwa in der Richtung, aus welcher sie gekommen waren, suchen gegangen sei. Ein reinliches Haus neben dem mit dem messingnen Türklopfer schien ihm nun das richtige, weil hier die Tür offen stand. Er trat ein, wollte an irgendeiner Tür im Erdgeschoß klopfen und nach Fräulein Nina fragen, dann selbst hinaufgehen und sich nach dem Verbleib des Malers erkundigen. Dieses alles tat er um so rascher, als ihm gewesen war, als habe, etwa vom zweiten Haus nach Überschreiten der Brücke an, sich ein leichter Schritt und die Bewegung eines Kleides wieder an seine Fersen geheftet. Vom Hausflur führte die Treppe nach oben, doch ließ Andreas diese noch unbetreten und trat in den Hof, nach der Wohnung des Hausmeisters oder sonst eines lebenden Wesens zu suchen. Der Hof war klein, zwischen Mauern und in eine ziemliche Höhe ganz mit Weinlaub überrankt: die schönsten reifen Trauben von einer dunkelrötlichen Sorte hingen herein, starke Holzpfeiler stützten das lebendige Dach, an einen derselben war ein Nagel geschlagen, an welchem ein Vogelbauer hing. An einer Stelle war in dem Rebendach eine Lücke, groß genug, um ein Kind durchklettern zu lassen. Von hier aus fiel der Abglanz des strahlenden Droben in den Raum, und die schöne Form der Weinblätter zeichnete sich scharf auf dem Ziegelboden ab. Der nicht große Raum, halb Saal, halb Garten, war erfüllt von lauer Wärme und Traubenduft und tiefer Stille, daß man das ruhelose Hüpfen des Vogels hörte, der unbekümmert um Andreas' Hinzutreten von einer Sprosse zur andern sprang.

Plötzlich fuhr der zutrauliche Vogel in jähem Schreck gegen eine Seite seines Käfigs, die Tragbalken des Rebendachs wankten, die Öffnung hatte sich jäh verfinstert, und es blickte in Manneshöhe über Andreas' Kopf ein menschliches Gesicht herein. Schwarze Augen, an denen das Weiße blitzend hervortrat, starrten von oben in seinen erschrockenen Blick, ein Mund, halboffen vor Anstrengung, Erregung, – dunkle Lokken drangen zu einer Seite zwischen den Trauben herab. Das ganze blasse Gesicht drückte eine wilde Gespanntheit aus und eine augenblickliche, fast kindisch unverhohlene Befriedigung. Der Körper lag irgendwie über dem leichten Lattendach, vielleicht hingen die Füße an einem Haken der Mauer, die Fingerspitzen an dem Ende eines der Pfeiler. Nun veränderte sich der Ausdruck des Gesichtes in einer rätselhaften Weise: mit einer unendlichen Teilnahme, ja Liebe ruhten die Augen auf Andreas. Die eine Hand drang durch das Blattwerk, als wollte sie seinen Kopf erreichen, sein Haar streicheln. Die vier Finger waren an der Spitze blutig, die Hand erreichte Andreas nicht, ein Blutstropfen fiel auf seine Stirn, das Gesicht droben erblaßte, »ich falle«, rief der Mund,... die unsäglichste Anstrengung hatte nur diesen einen Augenblick erkauft. Das blasse Gesicht riß sich weg, der leichte Körper schnellte sich nach oben, glitt dann über die Mauer zurück – wie er jenseits den Boden erreichte, konnte Andreas nicht mehr hören, er lief schon nach vorne, der Rätselhaften den Weg abzuschneiden. Das Haus zur Rechten mußte es sein, entweder sie kam dort heraus, oder sie verbarg sich in dem Hof, in welchen sie hinabgesprungen war. Er stand vor der Haustür, es war die mit dem Delphin, sie war verschlossen und gab seinem Druck nicht nach.

Schon hob er den Türklopfer, da glaubte er drinnen Schritte zu hören, die sich näherten; sein Herz pochte, man hätte es durch die Tür hören müssen. Ihm war zumute wie kaum je im Leben, zum erstenmal bezog sich ein Unerklärliches aus jeder Ordnung heraustretend auf ihn, er fühlte, er werde sich nie über dieses Geheimnis beruhigen können, er sah das Mädchen die kahlen Mauern emporklimmen, mit den Spitzen der Finger sich in den Fugen emporreißen, um zu ihm zu gelangen, er sah sie mit blutigen Händen, in einen Winkel des Hofes gedrückt, vor ihm fliehen wollen, er ihr nach... weiter reichten seine Gedanken nicht, ein schneller Schritt, der auf die Tür zuging, raubte ihm fast die Besinnung. Die Tür ging auf, es war Zorzi, der vor ihm stand.

»Sagen Sie mir um alles in der Welt, wen habe ich gesehen«, rief ihm Andreas entgegen und lief, ehe Zorzi antworten, ehe er fragen konnte, an ihm vorüber ans Ende des Flurs. – »Wohin wollen Sie?« fragte ihn Zorzi. – »In den Hof – lassen Sie mich.« – »Das Haus hat keinen Hof; hier stößt ihm eine Feuermauer entgegen, dahinter fließt der Kanal, daran grenzt der Garten des Redemptoristenklosters.« – Andreas begriff nichts. Die Lokalität verwirrte sich ihm, er erzählte und sah, daß er nichts erzählen konnte, daß er das Entscheidende von dem, was er erlebt hatte, nicht zu erzählen verstand. – »Wer immer diese Person ist«, sagte Zorzi, »seien Sie sicher, wenn sie sich noch einmal in diesem Stadtviertel blicken läßt, ich kriege heraus, wer sie ist, sie entgeht mir nicht, ob es nun ein verkleideter Mann ist oder eine öffentliche Person, die sich einen Spaß gemacht hat.«

Wie gut wußte Andreas, daß weder das eine noch das andere der Wahrheit nahekam. Er konnte sich nichts erklären, und doch wies er im Innersten jede Erklärung zurück. Wie gerne wäre er noch einmal in die Kirche zurückgeeilt: seine geheimnisvolle Feindin und Freundin vielleicht nicht, die unbändige seltsame, die an Mauern emporkletterte, sich von oben herab auf ihre Beute warf, – ihre Gefährtin mußte zu finden sein. Denn jetzt schien es ihm unmöglich, daß die beiden Wesen, von denen eines an der Stelle des anderen aufgetaucht war, wie das Glas mit rotem und mit gelbem Wein aus der Hand des Taschenspielers, daß sie nichts voneinander wissen sollten. Er war sich selber unbegreiflich, daß er an diesen Zusammenhang nicht früher gedacht hatte. Ihm war, er habe die Kirche leichtsinnig durchsucht, er hätte eine Spur finden müssen, eine Mauerspalte, eine Falltür – wie gern wäre er wieder dahin zurückgekehrt, wäre er allein gewesen. Der Zwang, suchen und finden zu müssen, hätte ihn jetzt und dann ein drittes und viertes Mal zurückgetrieben; war es ihm

nicht oft so gegangen: ein verlegter Brief, ein Schlüssel, von dem wir wissen, wir haben ihn..., aber Zorzi ließ ihn nicht aus: »Lassen Sie jetzt Ihr kletterndes Mannweib – in Venedig werden Ihnen noch ganz andere Dinge begegnen –, und kommen Sie schnell zu Nina, sie erwartet Sie. Was da oben wieder passiert ist, läßt sich gar nicht sagen. Der Herzog von Camposagrado, ihr Protektor, hat in einem Anfall von Wut und Eifersucht einen seltenen Singvogel, den ihr der jüdische Verehrer Herr dalle Torre tags zuvor geschickt hatte, lebendig in den Mund gesteckt und den Kopf abgebissen. Den ungarischen Hauptmann hat er, auf den er Ninas wegen einen Verdacht hatte, halb totprügeln lassen, und zwar, wie es scheint, aus Versehen einen Unrichtigen, so daß jetzt die Sbirren hinter ihm her sind und bei ihr alles durchsucht haben. Kurz, es geht alles drunter und drüber, das ist gerade der richtige Augenblick, wo bei ihr immer ein Ankömmling sein Glück macht.«
Andreas hörte alles nur mit halbem Ohr. Die Treppe war eng und dunkel, bei jeder Wendung glaubte, hoffte er die Unbekannte irgendwo hervortreten zu sehen, noch oben vor Ninas Tür erwartete er, sie würde vorüberhuschen. Jetzt erschien es ihm über jeden Zweifel sicher, daß zwischen beiden Gebärden ein geheimnisvoller Bezug geherrscht hatte: auch der flehentlich wie beschwörend gehobene Arm der Bekümmerten ihm ebenso wie der Wink der Jungen gegolten hatte. Die Spannung, die Ungeduld, dieses unbegreifliche Wesen zu entziffern, war kaum erträglich; nur eines beruhigte ihn: sie hatte, um einen Augenblick mit ihm allein zu sein, auf eine unbegreifliche Weise den Weg gefunden, eine hohe Mauer, unter der vielleicht das Wasser dahinfloß, hatte sie nicht abgehalten, das zu machen, was außer einer Katze jedem Geschöpf versagt schien, und aus ihren Fingern das Blut fließen zu lassen war ihr nicht zu viel gewesen. Sie würde ihn an jedem Ort und zu jeder Stunde wieder zu finden wissen.
Sie fanden Fräulein Nina auf einem Sofa in einer sehr bequemen und hübschen Stellung. Alles an ihr war hell und von einer allerliebsten zarten Rundheit. Ihr Haar war hellblond wie verblichenes Gold, und sie trug es ungepudert. Drei Dinge,

die in reizender Weise gekrümmt waren und ganz zueinander gehörten: ihre Augenbrauen, ihr Mund und ihre Hand hoben sich mit dem Ausdruck von gelassener Neugierde und großer Liebenswürdigkeit dem eintretenden Gast entgegen.

Ein Bild ohne Rahmen lehnte verkehrt an der Wand, durch die Leinwand lief ein Schnitt wie von einem Messer. Zorzi nahm es vom Boden auf und besah es kopfschüttelnd. »Wie finden Sie übrigens die Ähnlichkeit?« fragte er und hielt Andreas, der sich zu Ninas Füßen auf ein Taburett niedergesetzt hatte, das Gemälde hin. Das Bild war, was ein grobes Auge sprechend ähnlich finden mochte: es waren Ninas Züge, aber kalt, gemein. Ihre leicht nach oben gekrümmten Brauen waren darum so reizend, weil sie in einem fast zu weichen Gesichtchen saßen; ihren Hals hätte ein strenger Beurteiler zu wenig schlank finden können – aber wie der Kopf auf ihm saß, war ein bezauberndes Ich-weiß-nicht-was von Hilflosigkeit und Frauenhaftigkeit. Auf dem Porträt waren die Augenbrauen von einer gemeinen Bestimmtheit, der Hals, den der Messerstich durchschnitt, üppig und dirnenhaft. Die Augen hafteten mit frechem kaltem Feuer auf dem Beschauer. Es war eines von jenen peinlichen Porträts, von denen man sagen kann, daß sie das Inventarium eines Gesichtes enthalten, aber die Seele des Malers verraten. Andreas wandelte ein innerlicher Schauder an.

»Räum es mir aus den Augen«, sagte Nina, »es erinnert mich nur an Ärger und Brutalität.« – »Ich werde dieses wieder herstellen«, sagte Zorzi, »und ein zweites machen und es nicht in der venezianischen Art sondern in der flämischen untermalen. Es wird noch besser werden, und ich werde es mir von den beiden Herren zweimal bezahlen lassen. Ich müßte ein Vieh sein, wenn es mir nicht gelingen sollte, es mir von beiden bezahlen zu lassen.«

»Nun, wie finden Sie es?« fragte sie, als der Maler mit seinem Werk verschwunden war. – »Ich finde es recht ähnlich und recht häßlich«, sagte Andreas. – »Da machen Sie mir ein schönes Kompliment.« – Er schwieg. – »Nun sind Sie erst einen Augenblick bei mir und haben mir schon etwas Unfreundliches gesagt. Meinen Sie denn auch, daß den Männern

ihre größere Kraft, ihr schärferer Verstand, ihre stärkere Stimme nur gegeben sind, um uns armen Weibern das Leben schwer zu machen?«
»So meine ich es nicht«, beeilte sich Andreas zu sagen, »wenn ich Sie malen sollte, so käme ein anderes Bild heraus, das dürfen Sie mir glauben.« – Er sagte es und hätte gerne viel mehr gesagt, denn sie schien ihm unsäglich reizend. Aber der Gedanke, daß Zorzi jeden Augenblick wieder ins Zimmer treten werde, machte ihn befangen, und er schwieg. Vielleicht hatte er genug gesagt, aber er wußte es nicht. Denn es kommt nicht auf die Worte an, sondern auf einen Ton, einen Blick.
Nina sah wie zerstreut über ihn hin; auf ihrer Oberlippe, die geschwungen war wie ihre Augenbrauen und gleichsam wie in etwas, das kommen würde, ergeben, schwebte die Andeutung eines Lächelns und schien auf einen Kuß zu warten. Andreas neigte sich unbewußt vor und sah benommen auf diese halboffenen Lippen. Das Bauernmädchen Romana tauchte herauf, um sich gleich wieder in Luft aufzulösen. Er fühlte, wie etwas Entzückendes, zugleich Bangmachendes sich sanft auf sein Herz niedersenkte, sich dort zu lösen.
»Nun sind wir allein«, sagte er, »aber wer weiß wie lange.« Er griff nach ihrer Hand und nahm sie doch nicht, denn er glaubte Zorzis Hand in der Türklinke zu fühlen. Er stand auf und trat ans Fenster.
Andreas sah durchs Fenster und gewahrte unter sich einen hübschen kleinen Dachgarten. Auf einer flachen Terrasse standen Orangen in Kübeln, Lilien und Rosen wuchsen aus hölzernen Behältern, und Kletterrosen bildeten einen Gang und eine kleine Laube. Ein Feigenbaum in der Mitte trug sogar einige reife Früchte. Er fragte: »Gehört der Garten Ihnen?« – »Er gehört nicht mir, wie gerne möchte ich ihn mieten«, gab Nina zurück, »aber ich kann den geldgierigen Leuten nicht so viel geben, als sie haben wollen. Hätte ich ihn, so ließe ich ein Bassin und einen kleinen Springbrunnen machen – Zorzi sagt, man kann das – und eine Laterne in die Laube.«
Andreas sah sich bei den Nachbarsleuten eintreten, das Geld für die Miete auf den Tisch zählen, er sah sich dann mit dem

Mietskontrakt zu Fräulein Nina zurückkommen. In seiner Phantasie gab er schon die Anordnung, das Gitter um den Dachgarten zu erhöhen: Kletterrosen und Winden liefen an leichten Stäben aufwärts und machten den kleinen Raum wie ein lebendes Zimmer, in das von oben die Sterne hereinblickten. Der leichte Nachtwind trat spielend hindurch, die zudringlichen Blicke der Nachbarn waren abgehalten. Auf kleinen Tischchen standen Früchte in Schalen, zwischen Lichtern unter Glasglocken; Nina lag in einem leichten Umhang auf einem Sofa, fast so, wie sie hier wirklich vor ihm lag. Aber wie anders stand er dort vor ihr – traumartig fühlte er jenes andere Selbst: er war kein zufälliger Besuch, den jedes Knarren einer Tür aufschreckte, dem eine ungewisse zerstreute Viertelstunde zugewiesen war, er war der berechtigte Freund, der Herr dieses Zaubergartens und der Herr seiner Herrin. Er verlor sich in ein unbestimmtes Gefühl von Beglückung, als schlüge der Ton einer Äolsharfe durch ihn hindurch. – Er wußte nicht, wie wenig es eines solchen Umweges bedurfte, ja daß der nächste Moment ihm vielleicht das Glück geschenkt hätte.

»Was haben Sie«, fragte Nina, und in ihrer Stimme lag der Ausdruck einer leichten Verwunderung, die ihr so nah lag. Die Stimme zog ihn ins Bewußtsein zurück. Ihm fiel ein, daß man von dem Dachgarten aus müßte auf jenes Dach aus Weinlaub hinabschauen können, das sich von einer Feuermauer zur andern spannte, auf den Kanal, der sich zwischen jenem Hof und dem Garten des Redemptoristenklosters hinzog. Der Gedanke an seine Unbekannte fiel ihn an, aber wie ein Schreck. Dieses Wesen war in der Welt, darin lag etwas, das unentfliehbar war. Die Brust wurde ihm enger, ihm war, als müsse er Schutz suchen, er trat ins Zimmer zurück, er stützte sich auf die Lehne des Sofas und beugte sich über Nina. Ihre Oberlippe, die zart gekrümmt war wie ihre Augenbrauen, hob sich in leichtem Erstaunen nach oben.

»Ich habe daran gedacht, daß ich in Ihren früheren Zimmern wohne, und daß ich allein dort wohne – und daß Sie hier wohnen«, sagte er, aber die Worte wurden ihm schwer. »Wenn Sie den kleinen Garten da drunten hätten und die

Laube mit der Lampe drin, so möchte ich dort mit jemandem wohnen – aber schon recht gern –, freilich nicht mit der, die der da hinausgetragen hat. Mit der möchte ich in keinem Haus, in keiner Laube und auf keiner Insel wohnen. Und Sie haben ja keine Laube und keine Lampe drin!«

Er wäre gerne vor ihr niedergekniet und hätte seinen Kopf in ihren Schoß gelegt, aber er sagte alles und insbesondere den letzten Satz in einem kalten und beinahe finsteren Ton, denn er glaubte, daß eine Frau alles erraten müsse, was in ihm vorging. Wenn er nun hart und spöttisch von jener Nina auf dem Bild sprach, so mußte sie wissen, daß eine andere ihn näher und er ihr näher war, als sich mit Worten sagen ließ, und daß alles an ihm bereit war, die Umstände herbeizuführen, deren Nichtvorhandensein er hart und trocken hervorhob. Zugleich aber überkam ihn eine sonderbare und trübe Vorstellung: es war die Erinnerung an alte, wie ihm in diesem Augenblick schien, und bis zum Ekel oft geträumte Kinderträume: hungrig hatte er sich in die Vorratskammer geschlichen, sich ein Stück Brot abzuschneiden, er hatte den Laib Brot an sich gedrückt, das Messer in der Hand, aber schnitt es wieder und wieder an dem Brot vorbei ins Leere.

Seine Hand hatte ohne Verwegenheit, ja ohne Hoffnung Ninas Hand erfaßt, die reizend ohne Magerkeit und zart war, ohne klein zu sein. Sie ließ sie ihm, ja er glaubte zu fühlen, wie sich die Finger mit einem leichten beharrenden Druck um die seinigen zusammenschlossen. Ihr Blick verschleierte sich, und das Innere ihrer blauen Augen schien dunkler zu werden; die Ahnung eines Lächelns lag noch auf ihrer Oberlippe, aber ein vergehendes, beinah angstvolles Lächeln schien einen Kuß dorthin zu rufen. Nichts konnte ihn tiefer und jäher erschrecken als diese Zeichen, die einen andern vielleicht kühn, ja frech gemacht hätten. Er war verwirrt über die Maßen. Wie konnte er fassen, was so einfach und so nahe war! Er dachte nicht an die, über die er gebeugt war, sondern an ihr Leben. Blitzschnell sah er die Mutter, den Vater, die Schwester, die Brüder; er sah den jähzornigen Herzog aus der Kulisse um das Sofa auftauchen, den blutigen Kopf eines Papageien in der Hand, daneben schob sich der Kopf eines jüdischen Verehrers lautlos hindurch, er sah aus wie der Bediente, aber ohne Perücke, und der ungarische Hauptmann, dessen Haar in Zöpfe geflochten war, hob mit wilder Gebärde ein krummes Messer. Er fragte sich, ob seine ganze Barschaft hinreichen würde, Fräulein Nina völlig von all diesen Gestalten loszumachen, – und er mußte sich sagen: vielleicht für eine Woche, für drei Tage. Und was war ein einmaliges Geschenk, wenn es ihn auch zum Bettler machte, wo, wie es ihm schien, der Anstand es verlangte, eine Rente auszusetzen, ja, vielleicht eine Wohnung oder gar ein Haus neu einzurichten, Dienerschaft herbeizuschaffen, zumindest – überschlug er – eine Jungfer und Diener. Die Miene des Bedienten Gotthelff grinste ihm entgegen, der schöne Moment war zerronnen. Er fühlte, daß er Ninas Hand auslassen müßte, er tat es mit einem sanften Druck. Sie sah ihn an, ihrem Ausdruck war wieder etwas wie Verwunderung beigemischt, aber kühler als vorhin. Er hatte Abschied genommen und wußte nicht wie, und hatte um die Erlaubnis gebeten, wiederzukommen.

Drunten fand er Zorzi, der das Bild, in ein Papier gehüllt, unterm Arm hatte und auf ihn zu warten schien. Er verabschiedete sich schnell, es reute ihn sehr, daß er diesem Menschen von der Unbekannten gesprochen hatte; er war froh, daß Zorzi nicht davon anfing, um alles hätte er gerade ihn nicht dürfen auf diese Spur bringen, von dessen Blick er sich und alles belauert fühlte. Er sagte ihm, daß er Fräulein Nina demnächst wieder besuchen werde, – er glaubte selbst nicht daran. Kaum daß Zorzi mit seinem Bild sich entfernt hatte, ging Andreas durch das Gäßchen unter dem Schwibbogen durch über die Brücke, nach der Kirche.

Der Platz lag menschenleer da, wie vorhin; unter der Brücke hing regungslos die leere Barke, und Andreas glaubte darin ein Zeichen zu sehen, das ihn ermutigte. Er ging wie im Traum und zweifelte eigentlich nicht, er dachte nichts anderes, als daß die Bekümmerte dasitzen, und wie er hereinträte, die Arme angstvoll und wie flehend gegen ihn heben würde. Dann würde er zurücktreten und wissen, daß in seinem Rükken die andere sich von dem gleichen Betstuhl erhob, um ihm

zu folgen. Dies Geheimnisvolle war für ihn nichts Vergangenes sondern ein Etwas, das sich kreisförmig wiederholte, und es lag nur an ihm, in den Kreis zurückzutreten, daß es wieder Gegenwart würde.
Er trat in die Kirche, es war niemand da. Er ging wieder zurück auf den Platz, er stand auf der Brücke und sah in jedes Haus und fand niemanden. Er entfernte sich, durchstreifte ein paar Gassen, kam nach einer Weile wieder auf den Platz zurück, trat durch die Seitentür in die Kirche, ging durch den Schwibbogen zurück und fand niemanden.

VENEZIANISCHES REISETAGEBUCH DES HERRN VON N. (1779)

Ich erinnere mich an die Dinge ganz genau, hatte immer sehr gutes Gedächtnis, bekam bei den Schulbrüdern das große Fleißkreuz, weil ich die österreichischen Regenten vor- und rückwärts aufsagen konnte. Auch alle Dienstmädchen meiner Mutter habe ich mir gemerkt und alle Mineralien meines Großvaters und die Namen des Sternbilds Orion.
Gründe der Bildungsreise. Maler, große Namen. Paläste, Sitten im Salon, Entréegespräche. Scheinen, Gefallen. Vorher von Venedig gewußt: Onkel hatte Bekannten, dessen Verwandte in oubliettes gestürzt (mit Nägeln und Rasiermesser)...
Ankunft: Morgengrauen. hungrig. kühl. will sich um Unterkunft umschauen. Schauspielergesellschaft am Strand wartend. Eine kokettiert mit ihm vom Schoß ihres Kollegen herab.
Gehe durch ein paar Gassen. der halbnackte Herr, er hat einen Hut mit Maske und grobem Spitzenschleier überm Arm. ein feines, aber sehr gestückeltes Hemd. er begrüßt ihn, sagt, er kennt Wien, nennt ein paar Namen. erklärt, er habe alles beim Spiel verloren. Ich leihe ihm meinen Mantel; er spricht sehr schön von Freigebigkeit, von vergangenen Zeiten. der Herr erzählt, wie er eine galante Dame beim Grassalkovich vorge-

stellt habe, habe sie gesagt, »brutto nome, pare una bestemmia« und ihn nicht zum Liebhaber haben wollen. (Wie er angezogen ist, hat er einen viel gesellschaftlicheren Ton, viel weniger gehoben.)
Speisengeruch. der Fremde will ihn nicht hier frühstücken lassen, verspricht, ihm eine Wohnung bei einem Edelmann zu verschaffen, geht mit ihm.
Die Edelfrau, der Edelmann, der Alte. Ich gebe Geld, damit ein Frühstück kommt. Bekomme das Zimmer der abgereisten Tochter. Alle sind mit dem Theater zusammenhängend. Stöhnen von oben; der Maler hat Magenkrämpfe. gehe mit hinauf, der Stein wird abgehoben; indessen bringt der Edelmann im Schnupftuch der Tochter die kleinen Fische. essen ein echt venezianisches Gebackenes (frittura).
Nochmals hinauf zum Maler, er zeigt mir ein Bild einer schönen Person (für dalle Torre), verspricht, mich zu ihr zu führen. Erzählt auf dem Weg die Geschichte der zwei Bilder des Herzogs Camposagrado: wie die Brüder ihm das ihrige schicken, lacht er unmäßig und weist eine Summe Geld an, damit sie ihm den Goya schicken, die Tintorettos copieren. Maler verspricht, mich dem Herzog vorzustellen.
Kommen zu der schönen Dame. Vogel im Käfig, schönes Porzellan, vorne Hyazinthen. Camposagrado. gegenwärtig, Details über das Pyrenäendorf, wo der Herzog Gerichtsherr.
Die junge Dame mit ihm im anderen Zimmer. Camposagrado sehr zornig, verschlingt den Vogel und geht. Ich werde eingeführt, benehme mich zurückhaltend. Die Alte supponiert mir, ein Geschenk zu machen. Ich ziehe mich zurück, habe keine Leichtigkeit. Jetzt müßte man entweder ein allesvergessender Lump sein oder ein geschickter Schwindler. Ich lade sie zum Nachtmahl ein.
Gehe auf die Piazza. Versäume einen Aufzug, sehe einen Patrizier, der eben ein Harlekingewand anzieht. gehe ins Theater, die verschleierte (maskierte) Dame. Brief auf der Piazzetta empfangen.
Der Ritter Sacramozo setzt sich zu mir. seine Erscheinung. der Diener mit dem Brief. Der Diener scheint den Ritter zu

kennen. Sage dem Ritter, daß ich die Courtisane eingeladen. Er ist erstaunt, daß es wieder stimmt. – Gehe schlafen. Mücken.
Nächster Morgen: rendez-vouz mit dem Cavalier. zu der Dame, die bei der Morgentoilette. werde zunächst in ein Nebenzimmer gelassen, indessen sich die Dame mit dem Cavalier zurückzieht, die Dame kommt, entschuldigt sich etwas cavaliermäßig. Der Ritter geht mit mir frühstücken, erzählt mir seine Auffassung der Liebe. die frühere Passion für die Courtisane. sein Selbstmordversuch.
Nachmittag kommt der Edelmann zurück, meinen Mantel bringen; führt mich zum Notar.
Abends in der Nähe der Madonna dell'orto. Die schöne Dame an einem Fenster.
In der Kirche Camposagrado mit Dienern, die ihm leuchten; geht allein zurück, ein Hund geht ihn an. Er besteht den Hund mit den Zähnen.

DAS VENEZIANISCHE ERLEBNIS DES HERRN VON N.

Andreas' zwei Hälften, die auseinanderklaffen. – Andreas' Charakter nicht vorneherein feststehend; er muß sich in diesen Situationen erst finden. seine Scheu, sein Stolz, – alles noch unerprobt. – Ungewißheit über einige Zustände, immer zu viel – zu wenig. Zweifel, ob er jenes Verbrechen an dem Hund wirklich begangen.
Andreas, Hauptrichtung: Mut, – der Mut, den die Atmosphäre Venedigs inkorporiert, Mut in der Sturmnacht. Moral Mut.
Schuld an der Reise der berechnende snobism des Vaters.
Wie Andreas das Leben großer Herren sieht (aus den Erzählungen des großväterlichen Kammerdieners, auch aus eigenen Erfahrungen): von der Hirschbrunft ins Schloß, umkleiden, frisieren lassen, eine Maitresse abholen in die Oper Armida.
Andreas geht hauptsächlich (wenn er auf den Grund geht) darum nach Venedig, weil dort die Leute fast immer maskiert

sind. Nach dem Abenteuer mit der hochmütigen Gräfin auf dem Land, die ihn wie einen Bedienten behandelt hatte, ist in ihm, halb geträumt, die Vorstellung entstanden, daß dies Abenteuer herrlich gewesen wäre, wenn er maskiert gewesen wäre. Überhaupt quält ihn jetzt der Unterschied zwischen Sein und Erscheinung, zum Beispiel wenn er Strohmanderln sieht, die wie Bäuerinnen mit Hüten oder wie Mönche ausschauen und ihn unheimlich und feierlich impressionieren und doch *eigentlich* nichts Gescheites sind.
Kapiteleinteilung (provisorisch): I. Castell Finazzer II. Ankunft III. Drei Bekanntschaften IV. Der Malteser V. Doppeltes Leben VI. Ein Gespräch VII. Dämonie VIII. Abreise.
Kap. I. Ende: Die Berggegend: – er verlangt sich nicht, hier zu wohnen, er hat mehr als der Ersteiger, mehr als der Bewohner in diesem Augenblick; er braucht keinen Bezug auf Romana, – es ist ganz Selbstgenuß, aber nur durch sie möglich. War es da, – so war auch der Besitz Romanas verbürgt.
Camposagrado: ein breiter Mensch, an einem Ohr einen Perltropfen, worin ein Stückchen von der Hostie.
Kapitel V: Der neue Freund (Der Malteser)
Andreas war in einen Zustand geraten, der nichts Erfreuliches hatte. Der Gedanke an die Heimat vergällte ihm das Hier; das Hier machte ihn traurig an die Heimat denken.
Er gab den Brief ab und hörte, die Herrschaft wäre tot. Der Geschäftsfreund verreist. Er fragte nach seinem Koffer, und es ist Sehnsucht, von zuhaus etwas zu erfahren. Das Brot schmeckt ihm nicht. Carossen und Elégance gehen ihm ab, die Leute ihm so gleichgiltig, verglichen mit Graben und Kohlmarkt; das Aussteigen einer Dame in Wien.
Er versucht es, Nina zu sehen, ohne rechte Hoffnung. (Zorzi sagt ihm, der Malteser wolle seinen Namen wissen; fragt ob er Wünsche habe. Andreas lehnt ab) – Das was in ihm zu ihr will, gefällt ihm nicht. Er wird abgewiesen.
Abends Gespräch mit Zustina, auf der Treppe. Er fragt sie, warum sie nicht heiraten wollte. Wie konnte sie ahnen, daß er von sich sprach. Sie weist ihn zurück. Ihre Rechtfertigung, »es sind vornehme Leute, ein jeder wird etwas Gutes sein. Die Mutter von einem Dummen hat für ihn ein Los genommen.«

Er eifersüchtig auf Glückliche. Er sagt, er werde wahrscheinlich abreisen. Es läßt sie kalt. – Ihr Weltbild: Familientyrannen oder Spieler aller Art. Sie entfernt sich von ihm.
Verschiedentlich Besuche bei Nina, ein zweites Mal den übernächsten Tag, darauf ein drittes Mal, – aber immer Hindernisse. Einmal jemand bei ihr, ein andermal sie ausgegangen oder krank, – einmal wird er vorgelassen, hört sie im Nebenzimmer: sie hat aber ausgehen müssen. Er wird aber immer aufgefordert, wiederzukommen. – Die Sache wird ganz unlösbar dadurch, daß Zustina ihm sagt, »Nina tut es so leid, daß Sie sie vernachlässigen.« – Gefühl der Ohnmacht.
Sehenswürdigkeiten. Gerichtsverhandlung. Prozession. Jesuiten. Kirchen. Bilder; Tintoretto: Vornehmheit, Kühnheit, Selbstgefühl.
Neid gegen alle Menschen, Hypochondrie, wachsende Unlust an Menschen, zuviel Menschen, er hätte sie wollen von sich wegstreifen. Sehnsucht nach Bäumen (einen Baum umarmen), Hinüberblicken nach Bergen. Rückdenken an jenen Augenblick. Melancholie. Er wird unordentlicher und unreinlicher in seinem Denken.
Meerungeheuer für zehn soldi aus Creta, seltsames Interieur. Um die Leere seines Innern auszufüllen, tritt er nicht in die Kirche, sondern in die Bude. Die Spanierin (die Maske).
Der Meermann: »welch Schauspiel, – aber ach ein Schauspiel nur!« gibt ihm alles was das Theater ihm schuldig geblieben, obwohl er ein Tier, kaum ein wirkliches. Andreas' Schmerz, daß der Meermann ihm mehr Eindruck macht als ein wirkliches Theater.
Die Maske. ihr Arm liegt auf seinem; zärtliches Reden der Maske: »unsere erste Begegnung war ein schönes Fest. Ich war gerade angekommen von einem recht häßlichen Aufenthalt; Ihr Gesicht war das erste, wie hätte es mir nicht gefallen sollen, – ich war zu allem frei, hätte mich von oben herabschwingen mögen, sicher, fliegen zu können. Ahnen Sie denn, was es heißt, gefangen liegen?« – (er denkt an die Bleidächer).
Er zweifelt. Sie: »ich rede vom Wirklichen, spüren Sie es nicht?« (ihr Händedruck) – Er versichert, damals bei Nina

habe er nur an sie gedacht. – »und bei den späteren Besuchen?«
Zärtliches Reden der Maske. sie redet von Nina; er kombiniert, »sie ists« – das Blut strömt ihm zum Herzen.
Die Maske: »ich habe eine gewisse Person *gezwungen*, nach Ihrem Namen zu fragen. Seit heute und damals liegt ein ganzes Leben.«
Andreas beschließt Zustina Verschiedenes zu fragen, um sich über die Familie aufzuklären. tuts wieder nicht: es ist ihm zu mühsam.
Im Haus: »Ihre gute Bekannte hat nach Ihnen gefragt« – ein Weinblatt mit einem Blutstropfen.
Einsamer hier unter Menschen als dort auf dem Grab des Hundes.
Eine Maske will ihn wohin führen, wo gespielt wird. Er verweigerts, kehrt im Vorzimmer noch um, will wenigstens wissen, wer sie ist und wohin sie ihn bringen will. Die Maske hat ihm erzählt, es gäbe verschiedene Leute, die sich hier für ihn interessierten, außer dem Malteser, – mindestens zwei Personen. Woher weiß sie das? – Auf der Treppe glaubt er zu sehen, es wäre jene Spanierin oder sonstige junge Person aus Ninas Haus (sie weiß auch von seinen Besuchen bei Nina).
Eintritt in eine Kirche. hofft die Spanierin zu sehen. wird gehoben in traumartige Höhe, aber nur kurz. Jemand kniet hinter ihm und seufzt; als wäre das ein ihm ausgeliefertes Wesen. das Wesen lehnt am Rand der Stufe, sieht in die Ferne.

Am nächsten Tage abermals nach der Dogana. Brief über den Zustand der Kaiserin, Mißbehagen, Alles so arg puppenhaft.
Jemand in einer Gondel fährt ihm nach, erreicht ihn: der Malteser. Dieser sagt, er habe ihn in dem kleinen Caféhaus gesucht. Dem Malteser wurde ein ähnlicher Brief wie jener erste ins Haus geworfen. »Sollten Sie davon nicht wissen? wenn ich Sie bitten dürfte, über die Personen nachzudenken, mit denen Sie gesellschaftlich zusammengekommen sind. Es gibt nichts Einzelnes, Alles vollzieht sich in Kreisen. Vieles entgeht uns, und doch ist es in uns, und wir müßten es nur her-

vorzuarbeiten verstehen. Eine Person, der ich sehr ergeben bin, ist in großer Aufregung über diese Sache. Ich will Ihnen sagen, was in dem Briefe stand. Haben Sie Verwandte in Italien?« (Verwandtschaftsfluidum)
Andreas: »Ich wollte Ihnen gern so viel Kenntnis meiner Person verschaffen, daß Ihr Verdacht erlischt« – sonderbarer Mangel an Selbstgefühl, daß ihm selbst sein Wort nicht hinzureichen scheint! zugleich eine Todesangst, wenn jener Verdacht erloschen, werde er dem Malteser gänzlich uninteressant sein. Wie wohl war ihm, als der Mann bei ihm saß. Staunen, daß auch dieser Mann von etwas gequält wird.
Behagliches Schlendern dann nachher. Malteser: »versäumen Sie nicht, nach Murano zu fahren; man hört die beste Musik. Ihr Gesandter ist auch oft dort.«
Indes bringt der Einarmige einen Brief für Andreas. »Von wem?« – »der Herr weiß es.« – Staunen des Maltesers wegen Coincidenz. Er bittet den Malteser, mitzugehen. Malteser lehnts ab. Ist ägriert, nimmt an, Andreas habe sich lustig gemacht: »Sie empfangen den Sendboten, von dem ich Ihnen spreche.«

Erster Anblick des Maltesers: ein geahnter harmonischer Kontrast zwischen Erscheinung und Geist. Etwas Witziges um ihn, eben dieser Kontrast.
Im Anfang ist Andreas' Haupteinwand gegen den Chevalier: die Zufälligkeit der Bekanntschaft, »der kann doch nichts Rechtes sein, daß er gerade Zeit hätte, sich mit mir abzugeben.«
Die Stunden mit Sacramozo waren das Leuchtende in seinen Tagen. Wie war er erstaunt, als dieser ihn angeredet hatte. Es ärgerte ihn dann, daß der Chevalier dadurch verblaßte.
Wie der Chevalier für ihn immer schöner wird aus einem häßlichen und er allmählich ahnt, daß das Wesen dieses Menschen ganz Liebe, oder ganz Form ist. Das Doppelte seiner Natur: wenn er von mystischen Gegenständen spricht – wozu für ihn im richtigen Zusammenhang alles auf der Welt, auch die gewöhnlichsten Bezüge und Verrichtungen gehören können –, ist er offen, der Vereinigung zugänglich, nur

menschlich, von sich mitteilend, durch Enthusiasmus zugänglich.
Wenn er sich in gewöhnlichen Verhältnissen findet, ist er durch Höflichkeit völlig abgesondert; undenkbar, daß er zu berühren, zu beeinflussen, zu erreichen wäre. Es ist unmöglich, wenn er in diesem Zustande ist, ihn an den andern erinnern zu wollen. Er übt hier eine ebenso starke coercitive Kraft aus, wie andererseits eine inducierende. Manchmal erscheint er Andreas in der weltlichen verschlossenen Verfassung noch merkwürdiger; der Begriff »Kraft der Verzweiflung« auf ihn in dieser Situation anzuwenden.
Begegnungen mit dem Malteser. Dieser allein concentriert ihn; zugleich verwirrt er ihn: durch sein Zuhausesein in dieser Welt, durch seine Diskretion, alles als selbstverständlich Nehmen. – Andreas' Angst in unvollkommenen Momenten: an Sacramozo sei alles nur Fassade.
Malteser lädt ihn nicht zu sich; scheint als selbstverständlich anzunehmen, daß er Bekannte hat, daß er weiß, wo die Bilder zu sehen sind usw.
Sein Wesen: die Geheimnisse; deutet sie durch minus dicere nicht durch plus dicere an. Sein Wesen ein Wissen um das Geheimnis der menschlichen Organisation.

Gespräche mit Sacramozo:
Andreas steckt voller Vorurteile; die schlimmsten gegen sich selber; die Geldvorurteile, die Vorurteile inbezug auf die Welt, – auf sich selbst: meint sein Glück verscherzt zu haben, alles wird schlechter, alles ist schon vorgegessen Brot. – Sacramozo: »Sie sind reich an verborgenen Kräften. – Sie schließen das Außerordentliche aus, – Sie haben Unrecht. Sie reden von Glück: wie vermöchten Sie es zu genießen, – fragen Sie sich noch mehr: *wer* ist es, ders genießt.«
Sacramozo lehrt ihn an Ariost die Funktion der Poesie erkennen: die Poesie hat es ganz und gar nicht mit der Natur zu tun. Die Durchdringung der Natur (des Lebens) beim Dichter ist Voraussetzung.
Gelegentlich Ariost: das Unmögliche ist das eigentliche Gebiet der Poesie (der Jüngling, dessen Leib sich durch den Harnisch durchbewegte).

Poesie als Gegenwart. Das mystische Element der Poesie: die Überwindung der Zeit. –
Das Hohe erkennt man an den Übergängen. Alles Leben ist ein Übergang. –
Man muß alles nach Vorbildern tun; das ist das Große am Christentum. – Ungeistige Christen betrügen Gott: Schmutz hinterm Altar. –
Sein Element kennen: man lebt wirklich nur unterm Auge des uns Liebenden. Sacramozo: »Aufmerksamkeit ist soviel wie Liebe. – Ich bitte Sie, daß Sie meine Seele mit Aufmerksamkeit behandeln. Wer ist aufmerksam? der Diplomat, der Beamte, der Arzt, der Priester...? – keiner genug. Jenes Wort ›ich habe nichts vernachlässigt‹ – wer darf es von sich mit gutem Gewissen sagen.«
Woran man wirklich teilzunehmen vermag, dem ist man schon zur Hälfte vereinigt. Sacramozo über Teilnahme von Negern an Freude ihres Herrn: er hat gefunden was er suchte, – er hat einen Brief erhalten.
Sacramozo erklärt den Abscheu der Seele vor dem vor kurzem Gelebten.
Inwiefern einem Menschen wie Sacramozo nichts mehr Furcht macht, doch alle Schrecken nahe sind, durch das Leiseste heraufberufbar; was Angst, Schreck, Ängstlichkeit bedeuten.
Inwiefern für Sacramozo jede Materie die Materie zu Göttlichem. – Andreas grübelt: »warum gerade mit mir?« – darüber muß Andreas hinweg, – Sacramozo: »überall ist Alles, aber nur im Augenblick.«
Inwiefern jemanden um Verzeihung bitten zu können, eine erreichte hohe Stufe bedeutet.
Wozu ein Mann wie Sacramozo von nun ab unfähig ist, darin liegt seine Herrlichkeit.
Sacramozo beanstandet Wort und Begriff »in die Tiefe dringen«, – man sollte es ersetzen durch »gewahr werden« – »sich erinnern«.
Der Geist ist *einerlei*. Im Geistigen gibt es keine Stufen, nur Grade der Durchdringung. Der Geist ist ein Tun, vollkommen oder minder vollkommen. Sie halten die Welt an einem

Teil auf, zu denken. Die Menschen sind die Leiden und Taten des Geistes.
Durch Sacramozo erkennt Andreas: er liebe Romana Finazzer.
Sacramozo glaubt an die Zweizahl. So erzählt er die zwei ausschlaggebenden Erlebnisse seines Lebens; »man muß eine sehr geniale Natur sein (wie Franz von Assisi), um durch ein einziges Erlebnis für immer bestimmt zu werden. Der gewöhnliche Mensch wird sich, wenn eine furchtbare Erfahrung ihm den Weg nach einer Seite verlegt, nach der anderen Seite hinziehen...« – auch pflegen wir ein Individuum aus einem Typus hervorzubringen, indem wir eine zweite Reihe ihn durchkreuzen lassen: Narciss ist ein Lump, aber ein ordentlicher Musiker (cf. Goethe, »Anmerkung«)
Malteser: »Sie erwähnen sehr oft Ihren Onkel in einer gewissen Weise, – er muß Ihnen wichtig sein.« (mehr Aufforderung ist bei Sacramozo undenkbar) – Andreas wurde rot. Die Geschichte vom Onkel Leopold und die beiden Entscheidungstage. Im Sterbezimmer: die Witwe, die zweite Familie, Bauernjungen (Zehenter). Die della Sphina, »wir beide haben viel verloren, liebe Frau.« – indem Andreas erzählt, kommt ihm Castell Finazzer, jener traurige Tag zurück. – der Malteser (mit einem warmen Blick) »Sie haben das schön erzählt. Menschenleben ist in Ihnen gediegen enthalten und löst sich schön ab.« – Sein Vorschlag zum Besuch.
Kap. VI. Ein Besuch.
»Wer kennt sein eigenes Element?«
In der Gesellschaft des Maltesers, ja nur durch einen Bezug auf diesen, verfeinert und sammelt sich Andreas' Existenz. Begegnet er diesem, so kann er sicher sein, nachher etwas Merkwürdiges oder wenigstens Unerwartetes zu erleben. Seine Sinne verfeinern sich, er fühlt sich fähiger, im andern das Individuum zu genießen, fühlt sich selber mehr und höheres Individuum. Liebe und Haß sind ihm näher. Die Bestandteile der eigenen Natur sind ihm interessanter, er ahnt hinter ihnen das Schöne. In dem Malteser ahnt er eine Meisterschaft im Spiel von dessen eigener Rolle. Es gibt keine Situation, in der er ihn sich nicht vorstellen könnte. An dem Malteser

tritt ihm die höchste Empfänglichkeit für eigene Natur entgegen.

Er sagt sich das alles selbst, aber in hypochondrischen Selbstvorwürfen: »was bin ich für ein Mensch, der erste beste vornehmere Mensch wirkt so stark auf mich.«

Anfang: Malteser kommt ihm nach auf der Riva dei Schiavoni, »wie gut, daß ich Sie finde.« (Andreas hat ein unbestimmtes Gefühl dorthin getrieben) »Fast hätte ich nach Ihnen geschickt. Man will Sie sehen...«

Geheimnis um Maria: beim ersten Besuch Andreas' macht sie eine ganz kleine hilflose Bewegung nach einer dunklen Ecke hinter ihrem Sofa, mit einer Unfreiheit um die Mitte des Leibes, – und in diesem Augenblick ahnt Andreas, daß es ein für ihn unauflösliches Geheimnis hier gibt, daß er diese Frau nie kennen wird, und fühlt, daß ihn hier die Unendlichkeit mit einem schärferen Pfeil getroffen als je ein bestimmter Schmerz; er hat drei oder vier Erinnerungen, die alle diese pointe acérée de l'infini in sich tragen (die Begegnung mit der alten Frau und dem Kind am ersten Morgen), – fühlt diesen ungefühlten Schmerz, ohne zu wissen, daß er in diesem Augenblicke *liebt*.

Beim ersten Besuch sagt Maria: »*Man* wird Ihnen wieder schreiben.« Einmal bekommt er einen Brief von Maria, der leidenschaftlich, ja beinahe cynisch ist; er eilt hin, findet sie nicht. Später findet er sie. Sie ist verstört: »man hat mich von dem Brief unterrichtet...« – sie muß sich zu einem halben Geständnis entschließen: »meine Hand ist verhext, sie handelt gegen meinen Willen. Ich bin nahe daran, mich zu verstümmeln, aber das ist gegen das fünfte Gebot...« (– Problem: inwiefern bin ich für meine Hand verantwortlich...)

Elégance und Vornehmheit, die Phantome, denen Andreas nachgelaufen ist, sind in Maria in ihrer höchsten Form verkörpert: als seelischer Adel. Jetzt kommen ihm die Wiener Gräfinnen nur als Marionetten vor, deren Bewegendes die Rasse ist.

Sacramozos Verhältnis zu Maria ist dies, daß er sie unterhalten will, um sie im Leben zu erhalten, weil sie allein ihm noch das Leben lebenswert macht (– so wenig er im übrigen von ihr fordert, erwartet)

Sacramozo hat zu Maria »Religion nicht Liebe« (Novalis) – der Chevalier: »ich fand sie in Genua; schlechte Menschen behaupteten Anrechte auf sie zu haben. Ich schützte sie, – und ich vermochte sie hierher zu bringen. Ja, aber ich stehe ihr darum nicht näher als Sie. Ich halte jeden Tag für den letzten. Ich denke von Tag zu Tag, sie wird dir entschwinden!« – Andreas: »Meinen Sie, sie wird in ein Kloster gehen?« – Chevalier: »Sie war nahe daran. Aber sie scheint es aufgegeben zu haben. Sie sagte mir, sie habe Briefe bekommen, die sie davon abgebracht hätten.«
Maria mit dreizehn Jahren einem bösen Mann vermählt. Sie ist Witwe; ihr Mann war grausam. – Die religiöse Krise, die Schuld an der Spaltung Marias war. Ein Gebet (dies erzählt Sacramozo dem Andreas) – Maria betrachtet es als Strafe dafür, daß sie Christus als Helfer für ihre Liebesabenteuer herabgefleht und dadurch gelästert habe. – Seither Maria von Ekel erfüllt vor dem eigentlichen Akt; sie hat die vage Ermüdung, ein ihr entsetzliches physisches Wissen von der Sache.
Ihr Astralleib, bestehend aus ihren Gedanken, Ängsten, Aspirationen, der oft mit immenser Sensibilität von etwas was einer sagt, ja von einer bloßen Nachricht, einem »stummen Niederfallen ferner Sterne« tangiert wird –: dies Ganze empfindet sie als ihr Ich; dies Ganze muß selig werden, dies Ganze wäre nie fähig gewesen, sich in der Liebe hinzugeben, dies Ganze kann Andreas niemals umklammern, dies Ganze ist ihre Last und ihr Leiden.
Ein mittlerer Aspekt von Maria, – wo sie am meisten als Dame wirkt: daß in ihr noch nicht alles zusammengekommen ist, daß sie weder resigniert noch erschöpft ist, daß die Möglichkeiten des Märtyrertodes ebenso wie des Erstarrens in aristokratischer morgue vor ihr liegen.
Sacramozo weiß aus Confidenzen, daß sich Maria zuweilen verliert. Seine Vermutungen über den Zustand.

Die Dame (Maria) und die Cocotte (Mariquita) sind beide Spanierinnen; sie sind Spaltungen ein und derselben Person, die sich gegenseitig trucs spielen. Die Cocotte schreibt ihm die Briefe. Die Cocotte haßt den Sacramozo und die ganze sentimentale Tuerei. Einmal begegnet Andreas der Cocotte, wie er die Dame verläßt; einmal verwandelt sich die gute Dame vor dem Spiegel in die böse Cocotte. Die Cocotte fürchtet sich vor Sacramozo, glaubt, er hat den bösen Blick (auch fürchtet sie, er könne sie umbringen, wirklich rennt er mit dem Messer hinter ihr her) – Dadurch wird Andreas viel verliebter in die Dame und begreift den Platonismus des Sacramozo gar nicht mehr. Einmal schläft er bei der Cocotte: in der Früh ist das Bett leer, er hört ein Aufstöhnen, und mit den Zeichen gräßlichster Verwirrung läuft die *andere* fort. Während dieser wirren Zeit findet er einmal in seinem Felleisen das Brusttuch der kleinen Finazzer. – Die Cocotte gibt an, sie müsse zeitweise zu einem reichen Alten.

Porträt von Maria und Mariquita im Tagebuch: mit Maria zu sein, heißt dem feinsten und tiefsten Begriff des Individuums nachgehen: nach dieser Richtung ist Marias religiöser Ästhetismus orientiert. Ihr kommt es auf die Einheit, auf die Einzigkeit der Seele an, – aber an dem Leib wird sie zuschanden. Es wäre unmöglich, ihr ein Kompliment über ihre Schönheit oder ein Detail ihrer Gestalt zu machen. Sie hält daran, daß kein Baum, keine Wolke ihresgleichen haben. Ihr graut vor der Liebe, welche mit Verwechslung arbeitet (sie erinnert an die Prinzessin im »Tasso«).

An Mariquita ist es jedes körperliche Detail, was einzig und ewig scheint: das Knie, die Hüfte, das Lächeln. Sonst kümmert sie sich wenig um Einzigkeit; sie glaubt nicht an die Unsterblichkeit der Seele. Ihr Reden, ihr Argumentieren, ihr Denken selbst ist ganz Pantomime, ganz potentielle Erotik, kein Wort darin über den Moment hinaus gemeint, – sie buhlt immerfort mit allem was sie umgibt.

Durch einen kleinen kurzatmigen King Charles-Hund, namens Fidèle, ein mißtrauisches und hochmütiges Tier, der im Hause von Maria immer versteckt ist bis auf *einmal*, hängen Maria und Mariquita zusammen (es ist wiederum das Grundproblem von »Gestern«: Treue, Beharren und Wechsel) – Dunkel ahnt Maria das Chaotische in sich, das was sie mit Mariquita gemein hat. So haben sie das Hündchen gemein.

ad Maria und Mariquita: die Ansicht des Franziskanerpaters über den Fall; die Ansichten des Medicus materialistisch (La Mettrie, Condillac); die Anekdote von dem Mann, der durch einen Unfall zerstört, durch den anderen wiederhergestellt wurde, – »was folgern Sie daraus?« fragte der Malteser.
Maria immer in Halbhandschuhen, immer kalte Hände; Mariquitas Hände immer wie von flüssigem Feuer durchströmt.
Hemmungslosigkeit das Wesen von Mariquita, Hemmung das Wesen der Gräfin. Die Gräfin spricht von den hundertpfundschweren Ketten, mit denen der Himmel die Seinigen prüfe. Man ist für mehr als sich selbst verantwortlich. – Das Beschwerte in den Liebesbriefen der Gräfin.
Bei Maria lernt Andreas die Freiheit des Wesens preisen, bei Mariquita graust ihm vor der absoluten Freiheit. Bei Mariquita muß er sich nach dem universalen Bindemittel sehnen, bei Maria nach dem Lösungsmittel: so muß ihm seine eigene Natur offenbart werden.
Maria ist fabelhaft gut angezogen, Mariquita liebt Schmutz und Unordnung.
Maria verträgt Blumenduft sehr schlecht; eines Tages findet Andreas sie halb ohnmächtig und umgeben von stark riechenden Blumen, diese Blumen hat Mariquita morgens auf dem Gemüsemarkt gekauft und durch einen Furlaner an Maria geschickt.
Maria ist Christin mit mystischen molinistischen penchants; Sacramozo ist indifferent (Galiani); Mariquita ist Heidin, sie glaubt an den Moment, an sonst nichts.
Mariquitas Ansichten über Maria (gelegentlich brieflich oder in Monologen): sie haßt sie, sieht alles Unvollkommene an ihr, findet sie *feig* (so wie Michelangelo sich feig findet im Gegensatz zu Savonarola), und doch ist sie ihr eigenster, der einzige interessante Gegenstand. Sie beneidet sie um ihre Distinktion, ohne sich recht klar zu werden, was diese Distinktion ist, was das ist, das jeder von Marias Handlungen einen königlichen unrealen Wert gibt (gleich dem Horn auf der Stirn des Einhorns, wie ein Turm im Mond), ja sie versucht, Maria selbst diesen ihren Vorrang verdächtig zu machen, sie

in das Gemeine unterzutauchen (wodurch sie freilich selbst am unglücklichsten werden würde), – sie schreibt ihr: »deine gestrige Träumerei, daß es das Gemeine nicht gibt, daß dies alles völlig überwunden werden kann, daß man in einem ewigen élan leben kann, ohne jenes Danebenhocken in der Ecke, – das ist eine Vorspiegelung deiner bodenlosen Eitelkeit, deiner stupiden Unfähigkeit, das Wirkliche zu erkennen.«
Mariquitas Erzählungen (über Maria): bald, als wäre sie eine alte Hexe, dann: »das war nur figürlich zu nehmen. Man muß die Menschen überhaupt nur figürlich nehmen. Sie ist eine ganz hübsche Person, aber ein rechter Teufel ist sie doch. Gerade darum weil sie für einen Engel gehalten werden will. Aber das kann ich sagen: so durchschaut wird auf der Welt keine Frau, wie ich die durchschaue. Meine Blicke gehen unter die Haut.«

Mariquita: die verschiedenen Aspekte des Dämons: intrigant, scharfsinnig, cynisch, ruhelos, gottlos. frech libertine Angst vor Kirchen. neugierig ohne Maß. geistreich ingénue. durchgehends Vergeßlichkeit.
Das Zusammenhängende in allen ihren Phasen, etwas Aktives, Gliedermännisches. Sie will etwas vorwärtsbringen; die Ruhe, das Versinken ist ihr verhaßt, – da fürchtet sie, sich in die andere aufzulösen.
Einmal rutscht es Mariquita zu der Duenna heraus (– Andreas stellt sich schlafend): »die Verfluchte! sie möchte mich ins Kloster sperren, weil ich es ihr zu bunt treibe! ich muß ihr durch den da ein bißchen zusetzen lassen...« – Duenna: »könntest du ihr nicht etwas eingeben, daß sie ganz verschwindet?« – Mariquita: »sie hat eine verfluchte Kraft, nicht nur wenn sie betet, sondern auch sonst, eine Art sich innerlich zu erheben, da fühl ich mich, wie wenn mir übel würde, und ich bin ganz schwach gegen sie.« – Duenna: »könntest du nicht machen, daß, während sie betet, ihr eine von deinen stärksten Stellungen einfiele?« – Mariquita: »dann fühlt sie mich kommen und drückt mich hinunter, das sind meine widerwärtigsten Momente. Da haß ich sie, wie der ewig Verdammte Gott hassen muß.«

Mariquita macht über ihr Verhältnis zu Maria erst ganz allmähliche Erfahrungen; im Anfang hofft sie, bald ganz freizukommen.
Scene, wo Mariquita, sehr aufgeregt darüber, daß Maria ins Kloster gehen will, von Andreas verlangt, daß er Maria verführe; – ihr unheimlicher hündischer Blick bei dieser Scene.
In Andreas der Verdacht, daß die Zauberin etwas mit Experimenten zu tun habe ähnlich jenen, welche zu den »Moreau horros« geführt haben; daß sie etwa Lieferantin für einen solchen Experimentator sei.
Indem Andreas in Mariquita die Seele zu wecken verlangt, gefährdet er Mariquita in ihrem Leben, ihrem Sonderdasein, wovon sie ängstliche Andeutungen macht. So schließt sie ihn einmal in die Arme und erklärt sich, Tränen im Auge, bereit, sich dem Glück, das er mit einer anderen finden könnte, aufzuopfern. Er fühlt, daß sie es in Wahrheit meint.
Mariquita dämonisch bis zum Hexenhaften. Succubus. Schläft einmal mit zwei Männern zugleich, sie sagt: »wenn ich mit einem einen Tag, sechs Stunden, zwei Stunden, eine halbe Stunde, zehn Minuten nach dem anderen geschlafen hätte?... na also!«
Mariquita haßt den Begriff »die Wahrheit« – »wenn ich nur das dumme Wort nicht hören müßte! wenn ihr mich nur mit eurer Philosophie verschonen wolltet, – da die Welt doch ›sozusagen eßbar‹ ist.«
Ihr düsteres Bild von dem Malteser; seine Lebenschiffre flößt ihr Grausen ein. Wenn sie von ihm spricht, verfärbt sich ihr Gesicht.
Mariquita schreibt nie, schickt immer nur mündliche Posten; das Schreiben ist nur zu embrouillieren und compromittieren.
Die Wohnung Mariquitas in einem halbverfallenen Palast, in zwei Zimmern in größter Unordnung. In einem großen Hinterzimmer haust die Duenna, eine alte Hexe. Das helle Zimmer, offen wie ein Vogelhaus, wo Mariquita badet, ißt und empfängt. Draußen ein Gärtchen. der reiche jüdische Verehrer dalle Torre. Mariquita behandelt Andreas zuerst schlecht, dann lädt sie ihn sogleich wieder ein in einem Brief voll An-

spielungen auf Maria, wie sie bemerkt, daß Maria ihn gerne sieht; sie hofft, mit ihm Maria endlich zu verführen.
Am selben Tage, wo Andreas den einladenden Brief bekommt, bekommt Sacramozo einen insultierenden Brief: man sei seiner müde und werde sich um einen anderen Freund umtun.
Mariquita bei dem ersten Besuch, obwohl sie ihn schlecht behandelt, spielt buhlerisch mit seiner Hand und sagt: »schöne Hand, schade daß du einem kalten geizigen Herrn gehörst.« Sie sagt ihm, warum man ihn liebt: sein schweres zurückhaltendes Wesen, man ahnt nicht, wie er sein wird, man kann nie sicher sein, ihn ganz zu haben.
Mariquita: eine Art Schwindel des Daseins; sie unternimmt mit Andreas nachts eine Eilpostfahrt. Embrouilleuse, alles geht schief; das Undurchblickbare, heillos Verwickelte aller Dinge, eine ganze Kette von unglücklichen Einteilungen, alles stimmt nicht. Café in Mestre, im Wagen ist sie eine andere. Hier tut sie als hielte sie ihn für einen Casanova, imputiert ihm Zusammenkünfte mit der Gräfin (mit allem Detail psychologisch und realistisch), dann endlich: »verzeih mir!« dann heftig: »und warum denn nicht? warum nimmst du sie nicht?« Er will sich losreißen, da deutet sie auf ein Geheimnis, verspricht, bald ihre Seele zu offenbaren.
Mit Mariquita ein Abenteuer in einer Sturmnacht. Sie will den betäubten, durch Andreas' Schlag betäubten Gondolier ins Wasser werfen.
Die Courtisane will den Waldmenschen verführen, zu diesem Zweck wird eine Landpartie unternommen.
Andreas' ganz verschiedene Gefühle in Gegenwart der zwei Frauen: Marias Nähe beglückt ihn, macht ihm die Welt schöner; Mariquita macht ihn finster, sich anspannend, wild, – nachher verdrossen, ermüdet.
Es erscheint undenkbar, die Hand von Maria in einer wollüstigen Bewegung zu sehen, zu fühlen. Der Fuß von Mariquita erwidert den Druck wie eine Hand, umrankt, preßt wie eine weiche blindere, noch wollüstigere Hand.
Andreas: sein Gefühl für Maria wachsend, so daß ihm schwindlig wird bei dem Gedanken an eine Intimität (– nur

die Hand auf ihrem Knie zu haben), ja bei dem bloßen intensiven Denken daran, daß sie eine Frau ist: er wird eifersüchtig auf Sacramozo. Indem er dringend wird, ermöglicht er die Erscheinung von Mariquita.

Andreas und der Begriff »elegant«: die eleganten Menschen sind ihm was dem Michelangelo der Savonarola oder ein in sich verschlossener junger Edelmann war. Die Liebe der eleganten Dame: das ist ihm zunächst sein Ziel; er glaubt darin umgewandelt zu werden, wie sein Großvater durch die Gunst der Erzherzogin. Er sagt sich, »wenn ich ihr Liebhaber wäre...« – aber er kann sich noch nicht recht hineindenken, es ist ihm, als ob er dann ein anderer wäre (einen Augenblick glaubt er, der Chevalier hielte ihn für den Liebhaber)... allmählich ahnt ihm, daß Maria für ihn in der Sphäre des Unberührbaren steht, und es ahnt ihm, daß hier sein Schicksal liegt, daß er gleichsam hier vor etwas steht, von dessen Spitze er immer etwas abbrechen muß. Er ahnt, daß Marias Liebe sich auf etwas beziehen muß, was ihm selbst in sich unerreichbar, seiner Eitelkeit wie seiner Unruhe wie seinem Bewußtsein ganz entrückt ist.

Andreas ist Maria gegenüber von der äußersten Schüchternheit, so vollkommen ist ihre Gesprächsführung. Bei dem bloßen Gedanken sie etwas Intimes zu fragen (z. B. ob sie von der Existenz der illegitimen Schwester etwas wisse) ist ihm so wie bei dem Gedanken, daß es möglich sei, die Heimlichkeit ihres Leibes zu berühren, – der Kopf dreht sich ihm. Bei Maria ist die Seele wie ein Schleier über dem Leib.

Seine Beziehung zu Maria ist schließlich die, daß er auf die »gegenstandslose« Freundschaft Sacramozos qualvoll eifersüchtig ist.

Sein Staunen, daß es Menschen dieser Art gibt: alles ist weicher und härter, alles häßlicher und gewissenhafter, alles im Großen gefaßter, im Einzelnen feinfühliger. – Ihm ist, als müßten ihm neue Sinne entstehen, um dies zu begreifen. Daß unseren Sinnen etwas Zufälliges anhaftet, ahnt ihm. – Ihm wird bewußt, wie er sich nur durchtreibt: wie ein Schwein in einem hochgehenden Wasser.

Er fühlt, wie der Malteser ihn trägt und hebt, jedes Wort von ihm releviert, er kommt sich ganz als Geschöpf Sacramozos vor, aber ohne Gedrücktheit. Er weiß nicht, ob er sich über diese Frau mehr erstaunen soll als über diesen Mann.

Letztes Buch.
Was Sacramozo fehlt, um diese Frau zu gewinnen, ist hohe Selbstliebe, Religion zu sich selbst.
Sacramozo schreibt sich den Tod einer geliebten Person zu; Mariquita behauptet direkt, er habe eine vergiftet.
Sacramozo gibt sich schuld an der Geisteszerstörung einer liebenswürdigen jungen Person, die nun wie ein genäschiges Tier dahinlebt.
In ihren Augen die »andere« zu sehen, – das hat ihn zum Philosophen gemacht. Ebenso war sein Vater kurz vor seinem Tode so merkwürdig verändert. So kommt er darauf, die *Masken* das Unterscheidende zu finden. In diesem Sinne sagt er, daß weder Goldoni noch Molière einen Charakter im Individuum geschaffen haben.
Er wirft sich besonders vor, daß er mit der Person, wie sie schon »eine Irrsinnige« war, noch geschlafen hat. Möchte sie eine Muschel besitzen, in der die Stimme ihres toten Geliebten enthalten wäre? auch die Doppelheit der Schrift von Maria kommt in diesem Zusammenhang zur Sprache.
Beim Sacramozo: Bild der Sternkreuzordensdame: Gräfin Welsberg (seine Mutter). – Sacramozo über die Worte seiner deutschen Mutter: er verbietet sich, sich ihrer zu erinnern; später wird er sich ihrer um so völliger erinnern dürfen. – Sacramozo hat die Fügung mit der Wiederkehr des Vetters verstanden und hat sich exilieren gelernt: in Welsberg hätte seine niedrige Natur prävaliert, die höhere Entwicklung seiner Natur wäre gehindert gewesen. – Sacramozo wollte die Burg Welsberg kaufen. Sein Übernachten in dem Zimmer, an dessen Wand die Lebenspyramide gemalt ist (seine Gedanken vielfach über die Lebensalter, sein 93jähriger Oheim) – Sacramozo nimmt als selbstverständlich an, daß von zwei Träumen der spätere den früheren aufklärt, – so verhält sich alles Spätere zu allem Früheren, – nach allen Richtungen. – Der Welsberger Traum: im zweiten ist er Landpfleger, als

solcher unerkannt: der an allem schuld ist, der das Todesurteil verhängen mußte usw.
Sacramozo: Glaube und Aberglaube in der Zeit: in Stunden der Exaltation ist er sicher, nur er habe den wahren Schlüssel der Welt, alle anderen gleiten an dem Geheimschloß vorbei, – alles dient ihm, auch eine einmal gesehene Landschaft, ein Pfuhl dunklen Wassers in Westindien. Er wäre wahnwitzig, wenn er nicht recht hätte. Er hat in allem recht, auch daß er der Gräfin den Andreas zubrachte. Seine Kenntnisse: er weiß, daß der Körper nichts vergißt (ebenso der Weltkörper, der große Körper) – Er kennt Marias Leben, wie nicht die Beichtväter. – Sacramozos Geschick: der Schlüssel Salomonis in Hebbels Epigramm.
Das Symbolische an den Rosenkreuzern ist ihm sympathisch, der unbedingt symbolische, also die Welt überspringende Wortgebrauch. Denn in der Seele, sagt er, ist alles: alles Beschwörende, auch alles zu Beschwörende. »Jedes Wort ist eine Beschwörung: ein welcher Geist ruft, ein solcher erscheint.« (Novalis)
So ist ihm das Eigentliche der Poesie faßbar: das Magische der Zusammenstellungen. Goldoni (= die Welt Zustinas, das völlig Unmetaphysische) ist ihm furchtbar, Molière bedeutet ihm nicht viel, der Mimus ist ihm gleichgiltig, auf die incantatio kommt es ihm an. Die wahre Poesie ist das arcanum, das uns mit dem Leben vereinigt, uns vom Leben absondert. Das Sondern – durch Sondern erst leben wir –, sondern wir, so ist auch der Tod noch erträglich, nur das Gemischte ist grausig (eine schöne reine Todesstunde wie die Stillings) – aber wie das Sondern ist auch das Vereinigen unerläßlich, –: die aurea catena Homeri. – »separabis terram ab igne, subtile a spisso, suaviter magno cum ingenio« (Tabula smaragdina Hermetis)
Sacramozo kennt die Gewalt des Schöpferischen. »Wir wissen nur insoweit wir machen. Wir kennen die Schöpfung nur, inwiefern wir selbst Gott sind, wir kennen sie nicht, insofern wir selbst Welt sind« (Novalis). Sacramozo weiß: die Dinge sind nichts anderes, als wozu die Macht einer menschlichen Seele sie immerfort macht. Die unaufhörliche Creation. Die

Beziehungen zwischen zwei Wesen als von ihnen geborene Sylphe (Rosencreuzer)
Er sucht das Leben dort, wo es zu finden ist: im Zartesten, in den Falten der Dinge.
Der Abgrund in einem Menschen wie Sacramozo: die Verzweiflung des Beschauenden, der sich fragen muß: »bin ich überhaupt, wenn ich hinweg muß, – werde ich *gewesen sein?* hab ich Haß-Liebe gekannt?? – oder war alles nichts.«
Was *will* ein Mensch wie Sacramozo?... ein rasender Zorn der Impotenz, – »Dero Hochunvermögen«.
Er läßt es geschehen, daß die Sylphe, geboren aus Andreas und der Gräfin, als die mächtigere, die schwächere tötet, deren Vater er ist.
Sacramozo über die mystischen Glieder des Menschen, an die nur zu denken, die schweigend zu bewegen, schon Wollust ist (Traum der Maria).
Über die Mächte: der welcher zu beten vermag. »Vermöchte die Gräfin zu beten, wäre sie geheilt.«
Sacramozos mystische Liebe zum Kind, als welches Mensch, nicht Mann noch Frau, sondern beides in einem.
Andreas hat vom Malteser zu lernen: das Erkennen des Wesenhaften, die Überwindung des Gemeinen (– alles Österreichische gemein: die Masse der Kämmerer, Häufung in allem. In Wien kommt es jedem darauf an, etwas vorzustellen).
Sacramozos pessimistische Auffassung: ob ich ein Christ oder ein Atheist, ein Fatalist oder ein Skeptiker bin, darüber werde ich mich entscheiden, sobald ich weiß, wer ich bin, wo ich bin und wo ich zu sein aufhöre.
Sacramozo: »die Hoffnung und die Begierde des Menschen, in seinen früheren Zustand zurückzukehren, ist wie die Gier der Motte nach dem Licht.« (Lionardo)
Der Blick, den er auf seine Jugendbekannten heftet. Frauen unterhalten ihn mehr, Männer rühren ihn tiefer.
Sacramozo – das ist sein Frevel – hält es für möglich, ein zweites Leben zu führen, worin alles Versäumte eingeholt, alles Verfehlte verbessert wird. – »Vierzig Jahre: ich habe nichts mehr zu gewinnen, aber ich darf nichts mehr verlieren.«
Sacramozo erkennt den Moment, welcher der Vereinigung

Andreas' mit Maria günstig ist: diesen Moment wählt er für den freiwilligen Tod, – seiner Wiederkunft und Vereinigung mit der umgewandelten Maria sicher (er weiß, daß auch Elemente sich verwandeln.) Daß Andreas ihm dann wird weichen müssen – in welcher Weise, darüber denkt er absichtlich nicht nach –, erfüllt ihn für diesen mit wehmütigem Mitleid.
Er hat immer gewußt, dies werde ihm in seinem vierzigsten Lebensjahre begegnen. Er teilt sein Leben so ein: drei Perioden zu zwölf; die erste: Erfüllung, Offenbarung; die zweite: Verwirrung; die dritte: Verdammnis oder Prüfung. Dann drei Jahre des Operierens, dann das vierzigste: annus mirabilis.
»Der echte philosophische Akt ist Selbsttötung« (Novalis) – Selbsttötung einerseits als der sublimste Akt des Selbstgenusses, das wahrhaftige Disponieren des Geistes über den Körper, zweitens als die sublimste Kommunion mit der Welt, endlich kontrastierende Übereinstimmung mit dem letzten Wort östlicher Philosophie (Neuplatoniker über den Selbstmord).
Nur im Kleinsten, im zartesten Detail, wie der Körper zu überreden: darin liegt das Geheimnis und die Schwierigkeit. Anknüpfend die Aufmerksamkeit und Verehrung des Nicht-Wiederkehrenden.
»Den Satz des Widerspruchs zu vernichten, ist vielleicht die höchste Aufgabe der höheren Logik« (Novalis) – »Allmähliche Vermehrung des inneren Reizes ist also die Hauptsorge des Künstlers der Unsterblichkeit« (Novalis)
Gespräch mit Maria über den Selbstmord: »... vor allem müßte man sicher sein, sich ganz zu zerstören.« – Hier lächelt Sacramozo.
Sacramozo: »Jeden Morgen geht die Sonne über Millionen Menschen auf, aber wo ist unter Millionen das eine Herz, das ihr rein entgegenklingt wie die Memnonssäule? – ich stand mit Zehntausenden auf einem Hügel, eine Wallfahrt etc. – aber mein Herz war von den ihren abgetrennt. – Wann hat mich die Morgensonne *wirklich* beschienen? einmal vielleicht, in jenem kurzen Traum. Aber ich werde dorthin gehen, wo mich ein jungfräuliches Licht an jungfräulichen Ufern treffen

wird.« – »Aller Anfang ist heiter. Heil dem, der stets aufs neue anzufangen versteht!«

Sacramozos Todestag:
Die Vorbereitung. Fasten. Aspekt der Welt. Anwandlung von Zweifel. Ängstlichkeit, der Entschluß wankend, wieder befestigt.
Letztes Gespräch mit Maria: Abschied und Wiedersehen. die Kraft dieses Gespräches über sie.
Der letzte Nachmittag, Abend. – Die Gedanken *währenddem*. Die Tropfen; das Wissen, von Tropfen zu Tropfen innehalten zu können. Auflösende Wollust, – wie sie fahl wird unter dem Gedanken des Innehaltens. der Aspekt der Welt zwischen Leben und Tod: die Heiligung der Wollust durch das Definitive. Ein ungeheures *Ehren* Gottes in seinen Geschöpfen: ein Eingehen in den Tempel Gottes. Anwandlung von Todesfurcht: Paroxysmus. Verklärung.
Vor dem Tode: hört ein Wasser rauschen, hätte jedes Wasser, das er jemals rauschen gehört, nun heraufrufen mögen.
Stadien der Auflösung: ein wunderbares Nahekommen jedem Wesen, das ein sanfter leuchtender Strom ihm hervorbringt; die Wesen kommen wie Schwimmer aus einem heiligen Wasser: er weiß, daß er nichts im Leben umsonst getan. Die Nahekommenden einzeln, wie ein auflösender Kuß der Seele, – die Bläue eines Gewandes, der Hauch einer Lippe, eine Vogelstimme – (die Objekte im Zimmer: himmelblauer Stoff, eine Maske, silberne Leuchter, Blumen, Früchte, Wasserschalen) – er nimmt es für ein Vorgefühl einer unaussprechlichen Vereinigung und weiß nun, er kann nicht mehr zurück.
Das Sterbezimmer des Maltesers mit Alabasterlampen und Blumen. Sein beseligter Abschiedsbrief: All-Liebe. Ihm scheints kein vages Zerfließen, sondern sublimstes Wahren der Person.

Zur selben Zeit gewinnt Andreas Zustina in der Lotterie. Sie will sich ihm geben, hofft ihn so zu gewinnen, daß er ihr Mann bleibt. Gesteht ihre List, ihn gewinnen zu machen, die sehr gut erfunden war. Ihre Tränen und ihre Fassung; Evidenz, daß auch Nina in ihn verliebt ist. – Nachricht von Romana. – Zustina spricht über die Art von Ninas Liebe im Gegensatz zu der ihrigen, leitet beide sehr scharf und zart aus dem physischen Naturell ab. In dieser Stunde ist Zustina außerordentlich schön. Zustina: »wenn Nina verliebt ist, so hört sich für ihre Seele alles auf: die ganze Welt ist anders, – sie begreift nicht, wie sie gestern hat leben können. Ich war bisher nicht verliebt, – und wenn es kein anderes Verliebtsein gibt als Ninas, so kenne ich bis heute die Liebe nicht. Denn die Welt bleibt für mich immer die Welt, obwohl sie ein Wesen enthält, dem zu begegnen köstlich ist.«

Letztes Kapitel:
Wie Andreas flüchtet und wieder bergauf fährt, ist ihm, als ob zwei Hälften seines Wesens, die auseinandergerissen waren, wieder in eins zusammengingen.
In St. Vito findet er einen Knecht, der nachts heimfährt. Wie er den nächsten Tag nach Castell Finazzer kommt, ist Romana nicht da. Allmählich hört er, sie sei seinetwegen auf die Alpe geflohen; dann: sie habe ein furchtbares Fieber gehabt, immer von ihm gesprochen, dann habe sie gelobt, ihn nie mehr zu sehen, er komme denn von *Wien*, sie als Frau heimzuholen (die Scham nun so ins Unendliche gesteigert, wie damals die Unbefangenheit).
Er hinterläßt einen entscheidenden Brief für Romana.
Letztes Kapitel: er geht bei Tagesgrauen. Bei Sonnenaufgang kommen sie an. Mit der Mutter hinauf nach der Alm. Romana verkriecht sich in den letzten Winkel, droht endlich von droben nach außen hinabzuspringen.

DIE DAME MIT DEM HÜNDCHEN

Übersicht (ungefähr) 12. IX. 1912, Aussee
I. Ankunft. Wohnung. Lotterie. Besuch bei der Cocotte. Erste Begegnung. II. Der Malteser. Gespräch. Besuch bei der Gräfin, vorher noch einmal bei Nina. III. Entwicklung der

Dinge mit der Witwe. Zärtliche Freundschaft mit der Gräfin. Eifersucht auf den Malteser. IV. Die Gräfin gerührt: ihre Geschichte. Die Witwe: feurigste Gegenwart, koboldhaft, Wissen um die »Andere«. V. Beginnendes Zurückziehen der Gräfin (Wechsel der Beichtväter), Abendbesuch. Der Zettel mit der Drohung. VI. ... VII. ... Abendbesuch; beim Hinaufgehen in Andreas das Gefühl, wie völlig er verwandelt sei. Das Schwergewicht des Erlebens: nichts davon könnte ungeschehen bleiben.

Andreas. – Grund, ihn auf die Reise zu schicken: schwierige schleppende Rekonvaleszenz nach einer seelischen Krise, Spuren von Anhedonia, von Verlust des Wertgefühles, Verwirrung der Begriffe.
Einfluß eines Pater Aderkast, der für Andreas das Leben aufgehoben, illusorisch gemacht hat (Aufführungen von Calderon) – Die Begegnung mit dem Pater Aderkast (der süßlich auf ihn losgeht, – ihm ist, als ginge seine ganze Vergangenheit unentrinnbar auf ihn los) verflochten mit einem Abenteuer mit Mariquita: je zerstreuter Andreas durch die wiederholten Begegnungen mit Pater Aderkast, dessen Dringlichkeit er sich kaum erklären kann, umso reizender scheint er für Mariquita zu sein.
Andreas glaubt nicht recht an seine Erlebnisse, das, was er, gerade er erlebt, wird doch nichts sein; er ist maßlos, einerseits nach dem Sinnlichen, andererseits nach dem Idealen. – Er nimmt immer an, man müsse wissen, was in ihm vorgeht. – Er verlangte leise und nicht dringend und war mit Wenigem zufrieden.
Andreas' Lehrzeit: das Dasein des Höheren erkennen, den Gehalt des Lebens erkennen.
In den Erinnerungen der Kinderzeit bleibt etwas peinlich Verwickeltes, das aufzulösen kaum das ganze Leben hinreicht. Mit seiner Kindheit versöhnt sterben. (Tagebuch, »ich möchte mit meiner Kindheit versöhnt sterben«)
Der Großvater Fährknecht bei Spitz, herabgestiegen aus dem Waldviertel. Überfahrt der Prinzessin Braunschweig, die ihn bemerkt und statt eines Erkrankten als Reitknecht annimmt.

Der Kaiser reitet ihr mit hundert Kavalieren entgegen, läßt sich ihr unter dem Incognito Graf Falkenstein als letzter vorstellen, drückt ihr aber beim Handkuß die Hand, worüber sie vor Schreck aufspringt, ihm in die Arme fällt, er ihr nun abwechselnd beide Hände küßt. (dies 1716, der Großvater geboren 1699, Andreas' Vater geboren 1731, jetzt 48 Jahre alt) – Spanisches Wesen aus diesen Erzählungen.

Als Abschluß der Reisekapitel: Begegnung mit der »Frau an der Aar« – das Abenteuer der untröstlichen Witwe.
Abschied vom Finazzerhof: er glaubt sich nicht, er bildet die Gestalt eines andern in sich aus, der wiederkommen wird. Erschrocken nun in dem Haus am Fluß, wo ihm die trauernde Witwe entgegentritt mit ihrem »Du selber! du bist es selbst! dir entrinnst du nicht!« – Die Stimmung höchster Gehobenheit anhaltend von dem Moment mit dem Berg durch mehrere Tage, umschlagend bei jenem Abenteuer mit der Witwe (die Hand der Witwe nachts auf seiner Brust).
Eine deutschredende Witwe aus dem Tiefstgelegenen der Sette Communi. Das auf Papier gemalte Bild des Unglücks, daran der Ehering. Schickt ihr 16jähriges Mädchen an den Strom knien und weinen. Ihr Husten (hysterisch von ihr selbst gesteigert), – zuweilen erzählt sie es ausführlicher. Das Bild ist ihr Gebetbuch und alles. – Eindruck auf Andreas, »ein Augenblick!« – von hier aus vermag er zu beten, das trifft ihn. (dazwischen: Kaufmannsdiener, Aufmerksamkeit auf sein Gepäck, jäh vom Gebet weg. Ein eitles leeres Schwätzen mit einem Mitreisenden über den Adel der terra ferma) – Die Klagen und Selbstgespräche der Witwe, unablässig seit 17Jahren; die ungerührte Art der Tochter, es ganz kalt zu detaillieren, zu sagen in schleppendem müden Ton, »nichts freut sie, die Welt ist ihr wie ein Sarg« – wo die Mutter das Gleiche sagt, aber in a raving way, wodurch doch in der Qual etwas vom Hauch Gottes bleibt, von der Unerschöpflichkeit der Natur und des Lebens. Wogegen an der Tochter schon die Körperhaltung furchtbar, das gleichgiltige sich-Hinschleppen neben der Mutter, gleichgiltig Antworten »ja, ja« – nach der Seite Hinsehen, gleichgiltig Sagen »nun ist der Vater

schon seit achtzehn Jahren tot, und sie hört nicht auf, sie wird nie herauskommen, als bis sie in der Erde liegt.« – Hier wird Andreas aufmerksam darauf, welch ein geheimnisvolles Verhältnis zwischen dem Augenblick und dem Jahr, ja dem Augenblick und dem ganzen Leben obwaltet; wie ein Augenblick etwa ein ganzes Leben in sich hineinschlingen kann (– etwas Ähnliches dann im Schicksal der Gräfin).

Er hört sie reden, vom Weinen unterbrochen, sie will ins Wasser. Die Tochter hart, über ihre Jahre. Ihm ahnt, daß auf einem gesunden Selbstgefühl das ganze Dasein ruht, wie der Berg Kaf auf einem Smaragd. – Nach allen diesen Vorstellungen fühlt er sich mit Romana untrennbar verbunden, wahrhaft vermählt.

Die Szene wo die Tochter die Mutter wegzerren will, damit sie den Fremden nicht belästige, indem sie der Mutter, die an der Brust des Fremden hängt, die bittersten, eisigsten Wahrheiten sagt, »das ist ein fremder Mensch; der Zufall, den er verwünschen wird, hat ihn hier übernachten gemacht. Was dir widerfahren ist, ist ihm gleichgiltig, er verwünscht den Aufenthalt und dein Geschrei, das ihm in den Ohren gellt. Kaum ist seine Chaise um die Ecke, so hat er dich und mich vergessen wie Ungeziefer in einer unreinen Herberge.« – Andreas' furchtbar zerrissenes Gefühl, innerstes Nichtgenügen vor diesem Jammer, diesem schlechthin Unendlichen; – er verachtet sich um jeder Bequemlichkeit willen... – hier brechen die Reiseerinnerungen jäh ab.

Er dachte nicht an jedes Einzelne dieser Erlebnisse, und doch waren sie alle in ihm gegenwärtig, jedes war irgendwie immerfort da, sein Inneres war wie eine zitternde Magnetnadel: alle diese Dinge lenkten sie fortwährend vom Pol ab; er war leer und überlastet. Sehnlich bedurfte seine Natur der Leidenschaft, die uns, indem sie uns mitfortreißt, die Last unseres Selbst abnimmt.

Das Haus an dem Fluß mit der untröstbaren Witwe, in allen Räumen, Schuppen etc. ihn völlig umfangend. – In ihrem verhärmten Gesicht ein plötzliches Lichtwerden, die Augen freundlich, der Mund hübsch, das Reinste und Wahrste des Natürlichen an ihr. – Gedanke, ob die Existenz seiner Eltern nicht eine verkappte Hölle.

Andreas' schwermütiges Herumgehen, diese ganz kleinen Details: das Aufnehmen eines Zweiges, zärtlich ihn wegwerfen, aber sanft, nicht weit von sich, ihn noch fühlen, wie er dort liegt. Ablecken von Halmen vor Freude.
Er hat der Witwe in anderer Weise zugehört als alle anderen Leute seit langem; darum kommt sie in der Nacht zu ihm, rührt seine Brust an –: wo sie einmal wieder nach langer Frist menschliches Fühlen spürt, wache und lebe etwas von ihrem Verlorenen.
Abends beim Nachtmahl: ihr Auf- und Abgehen, phantasierend von dem Verstorbenen. Die Tochter sagt, »es ist Südwind.« – Sie nimmt den Fremden bei der Hand, »o nehmen Sie das, nur das von mir, daß ich es aus voller Absicht getan habe, aus ganzem Bewußtsein heraus; – stehe ich nicht wie der Stein in der Mauer, alles möchte stürzen, gerade dadurch muß es bleiben! – können Sie mich fassen? Mordlust (imp of the perverse) ist nichts dagegen, – aus starrem Grausen über die Welt habe ich es getan! (– gleich sich widersprechend, sich der teuflischen Selbstsucht anklagend) – Furchtbare Stokkung, wo alles bleibt, alles starrt, auch die Bewegung. – Die Tochter drängt sie weg, »dem Herrn sein Nachtmahl ist gerichtet, laß ihn in Ruh!« – wie jung die Mutter aussieht im gequältesten Moment. – die Tochter: der Pfarrer weist sie aus dem Beichtstuhl als eine halsstarrig verzweifelte.
Andreas: bei einem allgemein plumpen dumpfen Zustand gewisse Subtilitäten, gewisse unwahrscheinliche Lieblingszusammenstellungen, denen der Geist immer wieder nachgeht, die er als das Eigentliche empfindet, wogegen er das übrige Leben niemals entmischt gewahr wird. Ein solches Anwandeln des Eigensten an jenem Abend an dem Flusse, wo das Haus der betrübten Witwe steht; seltsames Erlebnis dann nachts, wie die Halbirre auf seiner Brust kniet. Er identifiziert sich vorher mit jenem Toten, ihm ist, er hätte jenen Blick geworfen. Im Bette heftiges Denken an Romana.
Er setzt, später die Rollen vertauschend, sich an die Stelle der unglücklichen Mörderin, Romana an die Stelle des Mannes. Er ist hypochondrisch genug, sich das Herabstoßen vorzustellen. Aller Kleinheitswahn fließt hier zusammen; er malt

sich aus, was in Romana er alles zerstört, er läßt sie nicht ganz tot sein, sondern als einen freudlosen Geist fortleben, – dadurch erst wird ihm der Reichtum ihres Lebens klar, er fühlt sich mit ihr verbunden wie nie zuvor, der Gehalt des Lebens geht ihm auf, – er ist selig. – »Wodurch werden wir bewegt? von welcher Kraft, von welchem Punkt aus?« fragt er sich, und ihm graut vor der Unbekanntschaft mit der Macht, die über allem ist.

Die beständige Erhöhung der Materie Romana durch alles was sich begibt: er kann Romana erst besitzen, wenn er sie *glaubt*.

Im Hause der Witwe. Am Fenster bei Sonnenaufgang, Wolken überm Fluß. Stärkstes Erlebnis: Ahnung aller und keiner Liebe in sich selbst, Ahnung: es kann dir nichts geschehen, du kannst nicht zu kurz kommen. Vorher stufenweise stärkste Anfechtungen; hauptsächliche Apprehension, um das Eigentliche, um den Gehalt des Lebens betrogen zu werden. – Zu sich, »wer immer du bist, fromm oder unfromm, Kind oder Vater, – du kannst nicht verworfen werden, dich hält etwas.« Er meint, er kann dies Etwas fassen. Wessen er sich nicht würdigte, was er nicht für möglich hielt, wozu er hypochondrisch die Möglichkeit sich absprach, – in der Vergangenheit erschien es ihm möglich, im Traum war es sein eigenster Besitz. – Ihm war eines vor allem schwer: zu sich selber zu gelangen, und an dieser Schwere erfüllte sich sein Wesen.

Andreas' Weg: zuerst liebesfähig werden, dann lernen, daß Geist und Körper eines sind. Er hat an dem Dualismus fortwährend gelitten, bald war ihm das eine, bald das andere an ihm selbst nichts wert. Nun lernt er hinter dem einen das andere, immer das eine als Träger des anderen fühlen.

Wie Romana in ihm zu leben anfängt: einzelne Züge, ein Lächeln wie im Einverständnis mit ihm. Dies ihr Aufleben in ihm ist immer mit Ängstigungen verbunden, die wieder mit Heiterkeiten abwechseln. Einmal glaubt er sie an der Riva auf einem Koffer sitzen zu sehen, sie schickt sich an, auszupacken. Er wagt nicht heranzutreten.

Kapitel I, Schluß: Andreas auf dem Bett sitzend, es könne ein Kamel eher durch ein Nadelöhr gehen, als er zu einer richtigen Liebschaft kommen mit der Spanierin, der Zustina, der Nina, – jeder andere könne es eher. – Jetzt, in Gedanken an Romana, schön aufleuchtend: der Spaziergang. Vier Luftschlösser, in denen er mit jeder von den vieren wohnt.
Episode der Bürgersfrau. – zur gleichen Zeit Entfremdung mit dem Malteser. Die Frau eines Schneiders, die mit ihm verheiratet sein möchte. Der Flickschneider sieht ihr durch die Finger. Niedrig bürgerliche Welt, voll Adelsklatsch, auch bezüglich Durchreisender. Antrag, ihm zu willen zu sein und auch andere ihm zu verschaffen, zugleich höchste Achtung für die Tugend. Ganz elementarisches Volksdasein, der niederen Antike gleich. Die Schneidersfrau hat 16 Geschwister. Freundliche Augen und ein hübscher Mund, accomodant, bei der ersten Begegnung nimmt sie ihn für einen großen Herrn, dann mehr für ihresgleichen. Der Mann stirbt. Die Kinder der Frau: der ernste Knabe, wie er ihn anschaut, dabei sich selbst zu vergessen scheint, das anschmiegende Mädchen mit etwas falschem Blick.
Hier ist Andreas gewissermaßen zuhause, bei der Gräfin ist ihm, als lebte er nicht, sondern träumte nur, er fragt sich, ob er jemals gelebt habe. Durch dieses Leben in dem Bürgerhause, wovon er gegen niemand Erwähnung tut, glaubt er ein Lügner und Verräter zu sein. – In dieser Zeit sitzt Andreas dem Zorzi zu einem Porträt, bricht tückisch ab. Zorzi macht ihm Angst vor Intervention der Behörden. Die Katastrophe durch den Tod des Mannes, die Veränderung der Kinder gegen ihn, ihre Bitterkeit, Selbstvorwürfe Andreas', »darf ich sagen: ich stehe bei jemand?« – die Bilder in den Kirchen ihm unleidlich, sie demütigen ihn durch die Mannhaftigkeit der dargestellten Figuren. Ihn ekelt über seine Fähigkeit, sich in alle, sogar den Spion Zorzi, dann einen alten buckligen Zubringer etc. mit Verständnis hineinzufühlen. Er will dem Malteser das Geständnis dieser Selbstverachtung machen, unterläßt es wieder; der Malteser durchblickt seinen Zustand, erkennt an einer veränderten, wegwerfenden Art zu reden, daß er mit sich zerfallen sei.

Der Malteser gibt ihm den Ariost zu lesen, um der wunderbaren »Welt«, welche darin ist. Er liest ihn nicht in rokokomäßigem Sinn. Er versteht die Bemerkung des Maltesers, daß es nichts Vergangenes gäbe; alles, was existiert, ist gegenwärtig, ja wird im Augenblick geboren (Gefühl beim Anhören Bachscher Musik)
(Für Andreas:) Im Einzelsten vollzieht sich das Geschick, im Einzelsten sitzt die Macht. Nichts was magisch wirken soll, ist irgend vag, allgemein, sondern Besonderstes, Augenblicklichstes. Liebe, – entzündet durch einen drolligen Zwischengedanken, eine Ungeschicklichkeit, eine Zögerung, wie durch eine Gebärde des Mutes, der Freiheit. Das gewöhnliche »Ich« eine unbedeutende Aufrichtung, eine Vogelscheuche.
Andreas und die beiden Frauen: »das Wesen der Welt erschöpft sich in Polarität und Steigerung« (Goethe achtzigjährig) – einerseits von jeder von beiden sich von Mal zu Mal mehr verlangend, – wohin? (der Takt im Wesen des Maltesers verkörpert) – andererseits: Ahnung der Polarität, in jeder liebt er die andere aufs zarteste und reinste, wird dadurch gewiesen, in der Welt nichts Unbedingtes zu suchen.
Andreas' Angst, in Maria oder Mariquita das andere Wesen wahrzunehmen, darüber das Einzige des geliebten Wesens zu verlieren. Er ist nahe daran, Mariquita töten zu wollen, um Maria für sich zu retten. (die Versuchungen, denen seine Schwäche hier ausgesetzt ist, – »lerne zu leben!«)
Andreas' bescheidener Wunsch, mit Mariquita ehelich verbunden zu sein, allmähliches Hervorkommen der Unmöglichkeit dessen; Brief an die Eltern im Kopf gewälzt, diesen Plan anzukündigen.

Maria und Mariquita. – Novalis, »alles Übel und Böse ist isoliert und isolierend, es ist das Princip der Trennung« – durch Verbindung wird die Trennung aufgehoben und nicht aufgehoben, aber das Böse (Übel) als scheinbare Trennung und Verbindung wird in der Tat durch wahrhafte Trennung und Vereinigung, die nur wechselseitig bestehen, aufgehoben.

Maria	*Mariquita*
wünscht sich, eine Greisin zu sein,	hat Furcht vor dem Altwerden,
stellt sich gern als gestorben vor (hierin trifft sie sich mit Sacramozos Überwindung der Zeit)	Furcht vor dem Tod,
liebt alte Leute	sieht nicht gern alte Leute
hat Furcht vor Kindern	zieht Kinder um sich

Marias Rührung über eine alte Frau, deren Haut zu berühren niemand begehrt.
Mariquita gourmande und Kochkünstlerin, Maria ißt auch gern gut, unterdrückt es aber und versteht nichts von der Küche. Mariquitas Begierde, zu erleben, maßlose Neugier, den Fuß überallhin zu setzen, in alle möglichen Situationen zu kommen, alle Spelunken zu betreten. Alles was Andreas vorbringt (von der Schönheit fließenden Wassers usw.), nimmt sie gesteigert auf. Sie hört, wovon die Leute reden, wo jetzt etwas los ist, etwas zu sehen ist (der Gemüsemarkt gegen Morgen, der Fischmarkt, Kellerphantasien, Postfahrten auf dem festen Lande, Episode der Seiltänzer).
Mariquita: eine ganz ungreifbare Person. sie läßt sich küssen, mehr nicht, läßt durchblicken, sie sei eine anständige Frau, aber einen Geliebten habe sie wohl. – Er führt sie in Spielsäle, in andere Unterhaltungsorte, manchmal ist sie ihm plötzlich vom Arm verschwunden, manchmal wird sie krampfhaft starr, sieht ihn dann plötzlich mit dem Gesicht Marias an. – Bei der Gräfin kommt es ihm als etwas Ungeheures, gar nicht im Ernst zu Denkendes vor, daß sie sich geben könne, bei Mariquita als etwas Ungeheuerliches, daß sie es nicht tut. In beidem geht er zu weit, beides sind Trichter, durch die er hinaus ins Bodenlose fällt. Er sehnt sich, mit dem Malteser darüber zu sprechen, begegnet statt dessen dem Herzog, der sich mit den Hunden herumbeißt.
Mariquita zu Andreas, »ich bin in dich vernarrt, weil du der erste warst, den ich bei meiner Befreiung gesehen habe. Ich

weiß, daß du nichts so Besonderes bist, aber ich seh dich immer noch mit so verzückten Augen, – es ist halt alles Zufall.« – »an jenem Tage war ich zum ersten Mal ganz heraußen; – vorher verstand ich schon Briefe zu schreiben.« – die Kraft, Abenteuer anzuknüpfen, weil sie unbedingt frei ist.
Mariquita empfängt in einer sonderbaren Wohnung, angeblich ihrer Herrschaft, die sie sich unter erlogenen Vorwänden ausgeliehen hat; sie fingiert, Gesellschafterin zu sein oder was immer. Andreas' Gewissenskonflikt, sie zu heiraten, da er ihrer, allerdings reizenden Fehler gewahrwird. – Das Absichtslose manchmal an ihrem Schwätzen, das Verträumte, – »werd ich dich ganz haben?« fragt Andreas, – »Ganz, und noch eine dazu.«
Wie Mariquita ihre Bekanntschaften macht: als Gouvernante sich vorstellend, sammelnd für religiöse Werke. Immerfort Ausflüge, sie hat immer was erkundet. Auf den Ausfahrten bringt sie Andreas in allerlei Gesellschaft, wo er Spott und Hohn zu leiden hat, auch verwirrt, übertölpelt und beschämt wird, »Ihr wollt ein Beamter werden?« – Mariquita läßt sich gern die Geschichte vom Onkel Leopold erzählen. – Sie führt Andreas unter anderen zu einem Irren, dessen Nichte oder Haushälterin sie zu sein vorgibt; der kommt herein, redet für sich, ohne die Anwesenden zu sehen. – Einmal weiß sie sich nichts Besseres, als ihm die Andere in ein sonderbares Haus locken, ihn dann mit der verwirrten beschämten anderen nach Hause gehen zu lassen. Die Andere spricht kein Wort, scheint zu Tode beschämt und geängstigt, so daß Andreas sie verläßt.
Ihre schönsten Augenblicke: ihre Fähigkeit, auch im scheinbar Häßlichen die reinen Elemente zu gewahren, auf dem Fischmarkt, auf dem Gemüsemarkt, beim Einkaufen einer Mahlzeit. – Er will mit Mariquita eine Reise machen nach dem Hause der Witwe; dazu kommt es nicht mehr nach langen Komplikationen. Sie will kein Mal wieder mit ihm nach demselben Ort, wo sie das frühere Mal zusammen waren. Dadurch trennt sie das Gewebe jedesmal wieder auf. – Andreas, »wenn ich nur um deine Einsamkeit wüßte? wie bist du denn da?«

Mariquita fragt gerne Andreas über den Malteser aus, es ist fast, als schwanke sie manchmal zwischen beiden; »was würde er da sagen oder tun? ah, ist er so? – bewundern Sie ihn sehr? würde er mich mögen?«
Mariquita sieht den Malteser, während er mit Maria verliebt und bewegt spricht. Sie (ihr Widerstrebendes) hindert Maria, den Malteser wahrhaft zu lieben.
Mariquita behauptet, alles von der Gräfin zu wissen, bis in ihr erstes Lebensjahr zurück; so erzählt sie einen Teil der Biographie, – nie ihre eigene. Andreas fragt, »und was war mit dir, wie du Kind warst?«
Mariquita, einmal durch einen Schrecken ohnmächtig geworden, verwandelt sich in Maria, – bei dem Sturmabenteuer, am Quai, in einem fremden Hause, wo er sie hineingetragen hat. Sie war an diesem Tage müde, unausgeschlafen; ein schöner Sonnenuntergang, dann Gewitter.

Geschichte Marias: nach maßloser Liebe verlassen. heiratet einen ungeliebten Mann, der sie nur einmal besitzt; der wird schwer krank, sie pflegt ihn auf der Landstraße in einem Wirtshaus, – da kommt der Treulose ans Fenster. – Grundgedanke Marias: das Unendliche, – wie ist es möglich, einen mit einem anderen zu vertauschen.
Das Seelenleiden datiert von dem Tag, wo sie, ihren ungeliebten Mann pflegend, nach dem Tode ihres Kindes, des Geliebten, Ungetreuen unerwartet ansichtig wurde. »Mich hat das Leben auseinandergerissen, nur Gott im Himmel kann mich wieder zusammensetzen.«
Das Erlebnis: sie beantwortet allmählich doch einige Briefe des Liebhabers, geht darauf ein, ihm einmal zu begegnen. Sie denkt dabei nicht über die Wollust des Begegnens hinaus, – in diese aber stürzt sie sich hinein ohne Grenzen: es ist ihr anders als jenes häufige ihn vorbeigehen Sehen, die Begegnung ist ihr wie das Plastische gegenüber dem Visuellen, ein Mehr. Dagegen wird ihr der Mann immer mehr flächenhaft. Kurz vor jener Begegnung hält sie inne, kehrt um, geht nach Hause. Ihr ist, als säße der Mann an ihrem Stickrahmen, wartete auf sie, träfe sie mit seinem Blick. Wie sie nach Hause geht,

fühlt sie den Liebhaber sich im Rücken, wendet sich aber nicht, hat die Kraft, bis an die Schwelle zu kommen. Sie geht die Treppe hinauf, öffnet die Tür, da sitzt der Mann wirklich am Stickrahmen, den Blick auf sie, aber tot.
In der Ehe hatte sie eine Anwandlung vom Absterben des Wertgefühls. Die Gräfin einmal allein, sieht im Spiegel, wie sie sich verwandelt, nachdem alles in ihren Gedanken (Vergangenheit, Gott, Reinheit) ein anderes Gesicht angenommen hat. Der gequälte Ausdruck in ihrem Gesicht kämpft mit dem triumphierenden, dann erhebt sich Mariquita und schleicht die Treppe hinab.
Einmal während Maria zu Andreas und dem Malteser spricht (von spanischen Titeln und Sukzessionen, bewußt langweilig, weil sie sich nicht erregen *will*) verliert sie sich: das andere Gesicht tritt hervor, sie spricht in einem ganz anderen Ton, ihre Augen schwimmen, ein feuriger Blick trifft Andreas, – dann ist es wieder vorbei, sie wird totenblaß, findet mühsam den Faden. Während dieses Aufglühens sagt sich Andreas, »ich bin besessen, meine Einbildungskraft spiegelt mir die andere vor«, – er wird rot vor Scham und hat Tränen in den Augen. – Auf die Gleichheit der Hände gestattet sich Andreas nicht einzugehen: er will einen Unterschied finden.
In Maria subliminares Grauen vor allem auf der Gasse sich Zutragenden, zunehmende Unlust, auszufahren, die der Malteser zu bekämpfen sucht. Purifikation, Einäscherung des Herzens, Verherrlichung der Abtötung, Interesse für den Platonismus des Maltesers, Neigung zum Molinismus.
Die Predigt, die sie an diesem Nachmittag gehört hat über die Tätigkeit der Würmer am menschlichen Leichnam und gleichzeitig das Vergessenwerden auch von den nächsten Angehörigen; wie dagegen keine Rettung sei, als bei Gott.
Beichtvater: Spanier. zu diesem hat Mariquita ein sonderbares Verhältnis, sie schreibt auch an ihn, sie droht ihm, Maria auf einen anderen Weg zu bringen. Sie widersteht seinem Blick. – Starke Wünsche von Mariquita empfindet Maria als Impulse.
Mariquita über Maria: sie wollte keine rechte Frau sein, – wollte nicht Christus vergessen.

Andreas – Maria: es kommt bis zum Mieten eines Zimmers; seine Furcht davor, sie zu besitzen, – ihm selbst unbewußt. – Maria fühlt sich durch eine Stimme gewarnt, spricht tonlos nach, was vermeintlich die Stimme ihr vorsagt, »tus nicht, tus nicht.«
Geständnisse der Kranken (scheinbar fiebernd, doch fiebert sie nicht), wie Mariquita ihr die Füße vom Leib gehauen und sie versteckt habe. – Andreas stürzt bei der Erzählung aus dem Zimmer. Er bekommt jetzt unaufhörlich Briefe von den beiden. Schließlich geht die Dame ins Kloster.

Der Malteser. – Er bewegt sich in einer Zeit, die nicht völlig Gegenwart, und an einem Ort, der nicht völlig das Hier ist. – Für ihn Venedig Fusion der Antike und des Orients, Unmöglichkeit, von hier ins Kleinliche, Nichtige zurückzusinken. Morosin Peloponnesiaco sein Urgroßvater. Besitz einiger Antiken, darunter ein früher Torso.
Mehrere Menschen in ihm: wenn er Gärtnerei treibt, draußen an der Brenta, in Hemdärmeln, bürgerlich 1840 anticipiert; die Ahnung für Andreas, wie auch seine eigenen Enkel existieren werden.
Verbundenheit. Alleinsein mit dem Kind, Aufschauen des Kindes, »aus der Substanz, die ich nicht suchen darf – denn ich habe sie –, bauen sich alle Himmel und Höllen aller Religionen auf, – deren Wegwerfen die finsterste Nacht wäre. – Der Blick des Kindes verbindet mich, die Worte in meinem Mund, mit diesen Mauern, deren Schutz und dem Selbstverständlichen.« – »Impavidum ferient ruinae« – eine Interpretation, ein Hinaufrufen innerer Kräfte, sich-Besinnen auf Ressourcen, nur das Kataklysma offenbart höchste Wollust.
Sacramozos zwei Träume in der Amtsstube in Bruneck am Schreibtisch. I) Er wohnt allein im Schloß. Hahnenschrei, ein zweiter, ein Läuten. Er steht auf, bloßfüßig, fühlt durch die Fußsohlen alles bis hinunter in den Berg. Die Müllerstochter am Tor, macht Feuer an, tränkt das Vieh im Rittersaal, – lauter symbolische Zeremonien. Er vermählt sie dann in der Laube mit seinem Sohn. Gegenüber aus der Bergwand treten silberne Ahnen, so schön, daß er träumend ausruft: ich träume. –

II) Alles zweideutig: er ist Landpfleger, aber niemand darf es wissen. Im Hausflur ein Feuer, Mägde: an die Wand gekettet der Gefangene. Verleugnen. Jedesmal dazwischen durchfliegt er die Landschaft: Bäche, Friedhöfe, – dahin, dorthin. Schon matten Fluges glaubt er, muß er finden, wer der andere ist, – es ist wie ein verlegter Schlüssel. Der Gefangene, »kennst du mich denn?« – nun kräht der Hahn. Er weiß, es ist zum dritten Mal, und weiß, er hat seinen Heiland verraten. – Der wirkliche Pfleger herantretend, »ich muß Ihnen die seltsamste Begebenheit erzählen: der Graf von Welsberg ist zurück aus dem Türkenkrieg.« – man glaubte ihn bei der Veteranischen Höhle gefangen, geköpft von Janitscharen.
Seine Hypochondrie, unsagbare Abhängigkeit von der Luftbeschaffenheit; sein Hochmut diesen Dingen gegenüber, Verschlossenheit. – Antipathie gegen rohes Geschrei, Hundegebell.
Das Streben nach Vollkommenheit muß fromm machen. Seine Erklärung, was ihn gelehrt habe, das sinnlich Vollkommene, obwohl er dafür sensibel sei, gering zu achten (– jenes sinnlich Vollkommene, wie es sich beim Veronese im Verhalten eines vollkommenen Weiß zu einer entblößten Kehle ausspricht, desgleichen beim Correggio) –: der Zustand des Verfalls von Venedig hat ihn die Eitelkeit aller Dinge gelehrt.
Perfektomanie: Ausdenken prunkvoller Feste führt dazu, kein Fest vollkommen zu finden als das Begräbnis eines Kartäusermönches.
Sein Schlüssel, daß er die Gesinnung der Menschen zu durchschauen vermag, die Natur: wie für einen Frommen alles abgetan ist, wenn er den andern gottlos weiß, unfähig Gott zu suchen, so ist bei ihm alles erledigt, wo er kein unbeteiligtes und einheitliches Streben nach oben fühlt; er hält sich an das was er das Menschliche nennt, er durchblickt mit Raschheit das nur Partielle – »was nützt ein verworrenes Bestreben, eine vereinzelte gute Eigenschaft? – das Faß der Danaiden, das Rad des Sisyphus halt ich mir vom Leibe.«
Sacramozos Interpretation des Schriftwortes »suchet erst das Reich Gottes, und alles andere wird euch zugegeben werden«

– hier in den Geschöpfen sucht er das Reich Gottes. »das Ergon«, sagt die Fama, »ist die Heiligung des inneren Menschen, die Goldmacherkunst ist das Parergon« – solve et coagula. das universelle Bindemittel: Gluten; das universelle Lösemittel: Alkahest; – in der Liebe ist beides. In der Liebe: immer sublimieren, verflüchtigen, das Leben, den Moment aufopfern für das daraus herzustellende Höhere, Reinere, – dieses Höhere, Reinere zu fixieren suchen.
Malteser, ein Motto: »le plus grand plaisir de tous les plaisirs est de sortir de soi-même« in »Amours d'Eumène et de Flora« (bei v. Waldberg, »Geschichte des Romans«). Die ganz schlimme Stimmung, die bei ihm einer Krise vorausgeht, er ist dann ganz unangenehm, eigentlich unausstehlich, sogar unhöflich. Der Blick der Verachtung auf alles, auch auf Andreas, der vernichtende Spott über Andreas: er annulliert ihn förmlich (sowie sich selber); die verzehrende Ironie und quälende Unruhe, die ihn umhertreibt. In einem solchen Zustand coinzidiert seine Krise mit einer entscheidenden Krise von Maria: Mariquita spricht plötzlich zu ihm, verhöhnt ihn. Er läuft fort, hat eine Krise tiefster Selbsterniedrigung, aus der er sich zur höchsten Reinheit und freudigen Überwindung erhebt. Vorher läuft er an verschiedene Orte (auch zu Nina), wo er Rückschläge und Demütigungen erleidet. – »Wie kann«, fragt er sich, »aus der unwerten Substanz die würdige Substanz werden, aus dem Chamäleon der Adler, aus dem Unflat der Edelstein?«
Malteser: der völlige Zusammenbruch des Mannes von vierzig Jahren. Er kann nicht mehr erwarten, daß noch Aufklärung, rettende Offenbarungen kommen, und kann nicht bei den älteren als er selbst ressourcen vermuten, die ihm vorbehalten sind; er darf niemandem bittend, zutraulich-schülerhaft nahen; an ihm ist das der Erlösung Fähige sein *Werk* (der junge Mann da vor ihm) – Er ist selber die oberste Instanz; im Leben steht er nicht mehr mit Neugierde, sehr viele Verhältnisse sind nicht mehr möglich. Dies alles erkannt, hypochondrisch gesteigert; er findet sich nicht recht drein in dem Alter, das er wirklich hat. Zu der Gräfin steht er schülerhaft, diese Aufgabe geht über seine Kräfte: alles was er ihr tut, ist ein

Schein-Tun; furchtbarste Zweifel hier, die jedesmal abzubrechen und im Tun fortzufahren er den Anstand hat. – Sein Schatz: das Wissen um die Einzigkeit. Das ist der heroischeste aller menschlichen Zustände (siehe Friedrich II.).
Wer könnte ihn maßlos weinend, maßlos werbend denken? – ihm fehlt jener Beisatz von Schauspielerwesen, der dem Priester, dem Propheten nötig, ohne den dieser nicht bestehen kann. Wie überhaupt jede Kraft zu ihrer Existenz den in ihr latenten Gegensatz zu sich selber nötig hat; der unsagbare Reiz der Schamhaften, zu denken, wie sie die Scham überwinden, der Hochmütigen, Kühlen, sie sich erglühend vorzustellen. – So in jedem Reiz zum Nehmen der tiefe Anreiz zum Nichtnehmen (das Geheimnis in Grillparzers Verhältnis zu Kathi) – die Zweiheit Person geworden in Maria und Mariquita. – Mit Aufschlüssen ähnlicher Art verwirrt Sacramozo gelegentlich Andreas, so einmal nach einem gemeinsamen Ausgehen (Souper, Casino), wo Sacramozo viele Leute begrüßte.
Sacramozos Form zu erzählen, – anstatt, »ich war einmal in Japan mit Pilgern...« sagt er, »gehen Sie nach Japan; Sie werden drei, fünf Tage mit einem Pilgerzug wandern... – die Frage ist, ob Sie die Sonne werden rein aufgehen sehen...«
Malteser: »beachten Sie, daß jeder an dem andern nur das ihm selbst Gemäße eigentlich gewahr wird; wir formen rings Statuen nach unseren Maßen. Problem: worin liegt Vereinigung mit einem Wesen? im Erkennen? im Besitz? im Ansprechen?...« (Hauch indischer Spekulation).
Malteser zu Andreas, »weiß denn ein junger Mensch, was er fordert, was er sich wünscht?« – »die vielen Beziehungen, – und ob sie zu etwas führen, – hiezu bedarf es einer Führung von oben.« – Malteser hat den Begriff der Gewalt inne, den Andreas erst erwerben muß.
Der Malteser und Andreas – verglichen. – Andreas: Autoritätsglaube durch und durch bis ins Äußerste des peripherischen Daseins verästelt, daß er alles, was er erlebt, analog einem Eigentlichen, aber diesem nicht identisch, empfindet, so auch sein Tun –: wo anders sind die richtig Tuenden; ihm eigen seine Hemmungen, ihm eigen die Naivetät dem Leben gegenüber. Malteser: zweifelt nicht an sich, sondern an sei-

nem Schicksal. Er hatte im Genuß, im Leiden das Ganze, Zweiseitige beisammen, aber alles blieb ihm partiell, wogegen Andreas die Ahnung hat, wie alles zusammenkommt, nur nicht the grasp to get it. Malteser weiß: mein Befehl ist Befehl, mein Lächeln hat werbende Kraft im allgemeinen, – aber was nützt es en somme? – beim Malteser nicht das Flakkernde, wie bei Andreas, nicht die Zweifel, Anwandlungen, nicht der »schlechte Film« – er ist der Resultate sicher, aber er kann leicht mit ihnen im luftleeren Raum sich finden: »eh bien? was weiter?« sagt der Doppelgänger, »aha! na ja, was weiter!«
Andreas' aufdämmernder Gedanke, daß für den Malteser, der mit jedem Menschen zu reden weiß, vor dem sich alle Schranken öffnen, es doch auch *eine* Hemmung gibt. Dieser Gedanke hat fast etwas zu Tränen Rührendes für ihn.
Die Briefsache. Kapitel V. – Zorzi, »hier hat der Malteser einen Brief liegen lassen.« Andreas, »lassen Sie mich ihn zurückgeben« – fast als hätte es seine Zunge selbstmächtig gesagt; ihm lag unendlich an der Erfüllung dieser Bitte. Läuft nach. Malteser steckt ihn ein, unvergeßlicher hastiger Gang. Malteser kommt nach ein paar Minuten, »Sie irren, der Brief gehört nicht mir.« – Andreas, »bestimmt mir nicht.« – Kapitel VI. nach paar Tagen: Malteser fährt ihm nach, »ich muß Sie bitten, mir zu sagen, was Sie bewegen konnte, mir damals jenen Brief zu geben. Es gibt Zusammenhänge, die einen nicht ruhen lassen. Der gefaltete Brief hatte außen eine andere Schrift als innen; ich glaubte, er gehörte mir« – er errötete bei dieser Rede; Andreas schwört sich, die Worte ›schön‹ und ›häßlich‹ mit Vorsicht zu gebrauchen.
Malteser winkt einer Gondel, um den Brief zu lesen, fängt an, indessen der Gondolier die Gondel richtet, vergißt einzusteigen. Der Gondolier wagt nicht, ihn aufmerksam zu machen. Er steht schnell auf und steckt schnell den Brief ein. Steigt ein, versucht über den Brief hinwegzukommen. Begeht einige Irrtümer in Wohnungen, fühlt sich dann maßlos unheimlich in der eigenen Wohnung, will den Brief verbrennen. – Ahnung des Todes durch diesen Brief.
Er glaubt, daß der eine oder der andere seiner beiden Diener

den Brief weggeschafft haben muß, – aus welchem Grunde etwa? der Alte, um ihn zu schützen? der Junge, um den Alten zu schädigen? – Endlich findet er den Brief, überlistet ihn. er findet ihn unter Reiseaufzeichnungen, wohin seine Hand ihn schlafwandelnd gelegt, an einer besonderen Stelle, bei einer Aufzeichnung bedeutungsvoller Art aus Japan. – Sein Grad des Mitgefühls und dadurch Verstehens seiner beiden Diener. Es ist ihm unmöglich, den älteren Diener, bei dem Verwandtenbesuch ist, zu stören; deshalb ist er die vordere Treppe hinaufgegangen, fällt ihm dann ein. Er denkt selbst darüber nach, seine Diener in Japan fallen ihm dabei ein, wo er ihrer vierzehn hatte, Männer und Frauen. Er bemerkt flüchtig, daß er in sich eine ganze Gedankenkette ausbildet, die sich ständig mit diesem Diener beschäftigt. – sein alter Diener: zwischen ihm und dem Diener stimmt es nie. der junge Diener, der mit dem alten immer im Streit liegt. – Der Malteser sperrt den Brief ein und sucht ihn gleich darauf.
Nach dem Brief: der Malteser sucht seinen inneren Aufruhr durch Vernunft zu durchblicken, die entfesselten Assoziationen (nach Lockes System) zu ordnen; er offenbart in sich selber Courtoisie, Grazie, Schamhaftigkeit. Die unerschöpflichen inneren Kräfte, – vertrauensvoll – Engelsscharen, die er heraufruft. Eines Menschen ganzes Wesen muß bei einem solchen Kampf mit innerer Zerrüttung an den Tag kommen: die gewohnten Bahnungen, die Lieblingsassoziationen. – Subtile Assoziation an eine Reiseerinnerung: Wallfahrt mit Japanern, Gewahrwerden des Lichtes. Er hatte sich vorgenommen, jeden Tag das Kommen der Sonne zu feiern, – warum kann er es nicht immer feiern? – er versucht jetzt die Assoziationen auf etwas Hohes und Reines hinaus zu ordnen, er weiß, daß nur Unzulänglichkeit dem Kosmos entgegensteht. Er kniet nieder, betet zu dem höchsten Wesen. Das Chaos, der Tod weht ihn an, dem Erliegen nah gleicht er dem zarten Knaben, der er war, mit einer fliegenden Röte auf den Wangen.

Eine Begegnung zwischen dem Malteser und Andreas auf einem vor Anker liegenden Schiff. Einladungen ziemlich geheimnisvoll durch den Kapitän. Courtisanen, auch eine völlig verschleierte (Mariquita). Sacramozo sichtlich verlegen gemacht durch die Verschleierte; er führt zwar mit Sicherheit die Konversation, ihn interessiert sehr ein Inder, der teilnimmt, aber abseits ißt. – Alles auf Mariquitas Betreiben, »ich wollte euch einmal miteinander sehen«. Dies ist das einzige Mal, wo Mariquita und Sacramozo zusammen sind. Beim Nachhausefahren sprechen sie nichts über die ganze Sache, nichts über die Einladung. Andreas fühlt, daß der Malteser es für möglich hält, es könne die Gräfin gewesen sein. Ihr Gespräch dreht sich um Schicksal und Tod. In dieser Nacht zum ersten Mal lädt Sacramozo den Andreas ein, ihn zu besuchen.

Das Fest: eine feierlich symbolische Veranstaltung, Andreas' Einweihung. Es bleibt geheim, in welcher Gestalt Sacramozo selbst an dem Feste teilgenommen habe. Anklang Verhältnis Hafis zu dem Knaben-Schenken, den er aus Flammen seiner Liebe zu Suleika heraus beglückt. – Mittelpunkt des Festes eine Art Begegnung von Maria und Mariquita oder Transmutation von Maria, die im magnetischen Schlaf hereingebracht wird: es geht schlimm aus.

Dem Malteser vorschwebend: »der größte Zauberer ist der, welcher sich zugleich selbst zu bezaubern vermöchte.« [Novalis] Dies als Ziel, da ihn bedroht: Verworrenheit, nicht mehr Verstehen des Nächsten, Verlieren der Welt und seiner selbst, – dies alles in seinem Verhältnis zu Maria. – Maria nährt aber zugleich unwillkürlich in ihm das Wissen jener anderen Seite der Welt, – nämlich Mariquita hat es sich vorgesetzt, dadurch den Malteser von Maria wegzulocken, daß sie ihn die Seite von Maria ahnen läßt, die Andreas zugekehrt ist. (Dieses Spiel hält sie vor Andreas durchaus verborgen) Denn Mariquita fürchtet den Malteser als den stärksten Halt Marias im Leben.

Malteser: »eigentlich weiß man nur, wenn man wenig weiß; mit dem Wissen wächst der Zweifel« (Goethe) – »es gibt Menschen, die ihr Gleiches lieben und aufsuchen, und wieder solche, die ihr Gegenteil lieben und diesem nachgehen« (Goethe) – aber sind denn Menschen wie der Malteser in dem Falle, ein Gleiches und ein Gegenteil zu haben? – daß er alle Men-

schen nicht mehr versteht – (je weniger er versteht, desto mehr fühlt er, wie Andreas' Fühlen, Ahnen und Erkennen sich erweitert), – dem entgegen das arcanum: er hat einen gefunden, der liebend verstehen wird. So wird sein Rückzug lieblich, wie der in den Spiegel geht, sich mit seinem Bruder zu vereinigen. Der Kreis wird ihm bedeutungsvoll. Das Vorwalten des Kreises in den Werken und Aufzeichnungen Lionardos. – Wenn die Sonne tief steht, leben wir mehr in unserem Schatten als in uns selbst.
Das Allomatische; das Dürftige des irdischen Erlebnisses. An der Gräfin zieht ihn an, daß das Andere in ihr für sie so bedeutend sei, – er vermutet eine auf dem Weg der Verwandlung weit vorgeschrittene Seele. An Andreas ist ihm anziehend, daß dieser von den Andern so beeinflußbar, der andern Leben ist in ihm so rein und stark vorhanden, wie wenn man einen Tropfen Blutes oder ausgehauchte Luft eines andern in einer Glaskugel dem starken Feuer aussetzt, – so in Andreas die fremden Geschicke. Andreas ist wie der Kaufmannssohn [im »Märchen der 672. Nacht«]: der geometrische Ort fremder Geschicke. (Die Lucerna oder Lebenslampe: eine Kugel aus Alabaster, worin das Blut eines ferne Abwesenden, das durch Bewegungen und Leuchten anzeigt, wie es diesem ergehe, bei Unglück aufwallt oder finster glüht, beim Tode erlischt oder das Gefäß zersprengt).
Sacramozo und Andreas: das allmähliche an seine Stelle Setzen des andern; dies anknüpfend an Andreas' Widerwillen, sich des Erlebnisses mit Gotthilff immer wieder zu erinnern. Vor dem Zurückliegenden graust nur dem, der auf niedriger Stufe stehend annimmt, es hätte anders kommen können. »War ich, als jenes Wesen mich zuerst küßte, irgend einer, – so wird alles schal; war ich der Einzige (mit Anticipation aller Stunden bis zum Tode), so ist es erhaben.« Liebe ist Vorwegnahme des Endes im Anfang, daher Sieg über das Vergehen, über die Zeit, also über den Tod. – Bemerkung von Novalis über die mystischen Kräfte der Selbstschöpfung, die wir den Frauen zutrauen, daß wir ihnen zumuten, den ersten besten lieben zu können (Thema der »Sobeide« und auch des »Tor und Tod«) – Liebe ist die Anziehung, welche jene belebten Gegenstände auf uns ausüben, mit denen wir zu operieren be-

rufen sind. Operieren heißt, einen belebten Organismus durch Verwandlung zur Vollkommenheit führen. – in Bezug auf Maria: die Kraft finden, die Kette der Erlebnisse von sich aus als notwendig zu empfinden: egozentrisch der höheren Stufe.

Der Malteser hofft nicht mehr, mit Maria Kinder zu haben, Andreas könnte ihm ein ›Sohn ohne Mutter‹ werden.

Sacramozo sagt von Maria, »es bestand wohl die irdische Möglichkeit, daß sie sich mit mir vermählt hätte, aber nicht die höhere«. Für ihn ist Maria Mitarbeiterin durch die Lauterkeit ihres Wesens. Das Zusammenführende in ihm: er will Andreas und Maria zusammenführen. Diese sollen *jetzt* ein Paar sein, – dann die wiedergeborene Maria mit dem wiedergeborenen Sacramozo (in welchem auch Andreas ist) – Er muß die Wahrheit wissen: so weiß er das Leben Marias, – aber von Wert für ihn ist nur das Lebensgeheimnis jedes Wesens. Da nun das Leben an der Oberfläche und in der Tiefe ist, so kann das Lebensgeheimnis nur durch die Vereinigung beider erfaßt werden.

In allem mag er es versehen haben, seine Haltung rechtfertigt ihn. – Selbstgenuß, höchster, reinster, – Sacramozo sucht ihn: die Vereinigung mit sich selbst, Identität, völlige Übereinstimmung von Sich-Wollen und Sich-Wissen. Er sucht diesen Zustand Andreas zu vermitteln; diesem hilft die Liebe. Die Gräfin ist dieses Zustandes, freilich aus pathologischen Ursachen, teilhaftig: jeder Anstoß, der von Mariquita ausgeht, ist für Maria durchtränkt von der Atmosphäre der in Geheimniszustand erhobenen Selbstheit, – ebenso ist Maria für Mariquita das einzig Erlebenswerte (sie liebt und haßt sie).

Marias Geständnis, welche Wollust sie aus dem Versinken in die »andere«, ja aus dem bloßen Anklingen dieses Zustandes schöpfe (das erstere ist ihr eine mit Grauen gemischte Wollust, – daß ihr dies das Leben des Lebens sei, ja daß jede Süßigkeit, jedes Vorgefühl der Vereinigung mit Gott sie in diesen Zustand hinüberzuführen drohe. (Gespräch mit dem spanischen Beichtvater hierüber, unter Selbstvorwürfen. Sie fühlt sich verantwortlich für mehr als sich selbst. Der Jesuit beruhigt sie.)

ad Sacramozo: »quod petis in te est, ne quaesiveris extra« – Herr unseres Selbst sein, hieße alles, auch das Subliminare, präsent haben.
Ein Wesen mit stärkster Präsenz kann nie Furcht empfinden, außer in der realen Gefahr, weil Furcht immer sonst etwas Eingezwängtes, nicht Präsentes voraussetzt.
Magier, der ein unsichtbares Glied zu regen meint. Was ist dies, als seinen Willen spüren, sich zusehend als einen Wollenden spüren, nicht in der Materie (wie Napoleon), sondern im Geist.
Sacramozo: »das heiligste Verhältnis ist das zwischen der Erscheinung und der Wesenheit, – und wie unablässig wird es verletzt! man kann denken, Gott habe es unter Stacheln und Dornen verborgen. – Wir besitzen ein Arsenal von Wahrheiten, welches stark genug wäre, die Welt in einen Sternennebel zurückzuverwandeln, aber es ist jedes Arkanum im eisernen Tiegel verschlossen, – durch unsere Starrheit und Dummheit, unsere Vorurteile, unsere Unfähigkeit, das Einmalige zu fassen.«
Der Malteser und die Welt: zu denken, daß Alles, Alles verhüllt ist. Das verschleierte Bild von Sais steht überall. sein brennendes Verlangen nach der Reinheit aller Dinge.
Sein anderes Gesicht, das nur er sieht: so kindisch, auch schwach, unzulänglich. möchte sich aus dem Dasein wegwischen. fühlt sich von Maria geprüft, durchschaut. Ihre Hemmung, – darin sieht er seine Unzulänglichkeit. Einsamkeit und Vermischung mit den Menschen sind eins.
Die Antinomie von Sein und Haben: für ihn im Geistigen, wo es sich um Führerschaft, Auserwählung handelt, wie für Andreas im Menschlichen. Seine große Liebe zu einer der schönsten Frauen, die er besaß.
In Sacramozo fester und fester der Glaube, sein Scheindasein als Sacramozo hindere die letzte Entfaltung von Andreas zum kühnen Liebenden, von Maria, um die er das »Andere« wie eine Aura herumschweben sieht, zur seligen Geliebten.
Malteser: »knien? – wie einer kniet, um von einem göttergleichen verehrten Lehrer Belehrung zu empfangen, – diese Gebärde, ich werde gestorben sein, ohne sie auf meinem Lebensweg gefunden zu haben. Wird dieser Junge der sein, der

zu knien vermag?« – er führt die Figur durch alle Situationen durch, die ihm den Weltinhalt erschöpfen. »und werde ich den Weg finden, er zu sein? – dies nicht, indem ich seine Unzulänglichkeit umgehe, sondern indem ich sie absorbiere.«
Über das Sterben: »aus dem Theater fort müssen, bevor der Vorhang einmal aufgegangen war.«
Die angestrebte Auflösung ist die Beruhigung über das eigene Sein, über Groß oder Klein, Beschränkt oder Mächtig, Aufgenommen oder Ausgeschlossen, – worin zugleich die Beruhigung über die eigene Lebenszeit und die Zeitepochen und das symbolisch-Sehen, auch die Beruhigung über das Dasein der Armen und Elenden.
Der Malteser groß in seinem allseitigen Unterliegen, ein Wesen, das um sein Schicksal ringt: er findet in Andreas' Vereinigung mit der verwandelten Maria alles in einem: Glaube, Liebe, Erfüllung.
Andreas, vor dem Bett, worin die Leiche Sacramozos ruht, muß ahnen, jener könne in einem höchsten Sinn recht gehabt haben.

Andreas. – Resultat des venezianischen Aufenthaltes: er fühlt mit Schaudern, daß er in die eingeschränkte Wiener Existenz gar nicht zurück kann, er ist ihr entwachsen. Aber der gewonnene Zustand beängstigt ihn mehr als er ihn erfreut, es scheint ihm ein Zustand, in welchem nichts bedingt, nichts erschwert, dadurch aber auch nichts vorhanden ist. Alles erinnert nur an Verhältnisse, es sind keine. Alles ist schon vorgekostet, nirgends ist etwas zu suchen, dadurch kann auch nichts gefunden werden. – Gedanke, ob sich diese Steinchen im Kaleidoskop neu ordnen können. Neidvolles Zurückdenken an die Ausfahrt des Großvaters donauabwärts, die ersten Stellen, Erfolg durch Gesundheit und Mut, Frömmigkeit, Treue, dabei eine gewisse gesunde Selbstsucht und Schlauheit.
Andreas' Rückreise. – Er war, was er sein konnte und doch niemals, kaum jemals war. Er sieht den Himmel, kleine Wölkchen über einem Walde, er sieht die Schönheit, wird gerührt, – aber ohne das Gefühl des Selbst, auf welchem, wie auf einem Smaragd, die Welt ruhen muß; – mit Romana, sagt er sich, könnte es sein Himmel sein.

ZU ›ANDREAS‹

DAS LEBEN DES HERRN VON FERSCHENGELDER

Brief (nach der Werbung)

Hier das Leben des Herrn von Ferschengelder und seine unglückliche Ehe mit Fräulein della Spina eingeflochten, aus Aufzeichnungen und Briefen zusammengestellt. Diese Sache bouleversiert den Schreiber, er sieht in dem brutalen dumpfen Ahnen einen Vorgänger der eigenen gefährlichen Begehrlichkeit. Daß die Frau von Ferschengelder dann eine große unglückliche Liebende geworden und er ein Bauer (worin sich sein Enkel ihm so ähnlich fühlt) macht die Analogie umso ängstlicher. (Dies alles aus Erinnerungen an Erzählungen seines Vaters, der ein ausgezeichneter Anekdotenerzähler war.)

Das Leben des Herrn von Ferschengelder enthält: das Vorleben unter strengem Vater. Der vorgezogene Bruder. Die Bordellgeschichte. Geschichte seiner Brutalität im Schwimmbad. Daraufhin verlobt sich die della Spina mit ihm. Ihre vornehmen Verwandten. Don Leopold Lopresti. Ihr snobism. Die Oligarchie der 200 Familien deren Lakaien und fournisseurs alle andern sind. Esterhazy-Quinquin. – Der Ausflug nach Grinzing; der Bauer der ihn überrascht. Sie zieht den Degen. Er macht sich über den Bauer her, indess entläuft sie weinend mit aufgelöstem Haar in den Wald. Findet den jungen Grafen Belgiojoso mit seiner chaise, fährt mit ihm in die Stadt. Des Bauern Tochter mit dem rührenden Gesicht und leichtem Doppelkinn. Die Bitte des Herrn von Ferschengelder, ihm im Acker zu willen zu sein.
Der Schreiber sagt: Herr Gott, ich kann mir denken, was in ihm vorgegangen ist, als er in die della Spina verliebt war, ich kann es spüren: er wußte nicht mehr ob die Luft weich, ob das Salz salzig schmeckt, der Flieder riecht. Wenn sie Obst pflückte, sah er nur dann die Birn wenn er ihre Hand sah er hatte nur Durst wenn sie den Mund an den Bach gab, und das Unendliche ist erschöpft im Sel[igen] der beiden Gesichter, wenn sie sich küssen und er ihr Leben in seines saugt.

Der Entschluß zu der Heirat. Das mysteriöse Weben und Werden des Entschlusses. Ganz ähnlich dem geheimen Mut erheischenden Vorgang der Produktion: Wo du nicht vom kühnsten Wagen die Bahn vorgegraben dir siehst.

*

Die Ehe des Herrn von Ferschengelder.
er besucht dann öfter die Frau, die eine furchtbare Enttäuschung durchgemacht aber nur sich die Schuld gegeben hat und etwas wie eine gottleugnende Mystikerin geworden ist. So lebt er eigentlich mit den beiden Frauen.

NOTIZEN ZU DER ›REISE DES MALTESERS NACH PERSIEN‹

Malteser.

Ehrgeiz des Maltesers, an das sterbende Europa Asien neu heranzubringen. Venedig die Situation dazu. Gefahr die er in der heraufkommenden Epoche wittert: das Bedenkliche von Rousseau, das Gefährliche in den Briefen von Mirabeau.

Abreisend, ohne deutliches Motiv, hinterläßt er Andres die Aufzeichnungen über die persische Reise.

Orientreise des Maltesers. Ruinen von Persepolis. Origine de toutes les religions.

Armenier als Element.

Novelle von einem Schah – aus Chardin.

Persische Erzählung. (Im Roman eingeflochten?)

Der Herrscher: außerordentlichste Selbst-idolisation. Genie des Naturgenießens: Vögel Blumen Wasser, Frauen. Einmal tritt er an einen Juwelier, der Waren ausbreitet, heran, statt diesen zu sich zu winken. Er fühlt den Akt der Herablassung selbst mit außerordentlichem Staunen.
Ein Blütengarten mit blühenden Früchtetragenden Orangenbäumen.
Den Malteser mit dem Herrscher befreundet sein lassen. Gespräche. Er schenkt ihm eine Frau aus seinem Harem. Schreckliche Bestrafung eines Anderen der diese Gabe nicht nach Gebühr geehrt hat.

Eindruck der Erzählung auf M_{II}. Ihre Reflexionen darüber.

Anekdote von Maria Theresia als ganz junger Frau auf einer Reise durch die Lombardei Die Leichtigkeit wie ihr das Blut ins Gesicht stieg, wie ihr die Tränen und das Lachen kamen. Die Art zu Pferd zu steigen: sich dabei des Pferdes zu bemächtigen. Ihr Gesicht beim Hasardspiel. Ihr Geldverschenken.

Sagredos Empfang beim Schah.

conf. Loti: Empfang der Gesandtschaft in Fez durch den Sultan.

Sagredo: persische Reise.

Das die ganze Nacht währende Gespräch mit dem sterbenden Gesandten über den Sinn der Mission. Bei Sonnenaufgang Sagredos Entschluß, die Sache seinerseits durchzuführen (nachdem ihn der Gesandte beschworen hatte, nach Paris zurückzueilen u. eine neue Mission zu provozieren). Die Zwischengedanken des Sterbenden, von der Eitelkeit dieser Dinge; dann wieder höchstes Aufraffen, klarster Geist, schärfste Einsicht in die Folgen.

Blick des Sterbenden auf Sagredos Gesicht, wie ein Minos und Rhadamanthys.

Sagredo. So wie Ihr Niederösterreich muß Ihr Europa werden, ja die Welt! – Ich meine es wörtlich. Jedes Gebirge, jeder Flußlauf muß lieblich intim werden.

eigentliches Männerglück: gemeinsames Wirken.

Sagredo geboren: 1784
Persien 1810–12
Studien u. Beziehungen 1815–30.

Sagredo: Das Nicht-zusammenbinden-können der Zeitgenossen; daß man um in der Zeit zu wirken, über der Zeit leben müsse.

als Nachtrag zur »Erzählung«: die Gespräche mit dem Sultan, mit dem Juden, mit der schönen Sklavin. Über die Freundschaft, über die Grenzen, über Europa u. Asien – über Liebe u. Tod.

Die Erzählung vom Khalifen (Schah) N. (oder von der vertauschten Sklavin).
Der Malteser erzählt diese Geschichte auf dem Schiff, beim Nachtmahl.

Sein Charakter in der Erzählung herauskommend: das plötzliche Erkalten: die furchtbaren Anspannungen.

Mondnacht: so stark daß die Blätter grün nicht schwarz erscheinen.

Eigentümliches Verhältnis des Sultans zu ihm. Zum Schluß begnadigt ihn der Sultan in einem seltsamen Gespräch, bei dem der ungeheure Unterschied der Weltanschauungen (Asien u. Europa) zu Tage tritt – und schickt ihn heim. Neugier des Sultans auf ihn; plötzlicher Ekel.

Figuren: habsüchtiger Vessier – der französische Juwelier.
ein junger Jude –

ferner: die Erzählung vom Gatten Annas,
die Erzählung von der Heiligen,
die Erzählung von des Maltesers erster Geliebter –
die Geschichte von Andreas Oheimen.
von der Kaiserin M. Theresia als junger Frau (wie sie ein Pferd bändigte und einen Schmaus kochte).

In dem Verhältnis zu dem Sultan der Begriff der Freundschaft magisch beleuchtet.
ad Malteser Situation der Jesuiten um 1780.
Reise nach Norden mit Alfieri.

Der Sultan und der Malteser: Alles kommt zwischen ihnen zur Sprache. Im Sultan die ungeheure Neugier, den Gehalt von allem zu prüfen. Niedrige grobe Züge à la Vathek. Seine Art, Märchen zuzuhören, ganz verschieden, ob genießend, oder wie bei der »Messingstadt« oder »Schlangenkönigin« mit dem unbändigen: Ha, das muß ich sehen. Der Europäer ist ihm der Mensch der Grenzen. – Das Erproben der Freundschaft. – Dialoge darüber. Feuriges Erfassen des Platon. (Manuskripte bei einem alten Juden.) Wo sind die Grenzen der Freundschaft? Durch welche Belastung wird sie zerstört? Was ist ihre Wesenheit: als ein Hochgefühl ist sie nur so lange existent, als sie magische Kräfte verleiht.
Er kommt in diesen Definitionen nahe dem Mystizismus. Hier zieht er immer die Schranke: Gott bleibe aus dem Spiel.
Liebe. Er kennt die Fallstricke der Liebe: ihr Hinunterziehen. Er praktiziert schwarze Magie der Liebe nach einer Enttäuschung. Das ist jene Verschmähte ihn wahnsinnig Liebende

die er an den Feigen dahingibt, der nicht illuminiert. In diesem Moment, für ihn kritisch, erscheint der Malteser am Hofe.

Erzählung vom Sultan.

Eigentümliche Inkonsequenz im Charakter des Sultans, vermöge welcher er einerseits den Malteser bewundert (ihn im Diwan als das Freundesjuwel vorstellt) – andererseits ihm Fallen stellt, ihn vor niedrigen Vertrauten im Gespräch preisgibt, mit kalter Neugier ihn belauert. Es liegt in ihm, daß ein verschenktes Gut ihm, durch den Andern, zauberhaft wird – und wert, dann den Beschenkten zu töten.
(Dies die Beziehung der Anekdote zu den Zuhörern: Anna – Andreas, im Verhältnis zum Erzähler.) Der Sultan ist ein großer Verschenker gepaart mit einem großen Habsüchtigen.

Die furchtbare Strafe des unwürdig Beschenkten.

Tiefster Gehalt der »Erzählung«: Überspannung der zwischen Männern möglichen Beziehungen.
Kandaules-Gyges: vom Malteser dem Sultan erzählt.

persische Erzählungen.

Der Sultan. Die Abspannungen. Die Trunkenheit, Gefahr, ja Notwendigkeit, unters Vieh zu fallen, wenn man einen Mittelzustand ausschließt. Er kann weder sich bescheiden, noch warten. Rohheiten gegen den Arzt. China. Opium. Chinin. Zeremonial. Ethik. Dauer. Gespräch des Maltesers mit dem Arzt über die menschliche Natur.
Der Sultan sieht im Sinnlichen nur die Klaviatur: was er erreichen will, ist die Musik. Er beneidet Gefangene, Märtyrer.

Andreas, unterm Lesen der persischen Erzählung, geht das Licht aus. Er klopft beim Nachbar, eines auszuleihen.

(Erzählung des Maltesers)

In dem Sultan alle kühnsten u. ausschweifendsten Folgerungen der Ich-sucht. Die Kritik dieses Solipsismus versteht er gar nicht. – Ein Gran davon, von diesem wahren Wahnsinn ist in jedem Menschen –
Die Jüdin tief erkennend den contre-sens der individuellen Natur. Von ihrem Vater redend, einem Freigeist, der mit drei Frauen lebte; einem wahrhaft Maßlosen. Darum versteht sie die Maßlosigkeit des Sultans. – Ihre mystischen Folgerungen aus ihrer Weltauffassung. –

Zum contre-sens der menschlichen Natur: die Einsicht der Jüdin in die Unmöglichkeit, die Menschen u. die Völker zu versöhnen. – Dies die empfangenen Belehrungen wodurch der Malteser in solchem Kontrast zum facilen Zeitgeist. – Seine Einsicht in die Isoliertheit seiner geistigen Stellung. Gegensatz zu dem Sohn, der ganz Zeitgenosse.

Die Gebärde des Maltesers und die Gebärde des Königs: polar.

persische Erzählung.

Die jüdische Sklavin. Ihre Krankheit: Schwermut, die sie durch Scharfsinn vermehrt. Zu starkes Gefühl des Ich, fast bis zum Schwindel. Par contrecoup große Aufschwünge und Kühnheit darin: ungeheure Forderungen. Sie geht als Favoritin auf gespanntem Seil überm Abgrund. Sagt dem Sultan: sie habe ihn geliebt, das aber sei dahin, in den inneren Abgrund hineingestürzt.

Ein vorsichtiges Wort über den Sultan. Folgen. Unterirdischer Kerker. In einem Sack hinabgestürzt. Unten der Jude u. Kadaver. Anstrengung nicht ohnmächtig zu werden; stellt sich gegen die Wand. Wird es trotzdem. Findet sich am nächsten Morgen im Palast. Entschuldigungen. Strafe des anscheinend Schuldtragenden. Das Auge des Sultans beim Abschiednehmen.

ad persische Erzählung. Die Gestalt der Sklavin behandelt er in Annas Gegenwart sehr kurz. Dann, Andreas allein, erzählt er mehr von ihr, ihrem Geist, ihrer Schwermut, den Gesprächen, den wenigen Begegnungen.

Erzählung vom Sultan.

Die jüdische Sklavin liebt den Malteser ohne ihn zu kennen.

Gründe: 1° sie hat Gesprächen zugehört, die Art wie er den Sultan behandelt fasziniert sie.
2° er hat eine Grausamkeit gegen eine ihr nahestehende Person verhindert.
3° sie glaubt sich in einer gewissen Situation von ihm verschmäht.

Sagredo. Das persische Erlebnis. Die Jüdin.

Ihre Einsamkeit; und ihr Wissen um die Einsamkeit.

(Who knows what true loneliness is? not the conventional word – but the naked terror? To the lonely themselves it wears a mask. The most miserable outcast hugs some memory or some illusion. Now and then a fatal conjunction of events may lift the veil for an instant. For an instant only. No human being could bear a steady view of moral solitude without going mad.) Conrad: Under western eyes.

Sagredos Reise.

Sein Gefährte stirbt. Betragen des persischen Arztes.

Leah bestellt ihn zu sich während alle das Fest des Lauffers feiern.

Geschichte des Maltesers.

Sagredo geb. 1790.

Hingeschickt von Napoleon um eine bleibende Verbindung herzustellen. (1811-12)
Die Jüdin Leah, geb. 1790, Enkelin des jüdischen Urgroßvaters, des Juwelenhändlers.
Leah monogam, sucht dem König die Monogamie aufzulegen –
Leah. Ihre Belesenheit. Ihr Geiz: ihre Inventare. Ihre Steuereintreibung.

Sagredo und Leah.

Seine Entzückung im Anschauen ihrer Vollkommenheit. Daraus entspringt sein Begehren. –
Der König schenkt sie ihm, u. beginnt zugleich, ihn zu hassen.

Leah. Ihr Verhältnis zum Rumi.
" " zur Antike.

Ihre Belesenheit: Rousseau – Babeuf neben Dante, Averroes etc. Hierin sieht sie die Grundwelle: Aufsteigen des Unbewußten.

Anfang der Memoiren.
Ich habe einmal gelebt, vom 19. X^{ten} 1811 bis... 1812.

Gehalt: Überwindung des Individualismus, der sich als Übergangsphase entpuppt. Das Selbst ist der Wesenskern der mit dem All verbundenen Persönlichkeit.

Zwischen Sagredo u. dem Schah: Abyssus abyssum vocat.

ad Lea: Baalschem etc.
Purgatorio XXX.
G. Arnold: Sophia.

Leah.

Die Frau praedestiniert zur Herrscherin weil Herrschen durch Suggestion erfolgt u. der Frau die Voraussetzung der suggestiven Macht, das Hineindenken in Andere, geläufig. –

Leah: Und wenn die Worte der Tafeln zerbrochen sind, die Buchstaben leben weiter.

Lea. Die Sehnsucht nach dem Geheimnis des Ich.

»Sehnsucht kommt aus der Fülle; die Erfülltheit, die Ganzheit des Menschen hegt sie. Sie ist eine Spannung: eine Gewißheit, die ein Fragen, eine Habe die ein Suchen ist, ein Glück, welches dichtet; alles Glück dehnt sich zum Geheimnis hin: so hat der Mensch die Sehnsucht nach dem Geheimnis seines Ich.«
L. Baeck. (Die Ehe als Geheimnis u. Gebot.)

ibidem:
Der Untreue ist der Geheimnislose. Ihm offenbaren die Tatsachen seines Lebens nichts, nicht die eine, welche er empfangen u. nicht die andere, welche er bereitet hat.

ibidem:
Der Bruch der Ehe ist der Verrat des Geheimnisses an die Geheimnisse. Darum wird er den Propheten Israels ein Gleichnis für den Verrat gegen Gott. –

Leah.

Der Mensch, das Ebenbild des Ewigen, das ist: Mann und Frau – nicht der Mann ohne die Frau, u. nicht die Frau ohne den Mann, u. nicht beide, wenn Gott nicht wohnt, wo sie wohnen. (jüd. Weiser)

Leahs Kraft aus der Wollust verklärt aufzutauchen. (Seine rasenden Briefe u. Monologe im Kerker.) Ihr Ausdruck dann: das Unfaßliche dieses Ausdrucks. Aller Ausdruck im Menschen ist Ausdruck des Geheimnisses oder was dasselbe besagt des Unendlichen u. Ewigen (denn als Geheimnis tritt dies in uns ein).

PRINZ EUGEN DER EDLE RITTER

Die Heranwachsenden, und nicht nur sie, können in der Liebe zum Vaterland nicht bestehen ohne die Legende. Sie steht zwischen Geschichte und Poesie und in dieser Sphäre bleiben dem Volke und der Jugend die großen Gestalten der Geschichte lebendig. Instinkt und bewußter Wille halten bei allen Völkern die Überlieferungen dieser Art neben den wissenschaftlichen aufrecht. Anekdotenbücher, Kinderbücher, Bilderbücher über Friedrich den Großen sind ebenso leicht zu finden wie über Heinrich IV. oder Jeanne d'Arc, über Blücher, wie über Nelson oder Sir Francis Drake. Sehr überraschenderweise ist es kaum möglich, ein Bilderbuch zu finden, welches das Leben und die Taten unserer großen Kaiserin, das Leben und Sterben Andreas Hofers, die Schlacht und den Feldherrn von Aspern oder den von Novara und Mortara verherrlicht. Aus dieser Erwägung ist, ohne den vorhergehenden Auftrag des Verlegers, das vorliegende Buch entstanden. (Es erscheint in den nächsten Tagen bei L. W. Seidel & Sohn.) Sein Gegenstand ist die Legende vom Prinzen Eugen, dem größten Österreicher, in zwölf erzählten und gemalten Bildern. Auf den Einwand, daß die Wiege dieses größten Österreichers in fremdem Land gestanden, gibt die Geschichte, deren Verwirklichungen großartig und nicht simpel sind, die Antwort: Napoleon, das große Phänomen der neueren französischen Nationalgeschichte, war ein Italiener, der größte englische König, Wilhelm III., ein Holländer, und der zweitgrößte Beherrscher, den das russische Reich jemals hatte, eine deutsche Frau.

PRINZ EUGEN VON SAVOYEN KEHRT DEM FRANZÖSISCHEN KÖNIGSHOF DEN RÜCKEN

Prinz Eugenius von Savoyen, den das Lied den edlen Ritter nennt, ist auf fremder Erde aus fremdem, fürstlichem Blute entsprossen, an einem Österreich feindlichen Hofe in fremder Denkart aufgezogen worden, und nach menschlicher Voraussicht mußte es sein Beruf werden, gegen Habsburg Dienste zu tun, sei es als Krieger, sei es als Diplomat und Staatsmann, vielleicht in geistlichem Gewande. Es war anders über ihn bestimmt: seine Falkenaugen trugen ein Licht in sich von der aufgehenden Sonne, sein Lebenslauf ging nach Osten und Süden. So war ihm bestimmt, an die Gestade des gewaltigen Stromes zu kommen, an dem wir wohnen; und er mußte unsere Fahne mit dem doppelköpfigen Adler nach Osten und Süden tragen, und noch als er starb, hat er uns einen letzten Willen hinterlassen, der uns nach Osten und Süden weist, dort unsere Schickung zu erfüllen, die bei der Gründung des Heiligen Römischen Reiches Deutscher Nation durch Karl den Großen uns zugeteilt worden ist. Niemand hat klarer als er unseren Weg erkannt und niemand uns um unserer Schikkung willen tiefer geliebt, mit jener Liebe, die in Werken und nicht in Worten redet, als dieser Fremde, und darum führt er nach Gottes sichtbarem Willen den Namen des größten Österreichers. Er hat die Spur vorgegraben, die unbewußt alles wahre Wollen und Denken bei uns wieder geht: sie führen donauabwärts und führen übers Meer hinaus. Er hat Österreichs Heer geschaffen, das gleiche lebendige, vielsprachige, das heute in Litauen und Beßarabien, an der Save und am Isonzo kämpft und siegt, und hat mit ihm in sieben der folgenreichsten Schlachten seines Jahrhunderts den Sieg erfochten; und er wiederum hat eine Einigung mit Ungarn geahnt, wie sie nun wirklich geworden ist, da Tiroler-, Ungarn- und Kroatenblut am Isonzo fließt wie am Bug. Prinz Eugen verbrachte seine Jugend am Hofe des französischen Königs Ludwig XIV., bei dem sein Vater als Kommandant der Schweizergarde und Statthalter einer Provinz in Diensten stand. Als Eugen achtzehn Jahre alt war, ging er zu dem König und verlangte, er solle ihm eine Kompagnie Reiter geben, die wolle er befehligen und dem König damit nach den Kräften, die er in sich fühle, dienstbar sein. Aber weil Eugen von kleiner Gestalt und zartem Ansehen war, so hatte der König sein Gutdünken, er habe ein Geistlicher zu werden und kein Soldat. Danach schlug er die Bitte ab. Als man später den König fragte, warum er einem jungen Prinzen aus erlauchtem Hause eine so bescheidene und dringende Bitte nicht gewährt habe, sagte der König: »Die Bitte war bescheiden, aber der Bittsteller nicht, nie hat jemand gewagt, mir mit zwei Augen wie ein zorniger Sperber so ins Gesicht zu starren.« Als dies bekannt wurde, fragten den Prinzen seine Freunde, warum er dem König so unbescheiden ins Gesicht gesehen habe. »Sollte ich ihm nicht scharf ins Gesicht schauen«, gab Eugen zur Antwort, »da ich doch sehen mußte, ob er tauge, mein Herr zu sein oder nicht, und danach in einem Augenblicke für mein Leben mich entscheiden mußte. Nun weiß ich, daß er nicht taugt, so will ich denn nicht anders wie als Feind mit dem Degen in der Faust sein Land wieder betreten. Mir ist nicht bange, daß ich nicht in dieser Welt einen Herrn fände, dem ich mit Lust und in Treue dienen könne.« Er meinte aber den Kaiser Leopold, Römischen Kaiser Deutscher Nation aus dem Hause Österreich, von dem er viel vernommen hatte als von einem großmütigen und frommen Monarchen, und sogleich machte er sich auf und reiste an den Hof des Kaisers.

PRINZ EUGEN FICHT VOR WIEN IM KAISERLICHEN HEER UND HILFT DIE STADT BEFREIEN

Eugen fand den Kaiser nicht in seiner Residenzstadt Wien, denn diese war von einem ungeheueren Heere der Türken unter dem Großvezier Kara Mustapha belagert. Dies war das Jahr 1683, eines der dunkelsten und schicksalvollsten in Österreichs Geschichte, wie kein so dunkles und schicksalvolles wiedergekommen ist bis 1914. Im gleichen Augenblick war in Wien am kaiserlichen Hoflager die Unglücksbotschaft eingetroffen, daß sich Straßburg im Elsaß, die uralte freie

Reichsstadt, hatte den französischen Waffen ergeben und ihren ehrwürdigen Schlüssel einem Minister Ludwigs XIV. ausliefern müssen, als zugleich von Osten her die ungarischen Aufständischen, mit dem Türkensultan verbündet und vom französischen König mit Gold und Waffen unterstützt, durch die Pässe des Waagtales in Mähren eindrangen, türkische Reiter aber, Spahis und Tataren, in ungezählten Schwärmen von der Leitha bis zur March hinauf auftauchten, als Vorhut eines Heeres, wie es damals keine Macht der Welt außer den Türken aufstellen konnte. An die dreimalhunderttausend Mann führte Kara Mustapha herbei und ihnen hatte der kaiserliche Feldherr, Herzog Karl von Lothringen, kaum den zehnten Teil entgegenzustellen. So mußte er hinter die Donau zurück, mußte Wien, in das er eine Besatzung von zwölftausend Mann geworfen hatte, fürs nächste seinem Schicksal überlassen, um die Verstärkungen aus dem Reich und aus Polen abzuwarten. Da stand Nacht für Nacht um Wien ein Feuerkreis, der reichte von der Leitha bis Baden und Mödling und bis an den Kahlenberg. In dieses schreckensvolle Österreich hieß Eugens Schicksal ihn den Einzug halten. Zu Linz an der Donau hielt der Kaiser sein Hoflager. Eugen trat vor ihn, und als er seine Augen zu ihm erhoben hatte, wußte er auch, daß dieser der Herr sei, dem er mit ganzem Herzen dienen könne und für den er, tue es not, sein Leben lassen wolle, und ehrfurchtsvoll bat er, im kaiserlichen Heer Dienste nehmen zu dürfen. Der Kaiser nahm die Bitte des jungen fremden Prinzen gnädig auf und vertraute dem Neunzehnjährigen nicht bloß eine Kompagnie Reiter an, wie der König von Frankreich sie ihm abgeschlagen hatte, sondern ein schönes kaiserliches Dragonerregiment. Dieses Regimentes Inhaber war Eugen durch volle zweiundfünfzig Jahre; es ist das gleiche, das noch heute und auf ewige Zeiten seinen Namen führt, das Dreizehnte Dragonerregiment, das in diesem Kriege wiederum auf russischem und galizischem Boden besonders glorreiche Taten zu Pferde und zu Fuß, in der Attacke und in der Verteidigung vollbracht hat. In der großen Schlacht, durch welche Wien gerettet und das Türkenheer vernichtet wurde, ritt Eugen unter den Reiterscharen, die der Markgraf Ludwig von Baden führte, von den Abhängen des Kahlenberges herab auf den Feind ein, durchbrach die feindliche Aufstellung der Janitscharen, hieb Geschützmannschaften nieder und drang mit einer Handvoll Reitern gar in die türkischen Laufgräben bis dicht unter die Mauern der Stadt. Dann bahnte er sich eine Gasse zurück durch das Türkenlager und plötzlich zwischen brennenden Zelten und umgestürzten Pulverwagen, eingepferchten brüllenden Viehherden und flüchtenden Türken reckten sich Hände ihm entgegen, und unter dem fürchterlichen Schlachtenlärm drang das Ave Maria aus der Kehle von mehr als hundert knienden Menschen: das waren die weggeschleppten Greise, Frauen und Kinder von Perchtoldsdorf, denen der junge Oberst Prinz Eugen der Befreier wurde an diesem glorreichen Tage.

PRINZ EUGEN SIEGT BEI ZENTA ÜBER DEN SULTAN

Nun fluteten die Türken zurück und die kaiserliche Armee folgte in jahrelangen glorreichen Kämpfen immer tiefer nach Ungarn hinein und endlich über die Save ins eigentliche Türkenland. Da konnte Eugen zeigen, daß noch mehr in ihm steckte als ein tapferer Reiteroberst oder ein General über drei- oder viertausend Mann, daß ein großer Feldherr in ihm lebte, einer, der alles in seiner Seele vereinigte, was für dieses gewaltige Amt nottut: den Mut und die Vorsicht, die Wissenschaft und die Geistesgegenwart; einer, der das Gelände mit einem Adlerauge überschaut, die Massen gegeneinander abwiegt, den richtigen Augenblick wie mit zauberischer Witterung wahrnimmt und, wenn es nottut, die eigene Person für Hunderttausende in die Waagschale wirft und so das Gleichgewicht herstellt. Dieser Mann trat den Türken gegenüber, da war er wirklich der Herr des Feldes: wo er den Feind hinhaben wollte, dorthin lockte er ihn. Als ihm durch seine Späher und Kundschafter, deren er viele hatte und die er vortrefflich zu nutzen verstand, angesagt wurde, daß die Türken auf Schiffsbrücken über die Theiß zu gehen gedachten, da war er zur Stelle, nicht zu früh, daß sie hätten drüben bleiben und sich verschanzen können, nicht zu spät, daß sie alle auf dem diesseitigen Ufer vereint gewesen wären, sondern ganz genau zur richtigen Stunde, da packte er sie von vorn mit Fußvolk und ließ mit schwerem und leichtem Geschütz in die hineinarbeiten, die aus einem verschanzten Brückenkopfe hervorströmten, seitwärts aber, flußabwärts, erspähten seine scharfen Augen eine Furt, durch die schickte er Reiter und Fußvolk dem Türkenlager in die Flanke, den Pferden ging das Wasser bis an den Hals, die Fußgänger hängten sich an die Schweife und Mähnen, aber sie kamen durch und brachen von der unbewachten Seite ins Türkenlager ein: da gerieten auch die vorderen in Verwirrung und zumal die auf der Brükke, so schlug er sie aufs Haupt und warf ihrer fünfzehntausend in die Theiß, daß sie ertranken. Am anderen Ufer saß der Sultan in seinem Zelt bei der prächtigen Mahlzeit und hatte Musik, die spielte hinter dem Vorhang, und ehe die Mahlzeit vorbei war, meldeten ihm seine Vertrauten, der Flußübergang sei nun gelungen und drüben hülle eine Staubwolke alles ein, das beweise, wie mutig seine Janitscharen und seine tatarischen Reiter gegen den Feind losrückten, da lachte er und schloß die Augen im Vorgefühl seines großen Sieges und ließ die Ketten herbeibringen, zehn Wagen voll eiserner für die Mannschaft, silberne für die Generale und Obersten und eine dünne goldene für den kleinen kaiserlichen Feldmarschall. Indem fuhr ein mächtiger Windstoß daher und warf den Vorhang des Zeltes auf, die ungeheure Staubwolke am anderen Ufer tat ihre Flanke auf und zeigte die Türken, Reiterei und Fußvolk, in der Flucht, wie sie gegen das steile Ufer hingedrängt wurden und zu Tausenden hinabstürzten, da sprang der Sultan auf und wie ein Rasender schrie er auf, in das Geschrei seines geschlagenen Heeres und das Gebrüll der Geschütze hinein, er bleckte die Zähne gegen den Himmel und ihm war, als sehe er da einen riesigen doppelköpfigen Adler, der mit den Schwingen schlug, daß alle Türkenzelte zusammenstürzten, und aus seinen Fängen in einem fort Feuer auf das Türkenlager hinabwarf. Da verfluchte der Sultan sein Leben und mit dem goldenen Kettlein, das er in der Hand hatte, wollte er sich erwürgen. Die wenigen Getreuen, die er noch hatte, die liefen zu ihm, brachten ihn zu sich, warfen den Mantel eines Janitscharen über ihn und in dieser Verkleidung flohen sie mit ihm, vier Mann hoch, auf einsamen Wegen durch Sümpfe und über Berge ins Türkenland zurück.

PRINZ EUGEN BAUT SCHLÖSSER UND PALÄSTE

Über Wien südlich steigt eine sanfte Anhöhe auf: da ragte zu alten Römerzeiten die große Zitadelle Fabiana. Eben auf dieser Höhe ließ sich Eugen von einem der besten Baumeister seiner Zeit, mit Namen Lucas Hildebrand, seine Sommerresidenz, das Belvedere, erbauen. So stand auf dem alten Kriegshügel, von wo die römischen Adler gegen Osten Wacht gehalten hatten, wiederum das Gezelt eines Feldherrn: an dieses sollte nach des Baumeisters Willen der Palast gemahnen, wenngleich er aus Steinen aufgerichtet war anstatt aus Plachen und Stangen und mit Kupfer eingedeckt anstatt mit seidenen Teppichen wie jenes Zelt des Kara Mustapha, das die Wiener hatten der Löwelbastei gegenüber vor dreißig Jahren mit bebendem Herzen aufrichten sehen. Betrachtet man aber diesen leichten sommerlichen Bau genauer, so tritt jenes geahnte fürstliche Prunk- und Lustgezelt hervor, wie es vor der Seele des Baumeisters gestanden haben mag: in der Mitte das Hauptzelt, die beiden Flügel nochmals jeder in einem runden Zelt endend, von dessen leichtem vergoldetem Dach deutlich die Zeltschnüre mit Quasten als steinerne Ornamente herabhängen. Hier sollte der Feldherr eine kurze Ruhe finden zwischen Kriegszug und Kriegszug. Die Stadt seines Kaisers, dem er glorreich und gehorsam diente, sollte sich vor den Fenstern seines Ruhegemaches ausbreiten und der uralte ehrwürdige Dom zu ihm hinaufgrüßen. Das gewaltige Treppenhaus, die hellen Säle sollten von Bildern erfüllt sein, die seine Taten verherrlichten, von Statuen, die in ihrer allegorischen Sprache von seinem Ruhm und seiner Größe, seiner Weisheit und Bescheidenheit redeten: so wollte es der Geist jener Zeit, in der alles, was im Menschen und in der Welt vorging, zu bedeutungsvollen Bildern wurde, alle Bildwerke aber und noch die Ornamente im Knauf eines Schwertes oder in der Klinke einer Türe in einer geistigen Sprache redeten. Noch einen zweiten Palast besaß Eugen in Wien, seine Winterresidenz in der Himmelpfortgasse. Diese ist überreich geschmückt mit Statuen und halberhabenen Bildern: noch die Füllungen der Tore tragen schöne Bilder und alle stehen sie in Bezug untereinander und verherrlichen das Haus Savoyen, aus dem Eugen entsprossen war. In diesem Palast war auch die berühmte Bibliothek aufgestellt, an welcher Eugen durch Jahrzehnte gesammelt hatte. An sie reihte sich die Sammlung der Kupferstiche; hier hatte Eugen die Gesichter aller seiner merkwürdigen Zeitgenossen zusammengebracht, desgleichen der bedeutenden Männer aus früheren Zeiten, und sein Auge, das in den Zügen der Menschen zu lesen verstand, durchlief diese Sammlung wie die Seiten eines aufgeschlagenen Buches. Aber wie er in allem ein mächtiger und das Große wollender Mensch war, in seinen Taten und Entwürfen, in dem, was er von sich verlangte und was er für Österreich begehrte, so war er auch als Bauherr, und so war ihm an jenen beiden Palästen nicht genug, denn er baute nicht, um ein Haus zu haben, sondern um des Bauens willen und um seiner Natur zu genügen, die schöpferisch, nicht zerstörend war, und so ließ er noch am einsamen Ufer der March, gegen Osten gewendet, das schöne Schloß Hof errichten, er baute ein Schloß zu Petronell und eines zu Deven im Preßburgischen, und seine Schlösser zu Hainburg gestaltete er um und hinterließ der Reichshauptstadt wie dem flachen Lande die Denkmäler seines großen Sinnes in seinen Häusern wie in der Erinnerung seiner Taten.

EUGEN GIBT SEINEM VERWALTER EINE GUTE LEHRE

Der Prinz Eugen hatte eine eigene Art, Menschen anzusehen, die merkte sich der König Ludwig von Frankreich sein Leben lang, aber auch ein geringerer Mann: das war der Verwalter des Schlosses Hof an der March, das der Prinz Eugen gebaut hatte mit schönen Freitreppen und Terrassen bis an den Fluß hinab und mit Teichen und Springbrunnen, mit Stallungen für hundert Pferde und Bewohnung für eine Dienerschaft, wie sie einem großen Fürsten und Herrn ziemte. Diesen Bau betrieb er, als hätte er nichts anderes vor, wie dieses Schloß zu beziehen. Tausende arbeiteten bei Tag und sogar nachts beim Schein von Pechfackeln und mauerten die Terrassen auf und gruben die Wasserleitungen oder faßten die Teiche ein, und immer neue Partien von Arbeitern ließ der Prinz einstellen und hieß seinen Zahlmeister, auf die Kosten nicht achten. Damit hatte er aber ganz anderes im Auge als seine Bequemlichkeit oder daß er vor anderen großen Herren damit prunken wolle, wie schnell er ein Schloß aus dem Nichts hervorzaubern könne: sondern es war dieses Jahr ein Miß- und Notjahr im ganzen Marchfelde und nicht das erste, sondern schon das dritte solche, aber das bitterste, und da kam es dem Prinzen auf eines an: den Leuten Verdienst zu schaffen; darüber redete er aber zu niemandem. So wußte auch der Oberverwalter nicht, was der Prinz im Auge hatte, wenn er oft von Wien hinausgeritten kam und immer neue Arbeiten anbefahl, dort eine steingefaßte Auffahrt für sechsspännige Wagen, da eine haushohe Stützmauer gegen die Wasserseite hin, und befahl, man solle die Arbeiter einstellen, soviele ihrer nur zuströmten, von der Hainburger oder von der Mistelbacher Seite her oder auch von drüben aus dem Slowakischen. Eines Tages, als er wieder vom Pferde gestiegen war und sich vom Verwalter, der links und einen Schritt hinter ihm ging, über die Bauplätze und durch die Parkanlagen begleiten ließ, wo alles von Spaten klirrte und von Hämmern dröhnte, da sah er gleich, daß an einer Stelle, wo vergangene Woche ihrer fünfzehnhundert oder mehr an der Arbeit gewesen waren, jetzt nur etwa fünfzig schaufelten und karrten, da fragte er den Verwalter: »Wo habt Ihr die Leute hingeschickt, die hier an der Arbeit waren?«, worauf der Verwalter sagte: »Melde gehorsamst, diese Partie habe ich entlassen, die brauche ich jetzt nicht mehr.« Daraufhin sagte der Prinz: »Meint Er, ich brauche Ihn? Meint Er, man brauche einen Menschen in der Welt? Wenn Er meint, Er dürfe die Menschen verhungern lassen, *die man nicht braucht,* so sage Er mir, wer Ihn und mich vor dem Verhungern schützen soll!« Und gab diesem Manne, bevor er ihm ungnädig den Rücken kehrte, einen seiner gewissen Blicke, aber einen von den schärfsten. Da verwandelte sich diesem die Miene von amtlich lächelnder Devotion und Wichtigkeit in eine graue Armesündermiene und das Ganze schlug sich ihm derart in die Beine, daß er sich nur mit Mühe bis in seine Verwalterswohnung zurückschleppen konnte; dann mußte er sich ins Bett legen und seine Frau mußte ihm einen Lindenblütentee kochen und acht Tage lang durften die Kinder im ganzen Hause nur auf Socken gehen, denn dem Verwalter drehte sich sein Schlafzimmer vor den Augen mitsamt den Pelargonientöpfen am Fenster und dem grünen Kachelofen, und das alles von dem Blick, den ihm sein Herr gegeben hatte, und dem Ton, wie er das Wort »brauchen« ihm ins Gesicht geworfen hatte.

PRINZ EUGEN WILL AUS DEN DEUTSCHEN EIN VOLK IN WAFFEN MACHEN

Das große Deutschland war damals kein einiges machtvolles Reich wie heute, es hatte zwar dem Namen nach seine Einheit, daß man es Heiliges Römisches Reich Deutscher Nation nannte, und der Kaiser zu Wien aus dem habsburgischen Erzhause war sein gekröntes und gesalbtes Oberhaupt, aber es war keine Einheit der Kraft und dem Wesen nach, sondern ein vielköpfiges zerfahrenes politisches Wesen und mit hundert Herren über sich, die da und dorthin ihren Sinn stellten, bald dem Kaiser zu Wien gehorchten, bald mit den Franzosen oder den Engländern oder den Schweden sich verbündeten und in ihrer Selbstsucht und Ohnmacht aus Deutschland nichts anderes als den Tummelplatz und Kriegsschauplatz für ganz Europa machten. Den Dreißigjährigen Krieg, an dem freilich die Franzosen und die Spanier, die Schweden und die Wallonen teilgenommen hatten, der aber vor allem ein Krieg der Deutschen gegen die Deutschen war, hatte ein Friede beendet, den alle Glocken des großen deutschen Landes einen

Monat lang einläuteten; aber es war kein gesegneter Friede: er machte die Fremden, Franzosen und Schweden, zu Gliedern des Heiligen Reiches und bestellte sie zu Wächtern und Bürgen des bestehenden Zustandes. So waren sie Wächter darüber, daß Deutschland seiner selber nicht mächtig werden solle, und Bürge dafür, daß es in sich zerklüftet und zerspalten bleibe. Und als der bestehende Zustand wurde einer besiegelt, in welchem ein allmähliches Herabsinken der deutschen Reichs- und Volksherrlichkeit seit den Tagen Kaiser Maximilians endlich sein Tiefstes erreicht hatte. So trübe Zeiten währten zu Eugens Ankunft schon über hundertfünfzig Jahre, sie sollten nach ihm noch hundertfünfzig Jahre dauern, bis eine neue Ordnung der Dinge das neue Deutsche Reich schuf, jenes, das heute mit uns verbündet ist in einem Bündnis von einer Festigkeit und Heiligkeit, dessengleichen die Welt noch nicht gesehen hat, weil die beiden Reiche wie zwei mächtige geschwisterte Bäume aus einem und demselben Wurzelstock hervorgewachsen sind. Die Lage der Dinge im Römisch-Deutschen Reiche, die Eugen mit seinen sehenden Augen wahrnahm, war niemandem so leid als ihm, denn die stärkste Seele empfindet das Verkehrte und Schmachvolle am stärksten. Er wußte, wo der Deutschen Schwäche lag und nannte sie mit Namen: »Das deutsche Übel.« Damit meinte er die Uneinigkeit, die Eigensucht und Widerhaarigkeit der einzelnen Teile, die zu heilen es noch einer harten Schule und fast zweier Jahrhunderte bedurfte, und erkannte auch ihre Stärke: die herrliche unversiegliche Volkskraft. Auf seinen Feldzügen quer durch Deutschland an dem unteren Rhein hin lernte er Bayern und die Schwaben kennen, die Rheinländer und die Hessen; Anhalter und Brandenburger fochten in seinem Heer, er kannte die Deutschen: »Laßt mich einen Landsturm ausheben von zweihunderttausend deutschen Männern und ich will die Franzosen für immer über den Rhein zurückjagen und Straßburg, Metz, Toul und Verdun zurückgewinnen!« so sprach er auf der Fürstenversammlung zu Mainz zu den deutschen Fürsten. Aber das Wort war zu früh geboren, so fand es kein Gehör. Aber unter die großen Deutschen muß dieser große Österreicher nicht allein um dieses Wortes willen, sondern um seiner Taten willen eingeschrieben werden nach Recht: denn es kann kein großer Österreicher Deutschland verkennen noch umgekehrt.

PRINZ EUGEN RÄT DEM KAISER, TRIEST ZU EINER MÄCHTIGEN HAFENSTADT AUSZUBAUEN

Prinz Eugen kannte Österreich so, wie nie wieder ein Mann dieses große Reich gekannt hat. Er kannte alle Landschaften, denn alle hatte er auf seinen Kriegszügen durchritten, mehr als einmal, von Passau die Donau abwärts durch Ober- und Niederösterreich, Steiermark und Kroatien bis in die große fruchtbare Ebene im Süden Ungarns, bis hinab nach Siebenbürgen und tiefer hinab nach Bosnien. Nicht minder kannte er Tirol, unsere große, von Gott gebaute Bergfestung, und alle ihre Bollwerke und Zugänge. Überall war sein Zelt schon gestanden, im niederösterreichischen Hügelland, im Etschtal und im slawonischen Walde. Wenn er nicht mit seinem Heer durchs Land zog, so beugte er sich über Karten und Pläne und folgte mit den Augen dem Laufe der Flüsse und dem Streichen der Gebirge und sah im Geiste vor sich, welche Stärke oder welche Gefahr für Österreich darin lag, daß sie so und nicht anders verliefen, und in Gedanken zog er unsere Grenzen immer weiter hinaus und machte sie immer stärker. Die Flüsse und die Gebirge Österreichs waren ihm Bundesgenossen in künftigen Kriegen, die er in Gedanken voraus führte; über alles liebte er den Donaustrom und dies war sein Gedanke: daß alles Land, was dieser mächtige Strom auf seinem Weg zum Meer bespüle, Österreich untertan sein müsse oder mit Österreich auf Tod und Leben verbündet. Dies schien ihm die Lehre zu sein, die unser Strom uns gibt in seinem majestätischen Dahinfließen nach Süden und Osten. Nicht minder aber achtete er das große schöne Meer, das gegen Süden unsere große offene Straße ist, auf der wir Handel treiben sollen bis nach Asien und Afrika hinein. Daß nicht nur Spanien und Venedig, nicht nur England und die Niederlande auf dem Meere etwas bedeuten sollten, sondern auch Österreich, diesen Gedanken war er allein unter den damaligen Österreichern zu denken fähig. Denn Aller Gedanken hafteten an dem, was man für wichtig zu erkennen gewohnt war: an dem spanischen und italienischen Besitz des Erzhauses, allenfalls an der Abwehr der Türken und Niederwerfung der ungarischen Rebellen, weiter hinaus dachte niemand. Er allein hatte den großen, freien Blick, vor welchem das ganze Österreich dalag, herausgewachsen aus der Ostmark des Deutschen Reiches, ein mächtiges, aber eingeengtes Bollwerk: die Brücke der Völker vom Herzen Europas zum Orient hinübergespannt. Was es aber bedeute, gegen den Orient hin nicht nur den mühseligen Landweg übers Gebirge und durch feindselige oder zweideutige Völker zu haben, sondern die offene freie Straße, wie sehr Österreichs Leben dieses Fensters bedurfte, von wo ihm Luft und Licht komme: das sah er, denn er sah immer das Wesentliche. Sein Sehen aber war zugleich auch schon Wollen, sein Wollen war Tun. Er sah das Ziel, den Weg und die Mittel in einem. Dazu war ihm noch die Kraft gegeben, daß er die Gemüter der Menschen zu lenken verstand; ohne diese Kraft ist kein Staatsmann groß und schöpferisch. So lenkte er den Blick des Kaisers auf Triest und ebenso der Männer, die mächtig waren durch Rang, Macht und Reichtum. Er reiste selber mit dem Kaiser über Graz nach Süden und zeigte dem Kaiser das Meer, das heute Tausende unserer Schiffe befahren. Er ließ durch Männer, die auf ihn hörten, eine Orientalische Handelskompagnie begründen, derengleichen in den westeuropäischen Ländern in Blüte stand, und sein Werk war es, daß der Kaiser für Triest alles tat, wodurch es groß ward, so wie es heute ist und nach diesem Kriege immer mehr werden wird.

PRINZ EUGEN GEWINNT IN DER KÜHNSTEN SEINER SCHLACHTEN STADT UND FESTUNG BELGRAD

Eugen schlug die Franzosen, die in Italien eingefallen waren, das damals dem Hause Österreich gehörte, in vielen Schlachten, er schlug sie, als sie sich mit dem Kurfürsten von Bayern verbündeten, auf bayrischem Boden, am Rhein wie in Flandern, nahm ihnen die Festung Lille weg und schloß endlich mit ihnen in des Kaisers Namen Frieden. Inzwischen waren die Türken wieder stark und begehrlicher geworden, so zog Eugen abermals donauabwärts. Er schlug sie bei Peterwardein, dann schloß er die Festung Belgrad ein und bezog um sie ein halbmondförmiges Lager zwischen Save und Donau. Indessen hatte der Türkensultan ein neues und gewaltiges Heer gesammelt und zog zum Entsatz seiner Festung herbei und lagerte sich in einem großen Halbkreis hinter Eugens Armee, so daß der Belagerer der Festung nun selber von dem Feind belagert war. Eugen hatte vierzigtausend Mann, von denen starben täglich über tausend am Sumpffieber hin; fast ebensoviel wie er selber hatte, waren in der Festung, der Sultan aber lag mit über zweihunderttausend hinter ihm. Die aus der Festung fielen aus wie wütende Hunde, die anderen schoben sich mit Laufgräben und Batterien immer näher an Eugens Heer heran, Zufuhr blieb aus, die Munition wurde knapp, den Offizieren und Soldaten sank der Mut. Das war die schwerste Prüfung, die Eugen und sein Heer jemals durchzumachen hatten. Da kam alles auf den einen Mann an. Abend für Abend ging er nach seiner Gewohnheit in einem unscheinbaren Uniformrock, nur von einem einzigen Offizier begleitet, in den Lagergassen umher, blieb hinter einer Zeltwand oder hinter einem Fuhrwerk stehen und horchte auf die Reden der Soldaten. Da hörte er eines Abends zwei miteinander reden; einer, der auf Krücken ging, sagte zu einem, der im Dunkel auf Stroh lag und sich nicht schleppen konnte: »Was bleibt uns jetzt übrig von unseren glorreichen Siegen am Rhein und bei Turin, als daß wir hier verrecken sollen wie Hunde« – und darauf sagte der andere: »Es bleibt halt nichts als die Hoffnung, die bleibt einem christlichen Soldaten immer.« Da trat Eugen aus dem Dunkel hervor: »Nichts als die Hoffnung«, fragte er scharf und seine Augen blitzten, daß es auf einmal heller wurde und man noch ein paar Husaren sah, die da lagen und schliefen auf wenig Stroh, den Tschako unter dem Kopf, – »ich meine, es bleibt kaiserlicher Armee allezeit etwas Besseres«, und kehrte den Rücken.

Was das Bessere war, das wurde in seiner Seele in diesem Augenblicke geboren und zwei Nächte später bei Tagesgrauen ins Werk gesetzt: das war, der Festung den Rücken kehren und wenige Kompagnien und Geschütze dort in den Gräben lassen, die nach dieser Seite achtgaben, und mit der ganzen Kraft, Infanterie, Reiterei und Artillerie, den übermächtigen Feind angreifen und seinen Halbmond durchstoßen. Dies hub an bei Morgennebel am ewig denkwürdigen 16. August des Jahres 1717. In fünf Stunden war es gelungen und der größte Sieg des damaligen Jahrhunderts gewonnen und die Festung zugleich. Von da an war durch kaiserliche Waffen und Eugens Genius die Macht der Türken als einer eigentlichen angreifenden, gegen das Herz Europas vorstoßenden Ostmacht für immer gebrochen, so wie es in diesen heutigen Tagen durch Gottes Hilfe mit der neuen halbasiatischen Großmacht, den Russen, geschehen ist, und, wie wir hoffen wollen, auf ewige Zeiten.

DIE SOLDATEN SINGEN ZUM ERSTENMAL DAS LIED VON IHREM FELDHERRN

In Prinz Eugens Heer fochten Männer aus allen Völkern Österreichs, so wie sie heute nebeneinander fechten und stürmen: Niederösterreicher und Mährer, Salzburger und Egerländer, die treuen Kroaten und die frommen Tiroler, Männer aus dem windischen Lande, die man heute Slovenen nennt, und Furlaner, die im Görzischen wohnen, Steirer und Schlesier, Tschitschen und Huzulen, aber auch aus dem Deutschen Reich zogen viele unter dem Doppeladler mit: tapfere Schwaben und lustige Rheinländer und zähe baumstarke Pommern und Brandenburger, und dazu noch aus fremden Ländern viele: Irländer und Spanier und Wallonen. Diese alle vertrugen sich gut, denn es ist leicht, gute Kameradschaft halten unter siegreichen Fahnen, und viele von ihnen blieben in den Ländern, die sie den Türken abgewonnen hatten, und ihre Nachkommen sitzen noch heute da und der Name des Prinzen Eugen ist unter ihnen lebendig und geht vor aller

Heiligen Namen. So war es auch in seiner Armee, da hätte kein Verbot sein dürfen, diesen Namen eitel zu nennen, denn er war beständig in der Soldaten Mund: sie redeten von seiner kleinen schmächtigen Gestalt und von seinem großen Mut, wie er da in die Bresche gesprungen war und dort sein Pferd ins dichteste Gewühl hineingetrieben hatte, wie es ihm gar nichts ausmachte, wenn eine Kartätsche dicht neben ihm einschlug, oder wenn eine Stückkugel dem Adjutanten, der gerade mit ihm redete, den Kopf wegriß. Sie wußten alle dreizehn Stellen an seinem Leib, wo er die Narben von schweren Wunden trug, und noch besser wußten sie alle Antworten, die er fremden Gesandten oder Parlamentären einmal gegeben hatte, und die Streiche, die er dem Feinde gespielt hatte. Sie trauten ihm zu, daß er die Furt in einem Flusse auf dreitausend Schritte gewahr wurde, wo kein anderer sie sah, und daß er mit seiner Nase unterm Karstboden die Quelle witterte; daß er seine Truppen mit Wagen und Geschützen ebensogut über einen gläsernen Tiroler Eisberg hinab in den Rücken des Feindes zu werfen vermochte als über einen zehn Meilen weiten slavonischen Sumpf; daß er, wenn es sein mußte, mit fünftausend Mann durch ein Rattenloch in eine Festung eindringen konnte, und daß einmal in der Belgrader Schlacht, wie die Not am größten war, er an zwei Stellen der Schlacht zugleich gesehen worden war: auf einem braunen Irländer, gelb gezäumt, bei den Artilleristen, denen er sagte, sie sollten noch zwei Vaterunser lang warten, der Nebel würde sich gleich heben, und im gleichen Augenblick auf einem Schimmel mit roter und goldener Zäumung an der Spitze der Kürassiere, mit deren erstem Glied er auf die Janitscharen einhieb. Wenn sie nicht von ihm selber redeten, so redeten sie von seiner Kleidung und dem braunen Rock mit den Messingknöpfen, den er am liebsten trug und wegen dessen sie ihn den kleinen Kapuziner nannten, von seiner Schnupftabakdose, von der es hieß, er nähme ebensoviel Tabak als feindliche Stellungen, oder von seinen Lieblingspferden. Wenn er etwas unternahm, so lachten sie im voraus, wie er es jetzt dem Feinde wieder zeige, und wenn er nichts unternahm, so lachten sie, wie er durch diese scheinbare Untätigkeit den Feind foppen wolle. Wenn er ihrer etliche eines Vergehens gegen die Kriegsgesetze begnadigte, so lachten sie, und wenn er etliche andere hängen ließ, so hatten sie auch ihren Spaß daran, denn er war allezeit der geliebte Feldherr. Einer aber unter ihnen, ein Trompeter beim Kürassierregiment Herberstein, der hatte eine hübsche Singstimme und verstand auch, was er sich ausdachte, in Reime zu bringen und dem eine Melodie unterzulegen. Der dichtete das Lied »Prinz Eugen, der edle Ritter«, sang es fünf Reitern, mit denen er auf Patrouille war, in einem Dickicht am Saveufer vor, und bald sang es die ganze Armee.

PRINZ EUGEN SIEHT OFT IM GEISTE VERBORGENE UND ZUKÜNFTIGE DINGE

Eugen hatte Augen, die vieles sahen, was andere Menschen nicht sehen, er sah auf Meilen die Schwächen in einer feindlichen Aufstellung oder die Furt in einem Fluß und er sah auch einem Menschen durch und durch, wenn er die Front abritt oder die Lagergassen abging, aber noch weiter konnte er bisweilen sehen, wenn seine Augen zu waren. Wie dies zuging, darüber hätte er auch seinem vertrautesten Freunde keine Auskunft geben können. Eines Abends trat er in den Laufgraben vor der Festung Lille, um das schwere Geschütz zu visitieren, da schloß er gerade für eines Augenblicks Dauer die Augen und lehnte sich gegen die Erdwand. Ihm war, er trete in einen langen gewölbten Gang, in diesem kam ihm seine Mutter, die er viele Jahre lang nicht gesehen hatte, langsam entgegen, in einem schwarzen Gewand, eine Nonnenhaube auf dem Kopfe, eine brennende Kerze in der Hand, den Blick streng auf ihn gerichtet. Als er die Augen wieder aufschlug, sprach er zu keinem darüber, aber er war nachdenklich und in sich gekehrt. Nach zwei Tagen kam Botschaft, daß seine Mutter an jenem Abend zur gleichen Stunde gestorben war. In späteren Jahren seines Lebens mehrte es sich, daß er für kurze Augenblicke seiner Umgebung entrückt war und an verborgenem Geschehen teil hatte. So ging er eines Abends im Herbst auf der Terrasse seines Schlosses Hof auf und ab, trat an das steinerne Geländer vor und sah hinaus auf die Niederung, die von einem schwachen frühen Mondlicht erfüllt war und in der der Flußnebel aufstieg und sich regte. Ein Teil des Nebels hob sich plötzlich und fing an, gegen Osten zu ziehen in vielen Streifen und Wölkchen, ein langer, langer Zug. Eugens Augen sahen auf dieses Schauspiel der Luft, immer neue Züge schoben sich nach, es war ein tausendfaches Drängen und Vorwärtswollen, auf einmal geschah in seinem Innern eine kleine Bewegung, nur so wie wenn ein Glas Wasser ausgegossen wird, da wußte er mit einemmal, daß er jetzt nicht bloß mit leiblichen Augen in die Ferne des Himmelraumes sah, sondern durch die Zeiten hindurch und daß diese Wölkchen und Streifen, die nach Osten drängten, wieder stockten und wieder hinglitten, in Wirklichkeit etwas anderes waren, nämlich ein ungeheurer Heereszug Österreichs, der sich zu irgend einer Zeit zutrug, in die seine Seele in diesem Augenblick entrückt war. Er spürte die ganze Kraft dieses Zuges nach Osten, die Seelen von Hunderttausenden, das Überwinden der Hindernisse, das Klirren der Waffen, er fühlte, wie Menschen und Tiere das Geschütz über vereiste Berge hinschleppten, er fühlte das tausendfache Rufen: Vorwärts, Österreich! Vorwärts! und den Hauch von Sterbenden. Dies war so groß, daß es ihn schauderte wie einen Knaben, aber er zitterte vor Glück, seine Seele schwang sich aus ihm heraus und flog diesem nach und schwebte durch eine Kette von brennenden donnernden Schlachten hindurch, vertraut wie ein Engel im Bereich des Himmels. Sein Leib blieb ganz still zurück, dort an die Steinbalustrade gelehnt mit offenen Augen, aber so starr und still, daß der Diener, der leise herzugeschlichen war, nicht herankam, er stand im Dunkel, als hielten ihn Fäuste, bis sein Herr wieder eine Regung tat und auf ihn zukam, als wäre nichts gewesen. Aber das Gesicht seines Herrn sah in dieser Stunde im Mondlicht so aus, wie dieser vertraute Diener es nie zuvor gesehen hatte und nie wieder sah.

EUGENS LETZTE TAGE UND DER LÖWE IM BELVEDERE

Jetzt saß zu Wien schon der dritte Kaiser seit jenem Leopold, an dessen Hof Eugen gekommen war, und allmählich war Eugen ein sehr alter Mann geworden, und sein Leib, der so oft auf Stroh und im Laufgraben einen erquickenden Schlaf gefunden hatte, war nun schwach und fand auch in einem schönen Himmelbett nur wenige Stunden Schlafes, und statt zu Pferde zu sitzen, fuhr er in einem großen Wagen mit sechs schönen Isabellen-Schimmeln. Aber die Pferde waren auch alt und gingen schläfrig, und der Kutscher, der auf dem Bock saß, schlief manchmal unterm Kutschieren ein. Hinten auf dem Trittbrett standen zwei Leibhusaren, die hatten mitgefochten bei Turin und Höchstädt, bei Oudenarde und bei Zenta und sie waren auch alt und machten im Stehen ihr Schläfchen, und erst wenn die Pferde von selber hielten, erwachten sie von dem Ruck und rissen den Wagenschlag auf, und davon erwachte dann der alte Prinz Eugen. Aber sein Geist war frisch und stark und er leitete die Konferenzen und empfing die Gesandten, und welcher Mann immer von Geist und Ruf nach Wien kam, der war im Palaste Eugens willkommen. Und er sah Österreich klar vor sich und die Welt und wer darin Freund und Feind war und er, der sich zeitlebens mit der Erkenntnis der Menschen abgegeben und Generale und Minister, Soldaten und Priester durchschaut hatte, wandte jetzt seine klaren, wunderbar tiefen Augen auch auf die anderen Geschöpfe Gottes, und wie er vordem in seinem Palaste in der Himmelpfortgasse die größte Sammlung menschlicher Gesichter in Kupferstich angelegt hatte, so richtete er jetzt im Garten seines Schlosses Belvedere eine Menagerie aller seltenen und fremden Tiere ein. Da schenkten ihm fremde Monarchen ausländische Tiere, und der Sultan, dem er so viel Land weggenommen hatte, schenkte dem alten Feldherrn einen ganzen Käfig voll lustiger Affen, der König von Frankreich, den er so oft besiegt hatte, verehrte ihm einen afrikanischen Löwen. Dieser liebte seinen alten Herrn über alles und wollte von niemand anderem Futter nehmen als von dem Prinzen, er drückte sich an die Gitterstäbe und sah dem

Fortgehenden jedesmal nach, so lange er konnte. Nicht alle Tage hatte Eugen Lust, bei den Affen und den Papageien und den Bären stehen zu bleiben, aber bei seinem Löwen blieb er jeden Abend stehen und sah ihm in die Augen, und der Löwe hielt seinen Blick aus und erwiderte ihn mit einem mächtigen dumpfen Tierblick voll Liebe. Da kam eine Zeit, wo Eugens Hand, mit der er die Gitterstäbe des Käfigs berührte, viel weißer war als früher und der Blick auf den Löwen noch anders als zuvor, und der Löwe brüllte stärker und klagender, wenn Eugen fortging. Endlich kamen drei Tage, wo der Löwe seinen Herrn nicht sah, er verweigerte alles Fressen und lief unruhig im Käfig auf und nieder, von Zeit zu Zeit dumpf aufstöhnend. In der Nacht nach dem dritten Tage wurde er ganz ruhig und legte sich und blieb ohne Regung, aber seine Augen waren offen. Gegen drei Uhr morgens stieß er ein solches Gebrüll aus, daß der Tierwärter und seine Gehilfen im Bette auffuhren und hinausliefen in die Menagerie, nachzusehen. Da sahen sie Lichter in allen Zimmern des Schlosses, zugleich hörten sie in der Kapelle das Sterbeglöcklein und so wußten sie, daß ihr Herr, der große Prinz Eugen, zu ebendieser Stunde gestorben war.

PRINZ EUGENS GEIST IST IMMER DORT, WO UNSERE SOLDATEN FECHTEN UND SIEGEN

Prinz Eugenius, der edle Ritter,
Wollt dem Kaiser wied'rum kriegen
Stadt und Festung Belgerad;
Er ließ schlagen eine Brucken,
Daß man konnt hinüberrucken
Mit d'r Armee wohl für die Stadt.

Als die Brucken nun war geschlagen,
Daß man kunnt mit Stuck und Wagen
Frei passiern den Donaufluß,
Bei Semlin schlug man das Lager,
Alle Türken zu verjagen,
Ihn'n zum Spott und zum Verdruß.

Am einundzwanzigsten August soeben
Kam ein Spion bei Sturm und Regen,
Schwurs dem Prinzen und zeigts ihm an,
Daß die Türken furagieren,
So viel, als man kunnt verspüren,
An die dreimalhunderttausend Mann.

Als Prinz Eugenius dies vernommen,
Ließ er gleich zusammenkommen
Sein' General und Feldmarschall.
Er tät sie recht instruieren,
Wie man sollt die Truppen führen
Und den Feind recht greifen an.

Bei der Parole tät er befehlen,
Daß man sollt die Zwölfe zählen
Bei der Uhr um Mitternacht:
Da sollt all's zu Pferd' aufsitzen,
Mit dem Feinde zu scharmützen,
Was zum Streit nur hätte Kraft.

Alles saß auch gleich zu Pferde,
Jeder griff nach seinem Schwerte,
Ganz still ruckt man aus der Schanz:
Die Musketier, wie auch die Reiter,
Täten alle tapfer streiten:
Es war fürwahr ein schöner Tanz!

»Ihr Konstabler auf der Schanze,
Spielet auf zu diesem Tanze
Mit Kartaunen, groß und klein,
Mit den großen, mit den kleinen,
Auf die Türken, auf die Heiden,
Daß sie laufen all davon.«

Prinz Eugenius wohl auf der Rechten
Tät als wie ein Löwe fechten,
Als General und Feldmarschall;

Prinz Ludewig ritt auf und nieder:
»Halt't euch brav, ihr deutschen Brüder,
Greift den Feind nur herzhaft an!«

Prinz Ludewig, der mußt aufgeben
Seinen Geist und junges Leben,
Ward getroffen von dem Blei.
Prinz Eugenius ward sehr betrübet,
Weil er ihn so sehr geliebet,
Ließ ihn bringen nach Peterwardein.

Prinz Eugen, der edle Ritter,
Sah herab vom Himmelsgitter
In das grüne Bosnatal:
»Hei!« rief er: »Da gibts ein Schlagen,
Wie es war in meinen Tagen,
Glorreich, anno dazumal!«

»Halt't euch brav, ihr tapfern Brüder,
Werft den Feind nur herzhaft nieder,
Laßt des Kaisers Fahne wehn!
Ist mein Leib auch längst vermodert,
Zeit der Welt, daß in euch lodert
Noch der Geist vom Prinz Eugen!«

»Laßt es blitzen, laßt es knallen,
Und die Helden, die da fallen,
Gehen all zum Himmel ein;
Petrus öffnet euch die Türe,
Ich begrüß euch, salutiere,
Sollt mir schön willkommen sein!«

(Die drei letzten Strophen sind um die Mitte des neunzehnten Jahrhunderts von Anton Langer gedichtet.)

DIE FRAU OHNE SCHATTEN

EINE ERZÄHLUNG

Erstes Kapitel

Der Kaiser war bei der Kaiserin, die des Sommers wegen ihr Gemach auf der obersten Terrasse des blauen Palastes bewohnte. Die Amme verharrte ihrer Gewohnheit nach wachend auf der Terrasse und überdachte zornig das Geschick, das ihre Herrin, eine Fee und eifersüchtig behütete Tochter des mächtigen Geisterfürsten, als Gattin in die Hände eines sterblichen Mannes gegeben hatte, mochte er gleich der Kaiser der Südöstlichen Inseln sein. In ihrer Einbildung verweilte sie, wie so oft, mit dem ihr anvertrauten Feenkinde noch auf der einsamen kleinen Insel, umflossen von dem ebenholzschwarzen Wasser des Bergsees, den die sieben Mondberge einschlossen, wo sie stille abgeschiedene Jahre verbracht hatten. Wieder meinte sie dem halbwüchsigen Kinde zuzusehen, das sich vor ihren Augen in einen hellroten Fisch verwandelte und leuchtend die dunkle Flut durchstrich, oder die Gestalt eines Vogels annahm und zwischen düsteren Zweigen hinflatterte. Aber mitten in ihre träumenden Gedanken brach mit Gewalt das widerwärtige zweideutige Gefühl der Gegenwart. Mit einem unwillkürlichen Seufzer öffnete sie ganz die Augen und spähte in die schöne Finsternis hinaus. Eine Erhellung über dem großen Teich fiel ihr bald auf. Das Leuchtende kam rasch näher, die Baumwipfel empfingen, wie es darüber hinging, einen Schein. An ihrem Bangen fühlte sie, daß es ein Wesen aus jener Welt war, der sie angehörte und der sich zuzurechnen sie seit einem Jahr kaum mehr den Mut hatte: doch war es nicht Keikobad, der Geisterkönig selber, der Vater ihrer Herrin, sonst hätte sie heftiger gezittert. Wie die Terrasse sich erhellte, traf sie der Anhauch der Geisterwelt bis ins Mark. Der Bote stand vor ihr auf dem flachen Dach, er trug einen Harnisch aus blauen Schuppen, der seinen gedrungenen Leib eng umschloß. Sein blauschwarzes Haar war geflochten, und seine Augen funkelten. »Wer bist du?« fragte die Amme erschrocken, »dich habe ich nie gesehen.« »Ich bin der Zwölfte, das mag dir genügen«, entgegnete der Bote. »Es ist an mir, zu fragen, an dir, zu antworten. Trägt sie diesmal ein Ungeborenes im Schoß? Ist das Verhaßte in diesem Monat geschehen? Dann wehe dir und mir und uns allen.« Die Amme verneinte heftig. »Also wirft sie noch keinen Schatten?« fragte der Bote weiter. »Keinen!« rief die Amme, »ich darf es dir beteuern wie den Elf, die vor dir kamen, sooft ein Mond geschwunden war. So wenig wirft sie Schatten, als wenn ihr Leib von Bergkristall wäre. Ja, was sie hinter sich läßt, Steine, Rasen oder Wasser, leuchtet nachher stärker auf, so, als wären es Smaragden und Topas.« »Danke deinem Schöpfer, daß dem so ist, danke ihm auf den Knien, leichtfertiges strafbares Weib.« »Leichtfertig! Strafbar! Sollte ich einen glitschigen Fisch im Wasser mit meinen Händen packen? Konnte ich eine junge störrische Gazelle an den Hörnern festhalten? Warum hat er ihr die Gabe der Verwandlung gegeben? So war sie ja schon den Menschen verfallen! Was fruchtete meine Wachsamkeit, meine beständige Angst!« »Geprüft müssen alle werden«, entgegnete der Bote. »Und warum«, gab die Amme zurück, »hat sie die schöne Gabe wiederum verloren, die ihr jetzt nottäte, wodurch sie vielleicht dem Verhängnis auf dem gleichen Wege, wo sie ihm verfiel, längst wieder entschlüpft wäre!« »Alles ist an eine Zeit gebunden, sonst wären es keine Prüfungen. Zwölf Monde sind hinab, drei Tage kommen nun!« »Drei Tage!« rief die Amme voll unmäßiger Freude. Der Bote sah sie streng an: »Wer hat dich belehrt«, sagte er, »die Augenblicke gegeneinander abzuschätzen? Nimm dich zusammen und wache über ihr mit hundert Augen. Das goldene Wasser ist auf der Wanderschaft, es wäre nicht gut, wenn sie ihm begegnete.« »Das Wasser des Lebens?« rief die Amme, »ich habe es nie springen sehen, ich weiß, es ist voll geheimer Gaben, könnte es ihr zu einem Schatten verhelfen?« Sie hätte gerne noch viel gefragt, aber ihr war, als hörte sie hinter sich im Schlafgemach ein Geräusch. Sie wandte den Kopf und sah beim matten Schein der Ampel den Kaiser, der sich leise von der Seite seiner schlafenden Frau erhoben hatte und völlig angekleidet dastand. Schnell kehrte die Amme sich wieder um: der Bote war verschwunden, und es schien die Helligkeit, die ihn umgab, sich in die ganze Atmosphäre verteilt zu haben. Der Kaiser trat leichten Fußes über den Leib der Amme hinweg, die ihr Gesicht an den Boden drückte. Er achtete ihrer so wenig, als läge hier nur ein Stück Teppich. Er ging schnell bis an den Rand des Daches vor, und sein vorgebogener Kopf spähte in die fahle Dämmerung hinaus. Die erfrischte Luft trug ihm aus mäßiger Ferne zu, was er zu hören begehrte. Man führte leise durch die Platanen sein Pferd heran, dem er die Hufe stets mit Tüchern zu umwinden befohlen hatte; denn es war seine Gewohnheit, zeitig vor Tag zur Jagd auszureiten und seine Gemahlin noch schlummernd zurückzulassen, abends aber erst spät heimzukehren, wenn schon Fackeln auf den Absätzen der Treppe brannten und das Schlafgemach von den neun Lampen einer Ampel sanft erleuchtet war. Immerhin hatte er noch keine einzige Nacht dieses Jahres, dessen zwölfter Monat eben zu Ende gegangen war, bei seiner Frau zu verbringen versäumt. Die Amme war hineingegangen und hatte sich zu den Füßen der Schlafenden auf den Rand des Bettes niedergesetzt; mit zweideutiger Zärtlichkeit betrachtete sie ihr Pflegekind. Sie nahm eine Lampe aus der Ampel und hielt sie seitwärts: kein Schatten des Hauptes, der Schultern, der schönen schmalen Hüften ließ sich an der Wand erblicken. Die Schlafende warf sich herum, ihr Gesicht zog sich schmerzlich zusammen, ein leises Stöhnen drang durch die Kehle bis an die Lippen. Auf einmal schlug sie die Augen auf, setzte sich im Bette auf und war nun so völlig wach wie die Tiere des Waldes, die den Schlaf in einem Nu abwerfen. »Er ist fort«, sagte sie, »und diesmal bleibt er drei Nächte aus.« Die Amme zuckte, sie dachte an das Wort des Boten, aber sie beherrschte sich schnell. »Wovon träumst du, wenn du schläfst?« fragte sie hastig, »deine Träume sind schlimm.« »Er ist hinaus ins Gebirge seinen roten Falken suchen«, sagte die Kaiserin, »und er wird nicht ruhen, bis er ihn gefunden hat, und müßte er dreißig Tage und dreißig Nächte fortbleiben.« »Wehe, daß wir unter Menschen gefallen sind«, sprach die Amme. »Ist es so weit, daß du, wenn du schläfst, schon fast dreinsiehst wie ihresgleichen!« »Warum hast du mich nicht schlafen lassen?« rief die Kaiserin, »wie soll ich die lange Zeit hinbringen, könnte ich ihm nach, ach, daß ich den Talisman verlieren mußte.« »Unglückseliges Kind, daß du ihn verlieren konntest! Habe ich dir nicht auf die Seele gebunden, daß du ihn bewahrest: an ihm hängt dein Schicksal.« »Das wußte ich freilich nicht, daß er es war, der mir die Kraft gab, aus mir heraus und in den Leib eines Tieres hinüberzuschlüpfen. Nun weiß ich es und bin gestraft. Hätte ich ihn noch, wie lustig wären meine Tage, statt daß sie mir nun zwischen meinen glücklichen Nächten öde und traurig hingehen. Was hätte ich tagsüber für ein Leben, und wie wollte ich jeden Tag in einer anderen Gestalt meinem Herrn in die Hände fallen!« »Es ist an einem Mal genug«, sagte finster die Amme. »Meinst du denn«, erwiderte lebhaft die Kaiserin, »er hätte mich damals so schnell erlangt, wenn mir nicht sein roter Falke auf den Kopf geflogen wäre und mich nicht mit unablässigen Schlägen seiner Schwingen geblendet hätte, daß mir Feuer aus den Augen sprang und ich im Dorngebüsch zusammenbrach.« »Er konnte wirklich den Speer nach dir werfen, der Mörder, der stumpfäugige Höllensohn?« Die Amme schrie auf voll ungestillten Hasses. »Verlangst du, daß er mich in dieser Gestalt hätte erkennen sollen«, erwiderte die Kaiserin. »Aber er hat es mir seitdem oft geschworen, der Blick, der aus dem Auge der Gazelle brach, machte, daß sein Arm unsicher war und der Speer mich nur an der Seite des Halses ritzte wie ein Dorn, anstatt mir die Kehle zu durchbohren.« Die Amme stieß einen halben Fluch aus. »Es war freilich an der Zeit, daß ich mich nicht nur durch einen Blick verriet, sondern schneller, als ich es jetzt sage, aus dem Leib der Gazelle mich in diesen meinen eigenen hinüberwarf und die Arme flehend zu ihm aufhob. Denn er war schon vom Pferd gesprungen und hatte den zweiten Wurfspeer, der ihm noch blieb, gezückt; seine Augen waren rot von der Hast und Wildheit der Verfolgung, und seine Züge waren gespannt, daß ich vor ihm, die ihn selbst seit dem ersten Blick liebte und unablässig an mich herangelockt hatte, grausige Todesfurcht empfand und laut aufschrie. Und erst dieser Schrei, so hat er mir gesagt, hat ihn aus der Besessenheit aufgeweckt und uns beiden das Leben gerettet. Nie aber«, fügte sie leiser hinzu, »ist einer Frau ein herrlicherer Anblick zuteil geworden als auf dem Antlitz meines Liebsten der jähe Übergang von der tödlichen Drohung des Jägers zu der sanften Beseligung des Liebenden. Ach und nur einmal und nie wieder bin ich so die seinige geworden und soll nie wieder sein Gesicht so übergehen sehen.« Sie schlug die Augen wieder auf und fuhr fort: »Er hat mir zugeschworen, daß ein sterblicher Mensch, wie er, ein Glück von solcher jähen Stärke nicht öfter als einmal im Leben ertragen könnte. Es mag wahr sein, denn ich habe ihn unmittelbar nach jener Stunde wie einen Rasenden gesehen, als sein roter Falke ihm unter die Augen kam und er das Tier mit Steinwürfen verfolgte, ja in sinnloser Wut dreimal den Dolch nach dem Vogel warf, dafür, daß dieser mit seinen Schwingen meine Augen geschlagen hatte, und nie vergesse ich den Blick, mit dem der blutende Falke von einem hohen Stein aus seinen Herrn zum letztenmal lang ansah, ehe er sich abwandte und mit gräßlich zuckenden mühsamen Flügelschlägen in die Dämmerung hinein entschwand.« Die Amme war aufgestanden und auf das flache Dach hinausgetreten; die Geschichte jener Jagd und ersten Liebesstunde kannte sie genau genug: dies alles war wie mit einem glühenden Griffel ihrer Seele eingebrannt. An dem Schicksal des Falken nahm sie ebensowenig Anteil als an dem Glück der Liebenden, dessen Flammen die Wiederkehr von dreihundert Nächten nicht schwächer lodern machte. Ein Gedanke allein erfüllte sie: sie konnte es kaum erwarten, die Sonne hervortreten zu sehen, die fahle Dämmerung war ihr unerträglich: alle Wesen sollten einen Schatten werfen, damit die einzige, die keinen würfe, um so herrlicher ausgesondert wäre; mit jedem Blick wollte sie sich des Zustandes vergewissern können, an den, wenn er jetzt nur noch drei Tage lang anhielte, eine fürchterliche Schicksalswendung geknüpft war. Voll Ungeduld blickte sie in den Himmel empor, der schon erhellt die Farbe von grünlichem Türkis annahm: ihr scharfes Auge gewahrte einen Vogel, der in der höchsten Höhe langsam kreiste: aber auch auf ihm war noch kein Abglanz der Sonne. Die Kaiserin war gleichfalls hinausgetreten, die Amme fragte nochmals: »Wovon hast du vor dem Erwachen geträumt?« »Ich glaube, von Menschen«, antwortete die Kaiserin. »Gräßlich genug«, entgegnete die Amme. »Es war an deinem Gesicht zu lesen, daß du von Häßlichem träumtest. Wehe, daß wir hier sind, wehe, der es verschuldet hat.« »Warum sind Menschengesichter so wild und häßlich, und Tiergesichter so redlich und schön?« sagte die Kaiserin. »Vor seinesgleichen graut es sie«, murmelte die Amme vor sich hin, »ihn sieht sie nicht.« »Daß ich noch einmal eine Otter wäre und ein gähfließendes Bergwasser quer durchstriche«, sagte die Kaiserin. »Ungewiesen seinen Weg finden wie die Schlange an der Erde und wie der Weih in der Luft ist Seligkeit, aber Liebe ist mehr.« »Sich an die Menschen hängen«, murmelte die Amme, »heißt sich ausgießen in ein durchlöchertes Faß.« Die Kaiserin wurde den Falken gewahr, der hoch oben kreiste, und die Amme sah mit Lust auf seinen Schwingen den Abglanz der Sonne. Er schien sich langsam niederzulassen, aber das Licht blieb bei ihm: seine Fänge blitzten wie Edelsteine, oder er hielt einen Edelstein in den Fängen. »O glücklicher Tag«, rief die Kaiserin mit einemmal, »es ist der rote Falke, der Liebling meines Herrn! Er ist geheilt von seiner Wunde, er hat uns vergeben.« Der Falke hing mit ausgebreiteten Schwingen in der Luft. »Der Talisman«, schrie die Kaiserin auf, »er hat ihn, er bringt ihn mir wieder.« Die Amme lief und brachte ein grünseidenes, von Perlen und Edelsteinen funkelndes Obergewand. Sie hielten es empor. »Sieh, wie wir dich und deine Geschenke ehren, du Guter«, riefen sie laut, »du Königlicher, du Großmütiger!« Der Falke schwebte mit einem einzigen Flügelschlag in einem sanften Bogen nach oben und seitwärts, dann ließ er sich jäh niedergleiten, ein Sausen schlug an den Gesichtern der beiden Frauen vorbei, in einem Nu war der Vogel wieder hoch oben in der Luft, auf dem Gewande lag der Talisman; die Schriftzeichen, die in den fahlweißen flachen Stein gegraben waren, glommen wie Feuer und zuckten wie Blikke. »Ich kann die Schrift lesen«, sagte die Kaiserin und verfärbte sich. Die Amme schauderte, denn ihr waren die Zeichen undurchdringlich wie eh und immer: Ein seltsamer, zweischneidiger Gedanke durchfuhr sie, sie griff schnell nach dem Stein, sie wollte ihn wegreißen, die Schrift verdecken: es war zu spät, die Zeichen waren in Blitzeseile gelesen und sogleich der Sinn durchdrungen. Mit erstarrtem Arm hielt die Kaiserin den Talisman vor sich hin: es war, als sähe sie durch ihn in die Hölle hinab; über ihren Mund kamen Worte nicht wie eines, der sein Urteil abliest, sondern gräßlicher wie aus der Brust eines Tiefschlafenden starr und furchtbar: »Fluch und Tod dem Sterblichen, der diesen Gürtel löst, zu Stein wird die Hand, die es tat, wofern sie nicht der Erde mit dem Schatten ihr Geschick abkauft, zu Stein der Leib, an den die Hand gehört, zu Stein das Auge, das dem Leib dabei geleuchtet – innen der Sinn bleibt lebendig, den ewigen Tod zu schmecken mit der Zunge des Lebens – die Frist ist gesetzt nach Gezeiten der Sterne.« »Mir ist«, sagte die Kaiserin und ließ den Arm sinken, »ich weiß es von der Wiege an, vielleicht hat es mein Vater mir, als ich schlief, ins Ohr geraunt, wehe mir, daß ich es habe vergessen können!« Die Amme blieb still wie das Grab. »Nun verstehe ich, was ich nicht verstand«, sagte die Kaiserin und hing den Talisman an die Perlenschnur zwischen ihren Brüsten. Aber ihre aufgerissenen Augen wußten nichts von dem, was ihre schlafwandelnden Hände taten: »Der Schatten ist mein Schatten, den ich nicht werfe, ich habe meinen Herrn dergleichen sprechen hören mit einem seiner Vertrauten, er sagte: ›Ich will nicht zu Gericht sitzen über die Meinigen und kein Bluturteil sprechen, ehe ich der Erde nicht mein Leben heimgezahlt habe.‹ Es ist das Schattenwerfen, mit dem sie der Erde ihr Dasein heimzahlen. Ich wußte nicht, daß ihnen dieses dunkle Ding so viel gilt. Fluch über mich, daß ich es alles habe gleichgültig anhören können, als ginge es mich nichts an! Ich selber werde sein Tod sein, darum, weil ich auf der Erde gehe und keinen Schatten werfe!« Die erste Erstarrung wich einer tödlichen Angst. Unsagbar war das Verlangen, den Geliebten zu retten. Sie umklammerte die Amme: ihr war, als müsse Hilfe und Rettung von dieser einzigen Freundin kommen, zu der sie als Kind mit ihren Ängsten und Bedürfnissen so oft geflüchtet war. »Du hast mich nie im Stich gelassen«, rief sie und drückte heftig die Arme um den Leib der Alten zusammen, »hilf mir, du Einzige! Du hast mir alles verziehen, nachgewandert bist du mir von unserer Insel, bist über die Mondberge geklettert, drei Monate bist du in den Städten und Dörfern herumgezogen, bis du erfragt hattest, wo ich hingeraten war, unter den Menschen hast du gewohnt, vor denen es dich schauderte, hast mit ihnen gegessen und geschlafen, ihren Atem über dich ergehen lassen, und alles um meinetwillen, hilf mir du, dir ist nichts verborgen, du findest die Wege und ahndest die Mittel, die Bedingungen sind dir offenbar, das Verbotene weißt du zu umgehen! Hilf mir zu einem Schatten, du Einzige! Zeige mir, wo ich ihn finde, und müßte ich mein Gewand abwerfen und hinabtauchen ins tiefste Meer. Weise mich an, wie ich ihn kaufe, und müßte ich alles für ihn geben, was die Freigebigkeit meines Geliebten auf mich gehäuft hat, ja die Hälfte des Blutes aus meinen Adern!« Das Schweigen der Alten ängstigte sie noch mehr, sie wollte ihr ins Gesicht sehen. Eben brachen querüber die ersten Strahlen der Sonne wie Fackeln herein. Der gräßlich verschlagene, an sich haltende Ausdruck im Gesicht der Amme durchfuhr sie, sie fühlte sich verlassen wie noch nie im Leben, das seit der Kindheit Vertraute wich von ihr, sie war allein. Aber sie war von den Wesen, deren Kräfte mit dem Widerstand wachsen. »Du weißt es, böse Alte«, rief sie, »du hast es seit je gewußt, du hast es kommen sehen und dich gefreut, du kennst wohl auch die Frist, und dem Tag, der mich tötet, zählst du mit Lust die Tage entgegen wie einem Fest. Dir ist er auch ein Fest, er kommt und bringt dir Lohn oder Nachsicht der Strafe, mein Vater wird wissen, womit er ein feiges, zweideutiges Herz gekauft hat. Allein du hast dich verrechnet, du wolltest mich bewußtlos meinem Unheil ausliefern, aber es ist ein Vogel des Himmels gekommen und hat mich gewarnt. Ich wache und bin mir der Gewalt bewußt, die mir über dich zusteht. Ich will die Frist nicht wissen, vielleicht läuft sie in dieser Stunde ab, und ich könnte erstarren, wenn ich es wüßte. Ich frage dich nichts, ich gebiete dir, daß du mir einen Schatten schaffest, und müßtest du darüber dein Leben lassen und ich mit dir, ja sollten wir beide dabei mit lebendigem Herzen zu Stein werden. Mein Vater ist weit, und ich bin dir nahe, auf und mir voran, ich hinter dir, und schaffe mir, bei den gewaltigen Namen! den Schatten. Hier und nicht anderswo wird der Weg angetreten, heute und nicht morgen, in dieser Stunde und nicht, bis die Sonne höher steht.« Die Amme erzitterte, sie wußte nicht, was sie erwidern sollte, alles, was ihre Schlauheit ausgesonnen hatte, was sich ihr fast zur Gewißheit der Befreiung verdichtet hatte, alles wurde verschwimmend vor ihrem Blick. Die Schlafende, schmerzlich Zuckende, die einer irdischen Frau glich, hatte sie mit verachtender Zärtlichkeit angeblickt und beinahe gehaßt. Nun stand wieder die unbedingte Herrin vor ihr, und die Lust des Dienenmüssens durchdrang die Alte von oben bis unten. Sie fing etwas unbestimmtes Beruhigendes zu reden an. »Kein Wort«, rief die Herrin, »als das Wort der Wegweisung, keine Ausflüchte, denn du weißt, keine Zögerung, denn mir brennen die Sekunden auf dem Herzen.« »Kind, wüßte ich gleich die Wege und ahndete mir vielleicht, unter welchen Bedingungen ein Schatten sich erwerben ließe...« »Das ist es«, rief die junge Frau, »dorthin! Du voran, ich hinter dir, in diesem Atemzug.« »Erwerben ist auch nicht das richtige Wort«, murmelte die Amme, »abdienen vielleicht, ablisten noch eher dem rechtmäßigen Besitzer.« »Hin dort, wo ein solcher wohnt, und wäre es ein Drache mit seiner Brut!« »Vielleicht etwas Schlimmeres, schwant dir nichts?« »Voran, du Umständliche, du Doppelzüngige«, schrie die Herrin zornig und zerrte die Alte vom Boden auf. »Du bist mir schlimmer als ein Drache.« »Schlimmer als ein Drache, abscheulicher dem Auge, widerwärtiger der Seele«, sagte die Alte und sah der jungen Frau starr ins Gesicht, »ist ein Mensch.« »Führe mich zu dem Menschen, dem sein Schatten feil ist, daß ich ihn kaufen kann, ich will seine Füße küssen.« »Wahnwitziges Kind«, rief die Amme, »weißt du, was du sagst! Schauderts dich nicht vor ihnen bis in deine Träume hinein, so wenig du von ihnen weißt? Und nun – hausen willst du mit ihnen! Handeln mit ihnen? Rede um Rede, Atem um Atem? Ihre Blicke erspähen? Ihrer Bosheit dich schmiegen? Ihrer Niedrigkeit schmeicheln? Ihnen dienen? Denn auf das läufts hinaus. Graust's dich nicht?« »Ich will den Schatten«, rief die Kaiserin, »hinab mit uns, daß ich ihrer einem diene um den Schatten. Wo steht das Haus, bringe mich zu ihm! Ich will!« »Das Haus?« entgegnete die Amme, und ihr Blick wurde blöde, »wüßte ich, wo das steht, so wären wir weiter, als wir sind. Wir müssen es finden.« Die Junge hing am Munde der Alten: sie erkannte, daß das, was sie jetzt gesprochen hatte, die Wahrheit war, und sie erblaßte noch tiefer. »Du weißt nicht den Menschen noch das Haus«, flüsterte sie, »so gilt es, daß wir beide suchen und beide finden, du voran, ich hinter dir.« Ihr fester Mut loderte in ihr wie eine Flamme in einem Gefäß von Alabaster. »Ich weiß, daß ihnen alles feil ist, das ist alles, was ich weiß«, sagte die Amme. »Auf nun du und schreibe einen Brief an deinen Gebieter.« »Was soll ich schreiben?« fragte die Kaiserin gehorsam wie ein Kind. Die kluge Alte riet ihr, wie sie den Brief abfassen sollte. Es galt ihre Abwesenheit vom blauen Palaste unauffällig zu machen, aber nichts sollte von dem gesagt sein, was sie ängstigte, noch weniger etwas von dem, was sie vorhatte. Sie hielt das Blatt aus geglätteter Schwanenhaut zierlich auf der flachen linken Hand, sie malte mit der rechten die Zeichen hin, aber die Hand wurde ihr schwer, Seufzer über Seufzer drang aus ihrem Mund. Wie harmlos immer sie die Zeichen setzte, wie schön sie sie anordnete, immer wieder schien sich die Ankündigung des Unheils durchzudrängen. Alles schien ihr zweideutig, die schönen Zeichen selber wurden ihr fürchterlich, unter Seufzern brachte sie den Brief zu Ende, eine kristallene Träne fiel auf die Schwanenhaut. Die Amme sah zu, sie verstand nicht, was da so schwer war. Sie nahm den Brief aus der Hand, rollte und faltete ihn zusammen, umhüllte ihn mit einem perlengestickten Tüchlein und schob alles in eine flache Hülse aus vergoldetem Leder. Die Kaiserin zog ihr eigenes Haarband durch die goldenen Ösen an der Hülse, sie knüpfte es in einen Knoten, den nur der Kaiser zu lösen verstand. Der Brief war geschlossen und bald einem Boten übergeben, der wohlberitten und der Wege kundig war.

Zweites Kapitel

Indessen er auf einem schnellen Paßgänger dahinritt, die Jagd einzuholen, glitt die Amme voran, die Kaiserin hinter ihr durch die Luft hinab und ließen sich in der volkreichsten Stadt der Südöstlichen Inseln zur Erde nieder. Sie hatten dürftige Kleider, das der Alten war aus schwarz und weißen Flicken zusammengesetzt, daß sie erschien wie eine gesprenkelte Schlange, die Junge sah noch unscheinbarer aus und ihr strahlendes Gesicht war durch Bestreichen mit einem dunklen Saft unkenntlich gemacht. Niemand achtete der beiden, sie schritten eilig am Gelände des Flusses hin, der die große Stadt durchfloß. Das gebliche Wasser trug große Flecken von dunkler Farbe dahin, die sich aus dem Viertel der Färber, das oberhalb der Brücke lag, immer erneuten; vom andern Ufer, wo die niedrigen Häuser der Loh- und Weißgerber standen, drang der scharfe Geruch der Lohe herüber und Häute von Tieren waren an den Abhängen des Flusses mit kleinen Holzpflöcken zum Trocknen ausgespannt. Herüben wohnten die Huf- und Nagelschmiede, und die Luft war erfüllt vom Getöse fallender Hämmer, vom Widerschein offener Feuer und vom Geruch verbrannten Hufes. Die Amme ging rasch und sicher, als folge sie einer Spur, die Kaiserin lief hinter ihr drein. Sie kamen auf eine Brücke, über die viele Leute sich schoben, Lastträger, Soldaten, zweirädrige Wagen und Berittene. Die Amme drang durch die Menschen hindurch, die Kaiserin wollte dicht hinter ihr bleiben, aber es gelang ihr nicht. Das Fürchterliche in den Gesichtern der Menschen traf sie aus solcher Nähe wie noch nie. Mutig wollte sie hart an ihnen vorbei, ihre Füße vermochten es, ihr Herz nicht. Jede Hand, die sich regte, schien nach ihr zu greifen, gräßlich waren so viele Münder in solcher Nähe. Die erbarmungslosen, gierigen und dabei, wie ihr vorkam, angstvollen Blicke aus so vielen Gesichtern vereinigten sich in ihrer Brust. Sie sah die Amme vor sich, die nach ihr umblickte, sie wollte nach, sie ging fast unter in einem Knäuel von Menschen, auf einmal war sie vor den Hufen eines großen Maulesels, der wissende, sanfte Blick des Tieres traf sie, sie erholte sich an ihm. Der

Reiter schlug den Esel, der zögerte, die zitternde Frau nicht zu treten, mit dem Stock über den Kopf. – Ist es an dem, daß ich mich in ein Tier verwandeln und mich den grausamen Händen der Menschen preisgeben muß? ging es durch ihre Seele und sie schauderte, dabei vergaß sie sich einen Augenblick und fand sich, vom Strome geschoben, am Ende der Brücke, sie wußte nicht wie. Sie sah die Amme bei einer Garküche stehen, einer offenen Bude, und auf sie warten. Die Leiber schöner kleiner rosiggoldener Fische lagen da, in denen die Hände eines Negers wühlten. An einem Balken hing ein enthäutetes Lamm mit dem Kopf nach abwärts und sah sie mit sanften Augen an. Ein Arm zog sie an sich, es war die Amme, die gesehen hatte, daß sie sich verfärbte und für kurz die Augen schloß, und die sie aus dem Gedränge in eine kleine Seitengasse riß. Hier gingen wenige Menschen vorbei, sie waren mit Ballen Tuches beladen, an den Häusern hingen hie und da große Streifen gefärbten Zeuges von Trockenstangen herab. Halbwüchsige Kinder schleppten Tröge und dunkelfarbiges Zeug zum Schwemmen. Die Alte war stehengeblieben vor einem niedrigen Haus unter den Häusern der Färber und horchte auf die Stimmen von Streitenden, die aus dem Innern klangen. Mehrere Männerstimmen ließen sich aufgebracht vernehmen, die Stimme einer noch jungen Frau erwiderte ihnen böse und herrisch; dann mischte sich eine andere Männerstimme ein von tiefem, gelassenem Klang, die anscheinend zum Frieden redete. Aber die Stimme der jungen Frau erhob sich böser und herrischer als zuvor. »Die Stimme gefällt mir«, sagte die Amme und winkte der Kaiserin, sich dicht an die Mauer zu stellen. – Der Zank drinnen wurde heftiger, endlich sagte die tiefe Stimme, die am wenigsten gesprochen hatte, etwas Befehlendes sehr nachrücklich, wenn auch mit völliger Gelassenheit. Darauf näherten sich die anderen Männerstimmen, die unzufrieden und mißtönend waren, der Haustür. Die Amme tat, als ginge sie weiter, aber so langsam, als wäre sie sehr alt und krank und vermöchte mit jedem Schritt nur ein geringes zurückzulegen. Die Kaiserin schlich neben ihr hin; aus dem Haus traten drei Männer, ein einäugiger, ein einarmiger und ein dritter viel jüngerer, der verwachsen war und aus gelähmter Hüfte hinkte. »Wahrlich, meine Brüder«, sagte der Einäugige, der der Älteste schien, »der Büttel, der mir vor zweiundzwanzig Jahren mein Auge ausstieß, hat an mir nicht getan wie unseres Bruders Frau an unserem Bruder tut.« »Wahrlich nein«, sagte der Einarmige, indem sie die Gasse hingingen, »und die verfluchte Ölmühle, die mir vor fünfzehn Jahren meinen Arm ausriß, hat an mir nicht getan wie sie an ihm tut.« »Und das Kamel, das mir vor neun Jahren meinen Rücken krumm trat, nicht an mir!« setzte der Jüngste hinzu. »Wahrlich, dieses Weib, unsere Schwägerin«, sagte der Älteste wieder, »ist durch ihren Hochmut und ihre Bosheit ein pestgleiches Übel und darum bleibt sie unfruchtbar, obwohl sie jung und schön ist und obwohl unser Bruder ein Mann unter den Männern ist.« »Das ist unser Haus«, sagte die Amme und wandte sich im Rücken der drei Männer wieder dem Färberhaus zu. Sie trat schnell ins Haus, glitt durch den Flur und in einen niedrigen Schuppen, der vor Alter dem Zusammenstürzen nahe war, und zog die Kaiserin hinter sich. »Wir müssen warten, bis der Mann aus dem Hause ist«, flüsterte sie ihr zu, und zeigte auf einen Spalt in der Nebenwand, an den sie ihr Auge legte. Sie wies der Kaiserin einen andern Spalt, und beide blickten sie in das einzige Gemach des Hauses. Die Kaiserin sah eine junge Frau, sehr ärmlich gekleidet, mit einem hübschen aber unzufriedenen Gesicht auf der Erde sitzen und festgeschlossenen Mundes ins Leere schauen, und sie sah einen großen, stämmigen Mann von etwa vierzig Jahren, welcher mit seinen dunkelblauen Händen einen ungeheueren Ballen von scharlachrotem Schabrackentuch aufschichtete und mit Stricken umwand, um ihn seinem Rücken aufzuladen, der stark war wie der eines Kameles: das war Barak, der Färber. Unter der Arbeit kehrte er der Wand sein großes Gesicht zu, worin die Stirn niedrig, die Ohren wegstehend und der Mund wie ein Spalt war. Er erschien der Kaiserin abschreckend häßlich, und die junge Frau dünkte sie böse und gemein. Man konnte wahrnehmen, daß der Färber gerne zu seiner Frau gesprochen hätte; als er das Bündel geschnürt hatte, trat er ungeschickt mit seinen gewaltigen Füßen hin und her, tat, als höbe er etwas auf, das nicht weit von ihr auf dem Boden lag, beschmutzte seine Hände in einer Pfütze abgeronnenen Farbwassers, murmelte etwas und sah seine Frau von der Seite an; aber ihr Blick ging beharrlich an ihm vorüber ins Leere, als wäre er nicht da. Endlich seufzte er, schwang mit einem Hub die schwere Last auf seinen Rükken und ging gebeugt wie ein Lasttier, aber mit festen, gleichmäßigen Schritten, zur Tür hinaus. Als sich die Frau allein fand, stand sie sogleich auf. Sie ging träge durchs Zimmer und stieß mit schleppendem Fuß einen alten Steinmörser um, der auf der Erde stand, und das Gestoßene ergoß sich auf den fleckigen Boden. Sie bückte sich halb, es aufzusammeln, aber mit einem verächtlichen Zucken ihrer Lippen ließ sie es sein. Sie ging auf ihr und des Färbers niedriges Lager zu, das in der hintersten Ecke an der Ziegelmauer aus ein paar alten Kissen und Decken zugerichtet war, und brachte es in Ordnung, indem sie, was schief war, mit dem Fuß gerade stieß. Dann ging sie wieder weg und warf aus der Mitte des Zimmers einen bösen Blick auf das Bett. Gähnend machte sie sich daran, aus einem Mauerloch einen dürftigen Vorrat gelbgrünlicher Olivenzweige hervorzusuchen; sie warf das Holz vor der Feuerstelle, die nichts war als ein rauchgeschwärztes Loch in der Mauer, zu Boden und richtete sich wie einer, der einer langen Arbeit satt ist, langsam auf. Ihre Hände strichen seitlich an ihrem Leib herab, und als sie die Schlankheit ihrer Hüften fühlte, lächelte sie unwillkürlich. »Wir sind soweit«, flüsterte die Amme, »hinein mit uns«; und sie glitten aus dem Schuppen und traten völlig in die Tür des Wohngemaches. – Die Kaiserin hatte noch nie den Fuß über die Schwelle einer menschlichen Behausung, mit Ausnahme ihres eigenen Palastes, gesetzt; eine namenlose Bangigkeit wandelte sie an, wieder mußte sie die Augen schließen und fühlte sich taumeln, ja fast wäre sie über den langen Stiel einer Schöpfkelle, die auf der Erde lag, hingeschlagen und um sich zu stützen griff sie nach einem an einer Kette hängenden Kessel, der nachgab und sie mit einer scharlachroten Flüssigkeit bespritzte. Als die Frau über die Schwelle, an der selten ein fremdes Gesicht erschien, eine alte Person, die einer schwarz-weißen Elster glich, und eine junge Stolpernde eilfertig eintreten sah, mußte sie laut auflachen wie ein Kind und vermochte mit Lachen lange nicht aufzuhören, indessen die Amme in einem augenblicklichen Wortschwall, womit sie sich einführte, alles geschickt zu wenden und zu nützen wußte. »Es sei kein Wunder«, fing sie an, »wenn ihre Tochter gestolpert sei, wenngleich sie dafür um Verzeihung bitte, denn das Kind sei der Stadt ungewohnt und matt genug geworden vom Gassenablaufen, Fragen und Suchen – es habe mancher sie unrecht gewiesen, vielleicht aus Unkenntnis, vielleicht aus Bosheit, sie aber habe nicht nachgelassen, bis sie das richtige Haus ausgefunden habe, nun aber, da sie die auserlesene Schönheit ihrer jungen Herrin«, hier verneigte sie sich vor der Färbersfrau und berührte mit ihrer Stirn den Boden und hieß ihre Tochter das gleiche tun, »mit Augen sehe, sei in ihr auch nicht mehr der mindeste Zweifel, daß sie am richtigen Ort sei.« Inwiefern am richtigen Ort? Wer sie denn geschickt? Zu welchem Ende? Und was das alles heißen solle? fragte die Färberin, zitternd vor Staunen. Als die Alte mit abermaligen Verneigungen vorbrachte, sie wisse wohl, daß ihre junge Herrin Bedarf nach Dienerinnen habe, und sie bitte inständig – hierbei küßte sie der Frau den Saum des Kleides – die Erfahrenheit ihres noch rüstigen Alters und die Anstelligkeit ihrer Tochter einer Probe zu würdigen, wollte sich die junge Frau totlachen, besonders, weil jede der beiden Fremden von der Berührung des unreinlichen Fußbodens einen dunkelblauen Fleck mitten auf der Stirn trug. Darüber, wer es denn gewesen sei, der sie hierher beschieden und ihr den angeblichen Dienstplatz nachgewiesen habe, ließ sie sich mit vielen Worten, aber doch nicht ganz deutlich aus. Es wäre, soviel ergab sich denn endlich, ein Begegnender auf einer Brücke gewesen, nicht auf der neuen Brücke, sondern auf einer andern, ein junger Mann, fast noch ein Knabe, ein recht zierlicher; vielleicht habe dieser aber auch nur im Auftrage des andern gehandelt, eines etwas älteren, stolzen und vornehmen, wie ein Fürst dreinsehenden, der sich zuerst seitwärts gehalten, dann aber doch auch mit ihr geredet; ja, wenn sie es auch recht bedenke, wäre es wohl dieser: an diesem habe ihre junge Herrin einen wahrhaft anteilvollen Verehrer und Freund. Hier zwinkerte sie mit den rotumränderten Augen so seltsam und bedeutungsvoll, daß die Färberin einen Schritt zurücktrat, und mit dem süßen Schauder der Überraschung in sich schwor, sie habe in der Welt draußen einen solchen Freund, wenngleich sie ihn nie gesehen, nie bis zu dieser Stunde ein Zeichen seines Lebens empfangen hatte. Die Alte war gleich wieder dicht bei ihr, und eben weil sie fühlte, daß die Frau sich nicht von ihr ab, sondern gerade jetzt im Innersten ihr zuwandte, tat sie mit Verstellung, als befürchte sie das Gegenteil, und rief Gott zum Zeugen an, daß ein seltsameres Mißverständnis kaum möglich sei, als wenn sie nun doch an den unrichtigen Ort geraten wäre! Kaum getraue sie sich nun zu fragen, ob denn die weiteren Zeichen stimmten, ob die auserlesen schöne, junge Herrin in der Tat vermählt sei, seit zwei Jahren vermählt und, seltsam genug, kinderlos bis zum heutigen Tag – ei ja, dies wäre sie – und vermählt mit einem Mann aus dem Färberstande von gesetztem Alter – er könnte leichtlich der Vater seiner Frau sein – von plumper Gestalt, mit einem klaffenden Mund und großen Ohren? Ach ja doch, so ungefähr wäre Barak ihr Mann beschaffen. Und ob drei unvermählte Schwäger im Hause wären, böse, lästige Burschen, einarmig, einäugig und bucklig, zänkische Nichtstuer und Schmarotzer am Tisch des Bruders, die der geheimnisvolle Freund hasse bis auf den Tod um der Belästigungen willen, die sie seiner schönen Freundin beständig bereiteten. Von diesem Augenblicke an war für die schöne Färberin nichts so unumstößlich, als daß sie einen verborgenen Freund von wunderbarer Zartheit des Denkens und Fühlens besitze: das schien ihr vor allem köstlich, daß er von ihrem Dasein bis ins einzelne wußte, über ihr wachte und die Betrübnisse und Kränkungen, an denen ihr junges Leben vermeintlich reich war, mit ihr teilte, wodurch sich ihr die Öde ihrer Lebenstage von innen her so plötzlich durchleuchtete, daß ein Widerschein davon auf ihrem Gesicht aufflammte. »Wohl uns«, rief jetzt die Amme, »wird sind vor die rechte Schmiede gekommen! Du bist es, die Seltene, Auserlesene unter Tausenden, von der ich weiß, was zu wissen mir das alte Herz im Leibe erwärmt. Du bist es, die über ihren eigenen Schatten springt, die abgeschworen hat ihres Mannes unablässiger, vergeblicher Umarmung und zu sich selber gesprochen: Ich bin satt worden der Mutterschaft, ehe ich davon gekostet habe. Du bist es, welche die ewige Schlankheit des unzerstörten Leibes gewählt hat und abgesagt in ihrer Weisheit einem zerrütteten Schoß und den frühwelken Brüsten.« Die Alte sprach diese Sätze mit lauter Stimme und mit einer Art von feierlichem Singsang, und die abscheuliche Fratze, die sie sich für die Menschenwelt angelegt hatte, glich wirklich dem Kopf einer aufgerichteten gesprenkelten Schlange. Die Färbersfrau sah ihr auf den zahnlosen Mund, in dem die zauberisch beredte Zunge zwischen dünnen Lippen eilig herumfuhr, und wußte nicht, wie ihr war: etwas, das diesem ähnlich war, lag seit dem zweiten Jahre ihrer unfruchtbaren Ehe dunkel in ihr zwischen Schlafen und Wachen – sie hatte es nie ausgesprochen, auch nie zu sich selber, und doch war es vielleicht unausgesprochen im Halbschlaf über die Lippen gekrochen, wenn sie die unermüdliche Zärtlichkeit des starken Färbers mürrisch und träge erwiderte wie ein unwilliges Kind – es war ausgesprochen und niemand als Barak konnte es wissen, und wenn diesem sogar etwas davon in die Tiefe seiner Seele gedrungen war, nie ging ihm solches über die schwere Zunge, und nun sang es dieses fremde Weib ihr da in ihre Ohren, daß es klang wie eine Lobpreisung, es war durchflochten mit Prophezeiung und verknüpft mit der reizenden Botschaft von einem unbekannten Liebenden; nie hatte ein Mensch so zu ihr gesprochen, vor Verlegenheit und Wichtigkeit überlief es sie heiß und kalt, Neugier und Scham riß sie weg und hin zu der Alten, sie fühlte, wie ihr vor Aufregung das Weinen in die Kehle stieg, und verzog den Mund, um es nicht aufkommen zu lassen, und kehrte sich ab. Die Alte hinter ihrem Rücken machte der Kaiserin heimlich Zeichen mit ihren schauerlich zwinkernden wimperlosen Augen, sie zeigte auf den schwachen Schatten, den die Frau in dem halbdunklen Raum an die Erde warf, und tat, als streichelte sie ihn, spreizte die Finger nach ihm aus, als könnte sie ihn vom Boden wegreißen und ihrer Herrin zustecken. Dann kroch sie um die Färberin herum und begann mit neuen zudringlichen Dienstesbezeugungen das Feuer der Verwirrung zu schüren, das sie entzündet hatte. »O Herrin, erbarme dich unser und willfahre uns, die wir dir dienen wollen! Wie nur können wir deine Zufriedenheit erwerben, daß du uns hier prüfest und dann später in dein Freudenleben mitnimmst.« »Du Närrische«, sagte die Frau, »hier und nirgends anders spielt sich mein Freudenleben ab. Dort die Schöpfkellen sollen rein werden, die Rührstangen abgekratzt, die Stampfmörser geputzt, der Zuber ausgeleert, der Boden aufgewaschen, der Trog angefüllt, dem kalten Kessel soll unterheizt werden und der heiße umgerührt, die Tierhaut da soll glatt geschabt werden, und der Sack voll Körner in der Handmühle gemahlen, Öl soll aus dem Schlauch und Fische in die Pfanne, das Feuer soll brennen, die Fische sollen braten und Ölfladen gar werden. Barak, mein Mann, ist hungrig, und das Einaug, der Einarm und der Bukkel wollen auch essen.« »Heran, meine Tochter«, schrie die Alte wie besessen, »heran und rühre die Hände, wir müssen uns beglaubigen vor unserer Herrin, damit sie uns aufnimmt in ihre Herrlichkeit!« »Was soll die närrische Rede«, sagte die Frau und lachte. »Herbei ihr Pfannen und Feuer brenne!« rief die Amme gellend, ohne ihr zu antworten. Die Pfannen flogen ihr durch die Luft in die Hände, und die grünen Ölzweige fingen an zu knistern. »Wer seid ihr«, sagte mit schwankender Stimme die Färberin, »wer ist dort die Junge, ist sie wirklich deine Tochter, die Lautlose? sie sieht dir nicht ähnlich, warum hält sie sich im Dunkeln und was starrt sie so auf mich?« Das Feuer loderte auf und der Schatten der jungen Frau fiel über den Lehmboden bis an die drübere Wand. »Herzu, ihr Fischlein aus Fischers Zuber!« rief die Alte und hantierte unablässig über dem Feuer. Sieben Fischlein glitten durch die Luft und die dünnen Finger der Alten und landeten ihre rosiggoldenen Leiber nebeneinander auf dem Hackstock. »Wer seid ihr?« fragte die Frau nochmals mit verlöschendem Atem. »Gewürze aus dem Gewürzgarten meiner Herrin!« rief die Alte befehlend und steckte beide Klauen in die leere Luft, aus der sie sich mit Gewürzen füllten, deren Duft das Zimmer durchzog. »Welcher Herrin?« schrie die junge Frau, wie aus dem Traume heraus, halb toll vor Angst und Neugierde. Die Alte warf die Fischlein in die Pfanne und goß Öl über sie und rückte sie ans Feuer. »Frage deinen Spiegel!« gab sie über die Schulter zurück. »Ich habe keinen Spiegel«, rief hastig die Färberin, »ich mache mein Haar über dem Bottich.« Das Feuer lohte höher auf und der Schatten bewegte sich und wurde schöner und schöner. – Worauf läuft es hinaus? dachte die Kaiserin und zitterte vor Fremdheit und Ungeduld. – Ihr war, als gäben die Fischlein in der Pfanne alle zusammen einen klagenden Laut. Ja, sie riefen ganz deutlich in singendem Ton diese Worte:

Mutter, Mutter, laß uns nach Haus.
Die Tür ist verriegelt: wir finden nicht hinein.

»Wo bin ich«, sprach die Kaiserin, »höre ich es allein?« Der Laut traf sie an einer Stelle so tief und geheim, daß dort nie etwas sie getroffen hatte. Die Amme hantierte am Feuer wie eine Tolle, die Pfannen hüpften, das Öl sott, die Fische schnalzten, die Kuchen quollen auf. Sie schrie etwas in die Luft, in ihrer ausgereckten Hand blitzte ein kostbares Band, durchflochten mit Perlen und Edelsteinen, jenem gleich, mit dem die Kaiserin ihren Brief gesiegelt hatte, in der andern ein runder Spiegel. Sie kniete vor der Färberin nieder, die sich zu ihr auf die Erde kauerte. Die Alte führte ihr die Hand, das Haarband flocht sich ins Haar, das junge Gesicht glühte aus dem runden Spiegel wie aus purem Feuer wiedergeboren. Kläglich sangen die Fischlein:

Wir sind im Dunkel und in der Furcht
Mutter laß uns doch hinein
Oder ruf den lieben Vater
Daß er uns die Tür auftu!

Hören die es nicht? dachte die Kaiserin, ihr wurde dunkel vor den Augen, aber die Sinne vergingen ihr nicht. Deutlich sah sie die beiden andern Gestalten. Die Junge lag gekauert und sah unablässig in den Spiegel, die Alte sprang zwischen ihr und dem Herd hin und her. »Mir hat Ähnliches geträumt«, sagten die Lippen der Färberin. Das Gesicht der jungen Frau war seltsam verändert und ihre nächsten Worte waren nicht zu verstehen. Die Alte sprang auf sie zu wie ein Liebhaber, sie kniete bei ihr nieder, ihr Mund flüsterte dicht am Ohr: »Hat dir auch geträumt, daß es auf ewig sein wird?« Sie verstanden sich mit halben Worten. Die Junge sank zusammen vor Glück, ihr Auge drehte sich nach oben, daß man nur das Weiße aufleuchten sah. »Drei Nächte zuerst – wirst du stark sein?« zischte die Amme, »drei Nächte ohne deinen Mann.« Die Junge nickte dreimal, – »das ist nichts, aber was kommt dann?« flüsterte sie, »ist es arg? ist es gräßlich, was ist es, das ich tun muß?« »O du Unschuldige«, rief die Amme, streichelte ihr die Hände, die Wangen, die Füße. »Ein Nichts ist es.« »Wirst du zu meinem Beistand bei mir sein?« hauchte die Färberin. »Sind wir nicht deine Sklavinnen von Stund an!« rief die Alte. »Sag mir, wie es sein wird«, fragte die Junge. »Du erwartest das Große und wirst erstaunen über das Geringe«, entgegnete die Amme. »Die drei Nächte und der feste Entschluß, diese sind das Schwere.« »Der Entschluß ist gefaßt und die drei Nächte sind mir leicht, sag mir, wie das Werk vollbracht wird!«

»Du schleichst dich zwischen Tag und Nacht aus dem Haus an ein fließendes Wasser«, sagte die Amme. »Der Fluß ist nah«, lispelte die Junge.

»Dem fließenden Wasser kehrst du den Rücken und tust die Kleider ab, behältst nichts an dir als den Pantoffel am linken Fuß.«

»Nichts als den?« sagte die Färberin und lächelte ängstlich.

»Dann nimmst du sieben solcher Fischlein, wirfst sie mit der linken Hand über die rechte Schulter ins Wasser und sagst dreimal: ›Weichet von mir, ihr Verfluchten, und wohnet bei meinem Schatten.‹ Dann bist du die Ungewünschten für immer los und gehest ein in die Herrlichkeit, wovon dieses Haarband und das Mahl, das ich hier bereitet habe, nur ein erbärmlicher Vorgeschmack ist.«

»Was soll das bedeuten, daß ich zu ihnen, die nicht gewünscht sind, sagen werde: Wohnet bei meinem Schatten?«

»Es ist ein Teil des Bundes, den du schließest, und soll heißen, daß in dieser Stunde dein trüber Schatten von dir abfallen wird und du eine Leuchtende sein wirst so von vorne als in deinem Rücken.« Die Frau sah mit einem verlorenen Blick über den Spiegel hinweg. »Ich werde es tun«, sagte sie dann. »Mutter o weh!« riefen die Fischlein mit ersterbender Stimme und waren fertig gekocht. Die Kaiserin allein hörte den Schrei und er durchdrang sie, und sie mußte für eine unbestimmte Zeit die Augen schließen. Als sie sie wieder aufschlug, sah sie beim Scheine des zusammengesunkenen Feuers, wie die Färberin sich bückte und der Alten die Hand küssen wollte. Vorne im Zimmer, nahe der Feuerstelle, war aus der Hälfte des Ehelagers für den Färber Barak eine Schlafstätte errichtet, hinten war vor das Lager der Frau ein Vorhang geschoben. Die Amme verneigte sich tief vor der Färberin und zog ihre Tochter nach sich zur Tür hinaus. »Was ist geschehen?« fragte die Kaiserin, als sie durch die Nacht hinschwebten. »Viel«, erwiderte die Amme. »Ist es vollbracht?« fragte die Kaiserin und rührte zutraulich die Amme an, vor der ihr nicht mehr graute, seit sie sie nicht mehr mit den Menschen sah. Die Alte gab ihr einen fast spöttischen Blick zurück: »Geduld!« sagte sie, »alles will seine Zeit.«

Drittes Kapitel

Der Färber Barak kam spät nach Hause. Er fand das Gemach dunkel und erfüllt von Duft wie das Haus eines Reichen. Nachdem er ein Licht entzündet hatte, sah er zu seiner unmäßigen Überraschung das eheliche Lager entzweigeteilt, und die eine Hälfte an einer völlig ungewohnten Stelle nahe am Herd, die ihn zu erwarten schien, die andere mit einem Stück Zeug verhängt. Er ging hin, und indem er das Licht mit der Hand verdeckte, schob er den Vorhang beiseite und fand seine Frau, die mit geballten Fäusten schlief wie ein Kind. Ihr Atem ging ruhig, und sie schien ihm begehrenswert, aber er hielt sich im Zaum, ging mit leisen Schritten an den Herd und fand, dem Geruch nachgehend, den Rest einer köstlichen Mahlzeit von Fischen und gewürzten, in Öl gebackenen Kuchen, derengleichen er niemals gegessen hatte. Er sparte sich einen halben Fisch und einen Teil von den Kuchen vom Munde ab und trug diese Reste mit leisen Schritten hinaus in den Schuppen, damit sein jüngster Bruder, der Verwachsene, wenn ihm nachts oder früh am Morgen noch nach Essen gelüstete, sie fände. Dann ging er zu seinem Lager und verrichtete auf dem Bette sitzend ein kurzes Gebet; nachher verharrte er noch eine Weile regungslos und sah unverwandt auf den Vorhang hinüber, der ihm den Anblick seiner Frau verwehrte. Aber es regte sich nichts, und mit einem leisen Seufzer, der aber doch wie bei ihm alles gewaltig war, streckte er seine Glieder und schlief sogleich ein. Am nächsten Morgen ging er vor Tagesgrauen hinaus an den Fluß, er nahm einen Stampfmörser mit und verrichtete diese Arbeit draußen hundert Schritte vom Haus, um mit dem Geräusch den Schlaf seiner Frau nicht abzukürzen. Als er wiederkam, sah er zwei fremde Frauen, die hereinschlichen und die Schwelle des Wohngemaches überschritten, als ob sie hier zu Hause wären. »Das sind meine Muhmen, die mir dienen werden ohne Lohn«, sagte die Frau, die zu seinem Staunen schon auf war. Als die beiden Fremden sich bückten, um den Saum ihres Kleides zu küssen, war ihre Haltung, mit der sie es geschehen ließ, von einer Anmut, daß er meinte, sie nie so schön gesehen zu haben. Aber er hatte keine Zeit, seinen Blick an ihr zu weiden. Er lud sich eine gehörige Last frisch gebeizter Tierhäute auf den Rücken, die Alte sprang herzu und war ihm behilflich. Sie lief ihm voran an die Tür, tat sie für ihn auf und verneigte sich, als er vorüberging. »Komm bald wieder nach Hause, mein Gebieter«, rief sie dann, »meine Herrin verzehrt sich vor Sehnsucht, wenn du nicht da bist!« Dann war sie mit einem Sprung bei ihrer jungen Herrin und zeigte ihr ein Gesicht, das den Hinausgegangenen lautlos verlachte. »Die Augenblicke sind rinnender Goldstaub«, zischte sie, »heran, daß ich dich schmücke und mit dir ausgehe.«

»Wir haben nichts außer dem Haus zu suchen«, sprach die Frau.

»So verstattest du, daß ich den rufe, der danach schmachtet, zu kommen.«

»Von wem redest du da?« sagte die Frau ganz kühl und sah ihr hart ins Gesicht. Die Amme war betroffen, aber sie ließ es sich nicht merken. »Von dem auf der Brücke«, gab sie ohne Verlegenheit zurück, »von diesem rede ich, von dem unglückseligsten unter den Männern! Verstatte, daß ich ihn rufe und ihn hereinhole zur Schwelle der Sehnsucht und der Erhörung!«

»Ich will das Haus rein«, sagte die Färberin und sah an der Alten vorbei, »die Kessel sollen blank werden und die Mörser gescheuert, die alten Rührstangen sollen aussehen wie neu, der Boden muß aufgewaschen sein und so fort, eines nach dem andern.« » O meine Herrin«, rief die Alte kläglich, »bedenke: es gibt einen, dem der Gedanke an dein offenes Haar die Knie zittern macht.« »Die Küpen hinaus zum Schwemmen«, rief die Färberin, »du Schamlose, die Tröge, Fässer rein, neues Brennholz aus dem Schuppen, fünf Klafter geschichtet, Feuer unter die Kessel, die Mühlen gedreht, daß die Funken stieben, die Betten gemacht, auf, eins, zwei! Vorwärts ihr beiden! Barak, mein Mann, soll sich freuen, daß ich zwei Dienerinnen habe.« »Wehe uns«, rief die Alte und fiel der Frau zu Füßen. »Hinaus mit uns, meine Tochter, wir sind der Herrin verächtlich, und sie will nicht, daß wir ihr dienen zu wahrem Dienst!«

»Seid ihr mir in Dienst gestanden oder nicht?« schrie die Färberin böse und entzog der Alten ihren Fuß, daß sie taumelte. »Habt ihr mir geschworen oder nicht?« Und sie stampfte auf. Die Amme und die Kaiserin liefen, sie machten flink die Betten, sie trugen die Küpen und Zuber zum Schwemmen; dann schleppten sie das Brennholz aus dem Schuppen herbei und schichteten es auf, sie putzten die Mörser blank und kratzten die Schöpfkellen ab. Indessen hatte die Färberin sich unter ihrem Kopfkissen das köstliche Haarband und den Spiegel hervorgeholt. Sie saß an der Erde auf einem Bündel getrockneter Kräuter und schmückte sich, aber ihr Gesicht war unfreudig. »Ihr meint, ihr habt mich in der Tasche«, rief sie über die Schultern, »ja, da hättet ihr früher aufstehen müssen! Lauft nur und schwitzt.« »Du wirst hungrig sein, o meine Herrin«, sagte demütig die Alte. »Nichts macht so hungrig als arbeiten sehen«, und reichte ihr auf einem Teller eine Menge von kleinen Pasteten von zartem gewürztem Duft, derengleichen der Färbersfrau nie vor Augen gekommen: sie besah sie mit Verwunderung, nahm dann den Teller und aß eine der kleinen

Pasteten nach der anderen. Als Barak mittags nach Hause kam, hatte sie keinen Hunger und ließ die Mahlzeit unberührt, welche die Amme gekocht und die Barak wohlschmeckte. Sie sprach auch wenig und antwortete nicht auf die Fragen ihres Mannes. Dieser aß kaum einen Bissen, ohne dazwischen seine kugeligen Augen, an denen man das Weiße sah, wenn er aufmerksam oder besorgt war, nach seiner Frau zu wenden. »Betet, ihr, die ihr mit uns esset«, sagte Barak zu den Muhmen, die etwas entfernt an der Erde saßen und das verzehrten, was übrigblieb. »Betet, daß sie wieder essen könne, und daß es ihr gut anschlage. Ihr müßt wissen«, fuhr er fort, »daß ich vor einer Woche alle Frauen meiner Verwandtschaft ins Haus gebeten habe, und sie haben schöne Sprüche gesprochen, die Gevatterinnen, über dieser da, meiner Frau, und ich habe, müßt ihr wissen, siebenmal vor Nacht von dem gegessen, was sie gesegnet hatten mit dem Segen der Befruchtung. Und wenn meine Frau seltsam ist und anders als sonst, so preise ich ihre Seltsamkeit und neige mich zur Erde vor der Verwandlung: denn Glück ist über mir und Erwartung in meinem Herzen.« Der jungen Frau Gesicht sah mit einem Male blaß und böse aus. »Aber triefäugige Vetteln«, sagte sie mit schiefem Mund, »müßt ihr wissen, die Sprüche murmeln, müßt ihr wissen, haben nichts zu schaffen mit meinem Leibe, und was dieser Mann in sich gegessen hat vor Nacht, müßt ihr wissen, das hat keine Gewalt über meine Weibschaft.« Sie stand jäh von der Erde auf, ging nach hinten an ihr Bette und zog den Vorhang zu. Auch Barak war aufgestanden; sein Mund öffnete sich, als ob er noch etwas hätte sagen wollen, und sein rundes Auge haftete auf dem Vorhang, der ihm seine Frau verbarg. Schweigend machte er sich daran, eine ungeheuere Last von gefärbtem Zeug aufzuhäufen und sie seinem Rücken aufzuladen. Als er beladen war, richtete er an der Tür seinen gewaltigen Rücken nochmals ein wenig auf und sagte zu den Muhmen, indem er sie freundlich ansah: »Ich zürne der Frau nicht für ihre Reden, denn ich bin freudigen Herzens, müßt ihr wissen, und ich harre der Gesegneten, die da kommen.« »Es kommen keine«, flüsterte in sich die Frau, »keine in dieses Haus, viel eher werden welche hinaus-

gehen.« Sie flüsterte es fast ohne Laut und hinter dem Vorhang, so daß niemand es hören konnte; aber die Amme hörte es doch, und ihre wimperlosen Augen zuckten.
Die Frau saß auf ihrem Bette und regte sich nicht, eine volle Stunde lang. Die Amme lief nach einer längeren Zeit an den Vorhang und flüsterte ans Bette hin; es kam keine Antwort. »Wehe, mit diesen Wesen zu leben ist schlimmer, als von ihnen zu träumen«, flüsterte die Kaiserin, »sag mir, um was geht es zwischen diesem boshaften Weibe und ihrem häßlichen plumpen Mann?« »Um deinen Schatten«, antwortete die Amme ebenso leise. Die Frau trat plötzlich hervor. »Warum kommt er denn nicht, du Lügnerische, der, von dem du immer redest?« sagte sie mit einem Male und wurde im gleichen Augenblick, als sie es gesprochen hatte, dunkelrot. »Ich weiß es, und du brauchst mir nicht zu erwidern«, fuhr sie fort, »er ist selber ein Alter und Abscheulicher, das sehe ich daraus, daß er dich als Gelegenheitsmacherin vorschickt.« Die Amme erwiderte kein Wort. »Gestehe mir«, rief die Färberin, »daß du eine bezahlte Kupplerin und Betrügerin bist, und daß alles Gaukeleien sind, womit du darauf aus bist, mir den Kopf taumelig zu machen!« Die Alte blieb stumm. »Meinen Pantoffel in dein Gesicht, du Hexe«, schrie die Junge, »da nimm dafür, daß du mich mein Elend erst recht hast fühlen machen, da nimm« – und sie schlug noch einmal zu – »dafür, daß du mich aus dem Regen in die Traufe bringen wolltest, denn wer wird er denn sein, der deinesgleichen mir ins Haus schickt, – hat er mich vielleicht auf der Straße gesehen und untersteht er sich, mich so ohne weiteres haben zu wollen? – sag mir das noch, bevor ich dich hinausjage, und dann frage ihn, wer ihm erlaubt hat, sein Auge zu mir zu heben! Erzähle ihm ein wenig, daß Barak der stärkste unter den Färbern ist und auch unter den Lastträgern nicht seinesgleichen hat.« Die Amme blieb regungslos und schwieg beharrlich; sie hatte ihren Kopf ein weniges von der Erde gehoben, aber es schien, sie getraue sich nicht, dem Blick ihrer zürnenden Herrin zu begegnen. Erst als diese von ihr ließ und mit schleppenden Schritten wegging, sah sie ihr nach und flüsterte, wie ihrer selbst vergessen, ins Leere: »Sieh hin, o mein Gebieter, hat sie

nicht einen schwimmenden Gang gleich einer verdürsteten Gazelle?« »Meine Finger um deine Kehle«, schrie die Färberin, die jedes Wort verstanden hatte, und wandte sich jäh um, »mit wem redest du, du Hexe?« Die Röte war aus ihrem Gesicht geschwunden, sie war blaß und sah aus wie ein geängstigtes Kind. »Mit ihm, der draußen steht, mit ihm, der die Hände reckt gegen die Türe deines Hauses, der den Kopf sich zerschlägt gegen die Mauer deines Hauses, der sein Gewand zerrissen hat vor Verlangen und vergeblicher Sehnsucht.« »Komm her zu mir«, sagte die Färberin mit veränderter Stimme, »komm, aber berühre mich nicht!« Sie setzte sich auf ihr Lager und ließ die Alte dicht an sich herankommen. »Du bist eine Kupplerin«, sagte sie, »wehe mir, und eine von den gewöhnlichen, und du bist an mich gekommen, weil ich arm bin, und hast aufs Geratewohl deine gewöhnlichen Künste gebraucht, verziehen seien sie dir. Jetzt aber laß ab von mir und nimm diese mit dir, denn ich will euch nicht länger im Hause behalten: das ist es, was ich bedacht habe, als ich auf meinem Bette saß und stumm war. Ich will nicht mit dir gehen, und ich will den nicht sehen, der dich ausgeschickt hat; denn ich bin seiner überdrüssig, bevor ich ihn gesehen habe. Die Begehrlichen sind einander gleich auf dieser Welt, und ihr Begehren ekelt mir.« Sie sah um sich im ganzen Raum, als sinne sie über etwas nach. »Vieles war unrein, und ihr habt es rein gemacht«, fuhr sie fort, »aber es ist nichts besser geworden, die Geräte sind mir nicht lieber als zuvor, und das Haus ist mir trauriger als ein Gefängnis. Du bist hereingekommen zur bösen Stunde, du hast mir ins Ohr geflüstert vom Freudenleben, das auf mich wartet, das war deine schwärzeste Lüge, denn es kommt nichts für mich, als was schon gewesen ist. Ich bin wie eine angepflöckte Ziege, ich kann blöken Tag und Nacht, es achtet niemand darauf, treibt mich der Hunger, so nehme ich mit meinem Munde Nahrung in mich, und so lebe ich einen Tag um den andern, und das geht so fort, bis ich dein runzliges Kinn habe und deine rinnenden Augen, ich Unglückselige.« Die Tränen überwältigten ihre Stimme, sie sank nach vorn, die Alte unterstützte sie. Ganze Bäche stürzten ihr über die Wangen, die Alte sah es mit Entzücken. Sie

ließ die Weinende leise auf das Bett gleiten, sie streichelte ihr die Wangen, sie küßte ihr die Fingerspitzen, die Knie. »Oh, wie du bist, du Köstliche, wie Räucherwerk bist du, das seinen Duft lange in sich hält in der Kühle, du Strenge gegen dich selber.« »Warum zündest du Weihrauch an, ich will es nicht«, sagte die Frau mit schwacher Stimme und richtete sich in den Armen der Alten halb auf. »Es ist kein Ambra, es sind keine Narden«, murmelte die andere, »es ist der Duft der Sehnsucht und der Erfüllung.« »Sprich keine Zauberworte«, rief die Junge ängstlich und zuckte in den Armen, die sie fest umschlangen und auf das Bett niederdrückten. »Ruhig, du Unnennbare, du bist es selber«, rief die Amme, »dein Hauch ist süßer als Narden, deine Blicke sättigen mit dem Feuer der Entzückung.« Die Färberin wehrte sich gegen die Umschlingung der Alten und klammerte sich doch an sie, sie sah in einem Wirbel voller Angst und Wollust nach oben in das feurige Weben hinein, aus dem ein Etwas mit durchdringender Gewalt zu ihr wollte, ihr schwindelte, und sie mußte die Augen schließen. »O mein Gebieter, widerstehst du ihren Augen, wenn sie ersterben?« flüsterten dicht an ihrem Kopf die Lippen der Amme, sie flüsterten es nach oben. »Wer soll es sein, es gibt ihn nicht«, hauchte die Frau und fühlte, wie sie willenlos der Alten im Arm hing. »Mit wem redest du?«
»Mit einem, der nahe ist und nach dir lechzt, mit einem, der mir zuruft: so verdecke ihr die Augen, und wenn du sie ihr wieder auftust, dann bin ich es, dessen Gesicht auf ihren Füßen ruht.
»Die Augen«, sagte die Frau und riß sich los, »nicht um alles!«
»Du tust es«, rief die Amme mit schmeichelnder Stimme, »du legst dich wieder auf dein Bette, du liegst schon, du lässest mich den Mantel über dich breiten, meine Tochter deckt dir die Füße zu und legt sanft ihre Hand auf deine Augen – du hast es gewährt, o meine Herrin!« »Es kann nie geschehen«, sprach die Kaiserin in sich, »sie will es ja nicht! Es kann nie geschehen«, wiederholte sie, indessen die Augen der Frau schon gegen ihre flachen Hände schlugen. Es war schon geschehen, indem sie es aussprach. Inmitten des Raumes stand ein Lebendiger, der vordem nicht dagewesen war. Sie nahm ihn nur

aus dem Winkel des Auges wahr, seine Gegenwart war stark und lauernd wie eines Tieres. Die Kaiserin konnte es nicht ertragen, dies in ihrem Rücken zu haben. Sie trat zurück und gab die Augen der Färberin frei. Diese setzte sich auf und zitterte vor Furcht und Verlegenheit. Die Amme neigte sich zur Erde vor dem Ankömmling, und er schritt langsam auf die schöne Färberin zu. Die Kaiserin trat hinter sich; sie sah, wie das eine seiner Augen größer war als das andere und einen Blick von besonderer tierhafter Heftigkeit auswarf, und sie erkannte, daß es einer von den Efrit war, welche beliebige Gestalten annehmen können, um die Menschen anzulocken und zu überlisten. Sie sah, daß er schön war, aber die unbezähmbare Gier, die seine Züge durchsetzte, ließ ihr sein Gesicht abscheulicher erscheinen als selbst eines der Menschengesichter, die ihr auf der Erde begegnet waren. Sie wußte, daß diese Efrit das Bereich der Lebenden umlauern, aber nie hatte sich einer von ihnen unterstanden, ihr so nahe zu kommen. Haß und Verachtung durchbebten sie, sie richtete sich hoch auf und blitzte vor Hochmut. Die Amme spürte ihren Zorn, sie glitt neben sie hin und faßte sie besänftigend an, sie schob sie zur Seite, der Efrit stand vor der Färberin und heftete seine Augen auf sie, vor denen sie die ihrigen niederschlug. »Da bist du«, sagte er mit einer Stimme, welche tiefer und seltsamer war, als die Kaiserin erwartet hätte, und der er einen schmeichelnden, beinahe unterwürfigen Klang gab, »du Köstliche, die auf mich wartet.« »Wartet«, sagte die Frau, »ich auf dich?«

»Du bist ein Weib, aber der den Knoten deines Herzens lösen soll, ist dir noch nicht nahe gewesen vor dieser Stunde.« Die Frau öffnete den Mund, aber es kam kein Laut hervor. Seine Hände lagen auf ihren Knien, er glitt neben sie hin, es war etwas vom Panther und etwas von der Schlange in ihm. Der Kaiserin riß es durch die Seele. »Hilf ihr von dem Unhold«, flüsterte sie der Amme zu, »siehst du denn nicht, daß sie ihn nicht will!« »Ins Schwarze treffen und der Scheibe nicht weh tun, das wäre freilich eine vortreffliche Kunst«, gab die Amme kalt zurück. Der Efrit ergriff mit beiden Händen die Handgelenke der Färberin und zwang sie, zu ihm aufzusehen;

ihr Blick konnte sich des Eindringens der seinigen nicht erwehren; sie lag ihm offen bis ins Herz hinein. »Die Augen, heiße ihn die Augen wegtun«, rief die Frau, und es schien, sie wollte flüchten, aber der Efrit blieb dicht an ihr, seine Hände lagen auf ihrem Nacken, und die Worte, die seinen Lippen schnell entflossen, klangen schmeichelnd und drohend zugleich. Die Kaiserin wollte nicht hinsehen und sah hin. Sie begriff nicht, was sie sah, und doch war es nicht völlig unbegreiflich: das beklemmende Gefühl der Wirklichkeit hielt alles zusammen. »Vorbei!« hauchte sie und drückte fest ihr Gesicht in einen Sack mit getrockneten Wurzeln. »Was ist er ihr, was ist sie ihm, wie kommen sie zueinander! Warum erwehrt sie sich seiner nur halb! Um was geht es zwischen diesen Geschöpfen?«

»Um deinen Schatten«, gab die Amme zur Antwort, und ihr Gesicht leuchtete auf. »Nein, nicht dies«, rief die Kaiserin dicht am Ohr der Alten. »Ruhig«, sagte die Alte, »ruhig, sie ist eine Verschmäherin und muß gebrannt werden im Feuer des Begehrens.«

»Verlocke sie mit Schätzen, es war von köstlichen Mahlzeiten die Rede – sie will ein Haus und Sklavinnen«, sagte die Junge, »gib ihr, was sie will, nicht dies!«

»Ein krummer Nagel«, antwortete die flinke Zunge der Alten, »ist noch keine Angel, es muß erst ein Widerhaken daran.«

Die Frau hatte ihre Hände frei bekommen und war aufgestanden. »Ich will mich verstecken«, sagte sie, »hilf mir, Alte, ich will mich vor diesem da verstekcen! Was geht er mich an, der fremde Mensch! Mag er gleich schön sein!« Die Amme war schnell bei ihr: »Dir nicht fremd zu sein, du Köstliche«, sagte sie mit einem unbeschreiblichen Ausdruck, »ist alles, was er begehrt.« »Ich will mich vor seinen Blicken verstekken«, schrie die Frau und schob die Alte so ungeschickt zur Seite, daß sie selbst dem Manne näher war als zuvor. »Frage ihn, wie er sich unterfangen kann, von mir zu verlangen, was er verlangt hat, er, den ich vor einer Stunde nicht gekannt habe! Frage ihn! Er sagt, er verlangt es als ein Pfand des Zutrauens und als ein Wahrzeichen, daß mein Gemüt nicht karg ist!« »Wahrhaftig, da sagt er die Wahrheit«, rief die Alte mit Begeisterung und tauschte einen Blick mit dem Efrit, »und daß du ihn vor einer Stunde nicht gekannt hast, ist ein Grund mehr, dich großmütig zu bezeigen: so ist es gesetzt zwischen Herz und Herz, und wer dich anderes gelehrt hat, war schlechthin darauf aus, dich zu betrügen, du Arglose.« »So ist es«, rief der Efrit, aber die Alte winkte ihm, still zu sein. Sie horchte angestrengt nach außen. »Ihr müßt auseinander«, rief sie, »ihr Liebenden, ich höre den Schritt des Färbers, der nach Hause kommt. Er ist fröhlichen Herzens und trägt eine irdene Schüssel in den Händen.« Der Kaiserin Herz schlug vor Freude; sie konnte es kaum erwarten, den Großen, Starken eintreten zu sehen. Warum stößt er nicht die Tür auf, warum dringt er nicht herein, dachte sie und hob den Kopf. Eine Art von Musik erklang von draußen, eine Art von mißtönendem Gesang. Die Amme stand bei ihr und warf ihr einen seltsamen Blick zu: »Auf, du, und heiße sie auseinandergehen für heute«, sagte sie, »es ist Zeit.« Der Efrit hatte die Färberin um die Mitte gefaßt, er wollte sie mit sich fortziehen, es schien, als söge er mit der Nähe der Gefahr einen doppelten frechen Mut in sich. Er war bereit, seine Beute hoch in der Luft über den Köpfen der Eindringenden hinwegzutragen, und er war schön in seiner knirschenden Ungeduld. Die Kaiserin trat ihm in den Weg. Ihr Mut war dem seinen gleich, sie legte beide Arme um die Frau, der Efrit wandte ihr sein Gesicht zu, das loderte wie ein offenes Feuer; durch seine zwei ungleichen Augen grinsten die Abgründe des nie zu Betretenden herein, ein Grausen faßte sie, nicht für sich selber, sondern in der Seele der Färberin, daß diese in den Armen eines solchen Dämons liegen und ihren Atem mit dem seinen vermischen sollte. Sie wollte die Färberin an sich ziehen, sie achtete es nicht, daß es ein menschliches Wesen war, um das sie zum ersten Male ihre Arme schlang. Die Färberin hing ihr willenlos im Arm, ihre Augen sahen nur den Efrit, sie ging ganz in ihm auf. Ein ungeheures Gefühl durchfuhr die Kaiserin vom Wirbel bis zur Sohle. Sie wußte kaum mehr, wer sie war, nicht, wie sie hierhergekommen war. Eine wissende Schwäche fiel sie an, – ihre schöne, reine Kraft selber fing an zu versagen, ihr

Denken, zum erstenmal zerrissen, suchte dahin und dorthin nach Hilfe, in ihr rief es mit Inbrunst nach dem Färber Barak, und sie fühlte, wie er Schritt für Schritt auf die Tür zukam. Nun kam er herein, er trat ins Zimmer, fröhlich und geräuschvoll, beladen und begleitet: sein Gesicht war vor Freude und Aufregung gerötet, und er trug auf beiden Händen eine mächtige Schüssel, auf der köstliche Speisen gehäuft waren: eine Henne in Reis, Eingemachtes, in jungen Weinblättern gewickelt, Kürbisse mit Pistazien gewürzt und zehnerlei andere Arten von Zukost. Der Verwachsene, der mit Blumen bekränzt war und die Maultrommel spielte, drängte sich an ihm vorbei, der Einarmige schleppte einen mächtigen irdnen Weinkrug, der Einäugige trug auf dem Nacken eben jenes abgehäutete Lamm, dessen sanfte Augen gestern beim Kommen den Blick der Kaiserin in sich gezogen hatten, Kinder, die sich scharenweise angesammelt hatten, angelockt von der Maultrommel und dem Geruch so üppiger Speisen, lauerten in der Tür und begierige Hunde mit ihnen. Dies alles drang schon ins Gemach, der Efrit im Nu eines Blitzes war verschwunden, die aufgehängten Tücher schwankten, und ein Ziegel löste sich aus den Fugen, in die Hände klatschte begrüßend die Amme und verneigte sich in heuchlerischer Demut vor dem Hausherrn. In den Armen der Magd richtete sich die Halbohnmächtige auf und sammelte mit einem Blick, der nichts in dem Gemach, nicht die Schwäger und nicht den eigenen Mann erkannte, mit wilden Atemzügen und Stößen ihres zuckenden Herzens die fast dem Leib entflogene Seele. Aber so groß war in der arglosen Brust des Färbers die Freude über seinen unerhörten Einkauf und die Zurüstungen zu einem Mahl, wie sein armes Haus es noch nicht gesehen hatte, daß er nichts von der Verwirrung gewahr wurde, in der er seine Frau vorfand. »Was sagst du nun, du Prinzessin«, rief er ihr mit mächtiger Stimme zu, »was sagst du mir zu dieser Mahlzeit, du Wählerische, die mir das Mittagessen verschmäht, und wie findest du die Zurichtung?« Und als die Frau stumm dastand und mit weit offenen Augen auf ihn starrte wie auf einen Geist, so meinte er, es habe ihr vor Freude und Staunen die Rede verschlagen, und mußte laut über sie lachen. »Erzählt ihr ein wenig, meine Brüder«, rief er, »damit sie sieht, was wir für Einkäufer sind. Wie war es mit dem Schlachter! Und wie war es mit dem Gewürzhändler?«

»Schlag ab, du Schlachter, ab vom Kalbe«, sang der Bucklige. »Und ab vom Hammel und her mit dem Hahn!« fielen das Einaug und der Einarmige ein. »Und Bratenbrater, heraus mit dem Spieß!« schrien sie alle zusammen, und der Einarmige zog einen mächtigen Bratspieß hervor, den er seitlich am Lendenschurz befestigt hatte. »Du Bratenbrater, heraus mit dem Spieß!« jauchzten die fremden Kinder und drängten sich herbei. »Und wie war es mit der Vorkost und wie mit dem Wein!« schrie Barak lauter und fröhlicher als alle. »So war es: Heran, du Bäcker, mit dem Gebackenen«, antworteten die Brüder, »und du Verdächtiger, her mit dem Wein!« »Ja, so war es«, rief stolz der Färber und kehrte sein freudig gerötetes Gesicht allen im Kreise nacheinander zu. Er ging auf seine Frau zu, zog sie an sich und bedeckte ihren Mund und ihre Wangen mit Küssen. Die Amme sprang dicht daneben und bog sich vor Lachen. Sie legte überall Hand an, sie trat und stieß nach den Kindern, die überall dazwischenkamen, mit den Fingern in die große Schüssel fuhren, nach den brennenden Kienspänen griffen und das tote Lamm anrühren wollten; der Verwachsene spielte mit einer Hand die Maultrommel und half mit der andern das Lamm an den Spieß stecken, der Einäugige goß den Wein in irdene Scherben und fing mit vorgestrecktem Maul auf, was danebenging, und Barak saß auf der Erde vor der großen Schüssel, er hatte die Frau auf seine Knie niedergezogen und liebkoste sie, indem er abwechselnd mit den Fingern die besten Stücke hervorholte und ihr in den Mund steckte, abwechselnd sie küßte und immer wieder gewaltig an sich drückte. Er bemerkte es nicht, daß sie an den Bissen würgte und unter seinen Liebkosungen starr blieb wie eine Tote. Da sie ihm zu langsam von den köstlichen Dingen aß, stopfte er dazwischen den Kindern in den Mund, die ihn umringten, während er selbst nur hie und da ein Geringes zu sich nahm und kaum darauf achtete. »Heraus, du Bäcker, mit dem Gebackenen!« schrien die Kinder und warfen herausfordernde Blicke auf den Einarmigen und Einäugigen. »Wenn wir einkaufen, das ist ein Einkauf!« sang der Verwachsene und griff mit seinen langen Armen über alle hinweg in die Mitte der Schüssel. »O Tag des Glücks, o Abend der Gnade!« sang Barak mit seiner dröhnenden Stimme und nahm mit seiner freien Linken das kleinste von den Kindern, dann noch eines, indem er es rückwärts am Gewande fest packte, und warf sie seiner Frau zwischen die Knie, aber behutsam, indem er vor Freude laut lachte. Die Frau zog jäh die Knie nach oben, sie streifte die Kinder von ihrem Schoß, daß sie hart ans offene Feuer hinrollten, sie stieß Barak von sich, daß er taumelte und dabei mit den Beinen die große Schüssel zerschlug. Die größeren Kinder schrien und rissen die kleinen Geschwister aus dem Feuer, der Einäugige schlug unter sie und rettete von den Speisen, was zu retten war. Die Amme ließ das Lamm und den Spieß und sprang hin zu der Frau. Diese lag auf den Knien, sie focht mit den Händen in der Luft, und aus ihrem Mund drang ein langer gellender Schrei. Schnell trugen die beiden Muhmen die Zuckende auf ihr Bett. Barak war neben ihnen und getraute sich nicht, seine schreiende Frau anzurühren, er lief ans Feuer zurück, sah mit ratlosem Blick auf die Speisen, lief wieder ans Bett und berührte angstvoll ihren Leib, der sich wild herumwarf wie ein Fisch auf dem Trockenen: er glaubte sie vergiftet. Er reichte der Alten ein Tuch und drängte die Brüder und Kinder hinaus, sie rissen das Lamm vom Spieß, und der scharfe Dunst von verbranntem Fett erfüllte den Raum. Das Schreien hatte aufgehört, aber ein Krampf zerrte alle Glieder der Färberin. Sie bleckte die Zähne gegen ihren Mann, als sie ihn gewahr wurde, und stieß zu der Alten hervor: »Schaff mich fort, du weißt die Wege, schwöre mir, daß ich nie mehr dieses Haus und dieses Gesicht sehen werde.« Die Alte streckte drei Finger, dann schlug sie den einen ein und deutete mit verstohlenem Blick auf die zwei, die noch blieben. Die Frau schloß die Augen, Barak hatte nicht gehört, was sie sagten, er sah, wie die Alte zu ihr flüsterte, wie die Junge spärlich antwortete, aber nicht mehr mit verkrampftem Mund, wie sie allmählich ruhiger wurde und sanft dalag.

Viertes Kapitel

Am Abend des dritten Tages zog sich die Jagd oben am Hange eines tiefen Tales hin, da sich immer mehr zur Schlucht verengte. Die Schlucht wurde schroff und abgrundtief, unten schoß ein schäumendes Wasser. Ober einer steinernen hohen Brücke, die den Abgrund übersprang, lag ein einsames Dorf, das schon von der Jägerei besetzt war. Der Kaiser kam über die steinerne Brücke geritten, er hielt sein Pferd auf der Straße an, die hinter ihm sprangen aus dem Sattel, alle erwarteten, daß er absteigen würde; zwei von den Vornehmsten eilten hin und hielten ihm Zaum und Bügel, aber mit einer lässigen Gebärde der schönen langen Hand winkte er ihnen ab und blieb im Sattel sitzen. Der Spaßmacher hatte nur auf diesen Augenblick gewartet, um eine Posse auszuführen, durch die er die gegenwärtige Sorge des Kaisers schmeichelnd mit einer derben Dorfhetze vermischen wollte; er sprang plötzlich seitwärts heran und zog einen Alten, der sich demütig dreingab, an seinem langen gelblichweißen Bart hinter sich her bis vor des Kaisers Pferd. »Hier, du Ältester eines verfluchten Dorfes«, schrie er ihn an, »hier wirf dich nieder und bekenne, daß ihr berüchtigte Falkendiebe seid, ihr Bergdörfler, und daß ihr Falken anzulocken versteht und sie zu ködern mit einem geblendeten Vogel, und daß ihr selber erpicht auf die Falkenjagd seid und Wilddiebe vom Mutterleib, und daß jeder von euch für einen roten kaiserlichen Falken, der – Gott verhüte es! – in eure Hände fiele, seine leibliche Mutter verkaufen würde, geschweige denn sein Eheweib, die einem euresgleichen feil ist um einen auf Sperlinge abgerichteten Habicht!« Der Alte zuckte mit den Augenlidern, er nahm alles für bare Münze, der Tod schwebte ihm vor den Augen, er hob beteuernd die Hände und sah sie schon abgehauen und verstümmelt. Er wollte eine Rede anheben, aber die eherne Stimme des Possenreißers und das gewaltige Ansehen, das er sich zu geben wußte, schlugen ihn zu Boden. Er sah mit hilfeflehender Miene nach dem, der über ihm auf dem Pferde saß, aber der blieb regunglos und würdigte ihn keines Blickes. »Bei meinen Augen«, rief der Alte verzweifelt,

»möge ich blind werden auf der Stelle! Wir sind armselige Hirten, wir wissen nichts von der Jagd und vermögen einen Falken nicht von einer Krähe zu unterscheiden!« In seiner Angst faßte er mit den Händen in die Luft, zu nah vor den Augen des Pferdes, daß es sich hoch aufbäumte und der Kaiser mit der Rechten hastig nach der Hülse griff, die er mit dem Brief der Kaiserin unterm Gewand am Halse trug, um sie zu schützen, dann erst faßte er in die Zügel und beruhigte das Pferd; aber der Possenreißer, der ihm begierig um ein Lächeln und Nicken am Gesicht hing, bekam keinen Blick, die Augen des Kaisers sahen gerade vor sich, wie eines Adlers, den schläfert. Es war hoch am Nachmittag und die Luft hier im innersten Bereich der sieben Mondberge so rein, daß der Kaiser in einer großen Ferne denselben Fluß, der tief unter seinen Füßen hinschoß, in einem Ursprung gewahren konnte, wo er als ein fadendünner Wasserfall hoch droben an der Felswand hing und sich von dort in einen kleinen Wald hinabstürzte. Auf dem höchsten Wipfel des Wäldchens sah man einen Falken sitzen, der einen Vogel in den Klauen hielt und ihn rupfte. Der Kaiser winkte den Obersten der Falkner herbei und zeigte ihm mit den Wimpern die Richtung; der Falkner hatte mit seinen weit auseinanderstehenden aufmerksamen Augen den Vogel längst gesehen und erkannt, daß jener, der dort in der Ferne äste, nicht der gleiche war, den sie suchten und den zu finden und wieder anzulocken seine oberste Pflicht war, und indes sein rotes Gesicht ober und unter der großen Narbe, die quer über seine Nase lief, dunkler wurde, wandte er es wie beschämt zur Seite. Aber des Kaisers Miene verfinsterte sich, er neigte sich ein wenig gegen den Falkner. »Auf deinen Kopf«, sagte er leise, »daß wir in diesem Revier den roten Falken finden und ihn wiedergewinnen, wir beide, du und ich.« Der Falkner wagte nicht, seinem Herrn ins Gesicht zu sehen, er hielt seine Augen fest auf die Brust des Kaisers gerichtet; er wurde blaßgelb, und seine auseinander stehenden Augen nahmen einen erschrockenen Ausdruck an. Er lief hin, ließ zwei Maultiere vorführen, nahm einen Filzmantel und einen Ledermantel an sich und hängte zwei lederne Taschen an seinen Gürtel, von denen die eine Luftlöcher hatte wie ein

Käfig. Der Kaiser war vom Pferd gesprungen, er schwang sich auf das eine Maultier, ohne den Bügel zu berühren, der Falkner stieg auf das andere; er mußte sich am Sattelknopf anhalten, seine Glieder waren ihm wie gelähmt, mehr als den Zorn seines Herrn und die dunkle Drohung fürchtete er noch das Alleinsein mit ihm. Hilflos drehte er sich im Sattel um, er sah, wie der Stallmeister einem der Knaben winkte, die ihm untergeben waren; der Falkner, als hätte er nur darauf gewartet, warf dem Knaben die Mäntel zu. Der Knabe lauerte mit Begierde, er hatte sich absichtlich herangeschlichen, seine Augen leuchteten, flink war er auf einem dritten Maultier droben und trabte hinter den beiden her.
Stumm ritten sie am Abhang hin, der Weg hob sich schnell in die Höhe. Sie blieben hintereinander, die Maultiere setzten den Fuß über lose glänzende Blöcke und Baumwurzeln, mit dem einen Knie hingen die Reiter über dem Abgrund, mit dem andern streiften sie den Efeu, der die schwarze Felswand umklammerte, kleine Vögel äugten aus ihren Nestern auf sie herab und flogen hastig vor ihrer Brust vorbei. Der Falkner hielt seine Augen auf den Rücken des Kaisers geheftet, die Schultern und der Nacken erschienen ihm felsenstark, unnahbar, ohne Gnade. Sie waren oben, der Kaiser sprang ab, der Kleine war schnell, wie eine Katze, vom Pferd, der Kaiser achtete ihn gar nicht, aber das Kind war selig, mit dem erhabenen Herrn allein zu sein, denn der Falkner schlich sich seitwärts, immer die Augen am Himmel. Der Kaiser sah hinab: Glanz ohnegleichen lag auf den Tälern und Bergen, da und dort fielen Wasserfälle ins Tal hinab und leuchteten, aus den tiefsten Schluchten fing an bläulicher Nebel sich emporzuziehen. In der Ferne kreuzten sich Bergkämme, dunkle Wälder standen auf den Hängen, oben war alles kahl und zerrissen. Niemals glichen sich zwei dieser Klippen, aber alles ging leuchtend ineinander über wie die Zeichen in dem Brief der Kaiserin, die alle wundervoll waren, keines dem andern gleichend, und nirgends ein Anfang zu finden – das Ende verflocht sich mit dem Anfang, so als ob in unsäglicher Scheu und Schamhaftigkeit die Anrede vermieden sein sollte; und ein solcher reiner, starker Duft, wie über diesen Schluchten

hin und her wogte, drang aus dem Brief für den einen, dem er zu lesen bestimmt war. In der Erinnerung schloß der Kaiser unwillkürlich die Augen, der Knabe las ihm jetzt Gnade und Milde vom Gesicht, die Freude durchdrang ihn, er brach vor Lust einen Zweig ab und warf ihn gleich wieder hin. Sie traten ins Wäldchen und gingen zwischen Bäumen am Wasser hin, auf einen Weiher zu.

Der Falkner blieb dahinten, er spähte zum hundertstenmal den Himmel ab, der noch hell war und schon vom ersten Mondlicht durchströmt. Er sah gegenüber, zwischen den zwei Zinken des höchsten Mondberges, die Sonne hinabsinken, ihr letzter, ganz schwarzer Strahl durchfuhr den Himmel und den Abgrund, hernach wanden sich einzelne Wolken, wie Schlangen, aus den Klüften hervor. Er seufzte auf: seine Hoffnung war gering, er vertröstete sich auf den Morgen, aber er wollte nichts unversucht lassen. Er öffnete die eine lederne Tasche, die er am Gürtel trug, und zog einen kleinen rostfarbenen Vogel heraus, der sich heftig sträubte. Der Falkner, mit gerunzelter Stirn, befestigte mit einem Lederriemchen den Vogel an einem Dornstrauch. »Vorwärts du«, sagte er, »deine Angst sieht schärfer als das schärfste Auge, melde mir du den, auf den ich warte, und melde ihn bald oder es soll dein Tod sein. Denn so wie er da hinten über mir ist, so bin ich über dir.« Es verging kurze Zeit und der Vogel riß an seiner Fessel wie ein Verzweifelter und stieß einen durchdringenden Angstlaut aus. Der Falkner konnte sich kaum fassen vor Unruhe und Erwartung. Er warf sich hinterm Dorngesträuch an die Erde und ahmte den Ruf der Ringeltaube nach, dreimal und öfter. Aus dem Wäldchen bei dem Wasser strichen die männlichen Tauben daher und suchten die Ruferin. Nicht lange und zuoberst am Himmel erschien nun ein Vogel, der größer und größer wurde. »Du bist es«, rief der Falkner voll Entzücken, »du erinnerst dich deines Wärters, du kommst zurück zu der Hand, die dir zuerst Speise gereicht hat.« Er riß eine kleine Trommel vom Gurt und schlug mit den Fingerknöcheln auf ihr einen besonderen Wirbel. »Erkennst du den Klang«, rief er, »wir sind es, die Deinigen, die dich um Verzeihung bitten! Wir haben uns vergangen gegen deine edlen

Sitten, wir wissen nicht wie, aber du bist großmütig und hast uns vergeben!« Der angebundene Vogel bohrte sich vor Angst tief ins Dorngestrüpp, die Tauben stoben auseinander, von oben fuhr der Falke senkrecht nieder, über dem Falkner hielt er sich in der Luft mit ausgebreiteten Schwingen, dann schoß er schräg, ohne die Schwingen zu regen, auf das Wäldchen zu. Dem Falkner stand das Herz still, ihm war, als hätte der Falke mit rötlich glitzernden, ganz offenen Augen ihn zornig und gebietend angesehen, doch er war es, unverkennbar war jeder Zug an dem herrlichen Vogel.
In großen Sätzen sprang er ihm nach ins Wäldchen, die angepflöckten Maultiere schraken auf, für ihn ging es jetzt um alles, er erstaunte und bangte, als er den Kaiser nicht fand. Lautlos stürzte der Wasserfall von der Felswand herab, im Weiher spiegelte sich ein Stück des Himmels mit dem Falken, der jetzt über den Wipfeln ruhig kreiste. Von Zeit zu Zeit stieß er seinen scharfen Ruf aus, wie ungeduldig, daß er seinen Herrn nicht sah, von dem Diener sich nicht wollte greifen lassen. Der Knabe hockte dem Wasserfall gegenüber still wie eine Eule; aus ihm war nichts herauszubringen als: der Kaiser sei dort hineingegangen. Er deutete auf eine Höhle drüben an der Felswand, kaum über mannshoch; die verfallene Schwelle war übersprüht von der Nässe des wehenden Schleiers, ein paar Stufen führten vom Wasser herauf, sie schienen von Menschenhand geglättet, aber uralt. Der Kaiser habe für sich geredet, mit der Hand das Wasser berührt, sein Obergewand abgelegt; dem Kind war ängstlich und schläfrig, ihm war, bei dem Mond, der von oben hereinsah, wie eine Ampel, als hätte man ihn auf der Schwelle vor dem kaiserlichen Schlafgemach vergessen, absichtlich schloß er die Augen, bei dem stetigen Rauschen nickte er ein. Auf einmal sei der Kaiser vor ihm gestanden, habe ihn aufgerüttelt und gefragt, ob er singen höre. Er habe es ganz in der Nähe vernommen, dann weiter weg. Der Kaiser habe ihm plötzlich den Rücken gewandt, sei schnell auf die Höhle zugegangen. Der Knabe traute sich zuerst nicht, ihm unbefohlen nachzugehen, aber dann sei er nachgeschlichen und habe den Kaiser nicht mehr gesehen. Die Höhle müsse ein altes Gewölbe sein: sie habe behauene

Wände und wohl auch einen anderen Ausgang. Aber er warte nun schon lange, bis der Kaiser wiederkäme. Der Falkner hörte kaum zu, er konnte die Zeit nicht nachmessen, die ihm vergangen war in der zitternden Erwartung des Falken, der ihn nun wieder narrte mit beständigem Zuruf. Jetzt bäumte der schöne Vogel auf und äugte von dem obersten kahlen Stumpf einer blitzgetroffenen Eiche, die unten üppig fortgrünte, herunter. Der Falkner stand wie angewurzelt, endlich riß er sich los, schlich geduckt hinüber; er sah seine Hand rot vor sich, wie abgehauen, wenn er den Baum erkletterte und vergebens nach dem Falken griffe, im gleichen Augenblick der Kaiser aus dem Berg hervorträte, der böse Vogel sich höhnisch für immer nach oben schwänge. Der Knabe lief lautlos neben ihm. Der Falke hob die Schwingen, flog freundlich auf sie zu, dann warf er sich mit einem einzigen Flügelschlag hoch nach oben und seitwärts, fuhr dann sausend herab und mit einem Schrei wie Lust und Hohn durch den aufsprühenden Wassersturz in die Bergwand hinein. Mit unbegreiflichen Kräften begabt, mußte er dort einen Eingang wissen, den das stürzende Wasser verhüllte. Der Falkner, vor ohnmächtigem Zorn, verbiß die Zähne ineinander, er rollte die Augen um sich, in des Knaben Miene trat ihm ein verschmitzter Ausdruck entgegen, vielleicht vor lauter Verlegenheit über das Unerwartete. Der Falkner schlug ihn voll Zorn ins Gesicht. Der Knabe sprang ins Gebüsch und duckte sich, aber er freute sich im Innersten über die unverdienten Schläge, ein huldvolles, wunderbares Lächeln schwebte vor ihm, er wartete lautlos zwischen den Sträuchern, bis sein Herr wieder heraustreten würde.

Der Kaiser stieg die steilen glatten Stufen schnell hinab, er achtete nicht auf die Falltür in seinem Rücken; die singenden Stimmen, das Unerklärliche, die Umstände des Ortes bannten alle seine Sinne. Gerade hier drang alles tief in ihn, er war im Bereich seines ersten Abenteuers mit der geliebten Frau. Jene unvergeßliche erste Liebesstunde war ihm nahe, sein Blut war bewegt, daß er die seltsame Grabeskühle kaum fühlte, die aus den Wänden des Berges und von unten auf ihn eindrang. Für ein neues Abenteuer wäre kein Platz in ihm gewesen – oder doch? wer hätte es sagen können. – Er dachte nichts Bestimmtes, aber alles, was ihm ahnte, verknüpfte sich innig mit seiner Geliebten. Er konnte die Worte des Gesanges nicht verstehen. Von Stufe zu Stufe schien es ihm, jetzt würden sie ihm gleich verständlich sein. Eine gewisse Reihe kam öfter wieder. Er sprang die letzten Stufen schnell hinab und fand sich in einer Art Vorhalle, dämmerig erleuchtet; das Licht kam unter einer Tür hervor, die ihm entgegenstand, aus Holz mit ehernen verzierten Bändern. Er fand kein Schloß und keinen Griff, aber als er sich der Tür näherte, bewegten sich die Türflügel in den Angeln. Deutlich hörte er in diesem Augenblick die letzten von den Worten, die schon öfters wiedergekehrt waren. Sie hießen:

Was fruchtet dies, wir werden nicht geboren!

Er hatte keine Zeit, über den Sinn dieser Worte nachzudenken. Er war über die Schwelle getreten und die Türflügel schnappten hinter ihm leise wieder zu. Er stand in einem geräumigen Saal, dessen Wände, wie ihm schien, aus nichts anderem als dem geglätteten Gestein des Berges bestanden. In der Mitte des Raumes war ein Tisch gedeckt, für je einen Gast an jedem Ende. Zu jeder Seite des Tisches brannten mit sanftem feierlichem Licht sechs hohe Lampen. Nirgend war an den Wänden ein Gerät; trotzdem atmete das Ganze eine seltsam altertümliche Pracht, die dem Kaiser die Brust beengte. Ein Knabe ging zwischen dem Tisch und dem dunklen, der Tür entgegen gelegenen Teil des Saales ab und zu. Es mußte dieser sein, der gesungen hatte. Er brachte Schüsseln, die aus purem Gold schienen, und langhalsige, mit Edelsteinen besetzte Krüge und ordnete sie auf die Tafel. Manche Schüssel mit ihrem Deckel war so schwer, daß er sie nicht auf den Händen, sondern auf dem Kopf trug, aber er ging unter der Last wie ein junges Reh. Der Knabe kam aus dem Dunkel gegen das Licht, er sah den Kaiser in der Tür stehen und schien nicht überrascht. Er drückte die Hände über der Brust zusammen und verneigte sich. Von rückwärts rief eine Stimme: »Es ist an dem!« Doch war dieser Teil des Saales im Halbdunkel und erst später gewahrte der Kaiser, daß sich dort eine Tür befand, völlig gleich der in seinem Rücken, durch die er eingetreten war, und ihr genau entgegenstehend. Der laute Ruf verhallte nach allen Seiten und offenbarte die Größe des Gemachs. Der Knabe neigte sich vor dem Kaiser bis gegen die Erde und sprach kein Wort. Aber er wies mit einer ehrfurchtsvollen Gebärde auf den einen Sitz am oberen Ende der Tafel. Obwohl alle zwölf Lampen, welche die beiden langen Seiten des Tisches begleiteten, anscheinend mit gleicher Stärke brannten, mußte doch das Licht, das denen am oberen Teil entströmte, von der stärkeren Beschaffenheit sein und umgab diesen Platz und die Prunkgeräte, die dort angerichtet waren, mit strahlender Helle, die Mitte des Tisches war noch sanft und rein erleuchtet und das untere Ende lag in einer bräunlichen Dämmerung. Der Knabe sah mit Aufmerksamkeit auf den Kaiser hin, aber sein Mund blieb fest zu. Es dauerte einen Augenblick, bis sich der Kaiser besann, daß es in jedem Fall an ihm wäre, die ersten Worte zu sprechen. »Was ist das?« fragte er, »du richtest hier eine solche Mahlzeit an für einen, der zufällig des Weges kommt?« Die festverschlossenen Lippen des schönen Knaben lösten sich; er schien verlegen und trat hinter sich und sah sich um. Aber der Kaiser achtete schon nicht mehr auf ihn; denn drei Gestalten, die er nicht genug ansehen konnte, waren irgendwo seitwärts aus der Mauer herausgetreten. Die mittlere war ein schönes junges Mädchen, sie glitt mehr als sie ging auf den Kaiser zu, zwei Knaben liefen neben ihr und konnten ihr kaum nachkommen, sie glichen dem Tafeldecker an Schönheit, aber sie waren kleiner und kindhafter als dieser. Das Mädchen hielt einen gerollten Teppich in Händen, den sie vor den Kaiser hinlegte; dabei neigte sie sich fast an den Boden. »Vergib, o großer Kaiser«, sagte sie – nun erst, da sie sich aufrichtete, sah er, daß sie trotz ihrer noch kindlichen Zartheit nicht um vieles kleiner war als er selbst –, »vergib«, sagte sie, »daß ich dein Kommen überhören konnte, vertieft in die Arbeit an diesem Teppich. Sollte er aber würdig werden, bei der Mahlzeit, mit der wir dich vorliebzunehmen bitten, unter dir zu liegen, so durfte der Faden des Endes nicht abgerissen, sondern er mußte zurückgeschlungen werden in den Faden des Anfanges.« Sie brachte alles mit niedergeschlagenen Augen vor; der schöne

Ton ihrer Stimme drückte sich dem Kaiser so tief ein, daß er den Sinn der Worte fast überhörte. Der Teppich lag vor seinen Füßen; er sah nur einen Teil und nur die Rückseite, aber er hatte nie ein Gewebe wie dieses vor Augen gehabt, in dem die Sicheln des Mondes, die Gestirne, die Ranken und Blumen, die Menschen und Tiere ineinander übergingen. Er konnte kaum den Blick davon lösen. Er besann sich mit Mühe auf die Pflicht der Höflichkeit, und es verging eine kleine Weile, bevor er einige Worte an die jungen Unbekannten gerichtet hatte.
»Ihr seid vermutlich auf einer Reise«, sagte er mit großer Herablassung, und indem er von seiner Stimme alles Gebieterische abstreifte. »Eure Zelte und die eures Gefolges, denke ich, sind in der Nähe aufgeschlagen, und ihr habt der Kühle wegen dieses alte Gewölbe aufgesucht? Ich möchte nicht hören, daß ihr in diesem Berge wohnet!« Die Kinder hingen mit der größten Aufmerksamkeit an seinem Munde. Bei den letzten Worten, die unwillkürlich mit mehr Strenge über seine Lippen kamen, zuckte ein Lachen über ihre Gesichter. Man sah, wie die drei Knaben sich bemühen mußten, nicht laut herauszulachen. Das Mädchen aber war gleich wieder gefaßt, ihre Züge nahmen wieder den Ausdruck der größten Aufmerksamkeit, fast der Strenge an. »Oder ist eures Vaters Haus nahe?« fragte der Kaiser abermals; nichts an ihm verriet, daß er ihr unziemliches Betragen bemerkt hätte. Die drei Knaben mußten noch mehr mit dem Lachen kämpfen, und der Tafeldecker bückte sich eilig und machte sich an dem Tisch zu tun, um sein Gesicht zu verbergen. »Wer ist denn euer Vater, ihr Schönen?« fragte der Kaiser zum drittenmal mit unveränderter Gelassenheit; nur wer ihn gut kannte, hätte an einem geringen Zittern seiner Stimme seine Ungeduld erraten. Das schöne Mädchen bezwang sich zuerst. »Vergib uns, erhabener Gebieter«, sagte sie, »und zürne nicht über meine jungen Brüder, sie sind ohne alle Erfahrung in der Kunst des höflichen Gespräches. Dennoch müssen wir dich bitten, mit der geringen Unterhaltung, die wir dir bieten können, für eine Weile vorliebzunehmen, denn es scheint, unser ältester Bruder hat noch nicht alle Speisen und Zutaten beisammen, die er für würdig findet, dir vorgesetzt zu wer-

den.« Ihre Gebärde lud ihn ein, sich dem Tisch zu nähern, und er fühlte, daß er fast matt vor Hunger war, aber die Haltung der Kinder und die unbegreifliche Anmut aller ihrer Stellungen, selbst der ungezogenen, entzückte ihn so, daß er keinen Gedanken an etwas anderes wenden konnte. Das Mädchen war am oberen Ende des Tisches niedergekniet, sie breitete den Teppich aus und lud ihn ein, sich darauf niederzulassen. Das Gewebe war unter seinen Füßen, Blumen gingen in Tiere über, aus den schönen Ranken wanden sich Jäger und Liebende los, Falken schwebten darüber hin wie fliegende Blumen, alles hielt einander umschlungen, eines war ins andere verrankt, das Ganze war maßlos herrlich, eine Kühle stieg aber davon auf, die ihm bis an die Hüften ging. »Wie hast du es zustande gebracht, dies zu entwerfen in solcher Vollkommenheit?« Er wandte sich dem Mädchen zu, das in Bescheidenheit einige Schritte weggetreten war. Das Mädchen schlug sofort die Augen nieder, aber sie antwortete ohne Zögern. »Ich scheide das Schöne vom Stoff, wenn ich webe; das was den Sinnen ein Köder ist und sie zur Torheit und zum Verderben kirrt, lasse ich weg.« Der Kaiser sah sie an. »Wie verfährst du?« fragte er und fühlte, daß er Mühe hatte, gesammelt zu bleiben. Denn jeder einzelne Gegenstand, den sein Auge berührte, drang mit wunderbarer Deutlichkeit in ihn: er sah vieles im Saal und glaubte von Atemzug zu Atemzug mehr zu sehen. »Wie verfährst du?« fragte er nochmals. Die junge Dame folgte seinem Blick mit Entzücken. Es verging eine Weile, bis sie antwortete. »Beim Weben verfahre ich«, sagte sie, »wie dein gesegnetes Auge beim Schauen. Ich sehe nicht, was ist, und nicht, was nicht ist, sondern was immer ist, und danach webe ich.« Aber er hörte sie nicht, so verloren war sein Blick im Anschauen der herrlichen Wände, in denen das Licht der Lampen sich spiegelte. An der Spannung, mit der die Gesichter der Knaben sich ihm zuwandten, erkannte er, daß die Antwort an ihm war. Er war ganz gebunden von der Schönheit dieser Gesichter, auf denen ein Schmelz lag, wie er ihn nie auf den Gesichtern von Kindern meinte gekannt zu haben, und in den Augen, die sich gespannt auf ihn richteten, sah er, was er nie in irgendwelchen

Augen wahrgenommen hatte. »Sind euer noch mehr Geschwister?« fragte er ohne Übergang den einen, der ihm zunächst war. Er wußte nicht, wie ihm gerade diese Frage in den Mund kam. Sein Auge hing wie gebannt an ihren Gestalten. Die Lust des Besitzenwollens durchdrang ihn von oben bis unten, er mußte sich beherrschen, sie nicht anzurühren. »Das hängt von dir ab«, gab ihm nicht der Gefragte, sondern der andere der beiden zur Antwort. Nun wandte sich der Kaiser an diesen und fühlte selbst, wie er sich bemühte, der Frage einen spaßhaften Ton zu geben. »Ist das Haus nahe oder ferne? Nun vorwärts, seid ihr im Guten oder Bösen weggelaufen, wie?« Der Knabe blieb die Antwort schuldig, er sah über den Tisch den Tafeldecker an, sie hatten aufs neue Mühe, ihr Lachen zu unterdrücken. Der Kaiser richtete sich in den perlenbestickten Kissen, in denen er lehnte, etwas auf. Es kostete ihn eine sonderbare Mühe, seine Stellung zu ändern; ein Gefühl der Kälte, das von seinen Füßen und Händen ausging, drang ihm bis ans Herz. Er sah die Kinder scharf an. »Habt ihr vorausgewußt, daß wir einander begegnen werden?« fragte er wieder, aber ohne sich an einen Bestimmten aus der Gesellschaft zu wenden. »Ist das das Ende einer Reise oder der Anfang? Liegt mehr vor euch oder mehr hinter euch?« Der Ton seiner Stimme klang strenger in dem hohen Gemach, als er gewollt hätte, und seine Fragen folgten schnell nacheinander. »Du liegst vor uns, und du liegst hinter uns!« rief der Tafeldecker ganz laut, wobei er mit zur Erde gestreckten Händen, in denen er den goldenen Schöpflöffel hielt, eine tiefe Verbeugung vor dem Kaiser machte. Der eine von den Kleinen lief zu dem Kaiser hin, stellte sich dicht an ihn, und indem er ihm mit gespieltem Ernst fest in die Augen schaute, sagte er langsam und nachdrücklich: »Deine Fragen sind ungereimt, o großer Kaiser, wie eines kleinen Kindes. Denn sage uns dieses: wenn du zu Tische gehst, geschieht es, um in der Sättigung zu verharren oder dich wieder von ihr zu lösen? Und wenn du auf Reisen gehst, ist es, um fortzubleiben oder um zurückzukehren?« »Was sind das für Reden«, rief das Mädchen, und ihre Augen vergrößerten sich. »Hierher und hinter mich!« Der Kleine sprang zurück an ihre Seite und küßte mit

Reue und Ehrfurcht immer wieder ihre herabhängenden Ärmel und der andere auch, obwohl sie sich über ihn nicht erzürnt hatte. Sie gab ihnen keinen Blick und hob ängstlich flehend die Hände gegen den Kaiser. »O wie können wir deine Zufriedenheit erwerben, die wir so unvollkommen sind!« rief sie voll Angst. Der Kaiser sah nur ihre Hand, die unvergleichlich schön war und von alabasterhaft durchscheinendem Glanz. »Ihr seid's, die ich besitzen und behalten muß«, rief er aus, »es sei auf welchem Wege immer!« Ihre Hand zuckte zurück, ihr Auge traf ihn mit unsäglicher Scheu und Ehrfurcht, er bereute seine überheblichen Worte, noch mehr die unverhüllte Heftigkeit seines Tons, und setzte schnell mit sanftem dringendem Tonfall hinzu: »Auf welchem Wege werde ich mit euch für immer vereinigt? Denn das will ich, und müßte ich Blut meines Herzens dafür hergeben!« Das Mädchen erschrak abermals sichtlich. Es schien, als wäre ihr diese Frage zu gewaltig für Worte und als vermöchte sie darauf nur mit den Augen zu antworten. »Ich bin gewohnt, zu erreichen, was ich begehre!« rief der Kaiser. Ihre ganze Seele lehnte sich aus ihrem Auge, und sie traf den Kaiser mit einem langen Blick, in dem sich Ehrfurcht, Zärtlichkeit und namenloses Bangen mischten und der so stark war, daß der Kaiser sein Auge niederschlug, um sich in sich zu sammeln zu einer entscheidenden Frage; ihm war, als schwebte sie schon auf seinen Lippen, aber er vergaß sie: denn als er die Augenlider wieder aufschlug, sah er den ganzen Tisch mit Blumen bedeckt, die im Licht der Lampe aufleuchteten wie ausgeschüttete Edelsteine, er sah noch, wie die Hand des Mädchens die letzten an der Seite zu den übrigen hingleiten ließ, wie sie ihr aus den Händen flossen und sich von selber ordneten und schließlich alle geordnet dalagen gleich einer herrlichen kunstvollen Stickerei. Er sah ihr Gesicht leuchten, und wie sie mit den Augen liebevoll einem zuwinkte, der vordem nicht dagewesen war und der an Größe und Schlankheit der Gestalt ihr selber glich, und er gewahrte jetzt am entgegengesetzten Ende des Saales eine Tür, gerade wie die, durch welche er selbst vor nicht langer Zeit eingetreten war, deren Flügel jetzt offenstanden und durch welche paarweise halbgroße Kinder eintraten, die verdeckte Schüsseln in Händen trugen. »Wer ist dieser?« fragte der Kaiser das Mädchen, indem er mit seinen Augen auf den wies, der vordem nicht dagewesen war. »Ist er der Küchenmeister?« »Es ist an dem!« rief dieser, als wollte er sich als solchen zu erkennen geben, denen mit den Schüsseln zu, und sie näherten sich paarweise, lautlos und sehr schnell, und trugen laufend auf, indem immer der eine auf das obere Ende des Tisches und den Platz des Kaisers zulief und der andere auf das entgegengesetzte Ende.

»Was soll dieses Wort, das ich zum zweiten Male höre?« rief der Kaiser aus. »Und warum vollzieht sich dies so schnell, daß ich kaum zu mir selber komme? Sage diesem, er solle sich die nötige Zeit lassen.« »Die Zeit?« sagte das Mädchen und sah ihn mit verlegenem Ausdruck an. »Wir kennen sie nicht, aber es ist unser ganzes Begehren, sie kennenzulernen und ihr untertan zu werden.« Die Verlegenheit stand ihr noch reizender. Der Kaiser weidete seinen Blick an ihr; aber es war nichts von Begehrlichkeit in seinem Entzücken.

Der Küchenmeister schlug in die Hände; die Auftragenden sprangen zur Seite und bildeten zwei Reihen. Wie ein blitzendes Licht kam zwischen ihnen ein Reiter herein und sogleich noch einer, der eine auf einem stahlgrauen Pferd, der andere auf einem feuerfarbenen. Sie trugen jeder eine verdeckte goldene, mit Edelsteinen gezierte Schüssel vor sich auf dem Sattelknopf. Sie parierten die Pferde einer nach dem andern; zu jedem sprang einer von den Vorschneidern und nahm mit höchstem Ernst die Schüssel in Empfang und präsentierte sie kniend von dort her dem Kaiser. Die Reiter rissen ihre Säbel hervor und begrüßten den Kaiser, indem sie gegen ihn anritten und sich blitzschnell aus dem Sattel senkten und zur Rechten und zur Linken des Tisches mit den Spitzen ihrer Säbel klingend den Boden berührten. Des Kaisers Seele trat in sein Auge; mehr als alles entzückte ihn die geschwisterliche Ähnlichkeit zwischen diesen Jünglingen und den kindischen Knaben, mit denen er vorher Gesellschaft gepflogen hatte. Er wünschte über alles nun mit diesen Neuen zu sprechen, er gab ihnen Blicke der äußersten Huld und Vertraulichkeit, er

winkte sie zu sich heran. Aber alles war vergeblich. Als verstünden sie nicht, daß er ihre Gesellschaft begehrte, ließen sie, indem sie mit einer zauberischen Anmut in die Zügel griffen, ihre Pferde auf dem glatten Steinboden zurücktreten und weiter zurück, bis sie mit den Hinterhufen fast die Mauer berührten. Dann brachten sie sie mit einem leisen Anzug der Zügel dazu, sich hoch aufzubäumen, die Vorderhufe griffen in die Luft, sie glichen Vögeln in der Beweglichkeit ihrer Hälse und spielten mit ihrer eigenen Last wie schuppige Fische im Mondlicht, der eine zur Linken, der andre zur Rechten des Saales. Die Mienen der Knaben waren angespannt, doch schwebte ein silbernes Lächeln auf ihnen, das sie beständig dem Kaiser zusandten, es war klar, daß ihr Auftrag beendet war und daß sie wieder aus dem Saale verschwinden würden, aber daß sie aus Ehrfurcht ihrem Gast nicht den Rücken wenden wollten. Sie glitten in die Wand hinein, ohne daß man sehen konnte, wie die Wand sich auftat, ihr Lächeln war das letzte, das noch aufleuchtete wie ein spiegelnder Schein.
»Wohin sind sie?« rief der Kaiser aus, und ein scharfer Schmerz durchfuhr ihn. Er konnte nicht fassen, daß ein Anblick so schnell dahin war, den er so schnell liebgewonnen hatte.
Die Augen des Mädchens ruhten immer mit dem gleichen Entzücken auf ihm; sie schien den Ausdruck des Staunens von seinem Gesicht wegzutrinken, und sie rief: »Gleicht dies, o großer Kaiser, nicht meinem Teppich und den Rundungen und Verschlingungen, die deinem gepriesenen Auge wohlgefällig waren, und bist du zufrieden mit diesem Schauspiel, das mein zweiter und mein dritter Bruder dir bieten?«
»Wahrhaftig, es ist das gleiche«, erwiderte ohne Atem der Kaiser. »Aber warum diese Hast?« rief er und mußte ohne seinen Willen laut aufseufzen. »Was sollen mir unmündige Kinder zur Gesellschaft! Diese beiden hätten müssen zu meiner Linken und Rechten sitzen, und ich will sie wiedersehen, denn jeder von ihnen hat ein Stück meines Leibes mit sich genommen!« Niemand antwortete ihm. Die jungen Wesen liefen und bedienten ihn, der Tafeldecker legte vor. Andere kamen herein, sie gaben dem Vorschneider ihre Schüsseln ab,

sie kreuzten einander, aber nie stieß einer an den andern. Der Küchenmeister lenkte alle mit seinem scharfen dunklen Blick. Es waren noch andere da, Unsichtbare, wie Schatten, die ihnen aus dem Dunkel die Schüsseln reichten; man hätte nicht sagen können, wer alles im Zimmer war und wer nicht. Sie knieten wechselnd mit den Schüsseln zu seiner Linken und Rechten, jetzt kam ein kleines Mädchen an die Reihe. Das Kind trug eine schwere goldene Schüssel und konnte sie kaum erhalten; mit angespanntem Ernst zwang sie sich, nicht zu zittern.

»Wie kannst du das tun, du Kleine, Zarte?« sagte der Kaiser.

»Dienst ist ein Weg zur Herrschaft, es gibt keinen anderen, o großer Kaiser«, sagte das Kind, und über die Schüssel hin traf ihn unter den reingezogenen Augenbogen ein Blick, der weit über ihre Jahre war. Ihn verlangte, ihr zu antworten; aber schon mußte er darauf achten, daß zu seiner anderen Seite einer der Knaben hinkniete, die zu Anfang mit dem großen Mädchen dagewesen waren, und ihm aus einer mit Edelsteinen vollbesetzten tiefen Schale eingemachte Gewürze anbot. Er konnte nicht widerstehen, diesen schönen Geschöpfen ein Gefühl zu bezeigen, das alle seine Adern durchdrang; er wollte sie bei sich festhalten, geriete darüber auch die Ordnung der Tafel und alles in Verwirrung. Er griff mit der Linken und der Rechten in die Schüssel, die eine von Gewürzen und Früchten duftende süße Speise enthielt. »Stellt eure Schüsseln zur Erde«, gebot er, »und haltet eure Gesichter zu mir«, und er wollte den Mund der Kinder mit der köstlichen Speise anfüllen, aber sie bogen sich nach rückwärts und lehnten mit flehender Gebärde ab. Er griff nach ihnen, aber er griff ins Leere, nur ein Anhauch eisiger Luft, wie wenn eine Tür ins Freie sich aufgetan hätte, traf seine ausgestreckte Hand und sein Gesicht. Die Kinder waren schon weit weg, sie sahen mit strenger Miene auf ihn herüber, jetzt schienen ihm ihre Gesichter, seitlich gesehen, weit älter, die Augenbogen des Mädchens schärfer, fremder, so, als wäre für sie jeder Atemzug ein Jahr. Sie glitten in die Schar der Auftragenden hinein, und wie sie sich mit diesen mischten, waren sie auch wieder solche Kinder wie die anderen. Der Kaiser war betroffen wie noch nie. »Wer bin ich«, sagte er zu sich selber, »und wo bin ich hingeraten?« Seine Kehle trocknete ihm aus, unwillkürlich griff er nach dem schweren goldenen Trinkgefäß, das vor ihm stand, seine Lippen fühlten ein kühles, leise duftendes Getränk, von dem er vordem nie gekostet hatte, er trank gierig, aber er beherrschte sich schnell, und indem er das Gefäß erhob, rief er: »Ich trinke euch zu! Ihr versteht es, Feste zu geben! Lob und Preis dieser Begegnung und der staunenswerten Erziehung, die ihr genossen habt!« »Alles ist staunenswert in deiner Nähe«, erwiderte das Mädchen, die regungslos hinter ihm stand, »und dieser Augenblick, da du unser Gast bist, ist für uns über alle Augenblicke«, und ihr Gesicht nahm einen solchen Ausdruck von Freude an, daß ihre Augen sich wie im Schreck vergrößerten. Der Kaiser winkte sie nahe an sich heran. Ein Gefühl von Glück und Sicherheit ohnegleichen stieg in ihm auf und ließ ihn die Kühle vergessen, die bis an seine Schultern drang und die Hüften umgab wie ein eiserner Ring. Er hob und senkte zwei- oder dreimal wissend die Augenlider, bevor er sprach: »Ihr wisset um ein Geheimnis, und es könnte mich selig machen, wenn ihr mich daran teilnehmen ließet.« »Zwischen uns und dir gibt es nur ein Geheimnis: die vollkommene Ehrfurcht«, antwortete das Mädchen. Des Kaisers Blick ruhte auf ihr ohne Verständnis, aber mit Entzücken, und sein Kopf blieb ihr zugewandt; zugleich sah er, aber ohne hinzusehen, daß schon wieder einer mit einer frischen Schüssel neben ihm kniete, indessen ein anderer den Deckel abhob. Er dachte noch immer nach über die Antwort, die ihm mehr zu enthalten schien als eine bloße Höflichkeit, und zugleich griff er in die Schüssel, aber ohne seinen Blick hinzuwenden.

»Du sprichst von dem, was wir dir sind, warum fragst du niemals, was du uns bist?« sagte das Mädchen schnell und leise wie ein Hauch. Des Kaisers Miene wechselte, und sein Mund öffnete sich plötzlich und verriet, indem die Zähne sich für einen Augenblick entblößten, eine Ungeduld, die nicht mehr zu bezähmen war. »Ich begehre Auskunft von euch, wie ich euch für immer an mich bringen kann!« rief er laut und befehlend und erkannte kaum seine eigene Stimme. Das Mäd-

chen war plötzlich dicht bei seiner Schulter, wie ein Vogel, und bog ihr Gesicht zu ihm hinunter; die Schönheit dieser blitzschnellen Bewegung beseligte ihn. »Eben in dem Augenblick«, flüsterte sie, »da wir dir dies sagen werden, wirst du uns von dir treiben auf immer!«
Der Speisemeister sah sie über den Tisch an; sie ging gehorsam hinüber und stellte sich hinter den Bruder, seitlich der Mitte des Tisches. Der Kaiser hob seinen Blick ihr nach. Das Unbegreifliche ihrer Antwort verdroß ihn, sein Gesicht verdunkelte sich, daß sie den Befehlen eines anderen in seiner Gegenwart gehorchte; er war nahe daran, den Tisch von sich zu stoßen und sich zu erheben. In diesem Augenblick kam das kleine Mädchen an ihm vorbei. Ihr Gesicht lächelte ihn an, und die Worte: »Wahre Größe ist Herablassung, o großer Kaiser!« kamen leise von ihren Lippen und beruhigten ihn, so daß er, wie ein unbefangen Speisender, gerade vor sich hinsah. So geschah es, daß er zum ersten Male seit Beginn der Mahlzeit seine Augen auf das dunkle Ende des Tisches ihm gegenüber richtete, und mit Staunen sah er, daß dort etwas vorging, dessen Bedeutung er noch minder erfassen konnte als alles frühere.
Er gewahrte, wie die gleichen, die ihn mit strahlendem Lächeln bedient hatten, dort zur Linken und zur Rechten des unbesetzten Sitzes hinknieten und wie sie einem Gast, der nicht da war, mit tiefem Ernst jede der Schüsseln anboten. Die Stehenden hoben den Deckel ab, warteten eine Weile mit der gleichen Ehrfurcht wie bei ihm selber, und schlossen die Schüsseln wieder. Wenn sich die Knienden erhoben und wegtraten, waren ihre Gesichter von Tränen überströmt, Tränen flossen über die Gesichter der Stehenden herunter, und unaufhörlich drangen Seufzer aus ihrer Brust. Neue traten hinzu, und wenn sie den Gast, der nicht da war, bedient hatten, weinten sie und seufzten wie die andern. Ihr Seufzen und halbunterdrücktes Weinen füllte den ganzen Saal.
Zugleich bemerkte er, daß die Lampen mit einemmal matter leuchteten, so als ob sie herabgebrannt wären. Er wandte sein Gesicht dem Küchenmeister zu und wollte ihm einen Wink geben, daß er sich um die Lampen bekümmere, die auszuge-

hen drohten. Da traf ihn, aus der Miene des Küchenmeisters, von oben und seitwärts her, ein Blick, den er einmal im Leben ausgehalten hatte und nie wieder aushalten zu müssen vermeint hatte: es war der Blick, mit dem damals der blutende Falke seinen Herrn von einem hohen Stein aus zum letzten Male lange und durchdringend ansah, bevor er mit zuckenden, mühsamen Flügelschlägen in die Dämmerung hinein verschwand. Mit sehr großer Anspannung hielt der Kaiser den Blick des Wesens aus. »Wer bist du?« rief er. »Herbei vor meine Füße!« und schlug die Augen nicht nieder. Der Küchenmeister wandte die seinen langsam, wie verachtend, ab und gab ein einziges Zeichen. Alle hielten inne im Laufen und Schüsselreichen, im Deckelheben und Vorschneiden. Überall standen Schweigende. Durch sie hin schritt er lautlos auf den Kaiser zu. Die Prinzessin tat einen Schritt, als ob sie zwischen beide treten wollte, dann blieb sie wie gebunden stehen. »Wer ist dieser?« schrie der Kaiser über die Schulter gegen sie hin. »Welche Überhebung in jedem seiner Schritte! Wer hat ihn zu meinem Richter gemacht?« Er fühlte sein Herz in dumpfen Schlägen klopfen. Unter diesem hatte er sich langsam vom Boden aufgehoben. Es war ihm so schwer, als ob er eine fremde Last von der Erde aufrichten müßte. Er wandte sich und sah über seine Schulter das Mädchen nahe stehen. Hinter ihr waren zwei aus der Wand getreten und kamen auf ihn zu, von denen der eine ein goldenes Waschbecken trug, der andere einen kleinen Handkrug. Als sie dicht vor ihm standen und sich anschickten, das Wasser über seine Hände zu gießen, erkannte er in ihnen die beiden wunderbaren Knaben wieder, die als Truchsessen zu Pferde gekommen und rittlings in die Wand verschwunden waren. Der Kaiser winkte ihnen zu; er öffnete willig und lächelnd seine Hände gegen sie, aber sie schienen ihn nicht zu kennen. Er öffnete die Lippen, um sie anzureden, aber die Anrede erstarb ihm in der Kehle. Fremd und trauervoll sahen sie ihn an, der eine hielt das Becken hin, der andere hob den Krug. Das Wasser sprang aus dem Krug, es fiel hart auf die Hände des Kaisers und rann an ihnen herunter wie an totem Stein. Der Kaiser sah, wie trostsuchend, hinüber auf das Mädchen; sie hielt beide Hände nach oben gestreckt, ihr juwelenes Gesicht strahlte, sie schien irgendwo hinzudeuten, wo Trost und Hilfe war. Der Kaiser mühte sich, den Sinn ihrer Gebärde in seinem Inneren aufleuchten zu lassen, aber es waren nur trübe, unklare Empfindungen in ihm, von denen eine die andere verdrängte. Seine ganze Aufmerksamkeit war gespannt von dem Wissen, daß jener andere dort hochaufgerichtet und mit langsamen, gleichsam strengen Schritten auf ihn zukam; an den dumpfen Schlägen seines Herzens gemessen, erschien es ihm unerträglich lange, bis dieser den kurzen Weg zu ihm zurückgelegt hatte. Jetzt aber fühlte er ihn, ohne aufzusehen, dicht neben sich: es war eine Kühle, die ihn aus nächster Nähe von den Schläfen bis zu den Zehen anwehte. Durch die Wimpern blinzelnd, sah er: das Wesen hatte, in die leere Luft fassend, jetzt ein weißes Linnen in Händen und trocknete ihm damit in einer ehrerbietigen Haltung die Hände ab. Aber die wehende Berührung dieses Linnens kräuselte ihm das Fleisch. »O Kaiser«, sagte jetzt die Stimme so dicht an seiner Wange, daß er den kalten Hauch fühlte und vor Beleidigung über eine Unehrerbietigkeit, wie sie ihm nie im Leben widerfahren war, erzitterte, »bedauerst du nicht, daß wir umsonst für sie gedeckt haben?« Nichts kam der Gewalt des Vorwurfes gleich, den diese einfachen Worte enthielten. Sein Herz krampfte sich zusammen, kalte Tränen liefen ihm hinunter, sie erstarrten ihm an den Wangen. Zum Zeichen, daß er niemandem erlaube, zu ihm von seiner Frau zu sprechen, und daß er sich von niemand zwingen lassen würde, preiszugeben, was ihm allein gehörte, sah der Kaiser starr vor sich hin. Die Kälte, die ihn umgab, tat ihm jetzt für einen Augenblick wohl; nichts konnte an sein Herz heran. Sogleich öffneten die Kinder rings im Saal den Mund. »Sie möchte kommen, aber sie kann nicht!« riefen sie ihm entgegen. »Oh, daß wir ihr Gesicht sähen!« riefen sie von allen Seiten und fingen wieder an zu seufzen und zu weinen. »Was sind das für Klagen!« wollte er streng ausrufen, aber die Worte kamen nicht aus seiner Kehle. Von der Mitte des Gemaches her erhob sich ein Wind, ein schauerlicher Anhauch. Zugleich traf ihn wieder die Stimme dessen, der ihm beständig zu nahe trat, halblaut, aber aus nächster Nähe. »Schlecht ist der Lohn dessen, der dir hilft zu gewinnen, was dein Herz begehrt! Das weiß dein roter Falke!« Bei der unverhüllten Erwähnung jener ersten Liebesstunde, die auf der Welt keinen Zeugen gehabt hatte als den stummen Vogel, knirschte der Kaiser laut mit den Zähnen. – Furchtbar war jetzt wieder die Stille. Der Wind hatte sich gelegt. »Erkennst du meinen ältesten Bruder nicht wieder?« lispelte das Mädchen ihm zu. »Er ist es, der mit seinen Schwingen ihre Augen schlug und dir geholfen hat, sie zu gewinnen.« Der Kaiser gab keine Antwort. »Sie sucht den Weg zu uns!« riefen die Kinder. »Segne du ihren Weg, das ist es, was wir von dir verlangen!«

»Was ist das für ein Weg?« rief der Kaiser zurück, und sogleich durchfuhr ihn Reue über seine Worte, aber schwer und dumpf, ohne daß er sich deutlich sagen konnte, warum. »Was fruchtet es, wenn wir dir sagen, was du nicht fassest!« entgegneten die Kinder. »Du trägst ihren Brief auf der Brust und verstehst nicht, ihn zu lesen.«

»Wie ist das?« rief der Kaiser. Er fühlte die Kälte seines Herzens, indem er redete.

»Sonst kenntest du ihre Not und verständest ihre Klagen«, antworteten sie. Der Kaiser griff unwillkürlich nach seiner Brust; aber er fühlte, daß nichts ihm gegen diese helfen könnte, und ließ es sein. »Du hast den Knoten ihres Herzens nicht gelöst! das ist es, worüber wir weinen müssen. So muß sie von dir genommen werden und in dessen Hände gegeben, der es vermag, den Knoten ihres Herzens zu lösen.« Der Wind hatte sich wieder erhoben und hauchte ihn an.

»Wer sagt euch dies alles?« kam es von seinen Lippen.

»Zwölf Monde sind vergangen, und sie wirft keinen Schatten!« riefen die Kinder.

»So wisset ihr alles?« fragte der Kaiser. »Wir wissen das Notwendige«, antworteten die Kinder. »Du hast sie mit Mauern umgeben«, riefen sie mit wechselnden Stimmen, »darum muß sie hinausschlüpfen wie eine Diebin. Wie eine verdürstete Gazelle schleicht sie hin zu den Häusern der Menschen!« Auf welche Weise wagen sie es, mir diese Dinge zu sagen? dachte der Kaiser. Er faßte auf, daß die Kinder dies mit wechselnden Stimmen sangen. Dies ist der Gesang, den ich hörte, als ich draußen stand, sagte er zu sich.

»Sie tut die Dienste einer Magd«, sangen die schönen Stimmen wieder, »aber es gereut sie nicht. Sie tut sie um unseretwillen, und kaum, daß das Licht der Sonne auf ist, sitzt sie auf ihrem Bette und ruft mit Verlangen: ›Wo bist du, Barak? Herein mit dir! Denn dir, Barak, bin ich mich schuldig!‹« – »Dir, Barak, bin ich mich schuldig«, wiederholten alle, mit strahlendem Klang, der oben ans Gewölbe schlug.
»Was sind das für Worte?« rief der Kaiser mit aufgerissenen Augen und dem letzten Atem seiner Brust, die schwer wurde wie Stein.
»Die entscheidenden!« antworteten die Kinder. Sein Kinn sank ihm schwer gegen die Brust. »O weh«, sagte er vor sich hin, »wehe, daß mein Lustigmacher sich unterstanden hat, von meiner Schwermut zu reden, ehe ich diese Stunde gekannt habe.«
»Heil dir, Barak!« sangen die Kinder mit wunderbarem Klang, »du bist nur ein armer Färber, aber du bist großmütig und ein Freund derer, die da kommen sollen! und wir neigen uns vor dir bis zur Erde.« Der Kaiser stand unbeachtet in der Mitte, sie neigten sich vor einem, der nicht da war; ihre schönen Gesichter kamen der Erde so nahe, daß der ganze Boden aufleuchtete wie Wasser. Das Mädchen stand seitwärts. Ihr Blick ruhte unverwandt auf dem Kaiser mit einer unbeschreiblichen Mischung von Liebe und Angst. Er richtete seine Augen noch einmal auf sie. »Antworte mir du«, sagte er. »Wer ist dieser Barak und welchen Handel hat meine Frau mit ihm?« »O nur ein Gran von Großmut!« riefen die Kinder durchdringend. »Welchen Handel?« fragte er noch einmal streng und sah nur durch die Wimpern nach ihr. Seine Augenlider wurden ihm schwerer als Blei. Er erwartete und wollte keine Antwort. Das Mädchen löste sich von den anderen; es war, als ob sie mit geschlossenen Füßen auf ihn zugehe; ihr betrübtes Gesicht schien ihm ein wunderbares Geheimnis anvertrauen zu wollen. »Nur ein Gran von Großmut!« riefen die Stimmen. Mit Grausen erkannte er, daß das Mädchen jetzt in unbegreiflicher Weise seiner Frau glich. Aus ihren Augen brach ein Blick der äußersten Angst und zugleich Hingabe; sie war das Spiegelbild jener zu Tode geängsteten Gazelle. Er

las in diesem Blick nichts anderes als das Eingeständnis dessen, was er nie wollte genannt hören, und die Bitte um eine Verzeihung, die er nicht gewähren konnte. Er haßte die Botschaft und die Botin und fühlte sein Herz völlig Stein geworden in sich. Ohne ein Wort suchte seine Hand nach dem Dolch in seinem Gürtel, um ihn nach dieser da zu werfen, da er ihn nicht nach seiner Frau werfen konnte; als die Finger der Rechten ihn nicht zu fühlen vermochten, wollten ihr die der Linken zu Hilfe kommen, aber beide Hände gehorchten nicht mehr, schon lagen die steinernen Arme starr an den versteinten Hüften und über die versteinten Lippen kam kein Laut. »Es ist an dem!« rief mit lauter Stimme der älteste Bruder. Die Lampen und der gedeckte Tisch waren im Nu verschwunden. »Nur ein Gran von Großmut, o unser Vater!« riefen noch einmal mit Inbrunst alle die schönen Stimmen, aber die Statue, die groß und finster in ihrer Mitte stand, regte sich nicht mehr. Die Geschwister bewegten sich wie Flammen auf und ab, von ihren Gesichtern leuchtete ein milder Schein. Das älteste Mädchen war noch am längsten erkennbar, ihre Augen hingen an der Statue. Die Wände rückten zusammen, die Türen waren verschwunden, das Gemach war kreisförmig. Von oben öffnete sich's, die Sterne sahen herein, die Gestalten waren verflogen, und in der Mitte die Statue des Kaisers blieb allein.

Fünftes Kapitel

Als die Amme vor Sonnenaufgang zur Kaiserin hereintrat, fand sie zu ihrer Verwunderung diese schon wach und auf ihrem niedrigen Lager sitzen. Die Amme kniete bei ihr nieder und nahm das Alabastergefäß mit der schwarzen Salbe hinter dem Bett hervor. »Mir ist wohl«, sagte die Kaiserin, »ich fühle, daß wir heute den Schatten gewinnen werden«. Ihr Gesicht strahlte; die Amme verbrauchte die doppelte Menge von dem verdunkelnden Saft.
Sie stießen hinab und standen vor dem Färberhaus, nicht von der Gassenseite her, sondern neben dem Fluß, wo der Färber

einen halboffenen Schuppen hatte, in dem er arbeitete; seitlich führte eine Leiter zum flachen Dach des Hauses, wo die Trokkenstatt war. »Warte«, sagte die Amme, »wir wollen sehen, was das Weib vorhat. Es ist viel wert, sehen und nicht gesehen zu werden«, und sie traten hinter den Schuppen. Wie gerufen, kam die Frau aus dem Haus auf den Hof heraus. »Sieh, wie sie in aller Früh schon blaß und hohläugig aussieht«, flüsterte die Amme. »Das wird ein Tag, wie wir ihn brauchen.« Die Färberin ging quer über den Hof, ohne auf irgend etwas zu achten. Sie war in ein finsteres Nachdenken versunken. Als die Amme und die Kaiserin aus ihrem Versteck heraustraten, war die Frau in keiner Weise verwundert, die beiden an dieser Stelle zu sehen. Sie schien sich gar nicht bewußt, daß sie sie seit gestern abend nicht gesehen hatte. Sie schob die zerrissene Schilfmatte, die vor der Haustür hing, zur Seite und ließ die Amme vorausgehen. »Du mach dich fort«, sagte sie, als die Kaiserin hinter der Amme dreingehen wollte. »Dich will ich nicht sehen.« Die Amme wollte ihre Tochter in Schutz nehmen. »Hinaus«, sagte die Frau, »mach dich dem Färber nützlich und bediene den Buckel und das Einaug. Sie ist mir verhaßt an Händen und Füßen, schweig mir von ihr«, setzte sie hinzu und ließ die Amme allein eintreten. Sie wischte zwei Holzschemel ab und ließ sich auf den einen nieder. »Da, setz dich zu mir«, sagte sie. »Ich habe dich zuerst für eine Lügnerin und Windmacherin gehalten; ich muß dir abbitten. Du bist hereingekommen und hast mir zugeschworen, es gebe einen in der Welt, der meiner gedächte, und dann hast du mir den Wildfremden hereingeführt, den meine Augen nie gesehen hatten.« Sie sprach langsam und nachdrücklich, wie wenn sie alles lange vorher genau überlegt hätte. »Nun gut, ich habe ihn gesehen, dank dir, o meine Lehrerin; er ist schön«, und sie vergrub ihr jäh aufglühendes Gesicht in den Händen, »und er will mich haben, das habe ich vernommen«, setzte sie finster hinzu. »So höre du, was ich beschlossen habe.« Sie unterbrach sich, schob den Türvorhang ein wenig zur Seite und sah hinüber. Der Färber hatte sein Beinkleid hinaufgerollt, so hoch es ging, den Zipfel seines Hemdes hatte er im Gürtel stecken, und stand in einem halbhohen Schaff, aus dem Dampf aufstieg. Mit einem Bein ums andere gleichmäßig tretend, walkte er den Schmutz und das Blut aus dem Gewand eines Schlachters. Die Kaiserin kauerte seitwärts auf ihren Fersen an der Erde und sah auf ihn. Zehn Schritte weiter lag der Einäugige und schlief wie ein Stein, indes ihm die Sonne in die Nasenlöcher schien; der Verwachsene war gerade aufgestanden und kratzte sich mit aller Kraft seiner beiden Arme den Rücken, und der Einarmige lag auf dem Ellenbogen und gähnte mit Wollust, so daß man nichts von ihm sah als seinen Schlund und die schwarzen Haare, die den Kopf umgaben wie ein Gebüsch.

»Stumm hockt sie dort, die Kröte, und schwitzt ihr Gift aus«, sagte die Färberin plötzlich und warf der Alten einen strengen Blick zu. »Was ist das für eine? Ist sie eine Unberührte oder wer ist der, dem sie gehört? Antworte mir!« Sie wartete die Antwort nicht ab. Ihr Ausdruck wechselte vollkommen. Sie lächelte, und ihre Stimme zitterte und hatte einen kindlichen Klang. »Krank hast du mich gemacht, du Alte«, sagte sie. »Ich habe gehört, es gibt welche, die können sich vor Durst nicht zur Quelle schleppen; so steht es mit mir.« Sie setzte sich auf einen Sack mit dürren Wurzeln. »Nicht du hast mich krank gemacht, sondern er«, sagte sie wie zu sich selber. »Er hat mich um- und umgewühlt. Er hat mich zur Frau gemacht, ohne mich zu berühren. Ahnst du, was das bedeutet? Wer war einstmals dein Geliebter, du Alte, und wer hat dich belehrt? Denn sie sind nun einmal unsere Lehrer. Wer hat dich so klug und selbstmächtig gemacht, daß ein solcher sich von dir einführen läßt?« Sie redete weiter, ohne die Antwort abzuwarten, wie nur für sich allein. »Ja, die beiden Arten des Errötens hat er mich gelehrt. Ich werde ihm verfallen sein zu allen Augenblicken meines Lebens.« Sie lächelte und zugleich schossen ihr die Tränen aus den Augen, versiegten aber gleich wieder. »Er war in der Nacht bei mir«, fuhr sie fort. »Nicht wirklich, du Närrin. Kann man nicht mit offenen Augen liegen und träumen, so als ob es Wirklichkeit wäre? Kann man nicht auf diesen Lumpen dort liegen und ein Bette aus Antilopenleder unter sich fühlen, und darüber eine Decke aus den zärtesten Marderfellen, so leicht wie ein Flaum? Aber was nützt das, es dauert die Herrlichkeit nicht lange, und es steigt einem ein Geruch in die Nase, wie von einer Kindesleiche, die hinterm Bett in einer Ecke läge. Das muß abgetan werden.« Sie war aufgestanden und hatte sich von der Stelle entfernt, wo sie gesessen war. Ihr Gesicht drückte Ekel und Furcht aus, als läge dort wirklich etwas dergleichen. Dann horchte sie wieder mit krankhafter Aufmerksamkeit nach außen. Ein plötzlicher Windstoß bewegte die Schilfmatte an der Tür und brachte ein Geräusch mit sich; es konnte die Stimme des Färbers sein, aber auch eine fremde Stimme von drüben jenseits des Flusses. Sie riß die Matte zur Seite und stellte sich mitten in die Tür. Der Färber hatte das ausgetretene Gewand auf reine Bretter ausgebreitet und strich es aufs neue mit weißem Ton an. Die Kaiserin half ihm dabei. Das blutig gefärbte Abwasser rann aus dem umgestürzten Schaff in die Gosse. Die beiden arbeiteten eifrig und sahen nicht herüber. Als die Färberin sie anrief, hörten sie nicht. Die Amme schlürfte von hinten an die Färberin heran und berührte sie ehrerbietig am Ärmel. »Ruhe dich jetzt«, lispelte sie, »und bedenke den heutigen Abend und daß deine Haut golden sein muß und geschmeidig.« »Barak«, rief die Frau, »gehst du heute gar nicht aus dem Hause deine Ware austragen?« Sie legte in die einfache Frage, die sie ihm zurief, schneidenden Spott und Hohn. Der Färber gab keine Antwort; er schien nichts gehört zu haben. »Du kommst abends mit mir zum Fluß«, raunte die Alte von rückwärts. »Er, von dem wir wissen, ist begierig nach der Abendstunde und ein Held in der Dämmerung.« Die Frau hatte sich umgewandt. »Die kann nicht dein Kind sein«, sagte sie, und sah die Alte prüfend an. »Sie ist ungesprenkelt. Wenige Gedanken faßt sie, aber diese wenigen leuchten auf ihrer Stirn wie Sterne.« Sie schwieg einen Augenblick. »Ich habe mir ausgedacht, daß ich sie henken lasse!« rief sie und lachte dabei auf sonderbare Weise. »Und wie werde ich den dort dafür strafen, daß er mein Schicksal geworden ist? Wie hat er es gewagt, sich mir so ohne Angst zu nähern und sein rundes Maul an mich zu legen! Aber das ist meine Sorge, und nicht die deine. Dies aber sage ich dir, und es ist das Entscheidende, ich werde tun, was du verlangst. Und jetzt geh und hole den

Färber herein, denn ich will ihm ein Wort sagen; er ist, scheint es, schwerhörig geworden und hört nicht, wenn ich ihn rufe.« Die Alte stand schon auf der Schwelle; sie wollte hinaus und die Botschaft bestellen, aber sie verging vor Begierde, zu hören, was noch aus dem Mund der Jungen kommen würde. »Hart war sein Gesicht«, sagte die Färberin wieder mit dem gleichen sonderbaren unterdrückten Lachen, bei dem ihre Miene ganz starr blieb, »aber schlau und mächtig wie eines Teufels; Hoffart, Unzucht und Habgier waren darin eingeschrieben, darum paßt er zu mir. Er wußte nicht zu reden, doch wußte er zu gewinnen.« Ein Lächeln stieg tief aus dem Innern auf und erleuchtete ihr finsteres Gesicht. Sie war schön in diesem Augenblick und von ihrem jungen Blut durchströmt, daß sie glühte, und die Alte betrachtete sie mit Lust. »Nein, nein«, rief sie plötzlich mit leidenschaftlichem Entzücken, »er ist schön, achte doch nicht auf mich, du Närrin, er ist schön wie der Morgenstern, und seine Schönheit, das ist der Widerhaken an der Angel, ich habe sie ja schon längst verschluckt und ich schieße dahin und dorthin, und du hast die Schnur zwischen den Fingern, das weißt du wohl!« Sie hing am Hals der Alten ganz zart und weich, sie ließ sich von ihr hätscheln wie ein Kind. »Nur das Zueinanderkommen ist schwer, nur der Anfang ist das Schwere«, seufzte sie. »Wie soll das gehen, o mein Gott!« Die Amme konnte sie nicht verstehen. »Was sorgst du dich«, rief sie, »wir werden Rat schaffen!« Die Färberin schüttelte den Kopf. »Meine ich das so, altes Weib? Ich meine es wahrlich anders, aber wie könntest du es verstehen?« Die Amme sah sie zwinkernd an. »Ohne dich soll er zu mir kommen, ohne dich!« rief ihr die Junge zu. »Denn ich verachte dich, das merke dir, und hasse das Niedrige in mir, das mit dir zu tun hat. Du kennst meine Niedertracht und die seine, und du möchtest seiner und meiner Meisterin werden, aber daraus wird nichts!« Die Alte zwinkerte mit den wimperlosen Augen und ihre lange, dünne Zunge bewegte sich zornig im halboffenen Mund, aber sie sagte nichts und ging schnell in den Hof hinaus; sie fand den Färber, der ein riesiges Stück Zeug, ein Gewebe aus feinem Ziegenhaar, dreizehn Ellen lang und dritthalb Ellen breit, aus der Beize nahm, das vollgesogene Zeug in ein Einschlagtuch tat und die triefende Last seinem starken Rücken auflud, und die Kaiserin, die sich wie eine Magd mit aller Kraft von unten gegen den riesigen feuchten Klumpen stemmte, um ihm beim Aufpacken behilflich zu sein. Die Amme wartete, dann winkte sie und die Kaiserin lief zu ihr hin. »Ist sie willig«, fragte sie gleich, »gibt sie den Schatten dahin?« »Es wird ihr nicht leicht«, gab die Amme zur Antwort. »Die, welche nicht kommen sollen, kämpfen um den Eintritt, und der mit dem breiten Maul ist ihr Vorkämpfer, aber er ist Gott sei Dank zugleich ihr Vernichter.« »Ja«, sagte die Kaiserin, ohne zu hören, und sah über die Schulter auf Barak hin, der sich mühsam und ruckweise die steile Leiter hinaufarbeitete, den großen schweren Leib hart an die Sprossen gepreßt, damit ihn die Last nicht hintenüber zöge. »Schaff schnell den Schatten«, sagte sie. »Dieser soll seinen Lohn haben.« »Lohn?« rief die Amme. »Womit hätte der Elefant sich Lohn verdient? Aber hol ihn und heiß ihn hineingehen ins Haus, das Weib will ihm etwas sagen.« »Was willst du mit ihnen tun?« Die Amme verzog ihr Gesicht. »Laß mich, ich habe sie im Gefühl, wie die Köchin weiß, wann das Huhn im Topf gar ist.« Damit kehrte sie der Kaiserin den Rücken und schlürfte ins Haus zurück. Die Kaiserin lief hin zur Leiter und lautlos die Sprossen hinauf; sie fand auf dem flachen Dach den Färber, der noch keuchte und dem der Schweiß mit blauer Farbe vermischt von der Stirne rann, und sie wischte ihm mit ihrem Tüchlein das Gesicht ab, indessen er mit den großen Händen ganz zart die aufgehangenen Strähne Blaugarn auseinanderlöste, daß die Luft zu der inneren Farbe zutrete und sich auch im Innern das schmutzige Gelbgrün in leuchtendes Blau färbte; das Kleid des Schlachters hing schon an der Trockenstange.

Als der Färber ins Haus trat, ging die Kaiserin hinter seiner Ferse drein und blieb an der Tür stehen. Blitzschnell bückte sich die Färberin, nahm ein schmutziges Klemmholz vom Boden auf und warf es mit aller Kraft nach der Kaiserin. Aber die Feentochter drückte sich zur Seite wie ein Windhauch. Der Färber tat die schweren Lippen auseinander und wollte etwas sagen; da schickte ihm seine Frau einen solchen Blick zu, daß er still blieb. Er bückte sich und fing an, unter dem Gerümpel, das an der Wand lag, herumzugreifen, als suche er nach etwas. Die Frau schwieg noch immer. Aber ihr schönes Gesicht hatte einen bösen und entschlossenen Ausdruck. Der Färber richtete sich auf den Knien auf; er drehte einen alten, hürnenen Löffel zwischen den Fingern. »Ich habe viel geschafft seit heute früh«, sagte er jetzt und sah liebevoll zu der Frau auf, »und mich dürstet. Gib mir zu trinken.« Die Frau reckte ihr Kinn; die Amme lief, füllte einen irdenen Scherben mit Wasser und hielt ihn dem Färber hin. Der Färber sah auf die Frau, als wartete er auf etwas, aber als sie über ihn hinsah, wie wenn er nicht da wäre, griff er nach dem Gefäß und trank es mit einem Zug leer. »Was ist das?« rief er im gleichen Augenblick mit einem freudig erstaunten Blick und sank nach rückwärts in Schlaf. Die Amme glitt zu der Frau hinüber. »Du bist der Belästigung ledig«, flüsterte sie, »denn ich habe in seinen Trunk getan, wovon ein Viertel hinreicht, um einen Elefanten für zehn Stunden einzuschläfern.« »Verfluchte«, schrie die Frau, »soll er mir wieder und wieder entkommen!« und trat zu ihm hin und sah ihn mit gerunzelter Stirne an. Die Amme konnte nicht begreifen. »Was hast du mit ihm noch zu schaffen?« fragte sie verwundert. Die Frau achtete ihrer nicht. Sie trat dicht an den Leib des Schlafenden heran und sah ihn von oben herab finster an. Dann seufzte sie aus der Tiefe ihrer Brust: »O meine Mutter«, und noch einmal: »O meine Mutter!« Lange blieb sie stehen und sah ihn immer an. »Wehe«, sagte sie und seufzte noch einmal, »werde ich das Korn sein, wird er das Huhn sein und mich aufpicken! Werde ich das Feuer sein, wird er das Wasser sein und mich auslöschen! Denn ich bin an ihn gekettet mit eisernen Ketten.« Dann ging sie von ihm weg, aber sie kehrte wieder zu ihm zurück. Sie berührte mit ausgestreckter Fußspitze den Liegenden. »Ja, es ist recht«, sagte sie leise, aber mit sehr festem Ton, »die Ungewünschten abzutun, denn sie sind Mörder kraft ihrer unverschämten Begierde, hierherzukommen und den Weg durch meinen Leib zu nehmen, und dieser ist ihr Helfershelfer!« Während sie es flüsterte, kam eine fürchterliche Ungeduld über sie; sie warf sich über den Liegenden und riß an ihm aus allen Kräften. »Barak«, schrie sie ihm ins Ohr, »du sollst mich hören, denn jetzt gilt es!« Die Amme drehte sich jäh um, sie fühlte, daß die Kaiserin hinter ihr stand; sie war hereingeglitten, mit sprachlosem Staunen sah die Amme, daß ihr Wasser aus beiden Augen schoß, daß ihr Gesicht in Schmerz und Tränen schwamm, wie das einer sterblichen Frau. Sie nahm sie bei der Hand und schob sie sanft gegen die Wand; die Kaiserin leistete keinen Widerstand. Die Amme öffnete mit den Fußzehen eine geflickte Holztür, die in rostigen Angeln hing. »Schweig nur jetzt«, raunte sie ihr zu, »und wisse: heute und in dieser Stunde wird unser Handel zu einem guten Ende kommen.« Die Kaiserin stand lautlos, von oben hingen Büschel dürrer Pflanzen und berührten sie, die enge Kammer war angefüllt mit Tiegeln und Krügen, die gegeneinander klirrten, Säcke mit getrockneten Wurzeln waren aufeinander geschichtet und raschelten, sie durfte sich nicht regen und atmete schnell und ängstlich. »Was willst du noch von diesem?« rief die Amme und riß die Färberin weg von dem Schlafenden. »Was ich will?« schrie das Weib. »Was will denn der da! Ha, wer bin ich und wer ist das?« rief sie verachtungsvoll und reckte sich hoch auf über den liegenden Mann. »Wie komme ich zu ihm und wie kommt er zu mir? Das sage mir einer!« Sie schrie es auf des Schlafenden Gesicht hinab. Er atmete ruhig und regte sich nicht. Sie wandte sich wie vor Ekel halb ab und streckte schon den einen Arm nach hinten, wie um einem, der nicht da war, sich um Brust und Schultern zu ranken; aber ihr Gesicht haftete mit Qual an dem Gesicht des Färbers. Plötzlich bleckte sie die Zähne gegen ihn und stieß mit dem Fuß gegen seinen Leib. »Ich will nicht das da im Rücken haben!« schrie sie. »Wecke ihn sogleich.« Die Amme wußte sich nicht zu helfen; sie erlag der Gewalt des unbändigen Willens. Sie kniete nieder und rüttelte leise an dem Schlafenden; sie hauchte ihn dreimal an und blies ihm in den Nakken. Barak lächelte im Schlaf, seine Lippen bewegten sich, er murmelte etwas; seine Miene war die gleiche, die er hatte, wenn er daheim zu seiner Frau oder auf der Gasse zu fremden Kindern redete. »Höre mich«, sagte die Frau und näherte ihr Gesicht um ein weniges dem seinen, das langsam die Augen auftat mit einem fremden, leeren Blick auf sie. »Ich bin es satt, bei dir zu hausen und das Häßliche zu sehen, und ich habe einen gefunden, der sich meiner erbarmen will. Die höchste Herrlichkeit wird er mir für immer gewähren. Dafür muß ich opfern.« Die Kaiserin in der Kammer hielt sich die Ohren zu, die einzelnen Worte drangen nicht zu ihr, aber der Klang der Stimme, die ihr verhaßt war. »Wehe«, sagte sie zu sich selber, »die Fische tauchen bei ihrem Anblick ins Wasser, die Vögel schwingen sich in die Luft, die Rehe werfen sich ins Dickicht, und ich habe mich unter sie mischen müssen.« Ihr Herz schlug dumpf. Sie wollte nichts hören. Aber im Innersten traf sie ein Laut, ganz zart, wie eines Kindes Stimme, und doch mußte er aus des Färbers Mund gekommen sein. Sie begriff, er redete aus dem Schlaf, die Zunge war gebunden, es wurden keine Worte, nur ein ganz hoher schmeichelnder Klang. Es war unverkennbar, er redete zu Kindern, und seine gewaltigen Hände begleiteten mit zarten Gebärden seine Rede. Seine Frau sah ihm hart ins Weiße der blicklosen halboffenen Augen. »Du redest«, rief sie, »also hörst du mich. So höre! Abgetan sind die, mit denen du Zwiesprache hältst. Verstehst du mich?« »Laß ihn«, schrie die Amme, »was tust du?« Die Kaiserin ertrug es nicht länger, den starken Mann so ohnmächtig zu sehen unter den Händen der beiden. Sie tat die Tür auf, ihre Augen vergrößerten sich, wie ein Feuerstrom, den sie selber nicht zügeln konnte, drang ihr Wille auf Barak. Die Alte konnte nichts gegen ihre Herrin tun, wenn sie so vor ihr stand, sie wich zur Seite. Ein Zucken ging durch den Leib Baraks; er stand auf seinen mächtigen Beinen, sein Blick war ohne jedes Wissen, blöde wie eines Toten; es riß ihn hin und her, er taumelte, als ob er eine Binde vor den Augen hätte. In ihm kämpfte das Zaubergift mit dem furchtbar gewaltigen Willen der Feentochter. Das Unterste kam in ihm zu oberst, in sein Gesicht trat ein Ausdruck von Stärke und Wildheit, die nie ein Mensch an ihm gesehen hatte, die tiefste Kraft seiner dunklen Natur trat heraus. Mit einer Stimme wie ein Löwe schrie er nach seinen Kindern, so als seien sie ihm fortgekommen, die Hand griff nach einem schweren Hammer, der in der Nähe lag, und er schwang ihn über sich. Die Brüder stürzten zur Tür herein, er schien niemand zu kennen, nichts zu unterscheiden, alle hielt er für die Mörder oder Verberger seiner Kinder. Das Weib hatte sich auf den Knien halb aufgerichtet, sie zitterte am ganzen Leib und biß vor Angst und Verlegenheit in ihre Hände. Der Bucklige fletschte häßlich die Zähne und drückte sich an die Wand, der Einäugige und der Einarmige bargen sich hinter Kufen und Fässern. Noch einmal schrie der Färber gewaltig nach seinen Kindern. Die Brüder schrien auf ihn ein, der vertraute Laut ihrer häßlichen Stimmen schien ihm an die Seele zu dringen. Er ließ die Hand mit dem Hammer sinken, seine Miene entspannte sich, sein Auge drohte nicht mehr so furchtbar nach allen Seiten hin. Im Nu war die Amme neben ihm, sie zog ihm den Hammer aus der Hand, schmiß ihn hinter die Fässer an die Wand; wie der Wind ging ihr Mundwerk; sie beschuldigte ihn, er habe aus einer bauchigen Flasche was Fremdes getrunken, sich eine Stunde lang an der Erde gewälzt, ungereimtes Zeug getan, unflätige, wilde Reden geführt, sie rief die Brüder selbst zu Zeugen an, für das, was sie unmöglich wahrgenommen haben konnten. Das junge Weib sah ohne Atem auf sie; bald wußte sie selbst nicht mehr, was geschehen war, was nicht, sie wollte auch nichts wissen, sie meinte in ihrem eigenen Blut zu ersticken. Sie sah wieder starr auf Barak, ihre Augen waren noch voll Angst, aber ihr Ausdruck ging über in einen der Verachtung, der ihr hübsches Gesicht verzerrte. Barak stand jetzt beschämt da, die Brüder schrien auf ihn ein, mit Fragen und Vorwürfen, er bückte sich, las verschüttete Körner zusammen, alles wie halb im Schlaf. Plötzlich trat ein Entschluß in sein Gesicht. Seine Miene erhellte sich. Die Brüder sahen ihn zu ihrem äußersten Erstaunen niederknien vor seiner Frau, sie um Verzeihung bitten. Sein Ton war demütig und feierlich: er bat sie um Vergebung dafür, daß er so tölpelhaft gewesen, noch so spät zu heiraten, weil er auf langes Leben, Kinder und Reichtum gehofft hatte. Er wollte noch etwas sagen, aber es kam ihm nicht über die Lippen. Die Amme und die Frau wechselten nur einen Blick, in dem der Frau lag schon kalte Frechheit, noch zitterten ihr die Knie, und doch entzog sie ihm ihr Gewand, das er angefaßt hatte, sie gab ihm keine Antwort; sie sagte zu der Amme etwas von Maultieren, die so am schwindligen Abgrund hingingen, Schritt für Schritt, und denen es versagt sei zu erstaunen und sich zu schrecken; denen gliche dieser da, ihr Mann, und unfruchtbar seien die ja auch. Er wandte sich an alle hier, wie um alle um Verzeihung zu bitten; dann deutete er auf die Frau. »Solche Worte«, sagte er, »muß man verzeihen, sie erleichtern die Seele; ohne sie wäre es den Menschen zu schwer ihre Last zu ertragen.« Die Brüder zogen die Schultern schief, ließen ihn stehen und schoben sich hinaus, um draußen über ihn zu maulen, der immer und immer wieder von dem jungen Weib nach Gefallen sich satteln und aufzäumen ließ. Er stand noch immer da, unschlüssig und beschämt. Die Kaiserin konnte ihn nicht ansehen; als das Weib ihm das Gewand aus den Händen zog, war in ihr ein Riß geschehen und etwas drang herein, wovon ihre ganze Seele zitterte. Barak wandte sich, hinauszugehen. Dann drehte er sich nochmals um, drehte die kugeligen Augen gegen die Amme und die Kaiserin, zögerte, bis das Wort aus dem Mund herausging und sagte endlich: »Ihre Zunge ist spitz«, und er wiegte den Kopf gegen die Frau, »und ihr Sinn ist launisch, aber nicht schlimm, und ihre Reden sind gesegnet mit dem Segen der Widerruflichkeit um ihres reinen Herzens willen und ihrer Jugend, und ich bin froh, daß sie wieder gesund ist«, setzte er mit besonderem Ernst und einem unbeschreiblichen Blick des Einverständnisses auf die beiden hinzu, »denn gestern abend war sie sehr krank«, und ging langsam und mit gesenktem Kopf hinaus zu seiner Arbeit.

Sechstes Kapitel

Die junge Frau hatte sich auf ihr Bette geworfen und ihr Gesicht vergraben. Vergeblich umschmeichelte die Amme ihre Füße. Die Junge ließ es geschehen, aber sie beachtete es nicht. »O meine Mutter«, rief sie und seufzte laut auf. »O meine Mutter«, sagte sie für sich, »welche Kräfte hast du mir zugemutet, da du mir auferlegtest, den, welchen du mir zugeführt hast, auf immer lieben zu können! und wo hättest du dergleichen Kräfte mir mitgegeben?« Sie hauchte es leise vor sich hin, die Lippen bewegten sich, aber man hörte nichts. Plötzlich stand sie auf ihren Füßen. »Vorwärts«, rief sie, »es ist Zeit, daß ich kein Kind mehr bin!« Sie schien es wieder nur zu sich selber zu sagen. Sie warf ein Tuch über und ging gegen die Tür. »Wohin, meine Herrin?« rief die Amme. Die Frau schien sich erst jetzt wieder zu erinnern, daß sie nicht allein war. Sie sah die Amme streng und aufmerksam an. »Es ist Zeit«, sagte sie, »daß ich mit meiner Mutter rede und mich losmache, denn sie hat mir auferlegt, was ich nicht länger tragen will.« Sie ging zur Tür hinaus. »Vorwärts«, flüsterte die Amme, »denn sie wird unser bedürfen.« Die Kaiserin drückte sich zur Seite, sie wäre gern dem Färber nachgeschlichen, aber die Amme nahm sie bei der Hand und zog sie hinter sich drein.

Die Färberin ging mit schnellen kühnen Schritten wie ein junges Pferd, das die Morgenluft einzieht, und die beiden folgten ihr in geringer Entfernung. Sie gingen über den Fluß, aber nicht in das Viertel der Hufschmiede sondern rechts hinauf, wo der Boden anstieg, eine ärmliche enge, von Menschen erfüllte Straße. Da wohnten die ärmsten Leute, die Kesselflikker, die Lumpensammler, die Fallensteller, in dichten Klumpen beisammen wie die Ratten. An einer Ecke, wo zwei solche Straßen zusammenstießen, blieb die Färberin einen Augenblick stehen; sie sah zwischen den Wimpern in einen von Männern, Weibern und Kindern wimmelnden Hof hinein und sagte vor sich hin: Schmutzig ist ein kleines Kind und sie müssen es dem Haushund darreichen, um es rein zu lecken; und dennoch ist es schön wie die aufgehende Sonne; und solche sind wir zu opfern gesonnen. – Es war ein ganz seltsamer, fast singender Ton, in dem sie es sagte. Sie bogen ein, gingen weiter, endlich jenseits einen Abhang hinunter, zwischen alten halbverfallenen Mauern. Es war eine von den Schluchten, welche da und dort die Stadt durchzogen, deren Abhang nicht bebaut war und nur hie und da die Spuren längst verfallener Wohnstätten zeigte. Unten war eine steingefaßte Zisterne und neben dieser ein alter Begräbnisplatz mit ein paar Bäumen. Die Färberin ging auf das Grab ihrer Mutter zu; sie stieg schnell über die Grabsteine, ihr Fuß rührte den Staub nicht auf, der zwischen ihnen lag und die Tritte lautlos machte. Vor einem kleinen Grabstein fiel sie mit ausgebreiteten Händen auf die Knie. Sie bog die Stirn gegen den Stein, ein gekrümmter Weidenbaum hing über ihr, sie schien mit dem ersten Atemzug in das tiefste Gebet hineingestürzt. Die Sonne versank hinter ihr in schweren Dunst wie in einen Trichter. Säulen von Staub hoben sich lautlos überall zwischen den Gräbern auf und sanken in sich zusammen wie die Säcke. Ein Windstoß fuhr dahin; er riß das letzte Wort des Gebets von den Lippen der Färberin. Sie stand jäh auf; ihr Aufspringen war wie eines Tieres, in dessen Gebärde kein Gedächtnis wohnt von der letztverstrichenen Sekunde. Ihr Gesicht glich sich selber nicht mehr; sie war schöner als je; ihr Haar hatte sich gelöst und flog um sie. »Was siehst du mich so an?« rief sie der Amme zu, die mit Entzücken auf sie sah. »Jetzt habe ich ein Joch abgeworfen und mich ausgedreht aus einem alten Gesetz!« Sie ging schnell den Abhang hinauf; die Amme lief hinter ihr drein. »Es muß nicht beim Wasser, es kann auch beim Feuer geschehen, nicht wahr?« rief die Junge ihr über die Schulter zu, »so war deine Rede, meine Lehrerin! die habe ich mir zu Herzen genommen.« Der Wind kam den dreien nach und riß an ihren Gewändern; er wirbelte den Staub auf. Es war dunkel mitten am Tag, als wollte es augenblicklich Nacht werden. Vögel hasteten zwischen den Häusern hin, Menschen liefen in einem braunroten Dunst an ihnen vorbei, von oben legte sich Finsternis auf alles. Als sie an die Brücke kamen, fing die Färberin mit eins an, langsamer zu gehen. Sie blieb stehen, tat wieder ein paar Schritte. Sie taumelte, als hätte sie einen Schlag empfangen, und fuhr mit der einen Hand zu ihrem Kopf, gegen das Ohr hin. Sie kam dabei dicht vor einen Wagen. Der oben saß, riß die Zugtiere zurück. Von den Vorübergehenden blieben etliche stehen trotz ihrer Hast. »Was ist es, das dich anficht?« rief die Amme und sprang zu ihr. Das junge Weib lag ihr gleich im Arm, eisig kalt. »Die Stimme!« sagte sie klagend. »Meiner Mutter Stimme! sie ist an meinem Ohr. Hörst du sie nicht?« »Was sagt sie?« fragte die Alte. »Barak!« stöhnte die Färberin. »Nach ihm ruft sie. Sie sagt, er solle mich binden. Sie will meine Hände halten, damit er mich töten kann. Sie will nicht, daß ich lebe, um zu tun, was ich zu tun beschlossen habe.« Ihr Gesicht war ganz grau, die Augen bläulich unterlaufen. Die Alte faßte nach ihren Händen, die glühend heiß waren; plötzlich riß sich die Junge los, sie stürmte davon, zwischen den Leuten durch, die Alte hinter ihr her. Als die Kaiserin sie einholte, in einer Gasse neben dem Flußufer, lag das junge Weib auf der Erde, den Rücken an eine Mauer gestützt, und atmete flach und schnell; die Alte kauerte bei ihr. Etliche waren stehen geblieben und sahen auf die Liegende hin: ein paar alte Gevatterinnen, ein Eseltreiber und ein alter Mann. Die Kaiserin trat mitten unter die Menschen; der Eseltreiber schob sie halb zur Seite und lehnte sich auf sie, sie bemerkte es nicht. Die Amme zischte: Hinweg mit euch! und deckte ihren dunklen Mantel über die Liegende. Die Leute gingen weiter, nur ein Kind stand noch da. Trinken! flüsterte die Färberin. Die Amme winkte und das Kind hielt eine hölzerne Schale hin, die angefüllt war; es war, als hätte es sie aus der Luft genommen. Von der Schale schwebte ein zarter und beklemmender Duft, ganz wie jener, der vor dem Kommen des Efrits den Raum erfüllt hatte. Die Färberin bog ihren Kopf der Schale entgegen, welche die Alte ihr hinhielt. Das Kind war nicht mehr da. »Trink dieses«, sagte die Alte, »und wisse: deine Mutter ist eine Doppelzüngige in ihrem Grabe und eine Spielverderberin, und ihre Worte müssen dahingeblasen werden, denn es sind die Ungewünschten, die aus ihrem Munde sprechen.« Das Gesicht der Färberin veränderte sich, sowie sie getrunken hatte: eine jähe Glut stieg ihr in die Wangen, ihre Augen wurden schwimmend wie bei einer Trunkenen. Sie stand auf ihren Füßen, in ganz sonderbarer Weise schlug sie ihren Arm um den Nacken der Alten, und sie wandten ihre Schritte wieder der Brücke zu. Die Kaiserin hielt sich dicht an ihnen; aber sie redeten eifrig miteinander, immer nach des anderen Seite hin, und sie konnte nichts verstehen. Als sie dem Färberhaus ganz nahe waren, sprangen ihnen aus dem Dunkel die Brüder entgegen, rissen das junge

Weib von den zwei Begleiterinnen weg und schrien auf sie ein mit verzerrten Gesichtern. »Er verlangt von uns seine hinweggebrachten Kinder!« schrien sie, »wo hast du sie? Was hast du an ihnen getan? Er mißhandelt und würgt uns um deinetwillen, du Verfluchte, uns, die wir eure Heimlichkeiten nicht kennen und von deinen Verbrechen nichts wissen!« Die Färberin runzelte nur die Stirne; sie würdigte die Schwäger keiner Entgegnung. »Was hast du ihm in den Trunk getan, du Hexe«, schrie der Mittlere und stieß mit dem einen langen Arm die Alte vor die Brust, »er schaut auf uns und sieht uns nicht, aber sieht ihrer sieben, die nicht da sind, an seinem Tisch sitzen und begrüßt sie als seine Gäste.« Die Frau machte sich los. »Jetzt werden wir sehen, ob meine Reden noch widerruflich sind!« sagte sie und trat über die Schwelle. In der Herdasche hockte der Färber. Sein Gerät lag in Unordnung vor ihm; alle seine Spachteln und Schaufeln, hölzerne, zinnerne und hürnene Löffel, groß und klein, als hätten Kinder alles im Spiel herumgestreut. Er drückte mit den großen Händen Malvenblätter sorgfältig in das schmutzige Farbwasser, das auf der Erde stand; das eine Bein hatte er mitten in einer scharlachroten Pfütze liegen. Die Frau blieb vor ihm stehen; er achtete nicht auf sie. Er sprach zu Kindern, die nicht da waren. »Fleißige Kinder«, sagte er, »reinliche kleine Hände«, sagte er und nickte gütig. Er zeigte ihnen, wie man arbeiten müsse. »Wir nehmen die Farben aus den Blumen heraus und heften sie auf die Tücher, so auch aus den Würmern, und von den Brüsten der Vögel dort, wo ihre Federn leuchtend und unbedeckt sind.« Er sprach es langsam, belehrend, in einem unbeschreiblich glücklichen Ton. Die Frau rief ihn an. »Barak!« Er horchte auf, aber nicht genau nach der Richtung, von der der Name kam, sondern mehr nach oben und seitwärts. Trotzdem stand er auf und ging auf sie zu. Das Heranschwanken seines mächtigen gleichsam von keinem Geiste gelenkten Körpers in dem nächtlichen Raum war so furchteinflößend, daß sie unwillkürlich einen Schritt zurück trat. Aber sie nahm sich zusammen, und ihr blasses Gesicht blieb fest und mutig. »Barak, hörst du mich«, rief sie ihm hart entgegen. »Sprich zu uns, unser Wohltäter«, rief der Einäugige.

»Sie hat dich vergiftet, o unser Bruder«, schrie der Bucklige in Wut und Schmerz, »und du wirst die Deinigen nicht mehr erkennen können.« »Barak, schweige diese«, sagte die Frau, »daß sie nicht mehr heulen wie die Hunde. Denn ich habe dir etwas zu sagen. Ich höre, du redest mit denen, von denen du vermeinst, daß sie noch kommen werden. So wisse denn und erfahre endlich: diese sind dahingegeben, denn sie wollten mir einen üblen Streich spielen, und dafür verdienen sie, was ihnen widerfahren wird.« Barak trat dicht auf sie zu; seine Augen hatten sich mit Blut unterlaufen, und sie standen jetzt nicht hervor, sondern lagen tief in den Höhlen, und ihr Ausdruck war furchtbar. »Siehe«, sagte die Frau, »ich sehe, du verstehst: warum denn redest du nicht? Es ist das letztemal, daß wir beide unseren Atem austauschen.« »Zündet ein Feuer an«, sagte Barak. Seine Stimme war unerkennbar, so, als ob ein fremdes Wesen aus ihm heraus redete, aber die Brüder hingen mit den Augen an ihm, sie sahen, daß es sein Mund war, der sich bewegte. Der Verwachsene warf sich schnell zur Erde und blies in die Herdasche, ein Feuer schlug auf und die Frau stand gleich im vollen Feuerglanz, der an ihr auf und ab lief, und war schön und böse über die Maßen. Sie tat den Mund auf, und wie die Lippen sich bewegten, verachtungsvoll und doch nachdrücklich, unter den hochmütig gesenkten Wimpern, glich ihr Gesicht einer unnahbaren Festung. »Du hast ein Feuer anmachen lassen, so siehst du mich denn und erblickst noch einmal, was du bald nicht mehr erblicken wirst. Doch du sollst auch begreifen, denn ich will nicht, daß du verlacht werdest, wie einer, der tölpisch ist und dem man sein Bett unter dem Leib stehlen kann.« Der Färber stand im Dunkeln und regte sich nicht; nur seinen Oberleib lehnte er jetzt ein wenig vor, dabei wurden seine Zähne sichtbar und seine rotglühenden Augen. Die Frau senkte nur die Wimpern noch tiefer und sprach fort mit einer Stimme, die klang wie eine zum Reißen gespannte Saite: »Siehe, ich bin schön, und das ist nicht für deinesgleichen, und darum hast du den Knoten meines Herzens nicht lösen können. Meine Schönheit hat einen anderen gerufen, denn sie ist ein mächtiger Zauber«, ihre Stimme wollte umschlagen, aber die wilde Entschlos-

senheit ihres Herzens zwang sie, weiter zu sprechen, »darum habe ich einen Vertrag geschlossen, und gebe meinen Schatten dahin und die Ungewünschten mit ihm; und ein Preis ist ausbedungen, und ich nenne ihn dir: es ist die Zartheit der Wangen auf immer, und die unverwelklichen Brüste, vor denen sie zittern, die da kommen sollen, mich zu begrüßen – und einer ist ihr erster: diesem gehöre ich von nun ab.« Sie warf den Kopf in den Nacken und schwieg. Ein kurzer Lärm drang aus Baraks Brust: er glich kaum einem menschlichen Laut, aber er bezeugte für alle, daß er die Rede der Frau begriffen hatte. »Schnell«, rief die Amme und tat einen Griff in die Luft: sie hielt in der schwarzen Klaue der Frau sieben Fischlein hin: sie waren mit den Kiemen aufgereiht an einer Weidenrute, wie Schlüssel an einem Ring. »Wirf sie über dich ins Feuer und dann fort mit uns, denn es ist die höchste Zeit!«
Die Färberin biß die Lippen aufeinander und griff nach den Fischen. »Dahin mit euch und wohnet bei meinem Schatten!« flüsterte die Alte ihr ein. Aber Barak tat jetzt einen Schritt auf die Frau zu und die Frau wich zurück. Ihre Lippen bewegten sich, und sie murmelte die Worte, aber es war, als wüßte sie es nicht; sie hob die Hand mit den Fischen über die Schulter und warf, aber wie im Schlaf; sie tat das Bedungene, aber so, als täte sie es nicht: ihre Augen hafteten auf dem Färber, und ihre Lippen verzogen sich wie eines Kindes, das schreien will. »O meine Mutter!« rief sie, ihre Stimme klang dünn wie die Stimme eines fünfjährigen Kindes. Sie tat ein paar unschlüssige Schritte, nirgend sah sie Hilfe und sie preßte den Mund zusammen und blieb stehen. Der Färber war schon hinter ihr; in der Angst riß sie sich zusammen und wie ein Pfeil schoß sie zur Tür hinaus. Er wollte ihr nach, von hinten hängten sich die Brüder an ihn; sie schrien, er dürfe nicht zum Mörder werden! Er schüttelte sie ab, die Brüder taumelten auf die Amme, die neben dem Feuer kauernd mit beiden Händen nach den Fischen haschte. »Hinweg mit euch, ihr Widerspenstigen!« schrie sie und warf sie ins Feuer. Der Einäugige und der Einarmige traten nach der Hexe, sie hatten jede ein brennendes Scheit aus dem Feuer gerissen und stürzten dem Bru-

der nach, die Amme, als sie die Fischlein in der Flamme verzucken sah, stürzte hinter ihnen drein. Draußen wehte ein Sturm, als wären alle Elemente losgelassen. Die Finsternis brüllte und wälzte sich heran, in dem undurchdringlichen Dunkel wehten dicke Staubwolken dahin, von dem halbabgedeckten Schuppen stürzten die Ziegel, und zugleich schlug der Fluß mit Gischt übers Ufer und riß an der Schwemmbrücke, daß sie ächzte und die eisernen Ketten, an denen sie überm Wasser hing, einen Laut gaben, als ob sie reißen wollten.

Der Sturm jagte den zwei Brüdern die Funken ins Gesicht und blies die Feuerbrände nieder, daß sie nur mehr glimmende Stummeln in den Händen trugen; sie stolperten von der Schwelle hinab und schrien ins Ungewisse nach dem Färber. Die Amme sah das Weib an der Wand des Schuppens stehen und die Kaiserin ganz nahe vor ihr, regungslos wie ein Standbild. Der Färber stand auf zehn Schritte von seinem Weib, er hatte das Gesicht ihr zugekehrt, er mußte trotz der Finsternis sie sehen oder ahnen, wo sie stand. Der Verwachsene war dicht bei ihm. »Feuerbrände heraus!« schrie der Färber mit einer Stimme, die den Sturm und das Stampfen der Waschbrücke und alles Ächzen des Schuppens übertönte, und er wies mit ausgerecktem Arm auf seine Frau: denn der Feuerschein, der durch die offene Tür aus dem Haus fiel, zeigte sie ihm, und sie krümmte sich vor Angst.

Die Amme glitt näher hin; nichts sah sie lieber, als wie Menschen einander Gewalt antaten. »Wir haben ein Recht erworben und machen einen Anspruch geltend!« murmelte sie in sich hinein. »Den großen Schwemmkorb her!« schrie der Färber. Der Verwachsene warf sich auf die Brücke und machte den Schwemmkorb los, der an einer Kette im Wasser hing; dabei schlug das Wasser dreimal über ihn hin und spülte ihn fast hinweg. Der Färber bückte sich; in dem flackernden Schein, der aus der Haustür fiel, konnte man sehen, wie er tastend mit den Händen nach dem großen Malmstein suchte, der wenige Schritte seitlich auf der Erde lag. Er hob ihn auf und ließ ihn in den Schwemmkorb fallen; der Korb war flach und groß genug, daß man einen Menschen hineinzwängen konnte; als der schwere Stein hineinfiel, spritzte es hoch auf. Der Buckel lief jetzt aus dem Haus heraus, er hatte brennende Scheiter in einen Topf getan: ein grelles Licht fiel über alle hin. »Einen Strick her!« rief der Färber. Die Brüder verstanden, was er vorhatte, und sie warfen sich auf die Knie. »Kein Blut auf deine Hände, mein Bruder!« riefen sie wie aus einem Munde. Sie sahen, wie der Färber auf die Frau losging, und sie drehten ihre Gesichter zur Seite. »Flieh!« schrien sie auf die Färberin hin und wirbelten ihre langen Arme drohend wie gegen ein Tier. »Hinweg mit dir und einer Hündin Geschick über dich.« Sie bückten sich nach Steinen, der Bucklige wollte ein brennendes Holz nach ihr werfen, dabei stolperte er, und der Topf mit dem Feuer fiel ihm aus der Hand in ein Schaff, das umgestürzt dalag, und alle standen im Dunkel, daß sie nicht die Hand vor den Augen sahen. Die Amme allein, deren Augen, wie eines Nachtvogels, jede Finsternis durchdrangen, sah, wie das Weib in diesem Augenblick sich von den Knien aufhob, ihr Gewand schürzte und blitzschnell zwischen den Brüdern durch lief, gerade auf den Färber zu. Die Amme sprang näher: ihr war, als sähe sie, wie der Schatten der Färberin am Boden hinzuckte, sich mit anderen Schatten zu gesellen und ihr zu entkommen; da und dort flatterten Fetzen von gefärbtem Zeug, die sich von der Trockenstatt losgerissen und irgendwo festgeklemmt hatten, die plumpen Schatten der Tröge und Kufen mitten in der schwankenden Finsternis sprangen auf und duckten sich wieder. Dabei fuhr ihr durch den Sinn, daß sie für einen Augenblick die Kaiserin aus den Augen gelassen hatte. Sie sah sich um; der Platz, wo die Kaiserin gestanden hatte, war leer. Zu des Färbers Füßen lag eine weibliche Gestalt hingestreckt an der Erde, sie hatte das Gesicht an den Boden gedrückt, mit unsäglicher Demut reckte sie den Arm aus, ohne ihr Gesicht zu heben, bis sie mit der Hand die Füße des Färbers erreichte, und umfaßte sie. Der Färber schien sie nicht zu beachten. Ein schweres Zucken hob in regelmäßigen Abständen seinen großen schweren Leib. Jetzt schob sich die Liegende auf den Händen näher heran, und ihr Kinn drückte sich auf die Füße des Färbers. Ihre Lippen murmelten ein Wort, das niemand hörte. Dann lag sie in dieser Stellung wie tot. Die Amme spähte hin, sie sah, wie das Weib, das da lag, keinen Schatten warf, als nun der Feuertopf aufflammte und das Schaff dazu, das Feuer gefangen hatte. Sie glaubte sich betrogen um den Schatten, vor Wut und Staunen ging ihr die Zunge im zahnlosen Mund nach links und rechts, sie wollte losspringen auf das liegende Weib, da spürte sie sich zur Seite, halb hinter ihr, ein Lebendes und sah die Färberin dastehen, die ihrem Mann die beiden Hände entgegenstreckte, und sie sah zugleich, daß die Liegende die Kaiserin war, und erschrak so sehr, daß sie hinter sich treten mußte. Die Miene der Färberin hatte eine wunderbare und dabei unschuldige Schönheit angenommen; die ungeheure Angst verzerrte sie nicht, sondern verklärte sie. Der Färber tat einen halben Schritt auf sie zu, noch mit stierem Blick, wie einer, der halb träumt; dabei stieß er im Wegtreten mit dem Fuß an den Kopf der vor ihm Liegenden, aber er bemerkte es nicht. Die Fackel lohte stärker auf, und das junge todbereite Gesicht vor ihm leuchtete ihm entgegen, so plötzlich und so nahe, daß er zurückfuhr. Etwas ging in seinem Gesicht vor, das niemand sehen konnte; es war, als würde innerlich eine Binde von seinen Augen gerissen, seine und seines Weibes Blicke trafen sich für die Dauer eines Blitzes und verschlangen sich ineinander, wie sie sich nie verschlungen hatten. Er sah, was alle Umarmungen seiner ehelichen Nächte, deren er siebenhundert mit seiner Frau verbracht hatte, ihm nicht gezeigt hatten; denn sie waren dumpf gewesen und ohne Auge. Er sah das Weib und die Jungfrau in einem, die mit Händen nicht zu greifen war und in allen Umschlingungen unberührt blieb, und die Herrlichkeit und Unbegreiflichkeit des Anblicks schlug gegen seine Brust; er zog die Luft ein durch die Nüstern seiner breiten Nase wie ein Tier, das vor Schrecken stutzt, und seine riesigen erhobenen Fäuste zitterten. Das undurchdringliche Geheimnis des Anblicks reinigte ihn wie der Blitz von der Schwere seines Blutes; in der Größe seines gewaltigen Leibes glich er einem Kinde, dem das Weinen nahe ist.

Sie sah seinen mächtigen Leib vor sich und die gewaltigen Kräfte, die in ihn eingesperrt waren und aus den Augen, aus dem Mund und den beweglichen Gliedern hervorbrechen wollten, und weil sie dieses eine Mal nicht begehrend auf sie einstürmten wie ein Bergsturz, so war sie entzaubert und sah ihn mit einem durchdringenden Blick: seine Gewalt war ihr wie eines Löwen und seine Ohnmacht wie eines Kindes; sie erschrak über den ungeheuren Zwiespalt mit einem süßen Schrecken und öffnete sich ganz, diese Zweiheit in sich zu vereinen; ihre Knie gaben nach in jungfräulichem Schreck, und ihr Herz umfaßte den Gewaltigen mit mütterlicher Zartheit. Ihr Mund hing voller ungeküßter Küsse, perlend, und aus ihren Augen brachen wie Feuerketten die Beseligungen, die sie zu empfangen und zu geben fähig war. Sie gab sich ihm hin in dieser Sekunde, wie sie sich nie gegeben hatte, in einer Umarmung ohne Umschlingungen und einem Kusse, in dem die Lippen sich weder berührten noch trennten.

In diesem Augenblick waren sie wahrhaft Mann und Frau, und in diesem Augenblick, dem Bann gehorchend und in Gehorsam verbunden den ausgesprochenen Worten und den dahingegebenen Fischlein, deren letztes in diesem Augenblick zu glühender Asche verbrannt war, löste sich der Schatten vom Rücken der Färberin und huschte schneller als ein Vogel über die Erde hin aufs Wasser zu: denn das Fließende wie das Lodernde zog ihn an, und er suchte sich zu retten vor greifenden Händen und vor fremder Dienstbarkeit. »Her zu mir!« schrie die Amme und beugte sich vom Ufer übers Wasser, ihn in ihren Klauen zu fassen. »Heran und ergreife, was dein ist!« schrie sie ohne Atem über die Schulter auf die Kaiserin hin. Im gleichen Augenblick schrien die drei Brüder hinter ihr wie aus einer Kehle einen Schrei des äußersten Erstaunens und Entsetzens: vor ihren sehenden Augen waren der Färber und die Färberin verschwunden. Von drüben bewegte sich ein Schein quer den Fluß herüber: die Amme riß die Augen auf, und ohne daß ihre Lider sich einmal bewegt hätten, starrte sie auf die Erscheinung: ihr Haar sträubte sich und jede Nerve an ihr spannte: es war der Geisterbote, der so unerwartet über das Wasser hergeglitten kam, und die Oberfläche des Flusses, die plötzlich still dalag, spiegelte den Harnisch aus blauen Schuppen. Sein funkelndes Auge schien sie zu suchen, starr erwartete sie seine Annäherung. Sein Mantel schleifte hinter ihm drein, jetzt hob er sich höher übers Wasser und streifte im Bogen an ihr vorbei; an seinen wehenden Mantel hing sich der Schatten der Färberin, und ohne ihr auch nur einen Blick zu geben, glitten sie fort. »Auf du! und hinter ihm her!« schrie sie und war in drei Sprüngen bei der Kaiserin, »denn es gilt, daß wir erlangen, was wir zu Recht erworben haben!« Die Kaiserin lag da wie eine Leiche, aber als sie ihr sanft den Kopf aufhob, sah sie, daß die Augen offen waren. Sie bettete sie in ihren Schoß, sie redete zu ihr. Nun richtete sich der Blick, der gräßlich ins Leere ging, auf sie, sie schien die Alte zu erkennen, aber ein Grauen malte sich in ihrem Gesicht, und sie schloß wieder die Augen. Unerträglich war es der Amme, das Gesicht zu sehen, das nun völlig dem Gesicht einer irdischen Frau glich. Sie hob die Willenlose vom Boden auf, der Kopf hing ihr übern Arm nach abwärts, sie schlug ihren dunklen Mantel um sie beide, drückte ihr Pflegekind mit beiden Armen an sich, und sie fuhren durch die Finsternis dahin. Die Amme wußte wohl, welchen Weg sie nun zu nehmen hatte.

Siebentes Kapitel

Auf dem Fluß, den die Mondberge mit steilen glatten Klippen einengten und der trotzdem ohne Wirbel ruhig, wenn auch sehr schnell, dahinfloß, fuhr ein Kahn gegen das Innere des Gebirges; denn so ging hier der Zug des Wassers. Er fand seinen Weg ohne Steuer, die Amme, die am hintern Ende auf dem Boden saß, schien ihn mit dem aufmerksamen Blick zu lenken, den sie über das Vorderteil hin, immer einen Pfeilschuß voraus, auf das schnelle Wasser gerichtet hielt; zu ihren Füßen lag die Kaiserin und schlief.
Allmählich traten die Klippen zurück, hohe Bäume standen links und rechts am Ufer, alle schön, von verschiedener Art, durcheinander wie in einer Au; hinter ihnen stiegen die schwarzen glänzenden Felsen empor, aus deren finsterer mächtiger Masse der ganze Bereich von Keikobads verbor-

gener Residenz aufgebaut war. Zwischen den Bäumen sah sie mehrere von den Boten sich bewegen, deren allmonatliches Kommen sie ihrem Pflegekind immer sorgsam verheimlicht hatte. Mit Unlust erkannte sie den Alten, dessen weiße Gestalt gleich nach dem Verstreichen des ersten Monats nachts auf der Treppe zum blauen Palast aus der Wand herausgetreten war und sie mit seinen leuchtenden und strengen Blicken so erschreckt hatte. Auch den Fischer sah sie in der Ferne gehen; er trug wie damals eine Art von kurzem Mantel, aus Binsen geflochten, und in Händen seine Netze, an denen das Wasser glänzte, das rotgelbe Haar aber hinten hinaufgebunden wie eine Frau. Aber keiner kümmerte sich um den Kahn und die Ankömmlinge. So blieb die Amme ganz ruhig; mit ihrem Willen hatte sich der Mantel, in den gewickelt sie beide durch die Luft flogen, im Bereich der Mondberge, am Ufer des Flusses niedergelassen, der sie quer durchschnitt und zu dem kein sterblicher Mensch ungewiesen den Weg fand; ohne ihr Zutun hatte er sich sogleich in einen Kahn verwandelt, groß genug, sie und die Regungslose aufzunehmen, jetzt trug er sie dorthin, wohin sie mit ihrer Herrin zurückzukehren sich so sehnlich wünschte. Sie fühlte Keikobads Gebot über dem allem, so mußte er ihnen nicht mehr unerbittlich zürnen; sie war sich bewußt, ihrer Herrin aufs Wort gedient und den Menschen, die ihr abscheulich waren, einen Streich gespielt zu haben, der ganze Handel erschien ihr in gutem Licht: sie war zufrieden und einer Belohnung gewärtig. Sie wunderte sich nur, den im blauen Harnisch nicht zu sehen: ihm gedachte sie entgegenzutreten und ihn zu beschämen; denn sie fühlte das Geisterrecht auf ihrer Seite. Nur den letzten Blick konnte sie nicht vergessen, den ihr die Kaiserin gegeben hatte, als sie sie dort an der Mauer des Färberhauses vom finsteren Erdboden aufhob. Der Blick war ihr gräßlich in seiner Mischung von verzweifelter Angst und düsterem Vorwurf, dessen Sinn sie nicht begreifen konnte. Daß sie sie hatte vor den Füßen eines Menschen liegen sehen, war ihr, als ob es nie gewesen wäre. Sie neigte sich über Bord und wusch sich, mit beiden Händen schöpfend, Augen und Wangen mit dem dunklen reinen Wasser; noch rieb sie ihren Hals und Nacken von der zauberischen Schminke, die keine Spur auf den Händen zurückließ; da fühlte sie, daß der Kahn seine Richtung änderte, so, als würde er von dem einen Ufer her an einem Tau gezogen. Kaum hatte sie sich umgewandt, so sah sie den im blauen Harnisch auf einem glatten Uferstein dastehen; er schien den Kahn erwartet zu haben, jetzt trat er zurück zwischen die Bäume. Sie sah ihn nur mehr im Rücken; das blauschwarze Haar trug er aufgeflochten im Nacken hängend, der Mantel war kurz über dem Harnisch gerafft; trotz seiner gedrungenen Gestalt nahm er sich schön und gebietend aus. Indem sie ihm nachspähte, war er auch schon zwischen den Stämmen verschwunden. Zugleich aber hatte der Kahn sich sanft dem Ufer angelegt, und schon hatte die Kaiserin den Schlaf abgeworfen und war leicht wie ein Vogel auf die feste Erde hinübergestiegen. Das graue Obergewand, in das sie sich für die Menschen verhüllt hatte, war abgefallen und blieb im Kahn zurück, nur ein leichtes schneeweißes Gewand trug sie um die Glieder fest gewickelt, man hätte es unter dem grauen Überwurf nie geahnt. Sie erkannte mit einem Blick die Gegend; als eine junge Schlange war sie oft hier gewesen, auch als Vogel hatte sie sich über diesen Büschen und dem Wasser gewiegt. Aber nichts von dem allem drang jetzt in sie hinein. Ihre Miene veränderte sich gleich, ihre strahlenden Augen wurden dunkel und zornig. »Wo bin ich?« rief sie und trat oberhalb hart an den Kahn heran. »Wo hast du mich hingebracht, während ich schlief und nichts von mir wußte! Wo ist der Mann? wo ist das Weib? Auf, und zurück vor ihre Füße, daß ich ihnen genugtue!« Vor Staunen über diese Rede verwandelte sich das Gesicht der Amme. Nichts von dem, was die Kaiserin bewegte, konnte sie begreifen. Als sie ihr Gesicht wusch, hatte sie auch die letzte Erinnerung an die zwei Menschen und ihr armseliges Haus weggewaschen; sie hatte völlig vergessen, wie der Färber und die Färberin aussahen. »Wer sind die, von denen du redest«, rief sie von unten hinauf, »wo wären sie des Atems wert, den du an sie verschwendest!« Dabei wandte sie den Kopf ab. Sie hatte bemerkt, wie jetzt am jenseitigen Ufer der Fischer zwischen den Büschen hervortrat. Nicht gern fühlte sie seinen Blick auf dem Kahn und auf ihr selber. Es war ihr unvergessen, wie rauh er sie behandelt hatte, als er am Ende des siebenten Monats ausgesandt war, zu erkunden, ob das Geisterkind schon einen Schatten werfe. Immer war sie seitdem gewärtig, daß er, wie damals, als sie am Rand des Teiches hinter dem blauen Palast dahinging, von hinten an sie heranträte, ihr das Netz überwürfe und sie zu sich ins Wasser risse. Aber der Zorn ihrer Herrin hatte mehr Kraft über sie als die Besorgnis vor dem Boten. Nie hätte sie fassen können, daß diese, die unnahbar über ihr stand und vor Zorn bebte wie eine in weißen Rauch gehüllte Flamme, auf dunkler feuchter Erde vor den Füßen eines Menschen gelegen hatte. »Auf, und du voran«, rief die Kaiserin, »und daß du sie mir wiederfindest, und wären sie von Geistern verschleppt und auf tausend Meilen von ihrem Hause. Denn wir sind Diebe und Mörder an ihnen geworden und alles Blut aus unseren Adern ist zu wenig, um gutzumachen, was wir an ihnen getan haben.« Die Amme duckte sich zur Seite und hielt den Blick ihrer Herrin nicht aus, und ihr war, als würde die Kaiserin von oben auf sie niederstoßen wie ein Vogel und mit den Fersen ihrer leuchtenden Füße auf sie treten, so furchtbar war der Zorn in ihren Mienen. Aus dem Winkel ihres Auges spähte sie aber gleichzeitig über den Rand des Kahnes: da sah sie, wie drüben der Fischer hart ans Ufer getreten war, daß das Wasser sich an seinen Füßen staute, wie er gebieterisch den Arm ausreckte und ihr zuwinkte, ihn mit dem Kahn überzuholen. Schon fühlte sie, daß der Kahn von selber dem Wink gehorchte und sich vom Ufer losmachte. »Heran zu mir!« schrie sie der Kaiserin zu, denn sie begriff sofort, daß man sie von ihrem Pflegekinde trennen wollte. Aber die Kaiserin gab keine Antwort. Sie hatte die beiden Arme über die Brust gedrückt und hielt den Kopf nach oben, aber mit geschlossenen Augen. Die Amme umklammerte eine Baumwurzel des Ufers, es war zu spät, der Kahn riß sie hinüber. Schon war der Fischer hineingesprungen, er warf seine Netze ab und stieß die Alte, daß sie auf die Netze hinfiel; mitten im Fluß lenkte er den Kahn nach abwärts, knirschend sah sie hohe Felsen vortreten, wie ein Tor zu beiden Seiten, der Kahn glitt zwischen ihnen durch, die Kaiserin war ihren Augen entschwunden. Auf den nassen Netzen kauernd überlegte die Alte, wie sie wieder in den Besitz des Kahnes kommen, ihn zurückverwandeln könnte in den Mantel, den sie jetzt nötiger brauchte als je. Der Fischer kümmerte sich nicht um sie; er streifte die Ärmel auf, griff tief ins Wasser und hob einen weidenen Korb heraus von länglicher Gestalt, wie ein großes Futteral; kein Tropfen Wasser hing an dem Korb, es war, als hätte er ihn von oben aus der glänzenden Luft geholt. Indessen war der Kahn langsamer geworden, er glitt an ein sanft abfallendes Ufer hin, zwischen Weiden und Erlen blieb er stehen. Der Fischer nahm den Korb untern Arm, warf die Netze über die Schulter und stieg ans Land. Er schlug einen Pfad ein, der zwischen den Erlen landeinwärts führte. Schnell dachte sie den Kahn vom Ufer zu lösen, aber zu ihrer Enttäuschung hatte der Fischer den Strick um den Stumpf einer alten Weide geschlungen und in einen Knoten geschürzt, den zu lösen ihr unmöglich war; sie begriff nicht, wie er dies so blitzschnell unterm Aussteigen vollbracht hatte. Zornig seufzend zog sie das Gewand der Kaiserin an sich und schlich dem Fischer nach; denn sie wußte, daß der Fluß sich durch die Mondberge hinkrümmte wie ein S, sie kannte weiter oben eine schmale gefährliche Stelle, wo sie sich an einem überhängenden Baum zu einer Klippe hinüberschwingen konnte, und sie hoffte, querüber durchs Gebirg zu dieser Stelle zu gelangen. Sie war auf dem ansteigenden Fußpfad noch nicht weit gegangen, so sah sie zwischen Birken und Haselbüschen die Hütte des Fischers liegen, von der ein bläulicher Rauch aufstieg. Sie schlich an das Fenster und blickte hinein. In einer Ecke der einzigen halbdunklen Kammer lag auf einer Schilfstreu eine zartgliedrige junge Frauensperson in unruhigem Schlaf. Zu ihren Füßen kniete die Frau des Fischers, grauhaarig, aber mit einem noch leidlich jungen Gesicht, so daß sie im Alter zu ihrem Gatten ganz wohl zu passen schien. Sie betrachtete mit der größten Aufmerksamkeit die Hände der Schlafenden, die sich ineinanderrangen und voneinander lösten wie in einem heftigen bedrückenden Traum. Die Amme kannte dieses Weib lebenslang; aber sie hatte sie nie leiden mögen. Die Fischerin war neugierig über die Maßen und vermochte nichts für sich zu behalten. Mut und Willenskraft besaß sie wenig; aber sie konnte sehen, was durch eine Wand, einen Deckel oder einen Vorhang verhüllt war, und sie verstand es, an allerlei Zeichen etwas abzulesen, und konnte aus leisen Spuren vieles erraten, was andern verborgen blieb. Abgeschlossen von den Menschen, wie sie lebte, war sie voll Freude, daß man die junge Frau ihrer Obhut anvertraut hatte. Jetzt, als die Schlafende beim Eintreten des Fischers den Kopf bewegte, erkannte die Amme in ihr das Weib des Färbers, das sie nie wieder mit Augen zu sehen verhofft hatte, und ihr entfuhr ein zorniger Laut der Überraschung, den sie aber halb noch in der Kehle erstickte. Die Fischerin hatte tausend Fragen auf den Lippen. »Warum hast du mir nichts gesagt«, rief sie dem Eintretenden entgegen, »daß es unter den sterblichen Menschen solche gibt, die keinen Schatten werfen, auch wenn, wie es vor einer Stunde der Fall war, die volle Sonne schräg zum Fenster hereinfällt! Und was hat diese begangen, daß sie sich so fürchtet! Dabei ist sie eine Kühne und Ungebändigte, das seh ich an ihren Händen, und eine Träumerin, und ihr Herz ist rein, aber der Spielball ihrer Begierden und ihrer Träume. Und was bringst du«, unterbrach sie sich selber, »da für einen Korb, und was für eine Bewandtnis hat es mit einem, der dir nachgeschlichen ist und von hinten her das Haus umlauert, nicht Mensch und nicht Tier, sondern irgendeiner unseresgleichen?« und sie hob die Nase und witterte in der Luft. Der Fischer gab ihr seiner Gewohnheit nach keine Antwort; er wickelte seine Netze auseinander. Schon hatte sie sich aber dem Korbe genähert, und indem ihre Augen das dichte Geflecht durchdrangen, antwortete sie sich selber. »Ein Richtschwert und ein blutroter Teppich!« rief sie halblaut. »Ist der Teppich für ihre Knie und das Schwert für ihren Hals?« flüsterte sie und deutete auf die Schlafende; diese zuckte zusammen, als ob sie es gehört hätte. »Wer wird Richter sein?« fragte das Weib weiter. »Und soll sie vielleicht den Korb auf ihrem eigenen Kopf bis zur Richtstätte tragen? Ist es darum, daß du ihn hierher gebracht hast?« Sie ließ ab, auf die Hände zu spähen, und heftete ihren Blick auf die Lippen der Färberin, die sich kaum wahrnehmbar bewegten. »Wie sie ergeben ist!« rief die Alte. »›Lasset mich sterben‹, sagt sie, ›bevor die Sonne auf ist. Zündet nur keine Fackel an. Das Schwert blitzt ohnedies und der Teppich leuchtet von dem vielen Blut, das er getrunken hat, so wird niemand sehen, daß ich keinen Schatten werfe.‹ – Zu wem spricht sie das?« fragte die Alte neugierig ihren Mann, der sich auf den Hackstock gesetzt hatte und anfing, an seinem Netz zu flicken. »Ei«, sagte sie und rückte der Schlafenden näher, »jetzt betet sie und küßt demütig eine große blauschwarze Männerhand. ›Mir geschehe, wie du willst‹, sagt sie, ›denn du bist mein Richter, und ich knie zwischen deinen Händen. Aber wisse, daß ich dich erkannt habe in der letzten Stunde meines Lebens, und daß du den Knoten meines Herzens gelöst hast.‹ – Wer wird ihr Richter sein, gib mir Antwort! Den ganzen langen Tag bin ich allein, und gibt man mir einmal ein fremdes Wesen zur Gesellschaft, so ist's eine Schlafende, die den Mund nicht auftut. Wer wird zu Gericht sitzen über dieser da?« »Das goldene Wasser!« antwortete der Mann. »Das Wasser des Lebens?« rief die Frau mit überraschtem Ton. »Man hat mir noch nicht einmal gesagt, daß es in den Berg zurückgekommen ist. Ja, kann es denn sprechen und ein Urteil verkünden?« »Nein, aber es verwandelt, und das ist mehr.« »Verwandeln! das ist eine Gabe wie eine andere«, gab sie zurück. »Verwandelt nicht der Alte, dein Stiefbruder, alles Feindselige, das ihm entgegentritt, in Tiere, die ihm gehorchen? Und ist es dir nicht wiederum gegeben, wenn du deine Arme ins Wasser tauchst, hervorzunehmen, was niemand hineingelegt hat!« »Ja, aber das goldene Wasser verwandelt das Unsichtbare«, sagte der Mann. »Es ist jemand am Fenster«, flüsterte die Frau und hob sich blitzschnell vom Boden auf. Der Fischer trat vor die Schlafende hin und betrachtete sie. Sie seufzte im Schlaf, als wollte ihr die Brust zerspringen, und Tränen traten ihr unter den Wimpern hervor und liefen über die Wangen.

Als das Weib hinaustrat, war die Amme auf und davon. Fast schlimmer war ihr zumut als vor einem Jahr, als sie das Feenkind verloren hatte und nicht wußte, wie ihre Spur wiederfinden. Die Gegenwart des jungen Weibes hier im Bereich der Geister erfüllte sie mit einer unbestimmten beklemmen-

den Furcht. Sie hastete vorwärts und aufwärts. Nur mehr Felsen umgaben sie, zwischen denen es selbst für ein Wesen von ihren Gaben nicht mehr leicht war, sich zurechtzufinden. Doch wußte sie noch, wo sie war.
Nicht weit von hier mußte eine Kluft sein, darin sie im vergangenen Jahr, dem verlorenen Kind mühselig nachwandernd, die erste Nacht eine erträgliche Unterkunft gefunden hatte. Nun erkannte sie den tief eingeschnittenen Hohlweg: aus ihm kam ein Luchs hervor, der sich wartend nach hinten umsah, wie ein Hund nach seinem Herrn. Sogleich sah sie auch den weißgewandeten Alten hervortreten und an seiner Seite ein Lamm, das klug zu ihm aufblickte. Aber in dem Großen, der breitspurig und langsam nun aus dem Berg hervorkam und auf den der Alte wartete und ihm, wie ein Führer dem Gaste, ehrerbietig die sicheren Steinplatten zeigte, den mächtigen, des Gebirges ungewohnten Fuß aufzusetzen, erkannte sie den Färber und ihr grauste; ihr war, als ob ein Netz sich von weitem her um sie zusammenzöge, dessen Maschen sie nicht würde zerreißen können. Sie war seitlich zwischen Baumwurzeln und nackten Felsen emporgeklommen, oben hängend hörte sie, was die beiden miteinander redeten. »Wann werde ich sie wiedersehen?« fragte der Färber, und ein mächtiger Seufzer drang aus seiner Brust. »Wenn die Sonne über dem Fluß im Steigen ist«, antwortete der Alte. Sie redeten weiter, abermals schlug der Name des goldenen Wassers an ihr Ohr. Von Kindheit an war ihr vor diesem mächtigen Zauber eine scheue Furcht eingeprägt, sie wollte das Wort nicht mehr hören, sie klomm von Baum zu Baum, von Platte zu Platte. Sie meinte die Richtung inne zu haben, aber das Geklüft wurde immer wilder, die Bäume hörten jetzt auf: umsonst, daß sie horchte. Der Fluß rann tief unten ohne Rauschen hin, nirgends ein Zeichen, sie mußte sich eingestehen, daß sie den Weg verloren hatte. Sie rief gellend den Namen ihres Kindes, nichts antwortete, nicht einmal ein Widerhall. Nur ein Nachtvogel kam auf weichen Flügeln zwischen dem Gestein hervor, stieß gegen ihren Leib und taumelte gegen die Erde. Da warf auch sie sich zu Boden und drückte das Gesicht gegen den harten Stein.

Die Kaiserin indessen stand allein zwischen den Bäumen und dem Felsen, beschattet von der Felswand, hinter der seitlich das Licht zu sinken anfing. Alles warf nun lange Schatten über den grünen Waldgrund hin, von ihr allein fiel keiner. Sie hatte sich der Felswand zugekehrt, sie meinte die Stelle wiederzuerkennen: es war die deutlichste Erinnerung aus einer frühen Zeit. Hier war ihr Vater mit ihr herausgetreten, hier hauchte er das Geheimnis der Verwandlung in sie hinein: sie fühlte sich Vogel werden zum erstenmal, fühlte sich aufschweben vor des Vaters Augen. Wenig von seiner Erscheinung konnte sie erinnern; er trug keine Krone, aber die Stirne selber glänzte wie ein Diadem, das ahnte ihr noch. »Vater«, rief sie sehnlich, »Vater, wo bist du?« Das Wort verhallte. Sie kam sich eingeschlossen vor in ihren Leib, wie gefangen. Unwillkürlich griff sie nach dem Talisman. Wie ein klares Licht durchzuckte es sie, sie begriff, warum und seit wann ihr die Verwandlung genommen war, und er, der sie so gestraft hatte, war ihr näher als je. In seiner Unnahbarkeit fühlte sie ihn, auf ihrer Stirne leuchtete ein Abglanz von ihm.
Sie hörte hinter sich ein spritzendes Geräusch, als hätte jemand aus dem Wasser sich ans Ufer geschwungen. Ein Schauer lief ihr über den Rücken, sie wußte sich plötzlich nicht mehr allein und drehte sich jäh um. Ein großer Knabe stand da, zwischen ihr und dem Wasser, gedrungen stark. Sie hätte glauben können, den Färber vor sich zu sehen: die breitbeinige Gestalt, die gebuckelte Stirne, das krause schwarze Haar; er trug ein Gewand von wunderbar blauer Farbe, nicht so, als hätte man ein weißes Gewebe in die Küpe gelegt, darin sich die Stärke des Indigo und des Waid vermischten, sondern so, als wäre die Bläue des Meeresgrundes selbst hervorgerissen und um seinen Leib gelegt worden. Er blieb an seiner Stelle und verneigte sich vor ihr, die Arme über die Brust gekreuzt. Dann sah er sich im Kreis um, wie wenn er einen Zeugen dessen, was er zu sagen hatte, gefürchtet hätte: er wiegte den runden Kopf bedächtig gegen den Fluß. »Halte das Weib weg!« rief er. Indessen hatte sein Gewand sich verändert: es glich jetzt dem nächtlichen Schwarzblau, bevor die ersten Strahlen der Sonne den Himmel erhellen. Ehe die Kaiserin

ihm antworten konnte, war noch ein Wesen vor ihren Augen. War es aus den Bäumen herausgetreten, war es aus der Erde hervorgekommen – es stand da. Es war ein kleines Mädchen und von den zierlichen wie aus Wachs geformten Füßen bis zu dem dunklen wie Kupfer schimmernden Haar glich es der Färberin. Es tat seinen Mund auf im gleichen Augenblick, als es da war, und rief mit heller befehlender Stimme: Stelle dich zu deinesgleichen! Zugleich wie vor Ungeduld kam es näher an die Kaiserin heran; nicht mit Schritten, sondern es glitt auf dem grünen Grund heran wie auf Glas, mit geschlossenen Füßen, und keine Art sich zu bewegen hätte besser zu der Zartheit seiner Glieder und zu den Farben, in denen es glänzte, passen können. Hinter ihr aber trat nun eine andere hervor, weit älter als sie, ja größer und mächtiger als der zuerst Gekommene. Stumm stand sie da, einen Blick wie eines Tieres auf die Kaiserin geheftet, an ihr hingen drei kleine Knaben und auch das Mädchen glitt zurück zu ihr, alle vier drückten sie sich an die große Schwester. Von dieser konnte die Kaiserin keinen Blick verwenden: wie sie nun die Kinder an sich drückte, mit sanften Händen und sorglichen Blicken, wie ein Vogel seine Brut, glich ihre Güte der Güte des Färbers, aber wenn sie herüber sah mit einem kühnen und scheuen Blick, so war es der Blick der Färberin. Wunderbar war sie aus beiden gemischt, und doch kein Zug von keinem: nur die Vereinigung beider. Die Kaiserin fühlte ihr Herz pochen, es zog sie hinüber zu diesen Wesen – da war die Gestalt dahin. Der Bruder allein stand da, er schien zu warten, daß die Kaiserin ihn anrede. »Ihr bringt mir eine Botschaft?« rief sie und lächelte ihm zu. Tief und dunkel glühte sein Gewand auf aus dem Violetten ins Rote. Die Farbe schien aus der Ewigkeit her zu ihm zu kommen, so auch die Antworten, die langsam in ihm aufstiegen und zögernd den Rand seiner Lippen erreichten. »Wir bestellen nichts, wir verkünden nichts. Daß wir uns zeigen, Frau, ist alles, was uns gewährt ist.« »Wo ist die andere?« fragte die Kaiserin; ihr Blick deutete mit Begierde nach den Bäumen, zwischen denen das Mädchen gestanden hatte. »Da und nicht da, Frau, wie es dir belieben wird!« sagte er und hob sich aus seiner leicht geneigten Haltung; seine Mächtigkeit wurzelte auf seinen gewaltigen Füßen in der Erde und sein Gewand war wie Blut, das sich in Gold verwandelt; alle Bäume empfingen von ihm die Bestätigung ihres Lebens, wie vom ersten Glanz der aufgehenden Sonne. »Gibt es ein Drittes?« fragte die Kaiserin. »Die Vereinigung der beiden«, kam es von den Lippen des Knaben. »Wo geschieht diese?« »Im entscheidenden Augenblick.« Die Kaiserin tat einen Schritt auf ihn zu. »Führet mich zu denen, von denen ihr wisset«, sagte sie. »Nicht wir sind es, die dich führen werden, sondern andere«, gab er zur Antwort. »So bringet sie zu mir!« rief die Kaiserin. Der Knabe sah sie blitzend an aus den Augen der Färberin mit dem Blick des Färbers. Er hob mit sanfter Strenge die Hand gegen sie und glich jenem, seinem Vater, wie ein Spiegelbild dem Gespiegelten; denn es schienen Sprüche der Weisheit und der Erfahrung in ihm aufzusteigen, die über die schweren Lippen nicht zu dringen vermochten und sich stumm entluden in den Gebärden der Arme und in der weisen Entsagung der halbgehobenen Schultern. Die Farbe seines Gewandes sank aus dem Rot in das Violett gleich einer Wolke am dunklen Abendhimmel. »Nicht dir werden sie vorgeführt werden, Frau, sondern du wirst vorgeführt werden, und dies ist die Stunde.« Die Kaiserin trat hinter sich. »Wer richtet über mich?« fragte sie leise. »Versammelt sind die Unsichtbaren, Frau, wie es dir nun belieben mag!« sagte er und verneigte sich ernst vor ihr; ein Todesurteil hätte er nicht ernster verkünden können. Dunkel war wieder sein Gewand, wie der nächtliche Himmel ohne Sterne. – Die Kaiserin holte tief Atem. »Ich hab mich vergangen«, sagte sie. Sie senkte die Augen und richtete sie gleich wieder auf ihn, der mit ihr sprach. Das Wesen horchte, antwortete nicht sogleich. Die Seele trat in seine Augen; er schien die Worte zu liebkosen, die aus ihrem Mund kamen. »Das muß jeder sagen, der einen Fuß vor den andern setzt. Darum gehen wir mit geschlossenen Füßen.« Der Hauch eines Lächelns schwebte in seiner Stimme, als er das sagte; aber sein Gesicht blieb ernst, und in nichts glich er dem Färber mehr als in diesem tiefen Ernst seiner Miene. »Kann ich ungeschehen machen?« rief die Kaiserin. Ihre Augen hingen an seinem Mund, ihre Ehrfurcht vor ihm, der so mit ihr sprach, war nicht geringer als die seine vor ihr. »Das goldene Wasser allein weiß, was geschehen ist und was nicht«, gab er zurück. »Ist es meinem Vater untertan?« fragte sie. »Die großen Mächte lieben einander«, sagte das Wesen kurz. Es war, als flöge ein Schatten von Ungeduld über sein gewaltiges Gesicht. »Dürft ihr mir nicht mehr sagen?« rief sie. »Laß mich antworten!« rief eine helle Stimme. Sogleich war einer von den Kleinen vor ihr, sogleich der zweite neben ihm. Der erste, der so begierig war zu antworten, glich mit dem dünnen Mund und der hohen schmalen Stirn dem jüngsten Bruder des Färbers. Aber er glich ihm auch wieder nicht, denn er hatte gerade Glieder und einen glatten Rücken, und statt der armseligen Gewandung des Buckligen umgab ihn ein Kleid in herrlichen Farben, als wären sie von den Brustfedern eines Paradiesvogels genommen. Der zweite reckte ein Ärmchen gegen sie, das ohne Verhältnis lang war, wie das des Einarmigen, und er heftete die runden Augen des Färbers auf sie, und sein reizender Mund, der auch verlangte zu sprechen, zuckte zauberisch, wie der Mund der Färberin. Unbeschreiblich waren die Farben, in die er gekleidet war; er glich einem Blumenstrauß, gepflückt am frühen Morgen. »Merke, Frau«, rief der erste, »alle Reden unserer Mutter geschehen in der Zeit, darum sind sie widerruflich – aber deine«, fiel der zweite ein, »deine wird geschehen im Augenblick und sie wird unwiderruflich sein: so ist dein Los gefallen.« »Von welchem Augenblick redet ihr?« rief die Kaiserin. »Von dem einzigen!« rief das kleine Mädchen und flammte heran. »Was muß ich tun?« fragte die Kaiserin und heftete ohne Atem ihre Augen auf die drei Kinder. »Im Augenblick ist alles, der Rat und die Tat!« rief ein kleiner breiter Mund, wie aus dem Mund des Färbers herausgeschnitten, über einem breiten Leib, um den ein korallenroter Schurz wehte, unter einem Wust von schwarzem Haar, dicht wie ein Gebüsch: das vierte Kind war zwischen die drei hineingeflogen, sie umschlangen einander an den Hüften und an den Schultern; sie standen lächelnd da und glichen in der Buntheit ihrer zauberischen Gewänder und im Glanz ihrer Augen, die sie wechselnd senkten und aufschlugen, einer blühenden Hecke, in der dunkeläugige Vögel nisten, und sie wiegten sich in einer Art von stillem Tanz vor der Kaiserin hin und her wie eine Hecke im Abendwind. »Wer ist meinesgleichen?« fragte die Kaiserin schnell, denn sie sah, wie die Wesen sich voneinander lösten und wie sie mit einem schalkhaften Lächeln zu verschwinden drohten. »Wir doch, Frau, und die, mit denen wir eins sind!« riefen sie und waren schon dahin, keine Wimper hätte können so schnell sich schließen. »Laßt mich euch einmal sehen!« rief die Kaiserin und heftete in sehnlicher Erwartung den Blick auf die Stelle, wo das große Mädchen gestanden hatte. Sie hatte es noch nicht ausgesprochen, so stand die Große drüben bei den Bäumen und aus der Luft glitten die kleinen Geschwister ihr an die Brust und an ihre Hüften und schmiegten sich an ihre Knie wie an die Knie einer Mutter.

Ein Wind wie ein langgezogener Atem kam jetzt aus dem Berg hervor und das Laub fing an, heftig zu zittern. Die laue Luft zwischen den Bäumen und dem Fluß veränderte sich in feuchte Kühle wie in einem Grabgewölbe. Den Leib aller dieser Kinder durchlief eine solche Angst, daß die Kaiserin mit ihnen erschrak bis ins Innerste. Das große Mädchen bückte sich, sie preßte die Kinder an sich; ihr Leib deckte alle zu. Angstvoll schickte sie die Blicke nach allen Seiten; als wären ihre Hände verdoppelt, so faßte sie alle die Leiber der Kinder zugleich. Aber sie schwanden ihr zwischen den Händen dahin: mit sterbenden Mienen hingen sie ihr im Arm, dann zergingen sie gräßlich in der Luft wie farbiger Nebel, der ihren Leib umflatterte. Gruben waren in dem Gesicht der Großen, graue Schatten des Todes; ihre Augen, wie aus dem Jenseits, sahen in die Augen der Kaiserin; der schwoll das Herz dumpf, sie mußte ihre Hände darauf drücken. Jetzt deckte der Bruder seinen Mantel, der schwarz war wie die Nacht, über die sich auflösende Miene der Schwester, die im Vergehen dem wahrsten Gesicht der Färberin glich wie nie zuvor. So glich nun sein gealtertes schwer gewordenes Gesicht völlig dem Gesicht des Färbers; er zog den Mantel über seinen Kopf und verhüllte sich selber.

»Werde ich euch wiedersehen?« rief die Kaiserin; das Gefühl der Schuld umschloß ihr Herz mit Ketten, sie fühlte sich an jene geschmiedet, in deren Dasein sie ungerufen hineingetreten war. Der Verhüllte deutete stumm gegen den Berg. Sie schloß die Augen.

Als sie sie wieder aufschlug, waren die Gestalten dahin; ein bläulicher Glanz erhellte die Dämmerung zwischen den Stämmen. Der Bote stand da. Noch war ihr der Sinn benommen, sie sah ihn, ohne ihn zu sehen. Er wartete, dann neigte er sich gemessen vor der Kaiserin. Er wendete sich sogleich und winkte ihr: er trat in die Felswand hinein und die Kaiserin folgte ihm. Der Weg drehte sich mehrere Male und es war nur der bläuliche Widerschein auf den glatten Wänden, der sie leitete. Mit eins sah sie den Schein und die Gestalt zur Seite verschwinden: als sie an die Stelle kam, war dort nichts. Vor sich aber gewahrte sie eine andere Erhellung und ging darauf zu. Sie stand in einem runden hohen Raum; hinter ihr schloß sich der Stein. Hoch oben in einem metallenen Ring hing eine Fackel; sie leuchtete stark und gab im Verbrennen einen wunderbaren Duft. Nichts war sonst in dem kreisrunden Raum als eine niedrige Bank, aus einem dunkelleuchtenden Stein geschnitten, die ringsum lief. Die Kaiserin sah, daß es ein Bad war, in das man sie geführt hatte, aber schöner und fürstlicher als selbst die schönste der Badekammern in ihrem eigenen Palast. Sie verlor sich, aber nur einen Augenblick, in dem Gefühl der unerwarteten, geheimnisvollen Einsamkeit und in der Betrachtung des wunderbaren Beckens, an dessen Rand sie stand. Dieses glich dem Gestein, aus dem die Wände geschnitten waren, es leuchtete auch von Zeit zu Zeit auf, es waren nicht funkelnde Adern, sondern ein dumpfes Aufleuchten in der ganzen Masse, wie Wetterleuchten im dichten, gestaltlosen Gewölk, und die Kaiserin hätte nicht ohne Furcht den Fuß auf diesen Grund gesetzt. Zugleich aber kam ein himmlisches Wohlgefühl über sie, als dränge es mit dem Duft der Fackel in alle ihre Glieder. Sie sank auf den Rand des Beckens hin, in Scheu und Erwartung, wie eine Braut. Ihr Geliebter mußte ihr ganz nahe sein, er mußte ihr näher sein, als sie wußte. Immer war er zu ihr gekommen, nun kam sie zu ihm, an dieser auserkorenen Stätte. Sie dachte es und ein Ach!

kam über ihre Lippen, schamhaft und sehnsüchtig zugleich, und der klanggewordene Hauch aus ihrem eigenen Mund machte, daß sie erglühte von oben bis unten. Ihre Glieder lösten sich, sie streckte die Arme gegen das Becken, der Boden schwankte hin und her, wie ein finsterer von unten erhellter Nebel; von unten stieg ein Schwall von dunklem, goldfarbenem Wasser jäh empor, fiel wieder jäh hinab mit einem dunklen Laut wie das Gurren von Tauben. Sie hätte sich hineinstürzen mögen in dieses dunkelleuchtende Auf und Ab wie in einen liebenden Blick. »Komm, komm!« rief sie, das goldene Wasser stieg in einem mächtigen Schwall nach oben, die Säule gab, wie das Licht der Fackel sie berührte, einen schwellenden Klang, der ihr vor Süßigkeit fast das Herz spaltete. Jetzt sank der Schwall in sich zusammen, wurde ganz golden leuchtende Fläche, erfüllte das Bad, ein goldener Nebel spielte darüber hin. In der Mitte der Kern von Finsternis, den die Säule emporgerissen hatte, lag still: er schien lastend wie ein mitten in den Teich gebautes Grabmal aus Erz. Gebettet auf einen viereckigen dunklen Stein lag die Statue da. Sie war aller Waffen entkleidet, nur den leichten Jagdharnisch trug sie noch, wie zum Schmuck; aber selbst die silbergeschuppten Beinschienen, die vor den Hauern eines Ebers oder den Zähnen eines Luchses schützen konnten, waren weg und die Beine nackt und völlig wie Marmor; so auch die Schultern und der Hals, von denen der Mantel abgefallen war.
Die Kaiserin schrie auf, sie warf sich hinein in das goldene leise wogende Becken; wie ein Schwan mit gehobenen Flügeln rauschte sie auf den Geliebten zu. Sie bog sich über ihn, aber zu küssen wagte sie nicht. Er lag still und unsäglich schön unter ihr, aber unsäglich fremd. Jeder Zug war da, Mann und Jüngling, der Fürst, der Jäger, der Geliebte, der Gatte, und nichts war da. Sie lehnte über ihm, sie wußte nicht wie lang; sie regte sich nicht. Sie glich selbst einer Statue, dem Teil eines Grabmals. Ihr Atem bewegte nicht die Brust, ihr Auge verriet nicht, was sie fühlte; zwei kristallene Tränen fielen nieder.
Die Fackel leuchtete stärker, sie zog den goldenen Nebel in sich, der von dem Wasser aufstieg, bald hatte sie ihn ganz auf-

gezehrt: nur mehr um die Sohlen der Kaiserin spielte das goldene Wasser, dessen Berührung nicht netzte, bald war es ganz dahin. Halb unbewußt war der Kaiserin scheu vor der Gegenwart dieses Lichtes droben, wie vor der eines lebenden Wesens: sie zog den Mantel an sich, sie wollte ihn über sie beide decken, sie wollte und hob den Arm und tat es nicht. In solcher Nähe drang von der Statue ein Etwas auf sie ein, es war nicht Kühle, nicht Kälte, aber das Gefühl einer unnahbaren Ferne, wie eine aufgetane Kluft, aber ins Unendliche: je näher je ferner. Nun hob die Statue sich auf, langsam und sonderbar, wie nie ihr Geliebter sich aufgehoben hatte, wenn er in ihrem Bette erwacht war. Er stützte sich auf den einen Arm, die Augen schlugen sich mühsam auf, der Blick begegnete dem starren, angstvoll hingerichteten Blick, er streifte über die Kaiserin hin, fremd und gräßlich. Er ließ sie wieder, wendete sich über die Schulter nach der Fackel hin. Mehr und mehr unter dem furchtbaren Blick der Statue drängte sich jetzt das goldene Licht, das aus der Fackel strömte, nach der einen Seite des runden Gemaches zusammen, auf der andern breitete sich eine bräunliche Dämmerung, in die der scharfe Schatten der sitzenden Statue hineinfiel.

Die Statue sah jetzt auf ihren eigenen Schatten hin und drehte langsam den Kopf herum, dorthin, wo die Kaiserin stand; sie suchte den Schatten der Kaiserin. Die Kaiserin wich zurück, sie stand zwischen dem Licht und der Wand und doch glänzte hinter ihr die Wand in vollem Licht, stärker als an irgendeiner andern Stelle, sie fühlte es wohl. Die Augen der Statue, als sie es gewahrte, erweiterten sich. Furchtbar wurde die Miene, die sich anspannte, drohte und noch nicht lebte. Es war, als müßte nun und nun ein gräßlicher Schrei die versteinte Brust zerreißen. Die Kaiserin konnte es nicht mehr ertragen, sie wandte matt ihren Kopf zur Seite. Da drang ein bläulicher Schein aus der Wand heraus an der gleichen Stelle, wo sie selber eingetreten war; als stünde dort der Geisterbote; ein Schatten trat hervor und huschte zu ihr herüber. Jetzt sank er zu ihren Füßen hin, das unerkennbare Antlitz bog sich nach unten und berührte wie ein Hauch ihr Knie; ihr schauderte; sie wußte, es war der Schatten des fremden Weibes, der ihr verfallen war. Die Schattenarme reckten sich empor zu ihr, die Hände mit nach oben gewendeten Flächen: es war die Gebärde des Sklaven, der sich völlig dahingibt, auf Leben und Tod. Das kniende Wesen zitterte dabei wie Espenlaub und die Kaiserin selbst bebte bis ins Innerste. Die Handflächen schoben sich aneinander, auf ihnen ruhte eine runde Schale mit goldenem Wasser. Der Schatten hob die Arme höher und bot zitternd den Trunk dar, und mit dem Trunk sich selber. Der Kaiser hatte sich völlig aufgerichtet, stützte sich nur mehr auf den linken Arm, den rechten hatte er vorgestreckt, in namenloser Begierde und Ungeduld. Seine Augen hafteten an der Hand seiner Frau, mit einem Ausdruck, in dem sich Hoffnung und Verzweiflung verknäulten wie kämpfende Schlangen. Die Kaiserin bog den Arm: sie hatte die Schale gefaßt, ohne es zu wissen. Er folgte ihrer Bewegung mit einer solchen Beseligung, daß sich sein Gesicht verwandelte, wie eines Liebenden in der Entzückung. Sie fühlte, wie sie die Sinne verlieren und trinken würde. Aber wie fest ihr Blick auch auf dem wunderbaren flüssigen Feuer haftete, das ihren Lippen so nahe war, so sah sie doch aus dem Winkel des Auges, daß hinter ihr die Wand sich abermals geöffnet hatte, aber an der entgegengesetzten Seite, als wo der Schatten eingetreten war, und daß eine verhüllte Gestalt hinter ihr stand. Ein Gewand floß nieder, dunkler als der sternlose Himmel um Mitternacht; der Dastehende rührte kein Glied. Sie sah ihn, ohne ihn zu sehen, und sie fühlte in der Tiefe ihrer Eingeweide, daß die Gestalt, wenn sie ihre Verhüllung abwürfe, die Züge Baraks des Färbers enthüllen würde, dem sie vor dreien Tagen ungerufen über die unschuldige Schwelle des Hauses getreten war, und daß er seine Augen auf sie richten würde, gespiegelt in der Miene seines ältesten ungeborenen Sohnes. Sie drückte die Schale an sich, da fühlte sie, wie sich unter ihrem Gewand der Talisman an ihrer Brust verschob: gräßlich und fremd wie aus der Brust eines Tiefschlafenden schlug aus der Tiefe ihrer eigenen Brust der Fluch an ihr Ohr: Zu Stein auf ewig wird die Hand, die diesen Gürtel löste, wofern sie nicht der Erde mit dem Schatten ihr Geschick abkauft, zu Stein der Leib, zu dem die Hand gehört – sie hörte innen ihr eigenes Herz schwer und langsam pochen, als wäre es ein fremdes. Sie sah mit einem Blick, als schwebe sie außerhalb, sich selber dastehen, zu ihren Füßen den Schatten des fremden Weibes, der ihr verfallen war, drüben die Statue. Das furchtbare Gefühl der Wirklichkeit hielt alles zusammen mit eisernen Banden. Die Kälte wehte zu ihr herüber bis ins Innerste und lähmte sie. Sie konnte keinen Schritt tun, nicht vor- noch rückwärts. Sie konnte nichts als dies: trinken und den Schatten gewinnen oder die Schale ausgießen. Sie meinte vernichtet zu werden und drängte sich ganz in sich zusammen; aus ihrer eigenen diamantenen Tiefe stiegen Worte in ihr auf, deutlich, so als würden sie gesungen in großer Ferne; sie hatte sie nur nachzusprechen. Sie sprach sie nach, ohne Zögern. »Dir Barak bin ich mich schuldig!« sprach sie, streckte den Arm mit der Schale gerade vor sich hin und goß die Schale aus vor die Füße der verhüllten Gestalt. Das goldene Wasser flammte in die Luft, die Schale in ihrer Hand verging zu nichts, alles, was den Raum erfüllt hatte, war dahin, die Statue allein lag wie finsteres Erz auf dem schwarzen Stein und droben die Fackel leuchtete gewaltig. Von unten her fing ein Beben an, ein mächtiges Tosen, von steigenden und stürzenden Gewässern. Der Schwall brach herauf und ergriff die Kaiserin und riß sie nach oben. Die Fackel hatte sich in das goldene Wasser hineingestürzt und durchdrang die dunkelleuchtende Finsternis mit Licht, abwechselnd überflutete strahlende Helligkeit und tiefe Nacht das Gesicht der Kaiserin. Sie fühlte sich steigen und steigen, etwas Dunkles stieg neben ihr, es war die Statue, die der unwiderstehliche Schwall so schnell wie ihren leichten Leib hinauftrieb. Nun lag sie mit der Statue Brust an Brust, die steinernen Arme schlossen sich um sie zusammen, ein Blick von nächster Nähe traf sie aus den steinernen Augen, so jammervoll, daß er ein steinernes Herz hätte erweichen können. Die furchtbare Last hing an ihr; sie selbst schlang die Arme um den Stein, sie umrankte ihn ganz, das Steigen hörte auf, sie fühlte sich hinabgerissen ins Bodenlose. Die glatte furchtbare fremde Natur des Steins drang ihr ins Innerste. Vor unbegreiflicher Qual zerrütteten sich ihr die Sinne. Sie fühlte den Tod ihr eigenes Herz überkriechen, aber

zugleich die Statue in ihren Armen sich regen und lebendig werden. In einem unbegreiflichen Zustand gab sie sich selbst dahin und war zitternd nur mehr da in der Ahnung des Lebens, das der andere von ihr empfing. In ihn oder in sie drang Gefühl einer Finsternis, die sich lichtete, eines Ortes, der aufnahm, eines Hauches von neuem Leben. Mit neugeborenen Sinnen nahmen sie es in sich: Hände, die sie trugen, ein Felsentor, das sich hinter ihnen schloß, wehende Bäume, sanften, festen Grund, auf dem die Leiber gebettet lagen, Weite des strahlenden Himmels. In der Ferne glänzte der Fluß, hinter einem Hügel ging die Sonne herauf, und ihre ersten Strahlen trafen das Gesicht des Kaisers, der zu den Füßen seiner Frau lag, an ihre Knie geschmiegt wie ein Kind.
Seine Augenlider zuckten unter dem scharfen Licht, das durch das Gezelt der Bäume hereinbrach, die Kaiserin erhob sich leise, sie trat zwischen den schlummernden Liebsten und die Sonne. Sie bog sich schützend über seinen Schlaf, wie eine Mutter, und warf stille große Blicke auf ihn herab. Mit süßem Staunen hatte sie erkannt, daß nichts mehr an der schmiegsamen atmenden Gestalt an die fürchterliche Statue erinnerte. Ein unaussprechliches Entzücken durchfuhr sie aber nun und ein Schrei drang über ihre Lippen: denn ein schwarzer Schatten floß von ihr über den Liegenden, über den Waldboden hin. Über dem Schrei schlug der Kaiser die Augen zu ihr auf, unerschöpfliches Leben war in seinem jungen Blick, in dessen tiefsten Tiefen nur blieb der erlebte Tod als ein dunkler Glanz früher Weisheit. Sie hob ihn zu sich auf, sie umarmten einander ohne Worte, ihre Schatten flossen in eins.

Unter ihnen an einer geborgenen Uferstelle lag der Kahn und schien auf einen Fährmann und auf Reisende zu warten. In diesem Augenblick näherte sich vom einen wie vom andern Ufer eine Gruppe von Gestalten dem Fluß, langsam die eine, aus zwei Gestalten bestehend, schneller die andere, ein Mann und zwei Frauen, von denen die eine auf dem Kopf einen länglichen Korb trug. Die Sonne erleuchtete alle fünf. Von der Korbträgerin allein fiel kein Schatten auf die tauglänzende Weide, über die sie hingingen; fahl war ihr Gewand wie ihr

Gesicht und ihr Tritt unsicher. »Sieh, mein Falke! sieh, auch er!« rief der Kaiser, der die Landschaft und die Gestalten gar nicht sah, mit solchem Entzücken hing sein Auge immerfort an dem leuchtenden Gewölbe des Himmels, wo über dem rötlich glänzenden Grat eines Berges der wunderbare Vogel kreiste. Ein Wasserfall leuchtete unter ihm. Zwischen dunklen Felsen, hohen dunklen Stämmen schwebte aus dem Bergesinnern ein bläulicher Schein hervor. Der Geisterbote glitt an der steilen Bergwand herab, jetzt riß sich unter seinen Füßen etwas Dunkles los und flog blitzschnell auf das Ufer zu und über den Fluß. Sausend flog der Schatten der Färberin auf seine Herrin zu und schlug zu ihren Füßen hin. Sie wußte nicht, was es war, das da hinschlug, ihr zum Letzten bereites Herz nahm alles nur traumhaft mehr auf. Nur ihr Körper taumelte, und die Frau des Fischers, die neben ihr ging, mußte sie stützen. Der Korb schwankte auf ihrem Kopf. Seine Umrisse wurden unbestimmt, wie ein schwärzlicher Dunst; aus diesem blitzte wechselweise das Schwert und leuchtete das Blut, dann löste sich alles in ein wunderbares Spiel von Farben auf, als wäre ein zusammengeballter Regenbogen in dem Korb gewesen. Die Farben glitten wie Flammen an der Färberin herab, das zarteste Grün, ein feuriges Gelb, Violett und Purpur; sie spielten an ihrem Leib und offenbarten die ganze Herrlichkeit der Sonne, dann schwanden sie in das Weib hinein, schneller als Worte es sagen können. Die Fischerin schlug vor Staunen in die Hände. Bunt stand die Färbersfrau da, geschmückt wie eine Meereskönigin. Zugleich trat die Farbe des Lebens in ihr Gesicht, ihre Augen leuchteten wie die eines jungen Rehes über den Fluß hinüber; zur Erde blickte sie nicht, sie ahnte nicht, daß ihr Schatten zu ihr zurückgekehrt war. Jetzt erkannte vom andern Ufer der Färber sein Weib. »Nimm den Kahn!« rief der Alte ihm zu, aber der Färber hörte es nicht; er war vom Ufer in den Fluß hinabgesprungen, schon war er drüben, schwang sich am Rand empor. Das junge Weib, wie sie vor sich seinen gewaltigen Kopf auftauchen sah, schrie auf in Angst. Sie riß sich von ihren Führern los und lief querfeldein. Sie wähnte sich noch ohne Schatten, gräßlich bezeichnet, nun kam ihr Richter auf sie zu. Sie wollte sich verbergen, nirgend war ein Baum oder ein Strauch. In großen Sprüngen sprang er ihr nach, mit ausgebreiteten Armen; von seinen Lippen floß ein ununterbrochener Schrei der Liebe und Zärtlichkeit. Sie fühlte ihn dicht hinter sich, in ihrer Todesangst wandte sie den Kopf, den Vorsprung zu messen, den sie noch hatte, da sah sie zwischen sich und ihm ihren Schatten, der hinter ihr flog. Vor Seligkeit warf sie die Arme in die Luft, die Arme des Schattens flogen auf vom Grund und glitten zu den Knien des Färbers empor, denn schon stand er da. Ohne Atem stand sie vor ihm, ihr Herz riß sie fast zu Boden. Er drückte die Hände vor der Brust zusammen und neigte sich vor ihr. Wie ein Stein schlug sie vor ihm hin, ihre Stirne, ihre Lippen berührten seine Füße. Ihr ganzes Selbst drang in einem Schluchzen aus ihr heraus, sie erstickte alles in der Gebärde der Demut, so wie sie unter sich ihren Schatten zusammendrückte, auf dem sie lag.

Dem Kaiser stürzten Tränen aus den Augen; wie dort die Färberin vor ihrem Mann, warf er sich in den Staub vor seiner Frau und verbarg sein zuckendes Antlitz an ihren Knien. Sie kniete zu ihm nieder, auch ihr war zu weinen neu und süß. Sie begriff zum erstenmal die Wollust der irdischen Tränen. Verschlungen lagen sie da und weinten beide: ihre Münder glänzten von Tränen und Küssen.

Der weiß gewandete Alte indessen war von der einen Seite, der Fischer und seine Frau von der andern auf den Kahn zugekommen. Der Alte stieg hinein, die Fischersleute wateten von drüben auf sie zu, das Wasser reichte ihnen bis über die Brust. Im Wasser hangend reichten sie aus dem Wasser dem Alten herrliche Dinge in den Kahn, glänzende Gewebe, metallene Schüsseln und Geräte, bunte große Vögel und Früchte, in ganzen Körben, als wären da unten Bergwerke, Forste und Fruchtgärten, in die ihre Hände nach Belieben hineingriffen. Der Alte hatte Mühe, alles aufzustauen, so schnell hoben sie die gefüllten Arme zu ihm; der Kahn füllte sich und ging fast über, aber er wuchs, indem der Alte immer eilig von einem Ende zum andern hin und her ging. Bald war er so groß wie ein Salzschiff, die aus dem Gebirge gegen die Ebene fahren, und beladen mit Hausrat, um ein großes Haus, zweiflügelig gebaut, in zwei Stockwerken übereinander, herrlich auszuschmücken, und mit prächtigem Geflügel, bunten Fischen und Früchten, genug, um eine gewölbte, von lebendigem Wasser durchlaufene und mit riesigen Hängestangen und tausend Haken versehene Speisekammer auf ein Jahr zu füllen. Die Hände des Färbers hatten sein Weib vom Boden aufgenommen, mit einem gewaltigen Griff nach der Mitte ihres Leibes, der wie eine wilde unbezähmte Liebkosung war, und er riß sie über sich empor, so daß sie den Atem verlor und das Herz ihr stockte, und trug sie hoch über sich gegen das Ufer hin. Er warf den Nacken zurück, um sie, die er über sich trug, zu gewahren und sie mit den Blicken unablässig zu liebkosen, und er hob seine Knie unter der Last wie einer, der tanzen will, so daß sie vor Schreck in sein dichtes Haar griff und sich daran festhielt. Aus ihrem Mund drangen kleine Schreie von Ängstlichkeit und Lust, indessen ihr die Tränen über die Wangen hinabrannen. Kaum näherte er sich mit seiner bunten Last dem Ufer, so kam der hochbeladene Kahn mit großem Tiefgang und gewaltigem Rauschen von drüben auf ihn zu, indessen der Fischer und sein Weib neben ihm schwammen. Der Alte war am andern Ufer zurückgeblieben. Der Färber warf sein Weib auf die aufgetürmten Teppiche; er sprang selber hinein, und indem er sogleich wieder den linken Arm um sein Weib legte, ergriff er mit dem rechten das gewaltige Steuerruder, das der Fischer von hinten eingelegt hatte. So fuhren sie auf dem Mantel der Amme flußabwärts. Der Kahn leuchtete in allen Farben der Schöpfung und der Färber sang, wie ihn nie jemand hatte singen hören, weder seine Eltern noch seine Nachbarn, als er ein Junggeselle war, noch auch seine junge Frau in den dreißig Monden ihrer Ehe. Der Alte und der im blauen Harnisch vom einen Ufer, die Fischersleute vom andern sahen ihnen nach, und der Kahn hinterließ im Glanz der Sonne, die höher und höher stieg, eine goldene Spur auf dem flimmernden Wasser.

Hoch über dem Fluß kreiste der Falke. Der Blick des Kaisers hing an ihm lieber als an dem Prachtschiff. Höher ins Unersteigliche riß sich der Vogel empor, leuchtende Himmelsabgründe enthüllte sein Flügel; des Kaisers Blick war über die Trunkenheit erhöht, so waren seine Glieder übertrunken von der Nähe der herrlichen Frau, in deren Arme er sich drückte. Ober ihm und unter ihm war der Himmel. Sein Blick flog zwischen den Wimpern dem Vogel nach, da sah er drüben gegen Norden, wo die Hügel noch dunkler und ernster standen, die Seinigen heranziehen. Er gewahrte die Pferde, die Hunde, die Falken, eine hohe Sänfte schwankte daher, wie ein von Flammen umgebenes Lustgemach: so glänzte die Sonne auf ihren goldenen Zieraten. Die Kaiserin lag in seinem Arm, ihr schwimmender Blick ging nach aufwärts: sie fand nicht den Falken im höchsten strahlenden Haus des Himmels, aber sie hörte von dorther einen Gesang. Unbegreiflich fanden zarte Worte, leise Töne den Weg aus dieser Höhe zu ihr.

Vater, dir drohet nichts,
Siehe, es schwindet schon,
Mutter, das Ängstliche,
Das dich beirrte!
Wäre denn je ein Fest,
Wären nicht insgeheim
Wir die Geladenen,
Wir auch die Wirte?

Die schwebenden Worte sanken in sie wie Tauperlen. Das Herz zitterte ihr, und die freien Hände – denn der Kaiser war im Übermaß des Glücks zu ihren Füßen hinabgesunken – falteten sich ihr in der Bewegung des Staunens über dem Leibe. Sie wagte kaum zu fassen, was sie doch hörte, kaum zu begreifen. Sie wußte nicht, daß auf dem Talisman an ihrer Brust längst die Worte des Fluches ausgetilgt und ersetzt waren durch Zeichen und Verse, die das ewige Geheimnis der Verkettung alles Irdischen priesen.

PROSAGEDICHTE

DIE ROSE UND DER SCHREIBTISCH

Ich weiß, daß Blumen nie von selbst aus offnen Fenstern fallen. Namentlich nicht bei Nacht. Aber darum handelt es sich nicht. Kurz, die rote Rose lag plötzlich vor meinen schwarzen Lackschuhen auf dem weißen Schnee der Straße. Sie war sehr dunkel, wie Samt, noch schlank, nicht aufgeblättert, und vor Kälte ganz ohne Duft. Ich nahm sie mit, stellte sie in eine ganz kleine japanische Vase auf meinem Schreibtisch und legte mich schlafen.
Nach kurzer Zeit muß ich aufgewacht sein. Im Zimmer lag dämmernde Helle, nicht vom Mond aber vom Sternlicht. Ich fühlte beim Atmen den Duft der erwärmten Rose herschweben und hörte leises Reden. Es war die Porzellanrose des alt-wiener Tintenzeuges, die über irgend etwas Bemerkungen machte. »Er hat absolut kein Stilgefühl mehr«, sagte sie, »keine Spur von Geschmack«. Damit meinte sie mich. »Sonst hätte er unmöglich so etwas neben mich stellen können.« Damit meinte sie die lebendige Rose.

TRAUMTOD

23 November 1892, 1/2 12 Uhr nachts.

Kerze ausgeblasen; Zimmer sinkt in Nacht. Draußen blinkt weißes beschneites Gartenhausdach, auf dem sich Fensterkreuz abzeichnet.
Traum: Augen aufschlagen; liege auf dem selben Bett. Fenster erinnern an Schiffsluken. Draußen Bäume scheinen zu versinken. Zimmer steigt lautlos langsam auf, auf. Traumfähigkeit, gleichzeitig im Zimmer zu sein und durch den Fußboden durchzuschauen. Unten schlafende Stadt. Unendlich bedeutungsvolle Punkte, ganz anders wie die Wirklichkeit; Gegenden die ich nie gesehen habe, von denen ich aber weiß, sie sind dies und das. Park auf Terrasse. (Modenapark), kleine Vorstadtgasse – Vaterhaus;

laufen ans Fenster, sehnsüchtig: Überbeugen, Sturz.

DIE STUNDEN

Sie kommen nicht zu uns, sie stehen und warten, und wir gehen an ihnen vorüber. Den Weg, den Lebensweg. Manche hängen, wie gekreuzigte Sklaven an den Stamm einer Pappel gebunden und ihre Leiber leuchten durch den Dunst des Abends. Wenn wir sie an der Biegung des Weges sehen, haben wir Angst, unsere Knie werden steif, wir hoffen mit jagenden Gedanken, es wird anders kommen, nicht weit vorbei, aber wir müssen hin ganz nahe, an ihre aufgerissenen Augen, an ihr feuchtes strähniges Haar, an ihre bösen blinkenden Zähne und müssen sie anrühren, die grauenhaften. Da fallen sie mit einem dumpfen Schlag wie überreife schwere Früchte tot hin ins Gras, und Ameisen kommen und wohnen in der Höhle ihres Mundes.
Andere sitzen am Weg auf alten heidnischen Grabsteinen, von Thymian überwachsenen, und spielen die Syrinx. Sie kümmern sich gar nicht um uns. Abendfalter irrfliegende, zickzack und kopfübersegelnd, kommen zwischen den Ulmen hervor und große Hirschkäfer gleiten im Halbdunkel der Allee. Und der Ton der Syrinx folgt uns über den Hügel, über die Steinstufen stillen Weinbergs noch fliegt er uns nach und macht verträumt.
Andere liegen neben dem Weg im Riedgras lautlos mit boshaften Augen wie die Affen. Lautlos, von weit weit, vielleicht nur mehr eine Täuschung des Ohrs, noch eine Syrinx. Da prasseln nur Steine, schlagen auf, an den Bäumen, in einen braunen Wassertümpel, einer trifft tückisch schmerzend die Kniekehle den Hinterkopf über dem Ohr.
Dann gibt es welche, schlanke, schöne, wie Boten des Dionysos, die sind auf dem Geländer einer kleinen Brücke aus morschem Holz gesessen, um auf uns zu warten. Wie wir kommen, da stehen sie auf und grüßen uns und schreiten vor uns her mit ausgereckten Armen, weiße Stäbe in den schmalen Fingern, uns königlich zu verkünden. Da rauscht wie trunken

der Weidenbach, es dehnen sich die Bäume, strecken ihre schwarzen Kronen in die Mondnacht hinauf. Und unser Gehen wird wie ein langsames gebändigtes Fahren auf der triumphierenden Quadriga.
Welche liegen am Weg und winden sich und sterben und schreien herzzerreißend hilf mir, hilf mir.
Welche stehen an den Toren fremder Gärten, wie Tiere im Käfig gefangen, Sklavinnen, orientalische Frauen, phönikische Sklaven, die lebendigen Stirnen an das weinumsp[onnene] Eisengitter gedrückt, frech, feindlich und verlockend.
Welche sind doppelt, Riesenfrauen, manche Melusinen, ganz fremd.
Trunk. welche stehen auf der Hütte, heißer schwerer Wein...

INTERMEZZO

Karlskirche bei Nacht von der Schwarzenbergbrücke. Wie sie in prunkvoller Ruhe die blaugrüne Schlucht der Wien beherrscht und den schwarzen Garten, der die Schlucht herniederschwankt, diese Schlucht, den Weg des Wassers, das weite Wege geht nach irgend einem schwarzen euxinischen Strand, einem traumfernen barbarischen, wo Vergangenheit in schlafwandelnder Luft lebt. Und an dem Leib der Kirche emporschwebend die dichten Wipfel und das Buschwerk angefüllt mit Verlangen, Lachen und Leid der Liebe: wie greift da mit Ästen und Armen, mit Rauschen und Rinnen Vergangenheit und Gegenwart, Heroisch-weites und demütig-nahes ineinander, wie ist da alles lebendig, alles wahr, alles eins, durch Medium des Empfindens in eins gebunden.

eine blauschwarze Pappel hält den Mond an ihrer Spitze gebannt. der hat etwas fremdes, griechisches. das sagt: Alkiphron, Alkinoos, Alkibiades. Warum gerade 3? 3 über barbarische Berge reitend, fern der Heimat, aber kühn, fahrtfroh, an Trunk und Ruhm denkend, einen gewissen Trunk und einen feinen geistreichen Ruhm...

die weiße orientalische Innenseite der Häuser, Höfe neuer Häuser im Mondlicht; wo ein Bauplatz noch leer, sieht man hinein.

KÖNIG COPHETUA

Aus der lässigen Hand fällt ihm die Krone; das ist: seine schöne Stadt Arles mit hohen Mauern und Teichen und viereckigen gepflasterten Dämmen, mit der großen römischen Arena und sehr vielen schwarzen Stieren, und der Kirche von Saint Trophime und den Alyscamps und die kleinen gelben Häuser in der Nacht mit wachsbleichen Buhlerinnen hinter kleinen Fenstern in sehr engen Gassen, und die Gassenecken und Flußufer an denen die Ahnungen seiner Kindheit hängen, und die lieben Krankheiten: Fieber und Schüttelfrost und die lieben Flüsse in der Ferne zwischen Steinbergen unter schwarz und gelbem Abendhimmel und alle ohne Grund geliebten Statuen und Fernsichten vom Turm der Arena und Ahnungen fremder Leiden, alles das fällt von ihm und läßt ihn ganz einsam.

KAISER MAXIMILIAN REITET

Es ist gut so. Birken am Abendhimmel, Türme der rebellischen Stadt. In der weiten dunkelnden Ferne, unsichtbar, mein Innsbruck, mein Wien, meine Türkenkriege, meine Papstkrone. Heute ein gutes Tagwerk. gut die Reiter aus den Hohlwegen alle gleichzeitig herausgeschwenkt, gut 3 Geschütze, selbstgegossene, gestellt und gerichtet; mit 7 Hauptleuten meines Heeres in ihren 7 Sprachen gesprochen und immer die Art des Volkes, meiner Völker, durchgefühlt; 3 neue Blätter vom Triumpfzug gesehen und ein wichtiges daran gebessert und dabei die Größe dieser späten Zeiten gespürt und mich hinter so vielen sacratissimi antecessores... und dann taucht auf das Bild jenes so ganz anderen Kaisers, des Kaisers der wie ein glühender Rubin war, der Kern des Reichs, heilig und schweigend mit priesterlichem Mantel und goldenen Handschuhen und betete, aus einer feuchten Insel bei Ravenna betete für alle und allen mehr sein wollte, als ein Hauptmann des Heeres, oder Geschützmeister, oder Wissender der Vergangenheit, hochmütiger und heiliger. im Nachmittag seltsam glückliche Jagd, ganz allein.

GESCHÖPF DER FLUT
GEDICHT DER MUSCHELN

Wir sind allein im Dunklen, ihr habt oben Lippen, gerollte Blätter verschlungene Hände mit rosigem Blut und bläulichen Adern wir sind allein und können uns nicht berühren. Wir leben uns aus, unser Schicksal ist den Wogen zu widerstehen so werden wir und Triumpf und Qual färbt uns wie der Reflex des Herbstes und der Sonne die obern Wellen.

GESCHÖPFE DER FLAMME

Alle sind Ausgeburten der Flamme. Der Schmetterling: in mir wird die Intensität des kurzen Lebens und der Gebrechlichkeit zu Farbe. Schatten ist gleich mein Tod, mein Leben zittern im Licht, hinzucken; ich bin dem Tod so nah daß dies mich stolz grausam und dämonisch macht.
ungerührt flattere ich von den Lippen der Helena auf die Wunde des Adonis. ich liebe meinen Tod die Flamme über alles.

BETRACHTUNG

Da ich so unsicher bin und die Vergleichung mit der Vergangenheit gleich die Gegenwart durchsichtig macht, da ich beim alleinsein mich von den Strahlen der Sterne getroffen fühle und mich im Dunklen von Muscheln verliere, und unter vielen fürchte verschlungen zu werden weil es einen nach dem andern gelüstet, da ein Wort mich verdüstert wie Rauch aus Zauberkräutern meine Gedichte aber unheimlicher sind als der Wald offener als ein Schiff, so denk ich dein und deiner Küsse wie ein Hauchgewordener, Baumgewordener des Augenblicks wo er in den Armen eines Mädchens lag. Wenn ich dich küsse zieht mein schwankend selbst, ganz Auge, sich in einen Edelstein zusammen.

BEGEGNUNGEN

Wo ist das Entzücken des Ruderers auf dem dunklen See? In ihm oder in dem Beschauer – dem Wanderer der die Gewitterwolke sieht und den Gischt aufbrausen hört oder in dem Falken der nichtachtend dahinstürmt? In dem Fischer der seine Netze hereinnimmt und sein Herdfeuer sieht zwischen den Netzstangen? In dem Knaben der eine ins Schilf gelegte Tonne zunagelt und durch Gitter hineinspäht?

ERINNERUNG

Meine Gedanken schweifen nach jenen Jugendtagen zurück; aber nicht wie vor dem inneren Blick dessen, der vom Leben Abschied nimmt, erhebt sich auf fahlem Boden als ein starrendes Nebeneinander das vielfältig nacheinander Erlebte, sondern ich lande in einem geisterhaften Raum, in dessen dunkelglänzender Fülle die Seele badet. Der Raum ist mit der Kühnheit des Traumes herrlich gestaltet, ohne daß er irgendein Gerät enthielte; ja nur ungefähr sind seine Wände angedeutet als ein Etwas, das ein geräumiges Innen von einem mit düsterem Glanz hereindrohenden Außen trennt.
Den Raum erfüllt eine Menge; aber es ist die Menge des Traumes, welche der Zahl spottet. Vielleicht sind es ihrer nicht allzu viele. Wer weiß auch, ob es durchaus sterbliche Wesen sind, deren Gegenwart dieses gedämpfte harmonische Durcheinanderwogen bildet, oder ob nicht seine eigenen Emanationen gleich abgelösten Spiegelbildern mit dem einzelnen Gaste wandeln und durch die Gegenwart dieser Genien jene eigentümlich reichen Gruppen entstehen, gleich Bündeln von Masken, Garben farbigen Wassers oder erleuchteten Kandelabern, von deren Anblick dem Auge in diesem Raum so wohl wird.
Ich erkenne manchen; aber nicht auf ganz irdische Weise; und ich kann nicht sagen, daß ein Wesen in diesem Raum mir völlig fremd wäre. Ein Fetzen ihrer Unterredungen, der mir am Ohr vorbeifliegt, genügt, mich alles wissen zu lassen. Ihre Gebärden sind mir durchsichtig. Ich ahne ohne Bemühen ihre Verbundenheit, die aus einer geheimen Übereinstimmung ihrer Einsamkeiten hervorgeht. Sie sind mir so vertraut und fremd wie mein Selbst, und ich errate durch eine fortwährend geübte Analogie, deren Anwendung mich bezaubert, die verstecktere Bedeutung ihres Stolzes: er ist nur grenzenlose Hingabe an das Unbekannte – die Verlorenheit ihres Ichs in der Größe ihres Traumes, und der unstillbare Durst nach dem

Schönen, den ihre Mienen ausdrücken. Sie gleichen Dämonen, und sie sind es: es sind lauter junge Menschen.
Aber es ist der reichste Raum, den ich jemals betreten habe oder betreten werde. Das Licht, das ihn erfüllt, ist das Licht des Morgens, aber ohne die Naivität, die dem irdischen Morgen eignet: es ist, als hätte dieser Morgen im voraus den Abend verzehrt; sein Glanz ist ahnungsvoll, und seine Schatten sind wissend. Indem ich um mich blicke, erkenne ich, wodurch die besondere Schönheit dieses Raumes bestimmt wird. Ungleich jedem andern Saal, dessen Wände sterbliche Wesen umschließen, ist es gerade die Ungesichertheit, welche diesen so verherrlicht. Wie durch einen Wolkenschleier, der überall zu reißen begierig ist, blickt das Auge, wo es will, hinaus auf ein ungeheueres Schauspiel. Die Länder und die Völker der Erde, die wimmelnden Mengen und die starrenden Einsamkeiten, die Heimlichkeiten der Zeit und des Raumes, alles steht da, geordnet zu Prozessionen, in einer ungeheuren Erwartung.
Unser Zustand gleicht dem einer Gruppe von Schicksalsgefährten vor einer Reise, deren Furchtbarkeit sich niemand verhehlt. Im Augenblick muß der Pfiff oder das Glockenzeichen, unerbittlich, diese Stille zerreißen. Aber noch bleibt dieser Augenblick aus.
Die vage Drohung, mit der die Atmosphäre sich erfüllt hat, verdichtet sich; jeder fühlt sie scharf und hart werden und, wie die Spitze einer Lanze, sein Herz suchen. Aber indem sie dieses trifft, geht die Drohung jäh über in eine Erfüllung von fast unerträglicher Herrlichkeit, und wen sie, »die scharfe Spitze der Unendlichkeit«, in diesem geisterhaften Morgenkampf getroffen hat, dem hat in dem langen Kampf, der nun anhebt, der Richter den höchsten Kranz weder zu geben noch zu weigern. Er trägt ihn. – Unverdient? – um welchen Blutpreis erkauft? – das ist sein Geheimnis.

ERFUNDENE
GESPRÄCHE UND BRIEFE

JUNIABEND IM VOLKSGARTEN

Zwei junge Herren gehen unter den blühenden Kastanien des Volksgartens auf und ab.

Der erste junge Herr:
Wie schön ist das alles! Weiße Kastanienblüten und blaßrote liegen auf unsrem Weg, und daneben leuchtet das smaragdgrüne, dichte, kühle Gras. Auf den Wiesen schaukeln sich die runden blütenüberquellenden Fliedersträuche; ringsum laufen Wände von dunklem Laub und aus dem Dunkel leuchten weiße Blütentrauben der Akazien und funkeln die vergoldeten Lanzenspitzen des Eisengitters. Über den schwarzen Baumwipfeln aber silhouettieren sich auf dem glutroten Abendhimmel die wundervollen Linien phantastischer Steinfirste, bronzener Viergespanne, marmorner Götter und vergoldeter Bekrönungen. Und weithin leuchten goldgrün und kupferrot Kuppeln und Turmknäufe in der fernen Dämmerung verschwimmend. Die Luft ist eigentümlich leuchtend und bringt in den gigantischen Raum einen rätselhaft intimen Zauber.

Der andere junge Herr: schweigt.

Der erste junge Herr:
Ein leiser lauer Wind raschelt in den Wipfeln und wirft sich manchmal kopfüber herab, stößt über die Wiese hin und regt einen flüchtigen Duft von Jasmin und Flieder und Akazien auf. Dann ist wieder alles still. Wie schön ist das alles! wie lebendig, erfaßbar, wie wirklich! Wie schön ist Schönheit!

Der zweite:
Für uns. Für ein paar Menschen. Siehst du dort unter dem Goldregen die beiden jungen Leute? Er hat den Arm hinter ihrem Nacken auf die Banklehne gelegt, und sie hat die Au-

gen halbgeschlossen und die kleinen Füße ausgestreckt. Nichts existiert für diese beiden als das vage Glücksgefühl, aller irdischen Schwere ledig im Raum zu schweben. Wer auf der Bank der Liebe sitzt, braucht die Schönheit der Dinge nicht.

Der erste:
Ich meine, die Wunder der Liebe sind nichts anderes, als was im kleinen der Anblick einer graziösen Narzisse ist, oder eines Emails von Limoges oder einer Vorfrühlingslandschaft von Gabriel Max: die Sinnpflanze der Sehnsucht in uns schauert zusammen, ein Beben läuft ihren sensitiven feinen Leib empor und das Verlangen schüttelt sie, süßes, unsägliches Verlangen,... eben Sehnsucht... Wonach? Sagen wir nach Glück. Bei der Pflanze ist es Sonne. Und Schönheit ist Verheißung von Glück, das ist das Ergreifende an ihr, was bis in die Eingeweide schauern macht, das namenlos Schmerzliche, namenlos Süße. Und ist Liebe etwas anderes? Sag: läuft nicht Liebe so durchs Leben, ein betörender Bote von Gottweißwas, genau wie der verwirrende Wind in der Nacht und die Musik des Chopin und die dunkelduftenden Rosen?

Der zweite:
Ich glaube, so ist Liebe, aber sie ist auch noch mehr...

Der erste:
Sag nicht, daß Schönheit nur für ein paar Menschen da ist, aber reicher ist sie für ein paar, spielt für ein paar mit feinen Fingern auf silbersaitigen Harfen, stumpfen Sinnen verborgen.

EIN BRIEF

Dies ist der Brief, den Philipp Lord Chandos, jüngerer Sohn des Earl of Bath, an Francis Bacon, später Lord Verulam und Viscount St. Albans, schrieb, um sich bei diesem Freunde wegen des gänzlichen Verzichtes auf literarische Betätigung zu entschuldigen.

Es ist gütig von Ihnen, mein hochverehrter Freund, mein zweijähriges Stillschweigen zu übersehen und so an mich zu schreiben. Es ist mehr als gütig, Ihrer Besorgnis um mich, Ihrer Befremdung über die geistige Starrnis, in der ich Ihnen zu versinken scheine, den Ausdruck der Leichtigkeit und des Scherzes zu geben, den nur große Menschen, die von der Gefährlichkeit des Lebens durchdrungen und dennoch nicht entmutigt sind, in ihrer Gewalt haben.
Sie schließen mit dem Aphorisma des Hippokrates: »Qui gravi morbo correpti dolores non sentiunt, iis mens aegrotat« und meinen, ich bedürfe der Medizin nicht nur, um mein Übel zu bändigen, sondern noch mehr, um meinen Sinn für den Zustand meines Innern zu schärfen. Ich möchte Ihnen so antworten, wie Sie es um mich verdienen, möchte mich Ihnen ganz aufschließen und weiß nicht, wie ich mich dazu nehmen soll. Kaum weiß ich, ob ich noch derselbe bin, an den Ihr kostbarer Brief sich wendet; bin denn ichs, der nun Sechsundzwanzigjährige, der mit neunzehn jenen »Neuen Paris«, jenen »Traum der Daphne«, jenes »Epithalamium« hinschrieb, diese unter dem Prunk ihrer Worte hintaumelnden Schäferspiele, deren eine himmlische Königin und einige allzu nachsichtige Lords und Herren sich noch zu entsinnen gnädig genug sind? Und bin ichs wiederum, der mit dreiundzwanzig unter den steinernen Lauben des großen Platzes von Venedig in sich jenes Gefüge lateinischer Perioden fand, dessen geistiger Grundriß und Aufbau ihn im Innern mehr entzückte als die aus dem Meer auftauchenden Bauten des Palla-

dio und Sansovin? Und konnte ich, wenn ich anders derselbe bin, alle Spuren und Narben dieser Ausgeburt meines angespanntesten Denkens so völlig aus meinem unbegreiflichen Innern verlieren, daß mich in Ihrem Brief, der vor mir liegt, der Titel jenes kleinen Traktates fremd und kalt anstarrt, ja daß ich ihn nicht als ein geläufiges Bild zusammengefaßter Worte sogleich auffassen, sondern nur Wort für Wort verstehen konnte, als träten mir diese lateinischen Wörter, so verbunden, zum ersten Male vors Auge? Allein ich bin es ja doch und es ist Rhetorik in diesen Fragen, Rhetorik, die gut ist für Frauen oder für das Haus der Gemeinen, deren von unserer Zeit so überschätzte Machtmittel aber nicht hinreichen, ins Innere der Dinge zu dringen. Mein Inneres aber muß ich Ihnen darlegen, eine Sonderbarkeit, eine Unart, wenn Sie wollen eine Krankheit meines Geistes, wenn Sie begreifen sollen, daß mich ein ebensolcher brückenloser Abgrund von den scheinbar vor mir liegenden literarischen Arbeiten trennt als von denen, die hinter mir sind und die ich, so fremd sprechen sie mich an, mein Eigentum zu nennen zögere.
Ich weiß nicht, ob ich mehr die Eindringlichkeit Ihres Wohlwollens oder die unglaubliche Schärfe Ihres Gedächtnisses bewundern soll, wenn Sie mir die verschiedenen kleinen Pläne wieder hervorrufen, mit denen ich mich in den gemeinsamen Tagen schöner Begeisterung trug. Wirklich, ich wollte die ersten Regierungsjahre unseres verstorbenen glorreichen Souveräns, des achten Heinrich, darstellen! Die hinterlassenen Aufzeichnungen meines Großvaters, des Herzogs von Exeter, über seine Negoziationen mit Frankreich und Portugal gaben mir eine Art von Grundlage. Und aus dem Sallust floß in jenen glücklichen, belebten Tagen wie durch nie verstopfte Röhren die Erkenntnis der Form in mich herüber, jener tiefen, wahren, inneren Form, die jenseits des Geheges der rhetorischen Kunststücke erst geahnt werden kann, die, von welcher man nicht mehr sagen kann, daß sie das Stoffliche anordne, denn sie durchdringt es, sie hebt es auf und schafft Dichtung und Wahrheit zugleich, ein Widerspiel ewiger Kräfte, ein Ding, herrlich wie Musik und Algebra. Dies war mein Lieblingsplan.

Was ist der Mensch, daß er Pläne macht!
Ich spielte auch mit anderen Plänen. Ihr gütiger Brief läßt auch diese heraufschweben. Jedweder vollgesogen mit einem Tropfen meines Blutes, tanzen sie vor mir wie traurige Mükken an einer düsteren Mauer, auf der nicht mehr die helle Sonne der glücklichen Tage liegt.
Ich wollte die Fabeln und mythischen Erzählungen, welche die Alten uns hinterlassen haben, und an denen die Maler und Bildhauer ein endloses und gedankenloses Gefallen finden, aufschließen als die Hieroglyphen einer geheimen, unerschöpflichen Weisheit, deren Anhauch ich manchmal, wie hinter einem Schleier, zu spüren meinte.
Ich entsinne mich dieses Planes. Es lag ihm ich weiß nicht welche sinnliche und geistige Lust zugrunde: Wie der gehetzte Hirsch ins Wasser, sehnte ich mich hinein in diese nackten, glänzenden Leiber, in diese Sirenen und Dryaden, diesen Narcissus und Proteus, Perseus und Aktäon: verschwinden wollte ich in ihnen und aus ihnen heraus mit Zungen reden. Ich wollte. Ich wollte noch vielerlei. Ich gedachte eine Sammlung »Apophthegmata« anzulegen, wie deren eine Julius Cäsar verfaßt hat: Sie erinnern die Erwähnung in einem Briefe des Cicero. Hier gedachte ich die merkwürdigsten Aussprüche nebeneinanderzusetzen, welche mir im Verkehr mit den gelehrten Männern und den geistreichen Frauen unserer Zeit oder mit besonderen Leuten aus dem Volk oder mit gebildeten und ausgezeichneten Personen auf meinen Reisen zu sammeln gelungen wäre; damit wollte ich schöne Sentenzen und Reflexionen aus den Werken der Alten und der Italiener vereinigen, und was mir sonst an geistigen Zieraten in Büchern, Handschriften oder Gesprächen entgegenträte; ferner die Anordnung besonders schöner Feste und Aufzüge, merkwürdige Verbrechen und Fälle von Raserei, die Beschreibung der größten und eigentümlichsten Bauwerke in den Niederlanden, in Frankreich und Italien und noch vieles andere. Das ganze Werk aber sollte den Titel »Nosce te ipsum« führen.
Um mich kurz zu fassen: Mir erschien damals in einer Art von andauernder Trunkenheit das ganze Dasein als eine

große Einheit: geistige und körperliche Welt schien mir keinen Gegensatz zu bilden, ebensowenig höfisches und tierisches Wesen, Kunst und Unkunst, Einsamkeit und Gesellschaft; in allem fühlte ich Natur, in den Verirrungen des Wahnsinns ebensowohl wie in den äußersten Verfeinerungen eines spanischen Zeremoniells; in den Tölpelhaftigkeiten junger Bauern nicht minder als in den süßesten Allegorien; und in aller Natur fühlte ich mich selber; wenn ich auf meiner Jagdhütte die schäumende laue Milch in mich hineintrank, die ein struppiges Mensch einer schönen, sanftäugigen Kuh aus dem Euter in einen Holzeimer niedermolk, so war mir das nichts anderes, als wenn ich, in der dem Fenster eingebauten Bank meines studio sitzend, aus einem Folianten süße und schäumende Nahrung des Geistes in mich sog. Das eine war wie das andere; keines gab dem andern weder an traumhafter überirdischer Natur, noch an leiblicher Gewalt nach, und so gings fort durch die ganze Breite des Lebens, rechter und linker Hand; überall war ich mitten drinnen, wurde nie ein Scheinhaftes gewahr: Oder es ahnte mir, alles wäre Gleichnis und jede Kreatur ein Schlüssel der andern, und ich fühlte mich wohl den, der imstande wäre, eine nach der andern bei der Krone zu packen und mit ihr so viele der andern aufzusperren, als sie aufsperren könnte. Soweit erklärt sich der Titel, den ich jenem enzyklopädischen Buche zu geben gedachte.
Es möchte dem, der solchen Gesinnungen zugänglich ist, als der wohlangelegte Plan einer göttlichen Vorsehung erscheinen, daß mein Geist aus einer so aufgeschwollenen Anmaßung in dieses Äußerste von Kleinmut und Kraftlosigkeit zusammensinken mußte, welches nun die bleibende Verfassung meines Innern ist. Aber dergleichen religiöse Auffassungen haben keine Kraft über mich; sie gehören zu den Spinnennetzen, durch welche meine Gedanken hindurchschießen, hinaus ins Leere, während so viele ihrer Gefährten dort hangenbleiben und zu einer Ruhe kommen. Mir haben sich die Geheimnisse des Glaubens zu einer erhabenen Allegorie verdichtet, die über den Feldern meines Lebens steht wie ein leuchtender Regenbogen, in einer stetigen Ferne, immer bereit, zurückzuweichen, wenn ich mir einfallen ließe hinzueilen und mich in den Saum seines Mantels hüllen zu wollen.

Aber, mein verehrter Freund, auch die irdischen Begriffe entziehen sich mir in der gleichen Weise. Wie soll ich es versuchen, Ihnen diese seltsamen geistigen Qualen zu schildern, dies Emporschnellen der Fruchtzweige über meinen ausgereckten Händen, dies Zurückweichen des murmelnden Wassers vor meinen dürstenden Lippen?

Mein Fall ist, in Kürze, dieser: Es ist mir völlig die Fähigkeit abhanden gekommen, über irgend etwas zusammenhängend zu denken oder zu sprechen.

Zuerst wurde es mir allmählich unmöglich, ein höheres oder allgemeineres Thema zu besprechen und dabei jene Worte in den Mund zu nehmen, deren sich doch alle Menschen ohne Bedenken geläufig zu bedienen pflegen. Ich empfand ein unerklärliches Unbehagen, die Worte »Geist«, »Seele« oder »Körper« nur auszusprechen. Ich fand es innerlich unmöglich, über die Angelegenheiten des Hofes, die Vorkommnisse im Parlament, oder was Sie sonst wollen, ein Urteil herauszubringen. Und dies nicht etwa aus Rücksichten irgendwelcher Art, denn Sie kennen meinen bis zur Leichtfertigkeit gehenden Freimut: sondern die abstrakten Worte, deren sich doch die Zunge naturgemäß bedienen muß, um irgendwelches Urteil an den Tag zu geben, zerfielen mir im Munde wie modrige Pilze. Es begegnete mir, daß ich meiner vierjährigen Tochter Katharina Pompilia eine kindische Lüge, deren sie sich schuldig gemacht hatte, verweisen und sie auf die Notwendigkeit, immer wahr zu sein, hinführen wollte, und dabei die mir im Munde zuströmenden Begriffe plötzlich eine solche schillernde Färbung annahmen und so ineinander überflossen, daß ich den Satz, so gut es ging, zu Ende haspelnd, so wie wenn mir unwohl geworden wäre und auch tatsächlich bleich im Gesicht und mit einem heftigen Druck auf der Stirn, das Kind allein ließ, die Tür hinter mir zuschlug und mich erst zu Pferde, auf der einsamen Hutweide einen guten Galopp nehmend, wieder einigermaßen herstellte.

Allmählich aber breitete sich diese Anfechtung aus wie ein um sich fressender Rost. Es wurden mir auch im familiären und hausbackenen Gespräch alle die Urteile, die leichthin und mit schlafwandelnder Sicherheit abgegeben zu werden pflegen, so bedenklich, daß ich aufhören mußte, an solchen Gesprächen irgend teilzunehmen. Mit einem unerklärlichen Zorn, den ich nur mit Mühe notdürftig verbarg, erfüllte es mich, dergleichen zu hören, wie: diese Sache ist für den oder jenen gut oder schlecht ausgegangen; Sheriff N. ist ein böser, Prediger T. ein guter Mensch; Pächter M. ist zu bedauern, seine Söhne sind Verschwender; ein anderer ist zu beneiden, weil seine Töchter haushälterisch sind; eine Familie kommt in die Höhe, eine andere ist im Hinabsinken. Dies alles erschien mir so unbeweisbar, so lügenhaft, so löcherig wie nur möglich. Mein Geist zwang mich, alle Dinge, die in einem solchen Gespräch vorkamen, in einer unheimlichen Nähe zu sehen: so wie ich einmal in einem Vergrößerungsglas ein Stück von der Haut meines kleinen Fingers gesehen hatte, das einem Blachfeld mit Furchen und Höhlen glich, so ging es mir nun mit den Menschen und ihren Handlungen. Es gelang mir nicht mehr, sie mit dem vereinfachenden Blick der Gewohnheit zu erfassen. Es zerfiel mir alles in Teile, die Teile wieder in Teile, und nichts mehr ließ sich mit einem Begriff umspannen. Die einzelnen Worte schwammen um mich; sie gerannen zu Augen, die mich anstarrten und in die ich wieder hineinstarren muß: Wirbel sind sie, in die hinabzusehen mich schwindelt, die sich unaufhaltsam drehen und durch die hindurch man ins Leere kommt.

Ich machte einen Versuch, mich aus diesem Zustand in die geistige Welt der Alten hinüberzuretten. Platon vermied ich; denn mir graute vor der Gefährlichkeit seines bildlichen Fluges. Am meisten gedachte ich mich an Seneca und Cicero zu halten. An dieser Harmonie begrenzter und geordneter Begriffe hoffte ich zu gesunden. Aber ich konnte nicht zu ihnen hinüber. Diese Begriffe, ich verstand sie wohl: ich sah ihr wundervolles Verhältnisspiel vor mir aufsteigen wie herrliche Wasserkünste, die mit goldenen Bällen spielen. Ich konnte sie umschweben und sehen, wie sie zueinander spielten; aber sie hatten es nur miteinander zu tun, und das Tiefste, das Persönliche meines Denkens, blieb von ihrem Reigen ausgeschlossen. Es überkam mich unter ihnen das Gefühl furchtbarer Einsamkeit; mir war zumut wie einem, der in ei-

nem Garten mit lauter augenlosen Statuen eingesperrt wäre; ich flüchtete wieder ins Freie.
Seither führe ich ein Dasein, das Sie, fürchte ich, kaum begreifen können, so geistlos, so gedankenlos fließt es dahin; ein Dasein, das sich freilich von dem meiner Nachbarn, meiner Verwandten und der meisten landbesitzenden Edelleute dieses Königreiches kaum unterscheidet und das nicht ganz ohne freudige und belebende Augenblicke ist. Es wird mir nicht leicht, Ihnen anzudeuten, worin diese guten Augenblicke bestehen; die Worte lassen mich wiederum im Stich. Denn es ist ja etwas völlig Unbenanntes und auch wohl kaum Benennbares, das in solchen Augenblicken, irgendeine Erscheinung meiner alltäglichen Umgebung mit einer überschwellenden Flut höheren Lebens wie ein Gefäß erfüllend, mir sich ankündet. Ich kann nicht erwarten, daß Sie mich ohne Beispiel verstehen, und ich muß Sie um Nachsicht für die Albernheit meiner Beispiele bitten. Eine Gießkanne, eine auf dem Felde verlassene Egge, ein Hund in der Sonne, ein ärmlicher Kirchhof, ein Krüppel, ein kleines Bauernhaus, alles dies kann das Gefäß meiner Offenbarung werden. Jeder dieser Gegenstände und die tausend anderen ähnlichen, über die sonst ein Auge mit selbstverständlicher Gleichgültigkeit hinweggleitet, kann für mich plötzlich in irgend einem Moment, den herbeizuführen auf keine Weise in meiner Gewalt steht, ein erhabenes und rührendes Gepräge annehmen, das auszudrücken mir alle Worte zu arm scheinen. Ja, es kann auch die bestimmte Vorstellung eines abwesenden Gegenstandes sein, dem die unbegreifliche Auserwählung zuteil wird, mit jener sanft und jäh steigenden Flut göttlichen Gefühles bis an den Rand gefüllt zu werden. So hatte ich unlängst den Auftrag gegeben, den Ratten in den Milchkellern eines meiner Meierhöfe ausgiebig Gift zu streuen. Ich ritt gegen Abend aus und dachte, wie Sie vermuten können, nicht weiter an die Sache. Da, wie ich im tiefen, aufgeworfenen Ackerboden Schritt reite, nichts Schlimmeres in meiner Nähe als eine aufgescheuchte Wachtelbrut und in der Ferne über den welligen Feldern die große sinkende Sonne, tut sich mir im Innern plötzlich dieser Keller auf, erfüllt mit dem Todeskampf dieses Volks von Ratten.

Alles war in mir: die mit dem süßlich scharfen Geruch des Giftes angefüllte kühldumpfe Kellerluft und das Gellen der Todesschreie, die sich an modrigen Mauern brachen; diese ineinander geknäulten Krämpfe der Ohnmacht, durcheinander hinjagenden Verzweiflungen; das wahnwitzige Suchen der Ausgänge; der kalte Blick der Wut, wenn zwei einander an der verstopften Ritze begegnen. Aber was versuche ich wiederum Worte, die ich verschworen habe! Sie entsinnen sich, mein Freund, der wundervollen Schilderung von den Stunden, die der Zerstörung von Alba Longa vorhergehen, aus dem Livius? Wie sie die Straßen durchirren, die sie nicht mehr sehen sollen... wie sie von den Steinen des Bodens Abschied nehmen. Ich sage Ihnen, mein Freund, dieses trug ich in mir und das brennende Karthago zugleich; aber es war mehr, es war göttlicher, tierischer; und es war Gegenwart, die vollste erhabenste Gegenwart. Da war eine Mutter, die ihre sterbenden Jungen um sich zucken hatte und nicht auf die Verendenden, nicht auf die unerbittlichen steinernen Mauern, sondern in die leere Luft, oder durch die Luft ins Unendliche hin Blicke schickte und diese Blicke mit einem Knirschen begleitete! – Wenn ein dienender Sklave voll ohnmächtigen Schauders in der Nähe der erstarrenden Niobe stand, er muß das durchgemacht haben, was ich durchmachte, als in mir die Seele dieses Tieres gegen das ungeheure Verhängnis die Zähne bleckte.

Vergeben Sie mir diese Schilderung, denken Sie aber nicht, daß es Mitleid war, was mich erfüllte. Das dürfen Sie ja nicht denken, sonst hätte ich mein Beispiel sehr ungeschickt gewählt. Es war viel mehr und viel weniger als Mitleid: ein ungeheures Anteilnehmen, ein Hinüberfließen in jene Geschöpfe oder ein Fühlen, daß ein Fluidum des Lebens und Todes, des Traumes und Wachens für einen Augenblick in sie hinübergeflossen ist – von woher? Denn was hätte es mit Mitleid zu tun, was mit begreiflicher menschlicher Gedankenverknüpfung, wenn ich an einem anderen Abend unter einem Nußbaum eine halbvolle Gießkanne finde, die ein Gärtnerbursche dort vergessen hat, und wenn mich diese Gießkanne und das Wasser in ihr, das vom Schatten des Baumes finster ist, und ein Schwimmkäfer, der auf dem Spiegel dieses Wassers von einem dunklen Ufer zum andern rudert, wenn diese Zusammensetzung von Nichtigkeiten mich mit einer solchen Gegenwart des Unendlichen durchschauert, von den Wurzeln der Haare bis ins Mark der Fersen mich durchschauert, daß ich in Worte ausbrechen möchte, von denen ich weiß, fände ich sie, so würden sie jene Cherubim, an die ich nicht glaube, niederzwingen, und daß ich dann von jener Stelle schweigend mich wegkehre und nach Wochen, wenn ich dieses Nußbaums ansichtig werde, mit scheuem seitlichen Blick daran vorübergehe, weil ich das Nachgefühl des Wundervollen, das dort um den Stamm weht, nicht verscheuchen will, nicht vertreiben die mehr als irdischen Schauer, die um das Buschwerk in jener Nähe immer noch nachwogen. In diesen Augenblicken wird eine nichtige Kreatur, ein Hund, eine Ratte, ein Käfer, ein verkümmerter Apfelbaum, ein sich über den Hügel schlängelnder Karrenweg, ein moosbewachsener Stein mir mehr, als die schönste, hingebendste Geliebte der glücklichsten Nacht mir je gewesen ist. Diese stummen und manchmal unbelebten Kreaturen heben sich mir mit einer solchen Fülle, einer solchen Gegenwart der Liebe entgegen, daß mein beglücktes Auge auch ringsum auf keinen toten Fleck zu fallen vermag. Es erscheint mir alles, alles, was es gibt, alles, dessen ich mich entsinne, alles, was meine verworrensten Gedanken berühren, etwas zu sein. Auch die eigene Schwere, die sonstige Dumpfheit meines Hirnes erscheint mir als etwas; ich fühle ein entzückendes, schlechthin unendliches Widerspiel in mir und um mich, und es gibt unter den gegeneinanderspielenden Materien keine, in die ich nicht hinüberzufließen vermöchte. Es ist mir dann, als bestünde mein Körper aus lauter Chiffern, die mir alles aufschließen. Oder als könnten wir in ein neues, ahnungsvolles Verhältnis zum ganzen Dasein treten, wenn wir anfingen, mit dem Herzen zu denken. Fällt aber diese sonderbare Bezauberung von mir ab, so weiß ich nichts darüber auszusagen; ich könnte dann ebensowenig in vernünftigen Worten darstellen, worin diese mich und die ganze Welt durchwebende Harmonie bestanden und wie sie sich mir fühlbar gemacht habe, als ich ein

Genaueres über die inneren Bewegungen meiner Eingeweide oder die Stauungen meines Blutes anzugeben vermöchte.
Von diesen sonderbaren Zufällen abgesehen, von denen ich übrigens kaum weiß, ob ich sie dem Geist oder dem Körper zurechnen soll, lebe ich ein Leben von kaum glaublicher Leere und habe Mühe, die Starre meines Innern vor meiner Frau und vor meinen Leuten die Gleichgültigkeit zu verbergen, welche mir die Angelegenheiten des Besitzes einflößen. Die gute und strenge Erziehung, welche ich meinem seligen Vater verdanke, und die frühzeitige Gewöhnung, keine Stunde des Tages unausgefüllt zu lassen, sind es, scheint mir, allein, welche meinem Leben nach außen hin einen genügenden Halt und den meinem Stande und meiner Person angemessenen Anschein bewahren.
Ich baue einen Flügel meines Hauses um und bringe es zustande, mich mit dem Architekten hie und da über die Fortschritte seiner Arbeit zu unterhalten; ich bewirtschafte meine Güter, und meine Pächter und Beamten werden mich wohl etwas wortkarger, aber nicht ungütiger als früher finden. Keiner von ihnen, der mit abgezogener Mütze vor seiner Haustür steht, wenn ich abends vorüberreite, wird eine Ahnung haben, daß mein Blick, den er respektvoll aufzufangen gewohnt ist, mit stiller Sehnsucht über die morschen Bretter hinstreicht, unter denen er nach den Regenwürmern zum Angeln zu suchen pflegt, durchs enge, vergitterte Fenster in die dumpfe Stube taucht, wo in der Ecke das niedrige Bett mit bunten Laken immer auf einen zu warten scheint, der sterben will, oder auf einen, der geboren werden soll; daß mein Auge lange an den häßlichen jungen Hunden hängt oder an der Katze, die geschmeidig zwischen Blumenscherben durchkriecht, und daß es unter all den ärmlichen und plumpen Gegenständen einer bäurischen Lebensweise nach jenem einem sucht, dessen unscheinbare Form, dessen von niemand beachtetes Daliegen oder -lehnen, dessen stumme Wesenheit zur Quelle jenes rätselhaften, wortlosen, schrankenlosen Entzükkens werden kann. Denn mein unbenanntes seliges Gefühl wird eher aus einem fernen, einsamen Hirtenfeuer mir hervorbrechen als aus dem Anblick des gestirnten Himmels;

eher aus dem Zirpen einer letzten, dem Tode nahen Grille, wenn schon der Herbstwind winterliche Wolken über die öden Felder hintreibt, als aus dem majestätischen Dröhnen der Orgel. Und ich vergleiche mich manchmal in Gedanken mit jenem Crassus, dem Redner, von dem berichtet wird, daß er eine zahme Muräne, einen dumpfen, rotäugigen, stummen Fisch seines Zierteiches, so über alle Maßen liebgewann, daß es zum Stadtgespräch wurde; und als ihm einmal im Senat Domitius vorwarf, er habe über den Tod dieses Fisches Tränen vergossen, und ihn dadurch als einen halben Narren hinstellen wollte, gab ihm Crassus zur Antwort: »So habe ich beim Tode meines Fisches getan, was Ihr weder bei Eurer ersten noch Eurer zweiten Frau Tod getan habt.«
Ich weiß nicht, wie oft mir dieser Crassus mit seiner Muräne als ein Spiegelbild meines Selbst, über den Abgrund der Jahrhunderte hergeworfen, in den Sinn kommt. Nicht aber wegen dieser Antwort, die er dem Domitius gab. Die Antwort brachte die Lacher auf seine Seite, so daß die Sache in einen Witz aufgelöst war. Mir aber geht die Sache nahe, die Sache, welche dieselbe geblieben wäre, auch wenn Domitius um seine Frauen blutige Tränen des aufrichtigsten Schmerzes geweint hätte. Dann stünde ihm noch immer Crassus gegenüber, mit seinen Tränen um seine Muräne. Und über diese Figur, deren Lächerlichkeit und Verächtlichkeit mitten in einem die erhabensten Dinge beratenden, weltbeherrschenden Senat so ganz ins Auge springt, über diese Figur zwingt mich ein unnennbares Etwas in einer Weise zu denken, die mir vollkommen töricht erscheint, im Augenblick, wo ich versuche sie in Worten auszudrücken.
Das Bild dieses Crassus ist zuweilen nachts in meinem Hirn, wie ein Splitter, um den herum alles schwärt, pulst und kocht. Es ist mir dann, als geriete ich selber in Gärung, würfe Blasen auf, wallte und funkelte. Und das Ganze ist eine Art fieberisches Denken, aber Denken in einem Material, das unmittelbarer, flüssiger, glühender ist als Worte. Es sind gleichfalls Wirbel, aber solche, die nicht wie die Wirbel der Sprache ins Bodenlose zu führen scheinen, sondern irgendwie in mich selber und in den tiefsten Schoß des Friedens.

Ich habe Sie, mein verehrter Freund, mit dieser ausgebreiteten Schilderung eines unerklärlichen Zustandes, der gewöhnlich in mir verschlossen bleibt, über Gebühr belästigt.
Sie waren so gütig, Ihre Unzufriedenheit darüber zu äußern, daß kein von mir verfaßtes Buch mehr zu Ihnen kommt, »Sie für das Entbehren meines Umganges zu entschädigen«. Ich fühlte in diesem Augenblick mit einer Bestimmtheit, die nicht ganz ohne ein schmerzliches Beigefühl war, daß ich auch im kommenden und im folgenden und in allen Jahren dieses meines Lebens kein englisches und kein lateinisches Buch schreiben werde: und dies aus dem einen Grund, dessen mir peinliche Seltsamkeit mit ungeblendetem Blick dem vor Ihnen harmonisch ausgebreiteten Reiche der geistigen und leiblichen Erscheinungen an seiner Stelle einzuordnen ich Ihrer unendlichen geistigen Überlegenheit überlasse: nämlich weil die Sprache, in welcher nicht nur zu schreiben, sondern auch zu denken mir vielleicht gegeben wäre, weder die lateinische noch die englische noch die italienische und spanische ist, sondern eine Sprache, von deren Worten mir auch nicht eines bekannt ist, eine Sprache, in welcher die stummen Dinge zu mir sprechen, und in welcher ich vielleicht einst im Grabe vor einem unbekannten Richter mich verantworten werde.
Ich wollte, es wäre mir gegeben, in die letzten Worte dieses voraussichtlich letzten Briefes, den ich an Francis Bacon schreibe, alle die Liebe und Dankbarkeit, alle die ungemessene Bewunderung zusammenzupressen, die ich für den größten Wohltäter meines Geistes, für den ersten Engländer meiner Zeit im Herzen hege und darin hegen werde, bis der Tod es bersten macht.

A. D. 1603, diesen 22. August. Phi. Chandos

DER BRIEF DES LETZTEN CONTARIN

Herr Graf! Eben verläßt mich der Notar, welchen Sie die Güte hatten, mit so überraschenden, so aufregenden und so unannehmbaren Propositionen an mich zu entsenden. Er verläßt mich, nicht ohne – auf meine dringenden und peremptorischen Bitten – mein Zimmer von sämtlichen Papieren und Urkunden wieder befreit zu haben, welche er mir zu übergeben beauftragt war, und so bleibt mir von seinem Besuch nichts zurück als eine hochgradige Erregtheit, welche mich zwingt, sogleich an Sie, Herr Graf, diese Zeilen zu richten. Denn diese Angelegenheit muß zwischen uns auf der Stelle und für immer erledigt werden, wenn ich anders imstande sein soll, meiner bescheidenen Bürobeschäftigung mit der nötigen Ruhe weiter nachzugehen und mein Leben überhaupt fortzuführen.

Erlauben Sie mir, formal zu sein und diesen Brief, zur Beschwichtigung meines Bewußtseins, als ein Dokument aufzufassen.

Es erschien heute, den 10. Mai 1888, morgens 11 Uhr, in meinem Domizil der Herr Comm. Bomparin, Notar, versehen mit allen Dokumenten und Behelfen, um eine Schenkung in rechtsgültiger Form durchzuführen, durch welche ich, der Unterzeichnete, Alvise Contarin, Patrizier von Venedig, Graf des röm. Reichs usf., Unterbeamter der Kön. ital. Post, in den Besitz eines Kapitalvermögens, »hinreichend zur standesgemäßen Lebensführung sowie zur Domizilierung im Hauptstock eines der früher Contarinschen Paläste am Canal Grande«, gesetzt werden sollte. Als Donatoren waren in erster Linie Sie, Herr Graf, und Mr. Gordon B., in zweiter Linie eine Gruppe ungenannt sein wollender Freunde bezeichnet. Unverweilt und ohne irgend weitere Auseinandersetzungen zuzulassen, erklärte ich, weder diese noch eine ähnliche Schenkung jemals anzunehmen, insbesondere aber diese in Rede stehende einmal für allemal zurückzuweisen: was der

Notar zu Protokoll nahm. Ich aber halte mich verpflichtet, Sie hiervon noch ausdrücklich durch diese Zeilen zu verständigen. Und ich habe die Ehre, Sie ferner zu verständigen, daß ich von diesem Augenblick an aufgehört habe, für Sie und die übrigen Herren Ihres Kreises zu existieren. Daß ich weder an einem privaten noch öffentlichen Ort einem von Ihnen mehr begegnen werde. Und daß ich jeden Versuch, mich aufzusuchen, als eine Nötigung betrachten werde, Venedig für immer den Rücken zu kehren.

Verlangen Sie nicht von mir das Übermenschliche, daß ich dieser einzig möglichen, dieser unvermeidlichen Handlungsweise noch Erklärungen nachschicke. Das Schweigen, die zusammengepreßte Kraft des Schweigens, das ist das einzige, was mich aufrechthält. Hätten auch Sie geschwiegen! Wäre es nie zu einem Gespräch im Cercle gekommen, dessen Frucht diese abscheuliche Stunde war, die ich durchlebt habe. Denn es war ein Gespräch im Cercle, ich weiß es, als ob ich dabei gewesen wäre. Als ob jede Rede und Gegenrede mir im Gesicht glühte, wie die Striemen einer Reitpeitsche. Es war ein Gespräch zu fünf oder sechs oder neun oder zwölf, im Cercle, nach Mitternacht. Curaçao stand daneben, ein Diener schlich im Hintergrund herum und horchte und gähnte, Mr. B. hatte seine »Times« aus den Händen gelegt und Sie den Billardqueue, da entstand dieses Gespräch, diese Ausgeburt einer stickigen, nichtigen Atmosphäre, einer öden, wesenlosen Nachtstunde, eines trüben, zynischen Beisammensitzens. Da nahmen Sie mich in den Mund, mich und meinen großen illustren Namen, mich und meine Bettelhaftigkeit, und dann nahm jemand einen Zettel in die Hand und fing an Ziffern zu schreiben, und alle miteinander machten Sie sich daran, mich zu rangieren. Und wirklich, so darnieder war Ihre Phantasie in dieser vergifteten Stunde, daß Sie es für möglich hielten, Sie, mein Freund, und die anderen, meine guten Bekannten, mit mir umzugehen, wie ein matter Romanschreiber mit einer seiner löcherigen Figuren; daß Sie es für möglich hielten, mich mit zwei Fingern anzufassen und in einem der Paläste, die unseren Namen führen, hineinzusetzen wie ein Nähmädchen in eine möblierte Wohnung.

Das aber ist das Seltsame, und das wird mir auch helfen, die grelle Häßlichkeit dieser Stunde zu vergessen und wieder ganz ruhig zu werden: daß ich es immer gewußt habe, daß so etwas kommen wird. Ich meine, daß etwas kommen wird, das mich von der Gesellschaft der Menschen abtrennen wird, irgend etwas, jäh und scharf wie der Beilhieb, der die Finger abhaut, mit denen der den Rand des Bootes umklammert, für den kein Platz mehr im Boot ist. Immer habe ich es gewußt, und wenn ich meinen Tee in dem kleinen grünen Salon der Lady Layard trank, so erwartete ich, daß es niedersausen würde, und die innere Anspannung meiner Nerven verrichtete eine Art von Gebet, es möge nicht jetzt geschehen, nicht während des Nocturne von Chopin, nicht während des Präludiums von Brahms: nicht in dem Augenblick, wo die Musik den starken Harnisch der Seele in allen Fugen gelöst hält und wo das gräßliche Gemeine so entsetzlich freien Weg fände. Denn es war kein vages Nachtgesicht, vor dem ich im voraus schauderte. Ich wußte: sooft es kommt, trägt es die Larve des gemeinen Alltags, und erst, wenn es die Pantherklauen umklammernd ins Herz einem gräbt, erst dann... So habe ich es einmal kennengelernt. Und mir ist, als hätte ich seit damals nichts getan, als auf die zweite Begegnung gewartet. Aber die erste war gräßlich, und die zweite ist nur schattenhaft und bringt nur einen dumpfen, fast unwirklichen Schmerz. Denn damals war ich ein Kind von vierzehn, und heute bin ich vierzig vorüber. Damals war ich mit meinem Vater auf dem Gut eines Verwandten. Immerfort lebten wir auf den Schlössern von Verwandten oder von Freunden, monatelang oder wochenlang. Was hätte mich auch daran wundern sollen? Ich wußte, wer wir waren. Ich wußte, daß niemand, bei dem wir zu Gaste waren, einen größeren Namen trug als wir, und daß niemand, dem ich begegnen würde, einen größeren tragen könnte. Kinder wissen diese Dinge gut, sie wissen sie in einer fieberhafteren Weise als reife Menschen. Ich wußte, daß ich die Tochter eines römischen Fürsten und die Tochter eines englischen Herzogs zur Frau nehmen konnte, und ich suchte mir im Gotha die, welche siebzehn Jahre alt waren und die mit den wundervollsten altertümlichen Tauf-

namen behängt waren wie mit strengen, uralten byzantinischen Schmuckstücken.
Kurz: eines Tages hielt ich mich in einem Raum neben dem Office auf und hörte die Bedienten über meinen Vater reden. In zwei Minuten wußte ich, daß mein Vater ein Bettler war und in allen diesen Häusern als ein lästiger Schmarotzer betrachtet wurde. Von diesem Tag datiert meine Selbsterziehung. Von diesem Tag an gewöhnte ich mich, unbarmherzig daran zu denken. Immer dachte ich daran: wenn ich mit meiner Mutter in einem Wagen fuhr, nach dem Friedhof oder sonst, und dem Kutscher das Geld hinzählte, erschien ich mir als ein frecher Betrüger. Mir war, als müßte einer die Hand auf meine Schulter legen und mich entlarven. Wir vegetierten: es wurden die letzten Bilder verkauft, die letzten Schmuckstücke, und von Zeit zu Zeit kam von irgendwoher eine kleine Summe. Und ich sah es alles mit erbarmungslosen Augen: mit Augen, die das grelle Alltagsgesicht der Welt furchtbarer machten als das unheimlichste Nachtgesicht. Mir schwindelte, wo ich ging und stand; kein Bissen kam unvergiftet in meinen Mund. Damals bildete sich im Innern meines Auges der Blick des Bettlers: der Blick hoffnungslosen starren Neides, durchflackert von hündischem überschätzendem Verlangen. Aber es waren nicht die Häuser der Reichen, die ich mit diesem Blick verschlang: nicht die Salons, nicht die Landhäuser, in denen wir ja noch aus und ein gingen. Nicht diese ganze Welt, mit der unsere ganze Existenz noch in einer erlogenen Verbindung stand. Worauf ich mit unbeschreiblichem Neid und wortloser Sehnsucht hinüberstarrte, das war die Existenz ehrlicher Armut: das Haus des Tischlers mit seinen vielen Kindern, der enge Hof, in dem die Wäscherin mit ihren Töchtern tagaus, tagein feuchtes ärmliches Zeug zum Trocknen aufhing und wieder abnahm; mit angeschwollenem Herzen konnte ich stehen und durch die verstaubten Weinblätter in einen Gasthausgarten hineinstarren, wo sie Kegel spielten, und jeder von denen da drinnen schien mir, jeder einzelne, so unsäglich beneidenswert, so geborgen in seiner Haut; ich beneidete den, der gewann und das Kupfergeld einstrich, und ich beneidete den, der verlor und sich

ärgerte, und den Bettler, der mit lahmem Fuß um sie herumschlürfte und dem sie dann und wann einen Weinrest hinschoben oder eine Münze in den Hut warfen, den noch beneidete ich um die Ehrlichkeit seines bettelnden Daseins. Wie die Götter erschienen mir diese Armseligen. Denn fürchterlich war nur eines:

———————————————————————————————

ZU ›DER BRIEF DES LETZTEN CONTARIN‹

VARIANTEN UND NOTIZEN

Ich habe gräßliche Sachen erlebt. Ich war mit meinem Vater auf dem Land. Da mußte ich eine Konversation von Bedienten über ihn anhören. Dann mußte ich der Szene beiwohnen, wie der Hausherr ihn bat, endlich abzureisen. Wie er ihn um fünfhundert Lire anpumpte und diese dann in einem plötzlichen Aufflackern von Stolz und Forfanterie dem maître d'hôtel schenkte. – Damals gewöhnte ich mir an, unschuldige Züge an mir (à la Marchbanks z. B. das Bedürfnis, gegen einen Kutscher nobel zu sein) unbarmherzig zu kontrollieren und zu messen an der Realität, ob denn das erlaubt sei, ob es nicht eine freche Farce sei. Die Routine der Gewissenserforschung war mir tief eingeübt; das wandte sich jetzt alles diesem Problem zu, und es hat eine bestürzende Richtigkeit, daß gerade mir das Seltsame begegnen mußte, was in Eurem Anerbieten liegt. Zuerst bestürzte mich daran sogleich auch, daß es geschehen konnte. Die unheimliche Willkür, die den reichen Leuten gestattet, in die Schicksale einzugreifen. Sogleich aber kam ich wieder in meine Gleichgewichtslage, in welcher ich mir sage, daß eben einer dieser arme Contarin werden mußte.

Palast – Dienerschaft – schleppendes Kleid – Marmordiele: meine Ahnen, glaub mir, hatten das ebensosehr in sich, als sie es außer sich hatten. Ihr Blut enthielt die Metallreflexe aller dieser Dinge, wie dieses Wasser jene silbernen, ehernen porphyrenen Schimmer enthält. Mein Schicksal ist mein Palast. Das tiefe »Du bist mein«, das ich zu dem Kerzenschein sage, der auf mein Blatt Papier fällt, wenn ich abschreibe.

Das Gespräch und die Geschichte der Frau von W.

Alte kluge Frau, einer Diakonissin nicht unähnlich, erzählt von dem großen Abgrund, der diese Existenz in zwei Hälften spaltet. Von dem sinnlosen Verlust des Liebsten. Betrachten Sie diese Frau wie eine Natur, in der die Schatten vielleicht das Meisterhafteste sind.
Frau von W.: Nichts ist nirgendwo. Gesundheit erblickt man von der Krankheit aus. Alles ist gleich zuviel: ist man ein wenig klüger, gleich ist man weiter weg von den Dingen. Das Alphabet, kaum versteht man's, verwandelt sich: freilich erhöht sich zugleich, aber es ist wieder Alphabet, schon glaubte man es zur Zauberformel zusammengesetzt zu haben. Schmuck, den man trägt, wann lebt er *eigentlich*. Ein Zimmer, wann ist eigentlich seine Stunde? – Und Sie, wieso so ruhig? – Weil mir auch meine Desillusioniertheit vorkommt wie ein Schein auf einem schönen perligen blaugrauen Wasser.
Contarin: Jeder Gegenstand, den wir besitzen, ist nämlich eine Anweisung, ein Surrogat eines schöneren: jede Perle, jedes Stück Stoff, jedes antike Trümmer, jedes Haus ist nur ein Balkon, auf dem unsere Wünsche ins Unendliche schauen, ein Schlüsselloch, durch das wir das Feenreich des Perligen, des Seidigen, des Antiken schauen.

Disposition

Sie bieten mir folgendes an:
Damit erregen Sie mich sehr, denn Sie rühren an mein Schicksal, an meine Weltanschauung, an mein Ich.
So bin ich, so bin ich geworden.
Aber es steckt noch etwas Unehrliches darin. Ich bin wie eine Billardkugel, die noch nicht ganz in ihr Loch gerollt ist. Das letzte Sichverkriechen muß noch geschehen.
Ich muß noch meine Titel abbrechen und alle Verbindungen. Dann ist alles, wie es sein soll. Ihren Vorschlag annehmen wäre eine Komödie, eine so schlechte Komödie.
Man kann nichts restaurieren. Die Alten hatten Perlenglanz innerlich.

Jetzt bin ich ein zitterndes, großartiges Symbol von Dingen, die größer sind als ich selbst. Je ne passe pas un moment vil (auch nicht mit den Hausgenossen).
Aber halten Sie mich nicht für unglücklich.
Meine Abende. Kirchgang. Abschreiben bei der Kerze. Weltgefühl.
... Je me maintiens.

Gedanke Contarins: Ich glaube, daß wir überhaupt uns gar keine Vorstellung machen können von der überschwenglichen Herrlichkeit, welche die Alten in etwas legten, zum Beispiel ins Schenken bei ihren festlichen großen Zusammenkünften, wo alle in einer himmlischen, königlichen Weise beschenkt wurden; wie wir überhaupt nichts, was früher...
Das Fazit ist: Wir sind anders als jene anderen (die Alten), und dies Anderssein und Uns-anders-Wissen ist unsere ganze Natur und unsere ganze Mission: wie es ja wieder das ganze Wesen der Goldonizeit war, zum Beispiel ganz stumpf für das Cinquecento und selbstvergnügt zu sein. Wir sind Spiegelungen der Alten. Eigentlich sind wir ja noch dieselben in alternden Lebensstunden.
Diese Distanz, und pietätvolle Distanz, ist das Koordinatensystem unseres Geistes.
Besitz des einzelnen ziemt unsäglich frischeren, naiveren Seelen; uns ziemt hypothetischer Besitz von allem: ich ziehe die schönsten Träume aus Stoff- und Spitzenlager der Venice-Silk-Company, aber ich wüßte nicht, um welchen Nacken Perlen legen.

ÜBER CHARAKTERE IM ROMAN UND IM DRAMA

GESPRÄCH ZWISCHEN BALZAC UND HAMMER-PURGSTALL IN EINEM DÖBLINGER GARTEN IM JAHRE 1842

HAMMER Sie werden, Verehrtester, eine Frage gestatten, die mir seit langem auf der Zunge brennt. Verzeihen Sie meine Freiheit; Sie wissen, daß einer der glühendsten Bewunderer Ihrer stupenden Erzählungskunst vor Ihnen steht: aber werden Sie uns nicht jetzt, in der Vollkraft Ihrer schöpferischen Phantasie, eine gleiche, eine ähnliche Reihe von Werken für das Theater schenken?
Sie schweigen? Sie wollen mir nicht antworten? Soll ich vermuten, daß Sie die dramatische Form nicht lieben? daß Ihnen das Theater nichts bedeutet?
BALZAC Im Gegenteil, Baron.
HAMMER Bravo, bravo! Ich liebe das Theater grenzenlos und habe, als Deutscher, an dem unseren die größte Freude. Aber was könnte erst aus dem französischen werden, wenn Ihr Genius da die Zügel ergriffe und mit mächtigen Peitschenhieben den verfahrenen Karren in neue Geleise triebe.
BALZAC *verbindlich* Ich weiß, Sie haben Schiller, Sie haben den Verfasser der »Ahnfrau«, Sie haben vor allem Raupach! Oh, das Theater! Ein schöner Traum.
HAMMER Ihre Träume, mein Herr, pflegen Wirklichkeit zu werden. Und was könnte Sie in diesem Falle hindern? Verträge, Abmachungen mit Verlegern? Sie zerreißen sie, wie der Löwe seine Netze. Die Möglichkeit eines Mißerfolges? Ein Mißerfolg Balzacs? Balzac nicht der souveräne Herr seines Publikums? Balzac schwächer als ein Saal von zwei- oder dreitausend Menschen? Ja, sind es denn nicht Ihre Geschöpfe, die ihn füllen? Sehe ich nicht in jedem Rang die Physiognomien, die aus Ihrer Retorte hervorgegangen sind? Nehmen sie nicht alle Logen ein: die Herzogin von Maufrigneuse und die Prinzessin von Cadignan und die Grandlieus mit ihren Töchtern und der Herzog d'Hérouville, dieser Zwerg, und der Baron Nucingen mit seiner Frau, und die Rhétorés, und die Navarreins und die Lenoncourts! Sehe ich nicht im Halb-

dunkel, in der Loge von Madame d'Espard, den schönen Rubempré hinter der vor Eifersucht bleichen, nicht mehr jungen Madame de Bargeton? Steht nicht Rastignac im Orchester, das Genie des Ehrgeizes und der Rücksichtslosigkeit, und lorgniert Frau von Nucingen? Tritt jetzt nicht de Marsay zu ihm, ihm die Hand zu drücken, de Marsay, der, wie er, einmal Minister und Pair von Frankreich sein wird. Und jetzt Bianchon, der Arzt, und Claude Vignon, der Journalist, und Stidmann, der Bildhauer, und die polnischen Emigrierten, Laginski und Paz und Stenbock. Zeigen sie einander nicht die halbversteckte Proszeniumsloge, in der die märchenhafte Esther, die noch fast niemand kennt, von den ersten Schatten eines tragischen Kurtisanenlebens eingehüllt, auf Rubempré hinübersieht? Etalieren nicht zwischen den großen Damen andere Damen einen aufregenden, wie mit dem Fieber der Gegenwart imprägnierten Luxus: sehe ich nicht bei diesen, bei einer Josepha, einer Madame Schontz, einer Jenny Cadine, die Bixiou und de Lora aus und ein gehen, und erblicke ich nicht dort drüben, mit seiner schönen Tochter Victorine, Herrn Taillefer, den großen Industriellen, der einen Mord auf dem Gewissen hat, und sitzt dort unten nicht, verkleidet als spanischer Geistlicher, Haar, Bart, Haltung, Stimme, alles an ihm falsch, nur das unbezwingliche Auge lebendig, Vautrin, der Galeerensträfling? Ja, sehe ich denn irgend etwas anderes als diese Gestalten, die durch eine bewundernswerte Zauberei einander wie hundertfältige Spiegel ihr ganzes Leben, ihr Denken, ihre Leidenschaften, ihre Vergangenheit, ihre Zukunft tausendfach multipliziert zuwerfen?

Bei diesen Sätzen, bei dem so seltenen, wahren Enthusiasmus der Bewunderung, welche die Wangen des großen Orientalisten lebhafter färbte, bei dieser so starken, so ungezwungenen, fast unter vier Augen dargebrachten Huldigung konnte Balzac ein Lächeln nicht unterdrücken. Es war das schöne, seltene Lächeln reiner Befriedigung, das aus dem Gesicht nicht mit der Schnelligkeit des Wetterleuchtens, nicht zukkend, sondern langsam, wie der schöne Sonnenuntergang eines reinen Sommertages, wieder verschwindet. Es war das

gleiche Lächeln, das den Mund Napoleons erleuchtete, als er, am Nachmittag von Austerlitz, die Wirkung sah, welche die nach seinem Befehl gerichteten Geschosse auf die Eisdecke der Teiche machten, die von Tausenden flüchtender Russen und Österreicher bedeckt war. Und vielleicht, ja sehr wahrscheinlich hatte dieses Lächeln in diesen beiden, äußerlich so verschiedenen Fällen den gleichen Ursprung: beide Male entsprang es der Seele eines großen Mannes, einer von Natur zur Eroberung bestimmten Seele, in dem Augenblick, als diese Seele ganz nahe vor sich die Möglichkeit sah, den stumpfen Widerstand Europas gegen ihr Genie übers Knie zu brechen wie ein Bündel dürrer Reiser. Die furchtbare Energie seiner mit dem Leben ringenden Seele war für einen Moment entspannt; seine Augen schweiften mit dem leichten Blick des Reisenden über die Hänge des Kahlenberges hin; in seiner Haltung war die undefinierbare Veränderung, Lässigkeit dessen, der in einer fremden Atmosphäre, unter dem Duft und Schatten fremder Bäume, mit fremden Menschen, die er vielleicht nie wieder sehen wird, freundlich und unbedrückt spricht: so gab sich Balzac dem Augenblick hin, in dessen vagem Inhalt etwas von der Rast eines Eroberers an den Grenzen ferner bezwungener Länder war, gab sich ihm so sehr hin, daß er einige Sätze des Barons überhörte und nur dieses Ende einer längeren Tirade auffing:
Wie! Alles was im Theater sitzt, die schöne Welt der Logen und des Parketts und das Paradies, alles soll die Spuren der Löwentatze aufweisen, und nur die Bühne nicht?
BALZAC O ja, ich liebe das Theater. Das Theater, wie ich es verstehe. Das Theater, auf dem alles vorkommt, alles. Alle Laster, alle Lächerlichkeiten, alle Sprechweisen! Wie armselig, wie symmetrisch ist dagegen das Theater Victor Hugos. Meines, das, welches ich träume, ist die Welt, das Chaos. Und es hat einmal existiert, mein Theter, es hat existiert. Lear auf der Heide, und der Narr neben ihm, und Edgar und Kent und die Stimme des Donners in ihre Stimmen verschlungen! Volpone, der sein Gold anbetet, und seine Diener, der Zwerg, der Eunuch, der Hermaphrodit und der Schurke! und die Erbschleicher, die ihm ihre Frauen und ihre Töchter anbieten, die

ihre Frauen und Töchter bei den Haaren in sein Bett ziehen! Und die dämonische Stimme der schönen Dinge, der verlokkenden Besitztümer, der goldenen Gefäße, der geschnittenen Steine, der wundervollen Leuchter, so vermengt mit den Menschenstimmen, wie dort der Donner. Ja, es hat einmal ein Theater gegeben.

HAMMER Sie meinen das englische um Fünfzehnhundertneunzig?

BALZAC Ja, die haben es gehabt. Auch später noch. Es gibt nachzuckende Blitze. Kennen Sie das »Gerettete Venedig« von Otway?

HAMMER Ich glaube, es in Weimar gesehen zu haben.

BALZAC Mein Vautrin hält es für das schönste aller Theaterstücke. Ich gebe viel auf das Urteil eines solchen Menschen.

HAMMER Ihre Lebhaftigkeit bei diesem Thema ist mir äußerst erfreulich. Wir werden, nun weiß ich es, eine comédie humaine auf der Bühne haben! Wir werden die Perücke von Vautrins Kopf fliegen und den entsetzlichen Schädel des Sträflings sich enthüllen sehen. Wir werden Goriot belauschen, wie er einsam in eiskalter Kammer die Vision seiner schönen Töchter sich heraufbeschwört. Was schütteln Sie den Kopf, mein Herr? Nichts kann nunmehr im Wege sein.

BALZAC Nichts, scheinbar gar nichts. Auch in meinem Willen nichts, scheinbar. Auch fehlt es mir nicht an dramatischen Mitarbeitern. Sie können nicht von der Oper bis zum Palais Royal gehen, ohne deren einem oder zweien zu begegnen. Denn ich habe mir Mitarbeiter erschaffen wollen. Ich wollte in einen andern hineinkriechen. Aber ich hatte unrecht. Man kann sich nicht in die Haut eines Esels verstecken. Ich wollte etwas finden, was ich nicht in mir trug. Ich wollte eine Unehrlichkeit begehen, eine der versteckten großen Unehrlichkeiten. Es liegt im Wesen der meisten Schriftsteller, dergleichen Unehrlichkeiten in Masse zu begehen, und ganz straflos. Sie gleichen dem Reiter in der deutschen Ballade, der, ohne es zu wissen, über den gefrorenen Bodensee reitet. Aber sie erfahren es auch nachher nicht und fallen daher nicht tot um, wie dieser Reiter. Eine Kunstform gebrauchen, und ihr gerecht werden: welch ein Abgrund liegt dazwischen! Je größer

man ist, desto klarer sieht man in diesen Dingen. Mögen andere Formen vergewaltigen, ich für mein Teil, ich weiß, daß ich kein Dramatiker bin, ebensowenig wie –
(Hier nannte Herr von Balzac die Namen aller seiner Landsleute, welche im vorhergehenden Jahrzehnt einen großen, zum Teil einen europäischen Ruf eben durch ihre dramatischen Produkte erlangt hatten, und fuhr fort:)
Den Grund davon? Den innersten Grund? Ich glaube vielleicht nicht, daß es Charaktere gibt. Shakespeare hat das geglaubt. Er war ein Dramatiker.
HAMMER Sie glauben nicht, daß es Menschen gibt? Das ist gut! Sie haben deren etwa sechs- oder siebenhundert geschaffen; sie auf die Beine gestellt, da! und seither existieren sie.
BALZAC Ich weiß nicht, ob das Menschen sind, die in einem Drama leben könnten. Ist Ihnen gegenwärtig, was man in der mineralogischen Wissenschaft eine Allotropie nennt? Derselbe Stoff erscheint zweimal im Reich der Dinge, in ganz verschiedener Kristallisationsform, ganz unerwartetem Gepräge. Der dramatische Charakter ist eine Allotropie des entsprechenden wirklichen. Ich habe im Goriot das Ereignis »Lear«, ich habe den chemischen Vorgang »Lear«, ich bin himmelweit entfernt von der Kristallisationsform »Lear«. – Sie sind, Baron, wie alle Österreicher, ein geborener Musiker. Sie sind zudem ein gelehrter Musiker. Lassen Sie mich Ihnen sagen, daß die Charaktere im Drama nichts anderes sind als kontrapunktische Notwendigkeiten. Der dramatische Charakter ist eine Verengerung des wirklichen. Was mich an dem wirklichen bezaubert, ist gerade seine Breite. Seine Breite, welche die Basis seines Schicksals ist. Ich habe es gesagt, ich sehe nicht den Menschen, ich sehe Schicksale. Und Schicksale darf man nicht mit Katastrophen verwechseln. Die Katastrophe als symphonischer Aufbau, das ist die Sache des Dramatikers, der mit dem Musiker so nahe verwandt ist. Das Schicksal des Menschen, das ist etwas, dessen Reflex vielleicht nirgends existierte, bevor ich meine Romane geschrieben hatte. Meine Menschen sind nichts als das Lackmuspapier, das rot oder blau reagiert. Das Lebende, das Große, das Wirkliche sind die Säuren: die Mächte, die Schicksale.

HAMMER Sie meinen die Leidenschaften?
BALZAC Nehmen Sie dieses Wort, wenn Sie es vorziehn, aber Sie müssen es in einer noch nie dagewesenen Weite nehmen und dann wieder es so verengen, so ins Besondere ziehen, wie es noch nie gebraucht worden ist. Ich sagte: »die Mächte«. Die Macht des Erotischen für den, welcher der Sklave der Liebe ist. Die Macht der Schwäche für den Schwachen. Die Macht des Ruhmes über den Ehrgeizigen. Nein, nicht *der* Liebe, *der* Schwäche, *des* Ruhmes: seiner ihn umstrickenden Liebe, seiner individuellen Schwäche, seines besonderen Ruhmes. Das, was ich meine, nannte Napoleon seinen Stern: das war es, was ihn zwang, nach Rußland zu gehen; was ihn zwang, dem Begriff »Europa« eine solche Wichtigkeit beizulegen, daß er nicht ruhen konnte, bis er »Europa« zu seinen Füßen liegen hatte. Das, was ich meine, nennen Unglückliche, die ihr Leben in einem Blitz überschauen, ihr Verhängnis. Für Goriot ist es in seinen Töchtern inkarniert. Für Vautrin in der menschlichen Gesellschaft, deren Fundamente er in die Luft sprengen will. Für den Künstler in seiner Arbeit.
HAMMER Und nicht in seinen Erlebnissen?
BALZAC Es gibt keine Erlebnisse, als das Erlebnis des eigenen Wesens. Das ist der Schlüssel, der jedem seine einsame Kerkerzelle aufsperrt, deren undurchdringlich dichte Wände freilich wie mit bunten Teppichen mit der Phantasmagorie des Universums behangen sind. Es kann keiner aus seiner Welt heraus. Haben Sie eine größere Reise auf einem Dampfschiffe gemacht? Entsinnen Sie sich da einer sonderbaren, beinahe Mitleid erregenden Gestalt, die gegen Abend aus einer Lücke des Maschinenraumes auftauchte und sich für eine Viertelstunde oben aufhielt, um Luft zu schöpfen? Der Mann war halbnackt, er hatte ein geschwärztes Gesicht und rote, entzündete Augen. Man hat Ihnen gesagt, daß es der Heizer der Maschine ist. Sooft er heraufkam, taumelte er; er trank gierig einen großen Krug Wasser leer, er legte sich auf einen Haufen Werg und spielte mit dem Schiffshund, er warf ein paar scheue, fast schwachsinnige Blicke auf die schönen und fröhlichen Passagiere der Ersten Kajüte, die auf Deck waren, sich an den Sternen des südlichen Himmels zu entzücken; er atme-

te, dieser Mensch, mit Gier, so wie er getrunken hatte, die Luft, welche durchfeuchtet war von einer in Tau vergehenden Nachtwolke und dem Duft von unberührten Palmeninseln, der über das Meer heranschwebte; und er verschwand wieder im Bauch des Schiffes, ohne die Sterne und den Duft der geheimnisvollen Inseln auch nur bemerkt zu haben. Das sind die Aufenthalte des Künstlers unter den Menschen, wenn er taumelnd und mit blöden Augen aus dem feurigen Bauch seiner Arbeit hervorkriecht. Aber dieses Geschöpf ist nicht ärmer als die droben auf dem Deck. Und wenn unter diesen Glücklichen droben, unter diesen Auserwählten des Lebens, zwei Liebende wären, die, mit verschlungenen Fingern, aneinandergelehnt, bedrückt von der Fülle ihres Inneren, das Hinstürzen unermeßlich ferner Sterne, wie sie der südliche Himmel in Garben, in Schwärmen, in Katarakten aus dem Bodenlosen ins Bodenlose fallen läßt, nur wie den stärksten, bis an den Rand des Daseins fortgepflanzten Pulsschlag ihrer Seligkeit empfänden – auch an diesen gemessen, wäre er nicht der Ärmere. Der Künstler ist nicht ärmer als irgend einer unter den Lebenden, nicht ärmer als Timur der Eroberer, nicht ärmer als Lucullus der Prasser, nicht ärmer als Casanova der Verführer, nicht ärmer als Mirabeau, der Mann des Schicksals. Aber sein Schicksal ist nirgends als in seiner Arbeit. Er soll sich nirgends anders seine Abgründe und seine Gipfel suchen wollen: sonst wird er einen erbärmlichen Sandhügel für einen Montblanc nehmen, ihn keuchend erklimmen, mit verschränkten Armen droben stehen und das Gelächter aller sein, die zwanzig Jahre später leben. In seiner Arbeit hat er alles: er hat die namenlose Wollust der Empfängnis, den entzückenden Ätherrausch des Einfalls, und er hat die unerschöpfliche Qual der Ausführung. Da hat er Erlebnisse, für welche die Sprache kein Wort und die finsteren Träume kein Gleichnis haben. Wie der Geist aus der Flasche Sindbads des Seefahrers, wird er sich ausbreiten wie ein Rauch, wie eine Wolke und wird Länder und Meere beschatten. Und die nächste Stunde wird ihn zusammenpressen in seine Flasche, und, tausend Tode leidend, ein eingefangener Qualm, der sich selber erstickt, wird er seine Grenzen, die unerbittlichen, ihm gesetzten Grenzen, spüren, ein verzweifelnder Dämon in einem engen gläsernen Gefängnis, durch dessen unüberwindliche Wände er mit grinsender Qual die Welt draußen liegen sieht, die ganze Welt, über der er vor einer Stunde brütend schwebte, eine Wolke, ein ungeheurer Adler, ein Gott.

Aber bis zu einem solchen Punkt, aber so ganz und gar ist die Arbeit das ganze Schicksal des Künstlers, daß er ringsum in der ganzen Welt nur die Gegenbilder der Zustände wahrzunehmen imstande ist, die er unter den Qualen und Entzückungen des Arbeitens durchzumachen gewohnt ist. Die Dichter haben aus dem höchsten Wesen einen Dichter gemacht. Und so geschickt sind sie, in das Auf und Nieder aller menschlichen Seelen das Spiegelbild ihrer eigenen Ekstasen und Abspannungen hineinzudeuten, daß allmählich, mit der Zunahme der lesenden Menschen und der unheimlichen Ausgleichung der Stände, an welcher wir leiden, die sonderbarsten Erscheinungen auftreten werden, und zwar nicht vereinzelt, sondern in Masse. Um 1890 werden die geistigen Erkrankungen der Dichter, ihre übermäßig gesteigerte Empfindsamkeit, die namenlose Bangigkeit ihrer herabgestimmten Stunden, ihre Disposition, der symbolischen Gewalt auch unscheinbarer Dinge zu unterliegen, ihre Unfähigkeit, sich mit dem existierenden Worte beim Ausdruck ihrer Gefühle zu begnügen, das alles wird eine allgemeine Krankheit unter den jungen Männern und Frauen der oberen Stände sein. Denn der Künstler gleicht jenem Midas, unter dessen Händen alles zu Gold wurde. Der gleiche Fluch erfüllt sich, nur immerfort auf eine unendlich subtilere Weise. Benvenuto Cellini liegt im tiefsten Verlies der Engelsburg; er hat ein gebrochenes Bein, die Zähne fallen ihm aus den Kiefern, man läßt ihn seit Tagen ohne Nahrung; er meint zu sterben: da verdichten sich seine qualvollen Delirien zu einem schönen tröstenden Traum, er sieht die Sonne, aber ohne blendende Strahlen, als ein Bad des reinsten Goldes. Ihre Mitte bläht sich auf und strebt in die Höhe: es erzeugt sich durchaus ein Christus am Kreuz aus derselben Materie; dem Kruzifix zur Seite eine schöne Heilige Jungfrau, in der gefälligsten Stellung und gleichsam lächelnd. Zu beiden Seiten zwei herrliche Engel, aus dem gleichen Material. Alles das sah er wirklich und dankte beständig Gott mit lauter Stimme. Er lag in der Agonie, aber er war der größte Goldschmied seines Jahrhunderts, und die Vision, in der ihm der Himmel seine Agonie versüßte, war die Vision einer Goldschmiedearbeit. Auf der Schwelle des Todes hingekrümmt, waren seine Träume aus keinem anderen Material als aus dem, in welchem seine Hände ein Kunstwerk zu schaffen vermochten. Und kennen Sie Frenhofer, den Maler?

HAMMER Den Helden des »Chef-d'œuvre inconnu«? Gewiß.

BALZAC Er ist der einzige Schüler des Mabuse. Er hat von seinem Meister das ungeheure Geheimnis der Form mitbekommen, der wirklichen Form, des aus Licht und Schatten modellierten menschlichen Körpers. Er weiß, daß die Kontur nicht existiert. Seine Studien haben die Leuchtkraft des Giorgione und das Inkarnat Tizians; und er verachtet diese Studien. Pourbus betet ihn an, und Nicolas Poussin, der ihn kennen lernt, zittert vor ihm wie vor einem Dämon. Dieser Mensch arbeitet seit zehn Jahren an einer nackten weiblichen Gestalt, und niemand hat das Bild zu Gesicht bekommen. Sie erinnern sich, wie die Geschichte weiter geht. Poussin ist so aufgewühlt, so umgeworfen von diesem Dämon der Malerei, daß er ihm seine Geliebte, ein entzückendes zwanzigjähriges Wesen, als Modell anbietet. Man sagt, diese Gilette habe den schönsten Körper gehabt, auf den je die Augen eines Malers gefallen sind. Sie dem Alten anzubieten, war die rasendste Aufopferung der Liebe an die Kunst, an das Genie, an den Ruhm. Es war ein teuflischer Versuch, das Teuerste preiszugeben, um sich einzukaufen in die unmenschliche Herrlichkeit des Schaffens. Und der Alte? Er bemerkt sie kaum. Seit zehn Jahren lebt er in seinem Bild. In einem Delirium, das kaum mehr Pausen macht, fühlt er diesen gemalten Körper leben, fühlt die Luft ihn umspülen, fühlt diese Nacktheit atmen, schlafen, sich beseelen, dem Lebendig-Heraustreten sich nähern. Was könnte ihm eine lebende Frau, ein wirklicher Körper noch geben? Er sieht diesen wirklichen Frauenkörper, er sieht alle Formen und Farben, alle Schatten und

Halbschatten und Harmonien der Welt überhaupt nur mehr als Negativ, in einem geheimen, nur ihm begreiflichen Bezug auf sein Werk. Die Welt ist ihm die Schale eines ausgegessenen Eies. Was von der Welt für seine Seele existierte, hat er in sein Bild hinübergetragen. Wie vergeblich, ihm eine Frucht, und wäre es die entzückendste dieser Erde, anzubieten, gegen welche sich die Tore seiner Seele für immer geschlossen haben. Welch ein groteskes und vergebliches Opfer. Da haben Sie den Künstler: wenn er jung ist, wenn er sich der Kunst gibt: Poussin – und wenn er reif ist, wenn er nahezu Pygmalion ist, wenn seine Statue, seine Göttin, das Gebilde seiner Hände, anfängt, ihm entgegenzuschreiten: Frenhofer. Und Gilette: sie ist das Erlebnis, sie ist die Fülle der Erlebnisse, sie ist die süße Fülle der Möglichkeiten des Lebens: und der eine, der junge, ist bereit, sie preiszugeben, der andere hat keine Augen mehr, sie zu beachten.
Das Leben! Die Welt! Die Welt ist in seiner Arbeit, und seine Arbeit ist sein Leben. Sprechen Sie einem Spieler, einem wirklichen, in dem Augenblick, wo pointiert wird, von der Welt. Sprechen Sie einem Sammler davon, daß seine Frau in Krämpfen liegt, daß man seinen Sohn arretiert hat, daß man sein Haus anzündet, in dem Augenblick, wo seine Augen in der Butike eines Händlers ein Email des Nardon Penicaud aus Limoges entdecken, oder einen Wandschirm des Genre, das man Pompadour zu nennen anfängt, dessen Bronzen von Clodion modelliert sind. Er wird Sie ansehen mit dem Blick, mit dem Lear auf der Heide jeden ansieht, der ihn davon abbringen möchte, daß es undankbare Töchter sind, die Edgars Jammer und den Jammer jeder unglücklichen Kreatur veranlaßt haben. Jedes Auge findet manchmal diesen erhabenen Blick der Seele, die nicht begreifen will, daß es außer ihrer Angelegenheit etwas auf der Welt geben könne.
HAMMER *bescheiden* Lear sagt dies im dritten Akt; an dieser Stelle darf er als wahnsinnig betrachtet werden.
BALZAC Das darf jeder Mensch, lieber Baron, und gerade in den schönen, in den erhabenen, in den wirklichen Momenten seines Lebens. Ebensosehr als Lear, meine ich natürlich, ebensosehr.

HAMMER Wie, Herr von Balzac, Sie wollten Ihrem Genie so enge, so traurige Grenzen ziehen? Den Dunstkreis der pathologisch sich selbst verzehrenden Existenzen, das gräßlich blinde Um-sich-Fressen einer Manie, dieses Finstere und Beschränkte wollten Sie sich zum Gegenstand Ihrer Darstellung wählen, anstatt ins bunte Menschenleben hineinzugreifen? Haben Sie nicht immer das Neue, immer das Interessante zu packen gewußt?

BALZAC Mein Schaffen, Baron, hat nie andere Gesetze gekannt als diese, die ich Ihnen hier entwickle. Aber ich habe, sie mir selber zu entwickeln, nie den Drang gespürt. Es scheint, das philosophische Deutschland steckt mich an. Allein ich fürchte, Baron, Sie mißverstehen mich durchaus, wenn Sie vermuten, daß ich irgend ein Ding zwischen Himmel und Erde als außerhalb meines Stoffkreises liegend betrachte. Ich weiß nicht, was Sie »pathologisch« nennen: aber ich weiß, daß jede menschliche Existenz, die der Darstellung wert ist, sich selbst verzehrt und, um diesen Brand zu unterhalten, aus der ganzen Welt nichts als die ihrem Brennen dienlichen Elemente in sich saugt, wie die Kerze den Sauerstoff aus der Luft auffrißt. Ich weiß, wer das Wort »pathologisch« in bezug auf poetische Darstellung in die Mode gebracht hat: es ist Herr von Goethe, ein sehr großes Genie, vielleicht das größte, das Ihre Nation hervorgebracht hat, ein Mann, dessen Kraft, Armeen von Begriffen und Erkenntnissen aus einem Gebiet des Denkens ins andere zu werfen, nicht minder erstaunlich ist als diejenige, mit welcher Napoleon Armeen von Soldaten über den Po oder die Weichsel warf. Nur daß die Begriffe, mit denen er die strahlenden Pfeile seines Geistes in die Welt schnellte, sich von schwächeren Armen ebensowenig spannen lassen als der Bogen des Odysseus. Aber ich akzeptiere Ihr Wort: »pathologisch«, »maniakalisch« – alle lasse ich sie mir gefallen. Ja, die Welt, die ich aus meinem Hirn hervorhole, ist bevölkert mit Wahnsinnigen. Alle sind sie so wahnsinnig, meine Geschöpfe, so verrannt in ihre fixen Ideen, so unfähig, das in der Welt zu sehen, was sie nicht mit dem Flackern ihres Blickes in die Welt hineinwerfen, so von Sinnen wie Lear, da er einen Strohwisch für Goneril nimmt. Aber so sind sie, weil sie

Menschen sind. Es gibt für sie keine Erlebnisse darum, weil es überhaupt keine Erlebnisse gibt. Weil das Innere des Menschen ein sich selbst verzehrender Brand ist, ein Schmerzensbrand, ein Glasofen, in welchem die zähflüssige Masse des Lebens ihre Formen erhält, entzückend blumenhafte, wie die Stengelgläser der Insel Murano, oder heldenhafte, von metallischen Reflexen funkelnde, wie die Töpfereien von Deruta und Rhodus. Weil jede Generation bewußter als die vorhergegangene ist; weil eine eigene, mit jedem Atemzug des Lebens sich vollziehende Chemie das Leben immer mehr und mehr zersetzen wird, so daß selbst die Enttäuschungen, der Verlust der Illusionen, dieses unvermeidliche Erlebnis, nicht in einem Block in den tiefen Brunnen der Seele hineinstürzen wird, sondern zu Staub zerrieben, in Atomen, mit jedem Atemzug: so sehr, daß man um 1890 oder 1900 überhaupt nicht mehr verstehen wird, was wir mit dem Wort »Erlebnis« haben sagen wollen.
Pathologisch! Fassen wir nur gefälligst die Begriffe weit genug, und es werden die Hölle und der Himmel hineingehen. Ich gedenke wenigstens auf sie beide nicht zu verzichten.
Es ist in allem, in allem der Keim zu einem Fetisch, zu einem Gott, zu einem allumspannenden Gott. Lassen wir die Treue dem, der aus der Treue seinen Gott gemacht hat. Ich sehe auch den, der seinen Gott aus der Treulosigkeit gemacht hat. Man muß Beethoven neben Casanova oder Lauzun ins Auge zu fassen verstehen. Den, der keiner Frau bedurfte, neben dem, der alle Frauen brauchte. Alles ist ein Reich, und jeder ist der Napoleon in dem seinigen. Sie stoßen einander nicht, diese Reiche, es sind geistige Sphären: glücklich, der ihre Musik zu hören vermag.
Ja, es sind Dämonen, alle meine Geschöpfe, und ich habe das schwelende Feuer der Tollheit in ihre Köpfe gesetzt. Zugestanden! Aber auch mir zugestanden, lieber Baron, daß Ihr deutscher Musaget, Ihr Olympier, daß dieser Greis von Weimar ein Dämon gewesen ist, und keiner von den mindest unheimlichen. Ich will ihn nicht an seinem »Werther« fassen: er hat dieses Fieber seiner Jugend verleugnet. Aber der ganze Mensch, aber der ganze Dichter, aber das ganze Wesen! Ich

könnte meinen, ihn gekannt zu haben: sein Auge muß unheimlicher gewesen sein als das Klingsors, des Magiers, unheimlicher als das Merlins, von dem es heißt, es habe wie ein bodenloser Schacht in die Tiefen der Hölle geführt, unheimlicher als das der Medusa. Er konnte töten, dieser ungeheure Mensch, mit einem Blick, mit einem Hauch seines Mundes, mit einem Zucken seiner olympischen Schultern: er konnte das Herz eines Menschen zu Stein erstarren lassen, er konnte eine Seele töten und dann sich abwenden, als ob nichts geschehen wäre, und dann hingehen zu seinen Pflanzen, zu seinen Steinen, zu seinen Farben, die er die Leiden und Taten des Lichtes nannte und mit denen er Gespräche führte, stark genug, um die Sterne des Himmels zum Wanken zu bringen. Es waren Zeiten, in welchen man ihn verbrannt hätte, und es waren noch andere Zeiten, in denen man ihn angebetet hätte. Er ließ es geschehen, daß sein Schicksal, das sein Wesen war, seinem Wesen, das sein Schicksal war, alle Opfer darbrachte, deren die Dämonen bedürfen. Was Napoleon seinen Stern nannte, das nannte er die Harmonie seiner Seele. Und dieses leuchtende Zauberschloß, das er aufbaute aus unvergänglichem Material, meinen Sie, es hatte keine Verliese, in denen Gefangene einem langsamen Tode entgegenwimmerten? Aber er geruhte, sie nicht zu hören, weil er groß war. Ja, wer hat denn Heinrich von Kleists Seele getötet, wer denn? Oh, ich sehe ihn, den Greis von Weimar. Ich werde ihn erzählen, ganz werde ich ihn erzählen. Er ist größer und unheimlicher als das trojanische Pferd, aber ich werde die Tore meines Werkes einstoßen und ihn hineinführen. Neben Séraphitus-Séraphita wird er stehen, wie auf dem Friedhofe von Pisa der schiefe Turm und das Baptisterium nebeneinander dastehen und einander anschauen, schweigend, gewaltig, den Jahrhunderten trotzend.

O ich sehe ihn, und welch ein schauderndes Entzücken, ihn zu sehen. Dort sehe ich ihn, wo er lebt, wo sein Leben ist: in den dreißig oder vierzig Bänden seiner Werke, die er hinterlassen hat, nicht in dem Gewäsch seiner Biographen. Denn es kommt darauf an, die Schicksale dort zu sehen, wo sie in göttlicher Materie ausgeprägt sind. Ich kenne eine Frau, eine un-

berühmte Frau, die niemals berühmt sein wird: sie ist die Tochter eines geknechteten Landes; ein Dämon an Phantasie, ein Kind an Einfalt, ein Greis an Erfahrung, dem Hirn nach Mann, dem Herzen nach Weib; ihre Liebe, ihr Glaube, ihr Schmerz, ihre Hoffnung, ihre Träume sind wie Ketten, stark genug, eine Welt über dem bodenlosen Abgrund zu halten: und ihr Leben, ihr Schicksal, ihre Seele ist zuweilen in ihrem Gesichte geschrieben, für den, der es zu sehen vermag: so steht Goethes Schicksal in seinen Werken.
Die Schicksale dort lesen, wo sie geschrieben sind: das ist alles. Die Kraft haben, sie alle zu sehen, wie sie sich selber verzehren, diese lebenden Fackeln. Sie alle auf einmal zu sehen, gebunden an die Bäume des ungeheuren Gartens, den ihr Brand allein beleuchtet: und auf der obersten Terrasse stehen, der einzige Zuschauer, und in den Saiten der Leier die Akkorde suchen, die Himmel, Hölle und diesen Anblick zusammenbinden.
In diesem Augenblicke fuhr am äußeren Gartentor ein Landauer vor, in welchem Frau von Hanska, geborene Rzewuska, saß. Mit einer Bewegung wie Mirabeau warf sich Balzac herum, die Ankommende zwischen den Kastanien eintreten zu sehen; und es hätte niemand gewagt, ein Gespräch wieder aufnehmen zu wollen, welches eine so große Gebärde abgebrochen hatte.

DAS GESPRÄCH ÜBER GEDICHTE

> Es leben jetzt, die wenigen ausgenommen, die selbst im Lyrischen etwas hervorbringen, keine fünf Menschen in Deutschland, welche über diese zartesten Geburten der Seele ein Urteil hätten.
>
> *Hebbel, Brief vom 27. IV. 1838.*

GABRIEL Ich habe dir hier aufs Fenster einen Band Gedichte gelegt.
CLEMENS Keats?
GABRIEL Nein, es sind deutsche Gedichte. Sie bilden eine Einheit, so sind sie angeordnet. Das Ganze heißt »Das Jahr der Seele«. Da ist der Herbst. Es beginnt mit dem Herbst.

Die Wespen mit den goldengrünen Schuppen
Sind von verschlossnen Kelchen fortgeflogen,
Wir fahren mit dem Kahn in weitem Bogen
Um bronzebraunen Laubes Inselgruppen.

CLEMENS Das ist der Herbst. Aber lies ein Ganzes oder gar nichts.
GABRIEL Kannst du zuhören?

Komm in den totgesagten Park und schau:
Der Schimmer ferner lächelnder Gestade,
Der reinen Wolken unverhofftes Blau
Erhellt die Weiher und die bunten Pfade.

Dort nimm das tiefe Gelb, das weiche Grau
Von Birken und von Buchs: der Wind ist lau,
Die späten Rosen welkten noch nicht ganz,
Erlese, küsse sie und flicht den Kranz.

Vergiß auch diese letzten Astern nicht,
Den Purpur um die Ranken wilder Reben
Und auch was übrig blieb vom grünen Leben
Verwinde leicht im herbstlichen Gesicht.

CLEMENS Es ist schön. Es atmet den Herbst. Obwohl es kühn ist, zu sagen, »der reinen Wolken unverhofftes Blau«, da diese Buchten von sehnsuchterregendem sommerhaften Blau ja *zwischen* den Wolken sind. Aber freilich nur an den Rändern *reiner* Wolken. Nirgends sonst auf dem ganzen verschlissenen rauhen Gefilde des herbstlichen Himmels. Goethe hätte dies »reiner Wolken« geliebt. Und »unverhofftes Blau« ist tadellos. Es ist schön. Ja, es ist der Herbst.
GABRIEL Willst du noch mehr Herbst?

Vom Tore, dessen Eisenlilien rosten,
Entfliegen Vögel zum verdeckten Rasen
Und andre trinken frierend auf den Pfosten
Vom Regen aus den hohlen Blumenvasen.

Noch mehr?

Wir suchen nach den schattenfreien Bänken – –
Wir laben uns am langen milden Leuchten,

Wir fühlen dankbar, wie zum leisen Brausen
Von Wipfeln Strahlenspuren auf uns tropfen,
Und blicken nur und horchen, wenn in Pausen
Die reifen Früchte an den Boden klopfen.

CLEMENS Ich bitte dich: lies ein Ganzes oder gar nichts.
GABRIEL Willst du den Winter? Willst du den Sommer? Die abenteuernde Sehnsucht des Sommers? Die Beklommenheit des Sommers? Den Sommermorgen? Den Sommerabend?

Der Hügel, wo wir wandeln, liegt im Schatten,
Indes der drüben noch im Lichte webt,
Der Mond auf seinen zarten grünen Matten
Nur erst als kleine weiße Wolke schwebt.

Die Straßen weithin deutend werden blasser,
Den Wandrern bietet ein Gelispel Halt:
Ist es vom Berg ein unsichtbares Wasser,
Ist es ein Vogel, der sein Schlaflied lallt?

CLEMENS

Der Mond auf seinen zarten grünen Matten
Nur erst als kleine weiße Wolke schwebt...

Ich sehe eine Landschaft meiner Kindheit. Es scheint ein schönes Buch zu sein, dieses »Jahr«. Warum eigentlich: »Jahr der Seele«? Ich liebe die einfachen Überschriften.

GABRIEL Ich auch, darum scheint mir diese so ausgezeichnet. Denn hier ist ein Herbst, und mehr als ein Herbst. Hier ist ein Winter, und mehr als ein Winter. Diese Jahreszeiten, diese Landschaften sind nichts als die Träger des *Anderen*.
Sind nicht die Gefühle, die Halbgefühle, alle die geheimsten und tiefsten Zustände unseres Inneren in der seltsamsten Weise mit einer Landschaft verflochten, mit einer Jahreszeit, mit einer Beschaffenheit der Luft, mit einem Hauch? Eine gewisse Bewegung, mit der du von einem hohen Wagen abspringst; eine schwüle sternlose Sommernacht; der Geruch feuchter Steine in einer Hausflur; das Gefühl eisigen Wassers, das aus einem Laufbrunnen über deine Hände sprüht: an ein paar tausend solcher Erdendinge ist dein ganzer innerer Besitz geknüpft, alle deine Aufschwünge, alle deine Sehnsucht, alle deine Trunkenheiten. Mehr als geknüpft: mit den Wurzeln ihres Lebens festgewachsen daran, daß – schnittest du sie mit dem Messer von diesem Grunde ab, sie in sich zusammen schrumpften und dir zwischen den Händen zu nichts vergingen. Wollen wir uns finden, so dürfen wir nicht in unser Inneres hinabsteigen: draußen sind wir zu finden, draußen. Wie der wesenlose Regenbogen spannt sich unsere Seele über den unaufhaltsamen Sturz des Daseins. Wir besitzen unser Selbst nicht: von außen weht es uns an, es flieht uns für lange und kehrt uns in einem Hauch zurück. Zwar – unser »Selbst«! Das Wort ist solch eine Metapher. Regungen kehren zurück, die schon einmal früher hier genistet haben. Und sind sies auch wirklich selber wieder? Ist es nicht vielmehr nur ihre Brut, die von einem dunklen Heimatgefühl hierher zurückgetrieben wird? Genug, etwas kehrt wieder. Und etwas begegnet sich in uns mit anderem. Wir sind nicht mehr als ein Taubenschlag.

CLEMENS Seltsam, daß dich dieser Gedankengang darauf führt. Ich bin auf einem anderen Wege darauf gekommen, auf einem ganz anderen: es ist schwer, nicht daran zu zweifeln, daß es in der menschlichen Natur irgend eine Wesenheit gibt. Furchtbar ist es, die Gewalt der Äußerlichkeiten zu erwägen: es muß unendlich schwer sein, ein Drama zu schreiben, und unendlich hart, über einen Mörder zu Gericht zu sitzen.

GABRIEL Aber es ist wundervoll, wie diese Verfassung unseres Daseins der Poesie entgegenkommt: denn nun darf sie, statt in der engen Kammer unseres Herzens, in der ganzen ungeheueren, unerschöpflichen Natur wohnen. Wie Ariel darf sie sich auf den Hügeln der heroischen purpurstrahlenden Wolken lagern und in den zitternden Wipfeln der Bäume nisten; sie darf sich vom wollüstigen Nachtwind hinschleifen lassen und sich auflösen in einen Nebelstreif, in den feuchten Atem einer Grotte, in das flimmernde Licht eines einzelnen Sternes. Und aus allen ihren Verwandlungen, allen ihren Abenteuern, aus allen Abgründen und allen Gärten wird sie nichts anderes zurückbringen als den zitternden Hauch der menschlichen Gefühle. Treibe sie, die wie Ariel keines Schlafes bedarf, empor, hoch über die dumpfe schlaftrunkene Erde, dorthin, wo an dem lichten Himmel ein einzelner Stern, ein heiliger Wächter, sich kühn und treu entzündet, stets an der gleichen Stelle, über dem zitternden Lichtabgrund im Westen, der dem Durchgang der Sonne nachbebt: laß sie aus Geisternähe, aus einer Höhe, die kein Adler kreisend erklimmt, dies Schauspiel in sich saugen – und wenn sie herabtaumeln wird, zurück zu dir, wird sie beladen sein mit einem ungeheuren, aber einem menschlichen Gefühl. Denn sie hat keine Grenzen ihres Fluges, aber in ihrem Wesen ist sie begrenzt: wie könnte sie aus irgend einem Abgrund der Welten etwas anderes zurückbringen als menschliche Gefühle, da sie doch selbst nichts anderes ist als die menschliche Sprache!

CLEMENS Sie ist doch nicht ganz die Sprache, die Poesie. Sie ist vielleicht eine gesteigerte Sprache. Sie ist voll von Bildern und Symbolen. Sie setzt eine Sache für die andere.

GABRIEL Welch ein häßlicher Gedanke! Sagst du das im Ernst? Niemals setzt die Poesie eine Sache für eine andere, denn es ist gerade die Poesie, welche fieberhaft bestrebt ist, die Sache selbst zu setzen, mit einer ganz anderen Energie als die stumpfe Alltagssprache, mit einer ganz anderen Zauberkraft als die schwächliche Terminologie der Wissenschaft. Wenn die Poesie etwas tut, so ist es das: daß sie aus jedem Gebilde der Welt und des Traumes mit durstiger Gier sein Eigenstes, sein Wesenhaftestes herausschlürft, so wie jene Irrlichter in dem Märchen, die überall das Gold herauslecken. Und sie tut es aus dem gleichen Grunde: weil sie sich von dem Mark der Dinge nährt, weil sie elend verlöschen würde, wenn sie dies nährende Gold nicht aus allen Fugen, allen Spalten in sich zöge.

CLEMENS Es gibt also keine Vergleiche? Es gibt keine Symbole?

GABRIEL Oh, vielmehr, es gibt nichts als das, nichts anderes. Aber ich glaube, ich langweile dich, wir wollen von etwas anderem sprechen. Wir könnten ausgehen, willst du? Wie du willst. Da ist noch ein schönes Gedicht, aus denen des »Sommers«.

Gemahnt dich noch das schöne Bildnis dessen,
Der nach den Schluchtenrosen kühn gehascht,
Der über seiner Jagd den Tag vergessen,
Der von der Dolden vollem Seim genascht?

Der nach dem Parke sich zur Ruhe wandte,
Trieb ihn ein Flügelschillern allzuweit,
Der sinnend saß an jenes Weihers Kante
Und lauschte in die tiefe Heimlichkeit.

Und von der Insel moosgekrönter Steine
Verließ der Schwan das Spiel des Wasserfalls
Und legte in die Kinderhand, die feine,
Die schmeichelnde, den schlanken Hals.

CLEMENS Ja, das ist schön. Das ist der Zauberkreis der Kindheit, in dem reinen tiefen Spiegel unstillbarer Sehnsucht aufgefangen. Wie rein es ist! Es schwebt wie eine freie leichte kleine Wolke hoch über einem Berg. Wie rein es ist! Es drückt einen grenzenlosen Zustand so einfach aus.

GABRIEL Das tun alle Gedichte, alle guten zum mindesten. Alle drücken sie einen Zustand des Gemütes aus. Das ist die Berechtigung ihrer Existenz. Alles andere müssen sie anderen Formen überlassen: dem Drama, der Erzählung. Nur diese können Situationen schaffen. Nur diese können das Spiel der Gefühle zeigen.
CLEMENS Ich meine, dieses Gedicht drückt einen Zustand so ganz einfach aus. Es bedient sich keines Symbols. Ich erinnere ein anderes, das du früher gerne hattest. Zwei Schwäne kamen vor. War es nicht von Hebbel?
GABRIEL Es ist von Hebbel. Dieses ist es:

Von dunkelnden Wogen
Hinunter gezogen,
Zwei schimmernde Schwäne, die gleiten daher:
Die Winde, sie schwellen
Allmählich die Wellen,
Die Nebel, sie senken sich finster und schwer.

Die Schwäne sie meiden
Einander und leiden,
Nun tun sie es nicht mehr: sie können die Glut
Nicht länger verschließen,
Sie wollen genießen,
Verhüllt von den Nebeln, gewiegt von der Flut.

Sie schmeicheln, sie kosen,
Sie trotzen dem Tosen
Der Wellen, die Zweie in Eins verschränkt:
Wie die sich auch bäumen,
Sie glühen und träumen,
In Liebe und Wonne zum Sterben versenkt.

Nach innigem Gatten
Ein süßes Ermatten.
Da trennt sie die Woge, bevor sies gedacht.
Laßt ruhn das Gefieder!
Ihr seht euch nicht wieder,
Der Tag ist vorüber, es dämmert die Nacht.

Mein Freund, auch dieses Gedicht drückt einen Zustand aus und nichts weiter, einen tiefen Zustand des Gemüts, voll banger Wollust, voll trauervoller Kühnheit.

CLEMENS Und diese Schwäne? Sie sind ein Symbol? Sie bedeuten –

GABRIEL Laß mich dich unterbrechen. Ja, sie bedeuten, aber sprich es nicht aus, was sie bedeuten: was immer du sagen wolltest, es wäre unrichtig. Sie bedeuten hier nichts als sich selber: Schwäne. Schwäne, aber freilich gesehen mit den Augen der Poesie, die jedes Ding jedesmal zum erstenmal sieht, die jedes Ding mit allen Wundern seines Daseins umgibt: dieses hier mit der Majestät seiner königlichen Flüge; mit der lautlosen Einsamkeit seines strahlenden weißen Leibes, auf schwarzem Wasser trauervoll, verachtungsvoll kreisend; mit der wunderbaren Fabel seiner Sterbestunde... Gesehen mit diesen Augen sind die Tiere die eigentlichen Hieroglyphen, sind sie lebendige geheimnisvolle Chiffren, mit denen Gott unaussprechliche Dinge in die Welt geschrieben hat. Glücklich der Dichter, daß auch er diese göttlichen Chiffren in seine Schrift verweben darf –

CLEMENS Und dennoch glaubte ich dich sagen zu hören, daß die Poesie niemals eine Sache für eine andere setzt.

GABRIEL Niemals tut sie das. Wenn sie das täte, müßte man sie austreten wie ein häßliches schwelendes Irrlicht. Was wollte sie dann neben der gemeinen Sprache? Verwirrung stiften? Papierblüten an einen lebendigen Baum hängen?

CLEMENS Und diese Schwäne? und alle deine andern Chiffren?

GABRIEL Es sind Chiffren, welche aufzulösen die Sprache ohnmächtig ist. Verstehst du mich? Jener herbstliche Park, diese von der Nacht umhüllten Schwäne – du wirst keine Gedankenworte, keine Gefühlsworte finden, in welchen sich die Seele jener, gerade jener Regungen entladen könnte, deren hier ein Bild sie entbindet. Wie gern wollte ich dir das Wort »Symbol« zugestehen, wäre es nicht schal geworden, daß michs ekelt. Man müßte ein Gespräch wie dieses mit Kindern, mit Frommen oder mit Dichtern führen können. Dem Kind ist alles ein Symbol, dem Frommen ist Symbol das einzig Wirkliche und der Dichter vermag nichts anderes zu erblicken.

CLEMENS Du springst: – die Symbole des Glaubens? Wir sprachen von Gedichten.

GABRIEL Das tue ich noch. Aber ich möchte ein vom tiefsten Geist der Sprache geprägtes Wort erst von seiner Lehmkruste reinigen. Weißt du, was ein Symbol ist?... Willst du versuchen dir vorzustellen, wie das Opfer entstanden ist? Mir ist, als hätten wir früher einmal darüber gesprochen. Ich meine das Schlachtopfer, das hingeopferte Blut und Leben eines Rindes, eines Widders, einer Taube. Wie konnte man denken, dadurch die erzürnten Götter zu begütigen? Es bedarf einer wunderbaren Sinnlichkeit, um dies zu denken, einer bewölkten lebenstrunkenen orphischen Sinnlichkeit. Mich dünkt, ich sehe den ersten, der opferte. Er fühlte, daß die Götter ihn haßten: daß sie die Wellen des Gießbaches und das Geröll der Berge in seinen Acker schleuderten; daß sie mit der fürchterlichen Stille des Waldes sein Herz zerquetschen wollten, oder er fühlte, daß die gierige Seele eines Toten nachts mit dem Wind hereinkam und sich auf seine Brust setzte, dürstend nach Blut. Da griff er, im doppelten Dunkel seiner niedern Hütte und seiner Herzensangst, nach dem scharfen krummen Messer und war bereit, das Blut aus seiner Kehle rinnen zu lassen, dem furchtbaren Unsichtbaren zur Lust. Und da, trunken vor Angst und Wildheit und Nähe des Todes, wühlte seine Hand, halb unbewußt, noch einmal im wolligen warmen Vließ des Widders. – Und dieses Tier, dieses Leben, dieses im Dunkel atmende, blutwarme, ihm so nah, so vertraut -- auf einmal zuckte dem Tier das Messer in die Kehle, und das warme Blut rieselte zugleich an dem Vließ des Tieres und an der Brust, an den Armen des Menschen hinab: und einen Augenblick lang muß er geglaubt haben, es sei sein eigenes Blut; einen Augenblick lang, während ein Laut des wollüstigen Triumphes aus seiner Kehle sich mit dem ersterbenden Stöhnen des Tieres mischte, muß er die Wollust gesteigerten Daseins für die erste Zuckung des Todes genommen haben: er muß, einen Augenblick lang, in dem Tier gestorben sein, nur so konnte das Tier für ihn sterben. Daß das Tier für ihn sterben konnte, wurde ein großes Mysterium, eine große geheimnisvolle Wahrheit. Das Tier starb hinfort den symbolischen Opfertod. Aber alles ruhte darauf, daß auch er in dem Tier gestorben war, einen Augenblick lang. Daß sich sein Dasein, für die Dauer eines Atemzugs, in dem fremden Dasein aufgelöst hatte. – Das ist die Wurzel aller Poesie: wie durchsichtig im Großen: denn was ist klarer, als daß sich mein Fühlen in Hamlet auflöst, solange Hamlet auf der Bühne steht und mich hypnotisiert? Aber wie durchsichtig auch im Kleinen: faßt mich, für eines Gedankenblitzes Dauer, nicht das Gefieder jener Schwäne so gut wie Hamlets Haut? Aber es wirklich zu glauben, zu glauben, daß es wirklich so ist! Diese Magie ist uns so furchtbar nahe: nur darum ist es so schwer, sie zu erkennen. Die Natur hat kein anderes Mittel, uns zu fassen, uns an sich zu reißen, als diese Bezauberung. Sie ist der Inbegriff der Symbole, die uns bezwingen. Sie ist, was unser Leib ist, und unser Leib ist, was sie ist. Darum ist Symbol das Element der Poesie, und darum setzt die Poesie niemals eine Sache für eine andere: sie spricht Worte aus, um der Worte willen, das ist ihre Zauberei. Um der magischen Kraft willen, welche die Worte haben, unseren Leib zu rühren, und uns unaufhörlich zu verwandeln.

CLEMENS Mir entschwindet, was du mit dem Menschen wolltest, der das Blut des Tieres anstatt seines eigenen vergoß?

GABRIEL Er vollbrachte eine symbolische Handlung. Er starb in dem Tiere, Clemens, weil er sich einen Augenblick lang in dies fremde Dasein aufgelöst hatte, weil einen Augenblick lang wirklich sein Blut aus der Kehle des Tieres gequollen war. –

CLEMENS Du sagst *wirklich,* Gabriel?

Eine Pause

CLEMENS Er starb in dem Tier. Und wir lösen uns auf in den Symbolen. So meinst du es?

GABRIEL Freilich. Soweit sie die Kraft haben, uns zu bezaubern.

CLEMENS Woher kommt ihnen diese Kraft? Wie konnte er in dem Tier sterben?

GABRIEL Davon, daß wir und die Welt nichts Verschiedenes sind.

CLEMENS Etwas Seltsames liegt in dem Gedanken, etwas Beunruhigendes.

GABRIEL Im Gegenteil, etwas unendlich Ruhevolles. Es ist das einzig Süße, einen Teil seiner Schwere abgegeben zu sehen, und wäre es nur für die mystische Frist eines Hauches. In unserem Leib ist das All dumpf zusammengedrückt: wie selig, sich tausendfach der furchtbaren Wucht zu entladen.

CLEMENS Und dennoch, ist mir, muß es Gedichte geben, die schön sind ohne diese schwüle Bezauberung. Es gibt Lieder von Goethe, welche leicht sind wie ein Hauch und einfach wie eine Mozartsche Melodie. Es gibt antike Gedichte, welche so sind wie ein dunkles Weinblatt gegen den blauen Abendhimmel. Die Anthologie ist voll von solchen. Du kennst sie besser als ich.

GABRIEL Ich kenne sie: Der Gärtner Lamon opfert dem Priapus die schönsten Früchte: in den Bastkorb legt er schöne gezackte Blätter und darauf den Granatapfel, den aufgesprungenen, dem das feuchte, zitternde, purpurne Fleisch die tausend süßen Kerne umhüllt; runzlige Feigen legt er dazu und die rötlich schimmernde erdbeerduftende Traube, und flaumige Quitten, die reifende Nuß, die schon ihr grünes Gehäuse sprengt, und saftgeschwellte Gurken: so legt er es auf den Altar des Gottes anstatt eines Gebetes für sein eigenes Leben und für die Gesundheit seiner Bäume. Und Niko, die Zauberin, opfert der Kypris den amethystnen Kreisel, umsponnen mit Fäden purpurner Wolle, den zauberkräftigen Kreisel, mit dem sie Männer heranzieht über das Meer, Mädchen hervorlockt aus der Kammer. Ein Mädchen setzt der toten Zikade, die zwei Jahre in ihrer Schlafkammer wohnte, ein Grabmal. Fischer ziehen das schwere Netz empor und finden einen vom Meer verschlungenen Mann, zur Hälfte verzehrt von Fischen. Und sie begraben ihn und die Fische mit ihm unter dem spärlichen Sand des Felsenstrandes; daß die Erde ihn ganz zurücknehme, begraben sie mit ihm die Fische, die ihn angenagt, die von ihm gezehrt haben. Eine schwellende Traube liegt auf dem Altar der Aphrodite, das Dankgeschenk für eine süße, gnädig gewährte Nacht, liegt da, überantwortet der göttlichen Gewalt, nackt, allein, und nicht mehr breitet die Mutter um sie die freundlichen Ranken, umschattet nicht mehr ihren nackten jungen Leib mit Blättern, die süß duften, voll lauen heimlichen Dunkels.

CLEMENS Und die, welche keltern! und die, welche lieben! weißt du keines Wort für Wort?

GABRIEL Die, welche keltern, fühlen sich wie die Götter. Es ist ihnen, als wäre Bacchus mitten unter ihnen beim nächtlichen Werk. Als stampfte er neben ihnen, das lange Gewand hinaufgenommen bis übers Knie, im roten Saft, dessen Hauch schon trunken macht. Gleichzeitig sind sie Badende und Tanzende: und die Trunkenheit ihres Tanzes ist es, die ihnen das Bad immer höher und höher steigen macht. Stromweis fließt von der Kelter der Most; wie kleine Schiffe schaukeln die hölzernen Schöpfbecher auf der purpurnen Flut. Da bückt sich die schöne Rhodanta tief zur Kelter hinab, und schon ist ihr das weiße leinene Gewand durchnäßt, schon glänzt es triefend ihr um Brust und Hüften:

Da schlug jeglichem höher die Brust, und keiner von uns war,
Welcher dem Bacchus nicht und Aphroditen erlag.

Im dunstigen Dunkel, unter Schreien, unter taumelndem Fackelschein, unterm Sprühen des Blutes der Traube, ist auf einmal Aphrodite aus dem Purpurschaum geboren: Bacchus hob sich aus der Kelter, wild wie eine springende Welle, und durchtränkte ein Gewand, daß es niederfloß wie eine leuchtende Nacktheit, und schuf aus einem Mädchen die Göttin, um deren Leib Verlangen und Entzücken fließt.

CLEMENS Und jene süßen, schamlosen? Jenes, wo sie die Gewänder tauschen und einander aufs neue fester umschlingen? Und jenes, wo sie ineinander verflochten sind und die Götter herausfordern, wo sie sich einander in die Arme sehnen und das Netz des Hephästos um sich herum wünschen und die Götter und Menschen sich herbeiwünschen, sie zu sehen, sie zu beneiden? Sind sie nicht alle schön, diese Gedichte, einfach und schön wie die schönen Muscheln mit rosigem Mund? Sind sie nicht so schön wie schöne flache Trinkschalen aus Onyx und Jadestein? Nicht schön wie ein kupfernes getriebenes Becken, bis an den Rand mit lauterem Wasser gefüllt? Wie die steinerne Brücke, die in einem Bogen über den Bergfluß hinsetzt? Wie das geschwungene Joch der pflügenden Stiere? Und hat Goethe sie nicht geliebt wie nichts zweites auf der Welt? War er nicht selig, als er sie fand, wie der Wanderer, wenn er die Berghalde niederklimmt und zwischen Moos und Gestein, eine Herberge der Eidechsen, ein wundervolles marmornes Gebilde findet, das leuchtende Trümmer eines Götterbildes, die feine gebietende Hand, oder die strahlende Schulter mit dem Knoten des Gewandes? Hat er nicht von da an die Töne seiner Jugend verschmäht und alles in diese Pansflöte gehaucht? Wurden nicht von da an das odysseische Schiff und die leierförmig gekrümmte Bucht, wurden nicht der Fruchtkorb, der Kranz, der marmorne Brunnenrand, das Bett, auf dem Tibull nach der Geliebten seufzte, wurden nicht Pferch und Speicher Vergils, und die idyllischen Weiden des Bion, wurden nicht alle diese geformten Gebilde, alle diese Dinge, welche die Hand der Götter geformt hat, welche wie getriebene Arbeit von den Hämmern des Hephästos den funkelnden kreisrunden Schild der Erde zieren, wurden sie nicht die Heimat seiner Seele? Fühlte er sich nicht dem Bildner näher verwandt als dem Redner? Wen hat er so gepriesen wie jenen, der mit kunstreichen Händen den Brustschmuck der ephesischen Diana schuf? In den Euphrat kühn zu greifen, die Flut in den Händen zu ballen, das war ihm Dichten. Spottete er nicht der Schweifenden? Der ewig Sehnenden? Derer, denen nichts frommt, als ein unablässiges Dürsten nach dem Durste? War ihm nicht die Natur die ewige Bildnerin? Waren ihm nicht alle Kräfte, alle Dämonen, selber die Schmerzen noch Bildner? Antworte mir, Gabriel, ist der geformte Gedanke nicht schön? Hat er nicht den Glanz des Lebens verzehnfacht in sich, wie die Perlen den feuchten Schimmer der nackten Hand in sich saugen und zehnfach widerstrahlen?

GABRIEL Ja, der Gedanke ist etwas Schönes und du hast so großes Recht, ihn der Perle und dem Edelstein zu vergleichen. Diesen beiden gleicht er, die schöner sind als alles Blühen und Leben, weil sie über das Blühen und Leben und Sterben hinaus sind. Und für eine junge Welt, die daliegt in Blindheit, ist er das Wunder der Wunder. Was ein Vogel in der Luft für den Seemann, für den, der die Hundswache hat und allein dalehnt, in den Mantel gewickelt: totenstill das schwere dunkle Meer und darüber nicht Nacht nicht Tag; über den grauen kahlen Inseln hängen Wolkenbänke, regungslos, als hingen sie hier seit Tausenden von Jahren, Inseln der Luft; das Deck, die Raaen überziehen sich mit einem blauen dunstigen Licht, das an ihnen herunterfließt und in die Atmosphäre hineinsickert; unerträglich ist die wortlose Erwartung, die Stummheit der lichtlosen, der schattenlosen Welt: was hier der Flügelschlag eines wundervollen Meervogels ist, der heransegelt hoch im Osten, königlich die Schwingen schlagend, der erste Abglanz des heraufblitzenden Tages funkelnd auf ihm: das ist für eine frühe dumpfe Welt der Gedanke. Wir aber sind reicher an Gedanken, als der endlose Meeresstrand an Muscheln. Was uns not tut, ist der Hauch.

Wovon unsere Seele sich nährt, das ist das Gedicht, in welchem, wie im Sommerabendwind, der über die frischgemähten Wiesen streicht, zugleich ein Hauch von Tod und Leben zu uns herschwebt, eine Ahnung des Blühens, ein Schauder des Verwesens, ein Jetzt, ein Hier und zugleich ein Jenseits, ein ungeheueres Jenseits. Jedes vollkommene Gedicht ist Ahnung und Gegenwart, Sehnsucht und Erfüllung zugleich. Ein Elfenleib ist es, durchsichtig wie die Luft, ein schlafloser Bote, den ein Zauberwort ganz erfüllt; den ein geheimnisvoller Auftrag durch die Luft treibt: und im Schweben entsaugt er den Wolken, den Sternen, den Wipfeln, den Lüften den tiefsten Hauch ihres Wesens und der Zauberspruch aus seinem Munde tönt getreu und doch wirr, durchflochten mit den Geheimnissen der Wolken, der Sterne, der Wipfel, der Lüfte. Und Goethe? Seine Taten sind vielfältig wie die Taten eines wandernden Gottes. Er gleicht dem Herakles, dessen Abenteuer, jedes eingehüllt in eine Glorie, jedes wohnend in einer anderen Landschaft, nichts voneinander wissen. Die Lieder seiner Jugend sind nichts als ein Hauch. Jedes ist der entbundene Geist eines Augenblickes, der sich aufgeschwungen hat in den Zenith und dort strahlend hängt und alle Seligkeit des Augenblickes rein in sich saugt und verhauchend sich löst in den klaren Äther. Und die Gedichte seines Alters sind zuweilen wie die dunklen tiefen Brunnen, über deren Spiegel Gesichte hingleiten, die das aufwärts starrende Auge nie wahrnimmt, die für keinen auf der Welt sichtbar werden als für den, der sich hinabbeugt auf das tiefe dunkle Wasser eines langen Lebens. Meinst du wirklich, er habe immer und immer den geformten Gedanken ans Licht der Sonne gehoben wie eine gestielte Schale aus Sardonyx und Chrysopras? Hör zu:

Sagt es niemand, nur den Weisen,
Weil die Menge gleich verhöhnet,
Das Lebendge will ich preisen,
Das nach Flammentod sich sehnet.

In der Liebesnächte Kühlung,
Die dich zeugte, wo du zeugtest,
Überfällt dich fremde Fühlung,
Wenn die stille Kerze leuchtet.

Nicht mehr bleibest du umfangen
In der Finsternis Beschattung
Und dich reißet neu Verlangen
Auf zu höherer Begattung.

Keine Ferne macht dich schwierig,
Kommst geflogen und gebannt
Und zuletzt, des Lichts begierig,
Bist du, Schmetterling, verbrannt.

Und so lang du das nicht hast
Dieses: Stirb und werde!
Bist du nur ein trüber Gast
Auf der dunklen Erde.

Hörst du diesen Laut, wie von einem verzauberten Nachtvogel hineingesungen in das Zimmer, wo einer stirbt? Man sagt, er habe es in der Nacht gemacht, in welcher Christiane Vulpius gestorben war. Das wirkliche Erlebnis der Seele, welche Worte möchten es ausdrücken, wenn nicht bezauberte! Ein Augenblick kommt und drückt aus tausenden und tausenden seinesgleichen den Saft heraus, in die Höhle der Vergangenheit dringt er ein und den tausenden von dunklen erstarrten Augenblicken, aus denen sie aufgebaut ist, entquillt ihr ganzes Licht: was niemals da war, nie sich gab, jetzt ist es da, jetzt gibt es sich, ist Gegenwart, mehr als Gegenwart; was niemals zusammen war, jetzt ist es zugleich, ist es beisammen, schmilzt ineinander die Glut, den Glanz und das Leben. Die Landschaften der Seele sind wunderbarer als die Landschaften des gestirnten Himmels: nicht nur ihre Milchstraßen sind Tausende von Sternen, sondern ihre Schattenklüfte, ihre Dunkelheiten sind tausendfaches Leben, Leben, das lichtlos geworden ist durch sein Gedränge, erstickt durch seine Fülle. Und diese Abgründe, in denen das Leben sich selber verschlingt, kann ein Augenblick durchleuchten, entbinden, Milchstraßen aus ihnen machen. Und diese Augenblicke sind die Geburten der vollkommenen Gedichte, und die Möglichkeit vollkommener Gedichte ist ohne Grenzen wie die Möglichkeit solcher Augenblicke. Wie wenige gibt es dennoch, Clemens, wie sehr wenige. Aber daß ihrer überhaupt welche entstehen, ist es nicht wie ein Wunder? Daß es Zusammenstellungen von Worten gibt, aus welchen, wie der Funke aus dem geschlagenen dunklen Stein, die Landschaften der Seele hervorbrechen, die unermeßlich sind wie der gestirnte Himmel, Landschaften, die sich ausdehnen im Raum und in der Zeit, und deren Anblick abzuweiden in uns ein Sinn lebendig wird, der über alle Sinne ist. Und dennoch entstehen solche Gedichte…

UNTERHALTUNG ÜBER DIE SCHRIFTEN VON GOTTFRIED KELLER

Unter den jungen, nicht überjungen Freunden, die in einer hölzernen luftigen Laube saßen, auf die Gartenecke gebaut, dort wo die rebenbekletterten Mauern zusammenstießen, kam das Gespräch unversehens auf diese leuchtende Materie.
Denn sie unterhielten sich zunächst keineswegs über Bücher, sondern über Feste, von denen keiner weder daheim noch in der Fremde ein besonders schönes wollte miterlebt haben, es sei denn, daß aus der Kinderzeit noch die Feuerkugeln und fallenden Funken eines schönen Feuerwerks im Gedächtnis aufglühten. Nur das alte liebliche Fronleichnam nahmen sie als österreichische Landeskinder aus, aber von weltlichen oder gar künstlerischen Festen und Umzügen, von römischen, künstlerischen Münchner und Pariser Karnevalen, die ihnen begegnet waren, hieß es, sie wären nicht der Mühe wert gewesen. Dergleichen gibt es ja gar nicht mehr, wurde kurz gesagt, es existiert dies alles nur mehr in der »Woche«, nicht aber in der Welt. Da erinnerte einer an die Bücher von Keller, die voll mit dergleichen Festen sind. »Den ›Grünen Heinrich‹ haben mir«, sagte der Legationssekretär, »diese nicht enden wollenden Münchener Künstlerfeste auch wirklich verleidet. Wie schön wäre das Buch, wenn es nur seinen Anfang hätte und das andere verlorengegangen wäre. Dieses Anfangs erinnert man sich ja wirklich gar nicht wie einer gelesenen, sondern wie einer erlebten Sache. Wie ist das schön, wie ist da ein gutes Ding und Erlebnis zum anderen gelegt, eins aufs andere gehäuft; wie schönes, ausgesuchtes Obst in einem Korb liegen da die jugendlichen Glückstage aufeinander.« – »Glückstage?« sagte der Musiker; »aber es geht ihm ja gar nicht so gut.« – »Ob es ihm gut geht oder nicht, das weiß ich nicht mehr. Aber ein Glanz ist auf alledem, ein Glanz der Jugend, ein Glanz des Lebens.« – »Ein Glanz der Weisheit, sag es nur, du hast ja zu einer Steigerung angesetzt.« Das sagte der dritte

von den vier Freunden, der ein bescheidener Gutsbesitzer war und ein nicht untüchtiger Literat, die letztere Bezeichnung aber nicht erfreulich gefunden hätte. »Die Kraft der Weisheit spielt hier mit dem wüsten Durcheinander des Lebens und bildet daran und läßt ihren Glanz auf allem, was sie gebildet hat, spielen, so wie die Natur selber alles, was sie als ihr Gebild aus ihren Händen läßt, mit einem solchen Glanz überzieht. Dies bewundere ich am höchsten in den Werken dieses Mannes: die Kraft, die allem, selbst dem Albernsten, dem Gemischtesten, noch eine Form gibt, vermöge deren es für einen Augenblick lebt und leuchtet.« – »Was verstehst du unter dem ›Gemischtesten‹?« warf der Maler hinein, der bis nun geschwiegen hatte und mit der Feder auf eine Visitenkarte eine große Weinbergschnecke zu zeichnen versuchte, die regungslos an der Mauer hing.

»Ich glaube, ich verstehe ihn«, sagte schnell der Legationssekretär, »und gerade das, was er meint, ist es auch, wodurch mir zuerst die Überlegenheit dieser Bücher aufgegangen ist. Denn ich bekam die ›Leute von Seldwyla‹, schön gebunden, als Abschiedsgeschenk von Mutius, als ich von Petersburg fortkam, und später dann in Rom las ich öfter darin, ohne mich in diese wunderliche, halb spießbürgerliche, halb phantastische Welt recht hineinzufinden, und besaß das Buch schon eine ganze Weile, ohne recht zu merken, was seine Stärke ausmacht. Die liegt gerade in der unbegreiflich feinen und sicheren Schilderung gemischter Zustände. Von denen ist ja die Welt so voll, daß man, wenn man gezwungen ist, viel unter die Leute zu gehen, fast auf nichts anderes stößt als auf die sonderbarsten Kombinationen von Anmaßung und Unsicherheit, von Hochmut und Bassesse, von Großtuerei und Feigheit, von Prahlerei, die in Hilflosigkeit umschlägt, oder von Eitelkeit, die zur Böswilligkeit abbiegt. Jeder zweite steckt in einer schiefen Position oder betreibt die Verschleierung von allem möglichen vor sich selber oder vor anderen. Und das alles führt selten zu Katastrophen, sondern vollzieht sich in kaum definierbaren Übergängen; die sind aber so im Schatten, und die Farben liegen so aufeinander, daß man kaum etwas davon sieht. In den Büchern von Keller liegt aber dies so im Licht, als wäre einer mit einem Schwamm von Öl über die dunkelsten Stellen eines verjährten Bildes gefahren. Wenn man sich in ihn hineingelesen hat, ist einem der Sinn geweckt für ganz unglaubliche Übergänge vom Lächerlichen ins Ergreifende, vom Patzigen, widerlich Albernen ins Wehmütige. Ich glaube, keiner hat wie er die Verlegenheit gemalt, in allen ihren Tönen, auch die ultravioletten, die man für gewöhnlich nicht zu sehen bekommt, mitgerechnet. Erinnert euch doch nur der unvergleichlichen Briefe, die er von dummen, gespreizten Menschen komponieren läßt. Oder der Figuren von Schwindlern und Betrügern. Oder gelegentlich von Selbstbetrügern, wie des schöngeistigen fortschrittlichen Pfarrers in der schönen Geschichte vom ›Verlorenen Lachen‹. Oder aber wieder von guten und rührenden Menschen, solcher ganz kleiner Züge, die man doch kaum wird vergessen können, und hätte man das Buch dreißig Jahre nicht in der Hand gehabt: da ist ein alter Mann, er heißt, glaube ich, Jakob Weidelich, und es kommt, wenn ich nicht irre, im ›Salander‹ vor: wie der alte Mann erfährt, daß seine beiden Söhne – das sind zwei solche köstliche Schwindler, die Zwillingsbrüder, die Notare und Defraudanten – zu je zwölf Jahren Zuchthaus verurteilt sind, und wie er gleich darauf sich auf den Brunnenrand setzt und dem Vieh trinken zusieht, in der schwermütigen Zerstreutheit, die den Gang der bittersten Lebensstunde einen Augenblick aufhält – wo bleibt da Klein und Groß, wenn man an einen solchen Zug denkt. Man fühlt nur: da ists! Man fühlt: das ist mehr als eine Viehtränke, was ich da fließen und rauschen höre –, man fühlt: da bin ich jetzt und bin zugleich ganz woanders; man sieht die Worte an, mit denens gemacht ist, zwei Reihen toter schwarzer Buchstaben, und begreifts kaum.« – »Ja, der war jemand«, sagte der Maler, »und auch der Maler, der in ihm steckte, muß etwas gewesen sein. Zwar um dessentwillen, was im ›Grünen Heinrich‹ von Malerei und Bildern geredet wird, sag ichs nicht, das ist mir im tiefsten zuwider, aber anderswo ist dann und wann von der Farbe und dem Schatten und dem Licht ein Gebrauch gemacht, daß man nicht weiß, wo man mit sich hin soll vor tiefem Vergnügen. Entsinnt ihr euch einer Geschichte: ›Der

Schmied seines Glückes‹? Und wie der Held, der ein Barbier ist, in der fremden Stadt den Anverwandten sucht und in das schön eingerichtete Haus eintritt, die Treppe hinaufsteigt und eine angelehnte Tür öffnet und oben den phantastischen kleinen Kerl findet, den er rasiert und der ihn dafür zu seinem Erben einsetzt?« – »Den im Schlafrock aus scharlachrotem Samt?« – »Den Scharlachroten?« riefen gleichzeitig der Musiker und der Gutsbesitzer. – »Jawohl, den Scharlachroten. Das sitzt, dieses Scharlachrot. Das sitzt wie ein stecknadelkopfgroßer Ton Rot oder Dunkelgrün in einem Rembrandt. Das ist nicht so draufgestrichen: das ist aus der Vision geboren. Der Kerl wäre ja gar nicht, wenn er nicht den scharlachroten Schlafrock anhätte. Aber mir fiel von Licht und Schatten etwas ein, wie früher der hier das ›Verlorene Lachen‹ erwähnte. Denn in dieser Geschichte ist es doch, daß Mann und Frau sich lange getrennt halten, halb aus Trotz, halb weil es für ihr tiefstes Heil so sein muß, und wo dann die Frau ihren Mann, den Jucundus, suchen geht und ihn in einem sonderbaren halbverfallenen Haus bei einer hexenhaften Betschwester findet?«

»Vielmehr zufällig finden sie einander, weil der Mann eine alte böse Hexe und Zwischenträgerin aufsucht, die Frau aber zwei gute fromme Frauen, die bei der Hexe in Aftermiete wohnen. Die Hexe heißt das Ölweib, der Name hat mir in seiner Mischung von Gemeinem und Gräßlichem immer besonders gefallen.«

»Ja darauf will ich hinaus. Es gibt nichts, was so sehr aus der Phantasie eines Malers erfunden ist, als der Ort dieser Begegnung. Er ist nicht bloß malerisch geschildert, sondern es war die Vision eines Malers, die ihn schuf, und der Dichter interpretierte nur die Vision. Es ist ein ganz unwahrscheinliches Gebäude, so unwahrscheinlich als nur eines auf einer Rembrandtschen Radierung. Denn es besteht nur aus zwei Stuben, von denen die eine voll Dunkel ist und die andere voll Licht. Der Weg in die helle Stube führt durch die dunkle, auf deren Schwelle das Ölweib hockt, mit dem großen, viereckigen, gelblichen Gesicht, indessen drinnen bei den frommen Frauen die Sonnenlichter, mit den Schatten der schwankenden Baumzweige vermischt, auf dem reinlichen Boden und an den Wänden des Stübchens spielen und zwei grüne Eidechsen beim Fenster hereingucken. Aber was verharre ich bei dem einen Beispiel, dessen ganzes Gewicht nur der empfinden kann, dem es gegenwärtig ist, wie an der Tür zwischen diesem Schatten- und Lichtreich die entzückende Fülle eines doppelten Schicksals zu ihrem wortlosen seligen Ende kommt – wo mir, wenn ich mich dieser Bücher erinnere, überhaupt kaum etwas anderes vorschwebt als eine bezaubernde Rhythmik von Licht und Schatten.« – »Meinst du es äußerlich, oder in bezug auf das Innere der Figuren?« fragte der Sekretär; aber der Maler erwiderte heftig: »Ich glaube, oder ich hoffe, darüber sind wir doch endlich hinaus, in der Kunst oder im Leben ein Äußeres von einem Inneren scheiden zu wollen. Ich meinte es so sehr in bezug auf die Verdüsterungen und Erhellungen im Gemüt dieser erdichteten Menschen, als ich auch daran dachte, wie er den durchleuchtenden Schatten eines Haselstrauches über ein Gesicht fallen läßt, oder eine traurige oder strahlende Miene ins Dunkel einer Ecke rückt oder an ein Fenster zieht. Womit wohl auch er ein Inneres und ein Äußeres unzertrennt zu geben vermeint haben wird.« Der Ton der letzten Worte war ungeduldig gewesen, und alle schwiegen einen Augenblick. Dann sagte der Musiker, wie einer, der einen Gedanken in sich ausgesponnen hat und nun ein Ende davon ans Licht bringen will: »Einer von euch hat da vorhin – ich habe nicht ganz aufmerksam zugehört – von einem doppelten Schicksal gesprochen, das in irgendwelcher schönen Weise fast wortlos zu seinem Ende gebracht wird. Ich überhörte, von welcher Erzählung die Rede ging, aber das Wort ›doppelt‹ hat einen Gedanken in mir aufgeregt, den ich wohl schon öfter gehabt haben muß, und vielleicht hab ich ihn ein anderesmal schon klarer besessen und hätte ihn mit mehr Kraft vorbringen können als gerade jetzt. So geht es einem ja immer, wenigstens mir; es ist immer, als träufelte einem einer ein bißchen Opium dazwischen. Aber, das muß euch doch allen schon aufgefallen sein, daß in allen diesen Romanen und Erzählungen gewisse Verhältnisse eine große Rolle spielen, die sich geradezu auf Zahlen zurückführen lassen.« – »›Das Fähnlein der sieben Aufrechten‹«, sagte jemand, »›Die drei gerechten Kammacher‹. Was solls damit?« Man sah dem Musiker an, daß er Mühe hatte, eine fliehende Reihe von Gedanken zu bannen. »Auch das geht mit, obwohl das alleroberflächlichste, am schnellsten sich darbietende Beispiel mir am wenigsten nützt. Auf das sonderbare Widerspiel der beiden Salander-Töchter und ihrer Liebhaber, der blonden Zwillingsbrüder, die auch schon früher erwähnt wurden, kann ich mich schon besser stützen, denn hier kommt doch die Zweizahl in einer ganz sonderbaren Weise sich selber entgegen und wirkt recht eigentlich das ganze Schicksal: wären die Mädchen nicht zu zweit und fänden sie nicht zwei Partner, die so ähnlich sind, daß sie sie nur an den Ohrläppchen auseinander kennen, so hätten sie sich wohl nie so tief verstrickt, und wie sie dann Doppelhochzeit machen und beide unglücklich werden, so ist es das traurig-lächerliche Gefühl dieses doppelten Schicksals, das sie am meisten beschäftigt, und schließlich hilft ihnen ihre Zweiheit auch aus dem Ärgsten wieder leichter heraus.«

»Ich muß sagen, daß du da vielleicht recht hast, aber daß mir diese barocke doppelte Geschichte immer eher unangenehm war und ich darin nichts sehen konnte als eine etwas starre Manier des alternden Dichters. Auf den ersten Blick ist diese ganze Sache direkt albern.«

»Wenn nur der erste Blick in solchen Dingen nicht gar so unzulänglich wäre. Denn eben in dieser barocken Sache scheint mir – verstärkt wie der hervortretende Zug eines alternden Gesichtes, darin will ich dir nicht widersprechen – etwas sehr Geheimnisvolles sich anzukündigen, das ich unter den lebendigeren, frischeren Formen der früheren Werke durchaus gegenwärtig fühle, nur freilich so, wie in einer guten Plastik das Knochengerüst unter den flächigen, spielenden Formen fühlbar ist.«

»Was meinst du eigentlich?«

»Eben jenes Spiel einfacher Verhältnisse, das annähernd auf Zahlen zurückführbar wäre. Ihr wißt wohl, daß Kepler in seiner ›Harmonia mundi‹ die Bemerkung macht, daß diejenigen Intervalle in der Musik die besten seien, deren Wohlklang am raschesten ins Ohr falle, und das seien gerade die der einfachsten Zahlen. Ich sprach euch davon, als ich euch über die unvergleichliche Simplizität und erhabene Kraft der ältesten Chorale Rede stehen mußte.«

»Gewiß. Du zitiertest Plotin und Maurice Denis, die Schule von Beuron und den Pater Desiderius Lenz sowie auch den heiligen Augustin.«

»Wenn ich diesen letzteren wirklich zitierte, wessen ich mich nicht entsinnen kann, so war es wohl um einer Stelle willen, die mir gerade hierher vortrefflich paßt. Sie ist aus der ›Civitas Dei‹ und warnt davor, die Zahl geringzuschätzen, als von welcher es in den Psalmen heißt: ›Alles hast du angeordnet nach Maß und Zahl und Gewicht.‹«

»Was aber willst du in der Gottfried Kellerschen Welt dann schließlich alles auf die Zahl zurückführen?«

»Alles und nichts, je nachdem eure Phantasie gelaunt ist, diesen Dingen nachzugehen. Jedenfalls ist es eine Welt, in der eine gute und starke Harmonie herrscht, und zu fühlen oder nicht zu fühlen, wieweit diese auf einer wundervollen Verteilung von Maß und Zahl und Gewicht ruht und verankert ist, das ist schließlich jedermanns eigene Angelegenheit. Aber etwas Kleines kann ich nicht darin sehen und noch weniger etwas Unwesentliches oder Zufälliges, wenn ich in diesen so zahlreichen und bunten Schicksalsverflechtungen und -abwicklungen auf Schritt und Tritt den merkwürdigsten und dabei simplen Formen und Figurationen begegne, wenn ich die Lebensläufe, erst verflochten, sich lösen sehe und jäh auseinanderstreben, dann rechtwinklig umbiegen und gesondert dem Lichte zuwachsen und endlich wieder die Kronen ineinanderflechten wie Apfelbäume an Spalieren; wenn ich unter buntem, abenteuerlichem Geschlinge die Figur des Lebenskreises ahne, der rein in sich selber zurückkehrt; wenn mir alles, bei üppigstem Reichtum, doch reingestuft und wohltuend sich entgegenhebt wie in der Musik, die alle Zwischentöne fortläßt, die keine reinen, einfachen Schwingungszahlen haben; wenn ich in diesen Erzählungen die Altersstufen herauf und hinab geführt sehe, den Vater im Sohn, die Tochter in der Mutter sich spiegeln, ein jedes Teil im Gleichgewicht gehalten von einem Gegenteil, ein jedes Geschick melodisch bezogen auf Geschicke, die in geheimnisvoll richtig geteiltem Abstand zu ihm schwingen.«

»Es ist eine alte Sache, daß du Musik aus allem hörst. Aber schließlich werden sich in jedem Kunstwerk die Teile aufeinanderbeziehen, mein Lieber, so gut bei Herodot als bei Dostojewski.«

»Mit Herodot schreckst du mich nicht; zwischen ihm und Keller scheint mir eben kein schlimmerer Abgrund als der der Zeit. Wenn ich aber Dostojewski lese, so ist mir, als flöge ich in einem Schwarm Verdammter ohne Halt abwärts und abwärts, und ich weiß wohl, daß auch dieser Höllensturz irgendwo im Unendlichen draußen seinen Punkt hat, von wo eine dämonische Kraft ihn regiert, aber hier – und das ist der Unterschied, und um uns über Unterschiede klarzuwerden, nicht um leichtfertig eins ins andere hineinzuwischen, führen wir, glaube ich, ein Gespräch –, hier bin ich gleichsam, wie ich mich auch mit dem Gang der Erzählung fortbewege, immer im Schwerpunkt, weder saugen die Seelen der Menschen mich vampirhaft in sich, noch wirbelt mich der Strudel der Geschehnisse betäubt dahin, sondern alles bewegt sich und bewegt sich mit mir und um mich, als glitte ich mitten in einer Mozartschen Sonate dahin.«

»Da habt ihr ihn«, sagte der Gutsbesitzer, indem er aufstand; »ohne ein Bad oder ein Gleichnis mindestens vom Schwimmen und Baden gehts doch bei ihm nicht ab. In allen Wasserfällen von Umbrien und Etrurien hat er sich eingetaucht und den besten Satz seines Opus 23 hat er in einem grüngestrichenen Bottich unter einem blühenden Kastanienbaum gefunden. Aber irgend eine solche Bewandtnis mit unglaublich feiner und richtiger Verteilung der Maße und Gewichte muß es doch haben, sonst wäre es nicht möglich, daß fast jede einzelne dieser kleinen Geschichten, von den großen Romanen will ich gar nicht reden, ihr volles Gewicht als die Darstellung eines ganzen runden ausgelebten Menschenlebens hat. Und das haben sie. Wenn wir so ein ›Fähnlein der sieben Aufrechten‹ oder so eine ›Frau Regel Amrain‹ zuschlagen, so wissen wir, daß wir das Ganze eines Lebens hier in der Hand haben, und sind zufrieden, wie die Hausfrau, wenn sie ein paar Rebhühner in der Hand wiegt und weiß, daß sie nicht betrogen worden ist.«

Und der Maler fügte hinzu: »Und daß es dies von einer mysteriösen, meinetwegen demiurgischen Kraft ableitet, ist mir auch recht. So erklärt sichs doch einigermaßen, daß diese Bücher ihre schönste Wirkung, eine seelenhafte Freiheit und Heiterkeit, gar nicht in den Kopf ausstrahlen, sondern wirklich direkt ins Blut, so daß sie einem im Leben weiterhelfen und das Nächste leichter machen, was man wirklich selbst von Goethe kaum sagen kann.«

UNTERHALTUNG ÜBER DEN »TASSO« VON GOETHE

Man war zur Stadt und ins Theater gefahren, da ein kühltrüber Nachmittag mitten in die Zeit stärkster Rosenblüte, flammend heißer Tage, überstark duftender Abende eingefallen war. Es wurde der »Tasso« gespielt. Im Nachhausefahren ließ man den Wagen aufschlagen. Noch tropften die Zweige, aber der feuchten Kühle mischten sich, wie man ohne Ende an Gärten und Gärten vorbeikam, Ströme lauerer Luft, hauchender Duft von offenen Rosen und der starke Duft der Rainweide; auch drang an einer Stelle des Himmels ein gelblich schwacher Schein vom Mond hervor. Die zwei Frauen und zwei Männer in dem bequemen, ruhig dahinrollenden Landauer sprachen wenig, sie waren Freunde, das eine Paar bei dem anderen zu Gast, und fanden sonst in sich und dem Leben der Welt, an dem sie alle vier einen lebhaften Anteil hatten, unerschöpflichen Stoff des Gesprächs. Aber man hatte – und jeder von den vier zum erstenmal im Leben – den »Tasso« gesehen, man hatte Kainz den Tasso spielen sehen, und die Phantasie, für vierthalb Stunden überstark gefesselt, konnte sich von diesen Bildern weder entfernen noch sich ihrer durch Worte entladen. Wie ein zu starker Schein quälend im Auge nachfunkelt, brachte in diesen vier so verschiedenen Menschen der innere Sinn immer wieder das Nachbild der Töne und Gebärden hervor, in denen geistige Qualen sich hier, geisterhaft verkörpert, allen äußeren Sinnen preisgegeben hatten. Der Mann, der dies vermocht hatte, erschien geheimnisvoll und beunruhigend. Das Dichterwerk selbst, das scheinbar wohlgekannte, hatte eine drohende und spannende Miene angenommen. Man war aufgewühlt, in einer Spannung, die anfing zu quälen, weil sie kein Ziel mehr hatte, man war bereichert und zugleich verstört. Das Unfaßliche jeder solchen Leistung, das Unfaßliche auch jedes geschaffenen Werkes war in eine ungewohnte Nähe gerückt.
Einzelne Momente, das blitzhafte Durchbrechen der nackten

Seele, in gewissen Gebärden, hörten nicht auf, sich im Gedächtnis zu wiederholen: die Handbewegung, mit der er Antonio nach der scheinbaren Versöhnung – Tasso nun entschlossen, sich zu verstellen, zu scheinen, zu trügen wie jene – zum Sitzen einlädt; die unvergleichliche Wahrheit des Selbstgesprächs, die so sehr als der natürliche Zustand dieses Menschen erscheint, aus dem seiner Seele Inhalt heraustritt, daß fast der wiederaufgenommene Dialog als das Fremde, Befremdliche gefühlt wird, neben jenem schleierlosen Hintaumeln der gehetzten Seele; das Darbieten der eigenen Hand, das Ergreifen der Hand des anderen, endlich der unglaubliche Abschied von jenen, die ihn nicht mehr hören, und darauf das unglaubliche Niederbrechen.
Man stieg schweigend aus dem Wagen, setzte sich zu Tisch und redete während des kurzen Nachtmahls von belanglosen Dingen. Erst bei den Früchten wandte sich die Unterhaltung auf »Tasso« zurück, indem die Hausfrau ziemlich unvermittelt sagte: »Ich weiß nicht, ob hier nicht eigentlich etwas Undarstellbares dargestellt ist.« »Wie meinst du das?« fragte ihr Mann, der Dichter. »Möchtest du dich nicht etwas erklären?« »Ich meine es so«, sagte sie: »Dadurch, daß hier Goethe es versucht hat, Menschen der guten Gesellschaft, und gerade insofern sie Menschen der Gesellschaft sind, zum Gegenstand eines Stückes zu machen, dadurch ist etwas Erzwungenes entstanden oder etwas zur Hälfte Unwahres.« »Warum denn? Inwiefern denn?« fragte wieder der Dichter, indes der Major aufmerksam von seinen Himbeeren aufsah und die Baronin mit einem leichten Nicken der Hausfrau, erratend oder verstehend, zu Hilfe kam. »Darum, vielleicht, weil Menschen der Gesellschaft sich heutzutage, wenigstens neunundneunzig unter hundert von ihnen, weder so zu durchschauen, noch so auszudrücken vermögen, was in ihnen vorgeht?« – »Er meint«, warf die Baronin hinein, »wenigstens die Frauen vermöchten es gewiß nicht.« »Nein«, sagte die Hausfrau lebhaft, »ob nicht können oder nicht wollen weiß ich nicht, aber die Anlässe zu dem meisten, was hier gesagt wird, würden in wirklich guter Gesellschaft vermieden werden, weggeräumt, bevor die Nötigung sich zeigte, alles durch viel Reden gut

oder eigentlich schlimm und schlimmer zu machen.« »Da treffen Sie gerade etwas«, sagte der Major, »was mich in den neueren bürgerlichen Dramen immer so ärgert und ungeduldig macht, daß ich sie meistens kaum zu Ende hören kann: Da scheinen mir alle Vorgänge und Konflikte, von Szene zu Szene, recht eigentlich nur dadurch herbeigeführt, daß sich die Leute in einer unmöglichen Weise betragen und die denkbar schlechteste Manier an den Tag legen. Mit dem bescheidensten Aufwand an natürlichem Takt, an notdürftiger Zurückhaltung und so viel Respekt vor sich und vor anderen, als auch bei sehr einfachen Menschen im Leben recht häufig ist, würden die meisten dieser Zusammenstöße und Verwicklungen vermieden und das Ganze in sich zusammenfallen.« »Aber hier«, sagte der Hausherr beinahe ungeduldig, »hier weiß ich wirklich nicht, was ihr beide wollt. Ist nicht im Gegenteil in diesem Stück gerade das, was das Zusammenleben einer Gruppe geistiger und kultivierter Menschen bestimmt und regiert, in einer unvergleichlichen Weise nicht gesagt, sondern gezeigt? Wie wahr ist der Zustand vergegenwärtigt, der sich einstellen muß, wenn ein älterer Freund nach langer Abwesenheit zurückkehrt und seinen Platz von einem Neuen, Jüngeren besetzt findet. Wie drückt sich uns gleich durch die ersten Wechselreden nach Antonios Kommen das Peinliche, kaum Haltbare dieses Zustandes ein, wie empfinden wir mit der Prinzessin, die schon ganz gequält dasitzt und sogleich alles tun möchte...« – Bei der Erwähnung der Prinzessin verzog die Hausfrau ein wenig ihr Gesicht, und die Baronin lächelte. Der Dichter aber schien es nicht zu bemerken und fuhr fort: »Wie wunderbar fein ist diese Führung, daß die Sanvitale eigennützig alles verwirrt und niemand ihr das Spiel aufdeckt, weil jeder zu sehr mit sich und der Figur, die er macht, beschäftigt ist, wie unvergleichlich dieser Zug, daß Antonio die nicht ganz reine Situation und das an Tasso Tadelnswerte, Verführerhafte sogleich und besser durchschaut als die Beteiligten selbst. Wie wirkt in diesem Ganzen Gewicht gegen Gewicht, wie ist das Treibende und das Retardierende so einzig aus diesen Seelen herausgeholt und so unlöslich verzahnt, daß man immerfort zu ruhen und tief in

Menschen hineinzublicken vermeint und dabei doch so lautlos als jäh vom Strom eines unaufhaltsamen Geschehens mitgerissen wird.« Es schien, er wollte noch weitersprechen, aber der Major, mit der Andeutung eines Lächelns in der Stimme, sagte ohne aufzusehen: »Es scheint, die Damen haben etwas gegen die beiden weiblichen Figuren auf dem Herzen, oder besonders gegen die Prinzessin.« »Ja«, sagte entschlossen die Hausfrau und wurde für einen Augenblick rot, »ich mag sie nicht. Wie sie über ihre Leiden und ihr verpfuschtes Leben klagt, ist sie mir erträglich, aber auch nur erträglich, eben wie eine Kranke, und lange nicht sympathisch. Sonst aber würde ich sie zu denen rechnen, denen ich in einem Salon auf zwanzig Schritte ausweichen wollte, und da ich sie hier immerfort anhören oder von ihr sprechen hören muß, so verdirbt sie mir das halbe Stück. Wie sie zu dem verliebten Tasso redet, ist nicht angenehm; wie sie aber über ihn redet, das ist einfach abscheulich.

Ich trieb den Jüngling an; er gab sich ganz;
Wie schön, wie warm ergab er ganz sich mir!

Was für ein Ton! Eine gouvernantenhafte, schöngeistige Hoheit. Ich habe diese zwei Zeilen immer so gehaßt, daß ich sie in meinem Goethe mit dem Radiermesser auskratzen möchte.« »Dafür kannst du sie aber auswendig«, sagte ihr Mann, doch fuhr sie gleich fort: »Und dabei weiß ich nicht, was sie will. Die Sanvitale ist auch unglaublich unsympathisch, aber die weiß wenigstens was sie will, solche Frauen gibts und hats immer gegeben, so stell ich mir die Fürstin W. vor, eine solche Frau war die Sophie L.; Frauen, die eine Position und einen recht guten Mann und ein Haus voll Kinder haben und noch dazu einen Dichter oder sonstigen großen Mann hinter sich herschleppen müssen; kaltherzig ist sie, mesquine, intrigant und taktlos, daß man für sie rot werden möchte, aber sie weiß, was sie will. Die Prinzessin aber, ja was glaubt die eigentlich? Was will sie, und was will sie nicht? Den Leuten Kränze aufsetzen und ihnen halbverdeckte Erklärungen machen und dann:

Nicht weiter, Tasso! Viele Dinge gibts,
Die man mit Leidenschaft ergreifen darf;
Doch andre können nur durch Mäßigung
Und durch Entbehren unser werden:
So, sagt man, sei die Liebe, das bedenke wohl.

Das soll goutieren, wer will. Ich mag sie nicht. Ich mag sie nicht.«
Die anderen lachten etwas, und die junge Frau wurde nun ganz rot, und es verging nicht so schnell wieder. Aber sie hatte noch etwas zu sagen: »Und dabei glaube ich, daß Goethe eine schöne Gestalt machen wollte, keine unsympathische Hoheit. Ich glaube, es hätte eine solche in sich ruhende Frau werden sollen, deren scheinbare Einfachheit eigentlich ein mit der zartesten Haltung ertragener innerer Reichtum ist, eine von unglaublicher Feinfühligkeit beherrschte Kompliziertheit. Ich meine eine Figur wie die Stiftsdame, von der die ›Bekenntnisse der schönen Seele‹ sind, oder wie die Ottilie in den ›Wahlverwandtschaften‹. Aber für eine solche Durchsichtigkeit ist wahrscheinlich in einem Drama kein Platz, und weil im Drama die Figuren sich nur durch Reden zeigen können, nicht durch stilles Dasein und lautloses Reflektieren der Welt in ihrem durchscheinenden Innern, so hat ihn hier, denk ich, das Metier gezwungen, die schönste Figur zu verderben, indem er sie über sich reden und deklamieren läßt, wo es ihre Sache wäre, sowohl als große Dame wie als eine schöne Seele, gerade nicht zu reden, schweigend, sich effacierend zu wirken und zu leiden. Das habe ich gemeint, wie ich früher sagte, er scheint mir hier etwas Undarstellbares darzustellen. Deswegen geht mir auch nur die Figur des Tasso nahe, und den stellt er ja auch gleich heraus, indem er ihm den Kranz aufsetzen läßt. Dadurch ist er kostümiert, und die anderen werden alle seine Zuseher, er aber ist in seinem Element, wenn er sich und anderen eine unheimliche, die Seelen aufwühlende Komödie vorspielt, und so ist er freilich die herrlichste Aufgabe für einen großen Schauspieler. Denn ich glaube, nichts ist auf der Bühne so schön, als wenn einer einen spielt, der sich selber ›spielt‹, wenn nämlich die Figur der Mühe wert ist.«

So blieb die Prinzessin unverteidigt, die beiden Frauen standen dann auf, wollten noch in den oberen Zimmern die drei Kinder schlafen sehen, indessen die beiden Männer ins Bücherzimmer gingen. »Wie durchaus die Frauen am Stofflichen kleben«, sagte der Major auf dem Weg dahin. »Ich habe gesehen, meine Frau war ganz der Ansicht der deinigen und sie behandelten die beiden weiblichen Gestalten völlig als zwei Damen unserer Gesellschaft, gegen die sie Front machen wollten.« »Das ist schließlich ganz gut«, antwortete der Dichter, »so hängt doch die ganze Geschichte nicht gar so in der Luft. Die Leute, die ein Ganzes genießen, sind gar selten.« »Ich kann sagen«, gab der Major zurück, »ich habe heute das Ganze dieses Dramas in hohem Maße genossen, und zwar zum erstenmal, obwohl ich das Gedicht seit meiner Kadettenzeit mehrmals in der Hand gehabt habe, das letzte Mal sogar seltsamerweise während der großen Manöver von 1902, da ich auf einem Schloß in der Lausitz in dem Zimmer, worin ich einquartiert war, das Buch fand und zufällig, während eines gezwungen untätigen Nachmittags, ganz durchlas. Diese früheren Male war es aber doch immer der fabelhafte innere Reichtum in den einzelnen Reden, der mich berauschte, aber heute ist mir zum erstenmal das Verhältnis des Antonio zu Tasso wirklich aufgegangen, und damit auch der Sturz des Ganzen dem Ende zu. Ich weiß nicht, was die Leute wollen, die das nicht dramatisch nennen. Und ich habe es früher selbst nachgeredet.« »Weil es Goethes Drama ist«, fiel der Dichter lebhaft ein, »und nicht Shakespeares Drama, das ist alles. Wenn man nur endlich aufhören wollte, vom Drama im allgemeinen zu sprechen.«

Es trat ein Schweigen ein. Der Major rauchte, der Dichter sah erst nach dem Barometer, dann am offenen Fenster nach dem nächtlichen Himmel, dessen Miene ungewiß war. Von unten rauschte die große Linde und ließ noch einzelne große Tropfen fallen, in einem oberen Zimmer hörte man die zwei Frauen leise reden. Der Dichter trat aus dem Fenster in den Schein der Lampe zurück. »Es bleibt ein unergründliches Werk«, sagte er, »man kann darum herumgehen wie um einen allerbesten griechischen Torso, wie ihrer ein paar in Neapel in dem Saal der Psyche stehen, und man kommt aus dem Staunen nicht heraus. Man geht nach Haus, man meint, einen solchen Marmorleib zu kennen, man tritt den nächsten Morgen wieder davor hin, und es fährt einem das Staunen aufs neue wie ein Schrecken durch die Glieder. Das Gedächtnis war nicht stark genug, dies Ineinander von Grandiosem und Blühendem, von Selbstverständlichem und Unfaßlichem irgendwie in sich zu bewahren. Eigentlich wird man einem solchen Gebilde nur in dem Augenblicke gerecht, wo man davor steht: aber ums Gerechtwerden handelt sichs ja gar nicht, kaum ums Begreifen, sondern um ein höchstes Genießen, und das ist flüchtig wie der Blitz, ist ein zuckendes Ahnen, flüchtigste Intuition, ist ein raumloses, zeitloses: Ich habs gefühlt! So wars mir heute, während dieser Aufführung. Dieser grandiose Wille der Durchführung, diese nirgends erschlaffende Bezogenheit aller Teile und dabei dieses blühende Leben des Augenblicks in jedem Vers. Dieses Nieverlassen einer geheimnisvoll gefundenen Distanz, und zugleich dieses Vibrieren, dieses Wechseln der Spannung im Vordersten. Genau so ist einem zumute, wie dort vor dem alten, von Leben starrenden und doch dem niedrigen Leben so fernen Marmor. Man staunt von Vers zu Vers, wie dort von Form zu Form; die Übergänge sind es, die man am tiefsten bewundern möchte: da erkennt man, daß alles Übergang ist, alles fließende Bewegung, alles zugleich Weg und Ziel, Streben und Ruhepunkt. – Und die Gestalten, sie sind ja mehr, sind etwas anderes als Gestalten. Hier ist eine andere Welt als die Welt Shakespeares. Hier ist, was dort aus den Figuren heraustritt als ein tatsächliches Tun, in sie hineingenommen als ein stets mögliches Tun, ein formgewordenes Tun. Tasso und Antonio: ja sie sind einander bis zur Auflösung gefährlich, indem sie bloß da sind. Sie sind jeder ein grenzenloser Zustand, wie Werther der grenzenlose Zustand der Jugend ist. Denn ich rechne auch den Werther zu Goethes Dramen, vor allem aber die ›Wahlverwandtschaften‹. Wir sehen etwas sich vollziehen, was nicht aufzuhalten ist. Das Ereignis selbst, durch das scheinbar alles ins Rollen kommt, ist belanglos, ja es ist wesenlos, ist bloßer Augentrug, wie die Form des Springbrun-

nens, die Form der Welle. Wie die Welle nichts ist als das Sichtbarwerden von Bewegendem und Widerstehendem, darum, wenn sie zusammensinkt, sich immer wieder erneut und einfach nicht fortzuräumen ist, so geht es hier. Versöhnt, unversöhnt, begütigt, gereizt, immer gleich stehen sich die beiden gegenüber: in ihnen steht für uns die Widersinnigkeit der Welt zu schmerzlichem Genuß. Wir sehen es schon längst vollzogen, sehen es immer aufs neue bereit, sich zu vollziehen. Das Geschehen wird symbolisch. Wir erkennen die Signatur von Menschen. Eigentlich geschieht nichts. Es entschleiert sich etwas. Und nicht etwas, das einmal geschehen ist, sondern ein unabänderliches Verhältnis.«
»Daß man es erträgt«, sagte der Major. »Daß es einen nicht erstarren macht!«
»Das«, erwiderte der andere, »ist wohl das Geheimnis dessen, der es gemacht hat, sein ganz persönliches Geheimnis.«

Seit jenem »Tasso«-Abend, da man zur Stadt gefahren war, den unvergleichlichen Darsteller dieser heiklen Rolle zu genießen, und sich nachher so lebhaft als ohne Prätension über das Stück unterhalten hatte, waren mehrere Wochen, ja, es war der größte Teil des Sommers hingegangen, längst waren von dem Major und seiner Gattin freundliche, wenn auch kurze Briefe aus einem norddeutschen Landsitz eingetroffen, die Gastzimmer des ländlichen Hauses waren verschlossen, die Rosen lange abgeblüht und mit ihnen jene so nahe Zeit freundlichen Zusammenseins in die unfaßliche Ferne alles Gewesenen gerückt, da lag eines Tages auf dem Frühstückstisch nebst den Zeitschriften und verschiedenen Briefen ein etwas größeres Kuvert, das den Stempel vom Landgut des Majors trug, dessen Aufschrift aber in ungewohnter Maschinenschrift zunächst fremd anmutete. Es enthielt keinen Brief, sondern nur auf dünnem Papier, gleichfalls in typierter Schrift, ein kleines Manuskript, das in nachfolgendem ohne Veränderung mitgeteilt wird:

DIE PRINZESSIN

Schmerzlich wandeln solche Gestalten zwischen den Lebenden hindurch; wo für alle Raum ist, für sie scheint kein Platz berechnet, und noch ihrem Schattenbild begegnet man nicht freundlich, nicht gerecht; und doch hat der Tätige seinen Platz wie der Kluge, der Leichtfertige wie der Genußsüchtige; ja, dem Traurigen sogar ist Raum gelassen und dem Verbitterten, der quälend für Qualen sich entschädigt; sie alle setzen den Fuß auf die Erde als Berechtigte, nicht als Schatten. Die arme Prinzessin! Sie ist nicht stark und lieblich, wie Dorothea, nicht lieblich in der Schwäche, wie Ottilie – womit soll sie die Herzen gewinnen? Zu dienen ist ihr versagt, und wodurch insinuiert sich schöner die Frau, als wenn sie dient. Sie ist da, und wenige wissen, wie ihr ums Herz ist, wenige wollens wissen. Ein kaum erträglicher Zustand ist der ihre, und er ist bleibend, und sie trägt ihn; wie schön, wie vornehm trägt sie ihn. Jenes schmerzlichster Erfahrung abgewonnene »Glissez mortels, n'appuyez pas!« hat sie sich ganz zu eigen gemacht; die ganze Welt ist ihr durch Entsagung zu eigen geworden. Hier ist, heraufgenährt von frühen steten geistigen Schmerzen, in einer Mädchenbrust die seltsame Ruhe, die gestillte, alles durchschauende Sympathie, die wir in der Brust alter weiser Männer ahnen. Ja, hier ist das Spiegelbild der ganzen Welt, gereinigt, gebadet wie in einem stillen See, hier ist Liebesmöglichkeit ohne Grenzen, allseitig verströmend – und kaum mehr *ein* leiser Wunsch. Was sie wünschen könnte, ist ihr verwehrt; wohin ihr Verlangen blicken könnte, da liegt wie ein Schatten, den zu betreten tödlich ist, die Ahnung. In ihr bewegt sich die Welt, die sich vor ihren Augen bewegt; durchscheinend ist ihr Wesen, durch sie hindurch sehen wir den Bruder, die Mutter, die Schwester, den Freund, und sehen sie reiner umrissen, schöner verklärt, als wir mit eigenem Aug sie erblicken könnten. Aber um welchen Preis ist diese Durchsichtigkeit erkauft! Wie dauernde Leiden, lautlos verflochten Schmerz in Schmerz, haben diesem Blick seine Tiefe gegeben. »Wohl ist sie schön, die Welt« – wie rührend kommts aus diesem Mund. Daß Schmerzen gut und heilsam sind – sie weiß es voraus, die trübste Erkenntnis ist ihr vertraut; daß Glück nicht dauert, sie hat es längst gewußt, es ist in ihr zu jeder Stunde. Und muß nicht ein solches Wesen noch von fast jedem verkannt werden? Vorausnehmend den Gang der Welt ist sie gebannt und gebunden; wo andere den Schein von Möglichkeit sehen, sich regen und bewegen, sieht sie das Unvermeidliche und erstarrt. Here there is a kind of moral sexlessness, an ineffectual wholeness of nature, yet with a divine beauty and significance of its own. An ineffectual wholeness of nature – eine Ganzheit, eine Geschlossenheit des Wesens, worin das Strebende, das Wirkende aufgehoben erscheint – aber die Natur liebt nicht, daß Wirkendes ruhe, und dennoch ruft sie auch solche Geschöpfe hervor, hält sie im Leben – und straft sie, indem sie sie erhöht. Man hört so viel von Einfachheit reden, zur Einfachheit wollen alle Eltern ihre Kinder erziehen, aber wie selten gibt man sich Rechenschaft, was für ein äußerster, was für ein bedenklicher Zustand die vollendete Einfachheit ist. Sie ist determinierte Vornehmheit; sie ist Verzicht auf jedes Trachten; neben ihr erscheint leicht jeder, der etwas tut und etwas sucht, als ein Aventurier oder ein Snob; es liegt ein Triumph des ganzen Wesens, ein Triumph guter Rasse darin – aber ein gefährlicher, leicht ein bedauernswerter Triumph.

Dennoch ist sie keine Dulderin; und wie sie das Leben trägt, ist unendlich mehr als bloßes Ertragen. Sie scheint kaum sich selber aufrechtzuhalten, aber es ist mehr geheime Stärke in ihr als man ahnt, und im geheimen dient auch sie an einem Altar. Mädchen waren jene dort in Rom, die Hochgeehrten, Hartbedrohten, denen das heilige Feuer vertraut war. Hier ist auch ein Mädchen, einsamer als jene, nicht von strengen, finsteren Gesetzen gebunden, aber gebunden dennoch im tiefsten Kern von Gesetzen, die die eigene Natur ihr gibt. Aus Unbewußtheit strömen auch ihr die tiefen Kräfte; die tiefen, reinen Quellen, aus Schmerzen hervorgebrochen, versagen sich ihr nicht. Das heilige Feuer, das sie hütet, hat keinen Namen, und dennoch ist das Höchste dieser Menschen daran geknüpft, daß es nicht verlösche, wie dort an jene Flamme das Schicksal der mächtigen Stadt. Keine Liktoren gehen vor dieser Vesta-

lin; aber es fühlen alle, wer sie ist, und einmal wird es ausgesprochen, und Antonio spricht es aus. »Wenn unser Blick was Ungeheures sieht...« Wer hat nicht einen liberal denkenden Oheim, einen vorurteilslosen Freund, einen tüchtigen Hofmeister sich maßlos über diese Höflingsworte ergehen gehört. Das Ungeheure! Weil einer gewagt, eine Fürstin an sich zu drücken. Ja, ein Hof ist gar wenig und eine Fürstin nur ein Weib – aber *hier,* hier *ist* ja etwas Ungeheures geschehen, und Antonio hat recht, und ich fühle Goethe an dieser Stelle wie an jeder schönsten, und ich verstehe ihn.
So wird sie leicht verkannt, und verkannt um ihretwillen wer sie ganz erkennt und es ausspricht, und die menschliche Ehrfurcht für Dienerei eines Höflings genommen. Es scheint, als hätte für solche Wesen die Welt keinen Platz – und wäre die Welt nicht unendlich ärmer, wenn es niemals ein solches Wesen gäbe?

So endete das kleine Manuskript, das die Frau über die Schulter des Mannes mitlas und das noch Anlaß zum folgenden Gespräch wurde:
ER Von welchem von beiden mag das sein?
SIE Für mich ist es ausgemacht, daß es von Helene ist.
ER Und für mich ist es so gut wie ausgemacht, daß es von dem Major herrührt. Und ich möchte sogar für möglich halten, daß seine Frau gar nichts davon weiß, daß er dies aufgeschrieben hat, denn seine Scheu ist ebenso groß als seine Zartheit im Denken und Empfinden, und eben an dieser Zartheit erkenne ich ihn hier. Es ist freilich nicht seine gewöhnliche Ausdrucksweise, aber es könnte sie sein.
SIE Aber Helenens Ausdrucksweise ist es – freilich nicht ganz wieder. Laß sehen. Sicher, es ist eine Ähnlichkeit mit ihren Briefen darin, freilich auch wieder ein Unterschied, gewisse Worte, die sie in einem vertraulichen Brief nicht schreiben würde, aber kein größerer Unterschied als zwischen einem Hauskleid und einem Abendkleid. Für jede andere Frau erschiene es mir zu gut geschrieben, aber zu Helene paßt das, es paßt auch zu ihr, daß sie es so unpersönlich herschickt und vielleicht nie mehr darauf zurückkommt.

ER Gerade das paßt mir zu ihm.
SIE Sie sind ja in manchem ähnlich. Ist es nicht merkwürdig, daß sie zum Beispiel so ähnliche Handschriften haben, auf den ersten Blick wenigstens?
ER Vor allem *kann* es ja gar nicht von Helene sein aus dem einfachsten, unbezweifelbarsten Grunde: weil sie damals ganz auf deiner Seite war, als du über die Prinzessin loszogst. Ich sehe ihr Lächeln vor mir, mit dem sie dir Mut machte, immer mehr zu sagen –
SIE Wer sagt dir, daß sie mir da recht gab? Ihr Lächeln ist das undurchsichtigste und vieldeutigste von der Welt. Sie mag damals ebensogut gegen mich gelächelt haben als für mich. Ich erinnere mich sogar genau, daß ich eher das Gefühl hatte, daß sie das ablehnte, was ich sagte. Aber wir haben nachher gleich von lauter anderen Dingen gesprochen.
ER Dennoch ist es von ihm, das versichert mich ein deutliches Gefühl.
SIE Und ich, wie ich jetzt noch einmal hineingesehen habe, bin unerschütterlich sicher, daß Helene das geschrieben hat. Erstens wegen des englischen Zitats. Genau so schreibt sie in ihren Briefen manchmal ohne Übergang etwas sehr gescheites Englisches hin, und man weiß nicht, wo es her ist. Ich glaube aber, das sind ihre eigenen Gedanken, denn sie hat mir selbst gesagt, daß sie manchmal englisch denkt, von den drei Jahren her, die sie als ganz junges Mädchen in England verbracht hat.
ER Aber das ist nicht ihr Stil, das ist nicht die Art einer Frau, sich auszudrücken. »Wodurch insinuiert sich schöner die Frau, als wenn sie dient« – das schreibt keine Frau. Das ist so richtig und zugleich so kühl, fast ein wenig ironisch, aus so großer Distanz –
SIE Und gerade darum ist das Helene, gerade hier sehe ich ihr Profil, und sehe ihren Mund. Wenn ich mich nur halb so gut ausdrücken könnte, als ich es deutlich fühle: dieses leise Distanzierende gegenüber dem allgemein Frauenhaften – und auch das Fremdwort; wir gebrauchen ja alle ziemlich viel Fremdwörter, aber solche seltene strenge Worte, wie alte Offiziere oder Gelehrte sie haben – das ist sie, und es macht

einen so guten Kontrast mit dem hübschesten Mund und dem reizendsten Kinn von der Welt, das sie hat.

ER Schließlich, wenn du gar so beharrst, so kann ja sein, daß sie die Schreiberin ist. Auf jeden Fall, daß sie recht haben in dem, wie sie die Figur sehen, das fühlt man ja im Moment, wo es ausgesprochen ist, und du wirst versuchen müssen, die Prinzessin jetzt auch mit Liebe zu sehen. Denn so hübsch es ist, wenn man offen sagt, wie mans findet und sieht, so schrecklich ist ein starres Beharren nach der trotzigen, kindischen Seite hin.

SIE Ich wills versuchen. Aber die Sanvitale wenigstens, die gern zu haben, dazu wird mich niemand bringen.

UNTERHALTUNGEN ÜBER EIN NEUES BUCH

DIE ERSTE

Den beiden Spaziergängern lag nun das Haus, als sie aus dem Buchenwald heraustraten, gegenüber. Der große Hügel, auf dem sie standen, senkte sich; sein Fall, völlig unbewachsen und samtig grün, war schön wie der Fall eines schönen Mantels. An einer Stelle bauschte sich der sanfte Abhang nochmals zu einem kleinen, runden Hügel; auf diesem standen zwei Ahorn, uralt, riesig; wie zwei Wächter blickten sie das Haus an, das ihnen gegenüberstand, etwas tiefer als sie.
»Daß unser Onkel gerade jetzt hat hierherkommen müssen!« sagte Gottfried, indem sie hinabstiegen. »Wir sind zu vieren, mit den Frauen zu sechs, und sind in gleichem Rhythmus, das ist schon selten genug. Und er, der gewohnt ist, seine Frau, seine Kinder und seinen Verwalter zu tyrannisieren, tagelang den Mund nicht aufzutun, dann wieder unleidlich viel zu reden, immer und überall der Klügere, der Schlauere und der Stärkere zu sein, bei Auktionen, ob es jetzt um Fohlen geht oder um alte Bilder, alle anderen niederzubieten, wie soll er mit uns nur erträglich zusammenstimmen! Was mich tröstet, ist seine Unruhe. Er bleibt nirgends lange. Er kennt die halbe Welt, aber ich glaube nicht, daß er sich in den letzten Jahren irgendwo länger als acht Tage aufgehalten hat. Er fährt für eine Kupferstichauktion nach Kopenhagen, für eine Stunde im Louvre nach Paris. Dabei mußt du ihn dir weder als einen Menschen von schlechten Manieren noch von geringer Bildung denken. Er hat sich vollkommene Weltmanieren bewahrt, nur läßt er sie intermittieren, und er weiß von allem etwas und von manchem erstaunlich viel. Aber seine Antipathien sind sprunghaft, und er ist ein großer Sophist in Lob und Tadel, während er sich für den gerechtesten aller Menschen hält.«
Sie hatten das kleine Stück der Talsohle überschritten, geschorenen Rasen und weißen Kies, auf den die Sonne brannte, und traten in das kühle Vorhaus, wo ein Laufbrunnen in den

steinernen Brunnentrog das kühlklare Bergwasser rauschen ließ, das hölzerne Röhren aus dem oberen Wald stundenweit herleiteten. Das Haus war sonderbar genug; es mochte aus den mittleren Zeiten des achtzehnten Jahrhunderts stammen, Edelsitz, Stallung und Scheune vereinigte es unter einem riesigen verwitterten Schindeldach. Der vordere Teil war von Stein, hier trugen schöne Säulen, vor dem Haustor eine Loggia bildend, den Balkon; die mächtige rückwärtige Hälfte des Hauses aber war hölzern, mit dem gewaltigen Scheunentor in der Flanke. Die beiden Freunde stiegen schnell die steinerne Treppe empor, wo es immer kühl war und Tritt und Stimme immer hallte. Aus dem Vorsaal, der einen dreifarbigen Steinboden hatte und aus schöngeschwungenen Fenstern und der offenen Balkontür sein Licht empfing, lief ein tiefer, dämmeriger Gang mitten durchs Haus nach rückwärts und endete auf dem Schüttboden; auch durch eine Falltür konnte man aus ihm aufs Heu sich hinunterschwingen. Diese von sommerlichem Schatten durchdufteten Räume betraten aber die Freunde nicht, sondern traten, mit einiger Anstrengung eine alte geschweifte Klinke niederdrückend, ins Zimmer des Hausherrn, der nun freilich, nur von Großmutterseite der Nachkomme jener bäuerischen Edelleute, mehr als ein Epikuräer als aus Naivetät die Zwitterwirtschaft dieses Hauses bestehen ließ und weiterführte, mit starken Aufenthalten im westlichen Europa sie unterbrechend.
»Ist der Onkel angekommen?« rief ihm Gottfried entgegen.
»Er ist oben im gewölbten Zimmer«, sagte Ferdinand, der Gutsherr. »Ich habe ihm die Mappen mit den Porträtsammlungen hinauflegen lassen, um derentwillen er sich ja wohl auf seiner Fahrt nach München diesen Umweg auferlegt hat. Er kommt wohl nicht vor Tisch herunter. Ich wollte Briefe schreiben und habe gelesen.« Er legte ein kleines broschiertes Buch, das einem Band aus den vierziger Jahren glich, aus der Hand. Waldo sah den Titel ab: »Die Schwestern, drei Novellen von Jakob Wassermann«, und fragte: »Ist das derselbe, von dem ›Alexander in Babylon‹ ist?«
»Ja, und vorher die ›Juden in Zirndorf‹, ein merkwürdiges Buch, durch das ich auf ihn aufmerksam wurde.«

»Das kenne ich nicht, aber ›Alexander in Babylon‹ habe ich zweimal gelesen, hauptsächlich um einer unglaublichen Menge von Landschaften willen, die darin geschildert sind, und eine schöner als die andere, und dabei mit der größten Knappheit. Ich frage mich, ob der Mensch Asien kennt, aber es scheint ja, daß die Dichter solche Dinge um so besser schildern, je weniger sie davon gesehen haben, und seit mir Henri de Régnier erzählt hat, daß er seine unvergleichliche Schilderung von Rom gemacht hat, bevor er dort war, will ich auch denken, daß Herr Wassermann nie über Deutschland hinausgekommen ist.«

»Über die meisten Deutschen ist er jedenfalls dadurch hinausgekommen«, sagte Ferdinand, »daß er die Maße einzuhalten versteht. Schon im ›Alexander‹ habe ich das als seine enorme Qualität empfunden, und hier ist es wieder so. Wenn die deutschen Erzähler sich das Überflüssige abgewöhnen, dann weiß ich nicht, wie hoch sie nicht sollten kommen können.«

»Findest du daran so viel?« sagte Waldo, der in England erzogen war.

»Fast alles«, antwortete Ferdinand schnell, »denn wir haben viel weniger eigentlichen Kunstverstand als die anderen Nationen, während wir ihnen an Gehalt und innerer Vielfältigkeit wahrscheinlich überlegen sind. Das Gefühl für die Maße ist aber eine der ersten, wesentlichsten Regungen des Kunstverstandes. Solange die Deutschen vielbändige zusammengestückelte Romane ans Licht brachten, war kaum etwas zu hoffen, nun aber, da sie nach Knappheit zu ringen scheinen, kann man auch auf größere Richtigkeit und Strenge im Innern, und was nicht noch alles, hoffen. Denn da es in der Kunst wie in der Natur kein getrenntes Innen und Außen gibt, so ist mit der errungenen Knappheit schon zugleich eine nervigere Darstellung gegeben, das breite, schlaffe Ausmalen von Zuständen, das naturalistische Schildern gleichzeitig mit dem unleidlichen Auskramen psychologischer Beobachtungen von vornherein über Bord geworfen.«

»Was enthält denn das Buch? Was sind es für Schwestern?« fragte Gottfried, der es nicht liebte, wenn ein Gespräch zu schnell ins Allgemeine geriet. Er hielt sich an den einzelnen Menschen, das einzelne Phänomen. Die Tiere, die Bäume, ja die Wolken waren ihm im strengen Sinne Individuen. Einer nebligen Morgenstimmung im Herbst, einer bestimmten Himmelskonstellation konnte er sich erinnern, und wenn sie Jahre zurücklag. An Personen, mit denen man verkehrte, war es meist ein einzelner physischer Zug, von den übrigen kaum bemerkt, der seine Neigung oder Abneigung jäh und für immer bestimmte.

»Es sind drei Geschichten von Frauen«, gab Ferdinand zur Antwort. »Eine Verbrecherin aus dem Untersten des Volkes, eine Königin und eine kranke oder höchst seltsame Person aus dem Bürgerstand.«

»Es sind also drei Geschichten, die nichts miteinander zu tun haben.«

»Nichts und alles, wie das bei organischen Produkten der Fall zu sein pflegt.«

»Was also kommt denn darin vor?« fragte Gottfried wieder. Ihn zog eine Reise, ein inhaltvolles Memorial, ein merkwürdiger Fall vor allem an.

»Genug und übergenug«, erwiderte Ferdinand. »Das eine ist aus der Geschichte; die beiden anderen mögen einer Sammlung merkwürdiger Kriminalfälle entnommen sein. Aber was will das sagen, da sie doch aus der Phantasie eines Dichters hervorgestiegen sind, umblüht vom Duft einer fremden Welt in meine Welt hereintreten. Ich lese sie ja jetzt schon zum zweiten Male. Das erstemal hab ich sie heute nacht gelesen. Der Sturm rüttelte an meinem Fensterladen, ich lag wach ohne Unruhe, ohne Ärger, herinnen brannte friedlich meine Kerze, und draußen wühlte die wilde Nacht in den Bäumen. Das war die rechte Stunde, ich stand auf, da lagen die frisch gekommenen Bücher, ich griff nach diesem, ich las es ganz durch, und wie reich waren diese zwei nächtlichen Stunden! Hastig las ich, die innere Hast der Erzählungen riß mich mit sich, mir war, als jagte ein dunkles Wasser mit mir zwischen steilen Ufern hin, und doch stieß ich nirgends an, eine unsichtbare Kraft regierte meinen dunklen Weg. Dreimal kam ich durch ein ganzes Menschenleben hindurch, dunkel ahnte mir, als beginge ich da einen Frevel, finstere Geschicke so hinunterzutrinken wie einen aufschäumenden Becher, aber die Lust überwog, und ich konnte nicht innehalten. Diese Frauen zerzitterten in meinem Herzen wie unbeschreibliche Töne, die aus der Nacht hervordrangen. Ihre Schicksale fühlte ich, fühlte, wie hier das Gleichgültige mit dem Ungeheuren verschmolzen war: ihre Königreiche wurden ihnen zu Kerkern und ihre Kerker zu Königreichen, ihr Leben war aus dem gleichen Stoff wie ihre Träume, das fremde Übergewaltige glitt an ihnen ab wie ein Hauch, und in eine nichtige Regung, in Zucken verkleidete sich ihr Schicksal und gewann von innen heraus die Krongewalt ihrer Seelen. Ihre Finsternisse noch waren für mich durchsichtig, ihre Qualen Lust. Sie waren Schwestern unter sich, und auch meine Schwestern waren sie. Auf unbegreiflichen Wegen kommt das Fremde zum Fremden, kommt alles zu allem und jedes zu seinem Geschick. Mein Gefühl der Welt war aufgewühlt wie lange nicht, in wunderbare Tiefen des Geschicks hatte ich hinabgeblickt, und das Leben schien mir schöner und gefährlicher als je zuvor. Ich sah das einsame Licht der Kerze, die tiefen Schatten an der Wand mit einem anderen Blick als früher, und noch jetzt im hellen Tageslicht sehe ich mein Haus, ich sehe eure Gestalten, eure Gesichter mit Befremden, als käme ich von weither. Daß es Menschen gibt, die eine solche Bezauberung nicht kennen! Daß diese wahre einzige Magie so wenige Adepten hat! Ist es nicht sonderbar, ist es nicht fast unbegreiflich? Und nicht doppelt wunderbar, daß die Dichter in diese stumpfe Welt immer wieder ihre Kräfte aussenden?«

Ein so lebhafter Ausbruch aus einer Stimmung heraus, zu der die anderen keinen Schlüssel haben, macht zumindest stumm, wo nicht zum Widerspruch geneigt.

»Dies alles ist ja sehr geisterhaft«, sagte Gottfried nach einer kleinen Stille, in einem nicht ganz angenehmen Ton, den Ferdinand schnell und den Widerstand fühlend erwiderte: »Nicht geisterhafter, mein Guter, als das Leben selber.«

»Da scheint ihm«, sagte Waldo, der in dem Buch blätterte und die Unart hatte, im voraus nach den letzten Abschnitten zu sehen, »der letzte Absatz dieser mittleren Geschichte hier recht zu geben. Denn hier heißt es: Nicht im Wirklichen und Greifbaren spielt sich das entscheidende Leben des Menschen ab. Das Tiefste, woran der Sterbliche seine Seele bindet, ist Rauch, ist Traum. So werden Glück und Unglück zu bloßen Namen.«

Ferdinand wollte sogleich noch etwas sagen; sich über diesen unfaßlichen Begriff des »Wirklichen« zu äußern, fühlte er sich nicht zum ersten Male aufgeregt; der unausgesprochene Widerstand Gottfrieds traf ihn in seiner schwebenden erhöhten Stimmung doppelt peinlich; da sah er den Oheim unerwartet hereintreten. Es wäre Ferdinand lieb gewesen, jetzt sogleich den Gegenstand des Gespräches zu wechseln; mit freiem Kopf hätte er als Hausherr leicht von einer ablenkenden Wendung Gebrauch gemacht; aber er war zu sehr in dieser Sache, er konnte nur schweigen, und der Oheim, in seiner bestimmten, nicht sehr zurückhaltenden Art, fragte sogleich nach dem Gegenstand des Gesprächs, das er unterbrochen zu haben bedauere, und es ergab sich schnell und unvermeidlich, daß er das Buch erbat, um es auf sein Zimmer zu nehmen und gelegentlich auch darüber mitsprechen zu können.

DIE ZWEITE

Am Nachmittag regnete es, und als Ferdinand, nach seinen Gästen zu sehen, ins Billardzimmer herunterkam, fand er den Oheim mit dem Buch in der Hand an einem Fenster sitzen.

»Ich habe dein Buch gelesen«, rief er ihm entgegen, und Ferdinand, der Weltkenntnis genug hatte, um zu wissen, daß mit einem älteren Herrn, den keine Kartenpartie erwartete, und der schon um seiner Sammlungen willen Ursache hatte, sich für eine Autorität in Kunstdingen zu halten, nun ein breiteres Gespräch unvermeidlich war, wunderte sich selbst über die unverhältnismäßige Ungeduld, die eine im Weltleben so gewöhnliche Situation ihm verursachte.

»Mein Buch?« fragte er und schien sich nicht erinnern zu können.

»Dieses da, natürlich, dein Buch oder euer Buch von heute

vormittag. Ich muß dir sagen, daß ich es nicht goutiere. Ich bin natürlich entfernt davon, zu verkennen, daß der Verfasser Talent hat. Er beherrscht vor allem seine Sprache.«

»Findest du das etwas Häufiges? Findest du das etwas Geringfügiges? Weißt du überhaupt, was du damit sagst, wie ungeheuer viel oder wie wenig das sagt?« wollte Ferdinand fragen, aber der Onkel sprach schon weiter.

»Mir fehlt ein bildendes und gebildetes Gemüt hinter diesen Dingen. Talent ist eine Voraussetzung, weiter nichts; wo es als Alpha und Omega statuiert wird, da vertreibt es mich. Aber wie in allen euren Produkten ist hier ein krasser Mangel an Charakter dahinter, an Weite des Gemüts, an Potenz, an Delikatesse. Charakter und Fähigkeit, das Zusammengehen dieser beiden ist für mich die elementarste Bedingung.«

»Ich weiß nicht genau, lieber Onkel, was du in diesem Zusammenhang unter Charakter verstehst. Jedenfalls finde ich hier ein Weltgefühl, das weder ohne Werte noch ohne Rang ist.«

»Weltgefühl – ich verstehe dich ausgezeichnet. Dein Weltgefühl ist eine Voraussetzung, eine elementare Voraussetzung. Aber ich verlange ein bißchen mehr. Diese Sachen haben eine Prätension, eine enorme Prätension.«

»Die doch nur in ihrer Qualität liegen dürfte; wenigstens wüßte ich nicht, worin sie sich sonst ausspräche.«

»Diese Sachen prätendieren, neben Balzac, neben Goethe zu existieren.«

»Jedes poetische Produkt muß das, oder es gibt sich von vornherein auf.«

»Aber ich vermisse hier die allerintimste Synthese von menschlicher und künstlerischer Qualität, die vermisse ich, lieber Ferdinand. Die höchste Delikatesse vermisse ich, und ich fordere sie. Denn eine über alle Begriffe zarte Sache ist das Darstellen von Menschen. Wo einer sich herausnimmt, mir Menschen zu produzieren, mir die Natur zu vermehren, da verlange ich nicht Talent zu spüren, sondern Vollendung. Talent darf ich nicht spüren, sonst ist es nichts als das Knarren der Maschine. Vollendung! Werther, Philine, Marquise von O., la Vieille Fille!« (Bei der Erwähnung dieser seiner bewunderten Lieblinge hob er die rechte Hand mit emporgekrümmten Fingern, als hielte er in ihnen eine Kostbarkeit.) »Sie haben keine Delikatesse, eure heutigen Autoren, einer wie der andere. Sie wissen nicht, was sie zu geben und was sie für sich zu behalten haben. Unleidlich sind sie mir, die meisten, mit ihrem Zuviel. Da wird man übertäubt mit ihren Details, mit ihren ausgekramten Sentiments. Hier ist einmal einer, der mir zuwenig gibt. Dem Künstlerischen jagt er nach, dem Gefühl des Ganzen, dem Tempo, und wo diese Hast Mißtrauen erregen würde, da ruft er, um uns mit dem Gefühl des Lebens zu blenden, zu verwirren, das Problematische, das Pathologische herbei. Das Pathologische konzediere ich aber nie und nimmer! Ich konzediere es euch nicht! Das Pathologische ist ein Schatten, der innere unsichere Verkürzungen verdecken soll. Es wird dort hingesetzt, wo das Eigentliche, die schöpferische Kraft nicht hingekommen ist. Sie muß aber nachkommen, bis in die Herzfalten der Kreaturen muß sie nach! Was ich einer alten Chronik, was ich einer barbarischen Novelle aus dem Sechzehnten konzediere, das konzediere ich einem modernen Autor noch lange nicht. Es haben sich einige amüsiert, die Roheit und Brüchigkeit solcher alten Produkte nachzuahmen; aber das nehme ich nicht an. Ich will Delikatesse. Zwischen mir und dem Autor sowohl, als zwischen dem Autor und seinen Figuren, eine grenzenlose Delikatesse. Der Autor muß fühlen, ob er mir seine Figur nahegebracht hat, ob er sie in meiner Einbildungskraft, in meiner Sympathie sicher befestigt hat. Dann darf er alles wagen. Zeigt er mir ein Schicksal von einer Absurdität, die mir die Kehle zuschnürt, so muß er mich durch das Behagen entschädigen, welches mir der Umgang mit seinen Figuren eingeflößt hat. Auch das Unheimlichste, das Befremdlichste muß ein Behagen atmen, sonst nehme ich es nicht an. Sonst bleibe ich bei meinen Contes drôlatiques und bei meinem Stifter. Ich weiß nicht, was eure neuen Autoren wollen. Es fehlt ihnen die primitivste Welterfahrung. Gewöhnlich wird dem Leser gar nichts zu produzieren übriggelassen, das ist öde genug. Hier ist das Gegenteil, hier soll ich das eigentliche Element des Lebens supplieren. Das lehne ich ab. An Fieberträumen, wenn

sie auch merkwürdig sind, mögen sich die freuen, die zwanzig Jahre alt sind, und denen die ganze Welt ein Geflirre und ein Traum ist. Daß die Sachen etwas sind, daß sie Ähnlichkeit haben mit einer interessanten Malerei oder mit einem guten radierten Blatt, das sehe ich auch. Aber das ist mir zu wenig. Von einem Buch will ich einen Druck auf meine Seele empfinden, einen fortdauernden, wechselnden, modulierten Druck, der niemals gewaltsam wird und doch nie aufhört; den Bezug auf eine fremde, harmonische, plastische Welt will ich fühlen, das ist der unendliche geistige Genuß, den bereiten zu können in den unvergleichlichsten Avantagen der erzählenden Poesie liegt, und den bleibt der Autor mir schuldig, oder er eskamotiert ihn mir.
So sind es eigentlich keine Novellen, was er macht, sondern die Möglichkeit von Novellen. Um mich aber auf Möglichkeiten und Tendenzen einzulassen, fühle ich mich zu alt. Ich muß mich an Resultate halten, lieber Ferdinand!«
Ferdinand war herzlich froh, als in diesem Augenblick eine lebhaft sprechende Gruppe, darunter auch die Damen, herantrat. Das Gespräch wandte sich sogleich zu anderem: man wollte ausfahren und gab es des Wetters wegen wieder auf, man machte Musik, man war lebhafter als sonst, indessen draußen ein stiller Regen und allmähliches Dunkel Wald und Tal einhüllte.
Erst beim Schlafengehen fand Ferdinand das kleine Buch oben auf seinem Tisch – ein Diener mochte es heraufgetragen haben –, und damit kam eine Verstimmung zurück, kam um so stärker zurück, als sie in diesen vielen Stunden seit dem frühen Nachmittag übertäubt, aber ungesänftigt in ihm gelegen hatte. Das Urteil des Oheims, die lange, geschlossene kritische Tirade war ihm mit unangenehmer Lebhaftigkeit gegenwärtig; der mit Härte ablehnende Ton, das immer wiederholte »eure Autoren« klang ihm widerlich nach. Er wunderte sich, daß er nicht widersprochen hatte, und fand doch auch jetzt in sich nicht den Punkt, wo die Widerlegung hätte ansetzen müssen. Vielleicht gerade weil er selbst nichts produzierte, genoß er geistige Produkte mit Zartheit und Empfindung, ja mit Hingebung.

Die Produkte der neueren Autoren, mit denen er sich in einer Generation und so vielfach in den Schwebungen des Empfindens verwandt fühlte, nahm er mit einer Freude auf, die nicht nur zu genießen, sondern auch zu ergänzen verstand. So war ihm ein oberflächliches Verallgemeinern, ein ungerechtes, süffisantes Aburteilen hier besonders verhaßt. So nannte er in sich das, was der Onkel vorgebracht hatte, und konnte es doch nicht ganz in sich abweisen, konnte nicht einfach damit fertig werden. Die Verstimmung wurde stärker, sie richtete sich gegen ihn selbst, gegen das Buch. Der schöne Eindruck der vergangenen Nacht wurde ihm zweifelhaft, und daß er ihm zweifelhaft wurde, machte ihn noch ärgerlicher. Die furchtbar isolierte Natur des Dichterwerkes in unserer zerklüfteten, fordernden, ruhelosen Welt wurde ihm mit einem Schlage klar. Er schlug das Buch auf, er wollte mit Gewalt seine Magie auf sich wirken lassen. Aber da hasteten die Begebnisse wie in einem Fiebertraum an ihm vorbei, mit gesenktem Kopf die Gestalten. Keine schlug auch nur in einem Moment das Auge auf, ihm ins Auge zu sehen. Er suchte nach einem Ruhepunkt und fand keinen. Er mußte sich gestehen, daß hier einem seltsamen, gefährlichen Reiz, einem fast schwindelerregenden Rhythmus ein unentbehrliches Element, das Retardierende, aufgeopfert war, und er fühlte mit Mißvergnügen, wie er, indem er las, der Auffassung des Oheims unwillkürlich näherkam. So schloß er schnell das Buch, entkleidete sich, horchte auf den Regen und war bald eingeschlafen.

Auf einmal erwachte er in völliger Stille, tiefstem Dunkel. Er fühlte sich ausgeruht, der gestrige Abend schien ihm weit weg, und das Dunkel verwunderte ihn; als er aber Licht gemacht hatte und nach der Uhr gesehen, war es nicht weit über Mitternacht und die gleiche Stunde, da ihn gestern der Sturm aufgeweckt hatte. Das leise, lebendige Dasein der Kerze, die schwarzen Schatten auf der Wand, das geheimnisvolle Gefühl des Draußen vor den Fenstern, alles war wie in der vergangenen Nacht, und zauberhaft war aufs neue der erregende Reichtum jener Novellen in seine Phantasie hinübergetreten. Über die dunklen Stellen des Zimmers wie über dunkle Abgründe schweifte sein Blick als in einer fremden Welt; nichts war geheimnislos in diesem Raum; auf dies schöne Bett hatte das Leben ihn hingelegt, ob für eine oder für viele Nächte, blieb in der Schwebe; er war daheim und war der fremdeste aller Gäste.

Er sah halbaufgerichtet nach dem großen Tisch hin: da lagen auf einem Teller Früchte: Birnen, eine große Traube, ein Pfirsich. Er sah sie, und das Herz klopfte ihm, als läge dort der sehnlich erwartete Brief einer Geliebten. Das Buch, das danebenlag, schien ihm wie ein lebendiges Wesen, und zwischen ihm und jener erfundenen, erträumten Welt die seltsamste Geisterbotschaft durch greifbare Zeichen ausgetauscht. »Was war mir noch gestern um diese Stunde«, dachte er, »ein Teller mit Früchten, und was sehe ich heute darin, nachdem ich jene dritte Novelle gelesen habe, was würde ich mein Leben lang darin sehen, wenn eine solche Bezauberung in unserer Phantasie nur aushielte, so lange wie ein Duft in einer hölzernen Schatulle. Solche Früchte bringt Clarissa dem unschuldig verurteilten Bastide Grammont, durch sie unschuldig verurteilt, in den Kerker. Sie findet ihn schlafend, und der Duft der Früchte, die sie neben ihm auf den Boden stellt, dringt in seine letzten Träume hinüber. Sie will ihn küssen, sie beugt sich über ihn, aber sie wagt es nicht. Ihr Körper krampft sich zusammen, sie umarmt ihn im Geiste und fühlt sich schon losgelöst von der Erde. Sie erhebt sich leicht, geht so weit von dem Schlafenden weg, als der Raum es gestattet, nimmt ein kleines Federmesser aus der Tasche und öffnet sich die Adern, und die Hand des Todes versucht vergeblich, das trunkensüße Lächeln von ihren erblaßten Lippen abzuwischen. Dies Lächeln in dem Raum und der Hauch der Früchte, allein lebend, und der Schlafende und dort die Tote, seine Schicksalsverflochtene! Eine Erzählung, eine Erfindung!«

Ferdinand gab sich ganz dem Genuß des Unfaßlichen hin, das in glücklichen Augenblicken von der eigentlichen Dichterkraft ausgeht. Er war in der Verfassung, von welcher der Dichter sagt: »Unmöglich scheint stets die Rose, unbegreiflich die Nachtigall!« Indem er auf die Früchte hinsah, denen er das reinste, seltenste Nachgefühl eines magischen Eindruckes verdankte, ahnte er und segnete in sich den Blick des Dichters, der die Dinge der Welt außer allem Bezug ansieht und in ihrem tiefsten Bezug. Er, der mit dem kühnen, sichern Blick des Besitzenden, mit dem Blick des Liebenden, mit dem Blick des Jägers in die Welt zu schauen gewohnt war, begriff mit bescheidener Seele einen Blick, der über allen diesen war und mit dem jene Früchte dort im Kerker, in der Todesnacht, zu Trägern der unfaßlichsten Botschaft ersehen waren. Er spürte das seltene dichterische Vermögen auf sich einströmen wie eine Welle geheimnisvoller physischer Gewalt. »Möge dies anderen die Voraussetzung sein, mir ist es schon Besitz und Glück, nur das Walten dieser Kraft zu empfinden. Freilich, die Nachwelt läßt nur Resultate bestehen. Aber sie weiß nicht und braucht nicht zu wissen, wie schön es für die Mitlebenden war, sich gelegentlich schon den hohen Möglichkeiten hinzugeben.«

DIE BRIEFE DES ZURÜCKGEKEHRTEN

DER ERSTE

April 1901

So bin ich nach achtzehn Jahren wieder in Deutschland, bin auf dem Weg nach Österreich, und weiß selbst nicht, wie mir zumut ist. Auf dem Schiff machte ich mir Begriffe, ich machte mir Urteile im voraus. Meine Begriffe sind mir über dem wirklichen Ansehen in diesen vier Monaten verlorengegangen, und ich weiß nicht, was an ihre Stelle getreten ist: ein zerspaltenes Gefühl von der Gegenwart, eine zerstreute Benommenheit, eine innere Unordnung, die nahe an Unzufriedenheit ist – und fast zum erstenmal im Leben widerfährt mirs, daß ein Gefühl von mir selbst sich mir aufdrängt. Sind es die überschrittenen Vierzig, und ist auch in mir etwas schwerer und dumpfer geworden, so wie mein Körper, den ich in den Distrikten nie gespürt habe und nun – wenn das nicht eine angeflogene Hypochondrie ist – zu spüren anfange? Ich machte mir einen Begriff von den Deutschen, und noch als ich über Wesel der Grenze zufuhr, hatte ich ihn ganz rein in mir: es war nicht völlig der, den die Engländer vor 70 von uns hatten, nur mit den wenigen Büchern, die ich mit mir führte, dem »Werther« und »Wilhelm Meister«, floß mir mein Bild von den Deutschen auch nicht zusammen (was in diesen Romanen abgespiegelt war, erschien mir immer wie ein Spiegelbild, unendlich vertieft, verklärt, beruhigt), aber auch den unfreundlichen Begriff, den die Engländer unserer Zeit von uns in Umlauf setzen, hatte ich von mir abgewehrt: denn ein Volk verwandelt sich nicht bis zur Unkenntlichkeit, es regt sich nur wie im Schlaf und wirft sich herum, es stellt nur andere Seiten seines Wesens ins Licht. Und nun bin ich seit vier Monaten unter ihnen, habe in Düsseldorf mit ihren Minenleuten gehandelt und in Berlin mit ihren Bankleuten, habe Gerhart auf seinem Amt besucht, Charlie auf seinem Gut, habe um eines Gutachtens willen mich von einer Göttinger Kapazität an eine Gießener weisen lassen, mich in Bremen verhalten und in München umgetrieben, habe mit Ämtern

und Behörden zu tun gehabt, Eure Eisen- und Maschinenleute, Eure kleinen und großen Herren gekostet – und weiß nicht, was ich sagen soll.
Was hatte ich mir denn vorgestellt? Was hatte ich zu finden erwartet? Und warum ist mir nun, als verliere ich den Boden unter den Füßen? Du kannst Dir denken, daß ich darüber hinaus bin, eine vereinzelte persönliche Erfahrung ins allgemeine zu ziehen. Auch ist mir niemand anders als loyal begegnet, ich habe meine javanesisch-deutschen Negoziationen besser abgewickelt, als ich mir hätte träumen lassen, und bin heute frei, und dazu zwar nicht reich, aber unabhängig, was mehr ist. Nein, es ist nichts in mir, was mich befremdet und quält und mich der Heimat nicht froh werden läßt, es ist kein Spleen, es ist – also, wie soll ich es nennen? Es ist mehr als eine Beobachtung, es ist ein Gefühl, eine Beimischung aller Gefühle, ein Existenzgefühl – Du siehst, ich quäle mich zurück in den Gebrauch einer Kunstsprache, die mir in zwanzig Jahren fremd genug geworden ist. Aber muß ich wirklich kompliziert werden unter den Komplizierten? Ich möchte in mir selber blühn, und dies Europa könnte mich mir selber wegstehlen. So will ich es Dir lieber weitschweifig oder ungeschickt sagen und ihren Kunstworten ausweichen. Du kennst mich genug, um zu wissen, daß ich bei meinem Leben nicht viel Zeit hatte, abstrakte oder theoretische Lebensweisheit anzusammeln. Eher eine gewisse praktische Erfahrung, aus den Gesichtern von Menschen oder aus dem, was sie nicht sagen, etwas abzunehmen, oder eine kleine Kette von unauffälligen Details hinreichend zu dechiffrieren, um allenfalls den Gang der Dinge bei einem Geschäftsabschluß oder einer Krise im Verhalten anderer zu mir oder untereinander irgendwie vorauszusehen. Von Theoretischem aber, wie gesagt, habe ich fast nichts in mir, so gut wie nichts. Immerhin ein oder zwei oder drei Sätze, Aphorismen, oder wie man es nennen wollte; es gibt Verbindungen von Wörtern, die man nicht vergißt; wer vergißt das Vaterunser? The whole man must move at once: Da hast Du eine von meinen großen Wahrheiten. Ich scherze nicht, das ist eine große Wahrheit, ein tiefsinniges Aphorisma, eine ganze Lebensweisheit, wenn es auch nur wenige

Worte sind, die nicht viel gleichsehen. Und es war ein großer Mensch, der sie mir überliefert hat. Er war mein Bettnachbar im Spital von Montevideo, und es war einer von denen, die weit gekommen wären. Viel von dem Stoff war in ihm, woraus die englische Rasse ihre Warren Hastings und Cecil Rhodes macht. Aber er starb mit fünfundzwanzig, nicht damals in dem Bett neben mir, sondern ein Jahr darauf, an einer Rezidive. Er hatte den Spruch von seinem Vater, der ein Landgeistlicher in Schottland war und hart und bös gewesen sein muß, aber ein tiefer Kopf. Es ist ein Spruch, um ihn auf seinen Fingernagel zu schreiben, und man vergißt ihn nicht mehr, wenn man ihn einmal gefaßt hat. Ich führe ihn nicht oft im Mund, aber er ist irgendwo in mir immer präsent. Es ist mit solchen Wahrheiten – ich glaube nicht, daß es viele von solcher Kraft und Einfachheit gibt – wie mit dem Organ, das wir im inneren Ohr haben, den Knöchelchen oder kleinen beweglichen Kugeln: sie sagen uns, ob wir im Gleichgewicht sind oder nicht. The whole man must move at once – wenn ich unter Amerikanern und dann später unter den südlichen Leuten in der Banda oriental, unter den Spaniern und Gauchos, und zuletzt unter Chinesen und Malaien, wenn mir da ein guter Zug vor die Augen trat, was ich einen guten Zug nenne, ein Etwas in der Haltung, das mir Respekt abnötigt und mehr als Respekt, ich weiß nicht, wie ich dies sagen soll, es mag der große Zug sein, den sie manchmal in ihren Geschäften haben, in den U. S. meine ich, dieses fast wahnwitzig wilde und zugleich fast kühl besonnene »Hineingehen« für eine Sache, oder es mag ein gewisses patriarchalisches grand air sein, ein alter weißbärtiger Gaucho, wie er dasteht an der Tür seiner Estancia, so ganz er selbst, und wie er einen empfängt, und wie seine starken Teufel von Söhnen von den Pferden springen und ihm parieren, und es mag auch etwas viel Unscheinbareres sein, ein tierisches Hängen mit dem Blick am Zucken einer Angelschnur, ein Lauern mit ganzer Seele, wie nur Malaien lauern können, denn es *kann* ein großer Zug darin liegen, wie einer fischt, und ein größerer Zug, als Du Dir möchtest träumen lassen, darin, wie ein farbiger Bettelmönch Dir die irdene Bettelschale hinhält – wenn etwas der Art mir unterkam, so dachte ich: Zuhause! – – Alles, was etwas Rechtes war, worin eine rechte Wahrhaftigkeit lag, eine rechte Menschlichkeit, auch im Kleinen und Kleinsten, das schien mir *hinüber* zu deuten. Nein, meine ungeschickte Sprache sagt Dir wieder nicht die Wahrheit meines Gefühls: es war nicht Hinüberdeuten, auch nicht Erinnert-Werden an drüben, es war kein Hüben und Drüben, überhaupt keine Zweiheit, die ich verspürte: es war eins ins andere. Indem die Dinge an meine Seele schlugen, so war mir, ich läse ein buntes Buch des Lebens, aber das Buch handelte immerfort von Deutschland. Ich denke, ich bin kein Träumer, und wenn ich – vielleicht als Bub – einer war, so habe ich jedenfalls in diesen achtzehn Jahren ganz einfach keine Zeit gehabt, einer zu sein. Auch sind es keine Träumereien, von denen ich Dir rede, nichts Ausgesponnenes, sondern etwas Blitzhaftes, das da war, während ich lebte, und oft in Momenten, wo mein Denken und alle meine Nerven vom Leben so angespannt waren wie möglich. Daß ich mich Dir mit einem Beispiel ausdrücke, das freilich beinahe albern ist: es ist wie mit dem Wassertrinken am Brunnen. Du weißt, ich war als Kind fast immerfort in Oberösterreich auf dem Land, nach meinem zehnten Jahr dann nur mehr die Sommer. Aber sooft ich in Kassel während der Schulwinter oder sonst, wohin ich mit meinen Eltern kam, einen Trunk frischen Wassers tat – nicht wie man gleichgiltig bei der Mahlzeit trinkt, sondern wenn man erhitzt ist und vertrocknet und sich nach dem Wasser sehnt – so oft war ich auch, jedesmal für eines Blitzes Dauer, in meinem Oberösterreich, in Gebhartsstetten, an dem alten Laufbrunnen. Nicht: ich dachte daran – *war dort,* schmeckte in dem Wasser etwas von der eisernen Röhre, fühlte übers ganze Gesicht die Luft vom Gebirg her wehen und zugleich den Sommergeruch von der verstaubten Landstraße herüber – kurz, wie das zugeht, weiß ich nicht, aber ich habe es zu oft erlebt, um nicht daran zu glauben, und so gebe ich mich zufrieden. – Noch in New York und in St. Louis die kurze Zeit ging das mit mir, dann freilich in New Orleans schon und später noch weiter im Süden, da verlor es sich: Luft und Wasser waren da zu sehr ein Verschiedenes von dem, was in Gebhartsstetten aus dem Rohr sprang und über den Zaun wehte – und Luft und Wasser sind große Herren und machen aus den Menschen, was sie wollen. Aber das mit dem Trinken sollte ja auch nur ein Beispiel sein. So wie mich ein Trunk an den alten Laufbrunnen in Gebhartsstetten zurückzaubern konnte, so *war* ich in Deutschland alle die Male, wo in Uruguay oder in Kanton oder zuletzt auf den Inseln mir irgend etwas die Seele traf, es brauchte nur der Blick eines der unglaublich schönen Mädchen zu sein, wie sie auf den einsamen Gehöften der Gauchos aufwachsen, oder die rührende Genügsamkeit eines alten Chinesen, oder kleine gelbbraune nackte Kinder im Teich vor dem Dorf. Denn man erlebt viel, aber das meiste tun die Sinne ab, oder die Nerven und der Wille, oder der Verstand, aber was die Seele treffen wird, das läßt sich nicht vorausahnen, es kann der einsame schwingende Flug eines tropischen Vogels sein über einem ganz leeren, leierförmig geöffneten Bergtal, oder das Arbeiten eines guten Schiffes unter einer schweren See, oder der Blick eines sterbenden Affen, oder ein braver kurzer Händedruck. Diese Dinge alle, wenn sie kamen und ins Innre des Innern trafen, redeten von Deutschland mit einer Deutlichkeit und Kraft, die weit über dieser ist, mit der diese Schriftzeichen Dir von mir reden. Vielmehr, wenn ein solches mich *traf,* so *war* ich in Deutschland. Das alles ist, wie es ist, und es ist nichts von Träumerei dabei. Jedennoch – in zwei Wochen fahre ich nach Gebhartsstetten und kann so ziemlich sicher sein, den Laufbrunnen wiederzufinden mit der friedlichen Jahreszahl 1776 in verschnörkelten theresianischen Chiffern – da wird er stehen und mich anrauschen, und der alte, schiefe, vom Blitz gespaltene Nußbaum, der immer am spätesten von allen Bäumen seine Blätter bekam und am unwilligsten von allen sie dem Winter preisgab, der wird in all seiner Schiefheit und seinem Alter irgendwie ein Zeichen geben, daß er mich erkennt und daß ich nun wieder da bin und er da ist, wie immer – aber da bin ich nun vier Monate in Deutschland, und kein Haus, kein Fleck Erde, kein geredetes Wort, kein menschliches Gesicht, wenn ich ehrlich sein soll, keines, hat mir dies kleine Zeichen gegeben. Dies Deutschland, in dem ich herumfahre, handle, abwickle, mit Leuten esse, den kosmopolitischen Geschäftsmann, den fremden, welterfahrenen Herrn agiere – wo *war* ich jedesmal, wenn ich in dem Land zu sein meinte, das man durch den Spiegel der Erinnerung betritt, wo *war* ich in den Augenblicken, wo nur mein Leib unter den Gauchos oder unter den Maoris herumwandelte? Wo *war* ich? Nun da dies Deutschland ist, so war ich nicht in Deutschland. Und dennoch, ich nannte es in mir Deutschland. Es war geradewegs der Spiegel der wehmütigen Erinnerung, durch den ich es betrat – wenn ich es betreten durfte. Es war – es waren Männer und Frauen, Mädchen, Greise und Jünglinge. Es war mehr eine Ahnung als Gegenwart, wie das Herüberwehen des Seelenhaftesten, des Wesenhaftesten und des Ungreifbarsten. Es war der geistigste Reflex – wie nichtssagend ist das Wort für ein Erlebnis, eine innere Krise, die jedesmal stärker war als Wollust und reiner, zarter, begrenzt und bestimmt als ein einfaches, der Erhörung sicheres kindliches Gebet –, der Reflex zahlloser ineinander verflochtener Lebensmöglichkeiten. Es war der zarteste Duft eines ganzen Daseins, des deutschen Daseins. Besser kann ich es Dir nicht sagen, so gerne ich möchte. Das Einzelne, der Anstoß kam von außen. Ich war nur wie die Klaviatur, auf der eine fremde Hand spielt. Aber in mir lag etwas, ein Gewoge, ein Chaos, ein Ungeborenes, und daraus konnten Figuren aufsteigen, und das waren deutsche Figuren. Es war Mädchenhaftigkeit und alten Mannes Wesen, es war Behagen und Seßhaftigkeit und wiederum gräßliche Armut ohne ein Strohdach über ihrem Kopf; es war Jünglingsdasein und grenzenlose Freundschaft, grenzenlose Hoffnung; starrende Einsamkeit, bleiches Gesicht, aufgedreht zu den schweigenden Sternen; es war Liebesleben, Bangen, Warten, Wartenlassen, Einanderquälen, Einanderumschlingen, Jungfräulichkeit und hingegebene Jungfräulichkeit; es war einen Acker haben, ein Haus haben, Kinder haben, Kinder badend im Bach, badend unter Pappeln, unter Weiden; es war Geselligkeit und Einsamkeit, Freundschaft, Zärtlichkeit, Haß, Leid, Glück, letztes Bette, letztes Daliegen und Sterben. Deutsche Figuren waren es, die sich zu diesen Zauberbildern zusammenballten – nein, es war mehr ein Hauch, als daß es Bilder gewesen wären – und gleich wieder auseinanderflossen, deutsche sparsame Gebärden, ich weiß nicht was vom innersten Wesen der Heimat. Ihr Starkes und ihr Schwaches, ihr Rauhes und ihr Sanftes kam gleichzeitig zu mir, und ich konnte es genießen, konnte ihrer Geschöpfe und des Lebens ihrer Geschöpfe genießen, träumend vom Verlorenen oder vorahnend, vorwegnehmend Freuden der Wirklichkeit, vorbehalten, wie ich mir schmeichelte. Und jedes ihrer Geschöpfe, das mir erschien – nein, denn ich bin kein Visionär und meine Geschäfte gestatteten mir keine Halluzinationen –, dessen Seelenhauch als eine flüchtigste Möglichkeit köstlicher zukünftiger Begegnung anwehte, jedes Frauenbild und Bild von Greis und Mann und Jüngling, reichem Mann und armem Lazarus, jedes war aus einem Guß und vertrug die innere Wahrheit, daran ich es maß. The whole man must move at once – und so waren sie, ob es Mädchen waren mit Taubenblick oder unstete Männer, die Augen trunken von grenzenlosen Gedanken, oder verzeihende Greise und zürnende Richter mit Brauen des Löwen. Sie waren aus einem Guß. In *einer* Gebärde erschienen sie mir, und keiner blieb länger bei mir als die Dauer eines aufzuckenden und erlöschenden Blitzes, denn ich bin kein Tagträumer und führe keinen Dialog mit den Ausgeburten meiner Einbildungskraft. Aber in ihrer *einen* Gebärde, in der sie an mich heran- und durch mich hindurchwehten, waren sie *ganz*. In jedem Blick ihrer Augen, in jedem Krümmen ihrer Finger waren sie *ganz*. Sie waren nicht von denen, deren rechte Hand nicht weiß, was die linke tut. Sie waren eins in sich selber. Und das – oder es müßte mich seit vier Monaten bei offenen Augen der bösartigste, vielteiligste, zäheste aller bösen Träume narren –, das sind die heutigen Deutschen nicht.

DER ZWEITE

22. April 1901

Ich weiß nicht, auf was hin die Leute leben, das ist es, und je länger ich mich unter ihnen bewege, um so weniger weiß ich es. Sie sind ernsthaft, sie sind tüchtig, sie arbeiten, wie keine Nation auf der Welt, sie erreichen das Unglaubliche – aber es ist keine Freude, unter ihnen zu leben. Daß ich achtzehn Jahre fort war und nun zurück bin und das hinschreiben muß! Irr ich mich? Wie gern möchte ich mich irren! Ich verhandle und ich verkehre und ich werde freundlich aufgenommen, und ich mache Diners mit, und ich werde aufs Land eingeladen, und ich sehe alte Männer und junge Männer, Hinaufgekommene und Leute von Familie, Männer in Ämtern und Männer mit neuen riesigen Vermögen, Menschen, die noch viel vom Leben erwarten, und Menschen, die mit dem Leben abgeschlossen haben, und ich kann ihrer nicht froh werden. Und ich werde so gern eines Menschen froh! Ich achte so gern! Denke nicht, daß ich ihre Leistungen nicht achte, da müßte ich ein Dummkopf sein. Aber sie selber, die Menschen – die deutschen Menschen! Aber es geht mir unheimlich damit: ich bekomme sie nicht zu fassen. Nicht, als ob sie verschlossen wären oder hinterhältig, davon hab ich unter südlichen Breiten ganz andere Beispiele erlebt – aber wenn auch: ein verschlossenes Gesicht und ein tückisches Gesicht reden auch ihre Sprache, und daran, daß er sich nicht fassen lassen will, daran faß ich eben einen solchen. Aber hier – hier ist nichts von Verstellung, nichts von Absicht, und darum um so schlimmer. Wo soll ich eines Menschen Wesen suchen, wenn nicht in seinem Gesicht, in seiner Rede, in seinen Gebärden? Meiner Seel, in ihren Gesichtern, ihren Gebärden, ihren Reden finde ich die gegenwärtigen Deutschen nicht. Wie selten begegnet mir ein Gesicht, das eine starke, entschiedene Sprache redet. So verwischt sind die meisten Gesichter, so ohne Freiheit, so vielerlei steht darauf geschrieben, und alles ohne Bestimmtheit, ohne Größe. Es geschieht mir manchmal, daß ich mir das Gesicht eines indianischen Halbbluts herbeiwünsche oder das Gesicht eines chinesischen Lastträgers. Neulich hatte ich, einer schwebenden Sache wegen, Empfehlungen an den Ersten Präsidenten eines der obersten Gerichtshöfe. Der alte Herr war gütig und gesprächig, aber die Schwächlichkeit seines nervösen alten Gesichtes und ein Etwas von weltmännischer Ironie in seinem Ton, als wollte er zeigen, daß er kein Pedant wäre, vexierte mich so, daß ich ihm kaum ordentlich Antwort gab. Mir geht letzter Zeit das englische Wort nicht aus dem Kopf, mit dem sie ihren alten Gladstone ehrten. Grand old man! Und ein Richter, ein oberster Richter unter den Deutschen! Meine Träume! Ich möchte einem begegnen, der jeder Zoll ein alter oberster Richter wäre – oder doch wenigstens einem, der jeder Zoll ein großartiger alter Mann wäre. Aber es ist alles so verwischt, durcheinander hingemischt: in den Jungen wieder steckt etwas von Alten, in den Gesunden etwas von Kranken, in den Vornehmen etwas von recht Unvornehmen. Und ihre Gebärden sind genau wie das. Alles mischt sich da durcheinander. Wo bloß das Höfliche hingehört, mischen sie Gott weiß was für eine Art von biederer Zutraulichkeit darunter, um dann wieder aus dem angewärmten Ton in eine solche Trockenheit, solche Trivialität zu fallen, daß es weh tut; wollen sie aber große airs annehmen, so ist es eine falsche Feierlichkeit, eine angstvolle Gespreiztheit, die den Fremden kalt und verlegen macht. Ich habe mein Leben auf diese Dinge nicht viel geachtet – bin ich wirklich unter halbblütigen Pferdehirten und unter nackten Insulanern so verwöhnt worden, daß mir in Salons dahier und Bankettsälen und Konferenzzimmern manchmal vor Unbehagen übel wird? Aber ich würde von den Dingen nicht reden, würde mir sagen, daß ich überempfindlich bin, wäre nicht alles so einheitlich, so unerbittlich einheitlich. Jedes Land hat seinen bestimmten Geruch und jede Landschaft und jede Stadt und jeder Teil einer Stadt, Andalusien so gut wie Whitechapel und Hamburg so gut wie Tahiti. Aber hier verfolgt mich etwas wie ein geistiger Geruch, etwas namenlos Bestimmtes und doch kaum Sagbares: ein Gegenwartsgefühl, ein europäisch-deutsches Gegenwartsgefühl – warum sag ich »verfolgt mich«? – warum nicht »erfüllt mich«? Aber das erste Wort sagt die Wahrheit. Wie sie guten Tag sagen und wie sie dich zur Tür begleiten, wie sie eine Tischrede halten und wie sie von Geschäften reden, wie sie in ihren Zeitungen schreiben und wie sie ihre neuen Stadtteile bauen – das ist alles aus einem Guß. Ich meine, das paßt eins zum andern: denn *in sich* ist nichts, was sie tun und treiben, aus einem Guß: ihre linke Hand weiß wahrhaftig nicht, was ihre rechte tut, ihre Kopfgedanken passen nicht zu ihren Gemütsgedanken, ihre

Amtsgedanken nicht zu ihren Wissenschaftsgedanken, ihre Fassaden nicht zu ihren Hintertreppen, ihre Geschäfte nicht zu ihrem Temperament, ihre Öffentlichkeit nicht zu ihrem Privatleben. Darum sag ich Dir ja, daß ich sie nirgends finden kann, nicht in ihren Gesichtern, nicht in ihren Gebärden, nicht in den Reden ihres Mundes: weil ihr Ganzes auch nirgends darin ist, weil sie in Wahrheit nirgends sind, weil sie überall und nirgends sind. Ein menschliches Gesicht, das ist eine Hieroglyphe, ein heiliges, bestimmtes Zeichen. Darin steht eine Gegenwart der Seele, und so auch beim Tier – sieh einem Büffel ins Gesicht, wenn er kaut oder wenn er zornig das blutunterlaufene Auge rollt, und sieh einem Adler ins Gesicht und einem guten Hund. In einem menschlichen Gesicht steht ein Wollen und ein Müssen, und das ist mehr als eines einzelnen Wollen und Müssen. Solche Gesichter hatten die Deutschen in meinen Träumen, deren jeder kürzer war als ein Atemzug; zwar sah ich den Unbekannten, die an mich wehten, nicht immer ins Gesicht, manchmal hörte ich ihre Rede, oder meine Seele selbst schweifte für Blitzesdauer in ihre Rede hinüber, dann war mir, ich sah *solche* Gesichter von innen. »Ich kann nicht anders« steht auf solchen Gesichtern geschrieben. Und nun sehe ich seit vier Monaten in die Gesichter der Wirklichen: nicht als ob sie seelenlos wären, gar nicht selten bricht ein Licht der Seele hervor, aber es huscht wieder weg, aber es ist ein ewiges Kommen und Wegfliegen wie in einem Taubenschlag, von Stark und Schwach, von Nächstbestem und Weithergeholtem, von Gemeinem und Höherem, eine solche Unruhe von Möglichkeiten, und was fehlt, ist der eine große, nie auszusprechende Hintergedanke, der stetige, der in guten Gesichtern steht, der wie ein Wegweiser durch die Wirrnis des Lebens auf den Tod und noch über den Tod hinaus weist, und ohne den mir ein Gesicht keine Hieroglyphe ist, oder eine verstümmelte, verwischte, geschändete. Und mit ihren Reden gehts mir wie mit ihren Gesichtern. Auch da ist etwas so Prekäres, so etwas Unsicheres. Auch da ist mir immer, als könnten sie auch etwas anderes sagen, und als wäre es gleichgiltig, ob sie dies oder jenes gesagt hätten. Mir ist, als dächten sie immer an mehreres zugleich. Aber der eine große, nie ausgesprochene Hintergedanke, der allem, was aus eines Menschen Mund kommt, sein Mark gibt und seinen Klang, und eine Rede zur menschlichen Rede macht, so wie die Drossel ihren Laut hat und der Panther den seinen und in seinem Laut die ganze, in Worten nicht zu fassende Wesenheit seines Daseins – muß ich zurück nach Uruguay oder hinunter nach den Inseln der Südsee, um wieder von menschlichen Lippen diesen menschlichen Laut zu hören, der in ein schlichtes Abschiedwort, in eine Floskel der Gastlichkeit, in eine Frage, in ein hartes, abweisendes Wort manchmal das Ganze der menschlichen Natur zu legen vermag und mir sagt, daß ich nicht allein bin auf der weiten Erde? Denn was red ich von Reden und was red ich von Gesichtern: es gibt den Menschen und nichts als den Menschen. Und wenn ich meine Deutschen träumte, so waren es Menschen vor allem. Und wenn mir Menschen nicht unheimlich werden sollen, so muß ich ihnen anfühlen können, auf was hin sie leben. Ich verlange nicht, daß einer die Geheimnisse seines Lebens auf der Zunge trägt und mit mir Gespräche führt über Leben und Sterben und die vier letzten Dinge, aber ohne Worte soll er mirs sagen, sein Ton soll mirs sagen, sein Dastehen, sein Gesicht, sein Tun und Treiben. Wenn ich mit ihm esse und trinke, unter seinem Dach schlafe und mit ihm handle, so will ich erfahren, auf was er seine Sach gestellt hat, nicht mit ausdrücklichen Worten, implicite, nicht explicite. Daraufhin will ich es mit Banditen und Goldsuchern wagen, mit Strafkolonisten, mit New Yorker Obdachlosen, mit wem Du willst. Ich kann mich in einen hineinfinden, den das Rekordfieber um Milliarden Dollars zerfrißt, und in einen, der badet und fischt und auf einer mit Taubenfedern bestickten Matte schläft und seine Frau die Feldarbeit tun läßt; in einen, dessen Höchstes eine Flasche Rum ist, und in einen, der aus Zwischendeckspassagieren christliche Heilige machen will. Aber in den kann ich mich nicht hineinfinden, der es selber nicht weiß, auf was er sich gestellt hat, der daliegt auf dem Leben wie ein Polyp, und mit dem einen Fangarm saugt er an jenem, mit dem andern an diesem, und das eine Glied weiß nichts vom andern, und haut man ihm eines ab, so kriecht er fort und weiß von nichts. So liegen die Deutschen da und haben ein »Einerseits« und ein »Andrerseits«, ihre Geschäfte und ihr Gemüt, ihren Fortschritt und ihre Treue, ihren Idealismus und ihren Realismus, ihre Standpunkte und ihren Standpunkt, ihre Bierhäuser und ihre Hermannsdenkmäler, und ihre Ehrfurcht und ihre Deutschheit und ihre Humanität und stören in den Kaisergrüften herum, als wären es Laden voll alten Trödels, und zerren Karl den Großen aus seinem Sarg und photographieren den Stoff, der um seine Knochen gewickelt ist, und restaurieren ihre ehrwürdigen Dome zu Bierhäusern und treten halberschlagenen Chinesenweibern mit den Absätzen die Gesichter ein. Etwas Unfrommes ist in dem ganzen Tun und Treiben – ich weiß kein anderes Wort. Bin ich vielleicht selber ein frommer Mensch? Nein. Aber es gibt auch eine Frömmigkeit des Lebens, und die steckt in einem harten, kargen, geizigen Bauern, und in einem ruchlosen Desperado von Pferdedieb noch kann sie stecken, und im letzten Matrosen steckt sie, und noch mit der letzten Ruchlosigkeit ist sie verträglich, und der Glaube an die Gin-Flasche kann noch eine Art von Glaube sein. Aber hier, unter den gebildeten und besitzenden Deutschen, hier kann mir nicht wohl werden. Immer erschien mir die kleine Fabel albern, und nun verstehe ich sie mit einem Schlag: von dem Waldmenschen, den schauderte, und der in seinen Wald entfloh, als er den Bauern kalt und warm, eins ums andere, aus seinem Munde blasen sah, als wenn dies weiter nichts wäre. Auch mich kommt mehr als einmal ein solcher Schauder an. Aber wo ist mein Wald, in dem ich zu Hause wäre?

DER DRITTE

9. Mai 1901

Denke nicht, daß ich ihre Leistungen nicht achte. Aber daß die Deutschen arbeiten, davon ist die Welt voll: Da ich heimkam, dachte ich zu sehen, wie sie leben. Und ich bin da, und wie sie leben, sehe ich nicht; und ich sehe, wie sie leben, und es freut mich nicht. Sie sind reich und sie sind arm und du stößest dich an den Armen und den Reichen und nicht das eine und nicht das andere gibt einen reinen Klang. Es gibt Vornehme und es gibt Subalterne, es gibt Anmaßende und es gibt Demütige, es gibt Gelehrte und es gibt, die vom gestrigen Zeitungsblatt leben; und die einen puffen, die andern ducken sich, die einen dünken sich was, die andern genieren sich: aber es gibt alles keinen reinen Klang. Sie haben ein Oben und Unten, ein Besser und Schlechter, ein Gröber und Feiner, ein Rechts und Links, ein Füreinander und Gegeneinander, und bürgerliche Verhältnisse und adelige Verhältnisse und Universitätskreise und Finanzkreise: aber was in dem allen fehlt, ist eine wahre Dichtigkeit der Verhältnisse: es hakt nichts ins andere ein – es ist irgend etwas nicht drin, wofür ich Dir den Kunstausdruck nicht zu finden weiß, was aber doch im englischen Wesen drin ist, so grandios und vielfältig es ist, und im Maoriwesen drin ist, so kindisch und kunstlos dieses ist: das Gemeinschaftbildende, all das Ursprüngliche davon, das was im Herzen sitzt. Freilich – vielleicht irre ich – das sage ich mir immer –, vielleicht ist es mit diesen Dingen wie mit einem Vexierschloß: vielleicht muß man, um dieser vielgespaltenen Welt gerecht zu sein, eine innere Vorbereitung besitzen, eine Bildung. Und Bildung, im europäischen, im heutigen Sinne, habe ich nicht – aber dennoch gerade in diesen Dingen, da stellt sich mir aus dem wenigen, was ich je gelernt habe, was mir da und dort hängengeblieben ist, im Innern immer etwas auf, um was ich nicht herum kann: wie sie, sterbende Männer und Jünglinge – in den lateinischen und griechischen Büchern, Bruchstücken von Büchern, die man uns Schulbuben zu lesen gibt – in ihrem Blut, am Abend der Schlacht, den Namen der Vaterstadt vor sich hin riefen, in Triumph und Todesfestigkeit an dem Klang sich weideten: Argos meminisse juvabat – woher ist der Brocken? Was hat dies alles mit dieser Welt zu tun, mit hier, mit heute, mit mir? und dennoch, dennoch: *so* sagte ich: »Deutschland!« vor mich hin – nicht das Wort vielleicht, aber die Seele des Worts! So sagte ich »Deutschland!« vor mich, solange ich ferne von Deutschland war. Und dann: da hatte mein seliger Vater in Gebhartsstetten eine Mappe mit Kupferstichen des Albrecht Dürer. Wie oft zeigte er uns das, mir und meiner Schwester und meinem

Bruder, die beide so früh starben. Wie vertraut und fremd zugleich waren mir die alten Blätter, wie zuwider und wie lieb zugleich! Die Menschen, die Ochsen, die Pferde wie aus Holz geschnitzt, wie aus Holz die Falten ihrer Kleider, die Falten in ihren Gesichtern. Die spitzen Häuser, die geschnörkelten Mühlbäche, die starren Felsen und Bäume, so unwirklich, überwirklich. Manchmal quälte ich den Vater, er solle die Mappe bringen lassen. Und manchmal war ich nicht dazuzubringen, noch ein Blatt mehr zu sehen, lief mittendrin fort und wurde gescholten. Ich könnte es auch heute nicht sagen, ob mir die Erinnerung an diese schwarzen Zauberblätter lieb und kostbar oder verhaßt ist. Aber nahe gingen sie mir, in mich hinein drang eine Gewalt von ihnen, und ich glaube, ich werde auf dem Totenbett noch sagen können, was für einen Hintergrund das Meerwunder hat oder der Einsiedler mit dem Totenschädel. »Das ist das alte Deutschland«, sagte mein Vater und das Wort klang mir fast schauerlich und ich mußte an einen alten Menschen denken, wie solche in den Bildern waren, und um zu zeigen, daß ich Geographie gelernt hatte und die Welt begriff, fragte ich: »Gibt es auch ein Buch, wo man das alte Österreich drin sehen kann?« Da sagte mein Vater: »Dies hier unten ist wohl Österreich« (die Bibliothek war im Turmzimmer, und drunten lag das Dorf und die Hügel und da und dort die kleinen Wäldchen, die den Gemeinden und den einzelnen Bauern gehören, und zwischen den Hügeln der gewundene Fluß und die weiße Straße und in der Ferne die blauen Weinberge über den großen dunkelnden fernen Wäldern), »und wir sind Österreicher, aber wir sind auch Deutsche, und da das Land immer zu den Menschen gehört, die darauf wohnen, so ist hier auch Deutschland.« Das machte eine Art von Verbindung zwischen den Bildern in der Mappe und dem leuchtenden Land, in dessen Erde ich mich einwühlte, Maulwürfen nach oder glitzernden Steinen, in dessen Wassern und Tümpeln ich badete, dessen ganzen Duft ich in mich sog, wenn ich hoch auf dem Heuwagen, flachgeduckt neben der Stange, durchs Scheunentor fuhr. Diese Verbindung einer Wirklichkeit mit einem Eindruck von Bildern, einem halben Schrecken, einer Art von Alp war seltsam

genug. Aber seltsam und auch tief sind alle Dinge, die uns in der Kinderzeit widerfahren. Mit bewußten Gedanken dachte ich freilich nicht an die alten Figuren, wenn ich mit den Knechten Heu machen ging oder mit den Dorfbuben fischen und krebsen, auch nicht wenn ich Sonntags am Altar ministrierte und hinter mir aus den Bänken die bäuerischen Stimmen empordrangen und stark an das lichte Gewölbe schlugen und die Orgel dareinfuhr und der Schall wie ein Gießbach, aber kein irdischer, mir im Rücken herabstürzte, und noch weniger, als ich dann die Liebschaften aller Mädeln wußte und halb scheu, halb frech abends um die Fenster strich und zugleich bei den Alten mich einschmeichelte und mit ihnen den neuen Wein kostete – aber unbewußt bevölkerte ich doch mit den Schattengebärden dieser überwirklichen Ahnen die einsamen Stellen im Walde, die Halde mit den großen Steinblöcken, den halbzerfallenen Kreuzgang hinter der Kirche, der viel älter war als die freundliche kleine Kirche selber, und die immer dämmernden Ecken in den großen Stuben der großen Bauernhöfe, wo die Urgroßmutter oder ein gelähmter Alter saßen, oder noch zu sitzen schienen, wenn wir sie auch im vergangenen Herbst begraben hatten und Asternkränze, weiß, lila und rot, auf den Sarg geworfen. Das Gehaben jener mit den überstarken Gebärden, die nicht mehr da waren, ging doch zusammen mit dem Gehaben derer, mit denen ich aß und trank und in den Birnbaum stieg und die Pferde schwemmte und zur Kirche ging, so wie die alten Geschichten von Räubern, Einsiedlern und Bären zusammengingen mit der Landschaft, so wie die Legende von der Pfalzgräfin Genovefa in mir zusammenging mit dem blonden Engelsgesicht der schönen Fleischhauerstochter Amalie.
Es war alles anders in den alten Bildern als in der Wirklichkeit vor meinen Augen: aber es klaffte kein Riß dazwischen. Jene alte Welt war frömmer, erhabener, milder, kühner, einsamer. Aber im Wald, in der Sternennacht, in der Kirche führten Wege zu ihr. Die Geräte waren nicht die gleichen, die Trachten waren sonderbar und die Gebärden waren über die Wirklichkeit. Aber ich weiß nicht welches Tiefste im Gehaben, das noch hinter den Gebärden ist: das Verhältnis zur Natur, daß

ich es mit einem solchen dürren Worte sage, das Verhältnis zum Leben: wieweit es Entgegenstemmen ist und wieweit Sichfügen, wo Auflehnung hingehört und wo Ergebung, wo Gleichmut am Platze ist und eine trockene Rede und wo Übermut und Lustbarkeit: dies Wesentliche, dies Wirkliche hinter dem Alltäglichen, dies was die schlichten Handlungen des Tages aus dem Menschen heraustreibt, wie es aus dem Baum sein Rauhes und sein Süßes hervortreibt, Rinde und Blatt und Apfel – dies, dies hat meine Welt, wie jene Blätter es wissen, das weiß ich heute und wußte es damals: denn es lag in mir, daß ich das Wirkliche an etwas in mir messen mußte, und fast bewußtlos maß ich an jener schreckhaft erhabenen schwarzen Zauberwelt und strich alles an diesem Probierstein, ob es Gold wäre oder ein schlechter gelblicher Glimmer.
Und vor den Richterstuhl dieser Kindereien, von denen ich im Innersten nicht loskam, schleppe ich das große Deutschland und die Deutschen des heutigen Tages, und sehe, daß sie mir nicht bestehen, und komme nicht darüber hinweg.
Ich meinte, heimzufahren, und für immer, und nun weiß ich nicht, ob ich bleiben werde. Hättest Du noch Deinen überseeischen Posten und nicht London, wo ich nicht sein möchte – kann sein, ich käme zu Dir, mein Lieber. Denn ich habe wenig Menschen auf der Welt – »wenig« ist eine Beschönigung, ich habe niemanden. Es ist das erstemal eigentlich, daß mir dies so auf die Seele fällt. Und ich möchte in diesem Deutschland nicht sterben. Ich weiß, ich bin nicht alt und bin nicht krank – aber wo man nicht sterben möchte, dort soll man auch nicht leben.
Früher dachte ich immer, es würde mich so unversehens mitten aus dem hastigen Leben wegnehmen, und dazu ist jeder Ort gut. Das große Spital in Montevideo mit den großen Spinnen oben an der Decke und den vielen delirierenden Menschen in den Betten und der einen unglaublich schönen spanischen Nonne, deren Gesicht dahinglitt über all den emporgeworfenen sterbenden Gesichtern wie der sanfte Mond – und das schöne reinliche Lazarett in Surabaja mit den Bäumen so voll der herrlichsten kleinen Vögel vor den Fenstern –, und

sonst noch ein paar Plätze von seltsamem vorbedeutendem Gesicht: stiller tückischer Rand eines gelben Sumpfes, stiller kleiner Platz im Wald, stiller Hang unwegsamer grauer Klippen –, aber nun habe ich den Glauben, es wird anders geschehen, in Ruhe, im eigenen Bette, vielleicht in Langsamkeit. Da stelle ich mir ein Bereitsein vor, ein Gesammeltsein. Und hier ist niemand gesammelt, niemand zum Letzten bereit. Blicke stelle ich mir vor, letzte Blicke durch ein friedliches Fenster ins Freie. Nein, hier dürfte es nicht sein. Hier ist es nicht heimlich. Wie in einer großen ruhelosen freudlosen Herberge ist mir zumute. Wer möchte in einem Hotel sterben, wenn es nicht sein muß.
Doch weiß ich noch nicht, wohin ich will. Auch ist vorher so manches abzuwickeln, und Österreich will ich jedenfalls vorher noch einmal wiedersehen. Ich sage »vorher«, denn ich denke schwerlich dort zu bleiben.

DER VIERTE

Den 26. Mai 1901

Ich habe gar keine gute Zeit hinter mir und weiß es vielleicht erst seit einem gewissen kleinen Erlebnis, das ich vor drei Tagen hatte – aber ich will versuchen, es in der Ordnung zu erzählen: und doch wirst Du mit der Erzählung nicht viel anfangen können. Kurz, ich mußte zu einer Konferenz gehen, der entscheidenden, letzten in der Kette von Verhandlungen, die darauf abzielten, die holländische Gesellschaft, für die ich seit vier Jahren arbeite, mit einer solchen schon bestehenden englisch-deutschen zu vereinigen, und ich wußte, daß der Tag entscheidend war – gewissermaßen auch für mein weiteres Leben – und – ich hatte mich nicht in der Hand, o wie gar nicht hatte ich mich in der Hand! Krank werden fühlte ich mich von innen heraus, aber es war nicht mein Körper, ich kenne meinen Körper zu gut. Es war die Krise eines inneren Übelbefindens; dessen frühere Anwandlungen freilich waren so unscheinbar gewesen wie nur möglich; und daß sie überhaupt etwas gewesen waren, daß sie mit diesem jetzigen Wirbel doch zusammenhingen, das verstand ich jetzt blitzhaft, wie man eben in solchen Krisen mehr versteht als in den normalen Augenblicken des Lebens. Ganz kleine sinnwidrige Regungen von Unlust waren diese früheren Anwandlungen gewesen, ganz unbedeutende, fast dauerlose Verkehrtheiten und Unsicherheiten des Denkens oder Fühlens, aber freilich etwas ganz Neues in mir; und das glaube ich, so nichtig diese Dinge sind, daß ich doch nie etwas Ähnliches verspürt habe, außer seit diesen wenigen Monaten, da ich wieder europäischen Boden trete. Aber aufzählen diese gelegentlichen Anwandlungen eines Fast-Nichts? Immerhin, ich muß – oder diesen Brief zerreißen und das Weitere für immer ungesagt lassen. Zuweilen kam es des Morgens, in diesen deutschen Hotelzimmern, daß mir der Krug und das Waschbecken – oder eine Ecke des Zimmers mit dem Tisch und dem Kleiderständer so nicht-wirklich vorkamen, trotz ihrer unbeschreiblichen Gewöhnlichkeit so ganz und gar nicht wirklich, gewissermaßen gespenstisch, und zugleich provisorisch, wartend, sozusagen vorläufig die Stelle des wirklichen Kruges, des wirklichen mit Wasser gefüllten Waschbeckens einnehmend. Wüßte ich nicht, daß Du ein Mensch bist, dem eigentlich nichts groß, nichts klein vorkommt und vor allem nichts ganz absurd, ich käme nicht weiter. Immerhin kann ich ja vielleicht den Brief unabgeschickt lassen. Aber es war so. In den andern Ländern drüben, selbst in meinen elendesten Zeiten, war der Krug oder der Eimer mit dem mehr oder minder frischen Wasser des Morgens etwas Selbstverständliches und zugleich Lebendiges: ein Freund. Hier war er, kann man sagen: ein Gespenst. Es ging von seinem Anblick ein leichter unangenehmer Schwindel aus, aber kein körperlicher. Ich konnte dann ans Fenster treten und ganz dasselbe mit drei oder vier Droschken erleben, die an der andern Straßenseite standen und warteten. Sie waren Gespenster von Droschken. Es verursachte eine fast dauerlose leise Übelkeit, sie anzusehen: es war wie ein momentanes Schweben über dem Bodenlosen, dem Ewig-Leeren. Etwas Ähnliches – Du kannst denken, daß ich auf diese vorbeizuckenden Regungen nicht stark achtete – konnte der Anblick eines Hauses herbeiführen, oder einer ganzen Straße: Du darfst aber nicht etwa an verfallene traurige Häuser denken, sondern das Allertrivialste von heutigen oder gestrigen Fassaden. Oder auch ein paar Bäume, diese dürftigen, aber sorgfältig gepflegten paar Bäume, die sie hier und da auf ihren Squares zwischen dem Asphalt, geschützt mit Gittern, stehen haben. Ich konnte sie ansehen und wußte, daß sie mich an Bäume erinnerten – keine Bäume waren –, und zugleich zitterte etwas durch mich hin, etwas, das mir die Brust entzweiteilte wie ein Hauch, ein so unbeschreibliches Anwehen des ewigen Nichts, des ewigen Nirgends, ein Atem nicht des Todes, sondern des Nicht-Lebens, unbeschreiblich. Dann kam es auf der Eisenbahn, öfter und öfter. Ich fuhr in diesen vier Monaten sehr viel Eisenbahn, von Berlin an den Rhein, von Bremen nach Schlesien und kreuz und quer. Da konnte es sich einstellen, in der trivialsten Beleuchtung, um 3 Uhr nachmittags, wann immer: kleine Stadt links oder rechts vom Gleis, oder Dorf oder Fabrik, oder die ganze Landschaft, Hügel, Felder, Apfelbäume, verstreute Häuser, alles in allem; das nahm ein Gesicht an, eine eigene zweideutige Miene so voll innerer Unsicherheit, bösartiger Unwirklichkeit: so nichtig lag es da – so gespensterhaft nichtig – Mein Lieber, ich habe dritthalb Monate meines Lebens in einem Käfig verbracht, der keine andere Aussicht hatte als auf einen leeren Pferch mit mannshoch aufgespeichertem halbgetrocknetem Büffelmist, zwischen dem eine kranke Büffelkuh sich herumschleppte, bis sie endlich nicht mehr herumgehen konnte und zwischen Leben und Sterben dalag: aber dennoch, in dem Pferch, in dem gelbgrauen Haufen von Mist und dem gelbgrauen sterbenden Vieh, wenn ich da hinaussah, und wenn ich daran zurückdenke – es wohnte doch immer noch das Leben dort, das gleiche, das in meiner Brust auch wohnt –, und in der Welt, in die ich da momentweise aus dem Eisenbahnfenster hineinschauen kann, da wohnt etwas – mich hat nie vor dem Tod gegraut, aber vor dem, was da wohnt, vor solchem Nichtleben grauts mich. Aber es ist sicherlich nichts weiter, als daß ich manchmal ein wenig den bösen Blick habe, eine Art leiser Vergiftung, eine verborgene und schleichende Infektion, die in der europäischen Luft für den bereitzuliegen scheint, der von weither zurückkommt, nachdem er sehr lange, vielleicht zu lange, fort war. Daß mein Übel europäischer Natur war, dessen wurde ich mir – es ist in diesen Dingen alles die unerklärlichste plötzlichste Intuition – im gleichen Augenblick bewußt, als ich innewurde, daß es sich mir nun aufs Innere geschlagen hatte, daß ich nun, ich selber, mein inneres Leben, so unter diesem bösen Blick lag wie in den früheren Anwandlungen jene äußeren Dinge. Durch tausend wirre gleichzeitige Gefühle und Halbgefühle schleifte sich mein Bewußtsein ekelnd und schwindelnd hin: ich glaube, ich habe in diesen Augenblicken alles noch einmal denken müssen, was ich seit meinem ersten Schritt in Europa gedacht, und dazu alles, was ich hinabgedrängt hatte.

Ich kann heute nicht in klare Worte bringen, was wirbelnd durch mein ganzes Ich ging: aber daß mein Geschäft und mein eigenes erworbenes Geld mich ekeln mußten, das kam damals auf der ungeheuren und dabei lautlosen Erregung meines aufgewühlten Innern nur so dahergetanzt wie Treibholz auf dem Rücken haushoher Südseewellen: ich hatte zwanzigtausend Beispiele in mich hineingeschluckt: wie sie das Leben selber vergessen über dem, was nichts sein sollte als Mittel zum Leben und für nichts gelten dürfte als für ein Werkzeug. Um mich war seit Monaten eine Sintflut von Gesichtern, die von nichts geritten wurden als von dem Geld, das sie hatten, oder von dem Geld, das andre hatten. Ihre Häuser, ihre Monumente, ihre Straßen, das war für mich in diesem etwas visionären Augenblick nichts als die tausendfach gespiegelte Fratze ihrer gespenstigen Nicht-Existenz, und jäh, wie meine Natur ist, reagierte sie mit einem wilden Ekel auf mein eigenes bißchen Geld und alles, was damit zusammenhing. Ich sehnte mich, wie der Seekranke nach festem Boden, fort aus Europa und zurück nach den fernen guten Ländern, die ich verlassen hatte. Du kannst Dir denken, es war keine gute Verfassung, um an einem Sitzungstisch Interessen zu vertreten. Ich weiß nicht, was ich nicht gegeben hätte, um die Konferenz abzusagen. Aber das war undenkbar, und ich hatte eben hinzugehen und das Beste aus meinem Kopf zu machen. Noch blieb mir fast eine Stunde. In den großen Straßen herumzugehen war unmöglich: irgendwo hineingehen und Zeitung lesen war ebenso unmöglich; denn die redeten nur allzusehr dieselbe Sprache wie die Gesichter und die Häuser. Ich bog in eine stille Seitenstraße. Da ist in einem Haus ein sehr anständig aussehender Laden ohne Schaufenster und neben der Eingangstür ein Plakat: Gesamtausstellung, Gemälde und Handzeichnungen – den Namen lese ich, verliere ihn aber gleich wieder aus dem Gedächtnis. Ich habe seit zwanzig Jahren kein Museum und keine Kunstausstellung betreten, ich denke, es wird mich, worauf es jetzt vor allem ankommt, von meinem unsinnigen Gedankengang ablenken, und trete ein.

Mein Lieber, es gibt keine Zufälle, und ich sollte diese Bilder sehen, sollte sie in dieser Stunde sehen, in dieser aufgewühlten Verfassung, in diesem Zusammenhang. Es waren im ganzen etwa sechzig Bilder, mittelgroße und kleine. Einige wenige Porträts, sonst meist Landschaften: ganz wenige nur, auf denen die Figuren das Wichtigere gewesen wären: meist waren es die Bäume, Felder, Ravins, Felsen, Äcker, Dächer, Stücke von Gärten. Über die Malweise kann ich keine Auskunft geben: Du kennst wahrscheinlich fast alles, was gemacht wird, und ich habe, wie gesagt, seit zwanzig Jahren kein Bild gesehen. Immerhin erinnere ich mich ganz wohl, zur letzten Zeit meiner Beziehung mit der W., damals als wir in Paris lebten – sie hatte sehr viel Verständnis für Bilder –, öfter in Ateliers und Ausstellungen Sachen gesehen zu haben, die eine gewisse Ähnlichkeit mit diesen hatten: etwas sehr Helles, fast wie Plakate, jedenfalls ganz anders wie die Bilder in den Galerien. Diese da schienen mir in den ersten Augenblicken grell und unruhig, ganz roh, ganz sonderbar, ich mußte mich erst zurechtfinden, um überhaupt die ersten als Bild, als Einheit zu sehen – dann aber, dann sah ich, dann sah ich sie alle so, jedes einzelne, und alle zusammen, und die Natur in ihnen, und die menschliche Seelenkraft, die hier die Natur geformt hatte, und Baum und Strauch und Acker und Abhang, die da gemalt waren, und noch das andre, das, was hinter dem Gemalten war, das Eigentliche, das unbeschreiblich Schicksalhafte –, das alles sah ich so, daß ich das Gefühl meiner selbst an diese

Bilder verlor, und mächtig wieder zurückbekam, und wieder verlor! Mein Lieber, um dessentwillen, was ich da sagen will, und niemals sagen werde, habe ich Dir diesen ganzen Brief geschrieben! Wie aber könnte ich etwas so Unfaßliches in Worte bringen, etwas so Plötzliches, so Starkes, so Unzerlegbares! Ich könnte mir Photographien von den Bildern verschaffen und sie Dir schicken, aber was könnten sie Dir geben – was könnten Dir die Bilder selbst von dem Eindruck geben, den sie auf mich machten und der vermutlich etwas völlig Persönliches ist, ein Geheimnis zwischen meinem Schicksal, den Bildern und mir. Ein Sturzacker, eine mächtige Allee gegen den Abendhimmel, ein Hohlweg mit krummen Föhren, ein Stück Garten mit der Hinterwand eines Hauses, Bauernwagen mit magern Pferden auf einer Hutweide, ein kupfernes Becken und ein irdener Krug, ein paar Bauern um einen Tisch, Kartoffeln essend – aber was nützt Dir das! So soll ich Dir von den Farben reden? Da ist ein unglaubliches, stärkstes Blau, das kommt immer wieder, ein Grün wie von geschmolzenen Smaragden, ein Gelb bis zum Orange. Aber was sind Farben, wofern nicht das innerste Leben der Gegenstände in ihnen hervorbricht! Und dieses innerste Leben war da, Baum und Stein und Mauer und Hohlweg gaben ihr Innerstes von sich, gleichsam entgegen warfen sie es mir, aber nicht die Wollust und Harmonie ihres schönen stummen Lebens, wie sie mir vorzeiten manchmal aus alten Bildern, wie eine zauberische Atmosphäre entgegenfloß: nein, nur die Wucht ihres Daseins, das wütende, von Unglaublichkeit umstarrte Wunder ihres Daseins fiel meine Seele an. Wie kann ich es Dir nahebringen, daß hier jedes Wesen – *ein Wesen* jeder Baum, jeder Streif gelben oder grünlichen Feldes, jeder Zaun, jeder in den Steinhügel gerissene Hohlweg, ein Wesen der zinnerne Krug, die irdene Schüssel, der Tisch, der plumpe Sessel – sich mir wie neugeboren aus dem furchtbaren Chaos des Nichtlebens, aus dem Abgrund der Wesenlosigkeit entgegenhob, daß ich fühlte, nein, daß ich wußte, wie jedes dieser Dinge, dieser Geschöpfe aus einem fürchterlichen Zweifel an der Welt herausgeboren war und nun mit seinem Dasein einen gräßlichen Schlund, gähnendes Nichts, für immer verdeckte! Wie kann ich es Dir nur zur Hälfte nahebringen, wie mir diese Sprache in die Seele redete, die mir die gigantische Rechtfertigung der seltsamsten unauflösbarsten Zustände meines Innern hinwarf, mich mit eins begreifen machte, was ich in unerträglicher Dumpfheit zu fühlen kaum ertragen konnte, und was ich doch, wie sehr fühlte ich das, aus mir nicht mehr herausreißen konnte – und hier gab eine unbekannte Seele von unfaßbarer Stärke mir Antwort, mit einer Welt mir Antwort! Mir war zumut wie einem, der nach ungemessenem Taumel festen Boden unter den Füßen fühlt und um den ein Sturm rast, in dessen Rasen hinein er jauchzen möchte. In einem Sturm gebaren sich vor meinen Augen, gebaren sich mir zuliebe diese Bäume, mit den Wurzeln starrend in der Erde, mit den Zweigen starrend gegen die Wolken, in einem Sturm gaben diese Erdenrisse, diese Täler zwischen Hügeln sich preis, noch im Wuchten der Felsblöcke war erstarrter Sturm. Und nun konnte ich, von Bild zu Bild, ein Etwas fühlen, konnte das Untereinander, das Miteinander der Gebilde fühlen, wie ihr innerstes Leben in der Farbe vorbrach und wie die Farben eine um der andern willen lebten und wie eine, geheimnisvoll-mächtig, die andern alle trug, und konnte in dem allem ein Herz spüren, die Seele dessen, der das gemacht hatte, der mit dieser Vision sich selbst antwortete auf den Starrkrampf der fürchterlichsten Zweifel, konnte fühlen, konnte wissen, konnte durchblicken, konnte genießen Abgründe und Gipfel, Außen und Innen, eins und alles im zehntausendsten Teil der Zeit, als ich da die Worte hinschreibe, und war wie doppelt, war Herr über mein Leben zugleich, Herr über meine Kräfte, meinen Verstand, fühlte die Zeit vergehen, wußte, nun bleiben nur noch zwanzig Minuten, noch zehn, noch fünf, und stand draußen, rief einen Wagen, fuhr hin.

Konferenzen von der Art, wo die Größe der Ziffern an die Phantasie appelliert und das Vielerlei, das Auseinander der Kräfte, die ins Spiel kommen, eine Gabe des Zusammensehens fordert, entscheidet nicht die Intelligenz, sondern es entscheidet sie eine geheimnisvolle Kraft, für die ich keinen Namen weiß. Sie ist manchmal bei den Klügeren, nicht immer.

Sie war in dieser Stunde bei mir, so wie noch nie, und wie sie es vielleicht nicht wieder sein wird. Ich konnte für meine Gesellschaft mehr erreichen, als das Direktorium mir für den denkbar günstigsten Fall aufgelegt hatte, und ich erreichte es, wie man im Traum von einer kahlen Mauer Blumen abpflückt. Die Gesichter der Herren, mit denen ich verhandelte, kamen mir merkwürdig nahe. Ich könnte dir einiges über sie sagen, das mit dem Gegenstand unsrer Geschäfte auch nicht im fernsten Zusammenhang steht. Ich merke nun, daß eine große Last von mir abgehoben ist.
PS. Der Mann heißt Vincent van Gogh. Nach den Jahreszahlen im Katalog, die nicht alt sind, müßte er leben. Es ist etwas in mir, das mich zwingt zu glauben, er wäre von meiner Generation, wenig älter als ich selbst. Ich weiß nicht, ob ich vor diese Bilder ein zweites Mal hintreten werde, doch werde ich vermutlich eines davon kaufen, aber es nicht an mich nehmen, sondern dem Kunsthändler zur Bewahrung übergeben.

DER FÜNFTE

Mai 1901

Was ich Dir schrieb, wirst Du kaum verstehen können, am wenigsten, wie mich diese Bilder so bewegen konnten. Es wird Dir wie eine Schrulle vorkommen, wie ein Vereinzeltes, wie eine Sonderbarkeit, und doch – wenn man es nur hinstellen könnte, wenn man es nur aus sich herausreißen könnte und ins Licht bringen. Es ist etwas dergleichen in mir. Die Farben der Dinge haben zu seltsamen Stunden eine Gewalt über mich. Aber was sind eigentlich Farben? Hätte ich nicht ebensogut sagen mögen: die Gestalt der Dinge, oder die Sprache des Lichtes und der Finsternis, oder ich weiß nicht welches Unbenannte? Und Stunden – welche sind diese Stunden? Es verstreichen Jahre, und ihrer kommt keine. – Und ist es nicht kindisch, Dir anzuvertrauen, daß ein Mächtiges, das ich nicht kenne, zuweilen mächtig wird über mich? Wenn ichs fassen könnte, nicht fassen – denn es faßt mich –, aber halten, da es wieder schwindet. Aber schwindets? Hat es nicht eine heimliche bildende Kraft in mir, irgendwo, wohin ein innerer

steter Schlaf mir selber den Weg verschließt? Und nun, da ich einmal gesprochen habe, treibt es mich, auch mehr davon zu sprechen. Es schwebt mir um diese Dinge etwas mir selber Unerklärliches, etwas wie Liebe – kann es Liebe geben zum Gestaltlosen, zum Wesenlosen? Aber doch, und ja, und doch: damit Du nicht gering denkst von dem, was ich nun einmal geschrieben, schreibe ich mehr, und da ich zu verstehen suche, was mich da treibt, so ist es, als müßte ich verhindern, daß Du mit Geringschätzung an etwas dächtest – das mir teuer ist.
Hast Du je den Namen Rama Krishna gehört? Es ist ganz gleich. Es war ein Brahmane, ein Büßer, einer von den großen indischen Heiligen, der letzten einer, denn er ist erst in den achtziger Jahren gestorben, und als ich nach Asien kam, war sein Name noch überall lebendig. Ich weiß manches aus seinem Leben, aber nichts, was mir näherginge als die kurze Erzählung darüber, wie seine Erleuchtung, oder seine Erweckung vor sich ging, kurz, das Erlebnis, das ihn aus den Menschen aussonderte und einen Heiligen aus ihm machte. Es war nichts als dies: Er ging über Land, zwischen Feldern hin, ein Knabe von sechzehn Jahren, und hob den Blick gegen den Himmel und sah einen Zug weißer Reiher in großer Höhe quer über den Himmel gehen: und nichts als dies, nichts als das Weiß der lebendigen Flügelschlagenden unter dem blauen Himmel, nichts als diese zwei Farben gegeneinander, dies ewige Unnennbare, drang in diesem Augenblick in seine Seele und löste, was verbunden war, und verband, was gelöst war, daß er zusammenfiel wie tot, und als er wieder aufstand, war es nicht mehr derselbe, der hingestürzt war. Es war ein englischer Geistlicher von der gewöhnlicheren Sorte, der mir davon erzählte. »Ein heftiger optischer Eindruck ohne allen höheren Inhalt«, sagte er mir. »Sie sehen, es handelt sich um ein anormales Nervensystem.« Ohne allen höheren Inhalt! Wäre ich einer eurer gebildeten Menschen, wären mir eure Wissenschaften, die nichts sein können als wunderbare, alles sagende Sprachen, nicht eine verschlossene Welt, wäre ich nicht ein geistiger Krüppel, besäße ich eine Sprache, in die innerliche wortlose Gewißheiten hinüberzufließen vermöchten! Aber so!

Aber ich will versuchen, Dir von einem Mal zu sprechen, wo es kam, nicht zum erstenmal, aber vielleicht stärker als je vorher und nachher. Ein Schauen ist es, nichts weiter, und jetzt zum ersten Male trifft es mich, wie doppelsinnig wir das Wort brauchen: daß es mir etwas so Gewöhnliches bezeichnen muß wie Atmen und zugleich... So gehts mir mit der Sprache: ich kann mich nicht festketten an eine ihrer Wellen, daß es mich trüge, unter mir gehts dahin und läßt mich auf dem gleichen Fleck.

Sagte ich nicht, die Farben der Dinge haben zu seltsamen Stunden eine Gewalt über mich? Doch bins nicht ich vielmehr, der die Macht bekommt über sie, die ganze, volle Macht für irgend eine Spanne Zeit, ihnen ihr wortloses, abgrundtiefes Geheimnis zu entreißen, – ist die Kraft nicht in mir, fühle ich sie nicht in meiner Brust als ein Schwellen, eine Fülle, eine fremde, erhabene, entzückende Gegenwart, bei mir, in mir, an der Stelle, wo das Blut kommt und geht? So war es damals an jenem grauen Sturm- und Regentage, im Hafen von Buenos Aires, frühmorgens – so war es damals und immer. Aber wenn alles in mir war, warum konnte ich nicht die Augen schließen und stumm und blind eines unnennbaren Gefühles meiner selbst genießen, warum mußte ich mich auf Deck erhalten und schauen, vor mich hinschauen? Und warum enthielt die Farbe der aufschäumenden Wellen, dieser Abgrund, der sich auftat und wieder schloß, warum schien das, was herankam, in schwerem Regen, von Gischt umsprüht, warum schien dies kleine mißfarbige Schiff, die Zollbarkasse war es, die sich auf uns zu arbeitete, dies Schiff und die Höhle aus Wasser, die wandelnde Welle, die sich mit ihm herwälzte, warum schien mir (schien! schien! ich wußte doch, daß es so war!) die Farbe dieser Dinge nicht nur die ganze Welt, sondern auch mein ganzes Leben zu enthalten? Diese Farbe, die ein Grau war und ein fahles Braun und eine Finsternis und ein Schaum, in der ein Abgrund war und ein Dahinstürzen, ein Tod und ein Leben, ein Grausen und eine Wollust – warum wühlte sich hier vor meinen schauenden Augen, vor meiner entzückten Brust mein ganzes Leben mir entgegen, Vergangenheit, Zukunft, aufschäumend in unerschöpflicher Gegenwart, und warum war dieser ungeheure Augenblick, dies heilige Genießen meiner selbst und zugleich der Welt, die sich mir auftat, als wäre die Brust ihr aufgegangen, warum war dies Doppelte, dies Verschlungene, dies Außen und Innen, dies ineinanderschlagende Du an mein Schauen geknüpft? Warum, wenn nicht die Farben eine Sprache sind, in der das Wortlose, das Ewige, das Ungeheure sich hergibt, eine Sprache, erhabener als die Töne, weil sie wie eine Ewigkeitsflamme unmittelbar hervorschlägt aus dem stummen Dasein und uns die Seele erneuert. Mir ist Musik neben diesem wie das matte Leben des Mondes neben dem furchtbaren Leben der Sonne.

Sei dem, wie ihm sei. Vielleicht bin ich mitten zwischen dem dumpfen, rohen Menschen, der nichts von dem allem spürt, und dem mit gebildeter Seele, der hier entziffert und liest, wo ich nur die Zeichen anstaune. Es ist mir aus meiner Jugend hängen geblieben, daß jemand den Sternenhimmel einen unausgewickelten Gedanken genannt hat. Dies möchte hierher gehören. Der südliche freilich mit seinen glühenden Feuern war mir manchmal in seltenen Nächten, wenn mein ganzes Wesen wie ein unverstörter Wasserspiegel ihm entgegenschwoll, wie eine ungeheuere Versprechung, unter der hin der Tod zerzitterte wie ein Orgelton. Aber vielleicht war auch das, was mir ein Versprechen schien, nur rohe Ahnung eines sehr großen Gedankens, dessen meine Seele nicht mächtig werden konnte.
Farbe. Farbe. Mir ist das Wort jetzt armselig. Ich fürchte, ich habe mich Dir nicht erklärt, wie ich möchte. Und ich möchte nichts in mir stärken, was mich von den Menschen absonderte. Aber wahrhaftig, ich bin in keinem Augenblick mehr ein Mensch, als wenn ich mich mit hundertfacher Stärke leben fühle, und so geschieht mir, wenn das, was immer stumm vor mir liegt und verschlossen und nichts als Wucht und Fremdheit, wenn das sich auftut und wie in einer Welle der Liebe mich mit sich selber in eines schlingt. Und bin ich dann nicht im Innern der Dinge so sehr ein Mensch, so sehr ich selber wie nur je, namenlos, einsam, aber nicht erstarrt im Alleinsein,

sondern als flösse von mir in Wellen die Kraft, die mich zum auserlesenen Genossen macht der starken stummen Mächte, die ringsum wie auf Thronen schweigend sitzen und ich unter ihnen? Und ist dies nicht, wohin du auf dunklen Wegen immer gelangst, wenn du tätig und leidend lebst unter den Lebenden? Ist nicht dies der geheimnisvolle Herzenskern der Erlebnisse, der dunklen Taten, der dunklen Leiden, wenn du getan hast, was du nicht solltest und doch mußtest, wenn du erfahren hast, was du immer ahntest und nie glaubtest, wenn alles zusammengebrochen ist um dich und das Fürchterliche nirgends war ungeschehen zu machen – schlang sich da nicht aus dem Innersten des Erlebnisses die umarmende Welle und zog dich hinein, und du fandest dich einsam und dir selber unverlierbar, groß und wie gelöst an allen Sinnen, namenlos, und lächelnd glücklich? Warum sollte nicht die stumme werbende Natur, die nichts ist als gelebtes Leben, und Leben das wieder gelebt sein will, ungeduldig der kalten Blicke, mit denen du sie triffst, dich zu seltenen Stunden in sich hineinziehen und dir zeigen, daß auch sie in ihren Tiefen die heiligen Grotten hat, in denen du mit dir selber eins sein kannst, der draußen sich selber entfremdet war?
Solange nicht höhere Begriffe und die ebenso lebendig in mich hineingreifen, mir solche Vermutungen verächtlich machen, will ich mich an diesen halten.
Und warum sollten nicht die Farben Brüder der Schmerzen sein, da diese wie jene uns ins Ewige ziehen?

FURCHT

EIN DIALOG

Die Tänzerinnen:
Laidion, die größere; Hymnis, die kleinere.
Der Untersteuermann von einem Kauffahrteischiff

HYMNIS Darf ich herein?
LAIDION *draußen* Ja, komm nur.
HYMNIS Ist es Pamphilos, der bei dir ist?
LAIDION Ja, komm nur herein.
HYMNIS *eintretend* Das ist ja nicht Pamphilos.
LAIDION Es ist gleich. Er ist ein Matrose. Erzähl weiter von den Leuten auf der Insel.
DER MANN Ach, was sollt ich erzählen?
Er steht auf.
LAIDION Von dem König, wie sie ihn tragen und alle um ihn her tanzen und alle ihn berühren.
DER MANN Was willst du, daß ich von solchen Sachen erzählen soll? Ich muß jetzt fortgehen.
LAIDION Du sollst erzählen. Ich will, daß du dableibst und erzählst.
DER MANN Was soll ich vor dem Mädchen da erzählen? Ich weiß nichts.
LAIDION Was du mir erzählt hast von der Insel und den Leuten auf der Insel, noch mehr.
DER MANN Du weißt es ja jetzt. Ich werde fortgehen. Deine Schwester bleibt bei dir.
LAIDION Die da ist nicht meine Schwester.
DER MANN Ich lasse dich mit deiner Freundin. Ich muß auf mein Schiff zurück.
LAIDION Bleib hier und erzähl mir noch. Dann laß ich zu essen holen, dann schläfst du und ruhst dich aus und die Nacht bleibst du noch bei mir und gehst morgen früh auf dein Schiff.
DER MANN Nein, ich muß jetzt auf mein Schiff zurück.

LAIDION Ich danke dir für deine Höflichkeit. Sind alle auf deinem Schiff so artige Leute?
DER MANN Leb wohl.
LAIDION Geh, wohin du willst.
Er geht fort.
HYMNIS Was hat er dir geschenkt?
LAIDION ...
HYMNIS Ist der Gürtel von ihm, der da hängt?
LAIDION ...
HYMNIS Ist diese Schnur aus dunkelgrünen Steinen auch von ihm? Aber es sind keine Edelsteine.
LAIDION Natürlich sind es Edelsteine. Warum sollten es keine Edelsteine sein?
HYMNIS Edelsteine müssen durchsichtig sein.
LAIDION Diese da haben kleine Adern von Gold.
HYMNIS Wer weiß, ob es echtes Gold ist.
LAIDION ...
HYMNIS Schläfst du? Wenn du schlafen willst, gehe ich wieder fort. Weißt du, was er dort hingelegt hat? Vier Drachmen. Für einen Matrosen ist das nicht schlecht, mit den Geschenken zusammen. Mir sind immer solche Schiffsleute viel lieber als Soldaten. Nun, ich sehe, du willst schlafen. Dann geh ich... Also: daß du es weißt: ich habe heute nacht die Demonassa tanzen gesehen, samt ihrer Schwester Bacchis. Sie sollen gar keine Schwestern sein, übrigens. Ach Gott, es ist gar nichts unerhörtes an ihrem Tanzen. Aber was die Männer aus ihnen machen! Die Demonassa hat schöne Schultern und einen guten Rücken und biegt sich gut in den Hüften, das ist alles. Und die Bacchis ist fein gefesselt an den Armen und Beinen und hat zugespitzte Finger. Und unverschämt sind sie beide, aber die eine zeigt es und die andre versteckt es: das gefällt. Wir könnten alles machen, was sie machen, wenn du nur wolltest. Es ist nicht ein Ding dabei, das man noch nicht gesehen hätte. Aber alle ihre Pantomimen sind von Dichtern erfunden, jede von einem andern, und dazu lassen sie Verse lesen und so streuen sie den Leuten Sand in die Augen, als ob man nicht das alles schon gesehen hätte und selber gemacht. Die Bacchis macht alles am besten, wo sie viel mit den Hän-

den zu tun hat: wenn eine Nymphe in einen jungen Baum verwandelt wird oder die Ampelis in eine Rebe: das gelingt ihr wirklich. Ihr Handgelenk möchte ich schon haben. Und Tiere gelingen ihr auch gut: das junge Reh, das sich vor dem Wind fürchtet, und mit dem Wind spielt, oder der Vogel im Netz. Die Demonassa ist gut, wo sie viel mit ihrem Kopf und Hals machen kann: sie tanzt etwas, da steht Bacchis steif und starr in der Mitte und hat die Medusenlarve vor dem Gesicht und die Demonassa kommt dahergetanzt und ahnt nicht und muß auf einmal zu Stein werden; da macht sie ein Zurückwerfen des Kopfes und ein zuckendes Starrwerden, zuerst bis zur Hüfte, dann bis zu den Füßen, da rinnts einem eiskalt über den Rücken.

LAIDION Ach Gott, wie schal und nichtswürdig ist das alles. Da tanzen wir für zwölf oder zwanzig Männer, darunter sind ein paar alte Reiche und die übrigen sind Schmarotzer und wir tanzen und dann sind wir müd und dann wird alles häßlich: alles dringt auf mich zu, die Gesichter der Männer, die Lichter, der Lärm, wie gierige Vogelschnäbel hackt alles mir ins Gesicht und ich möchte lieber sterben als mit ihnen liegen und trinken und ihr Geschrei anhören. Da wünsch ich mich so weit weg, als ein Vogel fliegen kann. Ich hab immer gewußt, daß es so eine Insel irgendwo gibt, wie die ist, von der er mir erzählt hat.

HYMNIS Was ist das für eine Insel?

LAIDION Ach, was weiß ich, laß mich.

HYMNIS Matrosen sind große Lügenmäuler, weißt du.

LAIDION Das weiß ich wohl, daß es keine Lügen waren, was er mir erzählt hat. Ich wollte ihn zwanzig Nächte da behalten und er dürfte nicht aufhören zu erzählen.

HYMNIS Was hast du von den fremden Ländern? Man möchte doch nicht hin. Was tut man unter den farbigen Barbaren?

LAIDION Narr, was hast du davon, wenn du tanzest? Bist du nur einen Augenblick glücklich?

HYMNIS Geh, du hast deine Melancholie. Mich freuts, wenn ich tanze, und sie reißen sich die Kränze vom Kopf und werfen sie mir hin. Da hab ich sie, da fühl ich mich.

LAIDION Aber in dir? Bist du in dir glücklich? Kannst du dich vergessen, ganz alle Furcht loswerden, jeden Schatten loswerden, der das Blut in deinen Adern verdüstert?

HYMNIS Was für Furcht? Ich habe keine Furcht, wenn ich tanze.

LAIDION So hast du Wünsche, und Wünsche sind Furcht. Dein ganzes Tanzen ist nichts als Wünschen und Trachten. Du springst hin und wieder: flüchtest du vor dir selber? Du birgst dich: birgst du dich vor dem ewigen rastlosen Begehren in dir? Du äffst die Gebärden der Tiere und Bäume: wirst du eins mit ihnen? Du steigst aus deinem Gewand. Steigst du aus deiner Furcht? Kannst du jemals nur für zwei Stunden alle Furcht loswerden? Und sie könnens! Sie haben keine Furcht, einen solchen Tanz im Freien unter den heiligen Bäumen zu tanzen.

HYMNIS Was sind das für Leute, von denen du redest? hüpfen sie auf einem Fuß und bedecken sich mit den Lappen ihrer Ohren? sind sie gefleckt wie Panther oder gestreift wie das Tier Zebra?

LAIDION Goldfarben sind sie und ihr Mund ist stark wie eines Raubtieres Mund. Ihre Hüften sind stark und schlank zugleich.

HYMNIS Möchtest du so sein? Pfui, sicher riecht ihre Haut, daß einem schlecht wird.

LAIDION Die Bäume dort sind viel größer als unsre Bäume; ihr blauschwarzer Schatten ist wie etwas Lebendiges: man kann ihn anrühren wie den Leib einer Frucht. Ihre Götter sind in den Bäumen und zwischen den Bäumen, wie er sagt, und trotzdem haben sie keine Scham, es zu tun.

HYMNIS Sie tanzen?

LAIDION Einmal tanzen sie so, einmal im Jahr. Die jungen Männer kauern auf der Erde und die Mädchen der Insel stehen vor ihnen, alle zusammen, und ihre Leiber sind wie ein Leib, so regungslos stehen sie. Dann tanzen sie und am Schluß geben sie sich den Jünglingen hin, ohne Wahl – welcher nach einer greift, dessen ist sie. Um der Götter willen tun sie es und die Götter segnen es.

HYMNIS Eine solche Schamlosigkeit!

LAIDION Die Glücklichen! Ohne Furcht sind sie.

HYMNIS Was meinst du denn damit, Laidion?
LAIDION Ach verstehst du mich denn nicht?... Da bin ich so aufgewachsen bei meiner Mutter und war ein unnützes Kind und wünschte was und hatte es nicht, das ging so von früh bis abends. Dann war ich vierzehnjährig und sehnte mich – und dann brachten sie mich zu dem reichen Kallias, da lag ich, und ging herum und staunte und grauste mich und biß mich vor Ungeduld in die Knöchel, und dann gab ich mich dem, in den ich verliebt war, und der war innerlich voll Haß und Galle, weil ich vorher des andern gewesen war, und so ging das vorüber und dann kam ein andrer und wieder ein andrer... Ich glaube, da war nicht ein Augenblick, in dem ich mich nicht aus mir selbst herausgesehnt hätte.
HYMNIS Dir ist es immer zu gut gegangen. Bist du etwa je geschlagen worden? Hast du vielleicht in deinem ganzen Leben einmal ordentlich gehungert?
LAIDION Ich kann mir eine denken, die geschlagen wird und selig ist. Und man kann im Schatten liegen und hungern und glücklicher sein als ein indischer König. Aber daliegen in der Welt wie der Argus und bedeckt sein mit Augen, immer irgend ein Auge offen haben: in den Armen eines Mannes sein, der dich liebt, den du zu lieben meinst, und indessen mit ganzer Seele zu lauern auf das teilnahmslose Plätschern eines Wassers neben dir, lauern zu müssen, weil etwas dich zwingt, etwas dich hält wie eine Schraube, ist es Sehnsucht, ist es Furcht... als liefe dir mit diesem Plätschern das eigne Leben aus den Adern – oder sie haben dich auf ein Landhaus eingeladen und du reitest auf dem Maultier hin und solltest fröhlich sein und an nichts denken, als daß du jung bist und mehr als einer gern die lange Nacht unten an deiner Tür stände, aber da stehen dir auf einmal vor den Augen die Bäume an der Landstraße wie drohende Boten, der Berg in der Ferne wie ein Richter, als ginge es um dein verlornes Leben, und du sitzest in der Schuld und der Pein festgebunden auf dem Tier, wie einer, den sie zur Richtstätte führen, und deinen hundert Augen entgeht nichts, nicht der Käfer, der im Staub vorüberläuft und dich deinem Schicksal überläßt, nicht der Vogel in der Luft, der hoch droben singt und dich deinem Schicksal überläßt.

HYMNIS Wovon redest du denn, Laidion? Du bist doch nie auf einem Maulesel zur Richtstätte geschleppt worden.
LAIDION Es braucht keinen Maulesel und kein Gericht. Ich stoße mit dem Fuß an einen dürren Zweig, Hymnis, und sein elendes Dasein geht in mich hinein, wie die Schönheit der Veilchen und der Rosen geht es durch die Augen in mich hinein und macht mich zu seiner Sklavin, und nachts muß ich mit offenen Augen daliegen und an dieses verfluchte Holz denken und ihm zu Willen sein und seinen krummen Leib mit verkrümmten starren Gliedern nachmachen, daß ein Nachtvogel, wenn er mir zusieht, mich für eine thessalische Hexe oder für eine Besessene hielte – muß man sich da nicht fürchten? Muß man sich nicht fürchten, wenn die Sonne in der Früh so klein ist, wenn sie manchmal in der Früh wie etwas Kindisches, das Kinder aufgehängt haben, in den Zweigen des Feigenbaumes hängt und dann emporklimmt? Aber was ist denn *nicht* fürchterlich? Und was wäre es denn, das uns tanzen macht, wenn nicht die Furcht? Die hält oben die Fäden, die mitten in unserm Leib befestigt sind, und reißt uns hierhin und dorthin und macht unsre Glieder fliegen. Und wenn ich als Mänade die Füße werfe und meine Arme und mein Haar gegen die Sterne fliegen, meinst du, es ist Lust? Siehst du denn nicht, daß es Furcht ist, die mich springen macht?
HYMNIS So von Furcht bist du geschüttelt?
LAIDION Sie zeigt nicht immer ihre magern Pantherarme. Sie nimmt eine Maske vor und verstellt ihre Stimme: dann heißt sie Hoffnung. Ich glaube manchmal, es ist noch gräßlicher zu hoffen als zu fürchten. Ganz ausgehöhlt liegt man da, nach einer Nacht der Hoffnung. Nichts saugt einem so die Seele aus dem Leib. Der Glückliche kennt keine Hoffnung. Sie sind unsagbar glücklich, wenn sie tanzen vor ihren Männern und vor ihren Göttern, und wissen nichts mehr voneinander und sind alle zusammen und sind jede allein.
HYMNIS Redest du schon wieder von den Barbarenweibern auf der Insel?
LAIDION Ja, ich rede von denen auf der Insel. Unsagbar glücklich sind sie in dieser Stunde und mehr als ihr Leben lang. Voll Furcht und Bangigkeit saßen sie sieben Tage und sieben

Nächte auf reinen Matten, vorher. Kannst du dir denken, wie es sich sitzt auf einer reinen Matte?

HYMNIS Was brauchts da viel, um sich das zu denken? Versteh ich vielleicht nicht, mich rein zu halten?

LAIDION Ich sage dir, wenn ich alles Wasser aus meinem Brunnen, wenn ich alles Wasser der Welt über diese Matte da gieße, und wenn ich den Boden ringsum abspüle, so ist da noch keine Reinigkeit. Ist denn die Luft rein? Weht denn irgendwo unter den Sternen reine Luft? Ist denn nicht überall Sehnsucht und Furcht und Verlangen und Verworfenheit? Ist nicht alles, alles zwischen einem Tod und einer Wollust, und unruhig und befleckt? Ich sage dir, wenn etwas wahrhaft Reines daherkäme, das Meer würde aufschäumen und eine Gasse machen und unsre Herzen würden aus uns herausspringen und hinrollen, um für ewig auszuruhen auf diesem Reinen. Eine reine Matte nur zu denken, macht mich zittern. Vielleicht, daß sie wirklich auf reinen Matten liegen. Dann sind sie Tiere oder Götter oder beides zugleich, und man müßte sie anbeten. Ich glaube, ich habe nie etwas Reines gesehen. Ich habe nie das gesehen, worauf ich hätte mein Herz hinlegen mögen.

HYMNIS So warst du nie verliebt, Laidion?

LAIDION Wenn ich trunken war und mein Bett in der Gosse machte, so will ich nicht, daß man nachher, wenn ich nüchtern geworden bin, zu mir darüber redet.

Sie schweigen.

LAIDION Ich kann fühlen, wie ihnen zumut ist, wenn ich meine Augen schließe, aber nicht ganz, nur so, daß das obere Lid auf dem untern zittert. So wie du dort, so sitzen die Männer, ganz klein, ganz weit. Und in den Bäumen hängen die Götter furchtbar, mit aufgerissenen Augen, aber ihnen, die aufgestanden sind von den reinen Matten, vermag nichts Furcht einzuflößen. Sie sind gefeit. Alles, das Fürchten, das Begehren, alle Wahl, alle unstillbare Unruhe, alles ist umgewandelt worden an der Grenze ihres Leibes. Sie sind Jungfrauen und haben es vergessen, sie sollen Weiber werden und Mütter und haben es vergessen: alles ist ihnen unsagbar. Und dann tanzen sie.

Sie fängt an, sich in den Hüften zu bewegen. Irgendwie fühlt man, daß sie nicht allein ist, daß viele gleiche um sie sind, und daß alle zugleich tanzen unter den Augen ihrer Götter. Sie tanzen und kreisen, und es dämmert schon: von den Bäumen lösen sich Schatten und sinken hinein in das Gewühl der Tanzenden, und aus den Wipfeln heben sich die großen Vögel, in denen Verstorbene wohnen, und kreisen mit, und die Insel schwankt unter ihnen allen wie ein Boot voll Trunkner. Und nichts auf der Insel entzieht sich der Gewalt der Tanzenden; diese sind in diesem Augenblick so stark wie die Götter; die Arme und Hüften und Schultern der Götter sind gemengt unter ihre Bewegung; von nirgendher kann das blaue Todesnetz oder das korallenrote Schwert der Götter auf sie fallen. Sie sind die Gebärenden und die Geborenen der Insel, sie sind die Trägerinnen des Todes und des Lebens.

Laidion gleicht in diesem Augenblick kaum mehr sich selber. Unter ihren gespannten Zügen ist etwas Furchtbares, Drohendes, Ewiges: das Gesicht einer barbarischen Gottheit. Ihre Arme fliegen in einem furchtbaren Rhythmus hinauf und wieder hinab, todesdrohend, wie Keulen. Und ihre Augen scheinen angefüllt mit einer kaum mehr erträglichen Spannung inneren Glücks. Da liegt sie auch schon, hart und kurz atmend, auf dem Bett, und um sie ist das kleine menschenleere Zimmer, die Wirklichkeit und Hymnis, die sie mit einer kleinen roten Decke zudeckt.

LAIDION *schlägt nach einer Weile die Augen auf und setzt sich auf. Sie ist ganz blaß* Hymnis, Hymnis! Ich liege da und weiß es – und habe es nicht! Ich möchte schreien und in meine Kissen beißen, in meinen Arm möcht ich beißen und mein Blut fließen sehen, daß solches auf der Welt ist, und ich *habe es nicht!* Wie eine glühende Kohle wird das brennen in mir, der Mensch da hat kommen müssen und mir es sagen, daß es irgendwo eine solche Insel gibt, wo sie tanzen und glücklich sind ohne den Stachel der Hoffnung. Denn das ist es, Hymnis, das ist alles, – alles, Hymnis: glücklich sein ohne Hoffnung.

ESSEX UND SEIN RICHTER

Schließer: Mylord, Ihr habt Besuch. – Essex: Ich habe gesagt, du sollst mich mir selber überlassen. Ich empfange niemanden. – Schließer: Das ist einer Eurer Richter; er fragt nicht danach, ob Ihr empfangt.
Der Richter: Ihr müßt einsam sein, Mylord… – Essex: Meint Ihr? Wie könnet Ihr das beurteilen? Vielleicht ist Julius Cäsar bei mir. Wie kann Euresgleichen über meinesgleichen zu Gericht sitzen? Wie ist das möglich? – Der Mann: Das ist möglich, und um Euch das zu Gemüt zu führen, bin ich zu Euch gekommen. – Essex: Ihr seid Puritaner? – Der Mann: Lassen wir das beiseite. Ich wähle Euren Kampfplatz und Eure Waffen. Sonne und Wind soll gerecht zwischen uns geteilt sein.
Essex: Ungeeignete Richter, durch Zufall über mich gesetzt: meine pairs auf den europäischen Thronen. – Richter: Dein Dämon macht ein Ende, dein Über-Ich. Das habe ich durch Einfühlung erkannt, und Lord Bacon noch früher.
Essex: Nichts von dem, was in mir vorging, vermagst du und deinesgleichen zu beurteilen. – Richter: Es kommt dem Menschen vielleicht die Gabe der Einfühlung zu Hilfe. – Essex: Ihr habt mich Aufrührer, Rebell genannt, – das sind leere Worte,… was hast du somit mit mir zu schaffen?
Der Mann: Ich befragte mich und andere: kann der Herr zum Tode verurteilt werden? – ich erhielt die Antwort: wie Gott es wendet! je nachdem es in die Brust des Menschen gelegt ist. – Essex: Alles Zufall… – Mann: So höre ich Euch gern. Ihr kommt mir schön. Aber heute seid Ihr verurteilt. Ich sitze Euch hier gegenüber…
Der Mann: Die Gerechtigkeit; pah – es gibt Gerechtigkeit *in* Menschen, nicht außerhalb. Es ist alles Unrecht. – Aber Ihr sollt Euch besiegtgeben. Ich bin nicht gekommen, Euch auf den Tod vorzubereiten, sondern damit Ihr aus gereinigten Augen vom Schafott herunter auf die Welt sehet. – Essex: –

mein Ruhm ... – Der Mann: Ihr habt keinen Ruhm, Ihr seid ein kleines Gerede im Munde der Leute, so viel wie ein bekannter Straßendieb oder ein Prediger. – Essex, – Cäsars Ruhm entgegenhaltend. – Der Mann: Euch bleiben vielleicht noch zehntausend Atemzüge. Ihr solltet ihrer nicht ein halbes Hundert an so leere Dinge verschwenden.

Der Mann: Ihr entschlüpft mir nicht. Ihr werdet mir bei der Stange bleiben. – Essex: Sollte nicht jeder Richter zittern, wenn er bedenkt, er selber hätte können ... – Der Mann: Das sind flache Gedanken, laßt die zwischen einem Schinderhannes und einem Dorfrichter abgehandelt werden. Um meine Mine auffliegen zu machen, bevor sie Euch die Häuser niederlegt, müßt Ihr tiefer graben. Euch hat der Staat in unsere Gewalt gegeben, der gleiche connexus, aus dem Ihr Eure Ansprüche und Selbstverherrlichungen schöpft. – Essex: Ich habe den Staat gelenkt, ich habe die europäische Politik beeinflußt. – Der Mann: Alles das sind leere Wortschälle. Das damit Bezeichnete ist nicht mehr als die Gänge in einem Ameishaufen.

Der Mann: Spielt Ihr Eure verlorene Schachpartie nochmals durch? Sie wollte sich nicht gewinnen lassen. Das Leben ... Alles saugt uns an das Ende an. – Ihr seid auf- und niedergegangen. Ihr würdet Euch nicht fürchten, zu schlafen, aber Ihr fürchtet Euch, niederzuliegen. Es ist nicht Angst, das Euch erfüllt, aber eine maßlose Ungeduld. Ich bin gekommen, sie Euch zu stillen. Alle Eure Gaben quälen Euch, da sie Euch hier nicht hinaushelfen, weder die Gewandtheit, noch die Kühnheit, noch die Beliebtheit. Wenn andere in der Schlacht mehr taten als Ihr, so achtetet Ihr es nicht: Ihr waret der General, – das war Euer Schicksal. Genug, wenn Euer Pferd die Hufe hob, wo ein Sterbender lag. Ob Ihr schuldig oder unschuldig seid, ja was Ihr gewollt und nicht gewollt habt, und was Ihr, wenn Ihr das erste erreicht hättet, weiter würdet gewollt haben, – das ist Euch so verschlossen, wie den Richtern Euer Denken. – Essex prahlt mit seinen großen Gedanken, – mit der Megalopsychia. – Der Mann: Ihr habt nie einen großen Gedanken gehabt, glaubt mir das! –

Die Argumente des Richters: daß er bei der stärkeren Partei sei; daß Essex nie einen großen Gedanken gehabt habe. Seine Andeutung, was das sei, ein großer Gedanke: der Grundgedanke des Gründers der Quäkersekte könne groß genannt werden. Sein (des Sprechers) großer Gedanke sei die Notwendigkeit im Ablauf des Schicksals. Ein großer Gedanke erfüllt den Genius und feit ihn gegen alles außer gegen sein Schicksal.
Der den Richter erfüllende Gedanke der Notwendigkeit. Jenen Gesichtspunkt wiedergewinnen, den ich in Aussee in diesem Herbst bei der Betrachtung der Leargestalt hatte: er ist nichts als die Hieroglyphe seines Schicksals und er wird erst durch das, was ihm als ein (scheinbar) Zukünftiges droht. So wirkt der Richter als Geburtshelfer zum Tode. »Ich sah Euch öfter und da sah ich Eure Zukunft in Euch und wollte Euch als Geburtshelfer dienen.«
Amor fati: es handelt sich nicht um Versöhnen mit dem Schicksal, sondern das Schicksal Lieben. Ihr habt Eure Abenteuer geliebt, nicht Euer Schicksal. Hier erst ist Eure Stunde. Ich nahm mir vor, zu Euch in das einzige Verhältnis zu treten, in das ein Mann zu einem Mann treten kann, es sei denn das der soldatischen Unterordnung, – aber ich rede von einem Verhältnis, in welchem beide alle ihre Kräfte ins Spiel bringen.
Staunender Blick Essex' auf das andere Wesen, das so in sein Leben eingreift: wie kommt der zu mir? was bringt dich mir so nahe? – Von einem bestimmten Moment sagen sie sich Du. Essex umarmt den Richter.
Konklusion: Dieser bedeutet ihm mehr als Verwandte, Freunde, Anhänger, – selbst als solche, die sich für ihn töten ließen. Dieser bringt ihn zu sich selbst.
Essex: die Ereignisse von außen gesehen; man muß lernen sie anders sehen: eine Kruste muß zerbrechen. Wer hat Euch zu meinem Arzte gemacht? Das ist die tiefste Frage...
Der Mann: Die anderen waren schwankend, ich entschied. Ich suchte jeden einzelnen auf. Oft ging ich den Weg wieder rückwärts, wenn es nicht die rechte Stunde war. Manchmal war einer uns einen Augenblick lang in der richtigen Verfassung. – Essex: Was hattest du als letztes Ziel vor Augen?

Führender Gedanke: es ist immer noch was verborgen, Häutchen unter Häutchen, nur muß man ein feines Messer mit einer sicheren Hand führen. – Essex: Die Namen weiß ich nicht, aber die Gesichter gut. Dieser war ein Schotte. Dieser hatte etwas Fremdes in seinem Gesicht, etwas Dumpfes und Schwaches. – il était admirablement disposé à mourir.

Der Mann lehnt selbst die gewisse teleologische Konstruktion ab, wonach eine Fügung kommen muß, weil wir ohne sie nicht das hätten, was wir, weil wir es haben, für das ansehen, was wir haben mußten (Hegels Geschichtsauffassung).

Geistig schwer ist das Geschehen zu tragen, nicht daß das Gemüt zerbräche, sondern die Fakultät, welche zu entscheiden und zu urteilen gewohnt ist. – Es handelt sich nicht um große Dinge.

Das »Scheinbare« und das »Unscheinbare«: das »Wirkliche«. – Das Tao: in seiner Weise die Wahrheit aus den Schöffen auszuhorchen, gewaltlos.

Abschied: ich gehe jetzt nachtmahlen. – Meine Söhne – Euer Sohn; mein ältester Sohn liebt mich nicht... – Essex winkt ihm ab; er entfernt sich wortlos.

BRIEF AN EINEN GLEICHALTRIGEN

Losung der Älter-Werdenden: das Wenige erfassen. Verbindung zwischen Volk und Oberen. Noch einmal alle Vergangenheit an uns heranreißen als Lebenspyramide.

Was uns auf unsere Zeit weist, ist die Unfähigkeit, an der Geselligkeit der früheren Lebenden teilzunehmen, mit ihnen Gemeinschaft zu pflegen; wir geben ihnen nicht die wahre Aufmerksamkeit.

Darum das leidenschaftliche Hinwenden zur Sprache, die eine Kirche aus der Nation macht.

Unser eigentliches Geheimnis war unsere Haltung im Leben, die Perspektive unserer Äußerungen, – damit waren wir Vorläufer, Vorfühler.

Unser letztes Wort, – haben wir es gesagt? steht es nicht noch unausgesprochen zwischen den Zeilen unserer Werke? verknüpft es uns nicht noch später Kommenden? Unsere Welt, – haben wir sie geschaffen? unsere Perspektiven, – sind sie erkannt? (»Alle Werte, die das Arbeitsethos des 19. Jahrhunderts unterdrückte, treten wieder in ihr Recht und in unser Leben, das Spiel, die Freude, die Ironie, das Heldentum und die Heiligkeit.« E. R. Curtius.) So ist auch in dem System von Wertsetzungen, das den modernen Menschen ausmacht, ein neuer Wert – das Leben selbst – aufgetaucht.

Der Europäer steht allein da, ohne lebende Tote an seiner Seite. – Das Problem der »Zeit« als des geistigen Lebensraumes.

Wenn man zurückdenkt, werden die Individuen größer hervortretend, – die »Zeit« unwichtiger.

Die Bedeutung einer Generation für die nachfolgende: sie übergibt ihr die Welt durch Wortäußerungen, welche aber Lebensgebärden sind. Die Verantwortlichkeit: wieweit man zur Geltung selbst gekommen ist, dafür ist man verantwortlich.

Die Jugend, die das Lösewort des Rätsels bringt: die nächstjüngeren. – Alles liegt an der Endsituation.

Das Geheimnis der Verbundenheit ist Todesgemeinschaft, – Kampfgemeinschaft: wir haben zusammen einen Kampf auszukämpfen, dessen bitteren Ernst wir jetzt erst fühlen, haben zusammen abzutreten, zusammen Rechenschaft zu geben, denn noch ist die Schlacht nicht abgebrochen, noch sind wir im Spiel, und zwar bedrohter als die Jüngeren, leidensfähiger, also vollkommener, kühnerer und vitalerer Synthesen fähig. Wir leben wie auf *einem* Zweige, – aber war nicht der Einsamste, der Brüderlichste nur vielleicht nicht skeptisch genug?
Das stärkere Achten auf einander, jetzt da die Entscheidungsstunde kommt: auf Pannwitz, Fuhrmann. Man versteht ein Wort, das einer einmal ausgesprochen hat: es war alles ausgesprochen, Feuer genug, um Granit zu schmelzen, – aber vielleicht war es vergeblich: in diesem Gefühl wenden wir uns zu denen, welche die Fackel aus unserer Hand nehmen.

REISEN

SÜDFRANZÖSISCHE EINDRÜCKE

Ich habe einmal ein chinesisches Bilderbuch gesehen. Auf jeder Seite waren alle möglichen Dinge gemalt, durcheinander und mit der unabsichtlichen Anmut, die das Leben hat. Denn die Bilder des Lebens folgen ohne inneren Zusammenhang aufeinander und ermangeln gänzlich der effektvollen Komposition. Besonders eine Seite aus dem Bilderbuche ist mir im Gedächtnisse geblieben; da hingen hübsche fliegende Hunde zwischen roten Weinblättern, darunter standen graziöse emailblaue Vasen; daneben war ein friedlicher grasgrüner Garten mit weißen Gänsen und Orchideen, Spinnen, Kolibris und Affen mit traurigen Augen, und neben dem Garten war ein Fluß; am Ufer stand eine weiße junge Frau, und über dem Flusse schwebten Dämonen, haarige, lichtblaue Riesen mit Vogelköpfen, grinsende Köpfe und rotgrüne Schlangen.
Das Ganze hatte den seltsamen, sinnlosen Reiz der Träume.
Ich glaube, so ungefähr sollten Reisebeschreibungen gemacht werden, so erlebt man sie; und es ist zwischen diesen aufgefangenen Sensationen nicht mehr Zusammenhang wie zwischen den Vasen, den Affen und den Dämonen in dem Bilderbuch.
Darum haben auch Reiseerinnerungen nachher für uns selbst diesen sonderbar traumhaften Charakter, so fremd, wie nicht wirklich gewesen. Die hübsche Art zu reisen, die empfindsame, die des Sterne und des Rousseau, ist uns verlorengegangen. Das war noch eine Reise nach Stimmungen. Man reiste sehr langsam, im humoristischen Postwagen oder in der galanten Sänfte; man hatte Zeit, um in Herbergen Abenteuer zu erleben und wehmütig zu werden, wenn ein toter Esel am Wege lag; man konnte im Vorbeifahren Früchte von den Bäumen pflücken und bei offenen Fenstern in die Kammern schauen; man hörte die Lieder, die das Volk im Sommer singt, man hörte die Brunnen rauschen und die Glocken läuten.

Unser hastiges ruheloses Reisen hat das alles verwischt, unserem Reisen fehlt das Malerische und das Theatralische, das Lächerliche und das Sentimentale, kurz alles Lebendige. – – –
Chambéy ist die Hauptstadt des alten Savoyen; gerade seit hundert Jahren gehört es zu Frankreich, und zum Angedenken dessen steht seit ein paar Wochen auf dem Marktplatz eine junge Savoysienne und umarmt die Trikolore. Die Stadt ist wahrscheinlich, wie die meisten Städte, in sehr verschiedenen Stilarten gebaut; bei Nacht aber, im Mond, ist sie ganz Rokoko mit schnörkligen Giebeln, geschweiften Balkonen und stilvoll bevölkert mit vielen Katzen. Es gibt winzig kleine, übermütige, die betrunken im Mondlicht kugeln und schmeichelnd kokettieren; und große sitzen in stilisierter Würde heraldisch steif auf Balkonen; und andere gleiten lautlos, mit mattleuchtenden Augen, im tiefsten Dunkel längs der Mauern hin.
Nahe der Katzenstadt liegen im Hügelland mit reicher lauer Luft und großen Lauben dunkelglühenden Weins viele kleine Landhäuser. Eins davon sind die Charmettes der Frau von Warens, wo Rousseau seine große Liebe erlebte. Sie war eine wohlerzogene, schöne Dame mit blonder Güte und Anmut und einem eleganten und herzlichen Briefstil; er war ein halberwachsener Parvenu, mit bitterem Hochmut und starker Sehnsucht nach Liebe, bös und rücksichtslos und mit glühenden rhetorischen Antithesen im Herzen. Er nannte sie »maman«, und sie nannte ihn »petit«. Es ist noch alles da: ihre Bilder, ihre Betten, das Fenster, an dem sie Arm in Arm in den Sonnenuntergang hinaussahen, das Immergrün, das sie zusammen pflückten...
Hier wäre Gelegenheit, eine Banalität zu sagen, die noch dazu sehr traurig ist. –
In Grenoble aber ist Henri Stendhal geboren. Henri Beyle, genannt Stendhal, der große Psycholog unter den Romanschreibern dieses Jahrhunderts, groß neben Balzac und vor allen übrigen, den seit 1880 wieder viele Leute in Frankreich lesen und auch einige in Deutschland.
In Grenoble haben sie eine Straße nach ihm genannt, eine häß-

liche, halbfertige, nach Kalk und Ziegel riechende, charakterlose Bourgeoisstraße, nach ihm, der immer wunderbare und außerordentliche Menschen schuf, hochmütige, sehr »anders als die andern«; übrigens konnte er seine Vaterstadt nicht leiden und starb nach unruhigem Wandern in seiner Adoptiv-Heimat, dem Mailand der Restaurationszeit, mit den Melodien des Cimarosa und der lieblichen Plastik des Canova, mit weißmarmornem Domdach und lächelnder Anmut wohlerzogener kosmopolitischer Menschen. Auf seinen Grabstein aber ließ er, in dichterischer Ostentation, die Worte setzen: Arrigo Beyle, Milanese.

Grenoble liegt mitten im lichtgrünen, hügeligen Delphinat. Auf breiten Landstraßen, die durch helle Waldtäler laufen, begegnet man viel großen Viehherden, und es ist ungefähr die friedliche Natur der Gauermann und Waldmüller. Das geht so fort, in runden Hügeln und freundlichem Laub, bis Valence. Da, in der Stadt des Cäsar Borgia und der Diane de Poitiers, im Valentinois, hört französische Natur und französische Sprache auf, und es beginnt die Provence, mit gelben sonnverbrannten Hügeln, mit Oliven und Feigen und mit der eigenen Sprache, die wenig vom Französischen hat und viel vom Spanischen, manches auch vom verschollenen Italienisch der »Divina Commedia« und vom Griechisch der Phokäer und vom Arabisch der Mauren. In Rhythmus und Klangfarbe ist sie, wilder und dunkler als die übrigen romanischen Sprachen, dem Spanischen am nächsten. Sie hat viele Dichter und Dichterkongresse und Dichterkrönungen; es ist aber etwas meistersängerlich Pedantenhaftes in dieser Dichterei, etwas Galvanisiertes und Gekünsteltes, und die Epigonen der Bertran de Born, der Peire Cardenal und der Raimon von Toulouse sind Schuster, Barbiere und Buchhändler.

Ihr berühmtestes Werk ist bekanntlich die »Mirèio« des Mistral, ein Idyll in preziösen künstlichen Strophen, halb Homer, halb Berthold Auerbach, ein viel zu langes Gedicht, in dem die wunderschönen Dinge der Vergangenheit steif und tot herumstehen, wie in einem ungemütlichen Provinzmuseum.

Und doch ist die Vergangenheit in diesem Land minder tot

als überall anders; es ist eine so klare, stille, trockene, erhaltende Luft. Frauen von Arles haben noch immer die feierliche römische Schönheit, die Kameenprofile und den königlichen Gang und die königlichen Gebärden; und andere haben die griechische Grazie im Stehen und Lehnen, wie die Tanagrafiguren, und griechische Koketterie in der leichtbeflügelten Rede; und andere haben den mattgoldenen maurischen Glanz und das weiche, biegsame Gleiten, »wie Palmen im Wind«. Und sie sitzen mit ruhig-heißen Augen auf den Stufen der Arena: da ist Stiergefecht; schwarze, rotäugige Stiere und Banderilleros und Toreadores mit schönen langen Namen, aus Saragossa und Valencia, mit elegantem Gladiatorenanstand und grünseidenen Mänteln; und Musik aus »Carmen« statt der Tuben und Flöten. Das ist ihr Theater. Und wenn die Straßen in grellem Licht glühen, so gehen sie in dämmernden Klostergängen spazieren, zwischen maurischen Ornamenten und byzantinischen Säulen, oder auf den »Alyscampo«, wo im Zypressenschatten uralte Sarkophage liegen, der vornehmste Begräbnisplatz der Erde.
Oder sie gehen beten in die große Kathedrale von Saint-Trophime, und im Halbdunkel zwischen steingrauen Aposteln und Greifen, Engeln und geflügelten Stieren atmet junge griechische und sarazenische Schönheit.
Viele aber treiben den anmutigsten Beruf, den Handel mit schönen und altertümlichen Dingen. Müßig und graziös sitzen sie auf verblichenen Thronsesseln, zwischen zerbrochenen Statuetten, fanierten Goldstoffen und altmodischen Kupferstichen und warten. Sie haben ein so seltsames, verträumtes Lächeln; es ist, als warteten sie immer darauf, daß von irgendwo Blumen auf sie herunterfielen. Denn sie sind sehr eitel; sie haben eine ernsthafte, fast religiöse Eitelkeit und sind gewohnt, sich von allen Dichtern den Hof machen zu lassen.

– ô jours
De ma jeunesse, quand serrant d'un long velours
Le tour de mes cheveux, la taille souple et fine,
Les seins mi-cachés sous la claire mousseline,
Nous descendions, riant au rire des galants,
Sous le porche du grand Saint-Trophime à pas lents!

Diese Verse sind nicht aus der »Arlésienne« des Daudet, aber es gibt eine Menge Stücke, die alle »L'Arlésienne« heißen könnten. Die Heldin darin hat immer diese rätselhafte, antike Schönheit, ist immer unwiderstehlich und wird meistens auf einem weißen, windschnellen Pferd entführt.
Diese weißen Pferde kommen aus der Camargue. Das ist eine große Rhône-Insel, unfern von Arles beginnend und bis dorthin gedehnt, wo die Rhône mündet. Eine weite, baumlose Fläche, graugrün, von vielem Heidekraut violett schimmernd, nicht gefärbt, nur schimmernd (violacé); darüber der blaßlilafarbene Himmel. Da weiden in Herden die weißen Pferde und die schwarzen Stiere und rosenrote Flamingos.
Es ist eine ägyptische Landschaft, totenstill, und auf kleinen zweirädrigen Wagen rollt man lautlos hindurch.
Wo die Camargue aufhört, beginnt das Meer, »das lichtblaue Meer, mit Delphinen und Möwen«. Es hat wirklich nicht das goldatmende glänzende Blau des Claude Lorrain und auch nicht das düstere Schwarzblau des Poussin, sondern ein ganz helles Blau des Puvis de Chavanne.
Es ist keine zufällige Besonderheit, daß ich soviel von Farben spreche. Man kümmert sich in diesen hellen Ländern viel mehr um Farbe als in unserer grauen und braunen Welt. Sogar das Menü wird pittoresk. Schon in Savoyen hatte das Frühstück die heitere Farbengebung der Huysum und Hondecoeter: unter der Weinlaube stand auf reinlich weißem Tuch der Fayencekrug mit hellem Wein, und gelbe Butter, rote Krebse; grüner Spinat und blaue Trauben waren so erfreulich als erfrischend. Hier aber, am rollenden, phosphorschimmernden Meer, ist das Dejeuner in den Fischerherbergen eine große Orgie von Farben. Der rotflossige Fisch schwimmt in einer Safransauce, andere flimmern silberschuppig, und die grellroten Langusten sind von mattgrünen Oliven umrahmt. Es fehlt nur der Pfau mit vergoldetem Schnabel zu einem farbigen Essen der Renaissance. Dazu das blaue Meer und am weißen Strand Pinien und Zypressen. Das ist längs der Küste, von den Pyrenäen bis zur Riviera. Im Innern aber ist die provenzalische Landschaft eintönig, wie die griechische. Graugelb, mit graugrünen Olivenhainen. Dann und wann auf der staubigen alten königlichen Straße eine

Schafherde, die lautlos weitertrippelt. Dann ein ausgetrocknetes Flußbett. Dann, in schweigender Einsamkeit, Ruinen; ein verfallener Aquädukt, ein Triumphbogen. Dann weite, schattenlose Haine der mageren Oliven. So hat es rings um den Engpaß ausgesehen, wo Ödipus dem Vater begegnete. So um den Hügel, wo Antigone den Leichnam des Bruders besuchte. Hier hat der heutige Tag kein Eigenleben. Die Vergangenheit ist noch immer. Und es war ganz im Stile der Natur, als vor ein paar Jahren die Comédie Française nach Orange kam, um in provenzalischer Natur und auf dem steinernen Gerüst einer antiken Bühne den »König Ödipus« zu spielen...

SOMMERREISE

Hier unter dem Schatten des großen Ahorn, hier, wo ein Hahnenruf, ein Grillenzirpen, das Rauschen des kleinen Baches die Welt bedeuten, erscheint diese dreitägige Reise schon wie ein Traum. Und doch war sie wirklich: so wirklich wie ein Gang zum Brunnen, ein Niederbeugen, das Löschen eines tiefen Durstes in eiskaltem, felsentsprungenem Wasser; so wirklich wie ein Verlangen nach Früchten, nach kernigweichen, innerlich kühlen, duftigen, flaumumhüllten Früchten, ein Anlegen der Leiter, ein Hinaufsteigen, ein Pflücken, ein Genießen, ein Schlummern in der Krone des Baumes. Es mußte ein Abend vorhergehen, ein wundervoller Vorabend: jener eine Abend, der in jedem Jahre einmal kommt, früher oder später; jener einzige Abend, an welchem die Fülle des Sommers auf einmal da ist; die Sonne ist längst gesunken, doch steht noch immer im Westen ein Abgrund von Licht; drüber entzündet sich wie eine Fackel der Abendstern; die Berge, die dunklen Schluchten zwischen den Bergen glühen von innerem purpurblauen Feuer; ein unsäglich leichter Hauch geht wie ein Atem von Baum zu Baum; manchmal schleift er lüstern an dem Boden hin, ergreift ein frischgesponnenes Laken, das da zum Bleichen liegt, und bläht es wie ein Segel; dann schwillt vor innerer Kraft das Wasser in den Brunnentrögen, wie droben die Sterne überschwellen vor Glanz; stärker gurgelt es in den hölzernen Röhren, verlangender rauscht es aus dem Felsenspalt hervor, wundervoller braust der ferne Wassersturz, als drängte es den dunklen Berg, die starre Wand, ihr Inneres hinzugeben; von den Hängen, von den Matten läßt sich der Heuduft nieder, langsam kreisend; Wanderern gleichen die Bündel Heu, hingesunkenen Ermüdeten, Stehenden, am Pilgerstabe erstarrt, schlafend in der Gebärde des Wanderns; und jeder Schatten der Nacht, dort am Waldrand, da auf dem Altan, jeder gleicht einem Wanderer, der sich hinließ, in den Mantel gewickelt, mit dem ersten Frühstrahl leicht aufzuspringen, mit dem ersten Schritte weiterzuwandern.

Den nächsten Morgen begann die dreitägige Reise. Ihr Weg war mit dem abwärtsrauschenden Wasser. Ihr Ziel war das Land des Sommers, da unten. Irgend ein Hügel, festlicher als alle gekrönt mit üppigen Gewinden rankender Reben zwischen Ulme und Ulme; irgend ein Weiher, eingesetzt wie ein purpurspielender Edelstein in das Grüne eines Hügels; irgend ein Kastell, aus dessen braunroten Trümmern die breitblättrige Feige wächst und der schattenhafte Ölbaum; irgend ein Dickicht, durch dessen Stämme eine wundervolle Nacktheit zu schimmern scheint, dessen Ranken noch schaukeln vom Flüchten feuchter, leuchtender, göttlicher Wesen.

In den Bergen führt der Weg des ersten Tages. In die Flanke der Berge ist die weiße Straße eingeschnitten, und drunten tobt das starke Wasser abwärts. Dörfer hängen zwischen der Straße und dem Himmel, und die Lerche, die von hier aus steigt und steigt und aus schwindelnder Höhe singt; oben mag einer stehen an seiner Eltern Grab und sich über die niedrige Friedhofsmauer beugen, und sieht die Lerche unter sich. Und Dörfer hängen drunten zwischen der Straße und dem wilden Fluß, und der vergoldete Engel auf der Spitze ihres Kirchturmes funkelt herauf aus der Tiefe.

An der Straße stehen schöne Brunnen; aus einer steinernen Säule springen vier Wasserstrahlen in die schönen uralten steinernen Tröge; jeder Strahl grüßt einen Gebirgsstock, dessen Gipfel Schnee und Sonne zum Trank mischt. Und es steigen Frauen, alte und junge, aus den Dörfern herauf und aus den Dörfern herab, langsam die mühseligen schmalen Pfade; jede trägt auf der Schulter das antike Joch mit zwei bauchigen, blitzenden, kupfernen Becken. Und wie sie die Becken unter dem Brunnen füllen und tönend das Wasser hineinfällt, so kommen die beiden wieder zusammen, die beieinander im dunkelsten Schoß des Berges schliefen, das Wasser und das Erz.

Und Brücken springen in einem einzigen Bogen tief drunten über das schäumende Wasser; uralt sind sie, steinern, ihr Bauch mit triefendem Moos behangen; sie sind Menschen-

werk, aber es ist, als hätte die Natur sie zurückgenommen; es ist, als wären sie aus der Flanke des Berges herausgewachsen, über die Schlucht hinweg in der Flanke des jenseitigen Berges wiederum zu wurzeln.
Und wie in Schlucht die Schluchten münden und in das Wasser die Wässer sich stürzen und Pfad und Brücke die Dörfer verknüpfen und Steige hinabführen von der Hütte des Ziegenhirten, neben dem der Adler horstet, zu der Mühle unten, die im ewigen Wassersturz steht und feucht und grün überwuchert ist, und der Wind Glockenklang heraufträgt und Glockenklang herab und von drüben und von jenseits: so fühlst du, es ist mehr als ein Tal, es ist ein Land, und seine Schönheit gleicht der Schönheit jener nahen großen Wolke drüben, die voll Wucht ist und Dunkelheit und doch leuchtend, ja innerlich durchleuchtet und oben in goldenem Duft zerschmelzend; und schön wie diese Wolke mit zerschmelzenden Buchten ist auch der Name des Landes: es heißt das Cadorin.
Und dieses Land ist nur wie ein Altan, der hinabsieht auf das andere Land, auf das Land, das die Venezianer, von den Palästen ihrer tritonischen Stadt wie von hohen Schiffen hinüberblickend, »das feste Land« nannten, auf das Land, das wie ein Mantel von den Hüften der Alpen niederschleift bis ans Meer. Dieses Land aber ist an schöngebauten Städten reicher als irgend eine Landschaft der Erde. Drei sind die prunkvollen Spangen im Saum dieses Mantels: Venedig, Vicenza, Verona. Aber in jeder seiner Falten ist Geschmeide verborgen, und wer kann jede seiner Falten durchwühlen? Hier liegt Belluno, hier gleitest du nach Treviso hinab, hier zweigts ab nach Vittorio, und schon hast du Feltre versäumt, schon liegt Asolo seitlich, schon bleibt Bassano hinter dir. Willst du Serravalle wiedersehen, die wundervolle Sperre des Tales, die starke Klause, in der Brückenjoch und Kirchentreppe, Bastei und Gartenhaus einander berühren? Schon hat es dich zu weit nach Süden gezogen, schon führt die weiße Straße zwischen der Weingärten steinernen Mauern auf Castelfranco zu.
Königlich ist diese Landschaft mit ihren Städten. Wie ein Gewimmel ists hinter einem und um einen, wie ein Lagern von

großen Heeren zu einem Kriegszug oder einer wundervollen Jagd hier zwischen den Bergen und dem Meer. Wie große Herren, die ihren Namen ausrufen, ihre Leute um sich zu sammeln, wie große Herren, die nach einer siegreichen Schlacht auf den Hügel stampfen und ihren ritterlichen Namen in die Luft schmettern, so rufen diese Städte immerfort ihren Namen durch die Sommerabendluft. Über jeder dieser Städte bläht sich ihr Name wie ein gelb und purpurnes Segel, wie eine gebauschte Fahne: und jeder dieser Namen ist zugleich der Name eines großen Malers.
Paolo Veronese, und Pordenone, und Bassano; Giovanni da Udine, und Cima di Conegliano, und Morto di Feltre, und Bordone von Treviso, Pellegrino di San Daniele: so wohnt in jeder dieser halbzerbrochenen Städte ein Ruhm wie eine leuchtende, nackte Dryade im Strunk des halbvermorschten Baumes. Oder die Städte haben sich in den Ruhm ihrer großen Söhne gehüllt wie in einen farbigen Mantel und sich hingestreckt an den Hügeln und über den Flüssen, und als ein halb lebendiges, halb im Schlummer erstarrtes Wesen lagern sie da, starrend in Waffen, oder wie ein Hirt, oder wie ein reicher lässiger Reisender, den auf der Jagd der Schlummer überwältigt.
Und das wilde Wasser aus den Bergen umfließt beruhigt Kirche und Kastell, spiegelt die zerfallenden Mauern, gleitet in lautlosem Rinnen zwischen Feld und Feld dahin, gibt dem Dorf seinen Weiher und dem Park seinen Teich. Und der friedliche Weiher und der marmorgefaßte Teich spiegeln am stillsten Abend die ferne goldumrandete Wolke mit großen schmelzenden Buchten, die sich vom feuchten Hauch der blauen Riesenberge nährt. Mit den Statuen, mit den Balkonen der Villa spiegelt der Teich von unten her das Gebälk, das die offene Halle bedeckt: und diese Balken waren Bäume, und wo der Teich als Quell war, dort waren sie als Lebendige, mit Wipfeln, die stärker rauschten als unter ihren Wurzeln hervor das flinke Wasser. So schmilzt hier, erst hier, der starke Drang der Berge in selige Ruhe.
Muß hier nicht Giorgione geboren sein? Er, der dies Fern und Nah, dies selige Spiegeln, dies Hinüberschauen zu den Ber-

gen, dies Rasten auf dem letzten Hügel in sich sog und eine Bezauberung daraus schuf, die keinen Namen hat. Der vier oder fünf Gestalten auf den weichen Rücken eines solchen Hügels hinlagerte, und alle tun sie nichts anderes, als die unsägliche Süßigkeit dieser Landschaft auskosten, aussaugen wie eine Frucht diese süße Vermischung von Weite und Nähe, von Dunkel und Helle, von Tag und Traum. Die Frauen haben die Kleider abgeworfen auf das Gras und geben den nackten Leib dem doppelten Atem der Luft hin, der kühl und schattenahnend sie zu den Bergen hinsaugen will, und lau und üppig von der Ebene an ihnen hinaufspielt. Aber ihre nackten Füße fühlen durch Gras und Blumen hindurch den feuchten kühlen Erdengrund, fühlen das Glück des Wurzelns in der Erde: und die Frauen beugen sich über den steinernen Brunnen, winden den Eimer aus feuchtem Schacht empor, als wollten sie dem Grund sein selig dunkles Geheimnis so entwinden; aber was sie emporbringen, ist nur klares Wasser; doch sie werden es trinken, werden es kühl durch die Glieder rieseln fühlen, etwas von der Lust der Nymphe fühlen, die drunten sich im Kühlen wälzt. Die Männer aber lagern neben dem Brunnen; sie sind bekleidet, und der doppelte Atem der Luft kann nur ihre Wangen anrühren, auf denen der leichte Schatten ihrer Locken liegt, kann nur mit der weißen Flaumfeder spielen, die der eine auf dem smaragdgrünen Barett trägt: Feder von der Brust des Adlers, der dort rückwärts ferne, ferne zwischen den bläulichen Bergen hinkreist, segelt in den Schattenbuchten der riesigen silberfarbigen Wolke. Der mit dem schönen Barett blickt unverwandt nach jener blauen türmenden Ferne. Schöner ist ihm dieser Anblick als der schöne nackte Leib der Frauen, die leicht und üppig sitzen auf dem feuchtkühlen steinernen Brunnenrand. Süßer ist es ihm, das Gefühl dieser Ferne auszukosten; wie aber kann er es, als indem er sich hinüberträumt unter die Schattenbuchten jener Wolke, indem er wähnt dort zu hängen zwischen Felsrand und Absturz, indem er wähnt der zu sein, der mit blutenden Füßen den Horst des Adlers beschlich, indem er mit den Augen jenes Andern, jenes Rauhen, jenes Armen herüberzustarren wähnt aus jener blauen Ferne, herüber auf den sanften

Hügel und auf ihn selber, der üppig hier liegt neben dem marmornen Brunnen, neben dem Korb, dem Früchte entrollen, neben den Frauen, die aus ihren Gewändern glitten, lässig, die Flaumfeder des Adlers auf smaragdgrünem Barett. So genießt er die Ferne, wie die Frauen die Nähe genießen. Aber die Magie dieses Ortes hat noch andere Zungen, ihre eigene Seligkeit zu schmecken. Da steht ein Lusthaus: es ist nichts als ein Altan, von Säulen getragen; es dient nur einer Lust, der Lust des Schauens nach jener blauen Ferne, nach den Riesenbergen, nach den Wolken, die der Hauch der Riesenberge nährt. Nichts als ein Altan, säulengetragenes Auge, dessen Wimper sich nie schließt. Über das Geländer des Altans ist eine scharlachfarbene Decke gebreitet. Seligkeit des Ortes! Die Decke darf vergessen hangen, die Gewänder glitten auf den Rasen; zum Segel wird die Decke, leicht bläst sie der üppige Atem der Ebene, der kühle Hauch der Berge wühlt in ihr. So in den Kronen der drei Bäume; selig spielen sie mit der Last der Wipfel: wonach jene Frauen sich sehnen, wonach jene Frauen den Eimer begierig hinablassen, sie haben es von selber, sie saugen es mit den Wurzeln in sich, das dunkle, geheimnisvolle Glück der Erde.

Das Wunder dieses Ortes ist Einklang: Erde und Wolke, Ferne und Nähe, Tag und Traum, hier sind sie eins: die Luft ist wie ein Becken, in das lautlose Ströme von Freude rinnen. Wie selig muß der eine sein, wie vollgesogen mit reinem Glück des Daseins, der das Haupt zurückgelegt hat, den weichen Mund halboffen, den Blick ins Leere, und zuhört, wie der dritte im Schatten des Gebüsches die Laute spielt. Ein einfaches Lied, ein kleiner Akkord der Saiten, die vom Glück so gespannt sind: wie muß es in der Seele zerschmelzen, hinabschnellen in den Abgrund der Seele, wie ein Wölkchen zerschmilzt an der Flanke der Berge, die purpurblau von inneren Gluten leuchten.

Dies ist die Landschaft des Giorgione, und schon sind wir an Castelfranco vorüber, dem rostfarbenen Viereck alter Mauern, zerbröckelnder Türme, die ein stockendes Wasser finster spiegelt, in deren Innerem eine Stadt nistet mit Gassen und Gäßchen, wie die Stadt der Bienen im Schädel eines wilden

Tieres. Noch gleiten die weißen Straßen zwischen Gartenmauern, zwischen Maulbeerbäumen leise nach abwärts, noch treibt ein sanfter, nicht völlig gestillter Drang die Reise der Ebene zu. Nicht ganz der Ebene zu. Hier ist die letzte Welle im Niederrollen erstarrt zu einem Hügel. An seinem Fuß liegt Vicenza, starrend von Palästen. Hier stieg er herauf, der Erbauer der Paläste, und sah, daß die Kuppe dieses sanften Hügels die Landschaft krönte. Und er krönte den Hügel mit dem schönsten seiner Träume. Auf diesem Hügel baute Palladio die Rotonda. Sie ist nicht Haus, nicht Tempel, und ist beides zugleich. Sie ist ein einziger riesiger runder Saal, bedeckt von einer Kuppel, aus vier Toren mündend auf vier säulengetragene Vorhallen, die jede sich in einer Treppe nach außen ergießt. Der Herrlichkeit dieser Rotunde ist alles unterworfen: die Gemächer des Hauses sind eingebaut in die Pfeiler, in die Bögen, die dies große reine Ganze tragen; Gemächer umgeben verborgen das Stirnband der Rotunde und münden unter der Kuppel in den hohen Saal; Gemächer sind versenkt unter die vier freien Treppen und blicken aus vergitterten Fenstern finster wie Sklaven, auf deren Nacken diese Herrlichkeit lastet.

Zu solcher Lust scheint dieses Haus gebaut, als sei es nicht für sterbliche Menschen gebaut, sondern für Götter. Waren es aber Menschen, so müssen sie etwas vom goldenen Blut der Götter in den Adern gehabt haben, dieses Wohnhaus zu ertragen. Ein übermenschliches Hervortreten gebieten diese vier Treppen, den Bergen zugewandt, dem Meere, der Ebene und der Stadt. Ihr bloßer Anblick – gedemütigt wie sie sind, öde, da und dort entblößt bis auf die Ziegel, der Eidechsen Aufenthalt – gebiert Träume. Furchtbar, wie sie nichts voneinander wissen, wie sie einander den Rücken wenden, diese vier Treppen, einander und dem dämmernden riesigen Saal. Zuoberst auf einer dürfte ein Krieger stehen, ein furchtbarer Gott der Zerstörung, und Flammenzeichen gehen hinab nach der Ebene, hinab nach der Stadt. Und auf der andern, dem Meere zu, dürfte übermenschliche Lust von Stufe zu Stufe taumeln, faunisch, ineinander hineingewühlt, mit trunkenen Händen, das Haar feucht von Küssen und Wein, der Saft zerquetschter Trauben zwischen Mund und Mund aufsprühend zu den Sternen. Und zu den Sternen, zum funkelnden Gürtel des Orion, zum schweigenden Schatten jener Riesenberge hin, die göttlich Reinheit niederhauchen, dürfte zuoberst auf der dritten Treppe einer beten, einsam, bebend vor Jugend und Ehrfurcht. Und auf der rückwärtigen, der finster brütenden weiten Ebene zu, dürfte Mord geschehen. Und alle vier wüßten nichts voneinander.

Nun aber ist das Haus verschlossen und der Saal schlummert. Verstümmelt, geblendet, mit abgehauenen Händen die Statuen droben an dem Stirnreif der Rotunde sind wieder Steine, Blöcke, verlangend nach Moos. Die Natur nimmt ihr Werk zurück. Sie trieb den Palladio hinauf, mit trunkenem Blicke hier Ebene, Meer, Gebirge und Stadt in sich zu saugen und den Hügel, der die wundervolle Landschaft krönt, mit seinem Traume zu krönen. Wie jener in der Wüste aus seines Herzens Sehnsucht heraus die Leiter träumte, deren Sprossen die Engel auf und nieder wandeln, so träumte dieser hier aus der Fülle seines Innern diesen übermenschlichen kuppelgekrönten Saal und diese vier Stiegen, königlich hinabsteigend, zu den vier Herrlichkeiten der großen Landschaft.

Wie der Faun seine Seligkeit in die Flöte haucht, so haucht die Natur ihren Triumph an einer Stelle aus, in den Traum des Palladio. Nun hat sie die Hirtenpfeife weggelegt, läßt sie vermodern am Rande des Weihers. Mit leiser Gewalt nimmt sie die Rotonda zurück aus dem Kreise menschlicher Gebilde in ihr eigenes webendes dämmerndes Reich. Was den Hügel von Vicenza krönt, ist nicht mehr Tempel, nicht mehr Haus, und mehr als beides. Ein unsterblicher Traum, ein wundervoll geformtes Ziel, nach welchem der Drang der fernen Berge, der Drang der starken Wässer hinzuwollen scheint, das er erreicht, dessen Rund er umwandelt, an dessen vier Treppen er sich hinschmiegt, gestillt, erlöst durch ein Gleichnis.

AUGENBLICKE IN GRIECHENLAND

I

DAS KLOSTER DES HEILIGEN LUKAS

Wir waren an diesem Tag neun oder zehn Stunden geritten. Als die Sonne sehr hoch stand, hatten wir gelagert vor einem kleinen Khan, bei dem eine reine Quelle war und eine schöne große Platane. Später hatten wir noch einmal mit den Maultieren aus einem Faden fließenden Wassers getrunken, flach auf dem Boden liegend. Unser Weg war zuerst an einem Abhang des Parnaß eingeschnitten, dann in einem urzeitigen versteinten Flußbett, dann in einer Einsenkung zwischen zwei kegelförmigen Bergen; zuletzt lief er über eine fruchtbare Hochebene hin inmitten grüner Kornfelder. Manche Strecken waren öde mit der Öde von Jahrtausenden und nichts als einer raschelnden Eidechse überm Weg und einem kreisenden Sperber hoch oben in der Luft; manche waren belebt von dem Leben der Herden. Dann kamen die wolfsähnlichen Hunde bellend und die Zähne weisend bis nahe an die Maultiere, und man mußte sie mit Steinen zurückjagen. Schafe, schwer in der Wolle, standen zusammengedrängt im Schatten eines Felsblockes, und ihr erhitztes Atmen schüttelte sie. Zwei schwarze Böcke stießen einander mit den Hörnern. Ein junger hübscher Hirt trug ein kleines Lamm auf dem Nacken. Auf einer flachen steinichten Landschaft verharrte regungslos der Schatten einer Wolke. In einer sonderbar geformten Mulde, wo Tausende von einzelnen großen Steinen lagen und dazwischen Tausende von kleinen stark duftenden Sträuchern wuchsen, zog sich eine große Schildkröte über den Weg. Dann, gegen Abend, zeigte sich in der Ferne ein Dorf, aber wir ließen es zur Seite. An unserem Weg war eine Zisterne, in die tief unten der Quell eingefangen war. Neben dem Brunnen standen zwei Zypressen. Frauen zogen das klare Wasser empor und gaben unseren Tieren zu trinken. An dem Abendhimmel segelten kleine Wolken hin, zu zweien und dreien. Geläute von Herden kam aus der Nähe und Ferne. Die Maultiere gingen lebhafter und sogen die Luft, die aus dem Tal entgegenkam. Ein Geruch von Akazien, von Erdbeeren und von Thymian schwebte über den Weg. Man fühlte, wie die bläulichen Berge sich schlossen und wie dieses Tal das Ende des ganzen Weges war. Wir ritten lange zwischen zwei Hecken von wilden Rosen. Ein kleiner Vogel flog vor uns hin, nicht größer als das Fleckchen Schatten unter einer dieser blühenden Rosen; die Hecke zur Linken, wo die Talseite war, hörte auf, und man schaute hinab und hinüber wie von einem Altan. Bis hinunter an die Sohle des kleinen bogenförmig gekrümmten Tales und an den gegenüberliegenden Hang bis zur Mitte der Berge standen Fruchtbäume in Gruppen, mit dunklen Zypressen vermischt. Zwischen den Bäumen waren blühende Hecken. Dazwischen bewegten sich Herden, und in den Bäumen sangen Vögel. Unterhalb unseres Weges liefen andre Wege. Man sah, daß sie zur Lust angelegt waren, nicht für Wanderer oder Hirten. Sie liefen in sanften Windungen immer gleich hoch über dem Tal. In der Mitte des Abhangs stand eine einzelne Pinie, ein einsamer, königlicher Baum. Sie war der einzige wirklich große Baum in dem ganzen Tal. Sie mochte uralt sein, aber die Anmut, mit der sie emporstieg und ihre drei Wipfel in einer leichten Biegung dem Himmel entgegenhielt, hatte etwas von ewiger Jugend. Nun faßten niedrige Mauern den Weg links und rechts ein. Dahinter waren Fruchtgärten. Eine schwarze Ziege stand an einem alten Ölbaum mit aufgestemmten Vorderbeinen, als ob sie hinaufklettern wollte. Ein alter Mann, mit einem Gartenmesser in der Hand, watete bis an die Brust in blühenden Heckenrosen. Das Kloster mußte ganz nahe sein, auf hundert Schritte oder noch weniger, und man wunderte sich, es nicht zu sehen. In der Mauer zur Linken war eine kleine offene Tür; in der Tür lehnte ein Mönch. Das schwarze lange Gewand, die schwarze hohe Kopfbedeckung, das lässige Dastehen mit dem Blick auf die Ankommenden, in dieser paradiesischen Einsamkeit, das alles hatte etwas vom Magier an sich. Er war jung, hatte einen langen rötlich blonden Bart, von einem Schnitt, der an byzantinische Bildnisse erinnerte, eine Adlernase, ein unruhiges, fast zudringliches blaues Auge. Er begrüßte uns mit einer Neigung und einem Ausbreiten beider Arme, darin etwas

Gewolltes war. Wir saßen ab, und er ging uns voran. Durch einen ganz kleinen von Mauern umschlossenen Garten traten wir in ein Zimmer, in dem er uns allein ließ. Das Zimmer hatte die nötigsten Möbel. Unter einem byzantinischen Muttergottesbild brannte ein ewiges Licht; gegenüber der Eingangstür war eine offene Tür auf einen Balkon. Wir traten hinaus und sahen, daß wir mitten im Kloster waren. Das Kloster war in den Berg hineingebaut. Unser Zimmer, das vom Garten aus zu ebener Erde war, lag hier zwei Stock hoch im Klosterhof. Die alte Kirche, mit dem Glanz des Abends auf ihren tausendjährigen, rötlichen Mauern und Kuppeln schloß eine Seite ab; die drei andern waren von solchen Häusern gebildet, wie wir in einem standen, mit solchen kleinen hölzernen Balkonen, wie wir auf einem lehnten. Es waren unregelmäßige Häuser von verschiedenen Farben, und die kleinen Balkone waren hellblau oder gelblich oder blaßgrün. Aus dem Haus, das die Ecke bildete, lief zur Kirche hinüber wie eine Zugbrücke eine Art Loggia. Manches schien unmeßbar alt, manches nicht eben älter als ein Menschenalter. Alles atmete Frieden und eine von Duft durchsüßte Freudigkeit. Unten rauschte ein Brunnen. Auf einer Bank saßen zwei ältere Mönche mit ebenholzschwarzen Bärten. Ein andrer von unbestimmbarem Alter lehnte jenen gegenüber auf einem Balkon des ersten Stockwerks, den Kopf auf die Hand gestützt. Kleine Wolken segelten am Himmel hin. Die beiden waren aufgestanden und gingen in die Kirche. Zwei andre kamen eine Treppe herab. Auch sie hatten das lange schwarze Gewand, aber die schwarze Mütze auf ihrem Kopf war nicht so hoch, und ihre Gesichter waren bartlos. In ihrem Gang war der gleiche undefinierbare Rhythmus: gleich weit von Hast und von Langsamkeit. Sie verschwanden gleichzeitig in der Kirchentür, wie ein Segel, das hinter einem Felsen verschwindet, wie ein großes unbelauschtes Tier, das durch den Wald schreitet, hinter Bäumen unsichtbar wird, nicht wie Menschen, die in ein Haus treten. In der Kirche fingen halblaute Stimmen an, Psalmen zu singen, nach einer uralten Melodik. Die Stimmen hoben und senkten sich, es war etwas Endloses, gleich weit von Klage und von Lust, etwas Feierliches, das von Ewigkeit her und weit in die Ewigkeit so forttönen mochte. Über dem Hof aus einem offenen Fenster sang jemand die Melodie nach, von Absatz zu Absatz: eine Frauenstimme. Dies war so seltsam, es schien wie eine Einbildung. Aber es setzte wieder ein, und es war eine weibliche Stimme. Und doch wieder nicht. Das Echohafte, das völlig Getreue jenem feierlichen, kaum noch menschlichen Klang, das Willenlose, fast Bewußtlose schien nicht aus der Brust einer Frau zu kommen. Es schien, als sänge dort das Geheimnis selber, ein Wesenloses. Nun schwieg es. Aus der Kirche drang in den dunklen, weichen, tremolierenden Männerstimmen ein gemischter Duft von Wachs, Honig und Weihrauch, der wie der Geruch dieses Gesanges war. Nun fing die frauenhafte Stimme wieder an, absatzweise nachzusingen. Aber andre ähnliche Stimmen aus dem gleichen offenen Fenster, nicht weit von meinem Balkon, fielen ein, halblaut und nicht ernsthaft, es wurde ein Scherz daraus, die schöne Stimme brach ab, und nun wußte ich, daß es Knaben waren. Zugleich kamen ihre Köpfe ans Fenster. Einer war darunter sanft und schön, wie ein Mädchen, und das blonde Haar fiel ihm über die Schultern bis an den Gürtel. Andre von den Klosterknaben standen unten im Hof und sprachen hinauf: »Der Bruder!« riefen sie, »der Bruder! Der Hirt! Der Hirt!«

Später kam ich dazu, wie die Brüder voneinander Abschied nahmen. Der junge Hirt stand im Licht der untergehenden Sonne, dunkel, schlank und kriegerisch; hinter ihm die Herde und die Hunde. Er hielt in der starken dunklen Hand die kleine Hand des Knaben mit den langen Haaren. Ein Mönch im schwarzen Talar, aber ein noch junger, bartlos, ein Novize, ein zwanzigjähriger Schöner mit einem Lächeln, das um den jungen Mund und die glatten Wangen gedankenlos und eitel, aber in der Nähe der schönen dunklen Augen ergebungsvoll und wissend war, trat ins halboffene Tor. Er rief den Knaben nicht an, er winkte nur. Die Gebärde seiner erhobenen Hand war ohne Ungeduld. Er war nicht der Befehlende, es war der Übermittler des Befehls, der Bote. Auf einen kleinen Altan über dem Torweg trat ein älterer Mönch heraus, er stützte den Ellenbogen aufs Geländer, den Kopf auf die

Hand, und sah gelassen zu, wie der Befehl überbracht und wie er befolgt wurde. Der Novize neigte sich für ihn kaum merklich oder lächelte auch nur um ein kleines ergebener und glänzender. Der schöne Knabe ließ die Hand des Bruders los und lief zu dem Novizen hin. Der Hirt wandte sich und ging sogleich mit großen ruhigen Schritten landein, bergab. Die Herde, als wäre sie ein Teil von ihm, war schon in Bewegung, flutete schon die Straße hinab, eingeengt von den Hunden. In der Kirche sangen sie stärker. Zum Dienst dieser abendlichen Stunde lagen alle in den dämmernden Kapellen auf den Knien, oder ausgestreckt auf dem Steinboden, oder in tiefer Versunkenheit stehend an dem hohen Pult lag ihr Antlitz über gekreuzten Armen auf dem heiligen Buch. In der erhabenen Gelassenheit ihres Gesanges zitterte eine nach alten Regeln gebändigte Inbrunst. Die ewigen Lichter schwangen leise in der von Weihrauch und Honig beschwerten Luft. Es vollzog sich, was sich seit einem Jahrtausend Abend für Abend an der gleichen Stätte zur gleichen Stunde vollzieht. Welches stürzende Wasser ist so ehrwürdig, daß es seit zehnmal hundert Jahren den gleichen Weg rauschte? Welcher uralte Ölbaum murmelt seit zehnmal hundert Jahren mit gleicher Krone im Winde? Nichts ist hier zu nennen als das ewige Meer drunten in den Buchten und die ewigen Gipfelkronen des schneeleuchtenden Parnaß unter den ewigen Sternen.

Die Sterne entzündeten sich über den dunkelnden Wänden des Tales. Der Abendstern war von einem seltenen Glanz; war irgendwo ein Wasser, nur ein Quell und Tümpel vielleicht zwischen zwei Feigenbäumen, so mußte dort ein Streifen von seinem Licht liegen wie vom Mond. Nun entbrannten unter ihm, am nahen irdisch schweren Horizont, in der Menschensphäre andre starke Sterne, da und dort: das waren die Hirtenfeuer, höher und tiefer an den Hängen der dunklen Berge, die das bogenförmige Tal umschlossen. Bei jeder Flamme lag ein einsamer Mann mit seinen Tieren. Im weiten Bogen um das Kloster, in dem die ewigen Lichter brannten, war der Reichtum des Klosters gelagert. Die Hunde schlugen an, und die Hunde antworteten ihnen. Der Feuer waren mehr als dreißig, die Berghänge lebten von Schlafenden. Hie und da blökte ein

Lamm aus unterbrochenem Schlummer. Die Käuzchen riefen, die Zikaden waren laut, und doch herrschte die stille ewige Nacht.

Wo der Abendstern stand, dort glänzte unsichtbar hinter dunklen Bergen der Parnaß. Dort, in der Flanke des Berges, lag Delphi. Wo die heilige Stadt war, unter dem Tempel des Gottes, da ist heute ein tausendjähriger Ölwald, und Trümmer von Säulen liegen zwischen den Stämmen. Und diese tausendjährigen Bäume sind zu jung, diese Uralten sind zu jung, sie reichen nicht zurück, sie haben Delphi und das Haus des Gottes nicht mehr gesehen. Man blickt ihre Jahrhunderte hinab wie in eine Zisterne, und in Traumtiefen unten liegt das Unerreichliche. Aber hier ist es nah. Unter diesen Sternen, in diesem Tal, wo Hirten und Herden schlafen, hier ist es nah, wie nie. Der gleiche Boden, die gleichen Lüfte, das gleiche Tun, das gleiche Ruhn. Ein Unnennbares ist gegenwärtig, nicht entblößt, nicht verschleiert, nicht faßbar, und auch nicht sich entziehend: genug, es ist nahe. Hier ist Delphi und die delphische Flur, Heiligtum und Hirten, hier ist das Arkadien vieler Träume, und es ist kein Traum. Langsam tragen uns die Füße ins Kloster zurück. Ganz nahe von uns knurren große Hunde. Auf dem Altan über dem Torweg lehnt eine Gestalt. Ein andrer, ein Dienender, tritt seitwärts aus den Hecken hervor, dort, wo die Hunde knurren. »Athanasios!« ruft der Mönch vom Altan, »Athanasios!« Er sagt es mehr als er es ruft, gelassen und sanft befehlend. »Athanasios, was gibt es da?« »Es sind die Gäste, die beiden Fremden, die herumgehen.« »Gut. Gib acht auf die Hunde.« Diese Worte sind wenige. Dies Zwiegespräch ist klein zwischen dem Priester und dem dienenden Mann. Aber der Ton war aus den Zeiten der Patriarchen. Aus wenigen Gliedern setzt sich dies zusammen. Unangetastetes Auf-sich-Beruhen priesterlicher Herrschaft, ein sanfter Ton unwidersprochener Gewalt, Gastlichkeit, gelassen und selbstverständlich geübt, das Haus, das Heiligtum, bewacht von vielen Hunden. Und dennoch, dies Unscheinbare, diese wenigen Worte, gewechselt in der Nacht, dies hat einen Rhythmus in sich, der von Ewigkeit her ist. Dies reicht zurück, dies Lebendige, wohin die uralten Ölbäume nicht reichen. Homer ist noch ungeboren, und solche Worte, in diesem Ton gesprochen, gehen zwischen dem Priester und dem Knecht von Lippe zu Lippe. Fiele von einem fernen Stern nur ein unscheinbares, aber lebendiges Gebilde, der Teil einer Blume, weniges von der Rinde eines Baumes, es wäre dies dennoch eine Botschaft, die uns durchschauert. So klang dieses Zwiegespräch. Stunde, Luft und Ort machen alles.

II

DER WANDERER

ειсι και κυνων ερινυες

Der Schlaf der Mönche ist kurz. Bald nach Mitternacht läuteten sie die Glocken, beteten, sangen; vor Sonnenaufgang wiederum. Wir hatten kaum zwei Stunden halben Schlummers hinter uns; wir waren um so wacher. Wir gingen auf dem schmalen Pfad hintereinander sehr rasch, so rasch, als die Maultiere, mit den Wegweisern im Sattel, hinter uns schritten. Der Weg führte in der Morgenkühle zurück am Hang oberhalb des lieblichen Tales, wieder über die gleiche Ebene zwischen zwei kahlen Bergen, dann bog er, im ausgetrockneten Bett eines Gießbaches, seitwärts hinab, spaltete sich gegen Davlia einerseits, andrerseits gegen Chäronea in Böotien; bis dorthin sollten es sieben Stunden sein, und halben Weges eine Ader guten Wassers, die niemals versiegte, weit und breit bekannt den Hirten.

Unser Gespräch währte bis zu jener Begegnung mit dem einsamen Wanderer; es währte also zwei und eine halbe oder drei Stunden, ununterbrochen, ohne den leisesten Zwang oder bewußten Willen, es fortzuführen, und war eines der seltsamsten und schönsten Gespräche, dessen ich mich entsinnen kann.

Wir waren zu zweit, und indem wir sprachen, war es, als hinge jeder nur seinen Erinnerungen nach, von denen viele uns gemeinsam waren. Zuweilen rief sich der eine die Gestalt eines Freundes herauf, den der andre nie gesehen, von dem er nur viel gehört hatte. Aber die tiefe und gleichsam zeitlose Einsamkeit, die uns umgab, das körperlose Erhabene der

Umgebung – daß wir vom Fuß des Parnaß nach Chäronea, vom delphischen Gefild gegen Theben hinunterschritten, den Weg des Ödipus –, die strahlende Reinheit der Morgenstunde nach einer Nacht ohne tiefen, dumpfen Schlaf, dies alles machte unsere Einbildungskraft so stark, daß jedes Wort, von einem ausgesprochen, den Geist des andern mit sich fortriß und er mit Händen zu greifen wähnte, was dem andern vorschwebte.
Unsre Freunde erschienen uns, und indem sie sich selber brachten, brachten sie das Reinste unsres Daseins herangetragen. Ihre Mienen waren ernst und von einer fast beängstigenden Klarheit. Indem sie vor uns lebten und uns anblickten, waren die kleinsten Umstände und Dinge gegenwärtig, in denen unser Vereintsein mit ihnen sich erfüllt hatte. Ein Zukken, ein Weichwerden des Blicks, ein Sichfeuchten der inneren Hand in einer erregten Stunde, ein betroffenes Stocken, ein Fortgleiten, Fremdwerden, wieder ein Nahesein – alle diese ganz zarten kleinen Dinge waren in uns da, und mit der seltsamsten Deutlichkeit, doch wußten wir kaum, ob, was wir erinnerten, die Regungen des eigenen Innern waren oder die jener andern, deren Gesichter uns anblickten; nur daß es gelebtes Leben war, und Leben, das irgendwo immer fortlebte, denn es schien alles Gegenwart, und die Berge waren in diesem lautlosen, bläulichen Leben der Luft nicht wirklicher als die Erscheinungen, die uns begleiteten.
Mit einem Namen, den einer von uns hinwarf, konnten wir neue hervorrufen. Gestalt auf Gestalt kommt heran, sättigt uns mit ihrem Anblick, begleitet uns, verfließt wieder; andre, anklingend, haben schon gewartet, nehmen die leere Stelle ein, beglänzen einen Umkreis gelebten Lebens, bleiben dann gleichsam am Wege zurück, indessen wir gehen und gehen, als hinge von diesem Gehen die Fortdauer des Zaubers ab, und das Häuflein der Männer auf den Maultieren viele Hunderte von Schritten hinter uns zurückbleibt. Die noch leben und in diesem Licht atmen, kommen zu uns wie die, welche nicht mehr da sind. In diesen Minuten sehen wir alles rein: die geheimnisvolle Kraft Leben lodert in uns nur als Enthüllerin des Unenthüllbaren. Wir sehen ihre Gesichter, wir glauben

den Ton ihrer Stimme zu hören, scheinbar unbedeutende kleine Sätze: aber es ist, als enthielten sie den ganzen Menschen; und ihre Gesichter sind mehr als Gesichter: das gleiche wie im Ton jener abgebrochenen Sätze steigt in ihnen auf, kommt näher und näher gegen uns heran, scheint in ihren Zügen, im Unsagbaren ihres Ausdrucks aufgefangen und darinnen befestigt, aber nicht beruhigt. Es ist ein endloses Wollen, Möglichkeiten, Bereitsein, Gelittenes, zu Leidendes. Jedes dieser Gesichter ist ein Geschick, etwas Einziges, das Einzelnste was es gibt, und dabei ein Unendliches, ein Auf-der-Reise-Sein nach einem unsagbar fernen Ziel. Es scheint nur zu leben, indem es uns anblickt: als wäre es unser Gegenblick, um dessenwillen es lebe. Wir sehen die Gesichter, aber die Gesichter sind nicht alles; in den Gesichtern sehen wir die Geschicke, aber auch die Geschicke sind nicht alles. In jedem, der uns grüßt, ist ein Ferneres noch, ein Jenseits von beiden, das uns anrührt. Wir sind wie zwei Geister, die sich zärtlich erinnern, an den Mahlzeiten der sterblichen Menschen teilgenommen zu haben.
Viele Bilder von Jünglingen und Männern waren gekommen und gegangen, da erschien noch einer. Wir sahen ihn auftauchen, der am unsäglichsten gelitten hat, bevor er uns für immer entschwand. Ich sage »Unsre Freunde«, doch waren die Begegnungen spärlich; er kreuzte unsre Lebensbahn, einmal ein leidenschaftliches Gespräch, ein Sichaufreißen ohne Maß, Himmel und Hölle Aufreißen, ein Auseinandergehen wie Brüder, dann wieder fremd, eisig fremd. Aber seine Briefe, ein Wort einmal kalt und groß, andre Worte wie blutend, sein Tagebuch, die wenigen, mit nichts zu vergleichenden Gedichte, alle aus einem einzigen Jahr seines Lebens, dem neunzehnten, und die er haßt, verachtet, in Stücke reißt, wo er sie findet, bespeit, die Fetzen mit Füßen tritt; die Geschichte seiner grausamen letzten Wochen und seines Sterbens, aufgezeichnet von seiner Schwester – so ist sein Bild unsren Seelen eingegraben. Er ist arm und leidet, aber wer dürfte wagen ihm helfen zu wollen, maßlos einsam – wer, sich ihm nur zu nähern, der mit übermenschlicher Kraft sein Selbst zusammenkrümmt wie einen Bogen, den unbarmherzigsten Pfeil

von der Sehne zu schicken; der jede Hand von sich stößt, sich im Unterirdischen der großen Städte verkriecht, jede Annäherung mit Hohn erwidert, vor jeder Erwähnung seiner Gaben, seines Genius zurückweicht, wie der Sträfling vor dem glühenden Eisen, unstet auftaucht, jetzt da, jetzt dort, aus Mazedonien, aus dem Kaukasus, aus Abyssinien einen Brief den Seinen zuwirft, dessen Hoffnungen den Klang haben von Drohungen, dessen trockene Angaben starren wie maßlose Auflehnung und selbstverhängtes Todesurteil. Der um Geld zu ringen meint, um Geld, um Geld, und gegen den eignen Dämon um ein Ungeheures ringt, ein nicht zu Nennendes. Und nun sehen wir ihn abyssinisches Gebirg herabgetragen kommen, einsamen Felspfad herunter, schweigende Luft: eine ewige Gegenwart, wie hier; es ist, als trügen sie ihn auf uns zu. Er liegt auf der Bahre, das Gesicht mit schwarzem Tuch verdeckt, das eine kranke Knie groß wie ein Kürbis, daß die Decke sich emporwölbt; die schöne abgezehrte Hand, die Hand, von den Schwestern geliebt, reißt manchmal das Tuch vom Gesicht, den Dunklen, Farbigen, die ihn tragen, den Weg zu befehlen; sie wollten langsam schräg den Hang entlang; er will steil hinab, ohne Weg, schnell. Unsagbare Auflehnung, Trotz dem Tod bis ins Weiße des Augs, den Mund vor Qual verzogen und zu klagen verachtend.

Keines dieser Taggesichte war gewaltiger gewesen als dieses letzte. Was konnte noch kommen? Wir gingen langsamer, und keiner sprach. Fast drohend blickte die Morgensonne auf die fremde ernste Gegend. Weggezehrt war das selbstverständliche Gefühl der Gegenwart, worin Mensch und Tier sich behagen. Fremde Schicksale, sonst unsichtbare Ströme, schlugen in uns auf Festes und offenbarten sich. Der Anblick einer Herde hätte uns erfreut. Ein Vogel in der Luft wäre uns willkommen gewesen. Da kam von ferne ein Mensch auf uns zu. Der Mann ging schnell. Er war allein, und hier geht selten einer allein. Der Hirt geht mit seiner Herde; wer kein Hirt ist, reitet; dieser ging. Er schien uns barhaupt. Hier geht um der Kraft der Sonne willen niemand ohne einen Schutz des Hauptes: also mußte es eine Augentäuschung sein. Er kam näher, er war barhaupt. Sein Haar war schwarz, ums ganze Gesicht ging ein schwarzer, struppiger Bart; sein Gang war wankend. Er hatte einen Knüppel in der Hand, auf den er sich im Gehen stützte. Die Sonne blitzte auf dem harten Gestein, und uns war, er hätte nackte Füße. Das war unmöglich; die Wege bergauf und bergab sind Steingeröll, schneidend wie Messer; nicht der ärmste Bettler, der nicht mindest mit hölzernem Schuhwerk seine Füße schützte. Der Mann kam näher und hatte nackte Füße. Die Fetzen von Beinkleidern, solcher, wie sie die Leute in den Städten tragen, hingen um die abgezehrten Beine. Hier geht niemand, der einem andern Wanderer in der Einöde des Gebirges begegnet, wortlos an ihm vorüber. Er wollte zehn Schritte seitwärts unsres Weges mit schief gesenktem Kopf an uns vorbei, ohne Gruß. Wir riefen ihm die griechischen Worte entgegen, die den gewöhnlichen Gruß bedeuten. Er antwortete, ohne stehenzubleiben, und seine Worte waren deutsche. Da hatte ihm mein Freund schon den Weg vertreten mit einer kurzen Rede und Frage, wie er da herkomme, wo er da hingehe. Indessen stand ich auf drei Schritte, sah auf seinen Füßen geronnenes Blut, an der starken Hand einen tiefen blutigen Riß. Breite Schultern, mächtig der Nacken; das Gesicht zwischen dreißig und vierzig, näher vielleicht den vierzig, elend, von der Schwärze des Bartes noch geblich bleicher. Die Augen unstet, flackernd, verwildert zum Blick eines scheuen, gequälten Tieres. Er sagte den Namen: Franz Hofer aus Lauffen an der Salzach, Buchbindergeselle. Das Alter: einundzwanzig Jahre; das Ziel des Weges: Patras. Patras war fünf Tagereisen von hier für einen rüstigen ortskundigen Mann, Berge dazwischen, öde Flächen, eine Meeresbucht. Wenn er sich nicht auf den Stock stemmte, schütterte sein Leib, und seine Lippen flogen. Das Fieber habe er schon seit drei Monaten. Darum habe er heim wollen. Von Alexandrien in Ägypten bis zur Hafenstadt Piräus habe ihn ein Schiffsheizer unten im Kohlenraum liegen lassen, der sei aber weitergefahren nach Konstantinopel, darum müsse er jetzt zu Fuß gehen gegen Triest. Wie er den Weg zu finden meinte? Den habe er dahier. Er zog unter dem Leibriemen einen Fetzen Papier hervor, da waren mit Bleistift, fast schon verwischt, die Namen von Ortschaften aufgeschrieben. Er wies auf einen: dorthin müsse er heute. Der Ort lag gegen Delphi hin, acht Stunden Gehens von hier, wo wir standen, wenn man den Weg kannte und die geringen Zeichen richtig wußte in der öden Landschaft. Ob er die Sprache des Landes spräche? Kein Wort: die Leute verstünden einen nicht, wenn man deutsch oder italienisch redete, das sei verflucht. Wann er die letzte Mahlzeit gehalten hätte? Gestern mittag ein Stück Brot und heute einen Trunk Wasser an einem Quell dort hinten. Das war der Quell, auf den wir zugingen, halbwegs Chäronea in Böotien.

Indessen waren unsre Leute mit den Maultieren herangekommen, standen herum und waren erstaunt über den Wanderer. Wir reichten ihm Wein in einem kleinen Becher, seine Hand zitterte wild und verschüttete mehr als die Hälfte; dann gaben wir ihm Brot und Käse, und sein Mund schütterte so kläglich, daß er die Bissen kaum hineinbrachte. Wir hießen ihn niedersitzen; er sagte, er habe keine Zeit, er müsse heute noch sehr weit gehen. Hier stieß etwas Irres in seinem Blick hervor. Wir sagten, wir würden ihm jetzt etwas Geld geben; ob dann einer von uns für ihn an seine Heimatgemeinde schreiben sollte, damit die zu ihm gehörten wüßten, daß er krank sei und wie es um ihn stünde. Das sollten wir um alles nicht unternehmen, das verbitte er sich, das wäre ihm verflucht, das ginge niemanden daheim etwas an, wie es um ihn stünde. Und sogleich wandte er sich und fing schon an zu gehen, auf den Knüttel gestützt. Wir ihm nach und sagten, er solle aufsitzen auf eines der Maultiere und mit uns zurück; wir würden ihn bis Athen und zur Hafenstadt Piräus bringen und ihm dort das Geld auf die Hand geben zur Fahrt bis Triest und darüber. Unsre Wegweiser, die verstanden was wir wollten, hatten schon ein satteltragendes Maultier herangeschoben und griffen ihn an, ihn in den Sattel zu heben. Er aber trat hinter sich mit aufgehobenem Knüppel: Das wäre ihm verflucht, den Weg zurück noch einmal zu machen, den er schon seit so vielen Tagen nach vorwärts gemacht habe – das solle sich niemand unterstehen, ihn zwingen zu wollen. Nun konnte man, wie er so drohend dastand und den Stock gegen uns hob, aber mit merklich schütterndem Arm, sehen, was er für ein großer, starker Mensch war und welche Unbändigkeit in ihm steckte und wie er der Gewalttätige eines ganzen Dorfes sein konnte und der Gefürchtete, und wie dies alles herabgewüstet war zu einem tierhaft umängstigten Wesen, das sich noch diesen Tag und den nächsten hinschleppen mochte und vor Nacht hinfallen und eines elenden und einsamen Todes sterben würde. Ließen wir jetzt von ihm ab, dann kam er nicht lebendig aus diesem Gebirge. Wir hießen die Wegweiser zurücktreten und gingen, wir beide allein, zu ihm hin. Wir sagten ihm, wir wollten ihn nicht im Stich lassen, er solle selber sagen, was er von uns wolle; was immer es wäre, wir würden es tun. »Dorthin will ich.« sagte er und zeigte die Richtung; es war die, aus welcher wir kamen. So solle er sich auf das Maultier setzen und festbinden lassen im Sattel; wir wollten ihm zwei von den Wegweisern mit ihren Tieren mitgeben, die brächten ihn noch heute bis nach einem Dorf am Abhang des Parnaß, von wo er die Meeresbucht sehen konnte, an deren andrem Ende Patras lag; und sie würden für ihn die Herberge ausfindig machen und das gewöhnliche Fußkleid der Landesbewohner für ihn kaufen. Dort solle er sich pflegen und die Wunden an seinen Füßen heilen lassen und sich stille halten sechs oder auch zehn Tage lang. Dann würden wir wieder hinkommen und ihn mit uns nehmen bis Patras.

Er faßte das vordere und hintere Ende, wo der Sattel erhöht ist, und zog sich mit Anstrengung hinauf und die Wegweiser halfen ihm, den sie den »fremden Herrn Bettler« nannten und banden ihn mit Anstand und Ehrerbietung quersitzend, wie bei uns die Frauen, am Sattel fest. Dann ging das Maultier den Weg an, und der gebundene Mensch schwankte dahin, bergauf, wir aber waren gleichfalls aufgesessen und ließen uns bergab gegen Chäronea tragen und ritten schweigend.

Befremdlich war das eifrige Fußheben der Maultiere nach vorwärts und in einer befremdlichen Luft vollzog sichs, daß wir an jene Wasserader kamen, die rein und schnell zwischen dem Gestein dahinfloß, daß man die Maultiere abschirrte, daß die Männer an der Erde lagen und neben den Maultieren tranken, und daß wir, oberhalb zwischen niedrigen Sträuchern, uns hinließen, zu trinken wie sie. Hier war vor wenigen Stunden auch er gelegen, der Schiffbrüchige, das wandelnde nackte Menschenleben, und ringsum lauerte die ganze Welt wie ein einziger Feind. Mir war, da ich nun hier trank, als flösse das Wasser von seinem Herzen zu meinem. Sein Gesicht blickte mich an, wie früher jene Gesichter mich angeblickt hatten; ich verlor mich fast an sein Gesicht, und wie um mich zu retten vor seiner Umklammerung, sagte ich mir: »Wer ist dieser? Ein fremder Mensch!« Da waren neben diesem Gesicht die andern, die mich ansahen und ihre Macht an mir übten, und viele mehr. Nichts in mir wußte in diesem Augenblick zu sagen, ob es Fremde unter den Fremden waren, deren Gesichter auf mich gewandt waren oder ob ich irgendwann irgendwo zu jedem von ihnen gesagt hatte: »Mein Freund!« und vernommen hatte: »Mein Freund!« Ohne Übergang wurde etwas in mir gegenwärtig, etwas Fernes, lieblich-angstvoll Versunkenes: ein Knabe, an dem Gesichter von Soldaten vorüberziehen, Kompagnie auf Kompagnie, unzählig viele, ermüdete, verstaubte Gesichter, immer zu vieren, jeder doch ein Einzelner und keiner dessen Gesicht der Knabe nicht in sich hineingerissen hätte, immer stumm von einem zum andern tastend, jeden berührend, innerlich zählend: »Dieser! Dieser! Dieser!«, indes die Tränen ihm in den Hals stiegen.

Ein Etwas blieb irgendwo über diesem kreisend, nichts als ein Staunen, ein Nirgendhingehören, ein durchdringendes Alleinsein, ein durchdringendes fragendes »Wer bin ich?« Da, im Augenblick des bangsten Staunens, kam ich mir wieder, der Knabe sank in mich hinein, das Wasser floß unter meinem Gesicht hinweg und bespülte die eine Wange, die aufgestützten Arme hielten den Leib, ich hob mich, und es war nichts weiter als das Aufstehen eines, der an fließendem Wasser mit angelegten Lippen einen langen Zug getan hatte.

Aber diese Stunde, und die nächste dann, bis Chäronea, und die folgenden, da wir in die Eisenbahn stiegen und durch Böotien und Attika getragen wurden, bis der Zug in der Bahnhofshalle von Athen einlief, sah ich eine Landschaft, die

keinen Namen hat. Die Berge riefen einander an; das Geklüftete war lebendiger als ein Gesicht; jedes Fältchen an der fernen Flanke eines Hügels lebte: dies alles war mir nahe wie die Wurzel meiner Hand. Es war, was ich nie mehr sehen werde. Es war das Gastgeschenk aller der einsamen Wanderer, die uns begegnet waren.
Einmal offenbart sich jedes Lebende, einmal jede Landschaft, und völlig: aber nur einem erschütterten Herzen.

III
DIE STATUEN

Jener Wanderer war weit weg von mir, als ich am nächsten Abend zur Akropolis hinaufstieg. Auch von den Gestalten des eigenen Lebens hätte keine hier herantreten können. Es war als wäre ein Etwas zwischen mir und ihnen wieder dicht geworden, und die Erinnerung an die Magie, die uns umsponnen hatte, schien befremdlich. Sonderbar war es gewesen, im phokäischen Gebirge dem fieberkranken Manne aus Lauffen an der Salzach zu begegnen. Sonderbar unwirklich dies, wie er so mit Schweigen auf seinen Tod zuging und daß er um alles den Weg, den er gegangen war, nicht noch einmal machen wollte. Wenn man diesem Schweigen nachdachte und dem Blick, mit dem er uns hatte von sich wegscheuchen wollen, – fast war es, als ob wir ihn belästigten, da wir zwischen ihn und seinen Tod traten.
Aber mich verlangte nicht, noch weiter daran zu denken. »Gewesen«, sagte ich unwillkürlich und hob den Fuß über die Trümmer, die zu Hunderten hier umherlagen. Ich bemerkte jetzt erst, daß die Sonne hinter dem Parthenon untergegangen war und daß ich der einzige Mensch war, der sich hier oben aufhielt. Das Hervorströmen der Schatten hatte etwas Feierliches, es schien das Letzte vom Leben, das noch in ihnen war, in einem abendlichen Trankopfer sich hinzugießen auf diesen Hügel, auf dem selbst die Steine vom Alter verwesten. Ohne mein Zutun wählte mein Blick eine dieser Säulen aus. Sie schien sich irgendwie aus der Gemeinschaft der übrigen weg-

gerückt zu haben. Es war eine unsägliche Strenge und Zartheit in ihrem Dastehen, zugleich mit meinem Atemzug schien auch ihr Kontur sich zu heben und zu senken. Aber auch um sie spielte in dem Abendlicht, das klarer war als aufgelöstes Gold, der verzehrende Hauch der Vergänglichkeit, und ihr Dastehen war nichts mehr als ein unaufhaltsam lautloser Dahinsturz.

Wunderbar dennoch in sich gesammelt stand sie da. Ich wollte hinübergehen zu ihr; es trieb mich, um sie herumzugehen. Ihr Schatten strömte zu ihren Füßen auf den Boden hin; die abgewandte Seite, dorthin, gegen den Untergang der Sonne, diese schien mir das eigentliche Leben zu enthalten.

Aber ehe ich den ersten Schritt tat, hielt ich schon inne. Ein Hauch der Verzagtheit hauchte mich an, ein Gefühl der Enttäuschung versehrte mich im voraus. Dieser Vormittag kam zurück, das endlose Umhergehen, von einem Ding zum anderen. Die Ermüdung des Wegs, Schritt um Schritt, zu Steinen hin und Trümmern von Steinen; da waren die Ausgrabungen auf der Agora, da war die Pnyx, da war der Rednerhügel, da die Tribüne; da die Spuren ihrer Häuser, ihre Weinpressen, da waren ihre Grabmäler an der eleusinischen Straße. Dies war Athen. Athen? So war dies Griechenland, dies die Antike. Ein Gefühl der Enttäuschung fiel mich an. Ich setzte mich auf eines der Trümmer, die da an der Erde lagen und auf die ewige Nacht zu warten schienen; Stufe zu einem Heiligtum, unkenntliches Bruchstück von einem Altar, oder göttliche Gestalt, abgeschliffen zu einem rundlichen Stück Stein, ich setzte mich auf eins dieser Trümmer und kehrte der Säule den Rücken.

Diese Griechen, fragte ich in mir, wo sind sie? Ich versuchte mich zu erinnern, aber ich erinnerte mich nur an Erinnerungen, wie wenn Spiegel einander widerspiegeln, endlos. Namen schwebten herbei, Gestalten; sie gingen ineinander über ohne Schönheit; als löste ich sie auf in einem grünlichen Rauch, darin sie sich verzehrten. Was war das, was ich an ihnen trieb? Ich prüfte mich selber. Es war nichts anderes als der Fluch der Vergänglichkeit, mit dem ich sie behauchte; das kleine Wort »Gewesen« war stärker als diese ganze Welt. Ich

warf die Zeit auf sie und ich sah, wie ihre Gesichter grünlich wurden, vergingen.
Daß sie längst dahin waren, darum haßte ich sie, und daß sie so rasch dahingegangen waren. Ihre paar Jahrhunderte, die elende Spanne Zeit, jenseits des ungeheuren Abgrundes; ihre Geschichte, dieser Wust von Fabel, Unwahrheit, Gewäsch, Verräterei, Furcht, Neid, Worten; das ewige Prahlen darin, die ewige Angst darin, das rasche Vergehen. Schon war ja alles nicht, indem es zu sein glaubte! Und darüber schwebend die ewige Fata Morgana ihrer Poesie; und ihre Götter selber, welche unsicheren, vorüberhastenden Phantome: da standen Chronos und die Titanen, gräßlich und groß, schon waren sie dahin, von den eigenen Kindern gestürzt und vergessen; dann treten jene anderen heran, die Olympischen, wer glaubte sie? Schon waren auch sie vorüber, gelöst in einem farbigen Nebel, verklungen zum Echo ihrer selbst; Götter, ewige? Schon waren sie dahin, milesische Märchen, eine Dekoration an die Wand gemalt im Hause einer Buhlerin.
Wo ist diese Welt, und was weiß ich von ihr! rief ich aus. Wo fasse ich sie? Wo glaube ich sie? Wo gebe ich mich ganz an sie? Hier! oder nirgends. Hier ist die Luft und hier ist der Ort. Dringt nichts in mich hinein? Da ich hier liege, wirds hier auf ewig mir versagt? Nichts mir zuteil als dieses Gräuliche, diese ängstliche Schattenahnung?
Tiefer mußte die Sonne gesunken sein, länger zogen die Schatten sich hin, da traf mich – kam es von außen oder von innen? – ein Blick; tief und zweideutig, wie von einem Vorübergehenden. Er ging und war mir schon halb abgewandt, halb abgewandt verachtungsvoll auch dieser Stadt, seiner Vaterstadt. Sein Blick enthüllte mir mich selbst und ihn: es war Platon. Um die Lippen des Mythenerfinders, des Verächters der Götter spielten der Hochmut und geisterhafte Träume. In einem prunkvollen, unbefleckten Gewand, das lässig den Boden streifte, ging er hin, der Unbürger, der Königliche; er schwebte vorüber, wie Geister, die mit geschlossenen Füßen gehen. Verachtend streifte er die Zeit und den Ort, er schien von Osten herzukommen und nach dem Westen zu entschwinden.

Als das Phantom hinweg war, lag alles nüchtern, traurig. Doppelt entweiht schien der Hügel mit seinen Trümmern und meine Schuld lag am Tage. Es ist deine eigene Schwäche, rief ich mich an, du bist nicht fähig, dies zu beleben. Dies alles ist Anruf der Ewigkeit – wer ihn zu hören vermöchte! Wie kannst du ihn hören? Du selber zitterst vor Vergänglichkeit, alles um dich tauchst du ins fürchterliche Bad der Zeit. Wenn du um die Säule herumgehen wolltest, wolltest du nur dem eben entschwundenen Augenblick nach! – Unwillkürlich stand ich auf. Meine Gegenwart lastete auf diesem Ort. Durch mich starb das Gestorbene nochmals dahin. Ich will lesen, sagte ich zu mir und suchte mir eine Stelle im Schatten. Ich zog das Buch hervor, den »Philoktet« des Sophokles, und las. Ich wollte mir selbst entfliehen und folgte mir nach; wie ich las, von Zeile zu Zeile, so war es Zeichen um Zeichen, wie hier um mich diese Trümmer. Nicht, daß ich benommen gewesen wäre und nicht verstanden hätte, was ich las: klar und deutlich stand Vers um Vers vor mir, melodisch und furchtbar stiegen die Klagen des einsamen Mannes in die Luft. Ich fühlte das ganze Gewicht dieses Jammers und zugleich die unvergleichliche Zartheit und Reinheit der sophokleischen Zeile. Aber es schob sich zwischen mich und alles wieder jener grünliche Schleier, es ergriff mich jener verzehrende Verdacht, jene Auflehnung meines ganzen Innern. Diese Götter, ihre Sprüche, diese Menschen, ihr Handeln, alles schien mir fremd über die Maßen, trüglich, vergeblich. Diese Figuren, sie schienen, während sie vor mir redeten, ihr Gesicht zu wechseln. Sie handeln, betrügen – betrügen sie sich selber? Dieser Sohn des Achilleus, glaubt er, was er spricht? Bald schien es, als hätte Odysseus sein argloses Gemüt mit Ränken umsponnen, bald wieder scheint er sein williger, wissender Helfershelfer. Was bedeutet es, wenn er sich plötzlich gegen jenen auflehnt, und dem Philoktet die Heimkehr verspricht? Er hat kein Schiff, ihn heimzubringen. Was geht in ihm vor? Sie wollen dem kranken Mann seinen Bogen wegnehmen; aber sie wissen ja, sie müssen doch wissen, daß ohne Philoktet selber die Stadt nicht fallen kann. Wissen sie, daß es vergeblich ist, was sie tun, vergeblich diese listigen Reden, und ge-

stehen sie es sich selber nicht ein? Dies alles war fremd über die Maßen und unbetretbar. Ich konnte nicht weiterlesen. Ich legte das Buch aus der Hand. Eine Luft erhob sich, strich über den Hügel hin und wandte die Blätter des Buches um, das neben mir auf der Erde lag. Es roch plötzlich zugleich nach Erdbeeren und Akazien, nach reifendem Korn, nach dem Staub der Straßen und nach dem offenen Meer. Ich fühlte die Bezauberung dieses Duftes, in dem die ganze Landschaft sich zusammenfaßte; dieser Landschaft, um die die Spur von Jahrtausenden hauchte, dieser Luft, worin das Gold der Ewigkeit aufgelöst schien. Aber ich wollte mich diesen nicht hingeben. Ich bückte mich, steckte mein Buch zu mir und wandte mich zum Gehen.
Unmögliche Antike, sagte ich mir, unmögliches Beginnen, vergebliches Suchen. – Die Härte dieses Wortes schien mich zu ergötzen. – Nichts ist von all diesem vorhanden. Hier, wo ich es mit Händen zu greifen dachte, hier ist es dahin, hier erst recht. Eine dämonische Ironie webt um diese Trümmer, die noch im Verwesen ihr Geheimnis festhalten. Sie gleichen allzusehr diesen Düften. Beide reizen zu vergeblichen Träumen, und was zurückbleibt ist der Geschmack der Lüge auf der Zunge.
Ich hob den Fuß, um die gespenstische Stätte des Nichtvorhandenen zu räumen und mich nach dem kleinen Museum zu begeben, das aus unscheinbarem Mauerwerk an den Abhang hingebaut ist. Dort sind, dachte ich, in Schränken Kostbarkeiten ausgelegt, die aus dem Schutt der Gräber kommen: kleine Spiegel aus Metall, Armbänder oder Gehänge aus gehämmertem Gold, Krüge und Urnen. Sie haben der Gewalt der Zeit widerstanden, für den Augenblick wenigstens, sie sprechen nur sich aus und sind von vollkommener Schönheit. Ein Becher gleicht der Rundung der Brüste oder der Schulter einer Göttin. Eine goldene Schlange, die einen Arm umwand, ruft diesen Arm herauf. Der Mäander, mit dem sie verziert sind, bringt das Motiv der Unendlichkeit vor die Seele, aber so unterjocht, daß es unser Inneres nicht gefährdet. In der Ergötzung des Auges geben sich die Sinne zufrieden und ihr Streben nach Unendlichkeit schläft ein. Ich will dorthin. Es ist vergeblich, ringen zu wollen um das Unerreichliche.

Ich ging schnell querüber und trat in den Vorraum des kleinen Museums. Der Kustode war auf der Schwelle gestanden und hatte mein Kommen beobachtet. Als ich nahe war, trat er scheinbar achtlos zur Seite und dann, sobald ich eintrat, mit gespielter Überraschung, aus dem Dunkel auf mich zu. »Sie kommen leise«, sagte er, »und Sie kommen spät, mein Herr, aber Sie kommen nicht zu spät.« Es war ein kleiner Mann von unbestimmbarem Alter und der unangenehmen Gesichtsfarbe der Blonden, die zu einer dunklen Rasse gehören. »Sie kommen darum nicht zu spät, da Sie mich noch bereit finden, meinem Reglement zutrotz Sie einzulassen, obwohl die sinkende Sonne bereits den Rand des Hügels erreicht hat.« In einer maßlos eitlen Art waren seine Lippen und die häßlich blonden Haare seines langen Schnurrbartes an jedem Wort beteiligt, das er hervorbrachte, sein Ohr bewunderte seine Zunge im Gebrauche der fremden Sprache und seine unangenehm glänzenden Augen waren in einer ungemessenen Weise fasziniert von sich. »Ich werde Sie einlassen«, fuhr er fort, »weil ich es für gut finde, obwohl ein lächerliches Reglement mir hierüber Vorschriften zu machen sich herausnimmt. Aber Ihre Zeit ist gemessen, wählen Sie aus, was Sie zu sehen wünschen.«

Indem er sprach, wurde mir sein Gesicht abscheulich, obwohl es nicht eigentlich häßlich war. Aber der dreifache, mit unmäßiger Sorgfalt gepflegte Bart: ein starker Schnurrbart, ein gestutzter Vollbart ums ganze Gesicht herum, und aus diesem sich hervorhebend ein Knebelbart, gaben der ganzen kleinen Physiognomie etwas Aufreizendes, und ich wollte ohne weiteres an ihm vorüber und eintreten. »Bewundern Sie zuerst«, sagte er, und bewunderte sich selber sichtlich im Reden, »die Weisheit, mit der mein Museum so angelegt ist, daß es nirgends den Umriß des erhabenen Hügels stört.« Er ließ mir die Zeit, diesem Phänomen gerecht zu werden; dann trat er zurück und gab mir den Weg frei: »Nun öffne ich Ihnen und stelle die Schätze, welche die griechische Nation meiner Obhut anvertraut hat, zu Ihrer Verfügung. Ich werde Sie nicht inkommodieren, berühren Sie, wenn Ihr Auge nicht genügt, mit den Händen des Kenners den ehrwürdigen Stein.

Denn Sie sind, das sehe ich auf den ersten Blick, nicht Deutscher und Archäologe, sondern Franzose und Künstler.« Ich entzog mich seinem Geschwätz und trat in den ersten Raum. An der Wand, wo es nicht mehr recht hell war, war auf einem hölzernen Gestell etwas aufgestellt, das mir fremd und häßlich schien, und ich wollte schnell daran vorbei. Da stand der Mensch schon dicht mir im Rücken. »Ganz recht, mein Herr«, sagte er, »widmen Sie den besten Teil Ihrer Zeit diesem Kunstwerk: die Welt hat vielleicht kein erhabeneres, zweifellos kein merkwürdigeres: Sie stehen vor dem dreileibigen Dämon, dem vornehmsten Schmuck des alten ursprünglichen Athenatempels.« Die drei männlichen Leiber, die in einen plumpen geringelten Drachenschwanz ausliefen, schienen mir abscheulich; die drei bärtigen Köpfe hatten eine Art von gutmütigem Ausdruck; dumpf und tierhaft glotzten sie auf mich herüber. »Hier sehen Sie«, rief der Kleine und drehte seinen Knebelbart zu einer Locke, »hier sehen Sie wahrhaft große, archaische Kunst. Welche Männlichkeit! Welcher Ernst, wogegen alles Spätere als Weichlichkeit und Dekadenz erscheint! Hier haben Sie den Zusammenbruch der Fabel von den bartlosen Griechen.« Er fixierte mich fast drohend und ich konnte erkennen, welche Bedeutung seine eigene Erscheinung mit den drei Bärten für ihn in diesem Lichte besaß. »Und nun denken Sie dies herrliche Gebilde, im Schmuck seiner Farben: die Gesichter und die Lippen braunrot – Sie sehen hier die Spuren –, die Augäpfel gelbweiß, die Augensterne grün, die Pupillen grauschwarz. Alle Bärte und Schnurrbärte haben Sie blau zu denken, wohlgemerkt! bei allen dreien, und ebenso das Haupthaar der beiden äußersten Köpfe, dagegen das des mittleren – welcher Geist, welche Bedeutung, über die ich viel nachdenke, und über die ich eine Publikation vorbereite – greisenhaft gelblichweiß!« Er zwang mich, nahe heranzutreten und wollte mich anrühren, um mir ganz genau die Spuren der Farbe auf den plumpen Gesichtern zu zeigen, da wandte ich mich sehr jäh und kehrte ihm entschieden den Rücken. Im nächsten Saal, den ich schnell betreten hatte, und wo es stärker dämmerte, denn er hatte nur ein einziges schmales Fenster, blieb ich stehen und ich glaubte seinen Schritt im Rücken zu hören. Ich horchte, aber er war nicht hinter mir. Ich überschritt noch eine Schwelle und betrat den dritten Raum.

Standbilder waren da, weibliche, in langen Gewändern. Sie standen um mich im Halbkreis, unwillkürlich zog ich den Vorhang vor die Tür und war allein mit ihnen. In ihrer vollkommenen Ruhe, bis zum Rande gefüllt mit Leben, schienen sie an sich herabzublicken, vor sich hinzublicken, aber sie sahen mich nicht. Trotzdem – das war vielleicht das Letzte, wovon ich in der Sekunde des Eintretens mir Rechenschaft gab, ehe etwas anderes an mir geschah –, sie waren nicht blicklos: dies mochte an dem wunderbaren Leben liegen, mit dem das obere Lid beladen war, und das gegen die Nasenwurzel hinströmte und sich unter den Augen mit erhabenem Ernst verlor.

In diesem Augenblick geschah mir etwas: ein namenloses Erschrecken: es kam nicht von außen, sondern irgendwoher aus unmeßbaren Fernen eines inneren Abgrundes: es war wie ein Blitz, den Raum, wie er war, viereckig, mit den getünchten Wänden und den Statuen, die dastanden, erfüllte im Augenblick viel stärkeres Licht, als wirklich da war: die Augen der Statuen waren plötzlich auf mich gerichtet und in ihren Gesichtern vollzog sich ein völlig unsägliches Lächeln. Der eigentliche Inhalt dieses Augenblickes aber war in mir dies: ich verstand dieses Lächeln, weil ich wußte: ich sehe dies nicht zum erstenmal, auf irgendwelche Weise, in irgendwelcher Welt bin ich vor diesen gestanden, habe ich mit diesen irgendwelche Gemeinschaft gepflogen, und seitdem habe alles in mir auf einen solchen Schrecken gewartet, und so furchtbar mußte ich mich in mir berühren, um wieder zu werden, der ich war. – Ich sage »seitdem« und »damals«, aber nichts von den Bedingtheiten der Zeit konnte anklingen in der Hingenommenheit, an die ich mich verloren hatte; sie war dauerlos und das, wovon sie erfüllt war, trug sich außerhalb der Zeit zu. Es war ein Verwobensein mit diesen, ein gemeinsames Irgendwohinströmen, eine unhörbare rhythmische Bewegung, stärker und anders als Musik, auf ein Ziel zu; ein inneres Hingespanntsein, ein Sich-in-Marsch-Setzen; es glich

einer Reise; unzählige tretende Füße, unzählige Reiter: der Morgen eines feierlichen Tages; jungfräuliche Luft, der frühe Morgen vor der Sonne – daher kam dieses fahle starke Licht, das den Raum und mein Herz durchzuckt hatte –, ein Tag der Hoffnung und der Entscheidung. Irgendwo geschah eine Feierlichkeit, eine Schlacht, eine glorreiche Opferung: das bedeutete dieser Tumult in der Luft, das Weiter- und Engerwerden des Raumes – das in mir dieser unsagbare Aufschwung, diese überschwellende Geselligkeit, wechselnd mit diesem schlaffen todbehauchten Verzagen: denn ich bin der Priester, der diese Zeremonie vollziehen wird – ich auch das Opfer, das dargebracht wird: das alles drängt zur Entscheidung, es endet mit dem Überschreiten einer Schwelle, mit einem Gelandetsein, einem Hier – mit diesem Dastehen hier, ich inmitten dieser: noch ist das Ganze Gegenwart, in ihren rieselnden Gewändern, in ihrem wissenden Lächeln: da verlischt schon dies in ihre versteinernden Gesichter hinein, es verlischt und ist fort; nichts bleibt zurück als eine todbehauchte Verzagtheit. Statuen sind um mich, fünf, jetzt erst wird mir ihre Zahl bewußt, fremd stehen sie vor mir, schwer und steinern, mit schiefgestellten Augen. Groß sind ihre Gestalten; aufgebaut – tierhaft oder göttlich – aus überstarken Formen; ihre Gesichter sind fremd; geschürzte Lippen, erhabene Augenbogen, mächtige Wangen, ein Kinn, um das das Leben fließt; sind es noch menschliche Mienen? Nichts an ihnen spielt auf die Welt an, in der ich atme und mich bewege. Ist nicht in diesen zweideutig lächelnden Larven ein lauerndes Herüberblicken von drüben? und zugleich eine ganz momentane und gegenwärtige Drohung, wie von einer Atmosphäre, die sich zusammenballt? Stehe ich nicht vor dem Fremdesten vom Fremden? Blickt hier nicht aus fünf jungfräulichen Mienen das ewige Grausen des Chaos?
Aber, mein Gott, wie wirklich sind sie. Sie haben eine atemberaubende sinnliche Gegenwart. Aufgebaut wie ein Tempel hebt sich ihr Leib auf den herrlichen starken Füßen. Ihre Feierlichkeit hat nichts von Masken: das Gesicht empfängt seinen Sinn durch den Körper. Es sind mannbare Frauen, Bräute, Priesterinnen. In ihren Mienen ist nichts als die Strenge der

Erwartung, die erlesene Kraft und Hoheit ihrer Rasse, ein Wissen um den eigenen Rang. Was sie starr erscheinen macht, ist die Beklommenheit eines erhabenen Festes, sie nehmen an Dingen teil, die über jede gemeine Ahnung sind.
Wie schön sind sie! Ihre Körper sind mir überzeugender als mein eigener. Es ist in dieser geformten Materie eine tiefsinnigere Belehrung, als ich je von meinen Gliedern empfangen habe. Es ist eine Intention in ihr, so stark, daß sie auch mich spannt. Ich habe nie zuvor etwas gesehen wie diese Maße und diese Oberfläche. Schien nicht für ein Wimperzucken das Universum mir offen?
Aber auch jetzt wiederum – indes ich mir doch so ernüchtert dünke, so schnell ernüchtert und wieder bei mir selber – diese Materie da vor mir, sie ist nicht ernüchtert, so fest sie scheint, es ist etwas Liquides an ihr, etwas Sehnsüchtiges, sie kommt irgendwoher und sie verrät, daß sie irgendwohin will. Sie ist auf einer Reise, sie landet in diesem Augenblick, will sie mich mitnehmen? Woher sonst diese Ahnung einer Abreise auch in mir, dieses rhythmische Weiterwerden der Atmosphäre, dieses mit festem Fuß Wandeln an einem fremden breiten Fluß, Hinaufgleiten an einem niegesehenen gekrümmten Berg – woher diese ganze ahnungsvolle Unruhe, dieser lautlose Tumult – der mich bedroht oder dem ich gebiete? – Es ist, antworte ich mir unfehlbar wie ein Träumender, es ist das Geheimnis der Unendlichkeit in diesen Gewändern. Nicht nur dies Gekräuselte, von den Schultern bis unters Knie Hinunterrieselnde, nein, die ganze Oberfläche ist Gewand und webender Schleier, offenbares Geheimnis. Ist denn nicht in der gleichen Weise auch der Vorhang dort, der leise weht, ein webender Teil von mir? Empfing ich nicht unsichtbare Glieder, die ich traumhaft unwissend bewege? Empfing ich sie nicht, um mit nichtirdischen Händen aufzuheben den Schleier, einzutreten in den ewigen lebenden Tempel? – Wenn in mir ein Sinn erwachte, der über alle Sinne ist; wenn der das Auge bewältigen könnte, von innen heraus! – antwortete es in mir flüssig und bestimmt, wie das Anspringen eines quellenden Wassers, und ein neuer Gedanke drängte sich herzu: Wer diesen wahrhaftig gewachsen wäre, müßte sich anders ihnen

nahen als durchs Auge, ehrfürchtiger zugleich und kühner. Und doch müßte ihm sein Auge dies gebieten, schauend, schauend, dann aber sinkend, brechend wie beim Überwältigten. – Und dieser Gedanke hob mich wie ein großes Wasser, das, ins Haus hineindringend, einen unter den Achselhöhlen ergreift. Er hob mich diesen entgegen, diese zugleich mir entgegen.
Mein Auge sank nicht, doch sank eine Gestalt über die Knie der einen Priesterin hin, jemand ruhte mit der Stirn auf dem Fuß einer Statue. Ich wußte nicht, ob ich dies dachte, oder ob dies geschah. Es gibt einen Schlaf im Wachen, einen Schlaf von wenig Atemzügen, der größere Kraft der Verwandlung in sich hat und dem Tode verwandter ist als der lange tiefe Schlaf der Nächte.

– –

Wiederum besann ich mich auf mich selber. Ohne jeden Zweifel, sagte ich mir, bin ich hier in der Gewalt der Gegenwart, stärker und in anderer Weise, als es sonst gegeben ist. Dies, was hier vor mir ist, mein Auge füllt, richtet mich irgendwohin, ins Unendliche. Mag sein, es sind diese Statuen, wovon meine Seele ihre Richtung empfängt, mag sein, es ist etwas anderes, als dessen Boten sie mich umstehen. Denn es ist sonderbar, daß ich sie wieder nicht eigentlich als Gegenwärtige umfasse, sondern daß ich sie mir mit beständigem Staunen irgendwoher rufe, mit einem bänglich süßen Gefühl, wie Erinnerung. In der Tat, ich erinnere mich ihrer, und in dem Maß, als ich mich dieser Erinnerung gebe, in dem Maß vermag ich meiner selbst zu vergessen. Dieses Selbstvergessen ist ein seltsames deutliches Geschehen: es ist ein grandioses Abwerfen, Teil um Teil, Hülle um Hülle, ins Dunkle. Es wäre wollüstig, wenn Wollust in so hohe Regionen reichte. Ungemessen mich abwerfend, auflösend, werde ich immer stärker: unzerstörbar bin ich im Kern. Unzerstörbar, so sind diese, mir gegenüber. Es wäre undenkbar, sich an ihre Oberfläche anschmiegen zu wollen. Diese Oberfläche ist ja gar nicht da – sie entsteht durch ein beständiges Kommen zu ihr, aus unerschöpflichen Tiefen. Sie sind da, und sind unerreichlich. So bin auch ich. Dadurch kommunizieren wir.

Eines ahne ich indessen blitzschnell: worin meine gegenwärtige Herrlichkeit begründet ist. Ich verachte die Zahl und alle Unterschiede. Dies ist unter dem, was ich abgeworfen habe. Ich fühle, daß die mehr als menschliche Größe dieser Wesen sich an mir auflöst, zu nichts wird. Dann, daß ihre Vielheit mir nichts anderes ist, als die Einheit. Dann dies zugleich – und ich fühle, daß es mit den anderen Phänomenen aus einer Ordnung ist: jene Fahrten, die vor wenig Augenblicken mir angeboten waren, ich bedarf ihrer nicht mehr; verharrend bin ich auch am Ufer jenes seltsam breiten, nie gesehenen Flusses, stehe auf dem Gipfel jenes Berges mit gekrümmtem Hang. Nur diese brauche ich, die Trägerinnen der Ewigkeit, mit denen ich mich selbst zur Gottheit mache. Von ihrem Dastehen, von ihren rieselnden Gewändern, von ihren Mienen, blicklos wissend blickenden, trieft dies eine Wort: »Ewig!« Indem ich die Hieroglyphe ihres Gesichtes – denn ihre Gesichter sind längst eines für mich, und vom Scheitel bis zur Sohle sind sie wahrhaft Figur und ich kenne kein Vor- und kein Nacheinander bei ihrer Betrachtung –, indem ich die verbundenen Zeichen darin in einem letzten Schwung völlig erkenne, weiß ich als Letztes: unbedürftig bin ich auch ihrer. Ich brauche sie nur, wie sie mich brauchen. Sie stünden nicht vor mir, wenn ich ihnen nicht von Ewigkeit zu Ewigkeit hülfe, sich aufbauen.
Und indem ich mich immer stärker werden fühle und unter diesem einen Wort: Ewig, ewig! immer mehr meiner selbst verliere, schwingend wie die Säule erhitzter Luft über einer Brandstätte, frage ich mich, ausgehend wie die Lampe im völligen Licht des Tages: Wenn das Unerreichliche sich speist aus meinem Innern und das Ewige aus mir seine Ewigkeit sich aufbaut, was ist dann noch zwischen der Gottheit und mir?

GRIECHENLAND

Die Reise nach Griechenland ist von allen Reisen, die wir unternehmen, die geistigste. Hierher am wenigsten schickt uns halbsinnliche Neugier, die der geheime Untergrund so vieler Reisen ist und immer gewesen ist, und wir sind fast befremdet, wenn uns Griechenland, schon ehe wir es betreten haben, mit dem empfängt, woran wir hier am wenigsten gedacht hätten: einem bezaubernden, ganz orientalischen Duft, gemischt aus Orangenblüten, Akazien, Lorbeer und Thymian.
Es ist eine geistige Pilgerschaft, die wir unternommen hatten, und wir hatten vergessen, daß diese Landschaft einen anderen Duft aushauchen könnte als den der Erinnerungen. Dem, was wir sehen wollen, hebt sich zu viel geistige Ungeduld entgegen; wir tragen zu viele Seelen in uns, die ihre Aspiration nach diesen Hügeln und Tempeltrümmern mit der unseren vermischen. Wir kommen an, verloren in einem Bündel schattenhafter Gefährten. Aber wie wir den Fuß auf diesen Strand setzen, das wirkliche Gestein unter unserer Sohle fühlen, die sonnige und frische Luft einziehen, lassen sie uns alle im Stich. Wir stehen im Vorhof unserer Sehnsucht und wir fühlen, daß wir unsere Führer verloren haben. Bis vor kurzem noch, als das Schiff sizilisches, »großgriechisches« Gewässer befuhr – war Goethe mit uns. Er bleibt zurück, wie der italische Strand hinter uns zurückbleibt. Mit einem Mal fühlen wir ihn als Römer. Der große Kopf der Juno Ludovisi steht zwischen uns und ihm. Wir erinnern uns, daß er nie eine wirkliche Antike, nie ein Bildwerk des fünften Jahrhunderts gesehen hat, und die Serenität, in die er mit Winckelmann sein Altertum tauchte, ist uns die Verfassung eines bestimmten Augenblicks der deutschen Seele, nichts weiter.
Aber auch die großen Intellektuellen des letzten Jahrhunderts, die uns eine dunklere und wildere Antike enthüllt haben – auch ihre Intuition hat plötzlich nicht mehr die gleiche

Leuchtkraft. Burckhardt, sein Landsmann Bachofen, Rohde, Fustel de Coulanges – unvergleichliche Interpreten des dunklen Untergrundes der griechischen Seele, starke Fackeln, die eine Gräberwelt aufleuchten ließen –, aber hier ist etwas anderes. Hier ist keine Grabhöhle, hier ist so viel Licht: und sie haben nicht in diesem Licht geatmet. Alle ihre Visionen nehmen in diesem Glanz eine Bleifarbe an; wir lassen sie zurück. – Der erste Eindruck dieser Landschaft, von wo man sie betrete, ist ein strenger. Sie lehnt alle Träumereien ab, auch die historischen. Sie ist trocken, karg, ausdrucksvoll und befremdend wie ein furchtbar abgemagertes Gesicht: aber darüber ist ein Licht, dessengleichen das Auge nie zuvor erblickt hat und in dem es sich beseligt, als erwache es heute erst zum Sinn des Sehens. Dieses Licht ist unsäglich scharf und unsäglich mild zugleich. Es bringt die feinste Einzelheit mit einer Deutlichkeit heran, einer sanften Deutlichkeit, die einem das Herz höher schlagen macht, und es umgibt das Nächste – ich kann es nur paradox sagen – mit einer verklärenden Verschleierung. Es ist mit nichts zu vergleichen als mit Geist. In einem wunderbaren Intellekt müßten die Dinge so daliegen, so wach und so besänftigt, so gesondert und so verbunden – wodurch verbunden? nicht durch Stimmung, nichts ist hier ferner als dies schwimmende, sinnlich-seelische Traumelement – nein: durch den Geist selbst. Dies Licht ist kühn und es ist jung. Es ist das bis in den Kern der Seele dringende Sinnbild der Jugend. Bisher hielt ich das Wasser für den wunderbaren Ausdruck dessen, was nicht altert. Aber dieses Licht ist auf eine durchdringendere Weise jung.

Man sagt mir: dies ist das Licht Kleinasiens, das Licht von Palästina, von Persien, von Ägypten, und ich verstehe die Einheit der Geschichte, die seit Jahrtausenden unser inneres Schicksal bestimmt. Troja – die Zehntausend unter Xenophon – Kleopatra – und noch die byzantinische Theodora – alle diese Abenteuer werden über die Jahrtausende hinweg verständlich und einheitlich wie die Teile einer einzigen Melodie. Die Listen des Odysseus, die Ironie Platons, die Frechheit des Aristophanes: es ist eine wunderbare Identität in dem allen, und die Formel solcher Identität ist dieses Licht.

Was in diesem Licht lebt, das lebt wirklich: ohne Hoffnung, ohne Sehnsucht, ohne Grandezza: es lebt. »Im Lichte leben«, das ists. Aus diesem Lichte gehen, zum Schatten werden, das war das Furchtbare, dagegen gab es keinen Trost. »Lieber ein Knecht droben, als Achilles hier« – wer dieses Licht nicht gesehen hat, versteht nicht ein solches Wort... Ich sehe von einem Hügel aus irgendwo an einem Abhang ein paar Ziegen. Ihr Klettern, ihr Kopfheben, dies alles ist wirklich und zugleich wie vom geistreichsten Zeichner gezeichnet. Zu ihrem Animalischen haben diese Geschöpfe etwas Göttliches hinzu, aus der Luft: dieses Licht ist die unaufhörliche Hochzeit des Geistes mit der Welt. Ein steiler Gipfel, ein paar Pinien – ein kleines Weizenfeld – ein Baum, dessen alte Wurzeln das zerklüftete Gestein umklammern – eine Zisterne, ein immergrüner Strauch, eine Blume: das Einzelne hat keine Aspiration, sich mit dem Ganzen zu vermischen, es lebt für sich, aber in diesem Licht ist Für-sich-sein nicht gleichbedeutend mit Einsamkeit. Hier oder nirgend ist das Individuum geboren: aber zu einem göttlichen und geselligen Geschick. In dieser Luft ist man herrlich ausgesondert – aber man ist nicht verlassen, so wenig als einer der Götter verlassen war, wenn er wo immer auftauchte oder durch die Luft dahinfuhr. Und hier sind alle Wesen Götter. Diese Pinie, schön wie eine Säule des Phidias, ist eine Göttin. Diese Frühlingsblumen, die Duft und Glanz von einem Wiesenhang herab ausstreuen – man hat es gesagt und man hat es mit Recht gesagt: sie stehen da wie die kleinen Götter.

Hier ist der Mensch geboren worden, wie wir ihn verstehen: denn hier ist das Maß geboren worden. Die Proportionen eines Tempelüberrests, dreier Säulen mit einem Trümmer des Giebels, zu einer einzelnen Eiche, die daneben ihre laubige Krone gegen Himmel stemmt, dies ist so schön, daß es, wie die tiefsten Harmonien der Musik, fast die Seele spaltet; der Himmel selbst, die Höhe des scheinbar festen Gewölbes, ist irgendwie in die herrliche Berechnung einbezogen; tritt ein Mensch zwischen die Säulen, ein Bauer, der dort ein bißchen Schatten sucht, um aus der Faust seine Mahlzeit zu verzehren, oder ein Hirt mit seinem Hund, so wird die Herrlichkeit so vollkommen, daß sich uns die Brust überm Herzen erweitert. Nichts, was wir von ihren Kulthandlungen wissen, spricht unmittelbar zu unserer Einbildungskraft; ihre Zeremonien, soweit die Archäologie sie uns erschließt, sind uns unerquicklich wie der Anblick von Tanzenden für den, der die Musik nicht hört. Nichts von ihren Mysterien ist uns faßlich als dies eine: das Verhältnis des menschlichen Leibes zum steingebauten Heiligtum.

Der Blick von Akrokorinth umfaßt zwei Meere mit vielen Inseln, die Schneegipfel des Parnaß, die Berge von Achaia: das Licht schafft etwas aus diesem allen, eine Ordnung, die das Herz beseligt; wir haben kein besseres Wort dafür als Musik: aber es ist mehr als Musik. – Welche Lektion gibt dieses Licht dem denkenden Betrachter! Keine Übertreibung, keine Mischung – erblicke jedes für sich, aber erblicke es in seiner ursprünglichen Reinheit. Sondere nicht, dränge nicht eins zum andern: es ist alles gesondert, alles verbunden; bleibe gelassen; atme, genieße und sei.

Nichts ist schwerer, als in dieser Landschaft zu erraten, ob eine Gestalt nahe oder ferne sei. Das Licht macht sie deutlich und vergeistigt sie zugleich, macht sie zu einem Hauch. Aber die Kraft einer Gebärde auf hundertfünfzig Schritt ist groß; ein Handwink des Agogiaten ruft aus seiner fernen Felsenspalte den Hirten mit seinem Wasserschlauch herbei. Wunderbar zu denken, wie in diesem Licht die Schiffskapitäne in der Schlacht von Salamis von ihren bunten hölzernen Kommandobrücken herab die Befehle gaben, die man im Brüllen und Krachen der Schlacht von keiner menschlichen Stimme hätte empfangen können, und wie griechische Augen, in dieser Atmosphäre von vibrierendem Silber die ausgereckte Hand des Themistokles suchend, gegen Abend das Geschick der Welt entschieden.

Die homerischen Götter und Göttinnen treten fortwährend aus der hellen Luft hervor; nichts erscheint natürlicher, sobald man dieses Licht kennt. Wir sind aus dem Norden, und das Halbdunkel des Nordens hat unsere Einbildungskraft geformt. Wir ahnten das Mysterium des Raumes, aber wir hielten keine andere Art, diese zu verherrlichen, für möglich, als

die Rembrandts: aus Licht und Finsternis. Aber hier erkennen wir: es gibt ein Mysterium im vollen Licht. Dieses Licht umfängt Gestalten mit Geheimnis und mit Vertraulichkeit zugleich. Es sind nur Bäume und Säulen, die unser Blick in diesem Licht umarmt: zuhöchst die stummen Leiber der Trägerinnen am Erechtheion, die halb Jungfrauen sind, halb noch Säulen, und doch ist ihre leibliche Schönheit in diesem Licht von bezwingender Gewalt. Aber die Götter und Göttinnen waren Statuen aus Fleisch und Blut, aus ihren Augen unter der schweren, beinahe harten Stirn loderte das Feuer des Blutes, und in dieser Luft, die um jede Gestalt, und wäre es die eines blühenden Zweiges, einen Schleier legt von Ehrfurcht und von Begehren zugleich, erahnen wir den Blick, mit dem Paris, der einsame Hirt, die drei Göttinnen maß, als sie aus der blitzenden Luft auf ihn zutraten, geschwellt von Stolz und Eifersucht aufeinander und willens, alles zu bieten, um den Siegespreis zu gewinnen.
Welche Situation! – und trägt sie nicht, wie ein Diamant, den keine daraufgelegte Last zermalmt, das ganze ungeheure, finstere Geschehen der Ilias? – Ja, diese Mythen sind noch in einer anderen Weise wahr, als wir ahnten. Wir liebten sie als die Erzeugnisse der harmonischsten Einbildungskraft: aber es ist mehr, als wir wußten, von der Magie in ihnen, die unmittelbar aus dem Wirklichen auf den Menschen eindringt. Bevor den Parnaß der erste Strahl der Sonne trifft, legt sich wirklich ein Etwas von der Farbe der Rose auf seinen höchsten Gipfel – genau die Farbe vom lebendigen Fleisch der Rose, zwei Finger von der Hand einer Frau, die sich auf einen Schiffsbord legen, und ebenso leicht wie die Bewegung einer Frauenhand, und es kostet hier weniger Anstrengung der Phantasie, die Eos mit Fingern aus Rosen jenseits gegen Westen fortfliegen zu sehen, schnell wie eine Taube – als sich im Halbdunkel unserer ewigen Winternachmittage eine blühende Hecke vorzustellen.

Aber es ist keine Reise nach dem Pittoresken, die wir unternommen haben. Wir suchen hier einen höchsten Moment der Menschheit. Wir wollen Feste mitfeiern, die in ihrer Strenge

und Schönheit an das Erhabene streifen. Was wir mehr erraten als erfahren haben, wenn wir unseren Äschylus entzifferten – wir wollen unmittelbar, ja leiblich daran teilhaben. Ungeduld regt sich in uns, unbezähmbar, ein geistiges Höchstes in Gestalten gewahr zu werden; eine Ungeduld, darin sich der Drang von wie vielen Geschlechtern verdichtet – und ist es nicht Schillers kühne und große Seele vor allem, die in uns aufsteht? Seine Visionen der Antike, diese immer sich wiederholende stürmische Forderung, irgendwo auf Erden die Idee des Schönen, die zu erfassen sein inneres Auge so stark war, verkörpert zu finden – nichts darf weniger als diese Dinge verwechselt werden mit dem verantwortungslosen »Geschriebenen« des durchschnittlichen Literaten: Schiller glaubte, was er schrieb, und er warf sein ganzes Ich wie eine Fahne weit vor sich hin ins Getümmel einer ewigen geistigen Schlacht, worin Zukunft und Vergangenheit sich vermischt und in der an irgendeiner Stelle auch wir stehen.
Ein geistiges Höchstes an leiblichen Spuren zu erkennen – hier auf griechischem Boden verliert die Forderung ihr Übermäßiges, beinahe Unverschämtes. Unter diesem Licht ist ja wirklich das Geistige leiblicher und das Leibliche geistiger als irgend sonst auf der Welt. Eine Ode des Pindar, die den Faustkampf verherrlicht, wenn man sie unter diesem Himmel aufblättert, so rückt der Kampf selber, das gewaltige Ringen und Schlagen Leib gegen Leib wie von selbst in die wahre Mitte dieses silbernen Feuers von Poesie. Durch den olympischen Festplatz, wo sie einander trafen, rücken Athen, von dem wir so viel zu wissen glauben, und Sparta, von dem wir so wenig wissen, näher aneinander. Wir ahnen, daß sie beide Griechen waren und daß es im höchsten Sinne griechisches Leben war, wie sie einander umschlangen und bis zum beiderseitigen Tod gegeneinander rangen. Unsere abgeblaßte Winckelmannsche Vision, die das Schöne zu nahe an ein Anmutiges, und an ein entnervtes Anmutiges, herangebracht hatte – zu nahe an Canova! – und die noch immer irgendwo in uns lauert, hatte uns vergessen machen, wie eng die Schönheit mit der Kraft verschwistert ist und die Kraft mit allem Furchtbaren und Drohenden des Lebens – wie könnte sie sonst das Leben auf die Knie zwingen!

Hier aber vor diesen gewaltigen Resten erinnern wir uns, daß Kastor und Pollux die Brüder Helenas und daß sie Gasträuber, Frauendiebe und gewaltige Faustkämpfer waren. Wenn wir hier die Antigone denken, so schwören wir: sie war eine Schwester des Achill, und der Trotz, mit dem sie sich ihrem König gegenüberstellt, ist nicht von geringerer Urkraft als der, welcher den Sohn der Thetis in seinem Zelt verharren ließ, dem Oberfeldherrn und hundert Fürsten in die Zähne. Diese Epheben ohne Namen, diese »Tauschwestern« von der Akropolis, diese Korai, junge mannbare Priesterinnen, hervorgegraben aus dem Schutt der persischen Zerstörung – es sind herrliche Wesen, gewaltige vor allem. Es ist etwas Unerreichbareres an ihnen, etwas Unfaßlicheres als an den schönsten gotischen Figuren, aber auch etwas Kompletteres: wir begreifen sie kaum – aber nie zuvor wurde durch einen leiblichen Anblick das Geistige und Leibliche in uns in der tiefsten Wurzel, dort wo sie eins sind, so erschüttert. Diese Komplettheit ist das letzte Wort der Kultur, in der wir wurzeln: hier ist weder Okzident allein, noch Orient allein; und wir gehören beiden Welten an.

Vielleicht erfassen wir eine ganze Gestalt, die in Marmor vor uns aufsteht, noch immer mit einem romantischen Blick. Vielleicht leihen wir ihr zuviel von unserer Bewußtheit, von unserer »Seele«. Wir wollen uns in acht nehmen, die unendlich verschiedenen Welten nicht zu vermischen. Aber auch ein nüchterner, nur sehr aufmerksamer Blick, geheftet auf eines dieser Trümmer: einen Arm mit der Hand, eine halbentblößte Schulter, das eine Knie einer Göttin unter dem fließenden Gewand: auch dieser nüchterne, jedes Mitschwingen ablehnende Blick füllt sich nach wenigen Sekunden mit dem Gefühl dieser Komplettheit, an der Geist und Sinne den gleichen wunderbar ausgeglichenen Anteil haben. Diese Hände, so schön als stark, und so ohne Ostentation der Kraft oder der Schönheit, wie berechtigen sie das Wort des Anaxagoras: der Mensch sei das klügste der Tiere darum, weil er Hände besitze. Wie spielt in diesen wunderbaren Organen des Körpers der *νοῦς* des Anaxagoras sein freies Spiel. Organe, Werkzeuge, sie sinds, aber keine dumpferen, keine ungeistigeren als die Worte. Beim Anblick dieser wendsamen, mit Kraft trächtigen, klugen fürstlichen Glieder enthüllt sich uns, wie eine Kette von Berggipfeln aufblitzend, die philosophische Gedankenwelt der Griechen. Wahrlich, hier führen die geistigen und die leiblichen Spuren einen Weg: und sie alle führen in die Höhle des Löwen.

Die griechische Landschaft, wie sie heute ist, kann den ersten Blick enttäuschen, aber nur den ersten. Das heutige Griechenland ist ein entwaldetes Land, und daher eine gewisse Härte der Konturen, die freilich das Licht mit seinem geistreichen zarten Leben umspielt. Aber vergeblich suchen wir die »schwellenden Hügel«, die Fallmerayer vom Meeresstrand landeinwärts bezauberten, oder das Dickicht von Edelkastanien, Platanen und Eichen, tausend Sträucher dazwischen, in das er von einer Bergklippe sich herunterließ. Aber die schwellenden Hügel waren in der Umgebung von Trapezunt; in das Baumdickicht blickte er vom Athoskamm herab; noch heute hat die Halbinsel Volo, das geschonte Reservat der Sultanin-Mutter durch Jahrhunderte, ihre berühmten Kastanienwälder; dies alles liegt außerhalb des eigentlichen Griechenland. Attika aber hatte nur mehr einen einzigen kleinen Wald, und diesen hat man während des Krieges angezündet, um den König, dessen Landhaus in der Mitte stand, zu beseitigen; das einstige »laubreiche Böotien« ist eine steinige Mulde, mit einem Weizenfeld, einem Olivenhain da und dort. Aber diese harte und dürre Landschaft trägt Elemente von Schönheit in sich, deren Erinnerung sich nie verwischt. –
Ich habe den Boden von Sparta nicht betreten und nur vom weiten die Gipfel des Taygetos durch die Luft blitzen sehen, aber ich habe mehr als einmal im Abstand von Jahren die Seiten gelesen, die Maurice Barrès darüber geschrieben hat und die die schönsten sind in dem schönen Buch, das er »Reise nach Sparta« nennt. Sie sind das vollkommene Beispiel einer Beschreibung, die enthusiastisch und zugleich beherrscht ist. Sie malen zugleich ein Gebirge und die Seele eines nicht gewöhnlichen Menschen, der dieses Gebirge betrachtet; die Zacken und Schlünde des Taygetos sprachen zu diesem Poli-

tiker, diesem Zerebralen und Visionär, eine Sprache, die völlig aufzufassen seine Seele organisiert ist. Nichts ist weniger vag oder sentimental als der Stoß, den er vom ersten Anblick dieser Bergkette empfängt: der Taygetos rührt ihn an, wie den jungen Achill, der unter den Frauen von Skyros versteckt war, der plötzliche Anblick von Schwert und Lanze. Seine Beschreibung ist, wie jedes Werk eines wahren Autors, einmalig und unübersetzbar. Ich fühle, wie ich sie verderbe, und kann doch nicht umhin, um des Gegenstandes willen, den einen entscheidenden Absatz hier herzusetzen.

»Die Talbreite von Lakedämon, darin in zu weitem Kieselbette als ein geringer Fluß der Eurotas hinstreicht, wird gegen Osten vom Menelaiongebirge, gegen Westen vom Taygetos abgeschlossen; sie mißt in der Breite ein paar Kilometer; sie wirft sich in Windungen hin; zwischen harte Hügel legen sich seitlich kleine lachende Täler; dies Biegsame, die Seele Rufende, dies Dahinflüchtende wiederum, verbindet sich gut mit dem rötlichen Menelaion, der in pathetischen Terrassen aufsteigt; aber all diese Romantik weicht zurück vor der geruhigen Erhabenheit des Taygetos.

Der Taygetos lagert auf einem machtvollen Sockel, der dem Auge Falten von Dunkelheit bietet; in seinen unteren Bereich graben sich tiefe Schlünde, angefüllt mit bläulicher Finsternis und mit Wäldern – und aufragende Klippen und starke Bastionen waffnen ihn. Diese gewaltigen Vorwerke treten, gleichwie im Angriff, in die Ebene vor, und wie sterbende Heroen sieht man an den Hängen einzelne Dörfer kriegerisch hinsinken. Über solchem Fundament heben sich furchtbare Schroffen, über diesen, als ein dritter Bereich, türmt sich die Region der Gletscher und der Lawinen, und darüber noch, zuhöchst, ordnet sich die Kette der Steilgipfel, bewundernswert in der Mannigfaltigkeit der Formen... Welch eine Kraft und welch eine Größe im Aufsteigen dieses Berges, wie gelassen drückt er seine Wucht auf die Ebene, die wollustflüsternd seinen Fuß umschlingt, und wie wirft er sich in sieben schneeigen Spitzen gegen Himmel! Nie wird die Kühnheit eines Schriftstellers genugsam diesen Glanz und diese Kraft im Wuchtenden zu geben vermögen, nie diese entschiedenen,

ganztönigen, jeden Mischton verschmähenden Farben, nie die großartigen wesenhaften Unterschiedenheiten, die sich mit Gelassenheit vom Wohnbezirk der blühenden Orange bis zur funkelnden Eiswand aufeinander stufen...«
Ich will nicht unternehmen, den Versuch einer zweiten Beschreibung, die das Heroische der griechischen Landschaft zum Gegenstand hätte, neben diese Zeilen zu setzen, die alles sagen, was man, ohne ins Romantische abzuschweifen, von dieser Landschaft sagen kann; und es sind ja die Hänge des Taygetos, an die unsere Phantasie – und auch die Goethes – die Hochzeit Fausts und Helenas hinlegt. Aber ich habe einmal versucht, ein sanfteres Element dieser Landschaft zu beschreiben, und ein solches, das sich öfter wiederholt, so daß, wer in Griechenland gereist ist, an diese oder jene der Landschaften sich möchte erinnert fühlen: ich meine das abendliche Annahen an ein einsam gelegenes Mönchskloster, und ich will mir und denen, die diese Zeilen lesen, jene noch dem zarten Erlebnis nahe Beschreibung heraufrufen.
»...Wir waren an diesem Tage neun oder zehn Stunden geritten, und nichts war uns begegnet in der flachen steinigen Mulde des bergan ziehenden Hochtales als ein Hirt dann und wann, mit seinen Schafen, oder zwischen kleinen duftenden Sträuchern eine Schildkröte, die sich übern Weg zog. Gegen Abend zeigte sich in der Ferne ein Dorf, aber wir ließen es zur Seite. Jetzt kam Geläute von Herden aus der Ferne und Nähe, die Maultiere gingen lebhafter und sogen den Duft ein, der aus dem enger werdenden Tal entgegenkam: von Akazien, von Erdbeeren und Thymian. Man fühlte, wie die bläulichen Berge sich schlossen und wie dieses Tal das Ende des ganzen Weges war. Wir ritten lange zwischen zwei Hecken aus wilden Rosen, dann zwischen niedrigen Mauern; dahinter waren Fruchtgärten; ein alter Mann, mit einem Gartenmesser in der Hand, watete bis an die Brust in blühenden Heckenrosen. Das Kloster mußte ganz nahe sein, und man wunderte sich, es nicht zu sehen: da öffnete sich in der Mauer zur Linken eine kleine Tür, in der Tür lehnte ein Mönch. Er war jung, hatte einen blonden Bart, von einem Schnitt, der an byzantinische Bildnisse erinnerte, eine Adlernase, ein unruhiges blaues

Auge; er begrüßte uns, indem er sich neigte und beide Arme ausbreitete. Wir saßen ab, und er ging uns voran. Wir traten in einen Gang, in ein Zimmer, traten auf den Balkon des Zimmers und sahen, daß wir mitten im Kloster waren: das Kloster war in den Berg hineingebaut, und unser Zimmer, das, vom Garten aus betreten, zu ebener Erde war, lag hier zwei Stock hoch im Klosterhof. Die alte Kirche, mit dem Glanz des Abends auf ihren tausendjährigen rötlichen Mauern und Kuppeln, schloß eine Seite ab, und die drei anderen waren von solchen Häusern gebildet, wie wir in einem standen, und die kleinen Balkone waren hellblau oder gelblich oder blaßgrün. Alles atmete Frieden und eine von Duft durchsüßte Freudigkeit. Unten rauschte ein Brunnen. Mönche, in schwarzen langen Gewändern, die hohe schwarze Kopfbedeckung über den schönen Gesichtern, die ein ebenholzschwarzer Bart umrahmte, gingen über den Hof, verschwanden in der Kirchentür, lehnten am Balkon, schritten eine offene Treppe herab. In der Kirche fingen halblaute Stimmen an, Psalmen zu singen, nach einer uralten Melodik. Die Stimmen hoben und senkten sich, es war etwas Endloses, gleich weit von Klage und von Lust, etwas Feierliches, das von Ewigkeit her und weit in die Ewigkeit so forttönen mochte; über den Hof aus einem offenen Fenster sangen Knabenstimmen die Melodie nach... Wir waren mitten in der Gegenwart; was uns umgab, waren die heiligen Bräuche der morgenländischen christlichen Kirche. Aber die Gebärde, die Hoheit, der Sprachlaut, der Rhythmus noch der Verbeugung: der Proskynese – dies ist Byzanz und ist älter als Byzanz. Die Käuzchen riefen draußen im Garten; die Zikaden wurden laut; wo der Abendstern stand, dort glänzte unsichtbar hinter dunklen Bergen der Parnaß, und dort – in der Flanke des Berges – lag Delphi. Nirgend waren wir zum Schein jener versunkenen heidnischen Welt entrückter und niemals in der Tat ihr so fühlbar nahe; und als an einem Fenster der Kopf eines Klosterknaben erschien, eines recht schönen, anmutig selbstbewußten, des gleichen, der vordem die heilige Melodie nachgesungen hatte, da lag nichts näher, als diesen Priesterschüler mit einem anderen zu vertauschen, und mit diesen

Bräuchen hier, die uns geheimnisvoll und doch faßlich waren, eine andere Gestalt zu umkleiden, und nie war uns ein Phantom wenigstens des hohen Altertumes so zum Greifen nahe, als da wir in diesem phokäischen Tempelvorhof den Knaben Ion des Sophokles für einen Augenblick leibhaft vor uns zu sehen und eine Luft mit ihm zu atmen glaubten.«

REISE IM NÖRDLICHEN AFRIKA

FEZ

Das Haus, das ich bewohne, liegt am Rande der Stadt, keine hundert Schritt von der hohen alten Stadtmauer, die, mit Zinnen durchaus und je einem Turm alle tausend Schritt, die ganze über zwei Hügel hingestreckte Häusermenge umschließt und die Stadt erst zur Stadt macht, zur gewaltigen, seit tausend Jahren gesicherten, gegen das leere hügelige Land hin, das für die Reisenden und Schweifenden da ist; offen und öde, mit einem weißen rundkuppeligen Heiligengrab da und dort, oder einem einzelnen Baum, oder ein paar erdfarbigen Nomadenzelten, und in der Ferne die weißschimmernde Gipfelkette des hohen Atlas, aber in solcher Ferne am Horizont, daß dieser Streif von Grau und Silber mit seiner Last von leicht aufruhenden weißen Haufenwolken dem Himmel nichts von seiner Reinheit und Leere nimmt, nichts von seiner Höhe, aus der die klare kühle Nordostluft unablässig herabweht, durchschnitten vom ruhigen Flug der vielen Störche oder vom Flattern eines weißen Taubenschwarmes, über dem, ihn niederdrückend, die rostfarbigen Falken kreisen. Aber sowie ich die oberste Terrasse meines Hauses verlasse und die steile, enge Treppe hinabsteige, deren Stufen farbige Kacheln sind, mit einem marmornen Rand eingefaßt; sowie ich unten im Hof meines Hauses stehe, oder, um es besser zu sagen, im Garten, zwischen den Orangenbäumen, den Rosenbüschen und den steinernen Becken, in denen das Wasser immer von innen aufquillt und, über den Rand des Beckens hinabtriefend, unten wie in einem winzigen Bachbette aus blauen Fliesen murmelnd wegläuft: so sehe ich von der unendlichen Durchsichtigkeit und Weite dieses vor Klarheit fast strengen Himmels nur mehr ein kleines Stück; denn auch mein Haus ist mit einer solchen rotgelben Mauer umgeben, die zwei Stock hoch aufragt und gezinnt ist wie die Stadtmauer, und dieses Heim, das sich ein Vornehmer und Reicher vor hundert oder hundertfünfzig Jahren gebaut hat: dieser reizende kleine aufgestufte Garten mit seinen bunten kleinen Treppen und den springenden und fallenden Wassern, das Haupthaus oben, mit dem einen riesengroßen, prachtvoll vergitterten Fenster, und die fünf Pavillons mit ihren schneeweißen, flachen, dunkelgrün eingerahmten Dächern, von deren einem man zum andern herabklettern kann, denn die Stufung der Dächer wiederholt die des Gartens, diese ganze Welt des mächtigen, genießenden Einzelnen ist in eine Festung eingeschlossen. Trete ich in den untersten Pavillon, der schmal an der Mauer klebt und nur mein Zimmer und einen kleinen Vorraum enthält, so höre ich durch die Wand, an der mein Bett steht, den gedämpften Lärm der Stadt, der ich an dieser Stelle so fühlbar nahe bin, als ich im oberen Teil des Gartens mir fern von ihr und über sie hinausgehoben schien. Und an meinem Bette stehend und meine Reisesachen und Bücher herauslegend, höre ich vor allem den Aufschlag schrittgehender und auch leicht trabender Pferde und Maultiere aus solcher Nähe von meinem Ohr, daß ich mir nichts anderes denken kann, als im Hause selbst werde in irgendwelchem Raum auf gestampftem Lehmboden geritten. Ich gehe die enge Treppe hinunter, die wieder, wie in all diesen arabischen Häusern, aus bunten Kacheln und sehr steil ist – so steil, daß man immer an dies »die Treppe hinunterstoßen« denkt, das in den arabischen Erzählungen so oft vorkommt; da ist ein kleiner Vorraum; auf einem Diwan sitzen ein paar junge arabische Diener; der mir beigegebene steht auf und tritt, mir anständig den Weg weisend, aus dem kleinen Raum, in dem es dämmert, über eine Stufe in einen andern Raum, der nach oben mit uralten Holzbalken gedeckt, nach beiden Seiten offen ist; und hier, in dieser Art von Vorhalle, mit schmalen Bänken an der Seite, auf deren einer ein blinder Bettler sitzt, bin ich noch in meinem Haus – es sind auch Türen rechts und links mit dicken Türflügeln aus einem Holz, das vor Alter fast aussieht wie Stein, so daß der Raum geschlossen werden könnte –, aber ich bin auch schon auf der Gasse: Balök! ruft eine Stimme in meinem Rücken: Gib acht, das Wort, das der Reitende halblaut und nachlässig ausspricht als Warnung für den Fußgänger in seinem Weg; und da kommt ein Alter gemächlich auf seinem kleinen Esel und wirft mir, indem ich beiseite trete, einen schnellen, scharfen, geringschätzigen Blick zu; vielleicht weil ich zu Fuß gehe, wenn auch mit einem Diener – vielleicht auch ist dieser schnell sich abwendende, verachtende Blick eben der, den er allein für die Begegnung eines »Rumi« übrig hat; denn noch ist in dieser heiligen Stadt, dem Mekka des westlichen Islam, der Europäer das sehr Fremde; das, dessen eben nur mit einem solchen Blick gedacht wird. (Das französische Protektorat, mit einer großen Zurückhaltung ausgeübt, umgibt den einzelnen mit dem Gefühl völliger Sicherheit; aber es sind nicht mehr als zwölf Jahre, daß hier an einem Tage sämtliche »Nazaräer« den Tod fanden; und ein Nachzittern davon ist in vielen Blicken, die uns streifen.) Aber schon hat sich aus der Öffnung eines Hauses heraus – oder ist es eine noch engere, noch finstere Gasse als die, in der ich meinem Führer folge? – ein noch kleinerer Esel, auf dem zwei lachende kleine Kinder in blauen Leinenburnussen sitzen, hervorgeschoben, und nun überholt mich, so daß ich wieder beiseite und dicht an die Mauer treten muß, ein sehr leicht und schnell trabendes Pferd; ein berberisches Pferd, arabisch im Gepräge, sehr mager und zartgliedrig; ein junger Neger reitet es ohne Bügel auf einem zerfetzten Strohsattel und einem strohernen Zaum; unbeschreiblich frei und leicht das Handgelenk der Linken, wie es den elenden Zaum regiert; so der leichte Druck der herabhängenden nackten Beine, mit den schön geformten Zehen, der edlen Ferse.

Nun aber ist mein Führer, scharf links sich wendend, in ein Haus getreten; nein, es ist kein Hauseingang, sondern eine neue Gasse, ein neuer solcher Schacht aus den fensterlosen Mauern hoher uralter Häuser; sie treten nach oben hin zusammen, so daß das Gefühl, im geschlossenen Raum zu sein, sich noch verstärkt; zugleich steigt diese Gasse an; und von oben her, wo sie sich wieder krümmt und scheinbar wieder in ein noch finstereres Hausinnere verliert, kommt mir auf einem schönen starken Maultier, das sie selber lenkt, eine verschleierte Frau entgegen. Die Straße ist so eng, daß fast ihr Steigbügel mich streift und daß um ein Nichts die Tücher und Schleier, in die ihre Gestalt gehüllt ist, mich berühren müßten. Nichts von ihrem Gesicht ist frei als der schmale Streif, aus dem die beiden Augen finster blitzen; von der Gestalt nichts erkennbar in der wehenden Verhüllung der weißen Schleier; wunderbar die junge, starke Gebärde, mit der sie sich im Sattel strafft, entgegen dem Abwärtstreten des Tieres. Da ist aber schon zwischen mir und ihr auf einem dieser lautlos trippelnden kleinen Esel ein stämmiger Neger, querüber sitzend, die beiden Beine auf der einen Seite fast den Boden streifend; wulstige Riesenlippen, eine knollige Nase, eine ungeheuerliche Perücke von krausem Haar, und quer über die ganze Wange eine Narbe, tief, gräßlich und überlebensgroß wie das ganze Gesicht; und da auch, von der anderen Seite her, auf einem großen ruhig blickenden, isabellenfarbigen Maultier, auf blaßgrünem Sattel ein vornehmer Alter; sehr gelassen über mich hinblickend aus seinem violetten, auch das schöne Gesicht umgebenden Gewand; an jedem Steigbügel geht ein Diener; schwarz der eine, weiß der andere. Und so bin ich denn nach so wenigen Schritten mitten drin in dieser Stadt; wie sehr ist man und wie schnell mitten drin in ihr; wie schnell umgibt sie einen so vielgehäusig und geschlossen und ausgangslos, als wäre man ins Innere eines Granatapfels geraten. Denn da bin ich aus dem kellerartigen Schacht dieser zweiten oder dritten Gasse nun auf einem Kreuzweg, einer Art von kleinem Platz, wo alte Weiber, auf Matten hockend, gesalzene Fische feilhalten; aber er ist mit einem Balkengitter überdeckt, auf dem Schilf liegt, so daß auch hier wieder jenes Gefühl bleibt, in einem Gehäuse zu sein und daß all dies zusammenhängt, und daß man, ohne zu wissen wie, von einem ins andere kommt. Und dieses Gefühl wird bleiben für alle Tage eines Aufenthaltes in Fez, und wird alles, was man sieht und erlebt, begleiten und wird sich, je mehr Tage vergehen, eher verstärken als abschwächen. Denn der Diener stößt eine ganz kleine Tür auf, in einer dieser fensterlosen Mauern, die vor Alter aussehen wie nichts Gebautes, sondern etwas von Natur Gewordenes; und man betritt den Vorraum eines Palastes; da sitzen auf einem Teppich die vier Söhne des Hausherrn und lesen in einem Koran, den der älteste, mittelst sitzend, in seiner Hand hält, lesen alle zugleich laut und bewegen ihre Köpfe beim Lesen, und zwischen ihren wiegenden Köpfen sieht man den offenen Hof mit den springenden Wassern, die zarten Säulen des offenen Umganges, die Farben, die matten Vergoldungen, den ganzen Glanz des arabischen Hauses; und man stößt, fünfzig Schritte weiter, eine andere, ganz so alte, ganz so niedrige kleine Tür auf, tritt zwei Stufen abwärts: und man ist im Gefängnis des Pascha. Auf einer Matte, seine Babuschen vor sich, im Koran lesend, sitzt der freundliche alte Wärter. Ein Berber, mit verwildertem Haar und einem scheuen Blick wie ein frisch eingefangenes Tier, hockt halb unterirdisch im Halbdunkel hinter dicken Eisenstäben. Man schiebt sich an diesem Verlies vorbei längs einer Mauer, die wie alles hier bergesalt ist, der Führer stößt wieder eine Tür auf, und man ist in einem niedrigen Raum, in dem etwas leise behaglich surrt und stampft. In einem zarten gelbgrauen Halblicht gehen fünf Webstühle; an jedem sitzt ein Mann und webt einen breiten Gürtel: die Bänder aus fliederfarbenen Seidenfäden, silbern durchzogen, oder aus flammendem Gelb mit roten Mustern wie Korallen, verbreitern sich fast zusehends unter dem lautlosen Griff dieser fleißigen Hände, dem leisen Tritt dieser nackten Füße, dem gedämpften Surren und Stampfen dieser Webstühle, die selber wieder uralt scheinen, alles an ihnen von vielhundertjährigem Gebrauch poliert und vornehm wie sehr altes Elfenbein. Aus der Bandweberei tritt man in die Gasse der Gewürzhändler; ich hätte ebensogut gesagt in die Halle oder Laube: denn dies ist abermals mit einem hölzernen Gitterwerk gedeckt, auf dem oben Wein gezogen ist, eine steinalte Rebe mit tausend Seitentrieben. Von hier aus aber trägt mich die Welle der Gehenden und Reitenden, der kleinen Esel, die mich aus dem Weg schieben, der bettelnden Kinderhände, die mich leise anrühren, in einen ganz geschlossenen, ganz mit Menschen und Waren angefüllten Raum; die kleinen Butiken, eine an der andern, keine breiter als ein Wandschrank, bis hinauf reichend an die gewölbte steinerne Decke (oder ist es wieder eine Decke aus so altem Holz, daß es aussieht wie Stein?) und auf den Waren, auf dem Gewürz, auf den Datteln und Bananen, die jeden dieser offenen Schränke

füllen, hoch oben thronend der Verkäufer mit seiner Waage und dem großen Holzlöffel, um die Ware herunterzureichen; und dieser völlig geschlossene Raum, dieses große längliche Zimmer, das so voller Menschen und Ware ist, daß man nicht begreift, wie die geduldigen kleinen Esel sich durchzwängen oder wie auf dem eisengrauen Maultier noch ein solcher Vornehmer in seinem blütenweißen Burnus und mit dem sanften geringschätzigen Lächeln, in unendlicher Gelassenheit über dem Gedräng erhoben, hier hindurchfindet, dieses überfüllte Zimmer ist eine Brücke; und durch einen Spalt irgendwo seitwärts sehe ich unter uns das wilde gelbbraune Wasser des Oued, und sehe einen Teil des Ufers; finstere Häuserwände, fensterlos bis auf einen eisenvergitterten Spalt, ein Guckloch da und dort, und unten am Fuß einer dieser Hausmauern sogar Schilf, blaßgrün und sonderbar hier mitten in der Stadt, und sich biegend unter der Heftigkeit des Wassers.
So geht eins ins andere, und alles ist, als wäre es von immerher. Ja noch diese kleine Höhlung in der Mauer eines besonders finsteren, drohend aussehenden Hauses, von immerher ausgenommen für den Leib des Bettlers, der dort hockt, zwei furchtbare Armstummel vor sich hingestreckt und mit geschlossenen oder blinden Augen immer das gleiche – ein Gebet, eine Bitte, eine Lobpreisung – mit fanatischer Kraft vor sich hinspricht. Und dieses Zusammenhängen aller Dinge mit allen, diese Verkettung der Behausungen und der Arbeitsstätten und der Märkte und der Moscheen, dieses Ornament der sich ineinander verstrickenden Schriftzüge, das überall von den sich tausendfach verstrickenden Lebenslinien wiederholt wird, all dies umgibt uns mit einem Gefühl, einem Geheimnis, einem Geruch, in dem etwas Urewiges ist, eine Urerinnerung – Griechenland und Rom und das arabische Märchenbuch und die Bibel –, aber dem zugleich etwas leise Drohendes beigemengt ist, das wahre Geheimnis der Fremdheit, und dieser Geruch, dieses Geheimnis, dieses Drinnensein im Knäuel und die leise Ahnung des Verbotenen, die niemals ganz schweigt, dies ist – heute noch und vielleicht morgen noch – Fez; bis vor zwanzig Jahren die große Unbetretene; die strengste, die verbotenste aller islamischen Städte; und der Duft davon ist noch nicht völlig ausgeraucht.

DAS GESPRÄCH IN SALEH

Der Anfang war schwierig, sagte der Hauptmann de B. Ich war mit fünfundzwanzig eingebornen Reitern ganz allein dort unten im Atlas; das Gebiet, das ich »in Ruhe zu halten« hatte, umfaßte zehn Tagereisen, mit einer Bevölkerung von vielleicht zweimalhunderttausend Berbern, nomadische und niemals zur Ruhe und zur Unterwürfigkeit geneigte Stämme; man war zu Anfang des großen Krieges und unsere Situation hier im ganzen höchlich auf der Schneide des Messers. Aber es war dies der große Moment des Marschalls Lyautey – einer der großen Momente seines Soldatenlebens – Sie haben davon gehört –, und wir sind imstande gewesen, unsere Aufgaben zu lösen, sowohl im großen ganzen als im einzelnen. Ich die meinige aber nur durch die Hilfe eines Deutschen.
Ich sah ihn an.
Dieser Deutsche befand sich nicht bei mir; ich habe ihn nie gesehen. Aber als ich mich auf meinen Posten begab, wußte ich, daß ich nichts ausrichten würde, wenn ich zu urtümlichen und kriegerischen Menschen durch den Mund eines Dolmetschers spräche – in einer Lage, in der alles auf die persönliche Geltung ankam. Es handelte sich um die Sprache, welche diese Stämme dort im Süden und auch weiter, südlich des großen Atlas, sprechen; um das »Schlö«, eine Sprache, deren Kenner in Europa damals wohl an den Fingern einer Hand hergezählt werden konnten. Aber ich hatte in der Tasche eine vollständige Grammatik der Schlö-Sprache, keine fünf Jahre alt, das Werk eines Deutschen.
Einer unserer fleißigen Reisenden, der vor eurer Ankunft das Atlasgebiet durchstreift und diese philologischen Kenntnisse gesammelt hatte, sagte ich.
Keines Reisenden. Dieser Herr hat sein Leipzig nicht verlassen und seinen Fuß nicht auf die afrikanische Erde gesetzt. Aber der Zufall hat einmal fünf Schlö-Tänzer nach Leipzig verschlagen; sie sind, scheint es, dort in einem Zirkus aufgetreten.
Und mein Deutscher? das heißt, Ihr Deutscher?

Hat sich über sie hergemacht und sie nicht verlassen, bis er diesen Menschen in Gott weiß was für Gesprächen, mit Gott weiß welchem Aufwand an Ausdauer, Geschicklichkeit und philologischem Genie die Elemente ihrer Sprache herausgelockt und diese in ein grammatisches System gebracht hatte, das ich heute, wo das Schlö mir in zehnjähriger Übung geläufig geworden ist, nur noch mehr bewundere. Wenn Sie jemals nach Leipzig kommen und Herrn Stumme begegnen –

So werde ich diesem deutschen Gelehrten sagen, daß er einem französischen Offizier einen sehr praktischen Gefallen erwiesen hat. Sic vos non vobis –

Das zarte, aber sehr feste Gesicht des Hauptmanns de B. faßte sich aus der Gelöstheit des leichten Gespräches zu einem Ausdruck zusammen, der sehr militärisch war. So mußte dieser Mann aussehen, wenn sich ihm Schwierigkeiten entgegenstellten. Aber die Schwierigkeit dieses Augenblicks war ganz innerlicher Art: dies verriet sich augenblicklich in einem leichten Erzittern der Augensterne. Er war in der sympatischen Art verlegen geworden, in der sich bei männlichen und entschlossenen Menschen die jähe Verlegenheit ausspricht; er sah in diesem Augenblick um zwanzig Jahre jünger aus, als er war. Der Gedanke hatte ihn gestreift, mich oder uns, nämlich mich und den abwesenden Unbekannten zusammen, möglicherweise verletzt zu haben. Mein Zitat aus Vergil war für sein sehr empfindsames Zartgefühl schon zu scharf gewesen.

Aber, sagte ich schnell, um dies wieder gutzumachen, Sie haben beide wunderbar kollaboriert, und es liegt darin, wie der Deutsche aus einem Fast-Nichts von Gegebenheit ein System von Erkenntnissen hervorspinnt und wie Sie sich wieder dieses Resultates in der entgegengesetzten Sphäre, in der des praktischen Lebens, bedienen – es liegt viel von dem Wesen beider Nationen darin ausgedrückt. Aber, sagen Sie mir dies, wenn ich Ihnen eine direkte Frage stellen darf: Sie haben diese fünf Jahre bei dem Kaid eines berberischen Stammes zugebracht als sein Hausgenosse. Es war ein Mann um weniges älter als Sie, dieser junge Fürst, ein Soldat wie Sie. Er war Ihr

Verbündeter und Gastfreund. Sind Sie Freunde geworden, Freunde durch die Sympathie des Gespräches und durch die Sympathie des Schweigens, in einer ähnlichen Weise, wie es mit einem Europäer fast unvermeidlich gewesen wäre?
In einer besseren Weise als mit sehr vielen Europäern, antwortete er; und was er sagte, um diese Antwort zu begründen, war mir schön und merkwürdig, aber ich zeichne es hier nicht auf. – Wir saßen, als wir dies sprachen, auf dem flachen Dach der Medersa von Saleh, der alten kleinen Stadt der atlantischen Küste, deren Einwohner alle »Andalusier« sind – einst Vertriebene aus den maurischen Königreichen in Spanien – und daher von einem besonderen Stolz, einer besonderen Wohlerzogenheit, einer besonders hohen Bildung. (In den Jahrhunderten aber, die dann folgten, liefen von hier aus die gefürchteten maurischen Piratenschiffe, vor denen die Küste von Cadix bis Genua oder Livorno zitterte.) Zu unseren Füßen lagen die engen Straßen der Stadt, draußen das Meer, einwärts das Land; rechter Hand der starke Fluß, der sich hier ins Meer ergießt, und überm Fluß die größere Stadt Rabat, weiß und von einer hohen, gelbbraunen Mauer umgeben. Ich sah aufs Meer hinunter, auf Rabat hinüber. Störche flogen überall. Die Farben in dieser Stunde vor dem Sonnenuntergang waren von einer unglaublichen Kraft: das Meer von der reinsten Bläue, die Häuser der Stadt überm Fluß von leuchtendem Weiß. Über dem Meer hatte sich aus dem goldenen Dunst des Abends eine einzige schmale Wolke gebildet. Sie glich einem Fisch, aus einer durchscheinenden Koralle geschnitten; an seinem Kopf ging das Korallenfarb in ein durchscheinend glühendes Gold über.
Der Hauptmann hatte sich in meinem Rücken zu den vier oder fünf anderen jungen Herren gesetzt, die uns begleitet hatten. Sie saßen auf einem schmalen Mauerrand, hoch über der alten Piratenstadt, die immer mehr ins vornächtliche Dunkel versank, und sprachen miteinander. Ich hörte ihnen zu und verlor mich zugleich an die Schönheit der Farben, mit denen alle Gegenstände im Bezirk des Meeres und der Erde über alle Begriffe geschmückt waren. Von einem einzelnen Baum, der zwischen der Stadt und dem Fluß stand und im

reinsten Smaragdgrün leuchtete, schwang sich ein großer Vogel. Er schien wie aus Edelsteinen zusammengesetzt. Er flog über den Fluß, näherte sich den Mauern von Rabat, die wie vom Widerschein eines Brandes erglühten, – wich wieder zurück, überflog eine Mauerbresche und ließ sich im Gewipfel von schönen Bäumen nieder, dort drüben: das war Schella: der Wallfahrtsort, der murmelnde Quell, der kleine Friedhof mit den alten, verfallenen Sultansgräbern. Meine Phantasie war mit dem Vogel ganz dort drüben; zu sehr im Flug nur hatte ich die zauberische Stätte betreten, zu der ihn, sooft er wollte, die Flügel im schwimmenden Abendlicht zurücktrugen. Aber wir sind, gemäß dem Reichtum unserer Sinne, einer mehrfachen Aufmerksamkeit fähig. Ich verlor kein Wort von dem Gespräch, das ein paar Schritte von mir geführt wurde. Sie sprachen lebhaft, die jungen Stimmen kreuzten sich, aber das Gespräch blieb durchsichtig. Jeder von ihnen warf sich hinein, hielt wieder an sich, im Vergnügen des Zuhörens, warf sich wieder hinein; keiner rang nach Geltung, aber jeder kam zur Geltung.

Ich wandte mich zu ihnen um. Eure Sprache, sagte ich, eure französische Sprache, welch ein Quell der Geselligkeit, welch ein Zusammensein! Indem ihr sprecht, befindet ihr euch in einem Saal, der die geistige Blüte der ganzen Nation umschließt. Ebenso in eurer Gesellschaft wie die Ausgewähltesten der Mitlebenden sind auch die Toten – sie sind es nicht nur, indem ihr sie beim Namen nennt, sondern in tausend Wendungen und Schwebungen eurer Rede ist ihre fortwirkende Gegenwart fühlbar. Euer Gespräch ist schlechthin die geistige Allgegenwart der Nation. Aber auch davor, daß die Sprache dadurch überfeinert und künstlich würde, hat euer Schicksal euch bewahrt. Nicht mehr zwar erneuert sich euch aus dem tiefsten Quell, wie vielleicht den Deutschen, die volle Flut der Bilder, Gefühle und Anschauungen; eure Sprache ist fertig, sie ist da, voll Bewußtsein, taghell; wie sie auserlesen ist als das Gedächtnis der Jahrhunderte, ist sie voll Gegenwart als unmittelbares Echo des Tages; und ohne große Schwünge und wilde Flüge belebt sie sich immer wieder in sich selber. Ihr redet eine Sprache aus dem Mund der liebenden Frau, des Gelehrten, des Politikers, des Soldaten. Aus den Redensarten und Wörtern, die der lebendige Alltag hervorbringt, schlagt ihr doppeltes und dreifaches Kapital. Ihr braucht sie in der höheren, endlich in der höchsten Sphäre – so wird euch diese nie dünn und gespenstisch. Alle Pulse eurer Sprache klopfen immer frisch, und wo man ihr begegnet, das ganze Volksgemüt ist immer lebendig. – Ich sprach lebhaft und aufrichtig, aber ich fühlte, indem ich sprach, daß ich nicht ganz aufmerksam bei mir selbst war. Ich sah nach Schella hinüber. Ich war mit meiner Phantasie, während ich weitersprach, dort drüben in der Falte des Hügels, bei dem murmelnden Quell, über den sich Feigenbäume und wilde Birnbäume beugten. Ich sah noch die verfallenen Sultansgräber, um die mit sonderbaren Sprüngen und murmelnd ein Schatzgräber kreiste, ein alter, wirrhaariger Mann, der fern aus dem Sus gekommen war, angezogen von dem Geheimnis der Schätze des Goldes, die hier mit den großen vergessenen Sultanen begraben waren. Ich sah die zwei schönen Greise, die von ihren Maultieren gestiegen waren, sinnend unter einem gewaltigen Maulbeerbaum sitzen und den Frieden des Ortes genießen; und ich sah den kleinen Trupp von Pilgerinnen aus dem Süden, wie sie, unter sich lachend, ihre Schleier lüpfen, damit der Anhauch der Schattenkühle sie treffe, oder der Blick von uns Vorübergehenden. – Ich hatte zu schnell von dort wieder weg müssen. Der Fleck Erde dort, und das Verschwundene – das Geheimnis der Zeiten (denn es war vordem eine mächtige maurische Burgstadt dort gestanden, und jene fürstlichen Gräber waren ihre letzte Spur; und vordem waren die Goten dort gesessen, und vordem die Vandalen, und vor diesen die christlichen und die heidnischen Römer, und vor ihnen die Numider; und vor diesen hatten die Karthager und die Phönizier auf diesem Hügel gehaust, und der murmelnde Quell war ein Heiligtum der Tanit, und auch davon: daß hier einer Liebesgöttin gedient wurde, davon umweht ein Etwas diesen Hügel, davon haftet ein Etwas dunkel im Bewußtsein auch dieser Pilgerinnen aus dem Süden, und die Schleier lüpfen sich leichter als anderswo unterm Anhauch dieses feuchten Quellgrundes); dies Verschwundene alles, auch im Wort nur geisterhaft Gegenwärtige, und das, was noch dort war, die Einmaligkeit des Ortes und der Stunde, die Kürze des Lebens, die Welt, die Fremdheit – dies alles bewegte sich in mir und hob mich fast aus mir selber. Aber so weiträumig ist unser Gemüt in manchen Augenblikken: auch noch einem anderen Gedanken folgte ich, und er bewegte sich wolkenhaft mit großen weiten Aspekten zugleich in mir und vermischte sich noch mit jenem Mischgefühl aus halb sehnsüchtiger Ergötzung und staunender Bangigkeit, das auf dem Grunde der Seele des Reisenden liegt und manchmal überstark aufsteigt. Es war, indes meine Lippen noch das Lob jener anderen Sprache formten und mein Auge sich an diese abendliche Landschaft verlor, der Gedanke an die eigene Sprache, und wie unser ganzes Schicksal in ihr ist. Wie die hohe Sprache bei uns aufsteigt ins unheimlich Geistige, kaum mehr von den Sinnen Beglänzte, und wie der Sprachsinn dann müde hinabsinkt ins Gemeine, oder sich in den Dialekt zurückschmiegen muß, um nur wieder die Erde zu fühlen – und dazwischen ein Abgrund. Wie jeder sich die Sprache neu schaffen muß und nicht weiß, ob er noch tut was er darf, oder schon ins Müßige, Künstliche gerät, und jeder in diesem Tun jeden bezweifelt und befeindet und oft auch sich selber, und wie die Sprache doch durch die Herrlichkeit ihrer Aufschwünge und Offenbarungen wieder alles Erlittene aufwiegt. –

Indem ich meinen zwiefachen Gedanken nachhing, von denen die einen eine Träumerei der Sinne waren und die anderen ein plötzliches Wiedererleben von etwas oft Gedachtem und Gewußtem, und sich doch beide berührten in dem besonderen Lebensgefühl dieses Augenblicks zu einer Einheit von wunderbarer Natur: Einsamkeit, Angst des Individuums – und die völlige Überwindung beider durch den Geist, schlug es an mein Ohr, daß jetzt eine besonders junge Stimme lebhaft sprach und daß das Thema der Unterhaltung gewechselt hatte. Ich sah hin. Dieser junge Herr trug Zivil. Er mochte zum Zivilkabinett des Marschalls gehören oder zu dem kleinen Stab junger Historiker und Orientalisten, welche ich beim Tee in der neugegründeten Bibliothek in Rabat kennengelernt hatte. Er sprach von Deutschland, von der Schönheit einer Stadt, einer Gegend, dem Zauber eines kleinen

Friedhofs: von dem Friedhof in Bonn, wo Schumann begraben liegt.
Sie lieben Schumann? fragte ich.
Ich weiß, sagte er, man sagt in Deutschland, es ist nicht möglich, Schumann zu lieben, seit Wagner existiert hat, oder es ist nicht denkbar, daß man Schumann liebe, da es doch Bach gebe – aber ich weiß nicht...
Er wurde verlegen, da er sich vor dem Fremden zu tief in das weglose Dickicht der deutschen Komplikation verstrickt fühlte. Und da Verlegenheit immer verjüngt, so wurde er vollends zu dem hübschen Knaben, der er vor zehn Jahren gewesen war. Er sprang schnell ab und sagte: Es war eine Christnacht, in einem der Kriegsjahre, ich glaube 1917. Ich war damals ganz jung. Ich war im Graben irgendwo; der deutsche Graben war sehr nahe. Gegen Mitternacht hörte auf beiden Seiten das Schießen auf, und es wurde ganz ruhig. Die Sterne standen groß und still über den beiden Völkern. Aus der Ferne, dort wo unsere Linie umbog, hörte man die Marseillaise spielen, ganz leise und geisterhaft. Dann fing im deutschen Graben eine Stimme an zu singen. Es war eine wunderbare Tenorstimme, und sie sang Bach. O welche Sprache Sie haben! Denn das ist Ihre wahre Sprache.
Da stand P. V. auf, mit dem ich schon auf dem Schiff viel gesprochen hatte. Es schien ihm nicht recht zu sein, daß sein junger Freund (er selbst war in der Tat nur wenige Jahre älter) das frühere Gespräch mit dieser Wendung gleichsam abgeschlossen hatte.
Nein, sagte er. Eure Musik ist eine große Herrlichkeit, aber nicht sie ist eure Sprache. Sie ist euch neben eurer Sprache noch gegeben, als ein Mehr vielleicht, als ein Anderes – Aber die deutsche Sprache ist ein großes Geheimnis. Sie ist euer Schicksal, das des ganzen Volkes und das jedes einzelnen. (Mir war, als antworte er auf das, was ich früher gedacht, aber nicht ausgesprochen hatte.) Goethe hat unter ihr gelitten, und jeder, der nicht Goethe ist und sich in ihr wahrhaft ausdrükken will, läuft Gefahr, von ihr verschlungen zu werden. Sie ist unbequem, aber großartig. Ungesellig, ich weiß, daß ihr selbst sie manchmal so genannt habt, weltlos, ja, das mag sie sein, aber immer mit einer Welt trächtig. In einem ungeheu-

ren ruhelosen Auf und Ab wandelt sie beständig Geist zu Leib, Leib zu Geist. So gebietet sie euch die Form eures Lebens: euer geistiges Leben ist immer erneute schmerzvolle Neugeburt. Eure Toten sind nicht beständig bei euch, sie sind nicht in einem Saal mit euch, wie die unseren. Aber sie werden euch in wilden Stürmen neugeboren. Heinrich von Kleist, Büchner, Hölderlin: ich sehe diese vor hundert Jahren Verstorbenen stärker in euer Leben eingreifen, als wen immer von den Lebenden. Und seid ihr nicht im Begriff, euer ganzes siebzehntes Jahrhundert umzuwerten? Denn ihr ruhet nicht auf dem Sein, sondern ihr habt euer Schicksal im Werden. Aber welch ein Wunder, eure Sprache! Welche Weite! Welche Befruchtung aus der Dunkelheit! Sie isoliert mehr, als sie verbindet: aber das Große isoliert immer, das Poetische isoliert, und das Genie ist immer einsam. Welche Möglichkeit aber für das Genie, in dieser Sprache fast über die Grenzen der Menschheit hinauszukommen!

Sein ernstes, oft einem leidenden Ausdruck nahes Gesicht belebte sich sehr, indem er sprach. Er war glücklich, so beredt und frei ein geistiges Phänomen zu bewundern und Sympathie zu äußern. Einzelnes, die Eigennamen natürlich, aber auch andere Wörter, sagte er auf deutsch, in einer sehr reinen hauchenden, schwebenden Betonung; so dies Wort »weltlos«, das »Weltlose«. Eigentümlich kamen mir diese deutschen Wörter in seiner Rede entgegen: so zart, wie gespiegelt, etwas geisterhaft.

Alles aber auch um uns sah in diesem wunderbaren Licht aus wie gespiegelt. Die Häuser uns zu Füßen, die hohen gelbroten Mauern drüben in Rabat, Tiere und Menschen am Ufer des Flusses, alles war völlig entkörpert. Die schmale Wolke in der Gestalt eines Fisches glühte purpurviolett. Ein Starenzug flog von ihr aus gegen Osten hin, und dort ging das Türkisblau in ein zartes Grün über. Das Ferne schien sehr nahe – das Nahe ungreifbar vergeistigt. Alles bebte in sich, aber eine völlige Harmonie hielt alles in zauberhaftem Gleichgewicht, und die Offenbarung des Schönen schien eine ungeheure Bedeutung anzunehmen, die uns im nächsten Augenblick, fühlten wir, sich zu unverlierbarem Besitz enthüllen würde.

ZU ›REISE IM NÖRDLICHEN AFRIKA‹

[MARRAKESCH]

Rabat, Marokko,
Hafenstadt am atlantischen Ozean
den 17. 3. 1925.

Unendlich oft denke ich an diese Gabe die Ihnen gegeben ist, vielleicht die schönste von allen – nicht für die Andern aber für Sie selber – diese Gabe des Schauens und des tiefen eindringlichen Genießens durch den Sinn des Auges, der in unserem geistig-gerichteten, sinnlich armen Volk so wenigen gegeben ist. Oft habe ich an Sie denken müssen, wenn ich zur Stunde vor dem Sonnenuntergang, diesen erwartend, auf meiner Turmzinne saß, zwanzig Meter hoch über dem großen Marktplatz von Marrakesch, und unter mir diese riesige aus Lehm gebaute Stadt mit den roten zinnengekrönten Mauern – das Paris der Sahara, uralte Berberstadt, nur obenhin arabisiert, und durchflutet von den Karawanen der dunklen und halbdunklen Neger, die kommen um zu handeln, zu tauschen, zu kaufen und zu schauen. Dicht unter mir das Gewimmel des großen Platzes – Platz der Toten heißt er, seltsamerweise, nach irgendwelchem großen Morden vor irgend wie viel hundert Jahren – und so voll Leben, fünftausend Menschen oder zehntausend, sich durcheinander schiebend, und so viel Esel, so viele Kamele – und eigentlich geräuschlos, kein Laut als der von Trommeln und archaischen Musikinstrumenten, der eintönige, betäubende und aufregende Rhythmus – von da – von dort. Da die geschminkten kleinen Tänzer hergerichtet wie Mädchen, und in den Hüften sich wiegend wie Mädchen, dort der Schlangenbändiger mit seinen Gehilfen, die Flöte spielen und Tambourin schlagen; er ein Riese aus einem Hochtal des Atlas, mit einer starr wegstehenden schwarzen Mähne – und von einer Grazie bei aller Wildheit und einer Art Humor – und wieder unheimlich und großartig wenn er einen aus der Menge der im Kreis herumsitzenden und stehenden sich aussucht und ihn heranwinkt, ihn anhaucht, ihm die Zukunft voraussagt; dann von einer wilden clownerie, wenn er – indess die böse sandgraue Viper noch erst halbschläfrig auf dem Tambourin liegt und hie und da aufzuckt, seinen Gehilfen, den Kahlköpfigen, hin und her zerrt als wollte er ihn auf die Schlange stoßen – und der wunderbare, genau gezogene Kreis um ihn von Sitzenden und Stehenden, alte Männer und Jünglinge, Araber und Sudanesen, vornehme Weißbärtige und Bettler in Fetzen – und alle mit der gleichen Aufmerksamkeit des völlig gespannten Zusehens, und ein ebensolcher genau gezogener Kreis um den alten Erzähler von Heldentaten und Schwänken, ein kleinerer um den der zu einer Flöte eine Liebesgeschichte halb recitiert, halb singt – vielleicht acht solche Kreise die den einen langgezogenen Teil des Marktes ausfüllen. Hie und da hält einer, der vorbeikommt, sein Reittier an und sieht oder hört über die Schultern der Stehenden zu, andere treten aus dem Kreis und gehen wieder ihrem Handel nach; an der drüberen Seite wo der Markt sich verbreitert stehen in einem durchsonnten Staub an hundert Esel mit Bündeln grüner Gerste beladen, dort gehen die Käufer beständig ab und zu. Hebe ich mein Auge etwas von dem Markt weg so blicke ich in einen Fonduk, solch einen riesigen offenen Hof, vielleicht zweihundert Schritt im Geviert; dort laden sie die Warenballen ab, hie und da kniet ein Kamel, und die grauen geduldigen Esel warten im Halbschatten auf neue Last oder ein bißchen Ruhe. Um diesen großen Hof, schon dunkelnd, mit einem Licht hie und da – das Gewirre der engen schilfgedeckten Kaufmannsgassen: der Suk. Da schließen jetzt die Buden. Am Tag ist da ein Leben ohne Gleichen auf dem engsten Raum. Eine Gasse voller Schneider; eine voller Färber; oder Juweliere, oder Schmiede, oder Pantoffelhändler oder Gewürzhändler. Kein Laden größer als ein Wandschrank. Sie sitzen droben auf den Gewürzen, auf den Datteln. Und in solch einem Raum arbeitet der Silberschmied, ein Kind bläst ihm das Feuer an u. dahinter schläft ein Alter und die Funken fliegen ihm um den Bart. Drehe ich mich aber hinter mich, vom Markt weg, so liegt die Stadt ganz still, tausend flache Dächer aus Lehm, hie

und da ein Palast, mit hohen Mauern, finsteren Zinnen, dahinter ein Garten. Rings um die Stadt ein doppelt Ring von gezinnten Mauern, und um diese ein Gürtel von Palmen, ringsumlaufend. Und draußen noch Nomadendörfer für die wandernden Stämme, die vor den Toren lagern. Und weiter die großen Ölhaine des Sultans mit den spiegelnden in Stein gefaßten Weihern. Und um all dies herum der weiteste Horizont den mein Auge je gesehen hat. Südlich in geradem Strich die herrliche Schneekette des hohen Atlas, an zwanzig ewig beschneite Gipfel – keiner viel geringer als der Montblanc. Im Westen, nicht sichtbar, aber ahnbar, das Meer, darein jetzt mit einem jähen Ruck die Sonne versinkt – so daß ein violetter Schatten die Stadt überläuft und der eine Teil des Palmengürtels in flüssiges Gold sich auflöst. Im Norden, gegen Nordost streichend, ein geringeres Gebirg, amethystfarb und den hellgrünen Himmel. Aber wer wollte das beschreiben! Und drunten der Markt immer lauter, die Handtrommeln und Pfeifen immer heftiger. –
Ich habe diesen Brief nicht in einem geschrieben. Ich wurde gestern, während ich schrieb von jungen Offizieren des Gouvernements zu einem Tee abgeholt – und indessen habe ich den Ort verändert und schreibe dies in Meknesch, 200 km landeinwärts, eine alte Sultansstadt im mittleren Gebirg.

SIZILIEN UND WIR

Indem wir als Deutsche dieses Inselland betreten, scheint sich uns unablehnbar Goethes Genius zum Begleiter anzubieten. Wir kreuzen mit jedem Gang die Spuren seines Weges; alle diese Namen waren uns schon vorher durch ihn vertraut; wir hatten diese Buchten und Berge durch ihn gesehen, bevor wir sie gesehen hatten. Es ist unvermeidlich, daß wir uns seiner immer wieder erinnern. An dieser Insel gehen die Jahrhunderte fast spurlos vorüber, und sein Sinn, der auf das Gesetzmäßige und Bleibende gerichtet war, hat uns die Gestaltung der Landschaft überliefert mit der Genauigkeit eines Erdkundigen und ihre Färbungen und Belichtungen mit dem Auge eines Malers. Sein Bericht umfaßt die Bauwerke wie die Bräuche, er zeichnet auf, was sich auf die Volkssitten bezieht, wie das, was auf den Anbau der Feldfrüchte Bezug hat; auf die Verehrung der Heiligen, auf die Straßenpolizei, auf die Bereitung der Nahrungsmittel, die Wartung der Haustiere, die Bewässerung der Gärten; und alles mit dem gleichen, festen, nüchternen und zugleich einschmeichelnden Zug des Griffels. Hier scheint er abwechselnd ein bildender Künstler, ein Botaniker, ein reisender Kaufmann, ein Sittenforscher; oder vielmehr, er ist dies alles zu gleicher Zeit. Hier treibt er seine Kunst – die Lebenskunst – aufs höchste und versteht sie zugleich nach außen und nach innen zu wenden. Kein schattenhafter Geleiter ist hier mehr bei ihm; kein Palladio, kein Michelangelo, durch dessen Augen er sehen würde. Hier ist er ganz allein und hat sich ganz den Dingen übergeben; sie werden seine Sprache – er redet nur mehr aus ihnen. Aber nie ist er eben darum mehr er selbst und mächtiger seiner selbst. Der sizilische Aufenthalt war die Krönung seiner Reise, und diese Reise war das große Erlebnis seines Lebens. Die Harmonie seiner einander ergänzenden Sinne stand niemals höher, das Miteinander seltener und widersprechender Gaben: die innere Freiheit und die Selbstbezähmung; der Enthusiasmus und die Kraft, ihn niederzuhalten; die bis zur Härte gehende Festigkeit, und die alles annehmende Weichheit; die Begehrlichkeit vor der Natur und die Keuschheit vor der Natur. Nie, als während sein Fuß diesen glücklichen und lichtvollen Boden tritt, ist sein Geist so majestätisch im Gleichgewicht zwischen dem Relativen und dem Absoluten. Uneingeschränkt gewährt er sich die Lust der Hingabe an das Einzelne, in der unser Geist sich erneuert, und die höhere der ordnenden Zusammenfassung. Er tränkt sich ohne Unterlaß mit dem Schauspiel des Lebens, und jedes Einzelne, das ihm vor Augen tritt, scheint von der gleichen Wichtigkeit; aber kraft des Gedächtnisses, die Formen nebeneinander zu tragen, erhebt er sich in jedem Punkt der Darstellung mühelos und ohne heftige Flügelschläge und schwebt auf ins Gesetzmäßige, Allgemeine. Nirgendwo war er großartiger klassisch und weiter von jeder Romantik; weiter von jedem Dualismus: dem von Materie und Geist, dem von Vergangenheit und Gegenwart; sie alle sind durch eine vollkommen große und ungequälte innere Haltung überwunden. Er lebt mit der Erde, auf der er steht; auf jede Macht für sich verzichtend, hat er alle Macht aus ihr in sich gezogen. Er lehnt alles ab, was die Erde je mit Gewalt bedroht und beleidigt hat: die Erdbeben, die Kriege, das gewaltsame unruhige Tun der Menschen. Er lehnt die Geschichte ab, als welche dies alles heranbringt. Majestätisch stehend, erblickt er alles im Stehen. Nie vielleicht seit Platon wandelte ein Sterblicher so ruhevoll im hesperischen Garten der Ideen.

Das Sizilien, das er uns hinhält, ist im ersten Augenblick leuchtender, stärker – soll ich sagen: wirklicher? – als das wirkliche, das uns umgibt. Wir schwanken beinahe zwischen dem Reiz, mit dem die volkswimmelnden Straßen, diese schweigenden und duftenden Gärten, diese großen Ausblicke uns anziehen, und dem unsäglichen Zauber, den er auf seine Blätter gebannt hat. Beides ist Wirklichkeit, aber auf seinem Bilde ist alles zugleich: die ganze Landschaft, das ganze Tun der Menschen, das Wachstum der Pflanzen, ja das Werden der Gesteine. Wir sehen ein Bild ohnegleichen – und wir sehen es vor unseren Augen entstehen. Er, der es malt, steht immerfort neben uns und gewährt uns die Beglückung seiner Gegenwart zugleich mit dem Anblicke seiner Kunst. Seine metaphorische Unerschöpflichkeit spielt vor uns mit den Objekten; keines ist ihm zu wirklich, daß er sich nicht mit ihm vereinigte; für einen Augenblick wandelt er sich in ein jedes, winkt uns aus dem Innern des Gegenstandes zu, taucht wieder auf. Mit einem Male ist nur mehr das Bild da. Er ist vor unseren Augen in sein Bild hineingegangen und uns entschwunden; wir sind allein mit einer gemalten Tafel. Ein Schauder überläuft uns, und wir verhängen das Bild mit einem Vorhang, um uns der Wirklichkeit zuzuwenden, die unvertrauter, weniger spiegelhaft gerundet, gefährlicher – aber unser ist. Das Geheimnis, daß wir Kinder unserer Zeit sind, rührt uns an, und die Unterscheidung zwischen den Jahrhunderten.

Wir sind anders hergekommen als er. Er kam, geschaukelt wie Odysseus, von widrigen Winden zurückgehalten, mühsam und gefährlich. Wir kommen über Nacht. Wir reisen schnell, fast so schnell wie der Blick über die Landschaft hinfliegt; ja die Schnelligkeit, mit der wir uns bewegen, ermutigt noch die Kühnheit unseres Auges: wo der Blick nichts gewahrt als einen bläulichen Duft, dort werden wir morgen umhergehen und einem neuen Horizont die Herrschaft unserer Gegenwart aufzwingen. So sehen wir schon vorübergehend, was wir morgen sehen werden. Wir beherrschen den Raum und zugleich die Zeit – wo er sich an die Erde schmiegte. Seinem reinen Menschensinn war dies Inselland groß, weit, mächtig, unabsehbar. So ist es zu Stunden; zu Stunden ist es uns ein Dreieck im blauen Meer, über dem wir geisterhaft schweben, und jede seiner Seiten ist einer anderen Welt zugewandt, die sich ungeheuer in den Raum wie in die Zeit hineinerstreckt: wir aber sind des Anblickes dieser drei Welten mächtig. Ihn umgab hier der Länderkranz der antiken Welt: orbis terrarum, herrlich geordnet, rein umzogen, Herkulessäulen abschließend im Westen, das Judenland, Persien, Arabien herwinkend vom Osten. In diesem Kreis stand ihm der Sturz des Daseins still, wie das Himmelsgewölbe leuchtend aufruht auf den alterslosen Gewässern. Uns rufen hier deutlich unterscheidbar drei Welten an, und dem Anruf keiner können wir uns verschließen. An den ionischen Strand der Ostküste legt sich die griechische Welle; über Syrakus und Girgenti (noch nicht über Messina und Palermo) steht das griechische Licht; nicht in den Tempeltrümmern allein, nicht in den ewigen Namen der Landschaften und Städte – auch dort, wo nichts mehr da ist und fast weniger als nichts, kahles Gestein, der Ort des Gewesenen, erst recht rührt mit leiblicher Gewalt dies uns an die tiefste Seele. (»Was ist es, das an die alten seligen Küsten mich fesselt, daß ich mehr noch sie liebe als mein Vaterland?« Mehr noch! Und dies kam aus dem Munde eines, der sein Vaterland mit Kräften des Genius liebte.)

Vom Süden her greift das Afrikanische herein und tief in uns herein auch dies. Eine Gehstunde von Palermo am Abhange des Berges, auf dem Hamilkar sein letztes Lager hatte, ist eine Garteneinsamkeit; sie könnte einen verlassenen Sultanspalast in Tunis oder weit drüben in Meknesch umgeben. Zweimal warf sich diese afrikanische Welt herüber: als phönikisch-punische, als sarazenische; dazwischen liegt das römische Jahrtausend. Aber dort, wo Spuren geblieben sind, in den Pflanzen, in den Gesichtern, in der Sprache, vereinigen sie sich und verstärken einander, und so ist auch dies leibliche Gegenwart und macht als ein Lebendiges seinen Anspruch auf uns geltend, und die Namen überfallen uns leibhaft; Hannibal, Hamilkar mischt sich mit Heinrich, Friedrich, Manfred. Ungeheure Zusammenkunft! Gegen Westen aber sehen wir nun über das tyrrhenische Becken hinaus, über die Säulen des Herkules wittern wir ins Hesperisch-Unabsehbare, uralt vergangene, zukunftträchtige Atlantische. Diese Insel ist für uns dramatischer als irgendein Punkt der Welt. Der Geist spannt sich von Pythagoras zu Kolumbus ohne Anstrengung; ihn regiert das Gefühl einer großartigen Gegenwart. Hier landet Platon. Hier schlägt der Karthager. Hier baut der Byzantiner. Hier schläft unter arabischen Kuppeln der Staufer in einem porphyrenen Sarg. Hier reitet Goethe einen Pfad meerentlang. Hier haucht Platen seine Seele aus.

Abgründe freilich sind dazwischen; aber in uns ist Abgrund

genug, daß wir wissen, wie wir das Getrennte zusammenbringen. Es ist aber dies unsäglich freudige Licht vor allem, das uns den Mut gibt zu einer ungeheuren Fassung, in die wie in ein Becken die Zeiten und die Räume einschäumen. Dem Auge vertrauen wir uns an, das der geistigste unserer Sinne ist. Hier sind Horizonte leiblich erblickt, verschwimmend und doch völlig klar: ihr Rand scheint nicht im Raum, eher in der Zeit sich zu verlieren; sie sind wie Gedanken, nicht verfolgbar bis ans Ende, aber rein und wahr.

Goethes Zeitgenossen und Gefährten: die Hackert, die Kniep, die Tischbein zeichneten treu vor dieser großen Natur und diesen Denkmälern und legten das Gezeichnete in Wasserfarben an. Da liegt ein Bergstädtchen hoch auf dem Hügel, der mit Ölbäumen bepflanzt und mit Ruinen geschmückt ist. Da erhebt sich im einsamen Bergtal der Tempel von Segesta. Da ist an der Bucht ein normannischer Wachturm erkennbar oder ein sarazenischer Brunnen. Was wir in uns tragen, sind größere Bilder, wunderbare prometheische Horizonte. Und das Zarteste und Größte noch, das wir durchs Auge erfuhren, ist kaum festzuhalten: das Sichlösen des Festen im weichsten Duft, die Verschiedenheiten des Meeres. Die Kamera des Photographen, mit ausgebildetem Talent gehandhabt, hie und da auf die schönsten Gegenstände, noch lieber auf große zusammenhängende Anblicke im Claude Lorrainschen Stil eingestellt, kann hier das bescheidene Aquarell des achtzehnten und den Stahlstich des neunzehnten Jahrhunderts weit hinter sich lassen, ja sie kann Bilder gewinnen, an denen unsere Erinnerung sich wunderbar entzündet – und nicht nur die sinnliche Erinnerung: denn in einem Augenblick haben diese Horizonte unserem inneren Sinn für immer Licht und Weite gegeben, und nie läßt sich sagen, in welcher drangvollen verdunkelten Stunde uns dies noch zugute kommen wird!

BIBLIOGRAPHIE

DER GEIGER VOM TRAUNSEE (1889). Nachlaß. Erstdruck: Hugo von Hofmannsthal, Sämtliche Werke, Kritische Ausgabe, Band XXIX, herausgegeben von Ellen Ritter. S. Fischer Verlag, Frankfurt am Main 1978. – Die am 22. 7. ins Tagebuch eingetragene »Vision« ist eine Huldigung an Lenau, den Hofmannsthal von früh auf leidenschaftlich gelesen und verehrt hatte.

AGE OF INNOCENCE (1891). Nachlaß. Erstdruck: Neue Schweizer Rundschau, 23. Jahrgang von Wissen und Leben, 5. Heft, Zürich, Mai 1930. Erste Buchausgabe: Loris. Die Prosa des jungen Hugo von Hofmannsthal. S. Fischer Verlag, Berlin 1930. Besteht aus drei Fragmenten einer psychologischen Novelle: ›Stationen der Entwicklung‹, ›Kreuzwege‹, ›Wie mein Vater...‹. Es handelt sich um autobiographische Versuche mit dem Titel »Stadien« und dem Untertitel »Sentimentale Erziehung«.

GERECHTIGKEIT (1893). Nachlaß. Erstdruck: Neue Freie Presse, Wien, 25. 12. 1929. Erste Buchausgabe: Loris. Die Prosa des jungen Hugo von Hofmannsthal. S. Fischer Verlag, Berlin 1930. – Die von Hofmannsthal als Prosagedicht bezeichnete Erzählung trägt das Datum 26. 5. 1893. Eine Notiz im Tagebuch lautet: »Gerechtigkeit, eine persönliche Anekdote in Märchenform.«

DAS GLÜCK AM WEG (1893). Erstdruck: Deutsche Zeitung, Wien, 30. 6. 1893. Erste Buchausgabe: Hugo von Hofmannsthal, Früheste Prosastücke. Gesellschaft der Freunde der Deutschen Bücherei, Leipzig 1926. In einem Brief von Hofmannsthal als »allegorische Novelette« bezeichnet. Entstanden als Nachklang der südfranzösischen Reise.

AMGIAD UND ASSAG (1895). Nachlaß. Erstdruck: Botthege Oscure, Quaderno XIX, Rom 1957. Erste Buchausgabe: Hugo von Hofmannsthal, Gesammelte Werke in Einzelausgaben, Aufzeichnungen. S. Fischer Verlag, Frankfurt am Main 1959. – Auf einem Konvolutdeckblatt: »Geschichte von den Prinzen Amgiad und Assad Dezember 1894, exhaustless East!« Hofmannsthal las seit frühester Knabenzeit in »Dalziel's Illustrierte Tausend und Eine Nacht, Sammlung persischer, indischer und arabischer Märchen mit zwanzig Illustrationen nach den ersten Künstlern, gestochen von den Brüdern Dalziel.« Dort steht das Märchen als Teil der Geschichte von Kamar ez-Zaman. Wie aus Briefen hervorgeht, wollte Hofmannsthal es zuerst in Terzinen schreiben.

DAS MÄRCHEN DER 672. NACHT. GESCHICHTE DES JUNGEN KAUFMANNSSOHNES UND SEINER VIER DIENER (1895). Erstdruck: Die Zeit. Wiener Wochenschrift für Politik, Volkswirtschaft, Wissenschaft und Kunst, 5. Band, Wien, 2., 9., 16. 11. 1895. Erste Buchausgabe: Hugo von Hofmannsthal, Das Märchen der 672. Nacht und andere Erzählungen. Wiener Verlag, Wien und Leipzig 1905. – Es ging Hofmannsthal um »die Märchenhaftigkeit des Alltäglichen« (um die eigene Jugend in Wien, wie der erste Entwurf noch zeigt), wobei man nur »beim oberflächlichen Hinschauen glaubt, Tausend und eine Nacht zu sehen, und, genauer betrachtet, wieder versucht wird, es auf den heutigen Tag zu verlegen.« Er bezeichnete die Erzählung auch als »einen ins Märchen gehobenen Gerichtstag des Ästhetismus«.

ZU ›DAS MÄRCHEN DER 672. NACHT‹

Erster Entwurf (1895). Nachlaß. Erstdruck: Hugo von Hofmannsthal, Sämtliche Werke, Kritische Ausgabe, Band XXVIII, herausgegeben von Ellen Ritter. S. Fischer Verlag, Frankfurt am Main 1975. Das genaue Entstehungsdatum ist der 19. April 1895.

SOLDATENGESCHICHTE (1895/1896). Nachlaß. Erstdruck: Hugo von Hofmannsthal, Sämtliche Werke, Kritische Ausgabe, Band XXIX, herausgegeben von Ellen Ritter. S. Fischer Verlag, Frankfurt am Main 1978. – Sie spiegelt etwas von den persönlichen Erfahrungen Hofmannsthals im Sommer 1895 während seines Freiwilligenjahrs im Dragonerregiment 6 in Göding wider.

GESCHICHTE DER BEIDEN LIEBESPAARE (1896). Fragmente. Nachlaß. Erstdruck: Modern Austrian Literature, Vol. 7, Number 3 and 4, Binghampton 1974. Erste Buchausgabe: Hugo von Hofmannsthal, Sämtliche Werke, Kritische Ausgabe, Band XXIX, herausgegeben von Ellen Ritter. S. Fischer Verlag, Frankfurt am Main 1978. – Wegen der vernichtenden Kritik Beer-Hofmanns, dem Hofmannsthal die Erzählung vorgelesen hatte, veröffentlichte er sie nicht.

DAS DORF IM GEBIRGE (1896). Erstdruck: Simplicissimus, 1. Jahrgang, Nr. 34, München, 21. 11. 1896. Erste Buchausgabe: Hugo von Hofmannsthal, Früheste Prosastücke. Gesellschaft der Freunde der Deutschen Bücherei, Leipzig 1926.

DER GOLDENE APFEL (1897). Nachlaß. Erstdruck: Die Neue Rundschau, 41. Jahrgang der freien Bühne, 4. Heft, Berlin und Leipzig im April 1930. Erste Buchausgabe: Hugo von Hofmannsthal, Gesammelte Werke, Die Erzählungen. Bermann-Fischer Verlag, Stockholm 1945. – Die Handlung entnahm Hofmannsthal der Erzählung der 19. Nacht in »1001 Nacht« der Dalzielschen Ausgabe, dort mit dem Titel »Die drei Äpfel«.

ZU ›DER GOLDENE APFEL‹

Notizen. Sie erschienen am selben Ort wie das Fragment der Erzählung, mit Ausnahme der letzten. Deren Erstdruck: Hugo von Hofmannsthal, Sämtliche Werke, Kritische Ausgabe, Band XXIX, herausgegeben von Ellen Ritter. S. Fischer Verlag, Frankfurt am Main 1978.

REITERGESCHICHTE (1898). Erstdruck: Neue Freie Presse, Weihnachtsbeilage, Wien, 24. 12. 1899. Erste Buchausgabe:

Hugo von Hofmannsthal, Das Märchen der 672. Nacht und andere Erzählungen. Wiener Verlag, Wien und Leipzig 1905. – Die »kurze Reitergeschichte aus dem Feldzug Radetzkys im Jahr 1848« bezeichnet Hofmannsthal im Rückblick von 1919 als große »Schreibübung«, für deren stilistische Eigenart er sich von Otto Brahm die Kritik »kleistisierend« gefallen lassen mußte.

ERLEBNIS DES MARSCHALLS VON BASSOMPIERRE (1900). Erstdruck: Die Zeit, 25. Band, Wien, 24. 11. und 1. 12. 1900. Erste Buchausgabe: Hugo von Hofmannsthal, Das Märchen der 672. Nacht und andere Erzählungen. Wiener Verlag, Wien und Leipzig 1905. – Nachdem Hofmannsthal im Erstdruck begreiflicherweise einen Hinweis auf Goethe als Quelle für unnötig hielt, nannte er sie dann doch später am Ende des Textes. Zu Recht vermerkt Karl Kraus: »Was Ungebildete hier Plagiat nennen, ist in Wahrheit Zitat.«

DAS MÄRCHEN VON DER VERSCHLEIERTEN FRAU (1900). Nachlaß. Erstdruck: Corona, 9. Jahr, 4. Heft, München, Zürich, 1939. Erste Buchausgabe: Hugo von Hofmannsthal, Gesammelte Werke, Die Erzählungen. Bermann-Fischer Verlag, Stockholm 1945.

ZU ›DAS MÄRCHEN VON DER VERSCHLEIERTEN FRAU‹

Notizen. Erstdruck: Hugo von Hofmannsthal, Sämtliche Werke, Kritische Ausgabe, Band XXIX, herausgegeben von Ellen Ritter. S. Fischer Verlag, Frankfurt am Main 1978. – Als Sonderdruck und nur in wenigen Exemplaren überliefert erschienen die Notizen bereits in: Corona, 9. Jahr, 5. Heft, Zürich 1940. Deren dort von Steiner getroffene Anordnung wird hier übernommen.

DIE WEGE UND DIE BEGEGNUNGEN (1907). Erstdruck: Die Zeit, 6. Jahr, Wien, 19. 5. 1907. Erste Buchausgabe: Bremer Presse, Bremen 1913. Signet, 9 Initialen, Schlußstück und Einband von R. A. Schröder. Danach: Hugo von Hofmannsthal, Die prosaischen Schriften, Dritter Band. S. Fischer Verlag, Berlin

1917. – Entstanden in Venedig und in Welsberg (Tirol) fast gleichzeitig mit den ersten Einfällen zum ›Andreas‹. Das ältere, von Hofmannsthal nicht mehr erinnerte französische Buch mit den Worten Agurs, aus dem zitiert wird, ist das des französischen Symbolisten Marcel Schwob: Spicilège, Paris 1896.

ERINNERUNG SCHÖNER TAGE (1907). Erstdruck: Almanach von Velhagen und Klasings Monatsheften, 1. Jahrgang. Bielefeld, Leipzig, Wien 1908. Erste Buchausgabe: Hugo von Hofmannsthal, Die Berührung der Sphären. S. Fischer Verlag, Berlin 1931.

LUCIDOR (1909). Erstdruck: Neue Freie Presse, Wien, 22. 3. 1910. Erste Buchausgabe: Erich Reiss Verlag, Berlin 1919. Mit Originalradierungen von Karl Walser. In einer von Hand numerierten Auflage von 240 Exemplaren auf handgeschöpftem Zandersbütten gedruckt. – 1909 als Lustspiel begonnen, im März 1910 in erzählender Form niedergeschrieben und in dieser veröffentlicht, bald danach wieder als Komödienstoff bis in die zwanziger Jahre hinein behandelt. 1927 entsteht aus dem Stoff das Libretto ›Arabella‹. Die Grundlage bildet Molières »Le dépit amoureux«.

DÄMMERUNG UND NÄCHTLICHES GEWITTER (1911–1913). Nachlaß. Erstdruck: Corona, 10. Jahr, 6. Heft, Zürich, 1943. Erste Buchausgabe: Hugo von Hofmannsthal, Gesammelte Werke, Die Erzählungen. Bermann-Fischer Verlag, Stockholm 1945. Abwechselnd von Hofmannsthal auch »Knabengeschichte« genannt. Die frühesten Notizen 1906, die spätesten 1913.

ZU ›DÄMMERUNG UND NÄCHTLICHES GEWITTER‹

Notizen. Erstdruck zum Teil bereits am selben Ort wie der Erstdruck des Erzählfragments, der Rest in: Hugo von Hofmannsthal, Sämtliche Werke, Kritische Ausgabe, Band XXIX, herausgegeben von Ellen Ritter. S. Fischer Verlag, Frankfurt am Main 1978.

ANDREAS [FRAGMENTE] (1907-1927). Nachlaß. Teildruck: Corona, 1. Jahr, 1. und 2. Heft, München, Zürich, Juli und September 1930. Erste Buchausgabe: S. Fischer Verlag, Berlin 1932. – Die endgültige Entflechtung der zwischen 1907 und 1927 entstandenen, übereinander gelagerten Schichten bleibt der Zukunft vorbehalten. Den bedeutendsten Schritt zur Erhellung der Fragmente hat bisher nach Heinrich Zimmer Richard Alewyn gemacht. Im Sommer 1907 in Venedig erster Entwurf ›Das Venezianische Tagebuch des Herrn von N. (1779)‹, bald danach eine Reihe von Notizen mit den Überschriften ›Venezianisches Tagebuch‹, ›Venezianisches Abenteuer‹, ›Venezianisches Erlebnis‹. Gleichzeitig entwickelt sich der Plan zu einer Novelle in Form von Briefen (nicht mit den ›Briefen eines Zurückgekehrten‹ identisch); einer enthält die von uns veröffentlichte Skizze ›Das Leben des Herrn von Ferschengelder und seine unglückliche Ehe mit Fräulein della Spina‹. – Am 12. 2. 1912 wird die Arbeit wieder aufgenommen und am 12. 9. beginnt die große zusammenhängende Niederschrift der Erzählung. Die Arbeit dauert zunächst bis zum 8. Oktober und wird zwischen dem 18. 7. und 29. 8. 1913 fortgesetzt. Die Gestalt der Maria-Mariquita, der Dame mit dem Hündchen, auch »wunderbare Freundin« genannt, beruht auf einem psychiatrischen Fall, den Morton Prince in einem Buch »The Dissociation of a Personality. A Biographical Study in Abnormal Psychology« (New York 1906) dargestellt hat. Die Fürstin Marie Taxis erzählte Hofmannsthal im Februar 1907 davon. Der mehrfach erwogene Titel ›Die Dame mit dem Hündchen‹ ist symbolisch gemeint. Einmal heißt es: »Durch einen kleinen kurzatmigen King-Charles-Hund namens Fidèle, ein mißtrauisches und hochmütiges Tier, der im Haus von M_I immer versteckt ist bis auf einmal, hängen M_I und M_{II} zusammen.« Der Titel ›Andreas oder die Vereinigten‹ wurde erst im Oktober 1913 und vorübergehend gewählt. »Eins zu werden mit sich selber. Die Vereinigten auch auf die Subjekte selbst bezogen: Andreas–Maria–der Malteser. Für jeden geht es um das Eins-Werden mit sich selbst.« Ab Winter 1913/1914 sollte zwischen dem Aufenthalt im Finazzer Hof und der Ankunft in Venedig das Abenteuer mit der Witwe an der Aar, der untröstlichen Witwe, eingeschaltet werden. Die

Quelle hierzu ist das Gedicht »Die Geschichte auf der Aar« von Jacob Michael Reinhold Lenz. Im Mai und Juni 1918 las Hofmannsthal des Chevalier Chardin »Voyages en Perse« (Paris 1811) und erfand eine Reise des Maltesers nach Persien. In den zwanziger Jahren verlor sich der Roman in Aufzeichnungen zu einem politisch-historischen ›Nachspiel 1808‹ (Erhebung Österreichs gegen Napoleon) und in ein Trümmerfeld von Notizen. Allerdings wird die Vereinigung mit Romana wieder als Grundmotiv bezeichnet: »Wo immer das Elementare ihn trifft, trifft er sie.«

ZU ›ANDREAS ODER DIE VEREINIGTEN‹

Das Leben des Herrn von Ferschengelder (1910?). Erstdruck: hier zum ersten Mal veröffentlicht. Von Manfred Pape dankenswerterweise aus seinem Editionsmanuskript zur Verfügung gestellt.

Notizen zu der ›Reise des Maltesers nach Persien‹ (1918-1920). Erstdruck: hier zum ersten Mal veröffentlicht. Von Manfred Pape dankenswerterweise aus seinem Editionsmanuskript zur Verfügung gestellt. – Hofmannsthal schwankte zwischen dem Motiv der Selbsttötung Sacramozos (= Sagredo) und dem, ihn eine Reise in den Orient antreten zu lassen.

PRINZ EUGEN DER EDLE RITTER (1915). Teildruck: Neue Freie Presse, Wien, 3. 12. 1915. Erste Buchausgabe: Verlag von L. W. Seidel u. Sohn, Wien 1915. Mit zwölf Originallithographien von Franz Wacik. – Als Kinderbilderbuch geplant. In einem Brief: »Die Absicht ist eine politische... Sie wissen so gut wie ich, was die Franzosen an Belebung des nationalen Gefühles durch ihre Kinderbücher gemacht haben. Sie haben ihre Geschichte, Napoleon, Henri IV., Jeanne d'Arc, in den Kindern leben gemacht. Bei uns nichts dergleichen. Was allenfalls amtlich gemacht wurde, ist niaiserie oder lakaienhaft.«

DIE FRAU OHNE SCHATTEN (1912-1919). Erstdruck: S. Fischer Verlag, Berlin 1919. Von dieser Ausgabe wurden 160 Exemplare bei W. Drugulin, Leipzig, auf handgeschöpftem Bütten abgezogen und von Hofmannsthal numeriert und signiert. – Schon 1912 plante Hofmannsthal neben dem Libretto aus diesem Stoff ein Märchen zu gestalten. Eine Notiz lautet: »Frau ohne Schatten (Märchen) Erst um die Wette / erst in der Kette / leuchtet das Sein / Alle mitsammen / kreisende Lebende / bleiben wir Schwebende / freudig wie Flammen. Diese in der Oper weggelassene Stelle in Prosa zu transcribieren.« Die Ausführung zog sich bis in den Herbst 1919 hin. In einem Brief heißt es: »Es stecken 6 Jahre Arbeit in dem Buch, alle guten reinen Momente, die ich diesen finsteren Jahren entreißen konnte, und eine unsägliche Bemühung.«

DIE ROSE UND DER SCHREIBTISCH (1892). Nachlaß. Erstdruck: Neue Rundschau, 82. Jahrgang, Frankfurt am Main 1971. Erste Buchausgabe: Hugo von Hofmannsthal, Sämtliche Werke, Kritische Ausgabe, Band XXIX, herausgegeben von Ellen Ritter. S. Fischer Verlag, Frankfurt am Main 1978. – Das Prosagedicht, das in der deutschen Literatur seinen ersten großen Ausdruck in Novalis' »Hymnen an die Nacht« fand, wurde in der zweiten Hälfte des 19. Jahrhunderts von den Franzosen Baudelaire (»Poèmes en Prose«), Rimbaud (»Illuminations«) und Mallarmé zu einer hohen Kunstform entwickelt. Bestimmend für Hofmannsthals Formgebung trat die Lektüre der »Gedichte in Prosa« Turgenjews hinzu.

TRAUMTOD (1892). Nachlaß. Erstdruck: Neue Rundschau, 70. Jahrgang, Frankfurt am Main 1959. Erste Buchausgabe: Hugo von Hofmannsthal, Sämtliche Werke, Kritische Ausgabe, Band XXIX, herausgegeben von Ellen Ritter. S. Fischer Verlag, Frankfurt am Main 1978.

DIE STUNDEN (1893). Nachlaß. Erstdruck: Neue Rundschau, 70. Jahrgang, Frankfurt am Main 1959. Erste Buchausgabe: Hugo von Hofmannsthal, Sämtliche Werke, Kritische Ausgabe, Band XXIX, herausgegeben von Ellen Ritter. S. Fischer Verlag, Frankfurt am Main 1978.

INTERMEZZO (1894). Nachlaß. Erstdruck: Neue Rundschau, 70. Jahrgang, Frankfurt am Main 1959. Erste Buchausgabe: Hugo von Hofmannsthal, Sämtliche Werke, Kritische Ausgabe, Band XXIX, herausgegeben von Ellen Ritter. S. Fischer Verlag, Frankfurt am Main 1978.

KÖNIG COPHETUA (1895). Nachlaß. Erstdruck: Hugo von Hofmannsthal, Gesammelte Werke in Einzelausgaben, Aufzeichnungen. S. Fischer Verlag, Frankfurt am Main 1959.

KAISER MAXIMILIAN REITET (1895). Nachlaß. Erstdruck: Hugo von Hofmannsthal, Gesammelte Werke in Einzelausgaben, Aufzeichnungen. S. Fischer Verlag, Frankfurt am Main 1959.

GESCHÖPF DER FLUT – GESCHÖPFE DER FLAMME (1899). Nachlaß. Erstdruck: Botthege Oscure, Quaderno XIX, Rom 1957. Erste Buchausgabe: Hugo von Hofmannsthal, Gesammelte Werke in Einzelausgaben, Aufzeichnungen. S. Fischer Verlag, Frankfurt am Main 1959.

BETRACHTUNG (1899). Nachlaß. Teildruck: Botthege Oscure, Quaderno XIX, Rom 1957. Erste Buchausgabe: Hugo von Hofmannsthal, Gesammelte Werke in Einzelausgaben, Aufzeichnungen. S. Fischer Verlag, Frankfurt am Main 1959.

BEGEGNUNGEN (1916). Nachlaß. Erstdruck: Hugo von Hofmannsthal, Sämtliche Werke, Kritische Ausgabe, Band XXIX, herausgegeben von Ellen Ritter. S. Fischer Verlag, Frankfurt am Main 1978.

ERINNERUNG (1924). Erstdruck in: Navigare necesse est. Eine Festgabe für Anton Kippenberg zum 22. 5. 1924. Insel-Verlag, Leipzig 1924. Erste Buchausgabe: Hugo von Hofmannsthal, Die Berührung der Sphären. S. Fischer Verlag, Berlin 1931. – Ein Prosagedicht, das im traumhaften Rückblick des Fünfzigjährigen seine Erwählung für den Dichterberuf während einer Vorstellung im alten Burgtheater am Michaeler Platz noch einmal vergegenwärtigt.

JUNIABEND IM VOLKSGARTEN (1894). Nachlaß. Erstdruck: Neue Freie Presse, Wien, 25. 12. 1929. Erste Buchausgabe: Loris. Die Prosa des jungen Hugo von Hofmannsthal. S. Fischer Verlag, Berlin 1930. Vgl. den Aufsatz ›Philosophie des Metaphorischen‹ (Reden und Aufsätze I der Taschenbuchausgabe).

EIN BRIEF (1902). Erstdruck: Der Tag, Berlin, 18. und 19. 10. 1902. Erste Buchausgabe: Hugo von Hofmannsthal, Das Märchen der 672. Nacht und andere Erzählungen. Wiener Verlag, Wien und Leipzig 1905. – Hofmannsthal las damals viel in den Werken Bacons und wählte aus dessen »Wisdom of the Ancients« für eine Reihe erfundener Gespräche und Briefe das Motto: »For myself, I expect to appear new in these common things – because, leaving untouched such as are sufficiently plain and open, I shall drive only at those that are deep and rich.« Zu diesen imaginären Gesprächen und Briefen sollten neben einem Gespräch eines jungen Europäers mit einem japanischen Edelmann und einem Abschiedsbrief Alfred de Vignys an den Kronprinzen von Bayern Briefe (!) Philipp Chandos' an Francis Bacon und der Brief des letzten Contarin gehören.

DER BRIEF DES LETZTEN CONTARIN (1902). Nachlaß. Erstdruck: Die Neue Rundschau, 30. Jahrgang der freien Bühne, 11. Heft, Berlin und Leipzig 1929. Erste Buchausgabe: Hugo von Hofmannsthal, Die Berührung der Sphären. S. Fischer Verlag, Berlin 1931.

ZU ›DER BRIEF DES LETZTEN CONTARIN‹

Varianten und Notizen. Sie erschienen jeweils an gleicher Stelle wie der Fragment gebliebene Brief.

ÜBER CHARAKTERE IM ROMAN UND IM DRAMA (1902). Erstdruck: Neue Freie Presse, Wien, 25. 12. 1902. Erste Buchausgabe: Hugo von Hofmannsthal, Unterhaltungen über literarische Gegenstände. Verlag Bard, Marquardt u. Co., Berlin 1904.

DAS GESPRÄCH ÜBER GEDICHTE (1903). Erstdruck: Die Neue Rundschau, 15. Jahrgang der freien Bühne, 1. Band, 2. Heft, Berlin, Februar 1904. Unter dem Titel ›Über Gedichte‹. Erste Buchausgabe: Hugo von Hofmannsthal, Unterhaltungen über literarische Gegenstände. Verlag Bard, Marquardt u. Co., Berlin 1904. Unter dem Titel: ›Über Gedichte. Ein Dialog‹. – Das Gespräch sollte fortgesetzt werden und noch einmal auf Verse Georges aus dessen »Lieder von Traum und Tod« als Beispiele großer Dichtkunst zurückkommen.

UNTERHALTUNG ÜBER DIE SCHRIFTEN VON GOTTFRIED KELLER (1906). Erstdruck: Die Zeit, 5. Jahr, Wien, 3.6.1906. Erste Buchausgabe: Hugo von Hofmannsthal, Die prosaischen Schriften, Zweiter Band. S. Fischer Verlag, Berlin 1907. – Bei den fiktiven Gesprächspartnern könnte Hofmannsthal seine Freunde Leopold von Andrian (»Legationssekretär«) und Clemens von Franckenstein (»Musiker«) sowie seinen Schwager Hans Schlesinger (»Maler«) vor Augen gehabt haben.

UNTERHALTUNG ÜBER DEN »TASSO« VON GOETHE (1906). Erstdruck: Der Tag, Berlin, 15.7.1906. Erste Buchausgabe: Hugo von Hofmannsthal, Die prosaischen Schriften, Zweiter Band. S. Fischer Verlag, Berlin 1907. – Das fingierte Gespräch gestaltet Hofmannsthals Eindruck von einer Tasso-Aufführung im Mai 1906 in Weimar mit Josef Kainz in der Hauptrolle. Hofmannsthal schwebte bei der Gestalt der Baronin Helene des Gesprächs Helene von Nostitz vor, die er im Hause Kesslers am 29. April 1905 kennengelernt hatte, und bei der des Majors Alfred von Nostitz. Eine Notiz über die Prinzessin im »Tasso« lautet: »Wie Goethe diese Figur gefunden haben mag: im Bedürfnis sich selbst zu versichern, daß es so reine lautlos fließende sanfte Strömungen mitten im ungeheuren Meer des Daseins gibt.«

UNTERHALTUNGEN ÜBER EIN NEUES BUCH (1906). Erstdruck: Der Tag, Berlin, 1. und 2.11.1906. Erste Buchausgabe: Hugo von Hofmannsthal, Die prosaischen Schriften, Zweiter

Band. S. Fischer Verlag, Berlin 1907. – Es geht um ›Die Schwestern, Drei Novellen von Jakob Wassermann‹, Anfang Oktober 1906 bei S. Fischer erschienen. Ursprünglich war als Motto ein Wort von Edgar A. Poe geplant: »The mathematics afford no more absolute demonstrations than the sentiment of his art yields the artist.«

DIE BRIEFE DES ZURÜCKGEKEHRTEN (I-V) (1907). Erstdruck: (Brief I-III): Morgen, Wochenschrift für deutsche Kultur, 1. Jahrgang, Berlin, 21. 6., 5. 7. und 30. 8. 1907. Erste Buchausgabe: Hugo von Hofmannsthal, Die Berührung der Sphären. S. Fischer Verlag, Berlin 1931. Erstdruck (Brief IV, V): Kunst und Künstler. Illustrierte Monatsschrift für bildende Kunst und Kunstgewerbe, 6. Jahrgang, 5. Heft, Berlin, Februar 1908 (unter dem Titel: ›Das Erlebnis des Sehens‹). Erste Buchausgabe: Hugo von Hofmannsthal, Die prosaischen Schriften, Dritter Band. (unter dem Titel: ›Die Farben‹) S. Fischer Verlag, Berlin 1907.

FURCHT. DAS GESPRÄCH DER TÄNZERINNEN (1907). Erstdruck: Die Neue Rundschau, 18. Jahrgang der freien Bühne, 2. Band, 10. Heft, Berlin, Oktober 1907 (unter dem Titel ›Furcht. Ein Dialog‹). Erste Buchausgabe: Grete Wiesenthal, Szenen von Hugo von Hofmannsthal. S. Fischer Verlag, Berlin 1911. – In beiden Drucken sowie auch später häufiger unter dem Titel: ›Furcht. Ein Dialog‹. Von Hofmannsthal in einem Brief an Kessler als »das kleine griechische Hetärenstück« bezeichnet. Die Atmosphäre der Szene ist den Gesprächen des Lukian entnommen, mit ihrem spätgriechischen Milieu von Abenteurern, Hetären und Gauklern.

ESSEX UND SEIN RICHTER (1922/1925). Erstdruck: Dramatische Entwürfe aus dem Nachlaß. Johannes-Presse, Wien 1936. Eher als um einen Dramen-Entwurf handelt es sich hier um die Konzeption eines erfundenen Dialogs in Prosa. Die ersten Notizen bereits 1922.

BRIEF AN EINEN GLEICHALTRIGEN [FRAGMENT] (1925). Nachlaß. Erstdruck: Hugo von Hofmannsthal, Gesammelte Werke, Aufzeichnungen. S. Fischer Verlag, Frankfurt am Main 1959. Mit dem Gleichaltrigen ist wohl Martin Buber gemeint. Auf dem Umschlag des Konvoluts: Der natürliche Zustand des Menschen ist Verzweiflung.

SÜDFRANZÖSISCHE EINDRÜCKE (1892). Erstdruck: Deutsche Zeitung, Wien, 12. 11. 1892. Erste Buchausgabe: Die Prosa des jungen Hugo von Hofmannsthal. S. Fischer Verlag, Berlin 1930. – Im September 1892 hatte Hofmannsthal mit seinem Französischlehrer Dubray eine Reise nach Südfrankreich unternommen. Die Rückkehr führte über Genua und – zum ersten Mal – Venedig.

SOMMERREISE (1903). Erstdruck: Neue Freie Presse, Wien, 18. 7. 1903. Erste Buchausgabe: Hugo von Hofmannsthal, Die Berührung der Sphären. S. Fischer Verlag, Berlin 1931. Zwischen dem 19. Juni und 1. Juli 1903 reiste Hofmannsthal über Cortina durch das Ampezzotal nach Vicenza und zurück durch das Val Sugana zum Brenner. Im Zusammenhang mit Giorgone geht es um eine poetische Beschreibung des berühmten Gemäldes »Fête champêtre« im Louvre, das heute Tizian zugeschrieben wird.

AUGENBLICKE IN GRIECHENLAND (1908 und 1909–1914). Ritt durch Phokis. Das Kloster des heiligen Lukas. Erstdruck: Morgen, Wochenschrift für deutsche Kultur, 2. Jahrgang, Nr. 25, Berlin, 19. 6. 1908. – Der Wanderer. – Die Statuen. Erstdruck und zugleich erste Buchausgabe für alle drei Stücke: Hugo von Hofmannsthal, Die prosaischen Schriften, Dritter Band. S. Fischer Verlag, Berlin 1917. – Früchte einer Griechenlandreise mit dem Grafen Kessler und Aristide Maillol (25. 4.–11. 5. 1908). Von Wien über Venedig, Triest, Korfu und Patras gelangte Hofmannsthal nach Athen, wo er am 1. 5. seine Reisegefährten traf. Die beiden ersten Episoden gehen auf einen gemeinsamen Ritt von Ithea nach Delphi und weiter nach dem Kloster des heiligen Lukas in Phokis zurück. ›Der

Ritt nach Phokis‹ wurde unmittelbar nach der Reise geschrieben. ›Der Wanderer‹, 1909 geplant, wurde erst im Sommer und Herbst 1912 ausgeführt. Eine Notiz lautet: »Die Aufhebung des Schicksals dieses einen durch die vielen Schicksale. Unsere Verschuldung. Die Stimmung des raschen Vergehens. Das Traumhafte der griechischen Geschichte.« Hofmannsthal empfing – auch für den erst nach 1914 vollendeten dritten Aufsatz ›Die Statuen‹ – von einem Buch Gilbert Murray's »The Rise of the Greek Epic« (Oxford 1911) große Anregungen. Ihm entnahm er auch das Motto des zweiten Aufsatzes: »Auch für die Hunde gibt es Erinnyen«. Eine späte Notiz zu den ›Statuen‹ lautet: »Man kennt nichts. Ich werde aus diesem Land gehen, ohne es gekannt zu haben. Aber ich habe eine Stunde unter diesen Statuen verbracht, die den tiefsten Menschen in mir aufgeregt hat. Schluß: es ist die tiefste Frage, was einer für die Wirklichkeit erkennt. Ich war unter wirklichen Menschengöttern. Die Kriterien des schwächlichen Lebens sind sekundär.«

GRIECHENLAND (1922). Erstdruck: Prager Presse, 2. Jahrgang, Prag, 5.11.1922. Erste Buchausgabe: Hanns Holdt/Hugo von Hofmannsthal, Griechenland. Baukunst – Landschaft – Volksleben. Einleitung von Hugo von Hofmannsthal. Originalaufnahmen von Hanns Holdt. Verlag von Ernst Wachsmuth AG., Berlin 1922.

REISE IM NÖRDLICHEN AFRIKA (1925). Fez. Erstdruck: Berliner Tageblatt, Berlin, 12.4.1925. Das Gespräch in Saleh. Erstdruck: Neue Freie Presse, Wien, 31.5.1925. Erste Buchausgabe von beiden Stücken: Hugo von Hofmannsthal, Die Berührung der Sphären. S. Fischer Verlag, Berlin 1931. Die dreiwöchige Reise (3.–23. März 1925) führte Hofmannsthal in Begleitung des ihm befreundeten k. u. k. österreichischen Kulturattaché in Paris, Dr. Paul Zifferer, von Paris über Avignon und Marseille nach Casablanca, Marrakesch, Fez wieder zurück nach Paris. Als Motto über der Reise nach Marokko stand ursprünglich ein Satz aus Goethes Schweizerreise im Jahre 1797: »...so ist mir aufgefallen, daß man eigentlich nur von fremden Ländern, wo man mit niemand im Verhältnis steht, eine leidliche Reisebeschreibung machen könnte.«

ZU ›REISE IM NÖRDLICHEN AFRIKA‹

[*Marrakesch*]. Aus einem Brief Hofmannsthals vom 17. 3. 1925 an Ottonie Gräfin Degenfeld. Erstdruck: Hugo von Hofmannsthal/Ottonie Gräfin Degenfeld, Briefwechsel. S. Fischer Verlag, Frankfurt am Main 1974.

SIZILIEN UND WIR (1925). Erstdruck: Neue Freie Presse, Wien, 29. 9. 1925. Erste Buchausgabe: Sizilien, Landschaft und Kunstdenkmäler. Mit einem Geleitwort von Hugo von Hofmannsthal. Originalaufnahmen von Paul Hommel. Verlag F. Bruckmann AG., München 1926. – Nach einer Reise über Neapel (30. 4.), Amalfi, Salerno, Paestum und Syrakus traf Hofmannsthal am 8. Mai 1924 mit Carl J. Burckhardt in Palermo zusammen. Seinem Text voranstellen wollte er Hölderlins Worte:

Was ist es, das
An die alten seligen Küsten
Mich fesselt, daß ich mehr noch
Sie liebe, als mein Vaterland?

LEBENSDATEN

Die in Klammern gesetzten Daten hinter den Bühnendichtungen geben die Zeit von den frühesten Einfällen bis zur Vollendung eines Werks an, bzw. Ort und Tag der Uraufführung.

1874 Am 1. Februar wird Hugo Laurenz August Hofmann, Edler von Hofmannsthal in Wien, Salesianergasse 12 geboren. Als einziger Sohn des Hugo August Peter Hofmann, Edler von Hofmannsthal (1841–1915) und der Anna Maria Josefa von Hofmannsthal, geborene Fohleutner (1852–1904).

1884–1892 Nach gründlicher Vorbereitung durch Privatlehrer Besuch des Akademischen Gymnasiums in Wien (Maturitätszeugnis ›mit Auszeichnung‹ vom 6. 7. 1892). Mit achtzehn Jahren hatte er alles gelesen, was der großen antiken, französischen, englischen, italienischen, spanischen und deutschen Literatur entstammt – auch kannte er die Russen schon als halbes Kind.

1890 Veröffentlichung des ersten Gedichts, des Sonetts:

FRAGE Weitere Gedichte desselben Jahres:
SIEHST DU DIE STADT?, die Sonette:
WAS IST DIE WELT?
FRONLEICHNAM, die Ghasele:
FÜR MICH, GÜLNARE;

Erste Begegnung mit Richard Beer-Hofmann und Arthur Schnitzler.

1891 Bekanntschaft mit Henrik Ibsen; im Literatencafé Griensteidl mit Hermann Bahr und, am gleichen Ort, mit Stefan George.

Hofmannsthal veröffentlicht unter den Pseudonymen Loris Melikow, Loris, Theophil Morren. Erste dramatische Arbeit in Versen, ein fertiger Einakter (»beinah ein Lustspiel«):

GESTERN (Wien, Die Komödie, 25. 3. 1928). Früheste Prosaarbeiten, vor allem Buchbesprechungen zeitgenössischer Autoren wie Bourget, Bahr, Amiel, Barrès. Zum Beispiel:

ZUR PHYSIOLOGIE DER MODERNEN LIEBE

DAS TAGEBUCH EINES WILLENSKRANKEN

Gedichte u. a.:

SÜNDE DES LEBENS

DER SCHATTEN EINES TOTEN

1892 DER TOD DES TIZIAN. Erstdruck in Georges ›Blätter für die Kunst‹, Heft 1, Oktober 1892. (München, Künstlerhaus, 14. 2. 1901, mit einem provisorischen Schluß und neugeschriebenen Prolog: ›Zu einer Totenfeier von Arnold Böcklin‹).

ASCANIO UND GIOCONDA (Vollendung der beiden ersten Akte einer Fragment gebliebenen »Renaissancetragödie«).

Reise durch die Schweiz nach Südfrankreich, zurück über Marseille, Genua, Venedig.

ELEONORA DUSE (I, II)

SÜDFRANZÖSISCHE EINDRÜCKE. Gedichte:

VORFRÜHLING

ERLEBNIS

LEBEN

PROLOG ZU DEM BUCH ›ANATOL‹

Bekanntschaft mit Marie Herzfeld und Edgar Karg.

1893 ALKESTIS (München, Kammerspiele, 14. 4. 1916).
DER TOR UND DER TOD (München, Theater am Gärtnerplatz, 13. 11. 1898).
IDYLLE
DAS GLÜCK AM WEG – AGE OF INNOCENCE (eine stark autobiographische, unveröffentlicht gebliebene Studie). Gedichte:
WELT UND ICH
ICH GING HERNIEDER
Freundschaft mit Leopold von Andrian.
Plan eines »ägyptischen Stücks... mit recht tüchtigen, lebendigen kleinen Puppen« (Das Urteil des Bocchoris).

1894 Tod der mütterlichen Freundin Josephine von Wertheimstein.
Gedichte:
TERZINEN I – IV
WELTGEHEIMNIS
Arbeit an einer freien Übertragung der ›Alkestis‹ des Euripides.
Erstes juristisches Staatsexamen.
Ab Oktober Freiwilligenjahr beim k. u. k. Dragonerregiment 6 zunächst in Brünn, dann in Göding.

1895 DAS MÄRCHEN DER 672. NACHT
SOLDATENGESCHICHTE. Gedichte:
EIN TRAUM VON GROSSER MAGIE
BALLADE DES ÄUSSEREN LEBENS
Reise nach Venedig.
Beginn des Studiums der romanischen Philologie.

1896 GESCHICHTE DER BEIDEN LIEBESPAARE
DAS DORF IM GEBIRGE. Gedichte:
LEBENSLIED
DIE BEIDEN
DEIN ANTLITZ...
MANCHE FREILICH...

1897 Erste Begegnung mit Eberhard von Bodenhausen, dem engsten lebenslangen Freund des Dichters.
Im August Radtour über Salzburg, Innsbruck, Dolomiten, Verona, Brescia nach Varese. Hier Aufenthalt von drei Wochen, eine glückliche ungemein produktive Zeit.
DIE FRAU IM FENSTER
DIE HOCHZEIT DER SOBEIDE
DAS KLEINE WELTTHEATER
DER WEISSE FÄCHER
DER KAISER UND DIE HEXE
DER GOLDENE APFEL

1898 Erste Theateraufführung eines Stücks von Hofmannsthal. DIE FRAU IM FENSTER in einer Matinée-Vorstellung der ›Freien Bühne‹ des Deutschen Theaters in Berlin, 15. Mai (Otto Brahm).
Bekanntschaft mit Harry Graf Kessler und erste Begegnung mit Richard Strauss.
Abschluß seiner Dissertation »Über den Sprachgebrauch bei den Dichtern der Pléjade« und Rigorosum im Hauptfach Romanische Philologie.
Radtour mit Schnitzler in die Schweiz, dann allein nach Lugano, später über Bologna und Florenz (Besuch bei D'Annunzio) nach Venedig.
DER ABENTEURER UND DIE SÄNGERIN (zusammen mit der HOCHZEIT DER SOBEIDE, gleichzeitig: Berlin, Deutsches Theater, Otto Brahm, und Wien, Burgtheater, 18. 3. 1899).
REITERGESCHICHTE

1899 Reisen nach Florenz und Venedig.
DAS BERGWERK ZU FALUN
Bekanntschaft mit Rilke.

1900 In München erste Begegnung mit Rudolf Alexander Schröder und Heymel, den Herausgebern der ›Insel‹, in Paris mit Maeterlinck, Rodin, Meier-Graefe u. a.

DAS ERLEBNIS DES MARSCHALLS VON BASSOMPIERRE

VORSPIEL ZUR ANTIGONE DES SOPHOKLES

1901 DIE »STUDIE ÜBER DIE ENTWICKELUNG DES DICHTERS VICTOR HUGO« legt Hofmannsthal der Wiener Universität als Habilitationsschrift vor, verbunden mit dem Gesuch um die venia docendi.

DER TRIUMPH DER ZEIT (Ballett; März 1900 bis Juli 1901, für Richard Strauss bestimmt, der aber wegen einer anderen Arbeit absagt).

Am 1. Juni Eheschließung mit Gertrud Maria Laurenzia Petronilla Schlesinger.

Am 1. Juli Übersiedlung nach Rodaun bei Wien, wo Hofmannsthal bis zu seinem Lebensende wohnte.

Beginn der Arbeit an POMPILIA (dem ersten »großen Trauerspiel... von solchen Dimensionen und von solchen Anforderungen, wie ich sie noch nie gekannt habe«). Das Problem des Ehebruchs, die Geschichte des Guido von Arezzo und seiner Frau Pompilia, findet Hofmannsthal in Robert Brownings ›The Ring and The Book‹.

Erste Pläne einer Bearbeitung von Sophokles' ›Elektra‹ und Calderons ›Das Leben ein Traum‹.

Zum Jahresende zieht Hofmannsthal sein Gesuch um eine Dozentur zurück.

1902 EIN BRIEF (Chandos-Brief)

In Rom und Venedig Vollendung der ersten Fassung des GERETTETEN VENEDIG.

ÜBER CHARAKTERE IM ROMAN UND IM DRAMA

Geburt der Tochter Christiane.

Erste Begegnung mit Rudolf Borchardt.

1903 DAS GESPRÄCH ÜBER GEDICHTE
Erste Begegnung mit Max Reinhardt. Von ihm angeregt schreibt er
ELEKTRA (September 1901 bis September 1903; Berlin, Kleines Theater, 30. 10. 1903, Reinhardt).
Erste Sammlung AUSGEWÄHLTE GEDICHTE im Verlag ›Blätter für die Kunst‹.
Geburt des Sohnes Franz.

1904 Tod der Mutter (22. März).
DAS GERETTETE VENEDIG (August 1902 bis Juli 1904; Berlin, Lessing-Theater, 21. 1. 1905, Brahm).

1905 ÖDIPUS UND DIE SPHINX (Juli 1903 bis Dezember 1905; Berlin, Deutsches Theater, 2. 2. 1906, Reinhardt).
KÖNIG ÖDIPUS (Übersetzung des Sophokles; München, Neue Musikfesthalle, 25. 9. 1910, Reinhardt).
SHAKESPEARES KÖNIGE UND GROSSE HERREN (Festvortrag in Weimar).
SEBASTIAN MELMOTH

1906 Folgenreiche Begegnung mit Richard Strauss, der die ELEKTRA vertonen will.
UNTERHALTUNG ÜBER DEN ›TASSO‹ VON GOETHE
UNTERHALTUNG ÜBER DIE SCHRIFTEN VON GOTTFRIED KELLER
DER DICHTER UND DIESE ZEIT (Vortragsreise München, Frankfurt, Göttingen, Berlin).
Geburt des Sohnes Raimund.

1907 Reise nach Venedig.
Früheste Beschäftigung mit dem ANDREAS-Romanfragment und den Komödien SILVIA IM ›STERN‹ und CRISTINAS HEIMREISE.
DIE BRIEFE DES ZURÜCKGEKEHRTEN (Juni bis August 1907).
»TAUSENDUNDEINE NACHT«

1907 SILVIA IM ›STERN‹ (Abschluß des Fragments).
Mitherausgeber der Zeitschrift ›Morgen‹ (Abteilung Lyrik). Bis 1908.

1908 Reise nach Griechenland (Athen, Delphi) mit Graf Kessler und Maillol.
Scheitern der Arbeit am FLORINDO, der ersten Fassung von CRISTINAS HEIMREISE. Davon erschienen 1909 revidiert im Druck:
FLORINDO UND DIE UNBEKANNTE und
DIE BEGEGNUNG MIT CARLO

1909 Uraufführung der Oper ELEKTRA in Dresden.
CRISTINAS HEIMREISE (Juli 1907 bis Dezember 1909; Berlin, Deutsches Theater, 11. 2. 1910, Reinhardt).
DIE HEIRAT WIDER WILLEN (Übersetzung des Molière; München, Künstler-Theater, 20. 9. 1910, Reinhardt).
Herausgeber des Jahrbuchs ›Hesperus‹, gemeinsam mit Schröder und Borchardt.

1910 Aufführungen der neuen, gekürzten Fassung von CRISTINAS HEIMREISE in Budapest und – mit großem Erfolg – in Wien.
Als Variation eines Komödien-Szenariums entsteht die Erzählung
LUCIDOR (September 1909 bis März 1910).
DER ROSENKAVALIER (Februar 1909 bis Juni 1910; Dresden, Königliches Opernhaus, 26. 1. 1911, Reinhardt).

1911 ARIADNE AUF NAXOS (Februar bis April 1911; Stuttgart, Königliches Hoftheater, 25. 10. 1912, Reinhardt, in Verbindung mit Molières Komödie DER BÜRGER ALS EDELMANN, von Hofmannsthal bearbeitet).
JEDERMANN (April 1903 bis August 1911; Berlin, Zirkus Schumann, 1. 12. 1911, Reinhardt;

1911 Erstaufführung auf dem Salzburger Domplatz unter Reinhardt am 12. 8. 1920).

1912 JOSEPHSLEGENDE (Pantomime für Diaghilews ›Russisches Ballett‹; von diesem uraufgeführt in der Pariser Oper am 14. 5. 1914).
Aufzeichnung einer Übersicht zum ANDREAS-Roman und Niederschrift des Anfangskapitels.
Zusammenstellung und Einleitung des Bandes
DEUTSCHE ERZÄHLER.

1913 Ausführliches Szenarium und Ausarbeitung des ersten Akts zur Oper DIE FRAU OHNE SCHATTEN. Beginnende Arbeit an der gleichnamigen Erzählung. Neues Vorspiel zur ARIADNE und Weiterarbeit am ANDREAS-Roman.

1914 Kriegsausbruch. Einberufung Hofmannsthals als Landsturmoffizier nach Istrien (26. 7. 1914). Durch Vermittlung Josef Redlichs beurlaubt und dem Kriegsfürsorgeamt im Kriegsministerium zugewiesen.
Veröffentlichungen in der ›Wiener Neuen Presse‹ zum geschichtlichen Augenblick:
APPELL AN DIE OBEREN STÄNDE
BOYKOTT FREMDER SPRACHEN
DIE BEJAHUNG ÖSTERREICHS
WORTE ZUM GEDÄCHTNIS DES PRINZEN EUGEN
BÜCHER FÜR DIESE ZEIT

1915 Intensiver Gedankenaustausch mit dem Freund und Politiker Josef Redlich. In politischer Mission Dienstreisen in die besetzten Gebiete, nach Südpolen (Krakau), Brüssel und Berlin. Weitere Äußerungen zur Zeit:

1915 WIR ÖSTERREICHER UND DEUTSCHLAND
GRILLPARZERS POLITISCHES VERMÄCHTNIS
DIE TATEN UND DER RUHM
GEIST DER KARPATHEN
UNSERE MILITÄRVERWALTUNG IN POLEN
ANTWORT AUF DIE UMFRAGE DES ›SVENSKA DAGBLADET‹
Die ›Österreichische Bibliothek‹, mitherausgegeben von Hofmannsthal, beginnt zu erscheinen.
DIE FRAU OHNE SCHATTEN (Februar 1911 bis September 1915; Wien, Staatsoper 10. 10. 1919, Franz Schalk).
Tod des Vaters (8. Dezember).

1916 DIE LÄSTIGEN (Frei nach Molière) und
DIE GRÜNE FLÖTE (Ballett. Beide Stücke zusammen uraufgeführt: Berlin, Deutsches Theater, 26. 4. 1916, Reinhardt).
AD ME IPSUM (Aufzeichnungen zum eigenen Dichten).
ARIADNE AUF NAXOS (neu bearbeitet, uraufgeführt an der Wiener Oper, 4. 10. 1916).
Arbeit am SOHN DES GEISTERKÖNIGS.
Dienstreise nach Warschau.
Vortragsreise nach Oslo und Stockholm.
Vergleiche dazu
AUFZEICHNUNGEN ZU REDEN IN SKANDINAVIEN.

1917 DER BÜRGER ALS EDELMANN (erneute freie Bearbeitung des Molière; Berlin, Deutsches Theater, 9. 4. 1918, Reinhardt).
Intensive Arbeit an dem Lustspiel DER SCHWIERIGE; zwei Akte bereits vollendet.
Beginn des Briefwechsels mit Rudolf Pannwitz, den Hofmannsthal »als schicksalhaft für sein Leben bezeichnet«.

1918 Hofmannsthal »beschäftigen fast pausenlos« folgende Arbeiten: das Märchen DIE FRAU OHNE SCHATTEN, der ANDREAS-

1918 Roman, DER SCHWIERIGE, SILVIA IM ›STERN‹, LUCIDOR (als Lustspiel) und eine SEMIRAMIS-NINYAS-TRAGÖDIE. Außerdem systematische Lektüre Calderons im Hinblick auf mögliche Bearbeitungen.

DAME KOBOLD (freie Übersetzung des Calderon; Berlin, Deutsches Theater, 3.4.1920, Reinhardt).

Tod seines besten Freundes: Eberhard von Bodenhausen.

Erste Begegnung mit Carl Jakob Burckhardt.

1919 DIE FRAU OHNE SCHATTEN (Erzählung, Dezember 1913 bis August 1919).

DER SCHWIERIGE (Juni 1910 bis November 1919; München, Residenztheater, 8.11.1921).

1920 Beginn der intensiven Arbeit am TURM.

BEETHOVEN-REDE in Zürich.

1921 Intensive Arbeit am TURM (bis an den 5. Akt) und am SALZBURGER GROSSEN WELTTHEATER.

1922 BUCH DER FREUNDE (Sammlung von Aphorismen und Anekdoten, eigene und anderer).

DAS GROSSE SALZBURGER WELTTHEATER (September 1919 bis Juni 1922; Salzburg, Kollegienkirche, 12.8.1922, Reinhardt).

DER UNBESTECHLICHE (Mai bis Oktober 1922; Wien, Raimundtheater, 16.3.1923).

Als Herausgeber der ›Neuen deutschen Beiträge‹ (1922–1927) schreibt Hofmannsthal ein Vorwort und eine Anmerkung zum ersten Heft.

DEUTSCHES LESEBUCH, eingeleitet und herausgegeben von Hugo von Hofmannsthal.

1923 Der fünfte Akt des TURM wird auf eine »vorletzte« Fassung gebracht, dann aber die Arbeit abgebrochen.

Filmbuch für den ROSENKAVALIER (Ur-

1923 aufführung des Films am 10. 1. 1926 in Dresden).

1924 DIE ÄGYPTISCHE HELENA (Dezember 1919 bis März 1924; Dresden, Oper, 6. 6. 1928).
Italienreise, mit Burckhardt in Sizilien.
Beschäftigung mit dem Lustspiel TIMON DER REDNER.
DER TURM, 1. Fassung (Oktober 1918 bis Oktober 1924).

1925 Reise über Paris nach Marseille, von dort mit dem Schiff nach Marokko (Fès, Salé, Marrakech):
REISE IM NÖRDLICHEN AFRIKA.
Beschäftigung mit dem ANDREAS-Roman und Vollendung des ersten Akts von TIMON DER REDNER.

1926 DER TURM (Ausarbeitung und Fertigstellung der neuen, fürs Theater bestimmten Fassung; München, Prinzregententheater, 4. 2. 1928, Kurt Stieler).
DAS SCHRIFTTUM ALS GEISTIGER RAUM DER NATION (am 10. 1. 1927 in der Münchener Universität gehaltene Rede).

1927 Reise nach Sizilien.
Fortführung der Notizen AD ME IPSUM und ANDENKEN EBERHARD VON BODENHAUSENS.
Szenarium zur ARABELLA und Niederschrift des ersten Akts der ersten Fassung.

1928 ARABELLA (Nach der Niederschrift der dreiaktigen lyrischen Oper von April bis November 1928 entschließt sich Hofmannsthal, den ersten Akt zu ändern).

1929 Neufassung des ersten Akts der ARABELLA und Übersendung an Strauss. Dessen Antwort-Telegramm: »Erster Akt ausgezeichnet. Herzlichen Dank und

1929 Glückwünsche«, erlebte Hofmannsthal nicht mehr. (Uraufführung der ARABELLA am 1. 7. 1933 in Dresden.)
Am 13. Juli nimmt sich sein ältester Sohn Franz, zuhause in Rodaun, das Leben. Am 15. Juli, beim Aufbruch zur Beerdigung, erleidet Hofmannsthal einen Schlaganfall, an dem er wenige Stunden später stirbt. Er wird beigesetzt auf dem nahen Kalksburger Friedhof.

Hugo von Hofmannsthal
Sämtliche Werke
Kritische Ausgabe in 38 Bänden
Veranstaltet vom Freien Deutschen Hochstift

Band VIII: Dramen 6
Herausgegeben von
Wolfgang Nehring und
Klaus E. Bohnenkamp. 1983.
748 Seiten. Leinen

Band IX: Dramen 7
Herausgegeben von
Heinz Rölleke. 1990.
352 Seiten. Leinen

Band X: Dramen 8
Herausgegeben von
Hans-H. Lendner und
Hans-G. Dewitz. 1977.
336 Seiten. Leinen

Band XI: Dramen 9
Herausgegeben von
Mathias Mayer. 1992.
888 Seiten. Leinen

Band XII: Dramen 10
Herausgegeben von
Martin Stern in Zusammen-
arbeit mit Ingeborg Haase
und Roland Haltmeier. 1993.
600 Seiten. Leinen

Band XIII: Dramen 11
Herausgegeben von
Roland Haltmeier. 1986.
268 Seiten. Leinen

Band XIV: Dramen 12
Herausgegeben von
Jürgen Fackert. 1975.
664 Seiten. Leinen

Band XV: Dramen 13
Herausgegeben von
Christoph Michel und
Michael Müller. 1989.
350 Seiten. Leinen

Band XVI.1: Dramen 14.1
Herausgegeben von
Werner Bellmann. 1990.
640 Seiten. Leinen

Band XVI.2: Dramen 14.2
Herausgegeben von
Werner Bellmann in
Zusammenarbeit mit
Ingeborg Beyer-Ahlert. 2000.
576 Seiten. Leinen

S. Fischer

fi 555 036 / 2 / b

Hugo von Hofmannsthal
Sämtliche Werke
Kritische Ausgabe in 38 Bänden

Veranstaltet vom Freien Deutschen Hochstift

Band XVII: Dramen 15
Herausgegeben von
Gudrun Kotheimer und
Ingeborg Beyer-Ahlert. 2006.
1.312 Seiten. Leinen

Band XVIII: Dramen 16
Herausgegeben von
Ellen Ritter. 1987.
576 Seiten. Leinen

Band XIX: Dramen 17
Herausgegeben von
Ellen Ritter. 1994.
508 Seiten. Leinen

Band XX: Dramen 18
Herausgegeben von
Hans-Georg Dewitz. 1987.
304 Seiten. Leinen

Band XXI: Dramen 19
Herausgegeben von
Mathias Mayer. 1993.
336 Seiten. Leinen

Band XXII: Dramen 20
Herausgegeben von
Mathias Mayer. 1994.
312 Seiten. Leinen

Band XXIII: Operndichtungen 1
Herausgegeben von
Dirk O. Hoffmann und
Willi Schuh. 1986.
760 Seiten. Leinen

Band XXIV: Operndichtungen 2
Herausgegeben von
Manfred Hoppe. 1985.
318 Seiten. Leinen

Band XXV.1: Operndichtungen 3.1
Herausgegeben von
Hans-Albrecht Koch. 1998.
784 Seiten. Leinen

S. Fischer

fi 555 036 / 2 / c

Hugo von Hofmannsthal
Gesammelte Werke
In zehn Einzelbänden

Herausgegeben von
Bernd Schoeller in Beratung mit Rudolf Hirsch †

Gedichte – Dramen I

1891 - 1898

Gedichte. Gestalten. Prologe und Trauerreden
Idylle. Gestern. Der Tod des Tizian. Der Tor und der Tod
Die Frau im Fenster. Die Hochzeit der Sobeide. Das Kleine
Welttheater. Der weiße Fächer. Der Kaiser und die Hexe
Der Abenteurer und die Sängerin
Band 2159

Dramen II

1892 - 1905

Ascanio und Gioconda
Alkestis. Das Bergwerk zu Falun. Elektra
Das gerettete Venedig. Ödipus und die Sphinx
Band 2160

Dramen III

1893 - 1927

Jedermann
Das Salzburger Große Welttheater. Der Turm
Prologe und Vorspiele. Dramen-Fragmente
Band 2161

Fischer Taschenbuch Verlag

fi 555 098 / 1 / a

Hugo von Hofmannsthal
Gesammelte Werke
In zehn Einzelbänden

Dramen IV

Lustspiele

Mutter und Tochter. Silvia im »Stern«
Cristinas Heimreise. Der Schwierige. Der Unbestechliche
Der Fiaker als Graf. Timon der Redner.
Band 2162

Dramen V

Operndichtungen

Der Rosenkavalier
Ariadne auf Naxos. Die Frau ohne Schatten. Danae
Die Ägyptische Helena. Arabella
Band 2163

Dramen VI

Ballette - Pantomimen - Bearbeitungen - Übersetzungen

Pantomimen zu »Das Große Welttheater«
Sophokles: »König Ödipus«
Molière: »Die Lästigen«; »Der Bürger als Edelmann«
Raimund: »Der Sohn des Geisterkönigs«
Calderon: »Dame Kobold«
Band 2164

Erzählungen - Erfundene Gespräche und Briefe - Reisen

Das Märchen der 672. Nacht
Die Wege und die Begegnungen. Lucidor. Andreas
Die Frau ohne Schatten
Brief des Lord Chandos. Das Gespräch über Gedichte
Augenblicke in Griechenland u. a.
Band 2165

Fischer Taschenbuch Verlag

fi 555 098 / 1 / b

Hugo von Hofmannsthal
Gesammelte Werke
In zehn Einzelbänden

Reden und Aufsätze I

1891 - 1913

Poesie und Leben
Shakespeares Könige und große Herren
Der Dichter und diese Zeit. Eleonora Duse
Schiller. Balzac. Deutsche Erzähler
Goethes »West-östlicher Divan«. Raoul Richter u. a.
Band 2166

Reden und Aufsätze II

1914 - 1924

Rede auf Beethoven. Rede auf Grillparzer
Shakespeare und wir. Ferdinand Raimund
Deutsches Lesebuch. Max Reinhardt
Appell an die oberen Stände. Preuße und Österreicher u. a.
Band 2167

Reden und Aufsätze III

1925 - 1929

Aufzeichnungen

Das Vermächtnis der Antike.
Das Schrifttum als geistiger Raum der Nation
Wert und Ehre deutscher Sprache
Gotthold Ephraim Lessing. Buch der Freunde
Ad me ipsum u. a.
Band 2168

Fischer Taschenbuch Verlag

fi 555 098 / 1 / c

Hugo von Hofmannsthal
Briefwechsel

Hugo von Hofmannsthal – Edgar Karg von Bebenburg
Herausgegeben von Mary E. Gilbert
1966. 255 Seiten. Leinen

Hugo von Hofmannsthal – Rudolf Pannwitz
Briefwechsel 1907-1926
Herausgegeben von Gerhard Schuster
1993. 944 Seiten. 16 Seiten Abb. Leinen

Hugo von Hofmannsthal – Josef Redlich
Herausgegeben von Helga Ebner-Fussgänger
1971. 261 Seiten. Leinen

Hugo von Hofmannsthal –
Christiane Gräfin Thun-Salm
Herausgegeben von Renate Möring
1999. 448 Seiten. Leinen

Hugo von Hofmannsthal – Carl J. Burckhardt
Herausgegeben von
Carl J. Burckhardt und Claudia Mertz-Rychner
Fischer Taschenbuch. Band 10833

S. Fischer

fi 666 046 / 1

Hugo von Hofmannsthal
Briefwechsel

Hugo von Hofmannsthal – Edgar Karg von Bebenburg

Hugo von Hofmannsthal – Rudolf Pannwitz
Briefwechsel 1907-1926

Hugo von Hofmannsthal – Josef Redlich

Hugo von Hofmannsthal –
Christiane Gräfin Thun-Salm

Hugo von Hofmannsthal – Carl J. Burckhardt

S. Fischer